L'état du monde
Annuaire économique
géopolitique mondial
Édition
1999

Les Éditions du Boréal remercient le Conseil des Arts du Canada ainsi que le ministère du Patrimoine canadien et la SODEC pour leur soutien financier.

ISBN 2-89052-922-3
Dépôt légal: 4e trimestre 1998
Bibliothèque nationale du Québec

Diffusion au Canada: Dimedia

L'état du monde

Annuaire économique géopolitique mondial

1999

Éditions La Découverte
Éditions du Boréal

4447, rue Saint-Denis
Montréal (Québec) H2J 2L2

Rédaction

Coordination et réalisation
Serge Cordellier, Béatrice Didiot.

Comité de rédaction
Hélène Arnaud, Bertrand Badie, Rachel Bouyssou, Serge Cordellier, Béatrice Didiot, François Gèze, Yves Lacoste, Jean-François Leguil-Bayart, Gustave Massiah, Alfredo G. A. Valladão, Francisco Vergara.

Rédaction
Mariam Abou Zahab, histoire, sociologie politique, INALCO.
Fariba Adelkhah, CERI-FNSP.
Monica Almeida, *El Universo*, Quito.
Aline Angoustures, historienne, Centre d'histoire de l'Europe du xxe siècle.
Benoît Antheaume, géographe, ORSTOM.
Richard Banégas, politologue, Université Paris-I-Panthéon-Sorbonne.
Martine Barthélémy, politologue, CEVIPOF-FNSP.
Karel Bartošek, historien, IHTP.
Catherine Baulamon, chargée de recherche, OEG, Lyon.
Salah Bechir, journaliste.
Roberte Berton-Hogge, La Documentation française, *Problèmes politiques et sociaux*, série « Russie » (rédacteur en chef).
Romain Bertrand, allocataire de recherche, CERI-FNSP.
Nicolas Bessarabski.
Sophie Bessis, historienne-journaliste.
Diallo Bios, journaliste.
Pierre Boilley, historien, Université Paris-VII-Denis-Diderot.
Emmanuel Bonne, politologue, CERMOC.
Bernard Botiveau, CNRS, CERMOC et Centre de droit de l'Université de Birzeit (Palestine).
Xavier Bougarel, politologue, IEP-Paris.
André Bourgey, géographe, président de l'INALCO.
Pierre Brocheux, historien, Université Paris-VII-Denis-Diderot.
Sabine Cessou, journaliste, *L'Autre Afrique*.
Greg Chamberlain, journaliste, *Caribbean Insight/Haïti Hebdo*.
Véronique Chaumet, La Documentation française, CIDIC.
Cheong Seong-Chang, politologue, Université Kyunghee, Séoul.
Serge Cordellier, directeur de la rédaction de l'annuaire *L'état de la France* (Éditions La Découverte).
Luis Costa Bonino, politologue, Montevideo.
Jérôme Creel, économiste, OFCE.
Jean-Marc Crevoisier, coordinateur de la rédaction de *Construire* (Zürich).
Marie-Agnès Crosnier, économiste, CEDUCEE, *Le Courrier des pays de l'Est*, La Documentation française.
John Crowley, politologue, CERI-FNSP.
Olivier Dabène, politologue, IEP-Aix-en-Provence, CERI.
Dominique Darbon, CEAN, Université Bordeaux-IV.
Pierre-Marie Decoudras, géographe, Université Bordeaux-III.
Renaud Detalle, politologue, Centre français d'études yéménites, Sanaa.
Jean-Michel Dolbeau, politologue, CEAN/IEP-Bordeaux.
Bruno Drweski, historien, INALCO.
André Dumoulin, attaché de recherches, GRIP.
Iman Farag, politologue, CEDEJ, Le Caire.
Jacky Fayolle, économiste, OFCE.
François Féron, journaliste, Brisbane.
Michel Foucher, géographe, OEG, Lyon.
Michel Freyssenet, sociologue, CNRS.
Thomas Fricke, *Manager Magazin*, Hambourg.
Éric Gauvrit, allocataire de recherche, CEAN/IEP-Bordeaux.
Pierre Gentelle, géographe, CNRS.
Désiré Gilsoul, journaliste.
François Grignon, politologue, IFRA, Nairobi.

André Guichaoua, sociologue, Université des sciences et technologies de Lille.
Janette Habel, politologue, IHEAL, CREALC.
Ali Habib, journaliste.
Pierre Haski, *Libération.*
Antoine Huver.
Duncan H. James, économiste, DIAL (Développement et insertion internationale).
Jean Jaulin, économiste, Hong Kong.
Sophie Jouineau, doctorante, IEP-Paris.
Kamal Kara Uglu.
Guy-André Kieffer, *La Tribune.*
Joseph Krulic, historien et politologue, consultant au CERI-FNSP.
Jérôme Lafargue, politologue, CREPAO, Université de Pau et des Pays de l'Adour.
Éric de Lavarène, journaliste.
Christian Lechervy, politologue, INALCO.
Jean-François Legrain, politologue, CNRS, GREMMO-Maison de l'Orient, Lyon.
Gaëlle Le Marc.
Yann Le Troquer, doctorant, IEP-Aix-en-Provence.
Ignace Leverrier, chercheur et consultant.
Philippe L'Hoiry-Labarthe, CREPAO, Université de Pau et des Pays de l'Adour.
Édith Lhomel, CEDUCEE, *Le Courrier des pays de l'Est*, La Documentation française.
Lubomír Lipták, Institut d'histoire de l'Académie slovaque des sciences, Bratislava.
Pierre-Jean Luizard, historien, CNRS, INALCO.
John Maguire, responsable du service en langue anglaise à *Radio France Internationale.*
Roland Marchal, sociologie politique, CERI, CNRS.
Jean-Marie Martin, Institut d'économie et de politique de l'énergie (IEPE)-CNRS, Université de Grenoble.
Giampiero Martinotti, *La Repubblica.*
Catherine Mathieu, économiste, OFCE.
Patricio Mendez del Villar, économiste, CIRAD.
Christine Messiant, sociologue, EHESS.
Francis Mestries, socio-économiste, Université autonome métropolitaine, Mexico.
Éric Meyer, historien, INALCO.
Georges Mink, sociologue, sciences politiques, CNRS, IEP-Paris.
Stéphane Monclaire, politologue, Université Paris-I-Panthéon-Sorbonne, CREDAL.
Tazeen M. Murshid, histoire, sciences sociales, SOAS (School of Oriental and African Studies)-North London University.

CEAN : Centre d'étude de l'Afrique noire ; **CEDAF** (Centre d'études et de documentation africaines) ; **CEDEJ :** Centre d'études et de documentation économique, juridique et sociale ; **CEDUCEE :** Centre d'étude et de documentation sur l'ex-URSS, la Chine et l'Europe de l'Est ; **CERI :** Centre d'études et de recherches internationales ; **CERMOC :** Centre d'études et de recherches sur le Moyen-Orient contemporain ; **CEVIPOF :** Centre d'étude de la vie politique française ; **CIDIC :** Centre d'information et de documentation internationale contemporaine ; **CIRAD :** Centre de coopération internationale en recherche agronomique pour le développement ; **CNRS :** Centre national de la recherche scientifique ; **CREALC :** Centre de recherches sur l'Amérique latine et les Caraïbes ; **CREDAL :** Centre de recherches et d'études de l'Amérique latine ; **CREPAO :** Centre de recherches et d'études des pays d'Afrique orientale ; **EHESS :** École des hautes études en sciences sociales ; **FNSP :** Fondation nationale des sciences politiques ; **GREMMO :** Groupe de recherches et d'études sur la Méditerranée et le Moyen-Orient ; **GRIP :** Groupe de recherche et d'information sur la paix et la sécurité ; **IEP :** Institut d'études politiques ; **IFRA :** Institut français de recherche en Afrique ; **IHEAL :** Institut des hautes études de l'Amérique latine ; **IHTP :** Institut d'histoire du temps présent ; **INALCO :** Institut national des langues et civilisations orientales ; **OEG :** Observatoire européen de géopolitique ; **OFCE :** Observatoire français des conjonctures économiques ; **ORSTOM :** Institut français de recherche scientifique pour le développement en coopération.

Alain Musset, géographe, Université Paris-X-Nanterre, Institut universitaire de France.
Jules Nadeau, spécialiste des questions asiatiques, Montréal.
Ana Navarro Pedro, *Público.*
Alain Noël, politologue, Université de Montréal.
Mathias Éric Owona Nguini, politologue, Université de Yaoundé-II-SOA.
Pierre-Yves Péchoux, géographe, Université Toulouse-Le-Mirail.
Claude Pereira, journaliste, Caracas.
Xavier Pons, Université Toulouse-Le-Mirail.
Patrick Quantin, politologue, CEAN, Bordeaux.
Witt Raczka, politologue, Université de Strasbourg, Université de Syracuse.
Nadège Ragaru, politologue, IEP-Paris, CERI.
Philippe Ramirez, ethnologue, CNRS.
Jean-Christophe Rampal, *Courrier international.*
Oscar Remacle, journaliste.
Élisabeth Robert, anthropologue, Université Charles-de-Gaulle-Lille-III.
Jean-Louis Rocca, sinologue, CERI-FNSP.
Bernard Rougier, CERMOC, Beyrouth.
Kathy Rousselet, CERI-FNSP.
Michel Roux, géographe, Université Toulouse-Le-Mirail.
Olivier Roy, politologue, CNRS.
Jean-François Sabouret, sociologue, CNRS-EHESS (Centre de recherches sur le Japon).
Jean-Luc Schilling, gestionnaire de capitaux, Londres.
Stephen Smith, *Libération.*
Francis Soler, Rédacteur en chef de *La Lettre de l'océan Indien*, Indigo Publications.
Helmut Szpott, politologue, Vienne.
Yves Tomić, historien, Bibliothèque de documentation internationale contemporaine (BDIC).
Comi Toulabor, politologue, CEAN, Bordeaux.
Charles Urjewicz, INALCO, Université Paris-VIII-Saint-Denis.
Francisco Vergara, économiste et statisticien.
Ibrahim A. Warde, politologue, Université de Californie, Berkeley.
Jean-Claude Willame, politologue, Université catholique de Louvain, Institut africain-CEDAF.
Jasmine Zérinini-Brotel, politologue, Université Paris-I, Centre de Sciences humaines, New Delhi.

La réalisation de *L'état du monde* bénéficie de la collaboration scientifique du Centre d'études et de recherches internationales de la Fondation nationale des sciences politiques (CERI-FNSP).
e-mail : http://www.ceri-sciencespo.com

Statistiques

Francisco Vergara.

Cartographie

Bertrand de Brun, Claude Dubut, Martine Frouin-Marmouget, Anne Le Fur, Catherine Zacharopoulou.
AFDEC, 25, rue Jules-Guesde
75014 Paris - tél. 01 43 27 94 39
fax 01 43 21 67 61.
e-mail : afdec@wanadoo.fr

Traductions

Ivan Bartošek (tchèque).
Béatrice Didiot (anglais).
Fenn Troller (allemand).

Graphisme

Maquette intérieure et création typographique :
Agence Achard-Sauvage

Par **Serge Cordellier** *et* **Béatrice Didiot**
Coordinateurs de la rédaction

Crise asiatique, affolements boursiers, chaos russe, blocage du processus de paix israélo-palestinien, préparation de l'introduction de l'euro, démonstrations nucléaires en Inde et au Pakistan, multiplication des conflits en Afrique... l'année 1997-1998 a été marquée par des phénomènes de très grande importance. Paradoxalement, on aura peut-être plus parlé des frasques sexuelles du président de la première puissance mondiale que de certains d'entre eux.

L'état du monde met en perspective les grandes mutations qui affectent la planète, permettant, au-delà de l'écume qui accompagne certains événements, de distinguer les recompositions à l'œuvre. Ainsi voit-on, par exemple, émerger en Afrique un ordre régionalisé autour de plusieurs pôles de puissance : Afrique du Sud, Angola, Ouganda et ses alliés, Nigéria.

En Asie orientale, on aurait tort de considérer que la crise a affecté de la même manière tous les pays. Une analyse plus fine permet de distinguer les différents aspects qu'elle a revêtus, que ce soit au Japon, en Corée du Sud, en Thaïlande, en Indonésie, etc. Et il convient de ne pas considérer la crise financière russe – qui s'est doublée d'une crise politique – comme une simple suite de la crise asiatique. Le chaos russe a ses racines propres. L'introduction de la monnaie unique dans l'Union européenne représente pour sa part un événement historique aux enjeux à la fois intra-européens (car elle modifie la compétitivité des différents pays) et internationaux (l'euro devenant monnaie internationale).

Pour cette dix-huitième édition, *L'état du monde* fait peau neuve. Nouvelle maquette, nouvelle cartographie, mise en couleur... Ces changements concernent également l'organisation de l'ouvrage, conçue pour une consultation plus aisée.

Les synthèses statistiques proposées pour chacun des pays offrent désormais de nouveaux indicateurs, relatifs aux investissements, au solde des transactions courantes, aux échanges de services... Autre innovation, une sélection de plusieurs centaines de sites Internet permet au lecteur d'approfondir sa recherche.

Publié simultanément à Paris et à Montréal, *L'état du monde*, au contenu totalement renouvelé chaque année, se veut un ouvrage à caractère véritablement international. Les règles de traitement de l'information qui président à sa réalisation (refus de favoriser un continent ou un pays par rapport aux autres, rigueur d'analyse et indépendance de jugement à l'égard des pouvoirs) permettent qu'il soit simultanément et intégralement traduit en plusieurs langues.

L'ORGANISATION DE *L'ÉTAT DU MONDE* EST MODIFIÉE, NOTAMMENT EN CE QUI CONCERNE LE CLASSEMENT DES PAYS, DE MANIÈRE À FACILITER LA CONSULTATION.

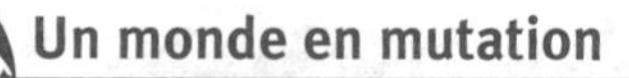

Un monde en mutation

Enjeux et débats,
l'année économique

Enjeux et débats

L'année économique

Tous les pays du monde

Voir aussi la liste alphabétique des pays p. 648

Afrique

Espace post-soviétique

Annexes

70 pages
de documents complémentaires

Présentation

Se repérer dans L'état du monde

Cette 18e édition de *L'état du monde* présente un nouvel agencement, destiné à en faciliter la consultation. A ce changement s'ajoute le renouvellement de la maquette et de la cartographie et l'introduction de la couleur dans l'ouvrage. Le livre est organisé en trois grandes parties :

Un monde en mutation

Ouvrant l'ouvrage, cette partie accorde toute leur importance aux grandes évolutions qui marquent notre temps. Alors que dans les décennies précédentes la « guerre froide » avait octroyé un poids considérable aux réalités militaro-stratégiques et au jeu des États, la situation présente est plus complexe. Des acteurs non-étatiques tiennent désormais un rôle de plus en plus essentiel (que l'on songe aux réseaux de communication, aux firmes transnationales, aux grandes ONG, etc.), laissant parfois deviner l'esquisse d'une « société mondiale ». Cette première partie, « Un monde en mutation », accueille deux sections :

1. Enjeux et débats

Des articles de fond y traitent de questions majeures, qu'elles soient de nature politico-diplomatique, économique, sociale, scientifique et technique... Ainsi sont analysées la crise asiatique et ses retombées, les enjeux (intra-européens et internationaux) de l'adoption de l'euro, l'évolution des « modèles » d'organisation du travail industriel, les défis posés par le contrôle des armes nucléaires...

2. L'année économique

Cette rubrique s'ouvre sur un « Tableau de bord de l'économie mondiale » qui procède à une analyse synthétique de la conjoncture de l'année 1997 et du premier semestre 1998 par grands ensembles d'États : pays industrialisés, pays en développement, pays en transition. Ce tableau global est complété par des études de conjoncture relatives aux matières premières et à la finance internationale.

Tous les pays du monde

Cette deuxième partie offre le bilan complet de l'année écoulée pour chacun des 225 États souverains et territoires sous tutelle de la planète. Les pays sont classés par continents et, à l'intérieur de ceux-ci, par « ensembles géopolitiques ». Ces derniers, au nombre de trente-huit, correspondent à des regroupements permettant des comparaisons et des rapprochements. Pour chaque ensemble géopolitique sont présentées une carte commune, une synthèse statistique et une bibliographie sélective. Une rétrospective statistique (1975, 1985, 1997) ainsi qu'une bibliographie particulière sont en outre proposées pour vingt-cinq pays sélectionnés selon un critère tenant compte de la puissance économique, de la population, de la superficie et de la situation géopolitique.

Pour tous les pays, un article rédigé par un spécialiste dresse un bilan de l'année. Celui-ci analyse les principaux développements politiques, diplomatiques, économiques et sociaux de l'année écoulée. Chaque État souverain est en outre accompagné d'une fiche signalétique comportant de nombreux renseignements institutionnels, ayant trait à l'État, au régime, aux dirigeants, à la monnaie, aux langues parlées, etc.

Annexes

Cette section de soixante-dix pages réunit des tables statistiques : Indicateur de développement humain (IDH), Produit intérieur brut (PIB), population mondiale, ainsi qu'un répertoire très complet des organisations internationales et régionales, une sélection de sites Internet par pays, permettant au lecteur de poursuivre sa recherche, et, enfin, un Index très détaillé et hiérarchisé.

Les ensembles

Afrique

Proche et Moyen-Orient

Asie méridionale et orientale

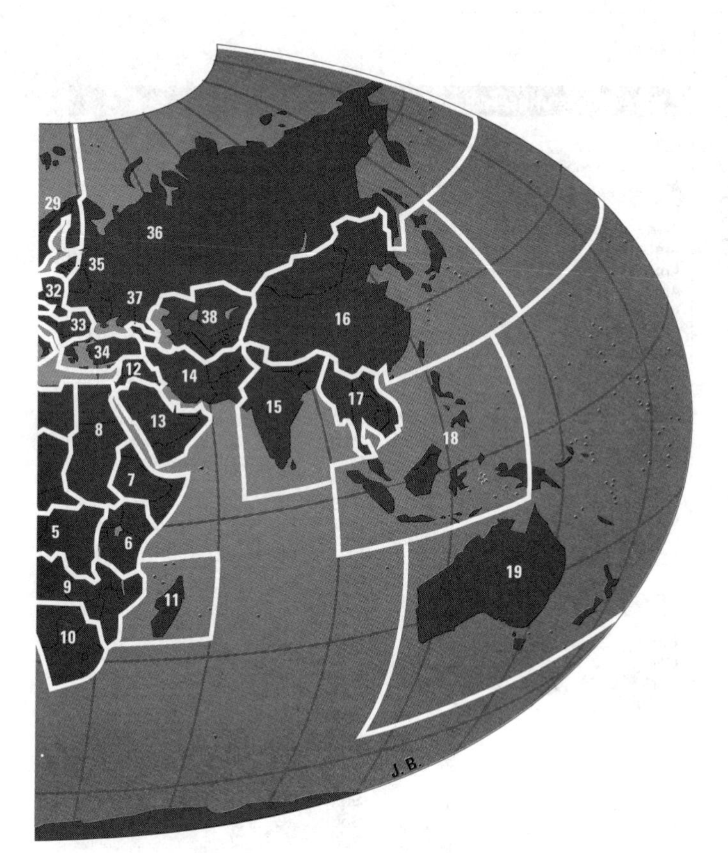

géopolitiques

Abréviations utilisées dans les tableaux statistiques

AELE . . . Association européenne de libre-échange
Afr . . . Afrique
AfS . . . Afrique du Sud
Alena . . . États-Unis, Canada, Mexique
AmL . . . Amérique latine
AmN . . . Amérique du Nord
Arg . . . Argentine
Arm . . . Arménie
ArS . . . Arabie saoudite
Aus . . . Australie
Azer . . . Azerbaïdjan
Bel . . . Belgique
Bul . . . Bulgarie
Bré . . . Brésil
CAEM . . . Conseil d'assistance économique mutuelle
Cam . . . Cameroun
Can . . . Canada
CdI . . . Côte-d'Ivoire
CEE . . . Communauté économique européenne
CEI Communauté d'États indépendants
Chin . . . Chine populaire
Col . . . Colombie
Cor . . . Corée du Sud
CorN . . . Corée du Nord
CROA . . . Croatie
Dnk . . . Danemark
EAU . . . Émirats arabes unis
Esp . . . Espagne
É-U . . . États-Unis
Éth . . . Éthiopie
Eur . . . Europe occidentale
Fin . . . Finlande
Fra . . . France
Gre . . . Grèce
Guad . . . Guadeloupe
h . . . hommes
HK . . . Hong Kong
Indo . . . Indonésie
Irl . . . Irlande
Isr . . . Israël
Ita . . . Italie
Jap . . . Japon
Jord . . . Jordanie
Kaz . . . Kazakhstan
Kén . . . Kénya
kgec kilogrammes équivalent charbon
Kir . . . Kirghizstan
Kow . . . Koweït
(L) . . . Licences
Mal . . . Fédération de Malaisie
Mart . . . Martinique
M-O . . . Moyen-Orient
Nor . . . Norvège
N-Z . . . Nouvelle-Zélande
Pak . . . Pakistan
P-B . . . Pays-Bas
Pbal . . . Pays baltes
PED . . . Pays en développement
PEst . . . Pays de l'Est[b]
PI . . . Pays industrialisés[c]
PIB[a] . . . Produit intérieur brut
PNB[a] . . . Produit national brut
Pns . . . Produits non spécifiés
Pol . . . Pologne
Por . . . Portugal
RD . . . République Dominicaine
Rou . . . Roumanie
RTc . . . République tchèque
R-U . . . Royaume-Uni
RUS . . . Russie
Scan . . . Pays scandinaves + Finlande
Sin . . . Singapour
Slq . . . Slovaquie
Slov . . . Slovénie
Srl . . . Sri Lanka
Som . . . Somalie
Sou . . . Soudan
Suè . . . Suède
Sui . . . Suisse
Taï . . . Taïwan
Thaï . . . Thaïlande
T et T . . . Trinidad et Tobago
Tur . . . Turquie
UE . . . Union européenne
Ukr . . . Ukraine
Vén . . . Vénézuela
Viet . . . Vietnam
Yém . . . Yémen
You . . . Ancienne Yougoslavie
Zbw . . . Zimbabwé

a. Définition p. 27 ; b. Y compris l'ancienne Yougoslavie ; c. Pays de l'OCDE, sauf Turquie, Mexique et Corée du Sud.
Notations statistiques : •• non disponible ; – négligeable ou catégorie non applicable.

Les ensembles géopolitiques

Yves Lacoste
Géographe

Dans cet annuaire, on a choisi de regrouper en « ensembles géopolitiques » les deux cent vingt-cinq États souverains et territoires non indépendants qui se partagent la surface du globe. Qu'entend-on par « ensemble géopolitique » et quels ont été les critères de regroupement retenus ?

Contrairement à ce qui se passait encore au lendemain de la Seconde Guerre mondiale, plus aucun État ne vit aujourd'hui replié sur lui-même. Les relations entre États, en s'intensifiant, sont devenues plus complexes. Aussi est-il utile de les envisager à différents niveaux d'analyse spatiale.

– D'une part, *au niveau planétaire*. Il s'agit des relations de chaque État (ou de chaque groupe d'États) avec les grandes puissances : les États d'Europe occidentale, le Japon, les États-Unis et la Russie. Ces grandes puissances, qui entretiennent des rapports complexes sur les plans politique, économique et diplomatique, possèdent, pour certaines, des « zones d'influence » privilégiées. Il en est ainsi, par exemple, de l'Amérique latine pour les États-Unis, de la région Asie-Pacifique pour le Japon, de son ex-empire pour la Russie.

– D'autre part, dans le cadre de chaque *ensemble géopolitique*. Définir un ensemble géopolitique est une façon de voir les choses, de regrouper un certain nombre d'États en fonction de caractéristiques communes. On peut évidemment opérer différents types de regroupement (par exemple : les « pays les moins avancés », les États musulmans, etc.). On a choisi ici – sauf exception lorsque l'ensemble contient des « États-continents » – des regroupements ayant environ trois à quatre mille kilomètres pour leur plus grande dimension (certains sont plus petits et quelques-uns plus grands).

Considérer qu'un certain nombre d'États font partie d'un même ensemble géopolitique ne veut pas dire que leurs relations sont bonnes, ni qu'ils sont politiquement ou économiquement solidaires les uns des autres (certains d'entre eux peuvent même être en conflit plus ou moins ouvert). Cela signifie seulement qu'ils ont entre eux des relations (bonnes ou mauvaises) relativement importantes, du fait même de leur proximité, des caractéristiques communes jugées significatives et des problèmes assez comparables : même type de difficultés naturelles à affronter, ressemblances culturelles, etc. Chaque État a évidemment, au sein d'un même ensemble, ses caractéristiques propres. Mais c'est en les comparant avec celles des États voisins qu'on saisit le mieux ces particularités et que l'on comprend les rapports mutuels.

Ce découpage en trente-huit ensembles géopolitiques constitue une façon de voir le monde. Elle n'est ni exclusive ni éternelle. Chacun des ensembles géopolitiques définis dans cet ouvrage peut aussi être englobé dans un ensemble plus vaste : on peut, par exemple, regrouper dans un plus grand ensemble qu'on dénommera « Méditerranée américaine » les États d'Amérique centrale et les Antilles et ceux de la partie septentrionale de l'Amérique du Sud. Mais on peut aussi subdiviser certains ensembles géopolitiques, si l'on considère que les États qui les composent forment des groupes de plus en plus différents ou antagonistes : au sein de l'ensemble dénommé « Indochine », le contraste est, par exemple, de plus en plus marqué entre les États communistes (Vietnam, Laos...) et les autres.

On ne peut aujourd'hui comprendre un monde de plus en plus complexe si l'on croit qu'il n'y a qu'une seule façon de le représenter ou si l'on ne se fie qu'à une représentation globalisante. Les grandes « visions » qui soulignent l'opposition entre le *Centre* et la *Périphérie*, le *Nord* et le *Sud*, ce qu'on appelait hier encore l'*Est* et l'*Ouest*, sont certes utiles. Elles apparaissent cependant de plus en plus insuffisantes, parce que beaucoup trop schématiques. Il faut combiner les diverses représentations du monde.

Pour définir chacun des trente-huit ensembles géopolitiques, nous avons pris en compte les intersections de divers ensembles de relief comme les grandes zones climatiques, les principales configurations ethniques ou religieuses et les grandes formes d'organisation économique, car tous ces éléments peuvent avoir une grande importance politique et militaire.

En sus du découpage en trente-huit ensembles géopolitiques, un deuxième type de regroupement a été opéré, par continent ou semi-continent : Afrique, Proche et Moyen-Orient, Asie, Pacifique sud, Amérique du Nord, Amérique centrale et du Sud, Europe, Ex-empire soviétique. On trouvera, en tête des sections correspondantes, des présentations géopolitiques de ces grands ensembles qui permettent d'en saisir à la fois l'unité et la diversité. - **Y. L.** ■

Les cartes

Plusieurs niveaux d'information

Chacun des États souverains et des territoires non indépendants étudiés dans l'ouvrage fait l'objet d'une représentation.

Cette édition comporte en outre des cartes des grands blocs géographiques qui structurent le classement des ensembles géopolitiques : « Afrique », « Moyen-Orient », « Asie méridionale et orientale », « Amérique du Nord », « Amérique centrale et du Sud », « Europe occidentale et médiane ».

Afin de faciliter leur utilisation, une attention particulière a été portée au tracé des frontières, à la localisation des principales villes, ainsi qu'aux délimitations territoriales, administratives et politiques internes à chaque pays (régions, provinces, États, etc.).

En se référant aux p. 20-21, on prendra connaissance du découpage du monde en ensembles géopolitiques, auxquels correspondent les cartes de cet ouvrage *(liste en fin d'ouvrage, p. 647)*. - **Bertrand de Brun, Claude Dubut, Martine Frouin-Marmouget, Anne Le Fur, Catherine Zacharopoulou** ■

Les indicateurs statistiques

Francisco Vergara
Économiste et statisticien

Les définitions et commentaires ci-après sont destinés à faciliter la compréhension des données statistiques présentées dans la partie « Tous les pays du monde ».

On trouvera p. 22 la liste des abréviations et symboles utilisés dans les tableaux.

Démographie

• *Le taux de mortalité infantile* correspond au nombre de décès d'enfants âgés de moins d'un an rapporté au nombre d'enfants nés vivants pendant l'année indiquée. [*Sources principales* : 3 et 6.]

• Le chiffre fourni dans la rubrique *population* donne le nombre d'habitants en milieu d'année. Les réfugiés qui ne sont pas installés de manière permanente dans le pays d'accueil sont considérés comme faisant partie de la population du pays d'origine. [*Sources principales* : 3 et 6.]

• *L'indice synthétique de fécondité* (ISF) indique le nombre d'enfants qu'une femme mettrait au monde, du début à la fin de sa vie, en supposant que prévalent, pendant chaque tranche d'âge de cette vie, les taux de fécondité observés pendant la période indiquée. [*Sources principales* : 3 et 6.]

• *L'espérance de vie* est le nombre d'années qu'un nouveau-né peut espérer vivre (en moyenne) dans l'hypothèse où les taux de mortalité, par tranche d'âge, restent, pendant toute sa vie, les mêmes que ceux de l'année de sa naissance. [*Sources principales* : 3 et 6.]

• *La population urbaine*, exprimée en pourcentage de la population totale, en dépit des efforts d'harmonisation de l'ONU, est une donnée très approximative, tant la définition urbain-rural diffère d'un pays à l'autre. Les chiffres sont donnés à titre purement indicatif. [*Sources principales* : 6, 32 et 33.]

Indicateurs socioculturels

• *L'indicateur de développement humain* (IDH), exprimé sur une échelle allant de 0 à 1, est un indicateur composite. Il prend en compte le niveau de santé, d'éducation et de revenu atteint dans le pays concerné (pour plus de détails : voir p. 580. Voir aussi le classement de tous les pays p. 584 et suiv.). [*Source principale* : 39.]

• *Le taux d'analphabétisme* est la part des personnes ne sachant ni lire ni écrire dans la catégorie d'âge « 15 ans et plus ». [*Sources principales* : 22, 39, 36, 7 et 8.]

• *Le niveau de scolarisation* est mesuré par plusieurs indicateurs. *L'espérance de scolarisation* (inspirée de *l'espérance de vie*) mesure le nombre d'années d'enseignement auquel peut aspirer, pendant sa vie, une personne née pendant l'année si, pendant toute sa vie, prévaut le taux d'inscription par âge de cette année. *Le taux d'inscription dans le secondaire* mesure le nombre d'enfants inscrits dans le secondaire qui appartiennent à la tranche d'âge pertinente divisée par le nombre total d'enfants dans cette classe d'âge. Est donné, pour presque tous les pays, le taux « net » qui exclut les adultes inscrits dans le secondaire et les enfants redoublants au-delà d'un certain âge. Pour les pays en développement (PED), nous avons préféré au taux d'inscription dans le secondaire le taux d'inscription pour la tranche d'âge « 12-17 ans ». Pour l'ensemble des pays, le taux d'inscription au « 3e degré » (niveau universitaire) correspond au nombre d'étudiants divisé par la population ayant 20 à 24 ans. Dans les très petits pays, ce taux n'est pas toujours significatif dans la mesure où une part importante des universitaires étudie à l'étranger. Dans les pays développés, le taux en question peut

Attention, statistiques

Comme pour les éditions précédentes, un important travail de compilation de données recueillies auprès des services statistiques des différents pays et d'organismes internationaux a été réalisé afin de présenter aux lecteurs le plus grand nombre possible de résultats concernant l'année 1997.

Les informations – plus de 40 indicateurs – portent sur la démographie, la culture, la santé, les forces armées, le commerce extérieur et les grands indicateurs économiques et financiers. Pour les 25 États les plus importants au regard de leur puissance économique, leur population, leur superficie ou de leur situation géopolitique, les données pour 1975, 1985 et 1997 sont fournies, afin de permettre la comparaison dans le temps et de dégager certaines tendances. Dans les statistiques du « Commerce extérieur » présentées pour chacun de ces pays, les années 1974 et 1986 ont été retenues afin d'éviter les évolutions les plus brutales, mais passagères, du prix du pétrole et du taux de change du dollar.

Les résultats de 1997 sont présentés pour tous les États souverains de la planète et pour onze territoires non indépendants.

Les décalages que l'on peut observer, pour certains pays, entre les chiffres présentés dans les articles et ceux qui figurent dans les tableaux peuvent avoir plusieurs origines : les tableaux, qui font l'objet d'une élaboration séparée, privilégient les chiffres officiels plutôt que ceux émanant de sources indépendantes (observatoires, syndicats...), et les données « harmonisées » par les organisations internationales ont priorité sur celles publiées par les autorités nationales.

Il convient de rappeler que les statistiques, si elles sont le seul moyen de dépasser les impressions intuitives, ne reflètent la réalité économique et sociale que de manière très approximative, et cela pour trois raisons au moins. D'abord parce qu'il est rare que l'on puisse mesurer directement un phénomène économique ou social : le « taux de chômage officiel », au sens du BIT (Bureau international du travail), par exemple, même lorsqu'il a été « harmonisé » par les organisations internationales, n'est pas un bon outil pour comparer le chômage entre pays différents. Et même lorsqu'on compare la situation dans le temps, il se révèle être un indicateur trompeur, tant il existe de moyens de l'influencer, surtout en période électorale.

Il faut aussi savoir que la définition des concepts et les méthodes pour mesurer la réalité qu'ils recouvrent sont différentes d'un pays à l'autre malgré les efforts d'harmonisation accomplis depuis les années soixante. Cela est particulièrement vrai pour ce qu'on appelle « impôts », « prélèvements », « dette publique », « subventions », etc. De minimes différences de statut légal peuvent ainsi faire que des dépenses tout aussi « obligatoires » partout apparaissent comme des « impôts » dans les comptes d'un pays et comme des « consommations des ménages » dans l'autre. - **Francisco Vergara** ■

refléter le caractère plus ou moins élitiste du système universitaire, voire une forme différente d'organisation de l'enseignement supérieur. [*Sources principales* : 7 et 31.]

• *Livres publiés.* Selon les recommandations de l'UNESCO sur « la standardisation des statistiques internationales concernant la publication de livres (1964) », est considérée comme livre toute publication non périodique, de 49 pages au moins et disponible au public. [*Pour le détail, voir sources* : 7, 11 et 36.]

• L'indicateur relatif aux *adresses Internet* est issu de la Banque mondiale. [*Source* : 5.]

Armées

Les effectifs des différentes armées sont issus du rapport *Military Balance*. [*Source* : 45.]

Économie

La mesure de la production annuelle d'un pays ainsi que l'évaluation de son taux de croissance posent des problèmes philosophiques et statistiques complexes [*voir, à ce propos V. Parel, F. Vergara,* « Revenu national », *Encyclopaedia Universalis, 1996*]. Depuis la fin de la Seconde Guerre mondiale, les différents États tendent à harmoniser les définitions et les méthodes utilisées dans leurs comptabilités nationales. Les comparaisons des données présentées ici n'en doivent pas moins être considérées avec précautions.

• *Le produit intérieur brut* (PIB) mesure la richesse créée dans le pays pendant l'année, en additionnant la valeur ajoutée dans les différentes branches. Cela exige quelques compromis. La valeur ajoutée de la production paysanne pour l'auto-consommation ainsi que celle des « services non marchands » (éducation publique, défense nationale, etc.) sont incluses. En revanche, le travail au noir, les activités illégales (comme le trafic de drogue), le travail domestique des femmes mariées ne sont pas comptabilisés (un homme qui se marie avec sa domestique diminue ainsi le PIB).

• *Le produit national brut* (PNB) est égal au PIB, additionné des revenus rapatriés par les travailleurs et les capitaux nationaux à l'étranger, diminué des revenus exportés par les travailleurs et les capitaux étrangers présents dans le pays.

Certains pays à économie de marché utilisent le PIB comme indicateur de croissance, d'autres utilisent le PNB. Pour les périodes de dix ans et pour des pays suffisamment grands, la différence est, en général, négligeable. Mais pour des pays petits ou très liés à l'extérieur, la différence pour une année donnée peut être considérable. [*Sources principales* : 2, 5, 9, 10, 12, 13, 14 et 15.]

Dans les pays communistes, la production nationale était mesurée par le *Produit matériel net*, le *Produit matériel brut* et le *Produit social global* (pour une définition, voir *L'état du monde* 1996, p. 27). Dans les chiffres présentés cette année, seule la Yougoslavie (Serbie-Monténégro) a encore recours à ces catégories.

Afin de comparer le niveau de richesse atteint par les différents pays, leur PIB doit être exprimé dans une monnaie commune, généralement le dollar des États-Unis (US $). Trois méthodes sont habituellement employées pour convertir les PIB en dollars. La première consiste à utiliser simplement le *taux de change courant* (de l'année en question). Il s'agit d'une méthode assez arbitraire, les taux de change pouvant fluctuer du simple au double d'une année à l'autre sans que les fondamentaux de l'économie aient changé. La deuxième méthode, appelée *méthode de la Banque mondiale*, consiste à transformer les PIB en dollars en utilisant le taux de change moyen des trois dernières années. Comme les taux de change sans rapport avec les fondamentaux durent rarement longtemps, cette méthode permet de « lisser » les fluctuations les plus fortes. Mais le taux de change moyen ne reflète pas très bien les différences de prix d'un pays à l'autre, d'où une troisième méthode dite *à parité de pouvoir d'achat* (PPA), qui utilise un taux de change imaginaire qui rend comparable le prix d'un panier de marchandises (pour une définition plus complète, voir p. 581). Ce sont ces PIB *à parité de pouvoir d'achat* qui sont présentés dans les tableaux des pays et des régions.

• Le *taux d'inflation* indique le pourcentage d'augmentation des prix des biens de consommation, pour le panier d'un ménage représentatif, défini différemment selon les pays. [*Sources principales* : 2, 10, 14, 19 et 30.]

• Par *population active*, on entend, au sens du BIT (Bureau international du travail), la population qui a travaillé – même seulement une heure – pendant la semaine de référence, ainsi que celle qui n'a pas « travaillé » mais était activement à la recherche d'un emploi et immédiatement disponible pour le prendre. Le « travail » en question n'a pas besoin d'être rémunéré. Il exclut cependant les activités illégales et les tâches ménagères du foyer. La population active indiquée dans les rétrospectives consacrées aux 25 pays les plus importants est classée en trois branches : agriculture, industrie et services. L'agriculture comprend la pêche et la sylviculture. L'industrie comprend la production minière, le bâtiment et travaux publics et la production d'eau, gaz et électricité (qui sont des *biens* et non des services, comme on le pense parfois). Les *services* comprennent tout le reste : transport, commerce, banque, assurance, édu-

Principales sources utilisées

1. Perspectives de l'emploi, 1998, OCDE.
2. Principaux indicateurs économiques, mai 1998 (OCDE).
3. World Population Prospects. The 1996 Revision, ONU, 1996.
4. Population and Vital Statistics, n° 1, 1998 (ONU).
5. Banque mondiale, World Development Indicators, 1998.
6. World Population Projections 1994-95 Edition, World Bank, 1995.
7. Annuaire statistique de l'UNESCO 1997.
8. UNCTAD Statistical Pocket Book, ONU, 1994.
9. Statistiques financières internationales, Annuaire 1997 (FMI).
10. Statistiques financières internationales, juin 1998 (FMI).
11. « An International Survey of Book Production During the Last Decades », *Statistical Reports and Studies*, n° 26 (UNESCO).
12. Atlas de la Banque mondiale, 1998.
13. Perspectives économiques de l'OCDE, juin 1998.
14. Séries « Country Profile » et « Country Report » (The Economic Intelligence Unit).
15. Economic Survey of Europe, 1998, n° 1, Commission économique pour l'Europe (ONU).
16. Eurostat, Commerce extérieur, mai 1998.
17. Statistiques de la population active 1976-96 (OCDE).
18. Statistiques trimestrielles de la population active, n° 1, 1998 (OCDE).
19. Bulletins périodiques des postes d'expansion économique (PEE) auprès des ambassades de France dans le monde.
20. Global Development Finance, 1998 (Banque mondiale).
21. Annuaire statistique du commerce international, 1995 (ONU).
22. Compendium of Statistics on Illiteracy, 1995 Edition. Statistical Reports and Studies n° 35, UNESCO.
23. CNUCED, Annuaire statistique du commerce et du développement, 1995.
24. Direction of Trade Statistics, Yearbook 1997 (FMI).
25. Direction of Trade Statistics, mars 1998 (FMI).
26. Statistiques mensuelles du commerce extérieur, mai 1998 (OCDE).
27. Croissance et Emploi, Union européenne, 25.2.98 (CEE).
28. Annuaire de statistiques du travail 1997 (BIT).
29. Population active, évaluations 1950-80, projections 1985-2025, vol. 1-5 (BIT).
30. Perspectives économiques mondiales, FMI, mai 1998.
31. Trends and Projections of Enrolment by Level of Education and by Age, UNESCO, 1993.
32. World Urbanization Prospects, ONU, mai 1997.
33. ONU, Compendium of Human Settlement Statistics, 1995.
34. Le travail dans le monde, vol. IV, Bureau international du travail, 1989.
35. OCDE en chiffres 1998.
36. Statistical Digest, 1990, UNESCO.
37. Energy Yearbook 1995, ONU.
38. État de la population mondiale 1998, FNUAP, 1998.
39. Rapport sur le développement humain 1998, PNUD, 1998.
40. Trends in Developing Economies 1996, Banque mondiale.
41. World Metal Statistics Yearbook, 1998.
42. FAO Quarterly Bulletin of Statistics, 1998/1.
43. FAO Production Yearbook, 1995.
44. FAO Trade Yearbook, 1995.
45. Military Balance, The International Institute for Strategic Studies (IISS), Londres.

cation, police, etc. [*Sources principales* : 1, 13, 17, 18, 28, 29 et 40.]

• Le *taux de chômage* est le rapport entre le nombre de chômeurs et la population active, qui, bien que la définition de base soit la même, est calculé de manière un peu différente dans chaque pays. Pour la plupart des pays développés, les chiffres indiqués sont ceux qui résultent de l'harmonisation partielle effectuée par l'UE et l'OCDE. Cette harmonisation ne permet néanmoins pas de comparer vraiment le niveau de chômage d'un pays à l'autre. Elle ne supprime pas non plus l'effet du « traitement social » du chômage, souvent plus intensif à l'approche des échéances électorales. Pour les pays en développement, il a semblé préférable de ne pas mentionner les chiffres du chômage tellement leur interprétation est délicate. [*Sources* : 1, 2, 17, 18 et 27.]

• *Dette extérieure.* Pour les pays en voie de développement, c'est la dette brute, publique et privée qui est indiquée. Pour certains pays, la dette est essentiellement libellée en dollars, pour d'autres, elle est libellée en francs (suisses et français), en marks, etc. L'évolution des chiffres reflète donc autant les fluctuations des taux de change que le véritable recours à l'emprunt net. [*Sources principales* : 14, 15 et 20.]

• Par *administrations publiques* on entend : 1. les administrations centrales tels l'État et, dans les pays où elle est d'État, nationale, la Sécurité sociale ; 2. les administrations locales : les communes, départements et régions, provinces, États fédérés, communautés autonomes...; 3. les administrations supranationales, comme le Parlement européen, Eurostat, etc. Les statistiques de *dépenses, recettes, solde* ainsi que de *dette* des administrations publiques ne peuvent en aucun cas servir pour évaluer le poids de l'État. Ces chiffres, bien qu'ils soient calculés presque de la même manière (au moins dans les pays de l'Union européenne), ne tiennent pas compte de l'éducation des enfants et de la protection sociale de la même manière. Ces services, bien qu'obligatoires et réglementés dans tous les pays développés, sont dispensés (ou gérés) plutôt par les administrations publiques dans certains pays, plutôt par le secteur privé dans d'autres. Ce qui est compté est donc très variable d'un pays à l'autre. La « dette brute » des administrations publiques n'a aucun rapport avec la « dette extérieure » mentionnée dans les tableaux statistiques relatifs aux pays en développement. Un « solde » négatif ne signifie pas nécessairement que la nation ou le pays est en train de s'endetter. Pour les pays de l'Union européenne est indiqué le niveau de la dette publique selon la définition retenue par le traité de Maastricht.

• Par *production d'énergie*, on entend la production d'« énergie primaire », non transformée, à partir de ressources nationales. Est donc exclue l'« énergie secondaire » (par exemple l'électricité obtenue à partir de charbon, ce dernier ayant déjà été compté comme énergie primaire). Cependant, l'électricité d'origine nucléaire est comptée dans la production d'énergie primaire, même si l'uranium utilisé est importé. L'uranium produit par un pays et exporté n'est, en revanche, pas compté comme énergie primaire. Le bois, qui est une source importante d'énergie dans certains pays en développement, n'est pas compté non plus. La *« consommation »* d'énergie indiquée est celle dite « apparente », c'est-à-dire que le pétrole brut transformé sur place et exporté comme essence est considéré comme faisant partie de la consommation nationale. La consommation d'énergie par habitant est exprimée ici en kg équivalent-charbon (kgec). Le taux de couverture désigne le rapport entre la production nationale et la consommation totale d'énergie, et peut être considéré comme un indicateur approximatif du dégré d'indépendance énergétique. [*Source principale* : 37.]

Échanges extérieurs

Pour les 25 pays considérés dans cet ouvrage comme les plus importants, quatre indicateurs de base relatifs aux échanges extérieurs sont présentés : les importations de services, les importations de biens, les exportations de services et les exportations de biens telles qu'elles sont calculées dans les *balances de paiements*, en appliquant des méthodes communes adoptées par les pays déclarant leurs chiffres au FMI. Pour tous les pays sont par ailleurs présentées les importations et les exportations de biens telles que les communiquent les *Douanes*. Les statistiques des Douanes ont l'avantage d'être très détaillées et rapidement disponibles. Elles ont le désavantage d'être moins significatives pour les comparaisons entre pays, les Douanes d'une nation reflétant son histoire particulière.

• C*ommerce extérieur par produits.* Afin de comparer la composition du commerce extérieur d'un pays à l'autre et de suivre son évolution dans le temps, les marchandises ont été ici regroupées en grandes catégories se fondant sur la nomenclature internationale dite CTCI (Classification type du commerce international). La dénomination « *produits agricoles* » désigne, en plus des produits de l'agriculture, de la sylviculture et de la pêche, les produits des industries agricoles et alimentaires (elle comprend donc les rubriques 0 + 1 + 2 – 27 – 28 + 4 de la CTCI). La dénomination « *produits alimentaires* » désigne les mêmes produits moins les matières premières agricoles, à l'exception des oléagineux (rubriques 0 + 1 + 22 + 4). La dénomination « *produits manufacturés* » désigne, en plus des produits manufacturés au sens courant du mot, les produits chimiques, les machines et le matériel de transport, mais elle exclut les produits des industries agricoles et alimentaires, ainsi que les métaux non ferreux (5 + 6 + 7 + 8 – 68). L'appellation « *minerais et métaux* » ne comprend pas les métaux ferreux (27 + 28 + 68). L'appellation « *céréales* » ne comprend ni le soja ni le maïs. [*Sources* : 21, 26, 23 et 16.]

• *Commerce extérieur par origine et destination.* L'évaluation de la part des différents partenaires commerciaux des pays de l'Afrique au sud du Sahara, des petits pays des Caraïbes, et de quelques pays asiatiques (Myanmar, par exemple) pose des problèmes complexes. Certains de ces pays n'ont pas communiqué leurs chiffres depuis très longtemps ; pour d'autres, les chiffres fournis sont douteux. Leur commerce est donc estimé d'après les statistiques de leurs partenaires.

Le découpage des régions et les noms qui leur sont donnés dans ces tableaux sont ceux utilisés par le Fonds monétaire international (FMI), dans son annuaire *Direction of Trade 1997*. Les découpages et les appellations sont donc différents de ceux retenus par *L'état du monde* dans son classement géopolitique, et ils diffèrent des regroupements utilisés par les Nations unies, la Banque mondiale (et le FMI lui-même dans d'autres analyses). Ainsi, les *pays en développement* (PED) comprennent la Chine, la Corée du Nord et tous les pays ex-socialistes. Sont compris aussi tous les pays « riches » de ces régions (Singapour, Israël, etc.), mais ni la Grèce ni le Portugal. Le *Moyen-Orient* comprend l'Égypte et la Libye (qui ne sont donc pas classées en Afrique) ; il ne comprend ni le Pakistan ni l'Afghanistan. L'*Amérique latine* comprend le Mexique et les territoires européens de l'hémisphère occidental. L'*Asie* ne comprend ni la Turquie ni les ex-républiques soviétiques de ce continent [*Sources* : 13, 23, 24 et 26.]

Cette année ont été introduits deux indicateurs nouveaux concernant les relations avec l'étranger : le *solde des transactions courantes* (total des montants inscrits au crédit moins le total des montants portés au débit des postes des biens, services, revenus et transferts courants), qui indique si un pays est en train de dépenser plus qu'il ne gagne, et – pour les pays développés – la *position extérieure nette* (avoirs extérieurs moins engagements à l'égard de l'étranger), qui indique s'ils sont débiteurs ou créanciers à l'égard de l'extérieur ; il s'agit de la mesure du fardeau (ou du pécule) laissé aux générations futures. - **F. V.** ■

Un monde en mutation

Enjeux et débats

Alors que dans les décennies précédentes la guerre froide avait octroyé un poids considérable aux réalités militaro-stratégiques et au jeu des États, la situation présente est plus complexe. Des acteurs non étatiques tiennent désormais un rôle de plus en plus essentiel, laissant parfois deviner l'esquisse d'une « société mondiale ».

L'Asie orientale connaît-elle une « grande crise » ou, plus simplement, le brutal retournement d'un cycle d'expansion exceptionnel ?

Jean Jaulin
Économiste à Hong Kong

L'abandon d'un ancrage nominal du baht thaïlandais au dollar américain, le 2 juillet 1997, est apparu comme la conjugaison de trois éléments : une crise financière au sens strict, sur fond d'un retournement du cycle des affaires 1985-1995 particulièrement expansionniste, s'inscrivant lui-même dans le contexte d'une crise de développement – ou de maturité – en Asie. L'ampleur de cette crise allait être autrement plus grave qu'envisagé au départ, même si beaucoup d'incertitudes demeurent quant à son évolution possible.

A l'échelle de l'histoire économique depuis l'après-guerre, l'Asie n'en est pas à sa première crise et on en serait resté là si cette crise s'était cantonnée à la Thaïlande ou à la Corée du Sud, voire à l'Indonésie. Tous les pays asiatiques ont en fait connu ces cinquante dernières années des chocs internes ou externes consubstantiels à une croissance exceptionnellement rapide qu'on a parfois tendance à oublier. Depuis les années soixante, l'Asie en développement a ainsi enregistré globalement une croissance moyenne de son revenu par habitant de plus de 5 % par an, et de près du double pour ses échanges extérieurs. Son revenu par habitant aura même doublé en dix ans.

Cette crise a néanmoins frappé par son ampleur, sa contagion à l'ensemble de la région, et enfin par son impact possible sur l'économie mondiale. Sur ce dernier aspect, l'Asie (y compris le sous-continent indien) représente 56 % de la population du monde, 34 % du PIB mondial (en parité du pouvoir d'achat, 29 % aux taux de change courants), 25 % des échanges mondiaux de marchandises et services, et autant pour les investissements directs. Cette crise est donc sans proportion avec celle qu'a connue l'Amérique latine dans les années quatre-vingt, laquelle concernait moins de 5 % du PIB mondial et 4 % des échanges internationaux, *a fortiori* avec celle du seul Mexique fin 1994. Même la grande crise de 1990 des économies planifiées du bloc soviétique en effondrement, pourtant historiquement spectaculaire, concernait moins de 10 % du PIB mondial et environ 5 % des échanges commerciaux.

L'ampleur de la crise

L'ampleur de la crise en Asie orientale (hors le sous-continent indien, beaucoup moins gravement touché) se mesure par trois chiffres pour s'en tenir aux seules conséquences du choc de 1997 : l'évolution du PIB, l'effet patrimoine et le risque bancaire.

Le PIB de l'Asie de l'Est, hors Japon, exprimé en dollars constants, devait selon les prévisions diminuer en 1998 d'au moins 240 milliards de dollars par rapport à son niveau de 1996, soit un recul de 10 %. La contraction réelle aura en outre été masquée par la résistance de la Chine qui devait enregistrer pour cette année une croissance de 6 % à 7 %. Hors Chine et Hong Kong, la contraction devait en fait atteindre un peu plus de 400 milliards de dollars, soit l'équivalent du tiers du niveau de 1996. La Corée du Sud devait ainsi probablement être en recul de 38 % et l'ensemble des pays de l'ANSEA (Association des nations du Sud-Est asiatique) de 32 % en moyenne. Le Japon lui-même a connu au premier semestre 1998 une contraction de son PIB réel de 3,5 %, à laquelle s'est ajoutée une dépréciation monétaire de 10 % au premier semestre, soit au total une contraction qui pouvait atteindre 600 milliards de dollars, montrant par ce seul chiffre pourquoi la crise japonaise a autant amplifié celle des pays émergents de la région.

L'effet patrimoine est encore plus saisissant si on prend en considération les seuls indices boursiers et immobiliers des huit pays émergents les plus touchés (Corée du Sud, Thaïlande, Indonésie, Philippines, Malaisie, Taïwan, Singapour, Hong Kong). Leurs capitalisations boursières se sont contractées de 25 % à 90 %, soit 1 000 milliards de dollars entre le pic de 1997 et juillet 1998, l'équivalent d'un peu plus de 65 % du PIB des pays considérés. Sur le plan immobilier, la baisse des prix a été proportionnelle aux perspectives de vacances de bureaux prévues pour 1999 compte tenu de mises sur le marché en 1997-1999 équivalentes à celles de la période 1987-1996. La baisse moyenne de prix, de 40 % à 50 %, représente au minimum un an et demi de PIB dans une région où l'immobilier est le symbole d'une pression démographique forte et de systèmes de santé et de retraite encore balbutiants.

Ce sont probablement l'état des dettes et l'impact des créances douteuses sur les bilans bancaires qui sont la principale source de préoccupation. La décennie précédente avait vu le boom du crédit (+ 22 % l'an) porter les ratios crédit/PIB de 157 % (Thaïlande et Hong Kong) à 134 % en Corée du Sud, contre moins de 40 % dans l'Amérique latine du début des années quatre-vingt. On a ainsi estimé que les dettes totales, internes et externes, se monteraient en 1998 à 3 545 milliards de dollars pour la région (dont, il est vrai, 1 175 milliards pour la seule Chine dont les mauvaises créances sont estimées à 30 % des crédits bancaires). Alors que la dette extérieure inquiète surtout dans sa composante court terme, en Indonésie essentiellement, les dettes internes se monteraient à 2 842 milliards de dollars, soit 130 % du PIB de la région avec des pics inquiétants en Corée du Sud (189 %), Thaïlande (177 %) et Malaisie (172 %). On estime ainsi que le pic des mauvaises créances devrait atteindre dans la région 520 milliards de dollars en 1999 (un peu plus au Japon même), avec des ratios pouvant s'élever à 75 % des crédits bancaires en Indonésie et 50 % en Corée et Thaïlande, trois pays dont le risque systémique bancaire est évalué comme fort, voire extrêmement fort pour l'Indonésie.

Les facteurs de contagion à toute l'Asie

La crise thaïlandaise n'a pas vraiment surpris les analystes qui avaient diagnostiqué un ajustement plus ou moins brutal du baht thaïlandais, jugé surévalué compte tenu d'un déficit courant de 8 % du PIB en 1995, et encore de 7,8 % en 1996. De même la Corée du Sud et l'Indonésie faisaient l'objet d'une surveillance attentive en raison du poids des créances à court terme qui s'accumulaient beaucoup trop vite en comparaison des performances à l'exportation. La rapidité de l'enchaînement des crises de change, puis boursières, puis de liquidités, et enfin d'endettement a par contre surpris tous les observateurs.

Trois variables expliquent la rapide contagion de cette crise à toute l'Asie.

1. Les fortes interdépendances financières dans le contexte d'une « panique » des marchés directement proportionnelle à l'ampleur de la globalisation financière mondiale et d'une libéralisation des marchés financiers mal contrôlée. Les enga-

gements bancaires non répertoriés ont ainsi fait doubler en quelques semaines la dette extérieure privée indonésienne. Il en a été de même pour les dettes croisées en Corée du Sud. La crise thaïlandaise de juillet 1997 a en fait déclenché un phénomène de panique auto-entretenue qui s'est traduit par une sortie massive de capitaux de l'ensemble de l'Asie au fur et à mesure que le doute s'installait, pays après pays, sur leur capacité à maintenir le taux de change et sur la solvabilité des emprunteurs privés. Comme l'indique bien l'économiste américain Paul Krugman, la vraie raison de la panique a très probablement résidé dans la croyance des marchés que les dettes privées étaient *de facto* garanties par les États. Or, ces États ont aussi fait faillite. Dès lors, la pyramide de crédits s'est inversée sous la poussée des attaques spéculatives des « *hedge funds* ». Les anticipations de dévaluation inéluctable ont ajouté un second mouvement de panique, local cette fois, pour couvrir au plus vite des dettes en devises à court terme qui avaient doublé en trois ans. La crise japonaise qui s'est précisée en octobre a enfin accentué la crise de liquidités fin 1997 par un retrait substantiel des banques japonaises, alors que ces dernières assuraient le tiers des financements externes de l'Asie en développement, et même 56 % pour la Thaïlande.

2. On a ensuite sous-estimé les interdépendances productives et commerciales d'une zone dont les échanges régionaux atteignent désormais plus de 40 % des flux commerciaux de chaque pays, le double du niveau de la décennie antérieure. Ce mécanisme joue de deux façons. D'abord par la demande externe adressée à chaque pays, avec une contraction en spirale de la demande régionale : la chute des importations des pays les plus en crise (– 36 % à – 40 % pour la Corée du Sud, l'Indonésie et la Thaïlande au premier semestre 1998) a affecté les exportations des autres pays de la région et notamment du Japon et de la Chine, et donc ensuite leurs propres ex-

Graphique 1

Évolution du PIB des pays émergents d'Asie 1960-2000[a]

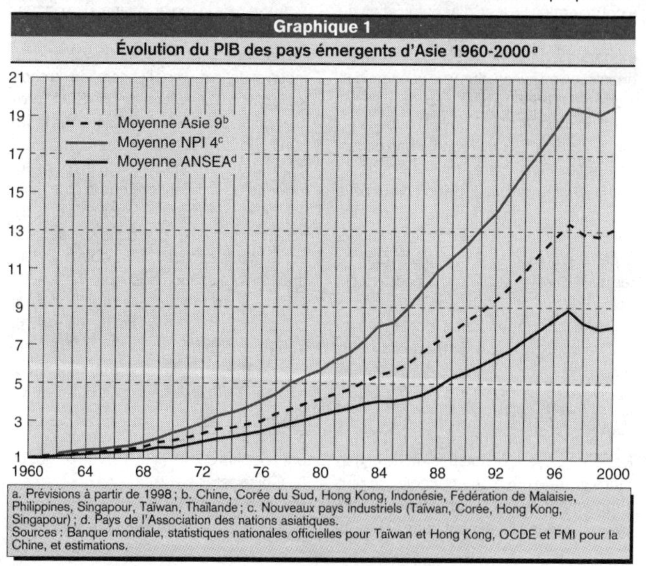

a. Prévisions à partir de 1998 ; b. Chine, Corée du Sud, Hong Kong, Indonésie, Fédération de Malaisie, Philippines, Singapour, Taïwan, Thaïlande ; c. Nouveaux pays industriels (Taïwan, Corée, Hong Kong, Singapour) ; d. Pays de l'Association des nations asiatiques.
Sources : Banque mondiale, statistiques nationales officielles pour Taïwan et Hong Kong, OCDE et FMI pour la Chine, et estimations.

portations. Ensuite, par la déflation : la dévaluation moyenne de 35 % des cinq pays les plus touchés s'est conjuguée à des surcapacités importantes nées du boom de l'investissement 1990-1995 pour transmettre une chute des prix à l'ensemble de la région. C'est le cas pour l'acier, la pétrochimie, l'électronique, l'automobile, etc. Taïwan a ainsi été fortement touché par la crise des prix de l'électronique ou de la sidérurgie coréenne. Cette dernière a également menacé les producteurs chinois qui ont intenté une action antidumping vis-à-vis de Séoul, mais qui ont autant de griefs vis-à-vis du ciment thaïlandais ou de la pétrochimie indonésienne.

3. La similitude des régimes de croissance de la plupart des pays au cours de ce cycle des affaires explique enfin la perception que sa remise en cause gagnerait tous les pays. C'est ainsi que derrière le leitmotiv sur les « bons fondamentaux » des « bons élèves » asiatiques, l'analyste lucide repérait trois défauts beaucoup plus importants à court terme : l'excès d'accumulation du capital qui avait conduit à une chute de son efficacité à partir de 1993 ; sa mauvaise orientation en raison d'un vice économique – un coût d'endettement en dollars en général négatif – et d'un vice politique – le fameux « cronisme » ou règne d'une oligarchie politico-financière ; enfin une perte de compétitivité structurelle de nombreux pays de la région en raison de la montée en puissance de la Chine. Or l'inflation des coûts et certains obstacles à la montée en gamme (en main-d'œuvre qualifiée et capacités technologiques notamment) gênaient leur compétitivité tant face au Japon (dont le yen retombait progressivement) que face aux entreprises américaines et européennes qui avaient fait de rapides gains de productivité au début des années quatre-vingt-dix.

Dans ces conditions, s'agit-il d'une « grande crise », et notamment de la dernière grande crise du XXe siècle, ou plus simplement du retournement brutal d'un cycle d'expansion exceptionnel ? Les incertitudes pesant sur l'évolution de la crise en Asie se reflètent bien dans les prévisions d'experts qui n'ont cessé d'être orientées à la baisse mois après mois. Ainsi, les prévisions de croissance réelle pour la région (hors Japon) en 1998 sont passées de + 4 % en janvier à + 2 % en avril et à – 2 % en août. Hong Kong, par exemple, était en août crédité par la plupart des experts d'une récession de 3 % à 5 % pour les deux prochaines années alors que l'OCDE avait choqué les autorités en publiant en début d'année un chiffre de + 0,9 % pour 1998. Au sein de l'ANSEA, plus aucun pays n'était à la mi-1998 désormais en positif à l'exception du Vietnam, alors que Singapour, les Philippines et même la Malaisie étaient encore crédités de 1 % à 2 % de croissance en avril. Deux séries d'incertitudes empêchent pour l'instant de distinguer clairement le ou les profils de sortie de crise.

Jusqu'où ira la contagion ?

Au sein de la région même, deux inconnues de poids, plus ou moins liées, ont rendu les perspectives opaques : l'évolution du Japon et donc du yen ; l'absorption du choc régional par une Chine fragile. Sur le premier point, il est devenu évident que le Japon traverse une crise assez importante, moins du reste dans son secteur manufacturier compétitif (encore que la globalisation croissante frappe désormais une entreprise sur deux), que dans son secteur abrité et des services, incapable d'engendrer une croissance postindustrielle suffisante. Or, son impact allait tirer le yen à la baisse avec deux seuils fatidiques : 145 et 165 yens/dollar. Si le yen devait chuter autour de 165, on doit craindre un effet de domino par les taux de change, la déflation, les flux commerciaux et les flux financiers, sachant que l'économie japonaise représente encore plus de 50 % du PIB de la région. La Chine serait en ce cas particulièrement touchée. A la mi-1998, l'impact de la crise y était d'ores et déjà estimé à près de

2 points de croissance en moins (6 %-7 % au mieux contre 8 %-9 % dans les estimations de décembre 1997). Avec une aggravation de la crise régionale, la croissance semblait pouvoir alors tomber autour de 5 %, un seuil jugé critique pour l'emploi et la stabilité sociale. Une dévaluation à chaud du yuan, entraînant probablement le peg de Hong Kong, deuxième place financière d'Asie, ne pourrait que provoquer une nouvelle vague d'instabilité dans la région et une onde de choc sur l'économie mondiale d'une ampleur accrue.

Sur ce plan, la contagion hors d'Asie a d'abord touché les autres pays émergents, la Russie et l'Amérique latine en premier lieu, en raison de leurs faiblesses propres. Elle a plutôt accentué ensuite la surchauffe aux États-Unis et accompagné l'expansion en Europe grâce au retour abondant de capitaux vers ces deux zones, alors que l'ajustement commercial et par les prix de production agissait bien plus lentement. Ses effets ont néanmoins commencé à se faire sentir sur l'économie américaine (l'Asie représentant 25 % des exportations des États-Unis et 35 % de ses importations, contre 16 % et 25 % respectivement pour l'Europe). Au creusement d'un déficit commercial historique (bien plus important, du reste, en volume) s'est ajoutée une morsure significative de la déflation asiatique sur les profits des sociétés américaines dans les secteurs sensibles à la concurrence asiatique (électronique). Le poids des exportations avec l'Asie ne compte toutefois que pour 2,5 % du PIB américain de sorte que le problème essentiel est plutôt l'arrêt graduel ou brutal de la surchauffe interne. Les exportations vers l'Asie ne représentant que 2,2 % du PIB de l'Europe, celle-ci devrait être moins touchée que les États-Unis. Mais les interdépendances mondiales sont telles que la forte contribution des exportations à la croissance européenne va avoir besoin d'un relais interne. En positif, l'abondance du retour des capitaux en Europe a garanti de bas taux d'intérêt et la forte complémentarité des échanges avec l'Asie procure un gain de termes de l'échange pour les consommateurs. Une aggravation de la crise en Asie aurait toutefois un effet négatif bien

Graphique 2

Taux de croissance annuel du PIB des pays d'Asie 1960-2000[a]

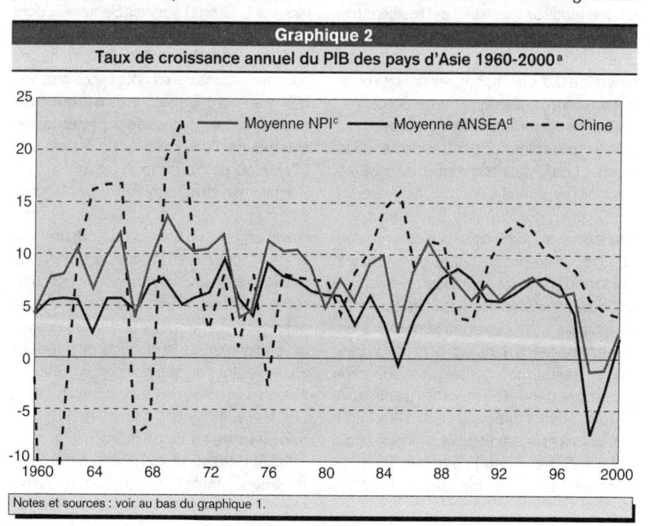

Notes et sources : voir au bas du graphique 1.

plus significatif au travers du marché américain d'une part, par la pression accrue des exportations et de la déflation asiatiques d'autre part, enfin par la fragilisation des zones émergentes qui vivent autour des deux grands pôles de l'économie mondiale. C'est d'une certaine manière ce qui s'est produit avec la crise financière russe et son impact sur l'Allemagne, à quelques mois du lancement de l'euro.

A quand la reprise ?

La crise de l'économie réelle ne fait en réalité que commencer. Après une phase financière toujours plus rapide et plus brutale, a débuté le temps des politiques de stabilisation et des ajustements structurels.

La qualité de ces politiques dans le passé a fait couler beaucoup d'encre. Une gestion rigoureuse des grands équilibres macro-économiques aurait été compromise par une mauvaise gestion de la sphère micro-économique et serait à l'origine de la crise, aussi bien au Japon qu'ailleurs. La gestion conjoncturelle de la stabilisation a paru (au moins dans un premier temps) plutôt une réussite : l'inflation est restée étonnamment faible en comparaison des dépréciations monétaires (moins de 10 % en moyenne dans la région), les déficits budgétaires sont également restés contenus, jouant même un léger rôle contracyclique grâce aux surplus budgétaires du début de la crise. Les facteurs de soutien de l'activité frappent néanmoins par leur faiblesse. Ils sont, hélas, peu tournés vers les demandes intérieures en raison de la multiplication des faillites d'entreprises petites et moyennes qui a réduit l'impact des mesures de stimulation. Le sauvetage des systèmes bancaires devrait en outre peser fortement sur les dettes publiques dans la prochaine décennie et limiter par conséquent les programmes d'investissements publics. A l'exportation, l'importance des flux intra-asiatiques et le *credit crunch* (absence de crédits de trésorerie) devraient limiter le schéma mexicain de reprise par l'exportation (+ 35 % par an vers les États-Unis en 1995). Les exportations asiatiques sont en fait apparues en recul de 3 %-4 % au premier semestre 1998. La pression de la dette extérieure à court terme devait néanmoins forcer ces pays à dégager immédiatement des surplus courants, qui ont donc été obtenus plutôt par une chute des importations, réduisant d'autant le marché régional. Il n'en reste pas moins que la formidable inversion des déficits courants en quelques mois (au rythme de 200 à 250 milliards de dollars par an pour toute la région, Japon compris) semble en mesure d'assez rapidement resolvabiliser la plupart des pays dès 1999. En outre, si les capitaux bancaires ne paraissent pas près de retourner en Asie, les estimations de l'OCDE ont confirmé que la vague de privatisations et de fusions-acquisitions, initiée par un bas prix des actifs et la restructuration forcée des groupes asiatiques, pourrait permettre à l'investissement direct de compenser en grande partie la diminution des crédits bancaires (pour le premier semestre 1998, 95 grandes opérations de fusion-acquisition ont été repérées par le Crédit Lyonnais Securities, dont 42 pour la seule Corée du Sud).

Comparées à l'ampleur de la tâche, les réformes structurelles ont avancé plus vite qu'on ne l'a cru. Elles sont restées quelques mois de simples lettres de papier en raison notamment d'une certaine incrédulité face à l'ampleur de la crise (bien exprimée par le Premier ministre malaysien le Dr Mahatir). Son aggravation a vite imposé leur accélération comme en Corée du Sud, en Thaïlande, mais aussi en Indonésie. La réforme des systèmes financiers locaux a connu un vaste mouvement en profondeur avec une ouverture aux banques étrangères et une rationalisation de la myriade de banques locales autour de quelques grands établissements en cours de restructuration. De ce point de vue, le vaste plan de restructuration bancaire annoncé par la Thaïlande le 14 août 1998 allait désormais servir de point de repère à toute la région. Le renouvellement des équipes politiques et l'ouverture aux entreprises étrangères ont ensuite créé un environnement propice à une meilleure gouvernance d'entreprise. D'autant que de nombreux groupes protégés sont tombés en faillite et que les autres sont obligés de rationaliser des structures conglomérales inefficaces. La vraie inconnue de 1999 reste l'assainissement des passifs bancaires avec des créances douteuses qui représentent jusqu'à 50 % du PIB dans les pays les plus en crise. Ces dettes privées ne semblent pas pouvoir être facilement apurées par la mise en place d'une structure de défaisance généralisée en raison de l'aléa moral que cela représente (non-sanction des responsables de ce surendettement). Or, ces mêmes responsables apparaissent rétifs à des solutions de marché comme le rachat des sociétés à leur valeur de marché, c'est-à-dire, il est vrai, au niveau déprimé des Bourses et des monnaies. C'est ce que l'on a observé avec les *chaebols* en Corée, par exemple, ou chez les barons de l'immobilier, à Hong Kong.

A la mi-1998, il ne faisait pas de doute que la crise asiatique allait s'étendre sur trois à cinq ans selon les pays. Mais il va être ainsi de plus en plus difficile d'en faire abstraction tant en raison de ses dangers de contagion ou de dépression, que de ses opportunités d'implantation durable là où l'épargne européenne a financé hier un des cycles d'affaires les plus prononcés de l'histoire du XXe siècle. Car les réserves de croissance restent considérables dans cette région et la crise devrait lui donner des structures de développement encore plus efficaces. ■

La création de l'euro recèle plusieurs niveaux d'enjeux, certains internationaux, d'autres intra-européens

Jérôme Creel, Catherine Mathieu, Jacky Fayolle
Économistes à l'OFCE

La création de l'euro, c'est-à-dire le passage, à compter du 1er janvier 1999, de onze pays à une monnaie unique, constitue une innovation qui peut modifier de façon substantielle le fonctionnement du système monétaire international (SMI). En termes de PIB, les onze pays de l'euro représentaient fin 1997 80 % de celui des États-Unis et le double de celui du Japon. Leur degré d'ouverture moyen, hors Union européenne (UE), était de l'ordre de 14 % du PIB, contre 23 % pour la France ou l'Allemagne, et 28 % pour la moyenne des pays de la zone. L'avènement de l'euro amène à se poser trois questions. Tout d'abord, quelle sera sa place sur la scène financière internationale ? Ensuite, quelle sera sa parité et son corollaire : l'euro sera-t-il fort ou faible ? Enfin, l'euro sera-t-il plus volatil que les monnaies des pays européens ?

L'euro face au dollar

De nombreux doutes planaient encore en 1998 sur la future place de l'euro dans le SMI. Sera-t-il en mesure de détrôner le dollar, tout du moins de le concurrencer en provoquant une recomposition des portefeuilles privés et des réserves des banques centrales ? Rien n'est moins sûr. Dans des marchés financiers globalisés et liquides, les grandes fonctions de la monnaie (unité de compte, intermédiaire des échanges et réserve de valeur) peuvent être remplies par des monnaies différentes. Ainsi, rien n'oblige un pays échangeant des biens avec des pays européens à régler ses transactions en euros. De même suffit-il de faire varier les réserves libellées en monnaie Z de manière adéquate pour maintenir la parité entre les monnaies X et Y.

Trois éléments permettent d'expliquer l'attrait des investisseurs (institutionnels ou privés) pour une devise : son rendement, sa liquidité et le souci de diversification du portefeuille, auxquels s'ajoutent le risque de change et les moyens de se couvrir contre lui. Le problème du rendement d'une devise ne se distingue pas de celui de la politique menée par la Banque centrale européenne (BCE) ; il dépend cependant aussi du déséquilibre entre les offres et les demandes pour cette devise, donc en quelque sorte de la liquidité du marché.

La liquidité du marché de l'euro semble assurée : fin 1996, 25 % des encours de prêts internationaux et des avoirs extérieurs des banques étaient libellés dans les devises des pays de la future zone euro ; en 1995 et 1996, 30 % des émissions d'obligations étaient émises dans ces mêmes devises. Si ces chiffres ne peuvent pas arithmétiquement être transposés à l'euro, ils constituent une première approximation du poids de l'euro dans le SMI. Ce poids augmentera-t-il dans les prochaines années au détriment du dollar ? L'argument, souvent avancé, selon lequel les banques centrales européennes détiennent trop de dollars n'est pas valable [*Le Cacheux, 1998*] : la partie des réserves des banques centrales européennes qui est constituée de devises européennes va rejoindre les contreparties internes de la masse monétaire européenne.

La BCE ne devrait donc pas réduire un peu plus ses réserves en vendant les dollars détenus, à moins qu'elle n'adopte une position d'indifférence vis-à-vis de la parité entre l'euro et le dollar (*benign neglect*). Ainsi, on ne doit pas s'attendre à un afflux de dollars sur les marchés.

Deux arguments plaident en faveur d'une augmentation de la demande de réserves en euros de la part des banques centrales. D'une part, il est probable (mais pas certain) que celles des pays dont le commerce extérieur est fortement tourné vers la zone euro choisissent cette devise comme réserve de référence. Parmi ces pays cependant, nombreux sont ceux qui ont depuis longtemps une part importante de leurs réserves de change libellée en devises européennes. D'autre part, les banques centrales, comme les investisseurs privés, peuvent vouloir diversifier leur portefeuille de devises et substituer des euros à des dollars ou à des yens. Une réallocation progressive des portefeuilles en faveur de l'euro pourrait donc intervenir, car le marché sera vaste et liquide. Hélas, cet argument peut être utilisé dans le sens contraire : du fait de la disparition du risque de change et de l'homogénéisation des rendements des différents titres européens libellés en euros, les motifs de diversification des investisseurs européens pourraient les amener à détenir davantage de titres libellés en dollars et en yens.

Euro fort ou euro faible ?

Afin de juger du futur taux de change d'équilibre de l'euro, il est courant de comparer les balances commerciales, les dettes et les avoirs extérieurs des États-Unis, du Japon et de l'Union européenne. La monnaie d'un pays détenant des avoirs extérieurs nets importants, donc des excédents courants vis-à-vis de ses partenaires, a tendance à s'apprécier : on parle alors d'une monnaie forte. Ainsi, l'excès persistant d'investissement par rapport à l'épargne disponible aux États-Unis, associé à l'excès contraire en Europe, amène à prédire que l'euro sera fort. En effet, l'excès d'épargne en Europe entraîne nécessairement l'accumulation d'actifs étrangers, ce qui signifie que l'offre de titres en euros est très faible. Cette situation devrait perdurer en raison de la baisse des déficits publics européens et de la reprise limitée de l'investissement en 1997-1998. La demande d'euros, quant à elle, sera élevée du fait de la forte demande de capitaux provenant des États-Unis, à moins que la diversification des portefeuilles au profit de monnaies tierces ne soit trop importante.

L'euro devrait être fort en raison aussi du désir de la BCE d'asseoir sa crédibilité : la politique monétaire mise en œuvre doit effectivement viser à maintenir le pouvoir d'achat de l'euro. Un euro qui aurait tendance à s'apprécier pourrait cependant avoir des effets défavorables sur les économies européennes (une réduction des excédents commerciaux, notamment). La mise en œuvre d'une politique monétaire moins restrictive pourrait alors être un moyen de mettre fin à cette appréciation. Dans le cas contraire, l'appréciation de l'euro reviendrait à faire financer une partie de la croissance américaine par les pays de la zone euro. Ainsi peut-on affirmer que les gouvernements européens, comme la BCE, auront tout intérêt à se soucier du niveau de l'euro.

La volatilité de l'euro, entre bien et mal

La création de l'euro augmentera-t-elle ou non la volatilité des taux de change à l'échelle mondiale ? Il est prévu que la BCE gère l'euro de façon à lutter principalement contre l'inflation et ne s'occupe guère de la stabilité externe de sa monnaie. Il existe donc un risque que l'euro soit fortement volatil : les trois zones (dollar, euro, yen) connaîtraient alors de fortes fluctuations de leur taux de change, ce qui augmenterait les incertitudes à l'échelle mondiale et serait peu favorable au développement des échanges.

Différents facteurs peuvent induire une modification, à la hausse ou à la baisse, de la volatilité de l'euro par rapport au dollar

Bibliographie

M. Aglietta, *La Fin des devises clés*, La Découverte, Paris, 1986.

P. Artus, *Économie des taux de change*, Économica, Paris, 1997.

P. Artus, « L'équilibre du marché de l'euro : vers un euro fort ou un euro faible ? », *CDC Marchés*, Flash n° 97-126, 8 déc. 1997.

A. Benassy-Quere *et alii*, « L'euro et le dollar », *in* CEPII, *L'Économie mondiale 1998*, La Découverte, coll. « Repères », Paris, 1997.

C. Couharde, J. Mazier, « L'euro risque d'être surévalué », *Alternatives économiques*, n° 160, Paris, juin 1998.

J. Creel, H. Sterdyniak, « A propos de la volatilité de l'euro », *Revue de l'OFCE*, n° 65, avril 1998.

Y.-T. De Silguy, « L'impact de la création de l'euro sur les marchés financiers et le système monétaire international », *Institute of International Finance*, Washington, 29 avril 1997 (consultable sur le site Internet de l'Union européenne : http ://www.europa.eu.int/).

A. Icard, « Dollar, *Deutsche Mark*, yen, euro : qu'est-ce qu'une monnaie internationale ? », *in* A. Cartapanis (sous la dir. de), *Turbulences et spéculations dans l'économie mondiale*, Économica, Paris, 1996.

J. Le Cacheux, « La diffusion internationale de l'euro », *Revue de l'OFCE*, n° 65, avril 1998.

D. Plihon, *Les Taux de change*, La Découverte, coll. « Repères », Paris, 1987.

comparée à ce qu'était la volatilité des monnaies européennes avant le passage à une monnaie unique dans l'UE [*Creel et Sterdyniak, 1998*]. Le point délicat est d'évaluer l'importance effective de ces facteurs.

– Le premier d'entre eux est le pur effet de taille, donc d'ouverture. La zone euro sera beaucoup plus fermée vis-à-vis de l'extérieur que chacune des nations qui vont la constituer (les échanges extérieurs de la zone euro seront plus faibles en proportion du PIB que les échanges extérieurs français ou allemands). Un grand pays relativement fermé peut utiliser son taux d'intérêt pour stabiliser son activité ou son inflation sans trop se préoccuper des conséquences de ses choix sur son taux de change ; au contraire, un petit pays ouvert va se montrer plus soucieux de stabiliser son taux de change pour éviter l'inflation (en cas de dépréciation de son change) ou les déficits commerciaux (en cas d'appréciation). La création de l'euro se traduira alors par de fortes fluctuations entre le dollar et l'euro, les responsables des deux monnaies ne se souciant guère de la stabilité de leur taux de change.

– Le deuxième facteur provient de l'effet de coordination automatique qui aura lieu en union monétaire lors d'un choc frappant tous les pays de l'Union économique et monétaire (UEM). Après un choc inflationniste, comme par exemple un choc pétrolier, la BCE réagira relativement moins par une hausse du taux d'intérêt qu'une banque centrale nationale, car une hausse de l'euro aura un effet moins désinflationniste sur l'ensemble des pays de la zone qu'une hausse du mark sur la seule Allemagne : en effet, la zone euro est moins ouverte sur l'extérieur que l'Allemagne aujourd'hui. Cette prise de conscience peut limiter l'usage de la politique monétaire, donc être un élément de stabilité.

– Le troisième vient de la contrainte d'unicité des taux d'intérêt en UEM qui empêchera la politique monétaire de stabiliser les économies européennes après un choc frappant un seul pays (le passage aux trente-cinq heures en France, par exemple) ou si les conjonctures diffèrent entre les pays de la zone. L'impuissance de la BCE est un autre élément de stabilité des taux de change.

– L'UEM ne remplace pas un régime de change flexible mais le Système monétaire européen (SME). En cas de choc spécifique à un pays, la BCE, qui réagira en fonction de la conjoncture et de l'inflation moyenne en Europe, aura un comportement différent de la Bundesbank, qui ne réagissait qu'en fonction de la seule situation allemande. Aussi, l'UEM sera plus stable que le SME si des chocs spécifiques surviennent surtout en Allemagne, moins stables s'ils surviennent surtout chez ses partenaires. En revanche, en cas de choc commun, la réaction de la BCE sera vraisemblablement la même que celle de la Bundesbank. Dans ce cas, la volatilité de l'euro sera la même que celle des monnaies du noyau dur du SME (Allemagne, France, Belgique, Pays-Bas) : le surcroît de volatilité qu'on veut attribuer à l'euro aurait donc déjà dû être observé dans le SME.

– L'UEM se caractérise aussi par une modification de l'organisation des politiques économiques en Europe. Pour éviter des conflits entre les gouvernements européens et la BCE sur les objectifs de ces politiques, le « Pacte de stabilité et de croissance » (adopté en décembre 1996) impose des contraintes sur les politiques budgétaires et laisse le champ libre à la politique monétaire. L'usage exclusif de la politique monétaire pourra nécessiter de fortes variations du taux d'intérêt de l'euro, après un choc de demande, ce qui sera une nouvelle source d'instabilité de son taux de change. *A contrario*, à la suite d'un choc inflationniste, le Pacte de stabilité empêchera de mettre en œuvre des stratégies associant politique monétaire restrictive et politique budgétaire expansionniste, et par là réduira la volatilité de l'euro.

Ces cinq raisons de modification de la gestion externe de la parité de l'euro rendent difficile une conclusion. Le point essentiel, cependant, est le lien qu'entretiennent la volatilité du taux de change et la stabilisation macro-économique permise par la politique économique. Dans le cas de situations conjoncturelles différentes entre les pays de la zone euro, une forte volatilité du taux de change permet une meilleure stabilisation économique. Dans d'autres cas, elle révèle des politiques néfastes caractérisées par des tentatives vaines d'exporter son chômage ou son inflation chez ses partenaires. Ainsi faut-il moins craindre la variabilité de l'euro que l'inefficacité des politiques économiques dans l'UEM.

Une nouvelle page de l'histoire de la concurrence intra-européenne

Si les taux de change nominaux sont irrévocablement fixes entre les pays de la zone euro à compter du 1er janvier 1999, les parités réelles, c'est-à-dire les niveaux relatifs des prix exprimés en une unité monétaire commune, peuvent continuer à évoluer différemment, en fonction des inflations respectives. Au sein d'une union monétaire, le fait que les mouvements de change ne soient plus possibles donne aux ajustements de prix et de salaires un rôle essentiel pour assurer le fonctionnement du marché unifié et absorber les chocs susceptibles d'affecter différemment les pays membres. L'expérience du SME depuis 1987 en est l'illustration : après avoir maintenu leurs taux de change dans des marges de fluctuation étroites, plusieurs pays ont dû laisser leurs monnaies se déprécier à partir de l'automne 1992, pour ramener leurs parités réelles à des niveaux plus proches de leurs partenaires européens moins inflationnistes. Début 1998, la stabilité des parités était retrouvée, l'inflation éradiquée et la convergence macro-économique partiellement réalisée en Europe. Mais des écarts de niveaux de prix subsistaient. Ces écarts ne seront pas neutres dans la dynamique de l'Union monétaire. Une nouvelle page de l'histoire de la concurrence intra-européenne commence.

Les taux de change réels mesurés selon les prix des PIB offrent une image globale des écarts de niveaux de prix entre pays euro-

Tableau 1

Classement des pays de l'Union européenne selon le niveau et l'évolution de leurs taux de change réels

Pays	Niveau relatif du prix du PIB		Taux de change réel selon les coûts salariaux unitaires en 1997, base 100 en 1987[b]	
	en 1987[a]	en 1997[a]	Ensemble de l'économie	Industrie manufacturière
Portugal	50	65	148	142
Grèce[c]	*59*	*78*	*143*	*137*
Espagne	78	81	104	113
Italie	93	88	92	90
Irlande	97	89	80	68
Belgique/Lux.	93	95	105	101
Pays-Bas	104	96	92	88
Finlande	121	102	78	76
Royaume-Uni[c]	*89*	*103*	*126*	*118*
France	111	104	95	91
Autriche	104	105	99	101
Allemagne	109	110	95	105
Suède[c]	*120*	*113*	*100*	*89*
Danemark[c]	*121*	*119*	*98*	*112*

a. Estimés à partir des parités de pouvoir d'achat de 1995 et des évolutions des déflateurs du PIB. Pour chaque pays, la référence 100 correspond à la moyenne pondérée des autres membres de l'Union européenne. Le niveau de prix relatif du PIB ainsi obtenu pour chaque pays a été utilisé pour classer les pays dans ce tableau, du moins cher vers le plus cher, en 1997. Le lecteur trouvera une présentation de ces indicateurs dans : J. Fayolle et C. Mathieu, « Les positions compétitives en Europe à la veille de l'Union monétaire », *Lettre de l'OFCE*, n° 176, Paris, juin 1998. b. La compétitivité des coûts salariaux unitaires de chaque pays par rapport à ses partenaires de l'Union est ici appréciée par l'évolution, entre 1987 et 1997, du taux de change réel correspondant. Elle s'est détériorée lorsque ce taux de change s'est élevé. c. Les pays notés en italiques ne sont pas dans la zone euro définie au 1er janvier 1999.
Sources : Commission européenne (DGII), OCDE, calculs des auteurs.

péens [*tableau et graphique 1*]. L'Allemagne, l'Autriche, le Danemark et la Suède sont des pays à prix élevés ; l'Italie, l'Espagne, le Portugal et la Grèce des pays à prix bas. La situation était en 1997 étonnamment proche de celle de 1987 pour l'Allemagne, l'Autriche, le Danemark, l'Union belgo-luxembourgeoise, l'Espagne, voire l'Italie. Les positions de la France, des Pays-Bas, de la Finlande et de l'Irlande s'étaient améliorées. L'évolution des prix relatifs du PIB a connu trois phases. Un resserrement partiel eut lieu de 1987 à 1992. Les pays du Sud et le Royaume-Uni, suivis de l'Irlande, de la Finlande et de la Suède dévaluèrent alors pour restaurer leur avantage compétitif : de 1992 à 1995, les écarts de prix se creusèrent entre pays à monnaie forte et pays à monnaie faible. De la mi-1995 au début 1998, le resserrement fut facilité par l'amélioration de la compétitivité européenne résultant de la hausse du dollar. L'Italie, l'Espagne et le Portugal sont cependant entrés dans l'Union monétaire avec un avantage compétitif substantiel.

Chassé-croisé des compétitivités

Les évolutions des taux de change réels intra-européens, selon différents indices de prix et de coûts [*graphiques 2*], reflètent les dynamiques nationales. La France est l'archétype de la désinflation compétitive. De 1987 à la mi-1992, la France améliora la compétitivité de ses coûts unitaires, un peu moins celle de ses prix, en particulier à l'exportation. L'avantage de compétitivité fut perdu lors de la crise du SME de 1992. A partir de 1996, la normalisation monétaire et l'effort de désinflation redonnèrent à la France un avantage modéré. Le profil de la compétitivité allemande fut proche, mais son amélioration fut entravée avant 1992 par le choc inflationniste induit par l'unification, et sa position ensuite moins favorable. A partir de 1995, l'Allemagne fit des efforts importants pour redresser la compétitivité de ses coûts salariaux unitaires, particulièrement dans l'industrie. L'Espagne, comme, avec des nuances, les autres pays dévaluationnistes de 1992, connut une détérioration continue de la compétitivité-coûts avant les dépréciations de 1992-1995, suivie d'un effort de désinflation pour contenir l'appréciation du taux de change réel. La détérioration de la compétitivité italienne fut modérée jusqu'en 1992, avant que l'effort de maîtrise des coûts joint aux dépréciations de la lire ne conduise à un avantage considérable de compétitivité. Le retour de la lire dans le SME, en novembre 1996, s'est fait à un taux réduisant largement le « suravantage » conquis en 1995. Début 1998, la compétitivité-coûts italienne conservait un avantage par rapport au niveau de 1987.

Au vu de ces indicateurs de compétitivité, l'introduction de l'euro est intervenue à un moment favorable. Les pays retenus sont entrés avec des parités réelles plus respectueuses de leurs compétitivités réciproques qu'on ne pouvait le craindre au milieu des années quatre-vingt-dix. Les pays qui restent à l'écart sont parmi ceux dont la compétitivité semblait la plus vulnérable. Cependant, les pays du Sud et l'Irlande partent avec un avantage, sans doute nécessaire pour la viabilité

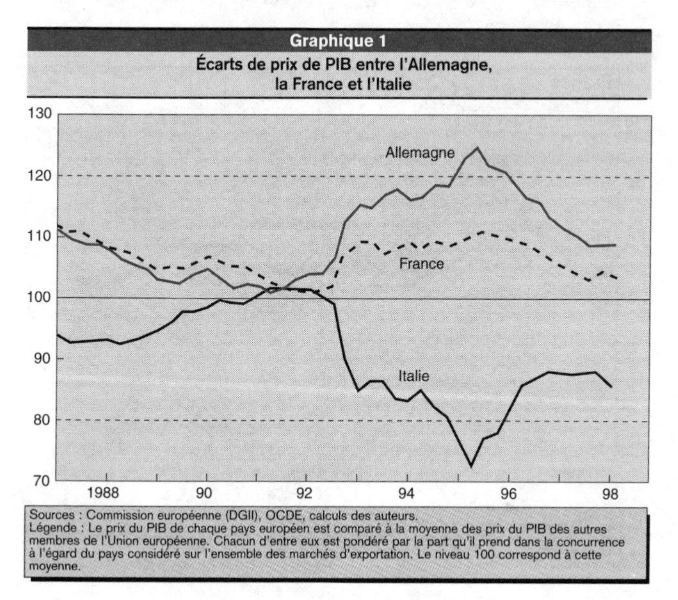

Graphique 1

Écarts de prix de PIB entre l'Allemagne, la France et l'Italie

Sources : Commission européenne (DGII), OCDE, calculs des auteurs.
Légende : Le prix du PIB de chaque pays européen est comparé à la moyenne des prix du PIB des autres membres de l'Union européenne. Chacun d'entre eux est pondéré par la part qu'il prend dans la concurrence à l'égard du pays considéré sur l'ensemble des marchés d'exportation. Le niveau 100 correspond à cette moyenne.

Graphiques 2

Taux de change réels de quatre pays

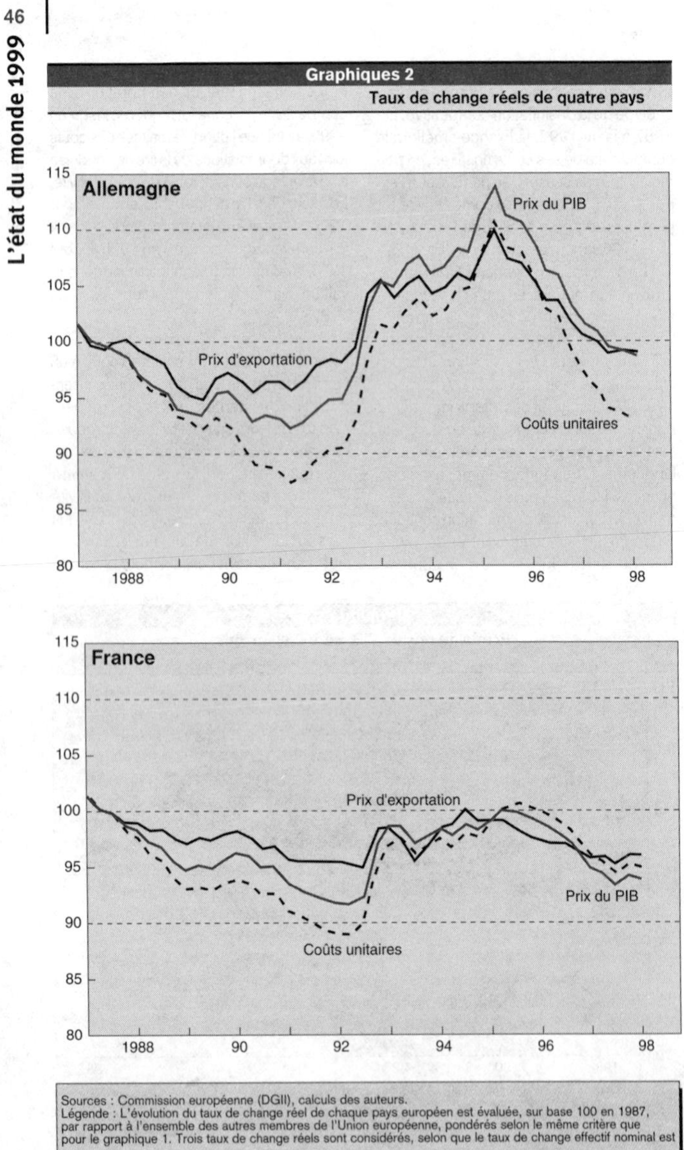

Sources : Commission européenne (DGII), calculs des auteurs.
Légende : L'évolution du taux de change réel de chaque pays européen est évaluée, sur base 100 en 1987, par rapport à l'ensemble des autres membres de l'Union européenne, pondérés selon le même critère que pour le graphique 1. Trois taux de change réels sont considérés, selon que le taux de change effectif nominal est

Graphiques 2

de l'Union européenne (base 100 en 1987)

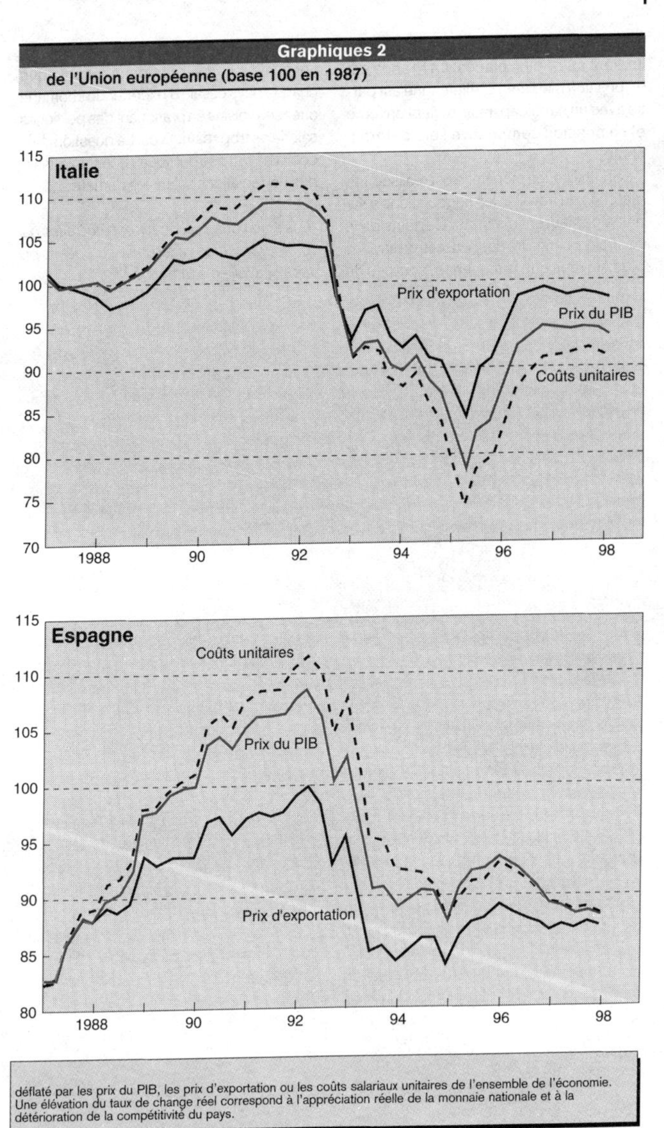

déflaté par les prix du PIB, les prix d'exportation ou les coûts salariaux unitaires de l'ensemble de l'économie. Une élévation du taux de change réel correspond à l'appréciation réelle de la monnaie nationale et à la détérioration de la compétitivité du pays.

de leur participation. Les pays du Benelux sont aussi bien placés. La France est en position médiane. L'Allemagne est partie avec un handicap, mais revient en force et sa position compétitive sera déterminante.

Si l'unification monétaire est réalisée, les marchés du travail et les négociations salariales demeurent distincts. Certains pays pourraient connaître des hausses de salaires plus élevées que la moyenne, sources de compétitivité défavorable et de chômage. En sens inverse, il serait dommageable que chaque pays essaie d'exporter du chômage chez ses voisins en pratiquant des politiques salariales trop restrictives. La question de la coordination des politiques économiques et des négociations salariales demeure. ■

(Les enjeux internationaux ont été traités par Jérôme Creel, les enjeux intra-européens par Jacky Fayolle et Catherine Mathieu.)

Un véritable désarmement nucléaire suppose l'abandon des schémas de pensée de la « guerre froide »

André Dumoulin
Attaché de recherche au GRIP

Les cinq et six essais nucléaires souterrains que l'Inde et le Pakistan ont réalisés en mai 1998 respectivement dans les déserts du Rajasthan et du Baloutchistan ont assurément remis sur le métier la question de l'avenir des armes fissiles qui, depuis la fin de la « guerre froide » et l'arrêt des expérimentations françaises (février 1996), étaient pourtant entrées dans une phase de perte de visibilité et de marginalisation doctrinale.

En dehors des motivations politiques internes et nationalistes affectées par des tensions régionales aux origines lointaines, on doit s'interroger sur les raisons de ces essais. Le nucléaire est ici critère de rang, symbole de puissance régionale et expression d'une capacité technologique en grande partie aboutie. Il doit pouvoir modifier la hiérarchisation des puissances dites « secondaires » du sud de l'Asie par le biais d'une course aux armements, dans la profondeur des roches vitrifiées ou dans le déploiement de systèmes d'armes balistiques et aériens à capacité nucléaire, ou par la mise en œuvre de l'effet miroir, par un jeu d'imitation où un État répond à l'autre vers la montée aux extrêmes.

Mais la recherche d'une capacité militaire en matière d'armes de destruction massive est aussi un moyen pour l'Inde face à la Chine, ou du Pakistan face à l'Inde, de créer un effet inhibiteur à toute velléité d'agression, de renforcer le facteur de retenue, de sanctuariser leur territoire et de compenser d'éventuelles infériorités conventionnelles.

En forçant les portes du club nucléaire, ces tirs d'essai sont enfin l'expression d'une rébellion face à la domination occidentale et américaine sur le nucléaire, récusant le monopole, estimant inadmissible la différence de traitement entre les « cinq grands » nucléaires (États-Unis, Russie, Royaume-Uni, France, Chine) et les autres États ; les premiers n'étant pas engagés de manière volontariste dans un désarmement nucléaire généralisé (article VI du Traité de non-prolifération –TNP).

De nouveaux concepts nucléaires

Malgré les différentes propositions de gouvernements ou d'ONG en faveur de l'élimination mondiale, complète et vérifiable des armes nucléaires (Pugwash, commission Canberra), les tirs souterrains en Asie du Sud pourraient redonner à ces armes de destruction massive une nouvelle légitimité comme facteur de puissance alors que le paysage nucléaire de l'après-« guerre froide » semblait avoir entériné leur marginalisation. Déjà, la posture nucléaire occidentale avait subi discrètement une véritable révolution conceptuelle et doctrinale, impliquant entre autres choses une restriction du champ d'application de la dissuasion nucléaire, découlant de la faible probabilité d'un conflit conventionnel majeur. Ces modifications ont abouti progressivement à la mise en place de plusieurs orientations et concepts stratégiques majeurs. Bon nombre d'armes conventionnelles dites tactiques finissent par être employées dans un cadre stratégique, tandis que, dans le domaine nucléaire, leurs homologues à faible rayon d'action ont subi en faible nombre un « lifting » pour en accroître la portée alors qu'une majorité disparaissait du paysage militaire.

Consécutivement aux enseignements de la guerre du Golfe (1991), plusieurs étages de la dissuasion nucléaire infrastratégique sont aujourd'hui remplacés par une « dissuasion » conventionnelle avec mise en œuvre de stratégies fondées sur la capacité de frappes à distance, de frappes d'interdiction et de frappes stratégiques classiques à longue distance. A cet égard, les forces conventionnelles occupent déjà une place plus centrale dans les dispositifs de sécurité. L'autre tendance est bien au retour des armes nucléaires vers les sanctuaires, vers les pays qui en sont les seuls possesseurs, le principe de pays hôte recevant sur son territoire les armes nucléaires de l'allié dominant étant en voie de se réduire, sinon de disparaître. La question du maintien des bombes thermonucléaires américaines B-61 en Europe dans le cadre de la doctrine d'« ultime recours » de l'OTAN (Organisation du traité de l'Atlantique nord) peut déjà être posée en termes politiques davantage qu'en termes d'utilité stratégique et opérationnelle.

En outre, le concept de dissuasion à arsenal minimal tend à s'intégrer dans les objectifs de forces et dans les programmes de désarmement unilatéral ou bilatéral. Ce niveau plancher jouera sur des nombres de lanceurs définis sans justificatif précis (car variable selon les situations), soit plus précisément de manière proportionnée (argumentaire du préjudice inacceptable), en termes de destructions abouties (destructions assurées), ou par critères additionnels, correspondant au nombre d'armes dont disposent ensemble les autres États nucléaires.

Pour des raisons budgétaires se combinant aux incertitudes stratégiques, certaines puissances nucléaires (États-Unis, France, Royaume-Uni, Russie) ont adopté le principe d'une pause quasi totale dans la production de nouveaux systèmes d'armes nucléaires. Seule est organisée une recherche technologique très en amont (état de veille) afin de maintenir une base industrielle et une compétence technologique qui ne déboucheraient sur une production en série qu'en cas de menace crédible bien définie. La veille technologique peut s'opérer *via* la maîtrise des technologies de la modélisation (simulation nucléaire remplaçant les tirs souterrains) et les arsenaux virtuels.

Doctrine d'emploi opératoire et discours déclaratoires

Du point de vue doctrinal, on peut constater l'existence d'une dialectique non encore clarifiée de l'opératoire et du déclaratoire. En cas d'échec des mesures politiques et techniques de contrôle de la non-prolifération nucléaire, et face à certaines menaces nucléaires périphériques affirmées, divers États industrialisés et nucléaires – dont les États-Unis – envisageraient l'organisation de frappes de destruction préventive visant certains moyens nucléaires à longue portée mis en œuvre par une nation belliciste, ainsi que ses centres de commandement et de décision, au pire avec des armes nucléaires. Cela implique à la fois la maîtrise des charges nucléaires de faible puissance et la mise en œuvre de têtes perforantes (bombes et missiles) pouvant pénétrer des objectifs souterrains avant d'exploser. Si en France la contre-prolifération peut doctrinalement prendre en compte la menace d'utilisation éventuelle de munitions nucléaires et classiques, au Royaume-Uni, le missile Trident sur sous-marins devient un outil discriminatoire à la fois stratégique et substratégique, en y intégrant quelques monocharges de plus faible puissance. Aux États-Unis, l'action militaire de contre-prolifération se doit de ne recourir autant que faire se peut qu'à des armes classiques afin de légitimer l'emploi de la force à l'extérieur et d'offrir une aide à certains alliés pour éviter que ces derniers ne recourent trop rapidement à des moyens nucléaires.

En France, l'« école opératoire » plaida pour la construction d'armes nucléaires miniaturisées permettant une frappe ciblée et modulable sur les objectifs militaires et décisionnels du ou des éventuels pays menaçants. Mais cette posture du « fort au fou » risquait d'accréditer l'idée d'une arme nucléaire à l'usage banalisé, en faisant de son emploi chirurgical une arme nucléaire tactique au service d'objectifs stratégiques dans le cadre d'une frappe de coercition sinon de préemption. Or, pour rester crédible, la dissuasion nucléaire ne peut être confondue avec le concept de rétorsion qui a pour effet d'abaisser le seuil nucléaire. Aussi, toute introduction d'armements nucléaires modulaires de faible puissance dans l'arsenal nucléaire français contient les germes d'une altération de la doctrine vers l'opératoire au nom d'une expression, « menace Sud », qui n'est qu'une vision simpliste de l'analyse de la prolifération nucléaire dans le monde. En vérité, si Paris semble avoir abandonné l'idée de concevoir des microcharges nucléaires, la question des charges sélectives variables et de faible puissance (en jouant sur le tritium) n'est pas un problème d'ordre technique – les États-Unis, la France et le Royaume-Uni en ont la maîtrise – mais d'ordre politico-militaire et de définition doctrinale.

Les puissances nucléaires semblent rechercher une certaine flexibilité en matière d'outils nucléaires : le panachage des charges (Trident II britanniques, charges variables et réglables ou de modularité avec les éventuels futurs missiles M-51 et ASMP-Plus modernisés français, la double capacité pour les bombardiers stratégiques américains et l'introduction possible de charges substratégiques sur les sous-marins Trident II de l'US Navy). La maîtrise des capacités informatiques et électroniques de changement rapide du ciblage pour les lanceurs nucléaires participe également de cette flexibilité intégrant une planification nucléaire adaptative (options nucléaires sélectives en temps de crise). Malgré la dévalorisation et le refoulement du nucléaire tactique et la réduction du nucléaire stratégique, quoique l'on assiste à une destruction de la représentation de la guerre nucléaire bipolaire sur un champ de bataille centre-européen, les armes nucléaires actuelles sont optimisées pour l'opératoire, le ciblage chirurgical et la souplesse d'emploi.

Malgré la disparition des discours stratégiques sur la destruction mutuelle assurée, la riposte flexible et la limitation des dommages, les outils nucléaires (existants ou en projet) sont, par leurs caractéristiques opérationnelles, justifiables d'une doctrine d'emploi plus opératoire, quand bien même le discours politique tend à devenir de plus en plus déclaratoire.

L'hypocrisie des États maîtrisant la haute technologie

La permanence nucléaire discrète ainsi organisée par les États maîtrisant la haute technologie nucléaire prend toute sa valeur après les onze tirs nucléaires planifiés par l'Inde et le Pakistan en mai 1998. Ceux-ci pouvaient difficilement occulter une réalité : la responsabilité occidentale, russe et chinoise est patente dès l'instant où ces États et leurs industries ont fourni progressivement à ces deux pays les technologies et, indirectement, l'expertise dans le domaine électronucléaire civil. On sait combien sont ténues les frontières avec le nucléaire militaire. Mais les jeux d'influence, les retombées économiques, les trafics illégaux, les intérêts géopolitiques et l'espionnage industriel ont en grande partie balayé la plupart des réticences. Les chancelleries ne pouvaient dès lors que feindre de s'étonner de ces tirs nucléaires ; leur processus de maîtrise fut en grande partie permis par transfert de technologie.

Les pressions politiques exercées sont-elles de ce fait crédibles dès l'instant où les puissances nucléaires historiques n'ont en-

Bibliographie

É. Arnett (sous la dir. de), *Nuclear Weapons after the Comprehensive Test Ban*, Sipri, Stockholm, 1996.

« L'avenir du désarmement nucléaire », *La Revue internationale et stratégique*, IRIS, Paris, été 1998.

P. Boniface, *Repenser la dissuasion nucléaire*, Éd. de l'Aube, Paris, 1997.

Collectif, *Éliminer les armes nucléaires*, Rapport de la commission Canberra, Odile Jacob, Paris, 1997.

Collectif, *Transforming Nuclear Deterrence*, National Defense University Press, Washington, 1997.

Committee on International Security and Arms Control, National Academy of Sciences, *The Future of US Nuclear Weapons Policy*, National Academy Press, Washington, 1997.

A. Dumoulin, *La Dissuasion nucléaire européenne. Quel avenir ?*, Éd. du GRIP, Bruxelles, 1996.

P. Pascallon (sous la dir. de), *Quel avenir pour la dissuasion nucléaire française ?*, Bruylant, Bruxelles, 1996.

Pugwash Conference on Science and World Affairs, *Éliminer les armes nucléaires. Est-ce souhaitable ? Est-ce réalisable ?*, Éd. Transition, 1997

A. Sayed, *Quand le droit est face à son néant ? Le droit à l'épreuve de l'emploi de l'arme nucléaire*, Bruylant, Bruxelles, 1998.

gagé le moratoire puis signé le Traité d'interdiction complète des essais nucléaires (CTBT) qu'après – et seulement après – avoir dominé tout le champ de compétence leur permettant dorénavant de contrôler et de reproduire leurs armes nucléaires sans passer par des essais en grandeur réelle ? Mieux, ces puissances se sont probablement assuré la capacité de créer de nouvelles armes de quatrième génération (à énergie dirigée, à géométrie variable ou de très faible énergie) par la maîtrise de technologies sophistiquées, complexes et coûteuses de la modélisation informatique, des expérimentations sans réaction en chaîne nucléaire et des essais sous-critiques. En d'autres termes, les puissances industrialisées nucléaires peuvent dès à présent se passer d'essais en grandeur réelle pour contrôler les armes de ces différentes générations, alors qu'il faut des tirs réels de qualification pour les armes de deuxième génération mises en œuvre par les pays proliférant du Sud.

Cette violation de l'esprit du CTBT et cette hypocrisie occidentale ne rejoignent-elles pas les faux-semblants du Traité de non-prolifération (TNP) et singulièrement de son article VI qui précise que les parties au traité s'engagent « au désarmement nucléaire et sur un traité de désarmement général et complet sous un contrôle international strict et efficace » ? Pourquoi affirmer au Nord que l'arme nucléaire serait l'arme par excellence de la non-guerre tout en interdisant à d'autres de produire ce type d'arme éminemment sécuritaire ? Il n'est pas difficile d'imaginer les perceptions israéliennes, indiennes ou pakistanaises à propos de cette différence de traitement.

Il n'en reste pas moins que les tirs nucléaires en Asie du Sud allaient avoir un impact important dans plusieurs domaines multilatéraux, complexifiant toute ouverture en matière de zones dénucléarisées au Moyen-Orient et menaçant peut-être l'avenir même du CTBT ouvert à la signature en septembre 1996 : la simulation requérant

Sites Internet

The Bulletin of the Atomic Scientists
http ://www.bullatomsci.org

The Arms Control Association
http ://www.armscontrol Org/

Carnegie Endowment for International Peace/Nuclear Non-Proliferation Project
http ://www.ceip.org/nuclear.htm

Agence internationale de l'énergie atomique (AIEA)
http ://www.iaea.or.at/

Federation of American Scientists
http ://www.fas.org/

Livermore National Laboratory
http ://www.llnl.gov/

de la haute technologie contournant déjà par le haut le CTBT alors que les tirs nucléaires indiens et pakistanais l'ont fait par le bas. Ils pourraient aussi altérer fortement le climat de la conférence de suivi du TNP programmée pour l'an 2000. Mais rien n'est moins sûr, et les essais indiens et pakistanais pourraient entraîner paradoxalement une nouvelle dynamique mondiale en matière de désarmement nucléaire. Celle-ci devrait cependant à la fois engager réellement une initiative forte des puissances nucléaires officielles et résoudre la question du choix entre l'abolition complète ou la réduction drastique des arsenaux, ce dernier cadre associant les principes de garantie ultime et de dernier recours, le nucléaire ne dissuadant finalement aujourd'hui que des menaces de même type.

En entrant dans un XXIe siècle nucléaire et proliférant, de nouvelles règles du jeu devront être établies sous peine de voir s'ouvrir la boîte de Pandore. L'objectif visant un véritable désarmement nucléaire mondial n'est pas nécessairement illusoire ni utopique. Mais il demanderait d'abandonner les schémas de pensée hérités de la « guerre froide » et de résoudre les difficultés relatives à l'établissement d'une véritable sécurité commune. Il imposerait aussi que tous les États en voie de dénucléarisation acceptent en définitive que les États-Unis conservent leur leadership militaire conventionnel, disposant d'un sanctuaire devenu réellement invulnérable, sans menace de contrepoids nucléaire fondé sur le modèle du faible au fort. ■

La thèse de la création par les firmes japonaises du modèle productif du XXIe siècle est contestable

Michel Freyssenet
Sociologue au CNRS

A l'américanisation de l'organisation industrielle des années cinquante et soixante aurait succédé la japonisation des années quatre-vingt et quatre-vingt-dix. Mais le marasme de l'économie japonaise, amplifié par la crise asiatique ouverte à la mi-1997 [*voir articles p. 33, 80 et 298*], a amené les laudateurs dudit modèle japonais à tempérer leur enthousiasme. Peut-on évaluer en ce tournant de siècle ce que les firmes américaines et européennes ont effectivement retenu des innovations attribuées au Japon en général et aux firmes japonaises en particulier ? Y a-t-il jamais eu « japonisation » ?

Un succès inattendu suscitant d'innombrables interprétations

La croissance des excédents commerciaux japonais après la première (1973) et surtout la seconde (1979-1981) crise pétrolière, la pénétration spectaculaire des marchés de l'acier, de l'automobile, de l'électronique grand public et des biens d'équipement professionnels, la qualité et la diversité des produits offerts, enfin la santé financière des firmes nippones révèlent aux yeux du monde la montée en puissance de l'économie japonaise et suscitent de nombreuses interrogations, études et affirmations sur ses origines. Nombre de commentateurs en étaient restés en effet à la réputation de mauvaise qualité et de dumping acquise par les produits fabriqués dans l'archipel au cours des années cinquante et soixante.

Les performances des firmes japonaises ont été tout d'abord et successivement expliquées par les bas salaires et une durée annuelle du travail plus longue que dans tous les autres pays industrialisés, par l'avance prise en matière d'automatisation de la production, par la participation des salariés à l'amélioration de la qualité au sein des cercles de qualité, par la surexploitation des sous-traitants et de leurs salariés, par l'organisation de la production en « juste-à-temps », par la sous-évaluation du yen. Ces explications ont progressivement montré leurs limites. L'augmentation rapide des salaires et du niveau de vie japonais n'a pas empêché la croissance des résultats financiers des firmes nippones. Les nombreuses difficultés rencontrées par les firmes américaines et européennes pour automatiser leur production leur ont fait comprendre que l'automatisation n'était pas la solution miracle pour augmenter rapidement la productivité, améliorer la qualité et supprimer le travail répétitif. Elle pouvait être en effet extrêmement coûteuse si elle était trop ambitieuse et surtout si elle ne s'insérait pas dans une réorganisation d'ensemble de la production. De même, l'échec très général de l'implantation des cercles de qualité a fait comprendre que ce dispositif exigeait pour être efficace une transformation préalable ou simultanée des relations de travail. La mise en place du « juste-à-temps » impliquait également un changement de philosophie de la production, long à opérer car la conception que se font les dirigeants et les salariés de la production est profondément enracinée dans leur formation et les relations qu'ils entretiennent entre eux. D'où l'expression, qui a fait florès alors, de « changement culturel ». L'adoption par les sous-traitants et fournisseurs japonais des systèmes de production des entreprises assemblières à la demande de ces dernières, et la réduction des écarts de salaires et de statuts entre ces deux catégories d'entreprises ont fait également apparaître que la sous-traitance n'était pas la face cachée du succès. Enfin, la constante appréciation du yen n'a pas empêché les firmes japonaises de prospérer.

Dès lors, aux explications monocausales ont succédé les explications globales et l'émergence de la notion de modèle japonais. Les performances perçues comme extraordinaires des entreprises nippones ne pouvaient avoir qu'une explication elle aussi extraordinaire. Pour les uns, ces performances plongeaient leurs racines dans la culture japonaise, qui valoriserait le consensus et le groupe au détriment du conflit et de l'intérêt individuel immédiat, voire dans la philosophie confucéenne. La garantie de l'emploi et le salaire à l'ancienneté, présentés comme séculaires, et l'amélioration continue des performances devaient s'interpréter dans un environnement capitaliste comme les fruits d'un dévouement à la communauté – que serait aujourd'hui la firme. Cela vaudrait tant de la part des salariés, par leur implication dans le travail à faire et le refus de la grève, que de la part des dirigeants, par leur engagement à éviter tout licenciement. Pour les autres, un système politico-économique particulier garantissait aux entreprises, au détriment des règles les plus élémentaires de la libre concurrence, protection du marché intérieur, aides à l'exportation, planification de la croissance, entente entre les entreprises et stabilité sociale. Outre que ces explications manifestaient de singulières ignorances historiques et factuelles, elles ont subi un reflux remarqué en raison du succès des « transplants » japonais.

Obligées de s'implanter aux États-Unis et en Europe pour pouvoir y vendre plus que ce qui leur était imposé par les quotas d'importation et les droits de douane, les firmes japonaises furent tout aussi compétitives ailleurs qu'au Japon. Nourris des explications précédentes, les dirigeants économiques, politiques et syndicaux américains, comme nombre d'experts et de chercheurs, étaient en effet persuadés que les « transplants » nippons ne pourraient être aussi compétitifs que leurs firmes mères, dans la mesure où ils seraient soumis aux mêmes contraintes institutionnelles et sociales que les firmes autochtones et où ils seraient privés de l'environnement culturel censé expliquer les performances de leurs sociétés mères. Dès lors, les explications à trouver se déplaçaient de la société japonaise au système socioproductif des firmes japonaises.

La thèse de la « lean production », sommet de la vogue japonisante

Incontestablement, ce sont les chercheurs du MIT (Massachusetts Institute of Technology), responsables de l'International Motor Vehicle Programme, qui ont le mieux popularisé la thèse de la création par les firmes japonaises d'un nouveau modèle productif. Ils l'ont fait en 1990 dans un ouvrage, dont le titre dans sa version française était sans ambiguïté : *Le système qui va changer le monde*. Appelé par ces chercheurs « *lean production* », terme qui a été traduit en français par « production au plus juste », ce système serait susceptible de rendre profitables les entreprises dans un environnement devenu fortement concurrentiel en raison d'une demande à la fois faiblement croissante et de plus en plus diversifiée, tout en créant des relations de confiance entre elles et leurs salariés, leurs fournisseurs et les pays où elles sont implantées. Le succès mondial de la thèse a été à la hauteur des espoirs qu'elle a suscités à un moment où, désorientés, nombre de dirigeants d'entreprises tentaient difficilement de mettre en cohérence des changements qu'ils avaient dû réaliser sous la contrainte et au coup par coup tout au long des années quatre-vingt pour assurer la survie de leurs entreprises. Ce fut le sommet de la vogue japonisante.

La *lean production* a été définie par rapport aux deux autres systèmes qui l'auraient précédée : la « production artisanale » et la « production de masse ». La première, en recourant à des ouvriers hautement qualifiés utilisant des outils simples et polyvalents, aurait permis de produire des biens parfaitement adaptés aux souhaits du consommateur, mais à un coût trop élevé pour le plus grand nombre, et c'est la raison pour laquelle elle aurait été remplacée par la production de masse qui aurait combiné les principes du taylorisme et du fordisme. Celle-ci, en employant des ouvriers sans qualification affectés à des machines spécialisées ou à des postes de travail sur des chaînes de montage, a permis, comme chacun le sait, de produire massivement des produits standardisés à faible coût, ce qui les aurait rendus de ce simple fait accessibles à tous. Mais elle y serait parvenue au détriment de la variété et au prix d'un travail fastidieux pour les ouvriers, car parcellisé et répétitif. Surtout, en raison de sa rigidité organisationnelle et technique, elle aurait mal supporté les variations de la demande en quantité et diversité, variations qui s'amplifieraient quand les marchés deviennent des marchés de renouvellement, comme c'est le cas pour les principaux biens d'équipement des ménages depuis les années soixante-dix dans les pays industrialisés. La « production au plus juste » résoudrait ces contradictions. Elle permettrait d'obtenir la flexibilité, la variété et la qualité de la production artisanale tout en bénéficiant des faibles coûts de la production de masse. Elle consisterait à associer les salariés et les fournisseurs à l'amélioration continue des produits et des procédés de fabrication, en échange de la garantie d'emploi et de carrière pour les premiers, et de commande et de profit pour les seconds. L'amélioration continue serait obtenue en éliminant méthodiquement les causes premières des défauts et dysfonctionnements, et non en retouchant simplement les produits défectueux ou en réparant les machines tombées en panne. Elle permettrait de redonner du sens au travail à la chaîne et ainsi de dépasser la division de la conception et de l'exécution qui caractériserait le taylorisme. Pour amener les salariés et les fournisseurs à contribuer ainsi à la réduction des coûts, à l'élévation de la qualité et au raccourcissement des délais, la production est organisée en « juste-à-temps », c'est-à-dire en flux tendus, et en quantité juste nécessaire. Les stocks intermédiaires masquent en effet habituellement les dysfonctionnements coûteux.

Le terme de « *lean production* » a fait le tour de la planète depuis l'apparition de l'ouvrage cité. Il n'est pas de pays où l'on ne trouve des entreprises affirmant mettre en œuvre les principes de ce modèle de production. Depuis la crise asiatique et les difficultés récurrentes du Japon à sortir son économie de la stagnation, le doute a cependant commencé à s'insinuer dans les esprits. Toutes les entreprises japonaises auraient été loin d'appliquer les principes de la *lean production*, à commencer par les banques qui ont beaucoup contribué par leurs créances douteuses à « plomber » l'économie nippone après l'éclatement de la bulle spéculative au début des années quatre-vingt. Surtout, il est apparu que des firmes automobiles réputées comme Nissan, Mitsubischi et Mazda étaient contraintes de réduire leurs effectifs, voire de fermer des usines pour tenter de retrouver une rentabilité perdue. Néanmoins, leurs concurrents, Toyota et Honda, affichent toujours des résultats financiers enviables. La crise de l'économie japonaise n'impliquerait donc pas celle de toutes ses entreprises, de la même façon que, dix ans plus tôt, il n'était probablement pas suffisant d'être japonais pour être performant. A défaut de les caractériser toutes, la *lean production* assurerait-elle cependant la rentabilité de certaines de ces entreprises, malgré la crise touchant le Japon ? Cela serait une preuve de sa viabilité et de son excellence et justifierait de la présenter comme le modèle productif de l'avenir.

L'amalgame de deux systèmes de production inconciliables

Telle qu'elle a été théorisée, la *lean production* est en fait l'amalgame de deux systèmes de production, l'un, le plus connu, de Toyota, appelé souvent toyotisme, l'autre, ignoré, de Honda, lesquels sont non seulement différents, mais incompatibles comme l'ont montré les recherches du GERPISA (Groupe d'étude et de recherche permanent sur l'industrie et les salariés de l'automobile, réseau international de chercheurs en sciences sociales, basé en France).

Le « système de production de Toyota pour la gestion du prix de revient », ainsi qu'il est nommé par Toyota lui-même dans un livret remis à tous les salariés, a deux piliers : le « juste-à-temps » et le système de salaire. Seul le premier a été décrit, notamment par le principal penseur et réalisateur du système de production Toyota, Taiichi Ohno, qui a omis de parler du second. Honda a pour sa part suivi une stratégie de profit fondée sur l'innovation et la flexibilité, complètement différente de celle de Toyota. Il a bâti pour la mettre en œuvre un système industriel original qui, bien que n'ayant pas été théorisé, n'en a pas moins assuré la prospérité de cette firme.

Venu tardivement à la construction automobile, à la fin des années soixante seulement, Honda a misé sur des produits innovants. Il visait à séduire une clientèle insatisfaite par les voitures classiques offertes par les autres constructeurs, Toyota et Nissan notamment. Pour réussir dans cette voie, il lui a fallu tout d'abord acquérir la capacité de percevoir les attentes nouvelles de la clientèle et d'y répondre de manière commercialement pertinente. Il lui a fallu ensuite construire un système de production lui permettant de produire immédiatement en masse le modèle de voiture validé par le marché, avant que les concurrents ne le copient. Il lui a fallu enfin assurer son indépendance financière pour prendre les risques nécessaires et supporter les inévitables échecs. Honda a pour ce faire pris le contre-pied de ce qui est censé être le modèle japonais. Il a valorisé en son sein les individualités innovantes à tout niveau, par un système de salaire et de promotion privilégiant l'expertise pratique et l'invention au détriment de l'âge et du diplôme. Il a choisi d'organiser la conception à partir de projets soumis par des ingénieurs constituant ensuite leur propre équipe une fois le projet retenu, de concevoir des lignes de production rapidement et économiquement convertibles aux modèles qui « marchent », de se donner les moyens de ne pas dépendre des banques afin d'être libre de ses choix, de ne pas être lié à ses fournisseurs par des engagements de commande afin de pouvoir changer facilement de production tout en sous-traitant la fabrication d'un pourcentage très élevé de composants. Ces caractéristiques, parmi d'autres, sont à l'opposé de celles du « système Toyota ».

Toyota a adopté au début des années cinquante une stratégie de profit par la réduction permanente des coûts à volume constant, les autres sources de profit – notamment les économies d'échelle, la diversité et la qualité – venant, lorsque le marché le permettait ou l'exigeait, s'ajouter et non se substituer à la première. Cette stratégie implique de ne pas prendre de risques inutiles, notamment en matière d'innovation. Il suffit en effet de copier intelligemment les modèles innovants conçus par d'autres et devenant des classiques. La réduction permanente des coûts à volume constant passe chez Toyota par son système de gestion du prix de revient. Celui-ci consiste d'abord à fixer des objectifs de réduction des coûts en les déclinant depuis les différentes directions jusqu'aux services, ateliers et

Bibliographie

R. Boyer, E. Charron, U. Jurgens, S. Tolliday, *Between Imitation and Innovation. The Transfer and Hybridization of the Productive Models in the International Automobile Industry*, Oxford University Press, Oxford, 1998.

R. Boyer, M. Freyssenet, *Le monde qui a changé la machine* (à paraître).

E. Dourille-Feer, *L'Économie du Japon*, La Découverte, coll. « Repères », Paris, 1998.

J.-P. Durand, J. J. Castillo, P. Stewart, *L'Avenir du travail à la chaîne*, La Découverte, Paris (à paraître).

M. Freyssenet, A. Mair, K. Shimizu, G. Volpato, *One Best Way ? Trajectories and Industrial Models of the World's Automobile Producers*, Oxford University Press, Oxford, 1998.

J.-F. Sabouret (sous la dir. de), *L'état du Japon*, La Découverte, coll. « L'état du monde », Paris, 1995.

J. Woomack, D. Jones, D. Roos, *Le système qui va changer le monde*, Dunod, Paris, 1992.

équipes de travail tout au long du processus de conception, de fabrication et de vente. Le « juste-à-temps » est précisément la méthode permettant de faire apparaître les surcoûts cachés. Mais il n'a jamais pu à lui seul contraindre les salariés à les éliminer. La garantie d'emploi n'a pas non plus été une condition suffisante, bien qu'indispensable, car les salariés ne peuvent durablement scier la branche sur laquelle ils sont assis. Toyota a dû en plus mettre en place un système de salaire très contraignant, faisant dépendre 60 % de la rémunération mensuelle de la réduction, par chaque équipe de travail, des temps accordés pour réaliser les opérations standards – et donc de l'effectif nécessaire –, et cela mois après mois.

Accepté pendant plus de trente ans, ce système de salaire unique a été, avec le système des horaires, à l'origine de la crise du travail qui a secoué Toyota au moment même où son système de production était célébré comme le modèle industriel du XXIe siècle.

Le système de production Toyota a implosé sous l'effet de la « bulle spéculative » de la fin des années quatre-vingt, particulièrement importante au Japon. Le marché automobile a brutalement augmenté de 2 millions de véhicules en l'espace de trois ans. Les constructeurs automobiles ont multiplié les modèles de voiture pour capter cette demande nouvelle supposée durable, accroissant sensiblement leurs coûts de production. Ils n'ont pu, particulièrement Toyota, trouver la main-d'œuvre suffisante pour produire le volume nécessaire, les jeunes se détournant d'entreprises offrant un travail réputé très dur. Toyota, en cherchant à augmenter encore plus les heures supplémentaires des salariés en place, leur demandant de faire durablement des journées de onze ou douze heures, a déclenché une réaction de refus de la part des salariés, des chefs d'équipe et des contremaîtres. Au moment où le MIT popularisait la *lean production*, une des firmes censées le mieux l'incarner a été ainsi contrainte de réviser profondément son système. Après discussion avec le syndicat, Toyota a décidé de ne plus exiger des salariés de réduire leurs propres temps standards, mais de faire des économies de matières, de fluides et d'outillage, et de ne plus imposer les objectifs en ces domaines, mais de les discuter. Le montant du salaire ne dépend plus que pour 20 % de ces économies à réaliser. Dans une des usines, le système de salaire a même été supprimé, la rémunération évoluant dorénavant classiquement en fonction de l'âge et de la qualification. La contrainte du « juste-à-temps » a été relâchée. Des stocks-tampons ont été réintroduits sur les chaînes de montage pour redonner de l'autonomie aux équipes de travail. Elles ont été en outre recomposées pour que chaque tronçon corresponde à un sous-ensemble complet dont une équipe de travail peut être effectivement responsable. Toyota s'est inspiré en cela de ce qu'avait fait Volvo pour « réformer le travail », notamment dans son usine de Kalmar dans les années soixante-dix. Au moment où l'engouement pour les méthodes japonaises déferlait dans les usines américaines et européennes, Toyota allait ainsi chercher des solutions pour résoudre la crise du travail qui l'affectait chez un constructeur symbolisant une voie socio-technique considérée aux États-Unis et en Europe comme relevant d'un âge révolu, celui où l'on se préoccupait d'« humaniser » le travail. Ironie de l'histoire.

La chute de la demande automobile consécutive à l'éclatement de la bulle spéculative n'a pas entraîné un retour à l'ancien système chez Toyota. En revanche, elle a entraîné une baisse de la rentabilité, d'autant plus importante que le nombre de modèles avait été imprudemment multiplié. Le nouveau compromis d'entreprise qui a été bâti autour des réformes du travail entre les dirigeants, le syndicat et les salariés a permis à Toyota de surmonter à la fois la crise interne et de redresser sa rentabilité. Mais il lui a fallu pour cela changer de système.

Il n'existe pas de modèle industriel universel

La situation est étonnante. Nombre d'entreprises disent s'inspirer d'un modèle industriel qui en fait n'a jamais existé et d'une entreprise, Toyota, qui a changé le sien. En outre, le modèle toyotien et le modèle hondien n'ont pas été les seuls modèles performants au cours des années soixante-dix et quatre-vingt, ne serait-ce que dans le secteur automobile. Volkswagen a pu mettre en œuvre au cours de ces deux décennies de manière profitable le modèle « sloanien », du nom du président de General Motors où ce modèle s'est constitué et épanoui dans les années cinquante et soixante, avant de connaître à son tour en 1993-1994 une crise due à son propre succès. Ce modèle est fondé prioritairement sur les économies d'échelle et la variété de l'offre et sur un compromis social qui privilégie la défense de l'emploi.

Il n'existe pas de modèle industriel universel. D'abord parce qu'une firme ne peut poursuivre toutes les sources de profit à la fois. Elle ne peut en même temps faire les plus hautes économies d'échelle, offrir la plus grande diversité, assurer la qualité maximale, être à la pointe de l'innovation commercialement valable, réagir immédiatement aux variations de la demande, tout en réduisant en permanence ses coûts à volume constant. Les combinaisons de sources de profit qui caractérisent les différentes stratégies de profit présentent des exigences spécifiques pour être mises en œuvre. En outre, une stratégie de profit n'est viable que si elle est compatible avec le mode de croissance et de redistribution du revenu national correspondant à l'espace dans lequel elle est poursuivie. Elle n'est enfin effectivement profitable que si un « compromis de gouvernement » de l'entreprise entre ses principaux acteurs s'élabore autour des moyens pour la mettre en œuvre : politique-produit, organisation productive et relations salariales cohérentes entre elles. Loin d'être obligés de se soumettre à un modèle industriel unique qui serait la condition de la survie de l'entreprise qu'ils dirigent ou qui les emploie, dirigeants, syndicats et salariés ont le pouvoir et le devoir de penser, et de développer un système socio-productif qui soit un compromis cohérent et viable, laissant possibles les perspectives économiques et sociales propres à chacun d'eux.

L'avenir est ouvert. ■

Par **Véronique Chaumet**
CIDIC, La Documentation française

1997

1er juillet. UNESCO. Le Royaume-Uni réintègre l'UNESCO dont il s'était retiré en décembre 1985.
8 juillet. Caricom. Lors du 18e sommet, à Montego Bay (Jamaïque), Haïti devient le 15e pays membre de la Communauté des Caraïbes.
8-9 juillet. OTAN. Le sommet de Madrid s'accorde sur le principe de l'élargissement de l'OTAN à la Hongrie, la Pologne et la République tchèque. Un accord de partenariat avec l'Ukraine est signé le 9 juillet.
8 septembre. SADC. Les Seychelles et le Congo (ex-Zaïre) adhèrent à la Communauté de développement de l'Afrique australe, lors du 7e sommet à Blantyre (Malawi).
20-25 septembre. FMI-Banque mondiale. La 52e assemblée annuelle, réunie à Hong Kong, décide une augmentation de 45 % du capital du FMI, porté à 288 milliards de dollars, afin de renforcer sa capacité d'intervention lors des crises financières comme celle qui secoue l'Asie du Sud-Est depuis juillet. Le Fonds aura mobilisé 37 milliards de dollars pour la Corée du Sud, l'Indonésie, les Philippines et la Thaïlande entre juillet 1997 et juin 1998.
10-11 octobre. Conseil de l'Europe. Le 2e sommet de l'organisation réunit à Strasbourg les quarante États membres. Adoption d'un plan d'action de dix-huit mesures en faveur de la démocratie en Europe.
23 octobre. CEI. Réunion, à Chisinau (Moldavie), des chefs d'État de la CEI. Ce sommet illustre leurs divergences sur l'intégration.
24-25 octobre. Commonwealth. Au cours du sommet d'Édimbourg, les Fidji réintègrent le Commonwealth dont elles avaient été exclues dix ans auparavant. La suspension du Nigéria est maintenue.
3-4 novembre. Balkans. A Héraklion (Grèce), l'Albanie, la Bosnie, la Bulgarie, la Grèce, la Macédoine, la Roumanie, la Turquie et la Yougoslavie s'engagent à renforcer la stabilité et la sécurité de la région, sans parvenir à résoudre les nombreux contentieux existants.
11 novembre. UNESCO. Adoption par 186 pays d'une Déclaration universelle sur le génome humain et les droits de l'homme interdisant notamment le clonage humain.
14-16 novembre. Francophonie. Au cours du 7e sommet, à Hanoi, des pays « ayant le français en partage », les représentants de 52 États et communautés francophones créent un poste de secrétaire général et désignent à ce poste Boutros Boutros-Ghali, ancien secrétaire général des Nations unies.
16-18 novembre. MENA. La 4e conférence économique pour le Moyen-Orient et l'Afrique du Nord (Doha, Qatar) est boycottée par les principaux pays arabes en raison du blocage des pourparlers de paix entre Israël et l'Autorité palestinienne.
24-25 novembre. APEC. Lors du 5e sommet à Vancouver (Canada), les 18 pays membres débattent de la crise financière en Asie du Sud, avec des divergences de vues entre pays riches et pays émergents. La Russie, le Pérou et le Vietnam obtiennent le statut d'observateur.
1er-12 décembre. Climat. A Kyoto, la 2e conférence internationale sur le réchauffement climatique rassemble 159 pays, parmi lesquels 38 pays industrialisés, s'engageant à réduire d'ici 2012 les émissions de gaz à effet de serre de 5,2 % en moyenne.
4 décembre. Mines antipersonnel. 121 pays, à l'exception des États-Unis, de la Chine et de la Russie, signent à Ottawa un traité interdisant la fabrication, l'utilisation, le stockage et le commerce des mines antipersonnel. La Campagne internationale pour l'interdiction des mines antipersonnel avait obtenu le prix Nobel de la paix 1997 le 10 octobre précédent.
11 décembre. OCI. Le 8e sommet de l'Organisation de la conférence islamique (OCI), qui a permis à l'Iran de briser son isolement et de progresser dans sa normalisation avec l'Arabie saoudite, s'achève à Téhéran sur une condamnation de la politique d'Israël dans les Territoires occupés, qui ne remet pas en cause le processus de paix.
12-13 décembre. UE. Le Conseil européen, réuni à Luxembourg, lance officiellement le processus d'élargissement avec l'Estonie, la Hongrie, la Pologne, la République tchèque, la Slovénie et Chypre (mais non avec la Turquie). La création d'un Conseil de l'euro (informel et non décisionnel) est décidée.
13 décembre. OMC. 72 pays signent l'accord sur la libéralisation des services financiers qui ouvrira à la concurrence à compter du début de 1999 les activités internationales des banques, assurances et sociétés de courtage.
14-16 décembre. ANSEA. 2e sommet informel à Kuala Lumpur (Malaisie). Y participent,

Par **Véronique Chaumet**
CIDIC, La Documentation française

outre les neuf pays membres (la Birmanie et le Laos ayant adhéré le 25 juillet, le Cambodge demeurant observateur), la Chine, le Japon et la Corée du Sud. Les conditions posées par le FMI en contrepartie des aides aux pays les plus touchés par la crise financière sont dénoncées et une aide d'urgence est demandée aux pays industrialisés.

1998

5-6 février. Sahel. Création à Tripoli (Libye) de la Communauté des États sahélo-sahariens qui veut développer la coopération économique dans la région. Elle regroupe le Burkina Faso, la Libye, le Mali, le Niger, le Soudan et le Tchad.

2 mars. ONU-Irak. Après la crise ouverte en octobre 1997 par le refus de Saddam Hussein de laisser inspecter les sites militaires dits « présidentiels » par les experts américains des Nations unies, puis leur expulsion le 13 novembre et la menace américaine, le 13 janvier, de recourir aux armes, une médiation du secrétaire général de l'ONU aboutit à un accord avec l'Irak, entériné par la résolution 1154 du Conseil de sécurité du 2 mars, permettant la reprise des inspections.

14 mars. SME. La drachme grecque, dévaluée de 13,8 %, entre dans le Système monétaire européen et la livre irlandaise est réévaluée de 3 %, afin de préparer le passage à l'euro.

25 mars. ONU-République centrafricaine. La résolution 1159 du Conseil de sécurité crée la Minurca (Mission des Nations unies en République centrafricaine), force de maintien de la paix composée de 1 350 hommes.

18-19 avril. Sommet des Amériques. A Santiago du Chili, les 34 pays participants confirment leur projet de zone de libre-échange en 2005 (ZLEA) en mettant en place un comité des négociations commerciales.

28 avril. AMI. La signature de l'Accord multilatéral sur l'investissement, négocié depuis trois ans dans le cadre de l'OCDE et visant à établir l'ouverture totale des marchés à tous les investissements, est reportée.

1er-3 mai. UE. Lors du Conseil européen extraordinaire de Bruxelles, la liste des pays qui adopteront l'euro dès le 1er janvier 1999 est officiellement arrêtée. Ils sont au nombre de onze : Allemagne, Autriche, Belgique, Espagne, Finlande, France, Irlande, Italie, Luxembourg, Pays-Bas et Portugal. Le Royaume-Uni, le Danemark et la Suède, bien que souscrivant aux conditions de convergence, ont fait le choix politique de ne pas s'associer, tandis que la Grèce ne réunissait pas les conditions requises [*sur les enjeux de l'euro, voir article p. 40*].

15-17 mai. G-8. Birmingham (Royaume-Uni). Le Groupe des Huit, composé des sept principaux pays industrialisés et de la Russie, débat principalement de la réforme du système monétaire international, marqué par la crise asiatique.

18-20 mai. OMC. Lors de la 2e conférence ministérielle, à Genève, des 132 pays membres de l'Organisation mondiale du commerce, désaccord entre les États-Unis, partisans de négociations sectorielles, et les Européens qui veulent des négociations globales. Un accord provisoire sur le commerce électronique est signé, continuant à l'exonérer de droits de douane.

1er juin. UE. La Banque centrale européenne (BCE), présidée par le Néerlandais Wim Duisenberg, devient opérationnelle. Son siège est à Francfort. Le Système européen de banques centrales (SEBC), constitué de la BCE et des quinze banques centrales, sera inauguré le 30 juin.

2-18 juin. OIT. Lors de la 86e conférence internationale du travail (Genève), adoption d'un projet de convention interdisant les formes les plus dangereuses du travail pour les enfants de moins de quinze ans.

6 juin. ONU-Inde-Pakistan. Le Conseil de sécurité condamne les essais nucléaires indiens des 11 et 13 mai et pakistanais des 28 et 30 mai [*voir article p. 49*].

15 juin-17 juillet. ONU. A Rome, 120 pays se mettent d'accord sur la création d'une Cour pénale internationale permanente (CPI) dont le siège sera à La Haye, et qui aura compétence pour juger du crime de génocide, des crimes contre l'humanité, des crimes de guerre et des crimes d'agression.

24 juin. OPEP. Les onze pays membres, réunis à Vienne, décident une nouvelle réduction de leur production de 1,3 million de barils par jour – qui fait suite à celle, décidée le 31 mars, de 1,2 million de barils par jour –, pour stopper la chute des cours [*sur la conjoncture des produits énergétiques, voir article p. 95*]. ■

1997

21 juin. Centrafrique. Reprise des combats à Bangui entre soldats mutins et MISAB (Mission interafricaine de surveillance des accords de Bangui), faisant plusieurs dizaines de victimes.
2 juillet. Tadjikistan. Désignation du Conseil de réconciliation nationale. Le 10, la Commission de réconciliation nationale signera à Moscou un accord sur l'amnistie générale. Le 18, début de l'échange des prisonniers. Néanmoins, les négociations entre le pouvoir et l'Opposition tadjike unie – OTU – sont souvent rompues.
5-7 juillet. Cambodge. De violents combats opposent à Phnom Penh des partisans des deux co-Premiers ministres. Hun Sen revendique la victoire. Exilé en France, le prince Ranariddh appelle à la résistance.
13 juillet. Sierra Léone. Les combats entre soldats de l'armée nigériane et forces armées de la junte au pouvoir s'intensifient, faisant plusieurs centaines de victimes.
14 juillet. Bosnie-Herzégovine. Condamnation par le Tribunal pénal international (TPI) du Serbe de Bosnie Dusan Tadic pour crime contre l'humanité.
24 juillet. Angola. Le président José Eduardo dos Santos déclare son pays à nouveau en guerre civile avec la reprise des combats dans le Nord entre l'armée régulière et l'UNITA (Union nationale pour l'indépendance totale de l'Angola). Le 28 août, le Conseil de sécurité de l'ONU vote des sanctions contre le mouvement de Jonas Savimbi.
26 juillet. Cambodge. Pol Pot, ancien leader des Khmers rouges, est condamné par ses anciens partisans à la prison à vie. Il décédera le 15 avril 1998.
30 juillet. Israël. Un attentat des Brigades Izz al-Din al-Qassam, bras armé du Hamas, provoque 17 morts et plus de 100 blessés dans un marché juif de Jérusalem, en représailles pour une affiche injurieuse pour le Prophète placardée à Hébron. Le 4 août, un nouvel attentat à Jérusalem fait 8 morts et 190 blessés.
3 août. Comores. L'île d'Anjouan autoproclame son indépendance en réclamant son rattachement à la France. Le 3 septembre, une tentative de débarquement des troupes fédérales se soldera par un échec.
12 août. Espagne. L'exécution par l'ETA d'un conseiller municipal enlevé provoque une manifestation de masse à Bilbao, contre la violence du groupe séparatiste basque.
29 août. Algérie. Massacre de 300 personnes à Sidi Moussa (sud d'Alger), alors que le FIS (Front islamique du salut) se dit prêt au dialogue. De nouveaux massacres auront lieu en septembre, notamment dans la nuit du 22 au 23 à Bentalha, près d'Alger.
1er septembre. Haut-Karabakh. Élection d'Arkadi Ghoukassian à la tête de la république autoproclamée. Le nouveau président rejette le plan de paix du Groupe de Minsk. Il se déclare néanmoins prêt à discuter de « relations confédérales » avec l'Azerbaïdjan.
15 septembre. Irlande du Nord. Ouverture des négociations sur l'avenir de l'Ulster à Belfast. C'est la première rencontre entre les républicains (catholiques) du Sinn Féin et les unionistes protestants.
1er octobre. Palestine. Après l'échec d'une tentative d'assassinat menée par ses services secrets contre Khaled Machaal, chef du Bureau politique du Hamas, Israël est contraint de libérer Cheikh Ahmad Yassin, guide spirituel du mouvement islamiste, emprisonné depuis 1989.
3-10 octobre. Sénégal. Une offensive de l'armée régulière contre les sécessionnistes de Casamance fait une centaine de victimes.
10 octobre. Nobel. Le prix Nobel pour la paix honore la campagne internationale contre les mines anti-personnel. Du 2 au 4 décembre aura lieu à Ottawa une conférence internationale pour leur interdiction. États-Unis, Chine et Russie refuseront de signer l'accord final.
16 octobre. Congo (-Brazza). Chute de Pointe-Noire et de Brazzaville devant l'offensive des partisans de l'ancien président Denis Sassou Nguesso (1979-1991), soutenus militairement par des troupes angolaises. Le président Lissouba abandonne le pouvoir. Le 25, Sassou Nguesso sera investi président.
29 octobre. Irak. Bagdad expulse les experts américains de l'Unscom (Commission spéciale des Nations unies chargée du désarmement irakien), qu'il accuse d'être surreprésentés et d'espionner au profit de la CIA, ce qui entraîne des menaces de représailles et un renforcement de la présence militaire américaine dans la région.
17 novembre. Égypte. Attentat à Louxor, revendiqué par la Djamaa Islamiya (islamiste), faisant près de 70 morts, en grande majorité des touristes.

19 novembre. Rwanda. L'offensive des rebelles hutu contre une prison du Nord-Ouest est repoussée par les forces gouvernementales (plusieurs centaines de victimes). Le 4 décembre, une autre tentative permettra l'évasion de 600 détenus accusés dans le génocide de 1994. Le 17 juillet précédent, des opérations militaires contre les miliciens hutu avaient fait des centaines de morts dans le Nord.
9 décembre. Corée. Ouverture à Genève, sous l'égide de la Chine et des États-Unis, de pourparlers entre les deux Corées. Depuis la fin des hostilités, en 1953, aucun accord de paix n'a été signé.
22 décembre. Mexique. Un massacre dans le village d'Acteal (Chiapas) fait au moins 45 morts parmi les Indiens (non armés). Des forces paramilitaires proches du Parti révolutionnaire institutionnel (PRI, au pouvoir) sont accusées de ces représailles visant les activités pro-zapatistes.

1998

1er janvier. Burundi. L'attaque d'une base militaire à Bujumbura par des miliciens hutu provoque la mort de 150 personnes. Le 30, le major Buyoya acceptera le principe d'une médiation externe pour résoudre le conflit.
7 janvier. Iran. Trois semaines après s'être prononcé « pour un dialogue des cultures avec le grand peuple américain », le président Khatami laisse entendre, dans un entretien avec *CNN*, que l'Iran souhaite améliorer ses relations avec les États-Unis.
15 janvier. Sri Lanka. Attentat des séparatistes tamouls contre le World Trade Center de Colombo en riposte à une vaste opération militaire gouvernementale contre les territoires qu'ils contrôlent dans la péninsule de Jaffna.
21-25 janvier. Cuba. La première visite du pape est une importante victoire diplomatique pour Fidel Castro, mais Jean-Paul II obtient des concessions significatives. Il critique l'embargo imposé par les États-Unis, mais exige la libération des prisonniers politiques.
23 janvier. Papouasie-Nouvelle-Guinée. Accord de cessez-le-feu signé à Christchurch (Nouvelle-Zélande) entre le gouvernement de Papouasie-Nouvelle-Guinée, les rebelles de Bougainville et le gouvernement intérimaire de Bougainville. Le 30 avril 1998 sera signé un cessez-le-feu « permanent et irrévocable » entre les deux gouvernements.
12 février. Sierra Léone. Les troupes nigérianes de l'Ecomog (Force ouest-africaine d'interposition) reprennent Freetown à la junte militaire arrivée au pouvoir par un coup d'État le 25 mai 1997. Le 10 mars, le président Ahmad Tejan Kabbah sera rétabli dans ses fonctions.
17 février. Équateur-Pérou. Reprise des négociations de paix, notamment concernant la délimitation des frontières (des litiges ont provoqué des affrontements armés en février 1995).
1er mars. Israël. Benjamin Netanyahou déclare qu'Israël est « prêt à accepter la résolution 425 » du Conseil de sécurité de l'ONU (adoptée en 1978) « et à retirer ses forces du Liban », mais sa revendication d'une « entente préalable sur des dispositions de sécurité » est rejetée par le Liban et la Syrie qui réclament un « retrait sans conditions ».
2 mars. Irak. Le Conseil de sécurité de l'ONU adopte à l'unanimité la résolution 1154, qui menace l'Irak des « plus graves conséquences » en cas de violation de l'accord conclu le 23 février entre Saddam Hussein et Kofi Annan, mais qui n'autorise pas de recours automatique à la force (l'accord du 23 février autorise la visite des « sites présidentiels » par l'Unscom, dans des conditions plus respectueuses de la souveraineté irakienne).
2 mars. Colombie. Au moins 80 soldats périssent lors d'une attaque du Bloc sud des Forces armées révolutionnaires colombiennes (FARC), ce qui marque la plus grosse défaite de l'armée depuis cinquante ans.
6 mars. ONU-Libye. Les Nations unies prolongent les sanctions contre Tripoli pour son refus de coopérer dans l'enquête sur l'attentat commis en 1998 contre un Boeing dans le ciel d'Écosse.
24 mars. Rwanda. 22 personnes accusées d'avoir participé au génocide de 1994 sont exécutées en public.
25 mars. ONU-République centrafricaine. La résolution 1159 du Conseil de sécurité crée la Minurca (Mission des Nations unies en République centrafricaine), force de maintien de la paix composée de 1 350 hommes.
10 avril. Irlande du Nord. Signature d'un accord historique entre les principaux partis unionistes et républicains, le Royaume-Uni et la République d'Irlande. Les négociations ont été placées sous l'égide des Premiers mi-

nistres de ces deux pays et du médiateur américain George Mitchell. Cet accord relatif au statut futur de l'Ulster intervient trente ans après la reprise des violences.
17 avril. Afghanistan. Bill Richardson, ambassadeur américain à l'ONU, obtient le principe d'une trêve dans la guerre civile, aussitôt rompue par les taliban.
4 mai. Nouvelle-Calédonie. Signature officielle des accords de Nouméa entre indépendantistes du FLNKS et anti-indépendantistes du RPCR, et le représentant de l'État français. Ces accords reportent le scrutin d'autodétermination de ce territoire d'outre-mer français à une date comprise entre 2013 et 2018. D'ici là, certaines compétences de l'État seront transférées aux autorités du territoire.
5 mai. Éthiopie-Érythrée. Début d'un conflit relatif à un différend frontalier. La ville de Mekele, en Éthiopie, sera bombardée par les forces érythréennes et l'aéroport d'Asmara (Érythrée) par l'armée éthiopienne. Les hostilités s'interrompront le 14, comme suite aux pressions des États-Unis.
11-13 mai. Inde. L'Inde procède à cinq essais nucléaires dans le désert du Rajasthan. Le Pakistan procédera à six tests nucléaires les 28 et 30 mai [*voir article p. 49*]. La communauté internationale condamne cette escalade et les États-Unis bloquent leur aide aux deux pays. Début juin, les escarmouches reprendront entre militaires indiens et pakistanais au Cachemire.
14 mai. Indonésie. Alors que des manifestations étudiantes ont relayé les émeutes populaires déclenchées fin avril, pillages et incendies se multiplient. Les commerçants chinois sont une cible pour les émeutiers. Le 21, Suharto démissionne, après 32 ans de règne sans partage. Jussuf Habibie le remplace. Plusieurs centaines de personnes auront trouvé la mort depuis les premières émeutes.
23 mai. Géorgie. Reprise des combats, dans la région de Gali, entre « partisans » géorgiens et séparatistes abkhazes. Le 25, le président Édouard Chevardnadzé propose à l'Abkhazie de devenir « sujet d'un État fédéral » en échange de la paix et du retour des réfugiés dans le district de Gali.
24 mai. Congo (-Kinshasa). Instabilité et répression à Kinshasa alors que des combats se poursuivent dans l'est du pays contre les rebelles Mai-Mai. Le 30, le président Kabila acceptera pour la première fois de rencontrer le principal leader d'opposition, Étienne Tshisekedi. En août, une rébellion soutenue militairement par l'Ouganda et le Rwanda se développera, bientôt combattue par des troupes angolaises, zimbabwéennes et namibiennes.
7 juin. Guinée-Bissau. Soulèvement d'une partie de l'armée contre le président João Bernardo Vieira, entraînant de nombreux affrontements dans le pays. L'armée sénégalaise intervient en faveur du pouvoir en place.
10 juin. Mexique. Lors d'une opération visant à démanteler une « communauté autonome », l'armée affronte des sympathisants de l'Armée zapatiste de libération nationale (EZLN) dans le Chiapas. Ces premiers combats depuis le cessez-le-feu du 12 janvier 1994 font 9 morts.
15 juin-17 juillet. ONU. A Rome, 120 pays se mettent d'accord sur la création d'une Cour pénale internationale permanente (CPI) dont le siège sera à La Haye, et qui aura compétence pour juger du crime de génocide, des crimes contre l'humanité, des crimes de guerre et des crimes d'agression.
15 juin. Yougoslavie. L'OTAN procède à des exercices aériens au-dessus de l'Albanie et de la Macédoine pour faire pression sur le président Slobodan Milosevic engagé dans une stratégie de répression militaire face aux indépendantistes armés du Kosovo.
21 juin. Burundi. Signature à Arusha d'un accord de cessez-le-feu entre le gouvernement et les rebelles hutu. ■

Un monde en mutation

L'année économique

La crise financière asiatique a marqué toute la période, suscitant des mouvements de panique boursière et fragilisant les zones émergentes. Un an plus tard démarrait la crise russe… L'impuissance du FMI dans ce contexte « globalisant » a souligné l'urgence d'une réforme du système financier international.

1997

2 juillet. Thaïlande. Le Premier ministre thaïlandais annonce la dévaluation de la monnaie nationale. Le baht perd 30 % de sa valeur. Le dollar de Singapour atteint son plus bas niveau depuis février 1995, tandis que le ringgit malaisien est en chute libre. C'est le début de la crise financière en Asie, qui va toucher la Birmanie, les Philippines, l'Indonésie, la Corée du Sud... [*voir article p. 33*]

11 juillet. ALENA. L'administration Clinton dépose un rapport qui fait le bilan des trois premières années de l'Accord de libre-échange nord-américain. Celui-ci aurait eu un « impact positif modeste » sur l'économie américaine. Une coalition de six instituts proches des syndicats et des groupes environnementalistes présente un rapport opposé, qui conclut à l'échec et demande l'abolition ou la renégociation de l'ALENA.

11 août. Thaïlande. Bangkok reçoit un prêt de 17,2 milliards de dollars du FMI. Le baht continue de se déprécier. Le 13, la roupie indonésienne atteindra son plus bas niveau historique.

18 septembre. Chine. Lors de son XVe congrès, le Parti communiste chinois annonce la réforme des entreprises d'État, prévoyant la suppression de plus de quatre millions d'emplois en trois ans.

19 septembre. Indonésie-Malaisie. État d'urgence dans l'État de Sarawak. Les feux de forêt qui ravagent l'Indonésie provoquent une véritable catastrophe écologique dans toute la région.

20-25 septembre. FMI-Banque mondiale. La 52e assemblée annuelle, réunie à Hong Kong, décide une augmentation de 45 % du capital du FMI, porté à 288 milliards de dollars, afin de renforcer sa capacité d'intervention lors des crises financières comme celle qui secoue l'Asie du Sud-Est depuis juillet. Le Fonds aura mobilisé 37 milliards de dollars pour la Corée du Sud, l'Indonésie, les Philippines et la Thaïlande entre juillet 1997 et juin 1998.

8 octobre. Corée du Nord. Alors que Kim Jong-il devient secrétaire général du Parti des travailleurs de Corée du Nord, le pays connaît une très grave pénurie alimentaire.

10 octobre. France. Lors de la réunion d'une Conférence nationale pour l'emploi, le Premier ministre socialiste annonce la prochaine présentation au Parlement d'un projet de loi fixant la durée légale du travail à 35 heures au 1er janvier 2000 pour les entreprises de plus de 10 salariés.

23 octobre. Crise asiatique. La Bourse de Hong Kong s'effondre. Le 27, Wall Street perdra 554 points. De Londres à Tokyo, toutes les Bourses clôturent en baisse.

30 octobre. Travail des enfants. Dans le cadre d'une conférence organisée à Oslo par le gouvernement norvégien, l'UNICEF (Fonds des Nations unies pour l'enfance) et le BIT (Bureau international du travail), une quarantaine de pays adoptent une résolution visant à abolir le travail des enfants sous quinze ans et à mettre fin aux autres formes les plus intolérables d'exploitation des jeunes.

31 octobre. Indonésie. Jakarta signe un accord avec le FMI pour un prêt-bail de 40 milliards de dollars avec pour contrepartie le démantèlement de monopoles d'État et la fermeture de 16 institutions bancaires.

1er novembre. Italie. Accord gouvernement/organisations syndicales sur la réforme du système des retraites.

6 novembre. Corée du Sud. Chute vertigineuse du won. Le système financier du pays est malade. Huit « chaebols » (conglomérats) annoncent leur faillite. Le 21, Séoul fera appel au FMI et obtiendra, le 4 décembre, un prêt de 57 milliards de dollars.

10 novembre. Brésil. Une série de dispositions (« paquet fiscal ») sont prises pour restaurer la confiance des marchés financiers. Le « paquet » comprend notamment des économies d'un montant de 18 milliards de dollars qui freinent la croissance et indisposent les partenaires du Brésil au sein du Mercosur.

16-18 novembre. MENA. La 4e conférence économique du Moyen-Orient et de l'Afrique du Nord (Doha, Qatar) est boycottée par les principaux pays arabes en raison du blocage des pourparlers de paix entre Israël et l'Autorité palestinienne.

24 novembre. Japon. La maison de titres Yamaichi, quatrième du pays, annonce sa faillite. Les jours suivants, le yen sera à son plus bas niveau depuis cinq ans.

24-25 novembre. APEC. Lors du 5e sommet à Vancouver (Canada), les 18 pays membres débattent de la crise financière en Asie du Sud, avec des divergences de vues entre pays riches et pays émergents. La Russie, le Pérou et le Vietnam obtiennent le statut d'observateur.

8 décembre. Banque. L'Union des banques suisses (UBS) et la Société de banque suisse (SBS) fusionnent, créant la United Bank of Switzerland, deuxième groupe au monde par le bilan et premier par les fonds propres.
12-13 décembre. UE. Le Conseil européen, réuni à Luxembourg, lance officiellement le processus d'élargissement avec l'Estonie, la Hongrie, la Pologne, la République tchèque, la Slovénie et Chypre (mais non avec la Turquie). La création d'un Conseil de l'euro (informel et non décisionnel) est décidée.
13 décembre. OMC. 72 pays signent l'accord sur la libéralisation des services financiers qui ouvrira à la concurrence à compter du début de 1999 les activités internationales des banques, assurances et sociétés de courtage.
14-16 décembre. ANSEA. 2e sommet informel à Kuala Lumpur (Malaisie). Y participent, outre les neuf pays membres (la Birmanie et le Laos ayant adhéré le 25 juillet, le Cambodge demeurant observateur), la Chine, le Japon et la Corée du Sud. Les conditions posées par le FMI en contrepartie des aides aux pays les plus touchés par la crise financière sont dénoncées et une aide d'urgence est demandée aux pays industrialisés.

1998

1er janvier. Russie. Entrée en vigueur du nouveau rouble, valant 1 000 roubles anciens, et réforme monétaire.
2 janvier. Vietnam. Les investissements étrangers ont baissé de 50 % en 1997. Le pays connaît à son tour une récession économique.
12 janvier. Crise asiatique. Peregrine, l'une des plus importantes banques de Hong Kong, est mise en liquidation. Face à la hausse du chômage, l'Indonésie, la Fédération de Malaisie et la Thaïlande adoptent des mesures pour renvoyer une partie des étrangers travaillant sur leur territoire, afin de libérer des emplois.
12 janvier. États-Unis-Mexique. Le département du Travail américain présente une étude faisant état de nombreuses violations des lois mexicaines du travail dans les usines situées près de la frontière, notamment envers les femmes enceintes. En avril, un autre rapport du même département identifiera des irrégularités importantes lors d'élections syndicales, suscitant une vive réaction du gouvernement mexicain.
13 janvier. Brésil. Le Sénat approuve la plus importante réforme au droit du travail depuis les années trente, notamment en légalisant les contrats à durée déterminée. L'objectif est de flexibiliser le marché du travail.
22-23 janvier. États-Unis-Mexique. John J. Sweeney, président de la fédération syndicale AFL-CIO, se rend au Mexique. Il s'agit de la première visite au Mexique d'un dirigeant du mouvement ouvrier américain depuis 1924. J.J. Sweeney souhaite promouvoir la coopération entre les syndicats des deux pays.
2 février. États-Unis. Le président Bill Clinton présente un budget équilibré pour l'année fiscale 1999, une première en près de trente ans.
24 février. Canada. Pour la première fois depuis près de trente ans, le gouvernement canadien rend public un budget sans déficit.
17 mars. Brésil. Quelque 10 000 militants du Mouvement des sans-terre (MST) occupent des bâtiments publics dans tout le pays en signe de révolte contre la lenteur de la réforme agraire.
22 mars. OPEP. Les ministres du Pétrole d'Arabie saoudite, du Vénézuela et du Mexique se réunissent à Riyad pour tenter d'enrayer, sans succès au 30 août, une chute continue du prix du baril qui menace les économies des pays de l'Organisation des pays exportateurs de pétrole.
7 avril. Australie. En accord avec le gouvernement qui souhaite mettre fin au monopole syndical d'embauche chez les dockers, la compagnie de chargement Patrick licencie ses 1 400 employés pour les remplacer par des travailleurs non syndiqués. Les dockers licenciés paralyseront l'entreprise pendant un mois. Le conflit prendra fin le 25 juin après la signature d'un accord entre syndicat et direction.
13 avril. Banque. Annonce de deux mégafusions aux États-Unis, respectivement de NationsBank et BankAmerika, et de Banc-One et First Chicago. Les nouvelles entités se hissent aux 1er et 5e rangs américains.
14 avril. États-Unis-Cuba. L'Union européenne, après de longues négociations, obtient que la loi Helms-Burton, qui devait sanctionner les entreprises commerçant avec Cuba, soit suspendue. Le 3 janvier, Bill Clinton avait annoncé que la mise en œuvre complète de cette loi était ajournée de six mois.

18-19 avril. ZLEA. Le deuxième sommet des Amériques réunissant les 34 pays démocratiques de la région se tient à Santiago du Chili. Il lance le processus de négociation de la Zone de libre-échange des Amériques (ZLEA) devant aboutir en l'an 2005. La déclaration de Santiago met l'accent sur l'éducation comme facteur déterminant pour le développement économique et social de la région.

28 avril. AMI. La signature de l'Accord multilatéral sur l'investissement, négocié depuis trois ans dans le cadre de l'OCDE et visant à établir l'ouverture totale des marchés à tous les investissements, est reportée.

1er-3 mai. UE. Lors du Conseil européen extraordinaire de Bruxelles, la liste des pays qui adopteront l'euro dès le 1er janvier 1999 est officiellement arrêtée. Ils sont au nombre de onze : Allemagne, Autriche, Belgique, Espagne, Finlande, France, Irlande, Italie, Luxembourg, Pays-Bas et Portugal. Le Royaume-Uni, le Danemark et la Suède, bien que souscrivant aux conditions de convergence, ont fait le choix politique de ne pas s'associer, tandis que la Grèce ne réunissait pas les conditions requises. Le Néerlandais Wim Duisenberg est désigné pour présider la Banque centrale européenne. La France avait tenté d'imposer la candidature de Jean-Claude Trichet [*sur les enjeux de l'euro, voir article p. 40*].

7 mai. Automobile. Les constructeurs allemand Daimler-Benz et américain Chrysler annoncent leur fusion.

14-26 mai. Russie. Grève des mineurs pour protester contre les retards dans le paiement des salaires. A partir du 11 juin, les représentants des mineurs organisent un piquet devant le siège du gouvernement et exigent la démission du chef de l'État.

15-17 mai. G-8. Birmingham (Royaume-Uni). Le Groupe des Huit, composé des sept principaux pays industrialisés et de la Russie, débat principalement de la réforme du système monétaire international, marqué par la crise asiatique.

18 mai. États-Unis. Le gouvernement fédéral et vingt États américains déposent deux poursuites majeures contre Microsoft, qu'ils accusent d'utiliser son monopole sur les logiciels système pour éliminer leurs concurrents et tenter de contrôler Internet. Il s'agit de la plus importante offensive gouvernementale contre une compagnie depuis une génération.

18 mai. États-Unis-Mexique. Le gouvernement américain annonce que trois grandes banques mexicaines, dont Bancomer et Banca Serfin, et vingt-six banquiers seront poursuivis pour le blanchiment d'argent lié au trafic de drogue.

18-20 mai. OMC. Lors de la 2e conférence ministérielle à Genève des 132 pays membres de l'Organisation mondiale du commerce, désaccord entre les États-Unis, partisans de négociations sectorielles, et les Européens qui veulent des négociations globales. Un accord provisoire sur le commerce électronique est signé, continuant à l'exonérer de droits de douane.

1er juin. UE. La Banque centrale européenne (BCE), présidée par le Néerlandais Wim Duisenberg, devient opérationnelle. Son siège est à Francfort. Le Système européen de banques centrales (SEBC), constitué de la BCE et des quinze banques centrales, sera inauguré le 30 juin.

2-18 juin. Travail des enfants. Lors de la 86e Conférence internationale du travail (Genève), adoption d'un projet de convention interdisant les formes les plus dangereuses du travail pour les enfants de moins de quinze ans.

15 juin. Japon. Le yen atteint son plus bas niveau depuis huit ans.

23 juin. Russie. Alors que le président Eltsine – qui a chargé le 17 juin Anatoly Tchoubaïs de négocier avec les institutions financières internationales un prêt d'urgence à la Russie – qualifie la situation financière d'« alarmante », le Premier ministre Sergueï Kirienko expose son programme destiné à répondre aux conditions posées par le FMI. Le 13 juillet, le FMI et la Banque mondiale annonceront l'octroi d'un prêt de 22,6 milliards de dollars. Le rouble continuant à plonger, B. Eltsine congédiera le 23 août son Premier ministre, ajoutant une crise politique à la crise financière.

24 juin. OPEP. Les onze pays membres, réunis à Vienne, décident une nouvelle réduction de leur production de 1,3 million de barils par jour – qui fait suite à celle, décidée le 31 mars, de 1,2 million de barils par jour –, pour stopper la chute des cours [*sur la conjoncture des produits énergétiques, voir article p. 95*].

30 juin. UE. La Banque centrale européenne (BCE) est officiellement inaugurée à Francfort. ■

Tableau de bord de l'économie mondiale en 1997-1998

Francisco Vergara
Économiste

En 1997, la production mondiale a augmenté de 4,1 %, un taux égal à celui de l'année précédente, une accélération de la croissance en Europe occidentale, aux États-Unis et en Amérique latine ayant tout juste compensé le ralentissement constaté en Asie et en Afrique. Dans les pays « en transition » (les ex-pays socialistes engagés dans la construction d'une économie de marché), la croissance, bien qu'encore très faible, s'est accélérée en 1997 et en Russie la production a cessé de diminuer pour la première fois en huit ans. En 1998, selon les estimations, la croissance mondiale devait seulement être de 2,0 % en raison, notamment, de la crise asiatique et du ralentissement des économies anglo-saxonnes, sans compter les effets de la crise russe déclenchée à l'été 1998.

Les économies avancées

Dans les pays à économie avancée, la croissance s'est légèrement améliorée, passant de 3,0 % en 1996 à 3,1 % en 1997. Le gain d'un point du taux de croissance aux États-Unis et en Europe a un peu plus que compensé le fort ralentissement de l'économie japonaise, lequel devait se transformer en récession à la fin de 1997 et au début de 1998. Le taux de chômage des pays avancés a à peine diminué. Une nouvelle, mais faible, diminution du chômage devait avoir lieu en 1998 et en 1999.

En octobre 1998, l'OCDE et le FMI considéraient que la tendance générale dans le monde développé était à un *ralentissement* de la croissance aux États-Unis et au Royaume-Uni – où la reprise économique était ancienne et qui ont eu précédemment une croissance effective plus rapide que leur croissance potentielle ; à la poursuite de la croissance en Europe continentale où la reprise avortée de 1994 semblait renaître ; enfin, à une récession et surtout à une grande *incertitude* au Japon, pays très différent des autres grandes économies développées [*voir plus loin*].

– Le cas de l'économie américaine

Aux États-Unis, la croissance, dont le rythme était de 2,5 % par an depuis la sortie de la récession de 1990-1991, s'est soudainement accélérée et a atteint 3,8 % en 1997. Mais, comme l'a diagnostiqué l'OCDE, cette performance devait être provisoire : « La production de l'économie dans son ensemble a dépassé son niveau potentiel estimé, [...] l'activité économique devrait se ralentir en 1998, car la crise asiatique et l'appréciation du dollar déprimeront la demande extérieure, [...] les entreprises semblent devoir freiner la progression des stocks qui, ces derniers temps, ont augmenté plus vite que les ventes. » Le FMI et l'OCDE tablaient sur une croissance de l'ordre de 2,7 % en 1998-1999, sans exclure « des scénarios plus extrêmes [...]. Il existe un certain risque de voir le ralentissement prévu pour le second semestre de 1998 susciter une révision à la baisse des programmes d'investissement fixe des entreprises [...]. Le freinage exogène de la demande pourrait être accentué par un mouvement de déstockage [...] Cela pourrait entraîner l'économie vers la récession » [*source 1, p. 45-47*].

Les réformes de Margaret Thatcher réévaluées

Dans le rapport sur l'économie britannique que l'OCDE publie tous les deux ans [*source 5*], on constate un changement d'attitude vis-à-vis des réformes thatchériennes relatives au marché du travail britannique. Le bilan n'y est pas favorable pour la Dame de fer : « Depuis le début des années quatre-vingt, écrivent les experts de l'OCDE, le marché du travail britannique s'est radicalement transformé. Toute une série de lois relatives à l'emploi ont réduit le pouvoir de négociation des salariés [...]. Ces initiatives pour améliorer la flexibilité du marché du travail et accroître la production potentielle [...] n'ont guère eu d'effet visible sur l'élévation des taux d'emploi [...], le taux d'emploi britannique [emploi divisé par la population d'âge active] [...] est encore en retrait d'environ trois points sur le sommet du dernier cycle, et inférieur au taux des États-Unis, du Japon et de la plupart des pays nordiques... Le chômage [*le taux officiel, F. V.*] a fortement reculé pour s'établir à 6,4 % [...] néanmoins, quelque 2,3 millions de personnes, soit 6,5 % de la population d'âge actif, souhaiteraient travailler bien qu'elles ne soient pas comptabilisées comme chômeurs... De plus, depuis 1992, le nombre de personnes inactives qui souhaiteraient un emploi a progressé en moyenne de 5 % par an [...]. Trois groupes distincts d'individus représentent l'essentiel des personnes involontairement inactives. Le premier groupe, et celui qui augmente le plus vite, est constitué de malades de longue durée et des handicapés... [*ce groupe*] s'est accru de 1,5 million de personnes au cours des vingt dernières années et représente 4 % de la population d'âge actif [...]. Le deuxième grand groupe est celui des parents isolés [...] le taux d'emploi des parents isolés est un des plus bas de la zone de l'OCDE. Le troisième groupe, qui compte actuellement un demi-million de personnes, est constitué de conjoints de chômeurs recensés. »

L'étude de l'OCDE citée suggère que d'autres indicateurs seraient plus significatifs que le taux de chômage officiel. L'évolution du nombre de « sans-emploi », par exemple, mesure mieux que celui des « chômeurs officiels » le phénomène de l'aggravation de l'exclusion par rapport au marché du travail ; et le pourcentage des « ménages » sans emploi reflète mieux la détresse que le pourcentage de « chômeurs officiels » dans la « population active ». L'évolution de ces indicateurs donne une vision différente des choses. Bien que le taux de chômage officiel soit revenu au niveau d'il y a vingt ans (6 % à 7 % de la population active), « près d'un cinquième des ménages d'âge actif sont sans emploi, soit près de trois fois plus qu'il y a vingt ans. Bien que ce pourcentage ait légèrement baissé ces dernières années avec la maturation de la reprise, il est encore l'un des plus élevés de la zone de l'OCDE [...] ». [*Source 5, p. 80-91*] - **F. V.** ■

L'économie des États-Unis suscite en Europe les réactions les plus émotionnelles : lors de ses phases d'expansion, on ne parle que de son « dynamisme » ; lors des phases de récession, les commentaires deviennent des plus pessimistes.

On assiste pour l'actuelle reprise à un engouement similaire à la fascination qui se manifesta dans les années quatre-vingt, lors de la reprise qui eut lieu sous Ronald Reagan. Pourtant, si on regarde le cycle économique dans son ensemble [*voir graphique 1*], on voit que l'Europe – à laquelle on attribue rigidités et autres défauts – présente un taux de croissance *identique* à celui des États-Unis [*source 2, page VIII*]. Le

Ce que ne mesurent pas les taux de chômage officiels

Selon certains analystes, les allocations chômage généreuses seraient de grands ennemis de l'emploi. Elles réduiraient l'incitation à rechercher du travail et disposeraient à refuser des salaires faibles lorsque ceux-ci sont les seuls qu'un entrepreneur peut offrir. Cela semble confirmé par les données statistiques : ainsi, aux États-Unis, où les allocations chômage sont faibles et de courte durée, le taux de chômage officiel est moins élevé qu'en Europe occidentale et il y a moins de chômeurs de longue durée. En se fondant sur des raisonnements et des études empiriques de ce genre, nombre de pays occidentaux ont réduit, depuis une vingtaine d'années, les allocations chômage, les rendant plus difficiles à obtenir et plus rapidement dégressives.

Depuis quelques années néanmoins, de nombreuses études statistiques et des travaux économétriques tendent à mettre en cause cette thèse. Ainsi, nombre d'économistes critiquent le taux de chômage officiel en tant que concept permettant de comparer d'un pays à l'autre l'inefficacité respective des marchés du travail. Des études faites par l'OCDE, par le ministère du Travail américain, dans les universités, etc., montrent que le gaspillage de force de travail auquel donne lieu le marché ne se manifeste pas seulement sous la forme du taux de chômage officiel, mais aussi sous la forme d'emplois à temps partiel non choisis, par exemple, ou de maladie de longue durée, de mendicité, d'isolement et d'inadaptation sociale, de délinquance et de criminalité, etc. Ces études tendent à montrer que lorsqu'on prend en compte toutes ces formes d'exclusion du marché du travail, le nombre de personnes touchées a augmenté autant aux États-Unis et au Royaume-Uni que dans le reste de l'Europe. La plus ou moins grande générosité des allocations chômage, en comparaison des allocations maladie ou d'autres allocations de nature sociale, ainsi que les conséquences comparées de la mendicité et de la criminalité (avec ses séjours en prison) font que la part de la population d'âge actif qui pourrait travailler mais est exclue est très similaire. Ces chiffres suggèrent que le niveau de développement atteint par un pays détermine très fortement les proportions entre travail qualifié et non qualifié qui sont utilisées, et qu'en harcelant les moins qualifiés qui n'ont pas d'emploi on n'obtient pas nécessairement les résultats qu'on souhaite. Ainsi, aux États-Unis, le taux de chômage officiel n'était en 1997, il est vrai, que de 5 %, mais il y a dix fois plus de criminels par habitant qu'aux Pays-Bas (du moins en ce qui concerne les meurtres), et la population carcérale, qui a récemment dépassé les deux millions d'individus, y est aussi (par tête d'habitant) dix fois plus élevée. Au Royaume-Uni, le taux de chômage et la criminalité sont relativement faibles, mais le pays compte un million et demi de « malades de longue durée ». - **F. V.** ■

graphique souligne aussi l'interruption de la forte reprise européenne de 1994, « cassée » en 1995 et 1996 par l'incertitude des investisseurs et consommateurs et par les politiques restrictives menées pour atteindre, à marche forcée, les objectifs fixés par le traité de Maastricht relatif à l'Union européenne.

– L'Union européenne vers une nouvelle ère « libérale » ?

Après une croissance de 1,7 % en 1996, la performance de l'Union européenne s'est considérablement améliorée. Elle a atteint 2,6 % en 1997 et les prévisions tablaient sur 2,8 % en 1998 et en 1999. La reprise, amorcée au printemps 1996, s'est ampli-

Salaire minimum et chômage Attention aux idées reçues

L'économétrie (étude des relations statistiques entre divers ensembles de variables) aux États-Unis a porté de sévères coups à l'idée selon laquelle les salaires minima seraient de grands fauteurs de chômage, notamment dans les services et dans les catégories les moins qualifiées. Ces études ont certainement contribué aux changements intervenus dans les politiques britannique et américaine en matière de salaire minimum.

L'idée simpliste selon laquelle le salaire minimum aux États-Unis est très faible et n'a pas varié depuis l'arrivée de Ronald Reagan (1980) au gouvernement oublie le fait qu'il s'agit là uniquement du minimum « fédéral ». A côté de ce minimum existent cinquante minima dans les différents États de l'Union américaine. Ces minima, dont l'évolution manifeste tous les cas de figure imaginables, fournissent aux économètres une importante source d'observations (une sorte de laboratoire d'expérimentation) qui a été exploité par les chercheurs des plus prestigieuses universités américaines : l'Institute for Labor Market Policies de l'université Cornell et la Industrial Relations Section de Princeton, notamment, dans le cadre de leur programme commun « New Minimum Wage Research ».

Les résultats de certaines de ces études sont publiés dans *Industrial and Labor Relations Review* (vol. 46, n° 1). Ainsi, par exemple, David Card de Princeton se penche sur l'augmentation brusque de 27 % du salaire minimum californien en 1988, augmentation qui concernait 11 % des salariés et 50 % des moins de vingt ans. « Nous ne trouvons, au niveau des données, rien qui aille dans le sens des thèses habituelles concernant les effets des salaires minima... même dans le commerce de détail. En ce qui concerne les moins de vingt ans, les répercussions de l'augmentation du salaire minimum sont particulièrement frappantes : l'augmentation de leur salaire horaire et hebdomadaire moyen (provoquée par la hausse du minimum légal) a été suivie d'un accroissement du taux d'emploi de quatre points du pourcentage (à comparer avec une stabilité de ce taux dans les États où aucune augmentation de salaire n'a eu lieu). »

Quant à Ronald Ehremberg, du National Bureau of Economic Research (le prestigieux NBER), qui fait la synthèse de ces travaux, il constate, dans la même livraison de cette revue, qu'il « est significatif qu'aucune de ces études ne suggère que, au niveau actuel des salaires minima, des augmentations de l'ordre de 10 % auraient des effets importants sur l'emploi [...] *tous les chercheurs sont d'accord* sur ce point ».

En France, l'enthousiasme pour la « réduction du coût du travail le moins qualifié » n'a pas toujours été aussi dominant. Jusqu'au début des années quatre-vingt, les études économétriques les plus sérieuses ne décelaient aucune responsabilité spéciale du salaire minimum dans l'augmentation du taux de chômage. Et même plus récemment, plusieurs études de la Direction de la prévision du ministère des Finances et de l'INSEE (Institut national de la statistique et des études économiques), restées malheureusement sous la forme de *documents internes*, trouvaient une très faible relation causale entre l'emploi peu qualifié et le niveau des salaires pratiqué pour ces catégories (« Le lien entre coût relatif travail-capital et emploi », *Document de travail*, n° 93-6, Direction de la prévision ; « Les effets sur l'emploi d'un abaissement du coût du travail des jeunes », *Document de travail*, G 9319,INSEE, nov. 1993). - **F. V.** ■

fiée et est devenue moins dépendante de la seule demande extérieure. « L'investissement est en passe de devenir le moteur de la croissance », écrivait la Commission des Communautés européennes, au début de 1998 [*source 3, p. 1*].

Mise à part la dynamique propre du cycle (l'économie européenne est entrée, à compter de 1994, dans une phase d'expansion), deux facteurs peuvent expliquer cette amélioration : un certain retour de la confiance chez les consommateurs et les investisseurs et la fin des politiques restrictives. A la diminution des taux d'intérêt des dernières années s'est désormais ajoutée une certaine pause (temporaire peut-être) des politiques d'assainissement budgétaire. Si l'on se fonde sur les budgets et programmes votés, les politiques de « consolidation fiscale » ont connu une pause en 1998 (les budgets étant même un peu expansionnistes en France et en Allemagne) et devaient devenir, en moyenne européenne, légèrement expansionnistes en 1999 [*source 4, Annexe statistique, tableau A16*].

Les résultats des différents pays européens en 1997 semblent au premier abord souligner une divergence entre, d'un côté, le Royaume-Uni (flexible et libéral) avec un taux de croissance de 3,3 % et, de l'autre, la France et l'Allemagne (rigides et frileuses) avec une croissance de l'ordre de 2,4 %

Deux mythes sur la reprise américaine

Selon une opinion très répandue, la reprise économique américaine serait d'une « longueur sans précédent » et les États-Unis connaîtraient un « rebond miraculeux de la productivité » (la productivité américaine, rappelons-le, augmente traditionnellement moins vite que celle de l'Europe et que celle du Japon). Ces deux affirmations sont pour le moins exagérées. En juillet 1998, l'expansion de l'économie américaine dure depuis 28 trimestres, à comparer avec presque le double (52 trimestres) pour l'expansion liée aux présidences Kennedy-Johnson, et 31 trimestres pour l'expansion Reagan-Bush (OCDE, *Principaux indicateurs économiques, données rétrospectives*). Quant au « miracle » de productivité qu'est censé connaître l'économie américaine, aucun des grands rapports économiques annuels (ceux de l'OCDE, du FMI, de l'ONU, de la BRI-Banque des règlements internationaux, etc.) n'en a fait mention. Comme le montre le tableau ci-dessous, la productivité dans l'industrie manufacturière américaine s'est un peu améliorée, mais elle a continué à croître à un rythme plus lent que la productivité européenne, et nettement en dessous de celles de l'Allemagne et de la France. Même en se fondant sur la productivité dans l'ensemble de l'économie (et pas seulement dans l'industrie manufacturière), on arrive aux mêmes conclusions [*source 3, Annexe statistique, p. 7*]. - **F. V.** ■

Productivité, industrie manufacturière (taux de croissance annuelle)

	1980-1989	1990-1999	1994	1995	1996	1997
États-Unis	2,8	3,0	2,6	3,1	3,9	4,3
Europe des 15	5,6	3,4	7,7	4,0	1,9	4,2
France	4,1	4,0	9,0	3,9	2,4	7,0
Allemagne	2,6	4,6	8,6	5,3	5,5	7,4

Source 4, Annexe statistique, Table A-10.

Tableau 1
Production mondiale par groupes de pays (Taux de croissance annuel)

	1960-73	1973-89	1989-99	1995	1996	1997
Monde	5,4	2,9	3,2	3,6	4,1	4,1
Pays industriels[a]	5,3	2,8	2,3	2,5	2,7	3,0
Pays en développement[b]	5,7	3,8	5,7	6,0	6,6	5,8
Pays en transition[c]	• •	• •	– 3,2	– 1,3	– 0,1	1,7

a. Pays industrialisés ; b. Pays en développement ; c. Ex-URSS, Bulgarie, ex-Tchécoslovaquie, ex-Yougoslavie, Roumanie, Pologne et Hongrie.
Source : FMI.

Tableau 2
Pays industrialisés (Taux de croissance annuel)

	1960-73	1973-89	1989-99	1995	1996	1997
États-Unis	4,2	2,8	2,2	2,0	2,8	3,8
Japon	9,2	3,6	1,8	1,5	3,9	0,9
Union européenne	4,7	2,3	2,0	2,5	1,7	2,6
Allemagne[a]	4,2	2,0	2,5	1,8	1,4	2,2
France	5,3	2,4	1,8	2,1	1,5	2,4
Italie	5,2	2,8	1,5	2,9	0,7	1,5
Royaume-Uni	3,1	2,0	1,7	2,7	2,2	3,3
Canada	5,3	3,4	1,9	2,2	1,2	3,8

a. *Länder* de l'Ouest seulement jusqu'en 1990.
Source : ONU, Commission économique pour l'Europe.

Tableau 3
Pays en transition (Taux de croissance annuel)

	1989-97	1993	1994	1995	1996	1997
Europe de l'Est	– 1,1	– 3,6	– 3,0	1,4	1,5	2,7
Bulgarie	– 5,6	– 1,5	1,8	2,1	– 10,9	– 7,4
Rép. tchèque	– 0,3	0,6	2,7	5,9	4,1	1,2
Hongrie	– 1,3	– 0,6	2,9	1,5	1,3	4,0
Pologne	1,4	3,8	5,2	7,0	6,1	6,9
Slovaquie	– 0,5	– 3,7	4,6	6,8	7,0	5,7
Slovénie	– 0,6	2,8	5,3	4,1	3,1	3,7
Pays baltes	– 7,6	– 19,7	0,2	2,1	3,5	6,5
CEI	– 7,1	– 9,5	– 14,3	– 5,4	– 4,5	0,7
Biélorussie	– 4,1	– 7,6	– 12,6	– 10,4	2,8	10,0
Russie	– 6,7	– 8,7	– 12,6	– 4,0	– 2,8	0,4
Ukraine	– 10,8	– 14,2	– 22,9	– 12,2	– 10,0	– 3,2

Sources : ONU, Commission économique pour l'Europe, et FMI.

Tableau 4
Pays en développement
(Taux de croissance annuel)

	1960-73	1973-89	1989-99	1995	1996	1997
Ensemble	5,7	3,8	5,7	6,0	6,6	5,8
Afrique[a]	4,2	2,6	2,9	3,0	5,5	3,2
Asie	4,7	6,3	7,5	9,0	8,3	6,7
Moyen-Orient[b]	• •	1,6	4,0	3,6	4,9	4,4
Amérique latine	5,9	2,9	3,4	1,2	3,5	5,0

a. Au sud du Sahara ; b. Y compris Afrique du Nord.
Sources : FMI et Banque mondiale.

Tableau 5
Inflation annuelle[a]

	1970	1975	1980	1985	1990	1997[c]
Pays industrialisés	5,6	11,2	12,0	4,1	5,0	1,8
États-Unis	5,9	9,0	13,5	3,6	5,4	1,7
Japon	7,7	11,8	7,7	2,0	2,8	1,8
RFA	3,4	5,9	5,4	2,2	2,7	1,8
France	5,9	11,8	13,3	5,8	3,4	1,1
Royaume-Uni	6,4	24,2	18,0	6,1	8,1	3,6
Italie	5,1	17,1	21,0	9,2	6,5	1,9
Canada	3,4	10,8	10,2	4,0	4,8	0,7
Pays en développement[b]	8,5	23,1	27,8	35,5	62,5	9,7
Afrique	5,4	18,9	14,2	12,2	20,1	4,7
Asie	• •	1,7	12,3	6,0	6,6	4,7
Moyen-Orient	3,1	21,5	17,3	13,4	21,9	5,8
Amérique latine	12,3	37,2	55,2	127,5	438,6	10,8

a. Taux officiels de croissance annuels de l'indice des prix à la consommation ; b. Pays en développement ; c. Décembre à décembre.
Source : FMI.

Tableau 6
Exportations mondiales

	1970	1980	1985	1995	1996	1997
Total monde (milliards $) dont (en %)	292	1 897	1 819	5 083	5 283	5 464
Pays industrialisés	76,2	66,7	70,5	68,1	67,3	66,5
Amérique du Nord[b]	20,4	15,5	17,0	15,3	15,6	16,5
Europe	47,1	42,9	42,2	42,8	42,4	40,9
Japon	6,6	6,9	9,7	8,7	7,8	7,7
Pays en développement[a]	23,8	33,3	29,5	31,9	32,7	33,5
Afrique	4,4	5,0	3,6	2,0	2,3	2,3
Asie	5,8	8,6	11,5	18,4	18,5	19,1
Amérique latine	5,6	5,5	5,4	3,8	4,0	4,3

a. Pays en développement ; b. Canada et États-Unis.
Source : FMI.

Tableau 7

Dette extérieure totale (Milliards de dollars)

	1970[a]	1980	1990	1995	1996	1997[d]
Ensemble PED[c]	68	577	1 423	2 041	2 093	2 171
Afrique[b]	7	58	177	231	227	223
Asie et Pacifique	19	103	369	604	629	666
Europe et ex-URSS	5	75	219	352	368	389
Amérique latine	33	257	475	637	656	678
Moyen-Orient et Afrique du Nord	5	84	182	216	212	216

a. Dette à long terme seulement; b. Afrique du Nord non comprise; c. Pays en développement, y compris ex-URSS; d. Préliminaire.
Source : Banque mondiale.

Tableau 8

Produit intérieur brut par habitant[a] (États-Unis = 100)

	1977	1987	1997
États-Unis	100	100	100
Japon	62,8	73,1	81,2
Union européenne	64,5	67,1	69,6
RFA	66,2	69,9	76,8
France	76,3	75,4	72,4
Italie	63,9	70,7	68,8
Royaume-Uni	65,6	70,4	68,8

a. Les PIB sont calculés selon la méthode des taux de change à parité de pouvoir d'achat (PPA).
Source : OCDE.

Tableau 9

Production industrielle (1990 = 100)

	1970	1975	1980	1985	1990	1998[a]
Pays industrialisés	57,2	62,6	77,5	85,3	100,0	116,2
États-Unis	55,4	58,9	76,6	87,4	100,0	129,0
Japon	45,3	49,0	67,8	80,3	100,0	99,0
RFA[b]	70,7	71,5	84,1	85,4	100,0	108,0
France	66,1	76,0	89,2	87,6	100,0	107,7
Royaume-Uni	73,5	75,1	81,5	88,0	100,0	109,0
Italie	62,3	67,1	87,3	84,7	100,0	109,2
Canada	58,4	70,8	81,3	94,3	100,0	122,2

a. Premier trimestre; b. Avant 1990, ex-RFA seulement.
Source : OCDE.

Tableau 10
Emploi (1990 = 100)

	1971	1975	1980	1985	1990	1998[a]
Pays industrialisés	71,9	74,6	85,4	90,3	100	103,5
UE	91,1	91,9	93,9	92,7	100	98,0
États-Unis	68,0	73,2	84,4	91,1	100	109,8
Japon	82,0	83,6	88,6	92,9	100	103,1
RFA	94,0	91,7	95,0	93,4	100	96,3
France	92,8	94,7	96,7	94,8	100	100,5
Italie	92,4	93,5	97,6	98,7	100	93,6
Royaume-Uni	91,1	93,0	94,0	91,1	100	99,2
Canada	61,9	70,7	84,2	89,2	100	104,8

a. Premier trimestre.
Source : OCDE

Tableau 11
Taux de chômage (% de la population active)[a]

	1976	1980	1985	1990	1993	1997	1998[c]
Pays industrialisés	5,4	5,8	7,8	6,1	8,0	7,3	7,1
UE	5,0	6,4	10,5	8,1	10,9	10,7	10,3
États-Unis	7,6	7,0	7,1	5,6	6,9	4,9	4,7
Japon	2,0	2,0	2,6	2,1	2,5	3,4	3,6
RFA[b]	3,7	2,9	7,1	4,8	7,9	10,0	10,0
France	4,4	6,2	10,2	8,9	11,7	12,4	12,0
Italie	6,6	7,5	9,6	10,3	10,2	12,1	12,0
Royaume-Uni	5,6	6,4	11,2	6,9	11,4	7,0	6,5

a. Taux standardisés ; b. Allemagne unifiée après 1990 ; c. Premier trimestre.
Source : OCDE

seulement, l'évolution du taux de chômage « officiel » semblant confirmer cette impression. Au Royaume-Uni, ce taux est passé en quatre années de 10,7 % à 6,6 %, tandis qu'il augmentait de près de deux points de pourcentage en Allemagne et d'un point en France. Cela a contribué à alimenter dans ces deux pays une véritable campagne de presse. On a vanté à l'envi le « dynamique Royaume-Uni » attirant de jeunes entrepreneurs venant créer, outre-Manche, des emplois qui auraient pu l'être sur le continent si les rigidités et les prélèvements obligatoires n'étaient si élevés. Les chiffres, et les analyses des organisations internationales, montrent que les choses ne sont pas aussi simples. D'abord, ce n'est pas en créant des emplois que l'économie britannique a réduit son chômage. Comme l'explique *Perspectives économiques de l'OCDE* (juin 1998), « la contribution de la croissance de l'emploi au recul du chômage entre 1990 et 1997 a été [...] nulle au Royaume-Uni » [*source 1, p. 197*]. Ensuite, comme on le voit sur le graphique 2, l'économie britannique n'a pas crû plus vite que celles de la France et de l'Allemagne. Si on compare la croissance sur tout le cycle (sur une période de dix ans), on voit clairement que la récession des années quatre-vingt-dix est beaucoup plus accentuée au Royaume-Uni. Cela peut donner une illusion statistique lors de la sortie de récession, mais le taux de croissance tendanciel des trois grands pays

Matrice des exportations (1980 et 1997, tous produits en milliards de dollars)											
Destination / Origine	Année	Pays développés				Pays en développement				Europe de l'Est et ex-URSS	Monde
		Total	Europe	Amérique du Nord[a]	Japon	Total	Afrique[b]	Amérique latine[e]	Asie[c]		
Pays développés	1980	891	650	166	40	316	65	76	165	42	1 259
	1997	2 569	1 708	638	135	897	66	211	598	126	3 631
Europe[d]	1980	615	540	50	8	149	50	25	67	31	802
	1997	1 730	1 455	185	46	340	47	55	220	115	2 222
Amérique du Nord[a]	1980	184	75	75	24	90	7	41	41	6	282
	1997	558	154	312	70	292	9	133	149	7	853
Japon	1980	62	21	34	–	65	6	9	50	4	130
	1997	206	69	1 241	–	212	3	20	188	2	421
Pays en développement	1980	401	186	123	82	155	15	45	92	23	587
	1997	856	301	370	155	650	27	88	528	30	1 590
Afrique[h]	1980	79	46	30	2	13	3	6	3	2	95
	1997	67	46	19	2	20	6	3	11	3	91
Amérique latine[e]	1980	69	26	38	5	30	2	23	4	7	108
	1997	179	43	125	9	77	3	55	18	3	261
Asie[c]	1980	248	110	55	75	111	9	16	85	10	373
	1997	1 034	341	404	241	971	28	53	885	34	2 092
Europe de l'Est et ex-URSS	1980	43	40	2	2	32	4	5	13	79	155
	1997	109	97	6	4	45	2	3	30	55	217
Monde	1980	1 336	876	291	124	504	84	126	270	144	2 001
	1997	3 529	2 101	1 015	295	1 584	95	302	1 155	209	5 423

a. États-Unis et Canada ; b. Égypte et Maghreb compris, hors Afrique du Sud ; c. Y compris Moyen-Orient ; d. Pays développés d'Europe ; e. Y compris Mexique et Caraïbes.
Source : ONU, *Bulletin mensuel statistique*, juin 1998.

européens est très similaire. La croissance entre le quatrième trimestre 1987 et le quatrième trimestre 1997 (deux trimestres « normaux », ne correspondant dans aucun de ces pays à une période de récession) a été de 2,6 % par an en Allemagne, de 2,0 % en France et de 1,8 % au Royaume-Uni. Le graphique 2 fait apparaître dans les données françaises et allemandes (mais pas dans celles du Royaume-Uni) le « coup de frein » de 1995 et 1996 (lié à l'application du traité de Maastricht) qui a « cassé » la reprise de 1994.

L'accélération progressive de la croissance en Europe occidentale s'est traduite par une amélioration de l'emploi de l'ordre de 0,6 % en 1997, amélioration devant se confirmer et passer à 0,9 % en 1998 et 1999, ce qui ramènerait le taux de chômage moyen à 10 % à la fin de 1999. La modestie de cette décrue a alimenté le grand débat divisant l'Europe quant aux réformes à entreprendre et aux mesures susceptibles de réduire plus rapidement le chômage. Pour les uns, la voie passe par la libéralisation du marché des capitaux, la flexibilisation du marché du travail, le recul de l'État et des impôts, etc. Cette politique (dite « libérale » ou « néolibérale »), dont on affirme qu'elle a été suivie avec succès par les États-Unis et le Royaume-Uni, est désormais soutenue par la Commission des Communautés européennes [*source 3*]. Pour les autres, ni l'analyse théorique ni les résultats des expériences Reagan et Thatcher ne permettent de conclure qu'une telle politique soit susceptible de produire les résultats que l'on prétend, sans compter leur coût social élevé. La nouvelle manière dont est perçue, aux États-Unis et au Royaume-Uni, l'épineuse question du « salaire minimum légal » ainsi que la révision de l'analyse que l'OCDE fait du « miracle britannique » suggèrent que cette seconde analyse a tendu à gagner un peu en influence.

Dans le chorus libéral qui tendait à s'imposer depuis la fin des années soixante-dix, la thèse selon laquelle des salaires minimums légaux trop élevés étaient une des causes principales de l'augmentation du chômage dans les pays occidentaux était devenue un dogme. Malgré son discours très « libéral », le Premier ministre britannique Tony Blair n'en a pas moins décidé d'instaurer un salaire minimum comparable à celui existant en France. Il ne faisait là que suivre l'exemple américain, le président Bill Clinton s'étant lancé dans un programme d'augmentation régulière du salaire minimum fédéral (+ 12 % en 1996 et + 8 % en 1997), le pouvoir d'achat du salaire horaire net minimum américain dépassant désormais celui de la France). Un projet de loi pluriannuel mis à la discussion a prévu une nouvelle augmentation de 20 % sur deux ans.

– *Les pays développés d'Asie*

Le groupe de pays que le FMI appelle « pays avancés d'Asie » (Japon, Corée du Sud, Taïwan, Singapour et Hong Kong) a atteint un niveau de richesse parmi les plus élevés du monde. Le PIB moyen par habitant calculé à parité de pouvoir d'achat par la Banque mondiale [*définition et données p. 581 et suiv.*] était, en 1996, pour ce groupe de pays, légèrement *plus élevé* que celui de l'Union européenne. Dans la hiérarchie mondiale des PIB par habitant, Singapour vient au 3e rang, juste devant la Suisse, précédé uniquement par les États-Unis et le Luxembourg. En 5e et 6e rangs, juste après la Suisse, viennent le Japon et Hong Kong. La Corée du Sud, beaucoup moins développée, ne vient qu'à la 31e place, juste après le Portugal, Taïwan se situant entre la Corée du Sud et le Japon. Ensemble, ces cinq pays ont une production égale à celle de la France, de l'Allemagne et du Royaume-Uni réunis.

Toute généralisation sur le « modèle de développement asiatique » est dangereuse. Ce groupe comporte en effet des différences plus grandes que celles qui existent entre la Grèce et le Luxembourg. Le rôle de l'État y varie énormément : à un extrême se situe Hong Kong (donné souvent par Milton Friedman comme modèle de libéralisme) et, à l'autre, Taïwan (dont le site Internet du ministère de l'Économie utilise le mot « planification » plus souvent que le mot « marché »). L'industrie de certains de ces pays (comme la Corée) est dominée par des cartels géants, les *chaebols*, tandis qu'à Taïwan elle se caractérise par un solide maillage de petites et moyennes entreprises, non sans rappeler certaines régions allemandes. Certains pays, comme le Japon, ont un énorme excédent d'épargne intérieure et sont devenus les créanciers du monde ; d'autres, comme la Corée (importatrice nette de capitaux), sont débiteurs à l'égard de l'extérieur. Ces pays n'ont pas non plus les mêmes forces et faiblesses structurelles (trois d'entre eux, par exemple, ont des systèmes bancaires très solides, contrairement aux deux autres). Enfin, ils n'ont pas été affectés de la même manière par la crise financière qui a frappé la région à partir de l'été 1997 [*voir article p. 33*].

Le Japon compte pour 70 % de la production de ce groupe de cinq pays. Après quatre années d'une croissance morose (0,8 % par an entre 1992 et 1995), il semblait avoir retrouvé une certaine vitalité avec un bond de 3,9 % en 1996 mais, en 1997, la croissance est de nouveau tombée à 0,8 % et au premier trimestre 1998 la production a diminué de 1,3 %. En août 1998, le FMI prévoyait une diminution de 2,5 % du PIB pour l'année 1998. Mais, même si on ne mesure que les années difficiles (depuis 1991), la croissance moyenne du Japon est restée supérieure à celle de plusieurs pays européens (Italie, Suisse, Suède) que personne ne soupçonnerait d'être au bord de la faillite.

Pour comprendre le ralentissement de l'économie japonaise (et la différence avec le ralentissement de la Corée du Sud, par exemple), il faut distinguer deux types de facteurs en jeu, très différents. Le graphique 3 permet de distinguer ces deux types de facteurs. On constate tout d'abord le ralentissement « naturel » que connaît nécessairement toute économie qui a fini de *rattraper* les pays les plus avancés. Le taux de croissance annuel qui était de 10,1 % entre 1960 et 1973 est passé à 4,2 % entre 1974 et 1990 et pourrait désormais se stabiliser autour de 2,4 % (estimation de l'OCDE). Ce ralentissement s'explique par ce phénomène inévitable et ne reflète pas un « échec » du modèle, mais plutôt son succès (le rattrapage a été réussi). A côté de cette décélération « naturelle », on a observé à compter de 1992 un ralentissement allant bien au-delà (le taux de croissance effectivement observé n'étant que la moitié du taux potentiel). Les analystes considèrent que ce ralentissement exceptionnel a été déclenché par un freinage brusque des lignes de crédit bancaire en direction des petites et moyennes entreprises, freinage provoqué par ce que l'on appelle la « crise financière japonaise ». A compter de 1997, deux facteurs supplémentaires ont aggravé la situation : les fluctuations violentes de la politique fiscale et la crise asiatique.

Face à cette crise bancaire [*voir article p. 298*] et au ralentissement économique qui s'est ensuivi, la politique japonaise semble avoir été, jusqu'à la fin 1996, de soutenir la demande globale par d'importantes mesures d'expansion fiscale et d'attendre que le retour de la croissance fasse disparaître les difficultés dans lesquelles se trouvaient les banques. Les mesures fiscales prises devaient creuser peu à peu le solde des administrations publiques, lequel est passé d'un excédent équivalent à 2,9 % du PIB en 1991 à un déficit de –4,3 % en 1996, tandis que la dette brute des administrations publiques passait de 60 % du PIB en 1991 à 83 % en 1996. La prospérité revenue en 1996 (avec 3,9 % de croissance du PIB), on aurait pu croire le pari gagné, mais trois chocs forts ont démenti cette analyse. Le premier d'entre eux a été ce que les Japonais appellent la « grande ponction en trois actes » sur le revenu des ménages. Devant les craintes inspirées par la montée des déficits publics, le gouvernement s'était engagé dans un programme radical de consolidation des finances publiques débutant au deuxième trimestre 1997. Une ponction fiscale équivalente à 3 % de la consommation privée fut imposée, provoquant presque immédiatement (au deuxième trimestre 1997) un recul du même ordre de grandeur du PIB [*voir graphique 3*]. Ce premier choc déflationniste fut suivi de deux autres dès le trimestre suivant. Ce fut d'abord l'annonce de la crise asiatique avec ses répercussions négatives sur les exportations et sur les bilans des banques, et ensuite, vers la fin de 1997, une contraction du crédit bancaire de la part des banques voulant respecter, au dernier moment, des critères plus stricts (d'inspiration occidentale) en matière de provisions pour pertes et fonds propres, critères qui devaient entrer en vigueur fin mars 1998. Les analystes ont en général souligné deux fautes de politique économique. Toutes deux ont été inspirées par un discours libéral de type occidental qui, en période préélectorale, semble avoir eu un certain succès. La première a consisté en un retrait trop rapide de la stimulation fiscale au deuxième trimestre 1997, retrait décidé sous la pression d'une importante campagne en faveur de l'orthodoxie fiscale inspirée par les mesures prises aux États-Unis dans l'objectif du « déficit zéro ». La seconde a été, malgré l'arrivée soudaine de la crise asiatique, la poursuite (sans pause) de l'application de réformes bancaires d'inspiration anglo-saxonne. A compter du début de 1998, le gouvernement a fait marche arrière sur pratiquement toutes

Graphique 1
PIB total, prix de 1980
(Europe 1986 = 100)

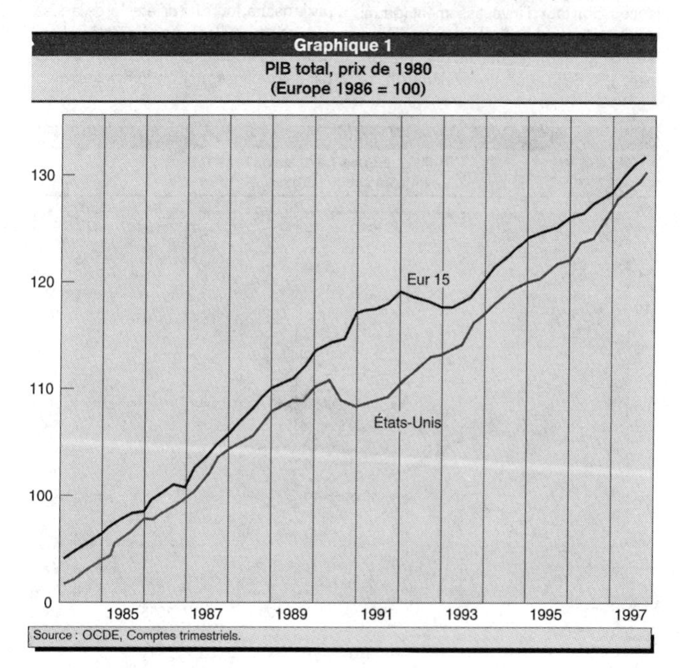

Source : OCDE, Comptes trimestriels.

ces mesures [*sur le Japon, voir sources 6 et 7*].

D'une tout autre nature est la crise économique frappant la Corée du Sud. Ce pays, qui était sur une pente de croissance de 8 %, devait connaître, en 1998, une contraction de sa production de l'ordre de 7 % (estimations FMI d'octobre 1998). Avec un niveau de production par habitant égal à la moitié de celui de Singapour, la Corée a encore beaucoup d'années de « rattrapage » devant elle. Après une phase d'ajustement, va-t-elle sortir de cette crise et entrer dans une nouvelle et longue période de croissance qui la mènera jusqu'aux niveaux des pays les plus avancés, ou, comme le Brésil et le Mexique (qui avaient connu des taux de croissance annuels de 10 % entre 1965 et 1975), entrera-t-elle dans une longue période de croissance ralentie ? Son taux d'investissement (parmi les plus élevés du monde), son système d'enseignement (parmi les plus performants), sa dette extérieure modérée (33 % du PIB d'après la « nouvelle définition », contenant court et long termes, retenue dans le cadre des accords signés avec le FMI) [*source 1, p. 95*] donnent à penser qu'elle inclinera vers la première option. La rapidité avec laquelle ce pays a redressé sa balance des transactions courantes, le plus visible des indicateurs sur lesquels se basent les créanciers d'un pays pour fonder leur confiance, tend à accréditer la même hypothèse. Cette balance, qui s'était gravement « enfoncée dans le rouge » à la veille de la crise financière (avec un déficit de l'ordre de 7 % du PIB au premier trimestre 1997), était déjà fortement positive au premier trimestre 1998 avec un excédent impressionnant de l'ordre de 10 % du PIB [*OCDE*, Principaux indicateurs économiques, *juil. 1998, p. 86*].

La Corée et le Japon se distinguent aussi par la nature, tout à fait différente, de la crise « financière » qui les frappe. Le système bancaire coréen, comme le japonais, est miné par des créances non performantes ; mais

Graphique 2

PIB de quelques pays européens (1990 = 100)

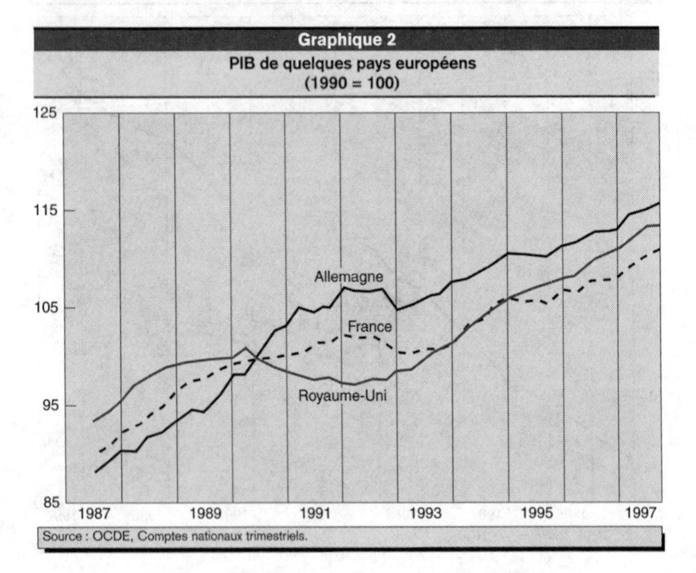

Source : OCDE, Comptes nationaux trimestriels.

le parallèle s'arrête là. Dans le cas du Japon, la circulation de l'épargne intérieure vers l'économie s'est trouvée « grippée » par la crise bancaire ; en Corée, ce sont des crédits extérieurs qui ont brusquement cessé d'affluer et qui ont eu tendance à se retirer du pays. Les mesures qu'on essaie d'imposer à ces deux pays sont ainsi exactement opposées : ce sont les « créanciers » de la Corée qui ont fait pression pour qu'elle dépense *moins*, tandis que dans le cas du Japon ce sont ses « débiteurs » qui ont fait pression pour qu'il dépense *plus*.

Les pays en développement

Le taux de croissance des pays en développement (PED) a ralenti, passant de 6,6 % en 1996 à 5,8 % en 1997, ce résultat s'expliquant par une décélération sur tous les continents à l'exception de l'Amérique latine. Les prévisions tablaient sur un ralentissement supplémentaire pour 1998 (2,3 %).

Le taux de croissance de l'Afrique a diminué, passant de 5,5 % en 1996 à 3,2 % en 1997. Ce résultat s'explique par de fortes décélérations enregistrées en Algérie, au Congo-Brazza, en Éthiopie et au Kénya, et par un recul de la production dans l'ex-Zaïre (– 5,7 %) et au Maroc (– 2,2 %). Par ailleurs, on a constaté un retour de la croissance (après plusieurs années de fort recul) au Burundi et à Djibouti. Le FMI s'est montré optimiste dans ses prévisions, s'attendant à 4,2 % de croissance en 1998 et 1999, mais le faible taux d'investissement de nombreux pays au sud du Sahara n'augure rien de bon (ce taux est inférieur à 13 % dans plus de douze pays, dont le Niger, la Côte-d'Ivoire, le Togo, la Centrafrique, le Congo ex-Zaïre, la Sierra Léone, la Zambie et Madagascar).

En Amérique latine, la croissance s'est accélérée pour la deuxième année consécutive, passant de 1,2 % en 1995 à 3,5 % en 1996 et 5 % en 1997. Cette évolution s'explique en grande partie par le retour à la croissance, à partir de 1996, de l'Argentine et du Mexique qui avaient connu simultanément une forte récession en 1995. En 1997, ces deux pays ont connu des taux de croissance de respectivement 8,4 % et 7,0 %. Parallèlement, on a constaté un fort ralen-

Graphique 3

Japon. Taux de croissance trimestriel (en rythme annuel)

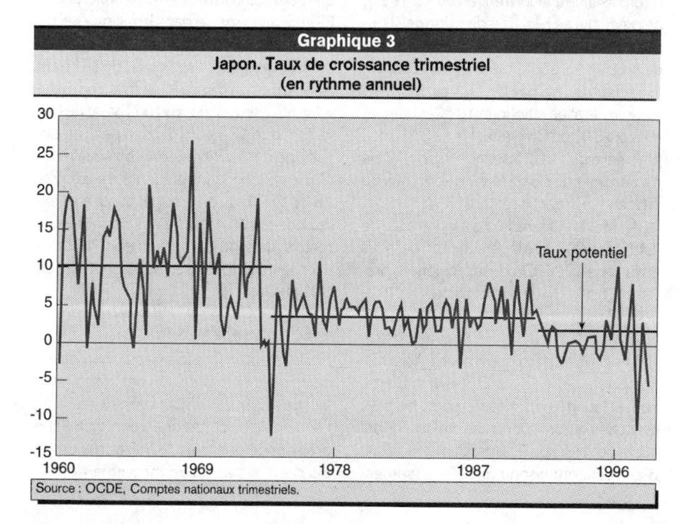

Source : OCDE, Comptes nationaux trimestriels.

Sources

1. **OCDE**, *Perspectives économiques de l'OCDE*, Paris, juin 1998.

2. **F. Vergara**, « Le mythe du dynamisme des États-Unis et de l'eurosclérose », *Le Monde*, supplément « Enjeux et stratégies », Paris, 18 mars 1998.

3. **Commission des Communautés européennes**, *Croissance et emploi dans le cadre de stabilité de l'UEM*, 25 février 1998.

4. **FMI**, *Perspectives de l'économie mondiale*, mai 1998 (disponible sur Internet, site FMI).

5. **OCDE**, *Étude économique de l'OCDE sur le Royaume-Uni*, Paris, juil. 1998.

6. **Susumo Taketomi**, « The current economic situation in Japan and it's future », *Séminaire sur l'économie japonaise, Bangkok (29 juin 1998)* (disponible sur Internet, site Bank of Japan).

7. **FMI**, *Consultation with Japan*, 13 août 1998 (disponible sur Internet, site FMI).

8. **ONU**, *Economic Survey of Europe*, n° 1, 1998.

tissement au Brésil et en Colombie pour la deuxième année consécutive. Les autres pays ont poursuivi leur croissance habituelle : très forte pour le Chili et le Guyana, très faible pour Haïti. La performance de l'Argentine est à signaler. Avec 6,1 % de croissance annuelle pendant sept ans, le PIB argentin aura augmenté de 50 % entre 1990 et 1997. Après tant d'années de stagnation (0,2 % de croissance annuelle entre 1969 et 1990), ce pays, qui se réclame de réformes libérales poussées, est-il entré dans une phase de croissance soutenue ? Le taux d'investissement, qui n'a pas évolué ces dernières années, se situe autour de 18 % (à comparer aux 28 % du Chili, aux plus de 30 % des pays asiatiques à croissance rapide). Cela ne permet pas de garantir que le taux de croissance argentin restera élevé.

Au Moyen-Orient, la croissance a été de 4,4 % en 1997, très légèrement en dessous du taux de 1996. On devait, selon les prévisions, assister à un ralentissement en 1998 (2,3 %) provoqué par la chute du prix du pétrole.

Les pays en développement d'Asie (non compris la Corée du Sud, Taïwan, Singapour et Hong Kong, classés parmi les pays avancés), qui ont connu une croissance annuelle de l'ordre de 9 % pendant une dizaine d'années, ont connu un ralentissement (6,7 % en 1997). La croissance devait encore se ralentir en 1998 (moins de 3 %), avant de rebondir en 1999 (si tout se passe bien).

Après avoir tellement entendu parler de « crise asiatique » et de « fin du modèle asiatique », un tel taux de 3,0 % pour 1998 peut surprendre (pendant les seize années précédentes, l'Amérique latine n'a dépassé que deux fois le seuil de 4 % de croissance). L'explication réside dans le fait que les récessions attendues dans cette région se concentrent en Corée du Sud et à Hong Kong (que l'on classe ici avec les pays développés), en Indonésie et en Thaïlande (qui ne font que 13 % du PIB des pays en développement asiatiques). Si on soustrait la Chine et l'Inde, qui représentent ensemble 75 % du PIB de ce groupe, et qui sont assez peu affectées par la crise asiatique, le reste de la zone devrait voir son PIB diminuer assez fortement en 1998 peut-être de 3 % ou plus.

Les pays en transition

Pour la première fois depuis que les anciens pays communistes ont commencé leur transition vers l'économie de marché, l'ensemble de cette zone a enregistré une croissance positive : 1,7 % après un recul de 6 % par an en moyenne depuis

1989. Lorsqu'on compare les PIB par habitant (calculés à parité de pouvoir d'achat par la Banque mondiale), on peut mesurer l'envergure de la catastrophe économique qu'ont subie ces pays. L'Ukraine et la Moldavie ont désormais des PIB par habitant inférieurs à celui de la Bolivie. Le Tadjikistan est tombé en dessous du niveau de Haïti. Le PIB par habitant des pays baltes, autrefois région la plus riche de l'Union soviétique, est désormais du même ordre de grandeur que celui du Maroc et du Pérou.

La production s'est accrue en Russie d'à peine 0,4 % en 1997, mais ce taux légèrement positif aura interrompu une longue série d'années de recul qui avaient abaissé le niveau de la production à 57 % de ce qu'il était à l'époque communiste. La très grave crise monétaire et financière russe, qui s'aggravait en août-septembre 1998, conduisait le FMI à prévoir une diminution de 6 % de la production en 1998. Les résultats de la Biélorussie sont apparus meilleurs, avec un taux de 10 %. On a aussi constaté une forte croissance dans tous les pays baltes, l'Estonie dépassant même 10 %. Seule la Géorgie a fait mieux, alignant pour la deuxième année consécutive une croissance de l'ordre de 11 %. Mais il s'est agi ici d'un rattrapage survenant après des problèmes qui avaient fait chuter la production à un quart de son niveau d'avant la transition. Le recul de 3 % constaté en Ukraine et celui, catastrophique (– 26 %), enregistré au Turkménistan ont été les notes noires de ce tableau.

Dans les pays d'Europe centrale et orientale, les résultats ont été plus contrastés. L'Albanie, la Bulgarie et la Roumanie (avec un recul de la production de l'ordre de 7 % chacune) ont connu une sévère contraction. Pour la Bulgarie, il s'est agi de la deuxième année consécutive de recul. Avec une expansion de 6,9 %, la Pologne s'est maintenue au niveau élevé des trois années précédentes, ce pays étant le seul de l'ancien bloc communiste à avoir retrouvé et dépassé le niveau de production atteint sous le communisme. La Slovaquie est elle aussi apparue sur une bonne pente, avec une moyenne de 6,5 % de croissance pendant trois années consécutives. Avec 6,3 % en 1997, la Croatie a été, comme les pays baltes, parmi ceux dont la croissance s'est accélérée. La Slovénie, le plus riche des anciens pays de l'Est (avec un PIB par habitant comparable à la Grèce et au Portugal), a connu pendant cinq ans une croissance régulière, mais pas spectaculaire (3,8 % par an). Quant à la République tchèque, après avoir eu un bon taux de croissance en 1995 et 1996, elle est tombée à 1,2 % en 1997. ■

Mines et métaux Conjoncture 1997-1998

Guy-André Kieffer
Journaliste

Entre juillet 1997 et juin 1998, les cours du cuivre ont plongé de 35 %, tandis que le zinc a abandonné environ 30 % de sa valeur sur douze mois. Sur la même période, le prix de l'aluminium a reflué de 25 %. Pour le plomb, la décote a atteint les 20 %. Mais ces reculs ne sont rien en comparaison avec la chute enregistrée par le nickel. Sur un an, ce métal utilisé dans la production des aciers inoxydables a vu son cours refluer de 42 %. Seul, parmi les grands non-ferreux industriels, le plus « asiatique », l'étain a fait preuve de résistance du fait de la chute des cours de la roupie indonésienne, du baht thaïlandais et du dollar australien qui ont redonné une rentabilité à cette industrie.

Parallèlement, les cours du métal blanc ont profité d'une raréfaction du métal de bonne qualité. Cet assèchement s'explique pour partie par la restructuration de la filière des non-ferreux en Chine ainsi que par les effets du phénomène climatique El Niño au Brésil (sécheresse et baisse des capacités de production électrique). Enfin, à cela s'est ajoutée une fonte des inventaires d'étain au London Metal Exchange (la présence d'arsenic dans de l'étain indonésien a conduit à écarter près du quart du métal entreposé au LME).

La place de l'Asie dans la demande mondiale de non-ferreux reste le principal facteur explicatif du retournement de conjoncture qui a caractérisé le marché des métaux de base entre la mi-1997 et la mi-1998.

Depuis le début de la décennie quatre-vingt-dix, les économies industrialisées d'Asie représentent environ le tiers de la demande mondiale de cuivre, d'aluminium et de zinc. Pour le nickel, le zinc et le cuivre, le marché asiatique représentait, depuis le début de la décennie, le plus fort potentiel de croissance. L'émergence de la crise financière en Asie a présenté une triple caractéristique. D'une part, la consommation intérieure de la Corée du Sud, de l'Indonésie et du Japon en métaux de base s'est considérablement contractée. D'autre part, le volet financier de cette crise a considérablement perturbé les circuits de financement des achats de concentrés de non-ferreux et des métaux de base par les industriels de cette zone. L'impossibilité d'émettre des lettres de crédit sur des banques coréennes, indonésiennes, voire de Singapour a réduit les livraisons de minerais et de métaux en direction de l'Asie. Enfin, troisième volet, les grands flux des métaux de base ont été considérablement affectés.

Les producteurs ont fortement réduit leurs livraisons en Asie pour se tourner vers les marchés solvables : Europe et Amérique du Nord. Cette réorientation, couplée au ralentissement de la demande en Asie, s'est traduite par une chute spectaculaire des cours. En réalité les marchés ont joué un rôle de caisse de résonance et ont amplifié les mouvements de baisse. Le ratio offre sur demande ainsi que celui exprimant les inventaires de métaux de base en semaines de consommation mondiale ont laissé apparaître une légère dégradation de la situation de l'offre, tandis que ce ratio présentait une physionomie préoccupante dans le cas du nickel.

Les métaux précieux ont eux aussi traversé une période de fortes turbulences. Les discussions entourant la place de l'or dans les réserves de la nouvelle Banque

Acier[a]		
Pays	Millions tonnes	% du total
Chine	100,4	13,4
Japon	98,8	13,2
États-Unis	94,6	12,6
Russie	49,2	6,6
Allemagne	39,8	5,3
Total 5 pays	382,8	51,0
Total monde	750,0	100,0

Bauxite[d]		
Pays	Milliers tonnes	% du total
Australie	44 465,0	35,9
Guinée	18 392,0	14,9
Brésil	11 987,0	9,7
Jamaïque	11 000,0	8,9
Chine	9 000,0	7,3
Total 5 pays	94 844,0	76,6
Total monde	123 746,0	100,0

Aluminium[b]		
Pays	Milliers tonnes	% du total
États-unis	3 603,4	16,5
Russie	2 906,0	13,3
Canada	2 327,2	10,7
Chine	2 046,3	9,4
Australie	1 494,8	6,9
Total 5 pays	12 377,7	56,8
Total monde	21 795,3	100,0

Cadmium[e]		
Pays	Tonnes	% du total
Canada	3 082,6	16,1
Japon	2 373,3	12,4
Belgique	1 420,0	7,4
Chine	1 300,0	6,8
États-Unis	1 179,1	6,2
Total 5 pays	9 355,0	48,8
Total monde	19 160,8	100,0

Antimoine[c]		
Pays	Tonnes	% du total
Chine	60 000	63,2
Russie	12 800	13,5
Bolivie	6 330	6,7
Afrique du Sud	4 125	4,3
Tadjikistan	3 500	3,7
Total 5 pays	86 755	91,3
Total monde	94 980	100,0

Chrome[f]		
Pays	Milliers tonnes	% du total
Afrique du Sud	5 922,5	52,4
Kazakhstan	1 798,3	15,9
Inde	1 420,0	12,6
Zimbabwé	790,0	7,0
Finlande	248,0	2,2
Total 5 pays	10 178,8	90,0
Total monde	11 307,8	100,0

Argent[c]		
Pays	Tonnes	% du total
Mexique	2 972,8	20,4
Pérou	2 058,8	14,1
États-Unis	1 661,0	11,4
Canada	1 221,0	8,4
Australie	1 106,0	7,6
Total 5 pays	9 019,6	61,8
Total monde	14 591,6	100,0

Cobalt[g]		
Pays	Tonnes	% du total
Finlande	5 000	18,6
Russie	4 000	14,8
Zambie	3 949	14,7
Canada	3 750	13,9
Norvège	3 417	12,7
Total 5 pays	20 116	74,7
Total monde	26 937	100,0

a. 1996 ; b. Production d'aluminium primaire ; c. Métal contenu dans les minerais et concentrés ; d. Poids du minerai ; e. Métal produit ; f. Minerais et concentrés produits ; g. Métal produit et métal contenu dans les sels de cobalt.

Cuivre[a]		
Pays	Milliers tonnes	% du total
Chili	3 392,0	29,9
États-Unis	1 910,0	16,8
Canada	657,5	5,8
Indonésie	548,3	4,8
Australie	545,0	4,8
Total 5 pays	7 052,8	62,2
Total monde	11 347,7	100,0

Magnésium[d]		
Pays	Milliers tonnes	% du total
États-Unis	125,0	36,0
Canada	57,5	16,6
Russie	40,0	11,5
Kazakhstan	35,0	10,1
Norvège	34,2	9,9
Total 5 pays	291,7	84,1
Total monde	346,9	100,0

Diamants industriels naturels[b]		
Pays	Milliers carats	% du total
Australie	23 096	37,5
Zaïre	15 000	24,4
Russie	9 250	15,0
Afrique du Sud	6 000	9,7
Botswana	5 000	8,1
Total 5 pays	58 346	94,7
Total monde	61 600	100,0

Manganèse[a]		
Pays	Milliers tonnes	% du total
Chine	4 700,0	20,5
Ukraine	4 500,0	19,6
Afrique du Sud	3 111,9	13,6
Brésil	2 400,0	10,5
Australie	2 136,0	9,3
Total 5 pays	16 847,9	73,4
Total monde	22 959,3	100,0

Étain[a]		
Pays	Milliers tonnes	% du total
Chine	55,4	26,5
Indonésie	55,2	26,4
Pérou	28,0	13,4
Brésil	20,4	9,8
Bolivie	12,9	6,2
Total 5 pays	171,9	82,2
Total monde	209,0	100,0

Mercure[e]		
Pays	Tonnes	% du total
Russie	1 100,0	20,2
Espagne	690,0	12,7
Kirghizstan	660,0	12,1
Algérie	347,4	6,4
Chine	341,0	6,3
Total 5 pays	3 138,4	57,7
Total monde	5 437,4	100,0

Fer[bc]		
Pays	Millions tonnes	% du total
Chine	249,5	24,6
Brésil	179,9	17,8
Australie	147,2	14,5
Russie	71,4	7,1
Inde	66,6	6,6
Total 5 pays	714,6	70,6
Total monde	1 012,5	100,0

Molybdène[a]		
Pays	Milliers tonnes	% du total
États-Unis	60,2	43,0
Chine	30,0	21,4
Chili	21,3	15,2
Canada	7,6	5,4
Russie	4,8	3,4
Total 5 pays	123,9	88,6
Total monde	139,9	100,0

a. Métal contenu dans les minerais et concentrés ; b. 1996 ; c. Poids des minerais ; d. Magnésium primaire raffiné ; e. Métal produit.

Nickel[a]		
Pays	Milliers tonnes	% du total
Russie	224,4	22,0
Canada	190,5	18,6
Australie	123,7	12,1
Nlle-Calédonie	114,4	11,2
Indonésie	75,3	7,4
Total 5 pays	728,3	71,3
Total monde	1 021,6	100,0

Titane[b]		
Pays	Milliers tonnes	% du total
Australie	1 468,0	35,9
Canada	860,0	21,0
Afrique du Sud	730,0	17,9
Norvège	250,0	6,1
Inde	171,2	4,2
Total 5 pays	3 479,2	85,1
Total monde	4 086,5	100,0

Or[a]		
Pays	Tonnes	% du total
Afrique du Sud	492,5	22,1
États-Unis	338,0	15,2
Australie	311,0	14,0
Canada	168,0	7,5
Chine	149,6	6,7
Total 5 pays	1 459,1	65,5
Total monde	2 228,7	100,0

Tungstène[a]		
Pays	Tonnes	% du total
Chine	26 700	76,0
Russie	4 500	12,8
Portugal	1 050	3,0
Ouzbékistan	1 000	2,8
Bolivie	647	1,8
Total 5 pays	33 897	96,5
Total monde	35 133	100,0

Platine[a]		
Pays	Tonnes	% du total
Afrique du Sud	113,8	76,9
Russie	21,8	14,7
Canada	5,2	3,5
Zimbabwé	4,0	2,7
États-Unis	2,0	1,4
Total 5 pays	146,8	99,2
Total monde	148,0	100,0

Uranium[a]		
Pays	Tonnes	% du total
Canada	11 416	32,5
Australie	5 489	15,6
Niger	3 450	9,8
Namibie	2 887	8,2
États-Unis	2 171	6,2
Total 5 pays	25 413	72,4
Total monde	35 098	100,0

Plomb[a]		
Pays	Milliers tonnes	% du total
Chine	488,9	17,5
Australie	488,7	17,5
États-Unis	445,8	16,0
Pérou	255,6	9,2
Canada	186,0	6,7
Total 5 pays	1 865,0	66,9
Total monde	2 788,1	100,0

Zinc[a]		
Pays	Milliers tonnes	% du total
Canada	1 066,4	15,3
Australie	961,8	13,8
Pérou	857,1	12,3
Chine	844,5	12,1
États-Unis	588,8	8,4
Total 5 pays	4 318,6	61,9
Total monde	6 976,6	100,0

a. Métal contenu dans les minerais et concentrés ; b. Dioxyde de titane contenu dans les minerais et concentrés.

centrale européenne (BCE), couplées à un très net tassement de la demande asiatique (baisse de pouvoir d'achat au Moyen-Orient avec la chute des cours du brut et en Extrême-Orient avec la crise financière), ont poussé le métal jaune très au-dessous de la barre des 300 dollars l'once.

La fin de la couverture or du franc suisse et la perspective d'indemnisation des victimes de l'Holocauste financée par les ventes d'or helvétique ont maintenu le métal jaune durablement sous cette barre. Enfin, du côté des platinoïdes, les cours du palladium, un métal indispensable dans la fabrication des téléphones portables et des pots catalytiques dans l'automobile, ont été propulsés à des niveaux jamais égalés dans le passé (300 dollars l'once) en raison de l'arrêt prolongé des livraisons russes. Cette suspension a été largement liée à une lutte de pouvoir à Moscou entre diverses factions autour du contrôle du stock stratégique de palladium et de platine entreposé auprès de la banque centrale.

Le continent africain a continué de bénéficier d'une attention soutenue de la part des mineurs. Le retour à des situations politiques plus stables (Mozambique et Congo-Kinshasa), la signature de trêves plus ou moins acceptées entre factions opposées (Libéria et Angola), ainsi que la poursuite du processus de privatisation des sociétés minières d'État (Zambie ou Congo-Kinshasa) ont dopé les dépenses d'exploration minière sur le continent noir. Environ 16 % des investissements mondiaux en matière de recherche de nouveaux gisements, soit 662 millions de dollars, ont été dépensés en Afrique subsaharienne. Surtout, il s'est agi de la plus forte progression régionale constatée en 1997. Et, selon un pointage réalisé par le Metal Economics Group de l'université d'Halifax au Canada, le portefeuille de projets miniers annoncés en 1997 et sur le premier trimestre de 1998 dépassait les 18 milliards de dollars.

La crise asiatique a cependant partiellement remis en cause les calendriers initiaux des dépenses sur le continent africain. Les ratés du processus de privatisation de la Zambia Copper en Zambie, après les retraits successifs de grands groupes miniers sud-africains ou canadiens, ont montré que désormais l'heure allait être à la prudence. En Amérique du Sud, les échecs à répétition de la privatisation de la filière vénézuélienne de l'aluminium révèlent une réestimation du montant des investissements dans la métallurgie à la lumière des conséquences de la crise en Asie sur la demande mondiale en non-ferreux.

Pour autant, dès lors que les projets apparaissent dotés d'une durée de vie supérieure à vingt ans et que les niveaux de production anticipés peuvent entraîner des coûts de production en forte baisse, ils ne sont pas remis en cause (zinc et cuivre au Congo-Kinshasa, cuivre au Chili, nickel en Australie et à Cuba).

En revanche, les projets d'usine de traitement de la matte ou d'affinage gourmands en capitaux ont été gelés en raison de la chute des cours du nickel. Enfin, les petites et moyennes compagnies minières, faute de pouvoir mobiliser des financements à la suite des scandales miniers Timbuktu et BRE-X, ont été contraintes d'accepter des associations avec les grands du secteur minier. A cet égard, le sud-africain Anglo American a démontré tout au long de 1997 un opportunisme remarquable. Dans un autre ordre d'idées, la forte décote du dollar australien et du rand sud-africain contre le dollar américain a permis aux mineurs et aux producteurs de métaux de base ou d'or de ces deux pays de supporter sans trop de mal les effets de la crise asiatique. Le facteur monétaire leur a donné les moyens de résister au ralentissement de la demande en non-ferreux du Japon, le tassement de la consommation en métaux en Amérique du Nord ainsi que la chute des cours de l'or.

Enfin, dans l'ex-URSS, une bataille sans merci entre grands négociants occidentaux a entraîné une recomposition des alliances dans le secteur de la mine et des non-fer-

Sites Internet

Site du marché de référence pour les métaux de base
http ://www.lme.co.uk

Sites pour les statistiques mondiales de production :
(site généraliste payant)
http ://www.cru-int.com

Ressources naturelles Canada
http ://www.nrcan.gc.ca
(argent)
http ://www.silverinstitute.org
(platinoïde)
http ://www.matthey.com
(or)
http ://www.gold.org

Sites d'analyse du marché des métaux :
http ://www.billiton.co.uk
http ://www.rwolff.com

Sites d'information (payants) :
http ://www.amm.com
http ://www.mining-journal.com

reux. La position des grandes banques d'affaires de Moscou dans ces secteurs est ressortie renforcée dans la production d'aluminium et à Norilsk, le deuxième producteur mondial de nickel. La stagnation de l'économie russe s'est traduite par le maintien à un niveau inchangé par rapport à 1996 des exportations d'aluminium, de nickel. En revanche, les exportations vers l'Europe et l'Amérique du Nord de déchets de métalliques (cuivre et acier inoxydable) ont explosé. Ces ventes ont eu pour conséquence de déstabiliser les prix tout au long de 1997 ainsi que sur la première partie de 1998. Cependant, l'effondrement du rouble en août 1998 et la crise financière qui s'est ensuivie pourraient entraîner une accélération des exportations russes de non-ferreux. Moscou pourrait être tenté d'utiliser ses matières premières (stock stratégique de non-ferreux, platinoïdes, or et diamants) comme collatéral à des emprunts. ■

Céréales
Conjoncture 1997-1998

Patricio Mendez del Villar
Économiste, CIRAD

Les récoltes céréalières 1997-1998 n'ont guère progressé, en particulier celle du riz et des céréales secondaires (maïs, orge, sorgho). Ce n'est que grâce au surcroît des récoltes de blé que la production mondiale des céréales a pu augmenter légèrement de 0,8 %, atteignant, selon l'Organisation des Nations unies pour l'agriculture et l'alimentation (FAO), 2 097 millions de tonnes contre 2 080 millions lors de la campagne précédente. Cette modeste progression a permis néanmoins de reconstituer une nouvelle fois les stocks mondiaux. Mais ils sont encore restés inférieurs au seuil minimum de sécurité. Les perspectives pour la campagne 1998-1999 se sont annoncées médiocres en raison de la situation dans plusieurs pays de l'hémisphère Sud durement touchés par le phénomène climatique El Niño. La reprise de la production des céréales secondaires ne devrait qu'à peine compenser la diminution des récoltes de blé et de riz.

En 1997-1998, la production mondiale de blé a été estimée par la FAO à 615 millions de tonnes (2,5 % par rapport à la campagne 1996-1997). Cette hausse a principalement tenu à l'excellente récolte chinoise et à l'amélioration de la production indienne. L'Afrique en revanche a connu une nette dégradation, en particulier en Afrique du Nord où les récoltes ont souffert des mauvaises conditions végétatives. Le sud du continent américain a aussi connu une baisse due à une diminution des surfaces emblavées, tandis que l'Amérique du Nord a mieux résisté (meilleure récolte aux États-Unis). L'Europe et les pays de l'ex-URSS ont vu également leur production de blé progresser.

La production de riz est quant à elle restée pratiquement inchangée avec 571 millions de tonnes de paddy. Les récoltes asiatiques – qui constituent plus de 90 % de la production mondiale – ont été dans l'ensemble affectées par la sécheresse persistante, due au phénomène El Niño, notamment en Indonésie, aux Philippines et au Bangladesh.

La production de céréales secondaires a été en 1997 de 910 millions de tonnes, en recul de 1 % par rapport à l'année précédente. Cette baisse a touché l'ensemble des régions du monde, à l'exception de l'Europe et des pays de l'ex-URSS qui ont bénéficié de conditions climatiques bien plus favorables.

Avec la faible augmentation de la production mondiale, la consommation céréalière en 1997 n'a augmenté que de 1,5 % contre 3 % l'année précédente, s'élevant à 1 883 millions de tonnes contre 1 853 millions en 1996. La part destinée à la consommation humaine directe, qui représente environ la moitié de la consommation totale, devait s'établir à 950 millions de tonnes contre 941 millions auparavant.

Hausse des stocks mondiaux et stabilité des échanges

Les stocks mondiaux de céréales pour la campagne agricole se finissant en 1998 ont été en progression de 8 % par rapport à leur niveau d'ouverture. Ils s'élèveraient en 1998 à 321 millions de tonnes, contre 297 millions en 1997. L'essentiel de cette hausse est imputable à la progression des stocks de blé et de céréales secondaires. En revanche, les stocks rizicoles ont connu

Céréales (production)

Pays	Millions tonnes	% du total
Chine	440,9	21,3
États-Unis	341,5	16,5
Inde	220,7	10,6
Russie	80,4	3,9
France	62,2	3,0
Total 5 pays	1 145,7	55,2
Indonésie	59,9	2,9
Brésil	49,6	2,4
Canada	48,3	2,3
Allemagne	45,4	2,2
Argentine	33,1	1,6
Ukraine	32,1	1,5
Turquie	29,7	1,4
Bangladesh	29,4	1,4
Mexique	28,8	1,4
Vietnam	27,9	1,3
Total monde	2 074,8	100,0

Céréales (exportations)[a]

Pays	Millions tonnes	% du total
États-Unis	92,9	40,1
France	27,3	11,8
Canada	22,2	9,6
Australie	19,9	8,6
Argentine	11,3	4,9
Total 5 pays	173,6	74,9
Total monde	231,9	100,0

Céréales (importations)[a]

Pays	Millions tonnes	% du total
Japon	26,9	11,5
Corée du Nord	12,3	5,2
Chine	10,8	4,6
Mexique	10,6	4,5
Brésil	9,3	3,9
Italie	8,3	3,5
Égypte	7,8	3,3
Taïwan	7,3	3,1
Indonésie	6,9	3,0
Belgique-Lux.	6,7	2,8
Total monde	235,2	100,0

Riz (paddy)

Pays	Millions tonnes	% du total
Chine	197,0	34,5
Inde	121,5	21,3
Indonésie	51,0	8,9
Bangladesh	27,9	4,9
Vietnam	26,4	4,6
Myanmar	21,2	3,7
Thaïlande	20,7	3,6
Japon	13,0	2,3
Total monde	571,7	100,0

Blé

Pays	Millions tonnes	% du total
Chine	120,0	19,9
États-Unis	68,8	11,4
Inde	68,7	11,4
Russie	42,0	7,0
France	34,0	5,6
Canada	23,0	3,8
Allemagne	19,9	3,3
Ukraine	19,0	3,2
Total monde	602,5	100,0

Millet et sorgho

Pays	Milliers tonnes	% du total
Inde	19 000	20,2
États-Unis	17 059	18,2
Nigéria	12 600	13,4
Chine	10 099	10,8
Mexique	5 500	5,9
Soudan	4 425	4,7
Total monde	93 838	100,0

Maïs

Pays	Millions tonnes	% du total
États-Unis	236,5	40,8
Chine	105,4	18,2
Brésil	36,1	6,2
Mexique	18,5	3,2
France	15,5	2,7
Argentine	14,5	2,5
Total monde	580	100,0

a. 1996.

une nouvelle baisse, se situant à leur plus bas niveau depuis 1989. Les premières estimations pour l'année 1999 indiquaient une légère progression des stocks céréaliers. Si cette amélioration se confirmait, on devrait approcher, pour la première fois depuis quatre ans, le seuil minimum de 17 %-18 % de la consommation mondiale de céréales, considéré comme indispensable par la FAO pour assurer la sécurité alimentaire.

Les échanges mondiaux de céréales ont connu en 1997-1998 une quasi-stagnation par rapport à l'année précédente, passant de 203,5 millions de tonnes à 204,8 millions. Les échanges de blé ont légèrement reculé, atteignant 95 millions de tonnes, contre 96,4 millions en 1996-1997. Ce niveau d'échanges a été l'un des plus faibles enregistrés depuis des décennies. Cela tient surtout à la baisse des importations en Chine et dans les pays de l'Europe de l'Est où la production a augmenté sensiblement. En revanche, l'Afrique du Nord et australe devraient voir leurs importations progresser en raison de la sécheresse persistante en 1997 et de l'affaiblissement des cours mondiaux qui a encouragé plusieurs pays à acheter davantage. Du côté des exportateurs, la plupart des pays ont ouvert de nouvelles lignes de crédit afin de dynamiser leurs ventes, en particulier vers les pays d'Asie touchés par la crise financière. Les États-Unis et le Canada ont vu leurs ventes s'améliorer. En revanche, l'Argentine et l'Australie ont connu un recul de leurs exportations, en raison d'une baisse de leur production. Les exportations des pays de l'Union européenne auraient également connu une légère baisse.

Les échanges de céréales secondaires ont quant à eux atteint 88 millions de tonnes contre 92,5 millions l'année précédente, soit une baisse de 5 %. Il s'est agi du niveau le plus bas depuis dix ans. Ce recul des échanges a en grande partie tenu à la crise asiatique. Dans de nombreux pays, la consommation de viande a baissé, entraînant ainsi une réduction de la demande d'importation en céréales fourragères. En revanche, en Amérique du Sud et en Afrique, les importations ont progressé en 1997 pour compenser les insuffisances de la production locale, en particulier au Brésil, au Pérou et en Algérie. Du côté des exportateurs, l'une des conséquences de la crise financière asiatique aura été le développement du commerce de proximité. Les grands pays exportateurs ont vu leur volume des ventes baisser au bénéfice des pays moins importants, comme la Chine et certains pays de l'Europe orientale. La Chine a ainsi triplé ses exportations à destination des principaux pays voisins grâce à des stocks abondants et des prix plus compétitifs.

Le commerce mondial du riz a connu une forte augmentation, de plus de 17 %, marquant ainsi un nouveau record historique. En 1997, les échanges ont atteint 22 millions de tonnes, contre 19 millions en 1996. Les effets de la sécheresse, particulièrement sensibles en Asie, ont contraint les principaux pays déficitaires de la région à accroître fortement leur demande d'importation. Ce fut le cas notamment de l'Indonésie où les besoins d'importations ont atteint des volumes records, entre 4 et 5 millions de tonnes, soit le plus important volume d'importations jamais atteint par un seul pays. En 1998, les échanges mondiaux en riz pourraient se situer autour de 20 millions de tonnes.

Des prix en baisse

En 1997, les prix mondiaux des céréales ont été globalement orientés à la baisse du fait d'une amélioration des disponibilités. Les cours du blé et du maïs ont connu une baisse constante sur l'ensemble des marchés à l'exportation. Le blé États-Unis n° 2 (« Hard Winter ») est passé d'un prix moyen de 181 dollars par tonne (Fob) à environ 140 US$/t de 1996-1997 à 1997-1998. En Argentine, le prix du blé (« Trigo Pan ») a connu aussi un fléchissement sensible, passant de 157 à environ 130 dollars la tonne. Les prix du maïs ont également chuté à cause

Sites Internet

FAO (Organisation des Nations unies pour l'alimentation et l'agriculture)
http ://www.cirad.fr/giews/french/smiar.htm
http ://www.apps.fao.org/lim500/agri_db.pl

USDA (Secrétariat d'État américain à l'Agriculture)
http ://www.fas.usda.gov/
http ://www.fas.usda.gov/currwmt.html
http ://www.usda.mannlib.cornell.edu/
http ://www.usda.gov/agency/oce/waob.htm

Banque mondiale
http ://www.worldbank.org/html/ieccp/pink.html

Michigan State University
http ://www.aec.msu.edu/agecon/fs2/market_information.htm

CIRAD (Centre de coopération internationale en recherche agronomique pour le développement)
http ://www.cirad.fr/documents/FichesProduits/home.htm

principalement de la faible activité commerciale. Le maïs États-Unis n° 2 (« Yellow ») est passé de 135 dollars/tonne en 1996-1997 à environ 130 dollars en 1997-1998. Pour le riz, la baisse a affecté essentiellement les qualités supérieures.

En 1998-1999, compte tenu de l'amélioration de la production céréalière en 1997 et de la réduction probable de la demande mondiale, la baisse des prix des céréales semblait devoir se poursuivre, sauf pour le riz, car la demande asiatique devait rester soutenue, une nouvelle fois, en 1999. ■

Énergie et combustibles Conjoncture 1997-1998

Jean-Marie Martin
IEPE - Grenoble

La poussée de fièvre de 1996 (consommation mondiale d'énergie en hausse de 3,3 %) est bien retombée en 1997 (1,2 %) et début 1998. Ni la bonne santé des économies de l'OCDE, ni la forte baisse des prix sur tous les marchés de l'énergie n'ont pu conjurer le jeu des forces dépressives.

Après deux hivers rigoureux, les pays industrialisés de l'hémisphère Nord ont retrouvé un hiver clément en 1997-1998. Le climat a d'autant plus pesé sur les consommations d'énergie que ces dernières tendent à se déplacer de l'industrie, désormais moins lourde et plus efficace, vers le chauffage, la climatisation et le confort des locaux. La principale victime en 1997 aura été le gaz naturel, pourtant en plein essor. Sa demande a stagné et parfois même reculé aux États-Unis, en Europe occidentale et en Russie où Gazprom refuse désormais d'ali-

Tableau 1
Consommation d'énergie primaire dans le monde[a] (1997, Mtep)

	Combustibles solides	Pétrole et prod. pétrol.	Gaz naturel	Électricité primaire	Total
Amérique du Nord	546,9	909,4	582,8	271,4	2 310,5
Europe[b]	240,7	657,7	311,3	279,8	1 489,5
Asie - Pacifique[b]	133,4	313,1	78,7	100,9	626,1
Europe de l'Est et ex-URSS	304,0	292,3	511,5	92,2	1 200,1
Amérique latine	27,0	297,7	105,1	57,4	487,2
Asie en développement	920,2	607,1	139,3	76,7	1 743,3
Afrique	90,3	100,3	42,6	8,3	241,6
Moyen-Orient	6,4	201,6	129,9	1,3	339,2
Total	2 268,9	3 379,2	1 901,1	888,1	8 437,5

a. Les usages traditionnels du bois de feu ne sont pas inclus dans ce bilan ; l'électricité primaire comprend l'hydraulique, le nucléaire, la géothermie et les énergies non renouvelables transformées en électricité ; l'équivalence de cette dernière en tep (tonnes équivalent pétrole) est obtenue sur la base des coefficients retenus par l'AIE (Agence internationale de l'énergie) ; b. Pays membres de l'OCDE.
Source : ENERDATA.

menter les mauvais payeurs. Avec des taux annuels moyens de 5 % à 8 %, les pays du Sud continuent à tirer la croissance des sources d'énergie, mais, pour la première fois en 1997, les plus dynamiques d'entre eux ont réduit leur vitesse : de la Chine à l'Inde, en passant par l'Indonésie, la Thaïlande ou la Fédération de Malaisie, les taux ont fréquemment été divisés par deux. Le renchérissement des importations d'énergie payées en dollars et une moindre croissance économique sont passés par là.

Dans ce contexte, et bien que la demande de produits pétroliers n'ait pas été la plus affectée (croissance des besoins en carburants oblige), le marché du pétrole brut s'est enfoncé dans le marasme. De 25 dollars par baril en octobre 1996, les cours n'ont cessé de tomber : à la mi-mars 1998, le Brent se vendait à 11,18 dollars. Le fond était-il touché ? Certains analystes en doutaient et pronostiquaient un prix à un seul chiffre si les engagements annoncés pour limiter l'offre ne parvenaient pas à convaincre les raffineurs et distributeurs. Contraints à de sombres coupes dans leurs budgets 1998, les producteurs ont pourtant pris la mesure des périls. Dès le mois de mars, l'Arabie saoudite, le Vénézuela et le Mexique (ce dernier non membre de l'OPEP – Organisation des pays exportateurs de pétrole) se sont engagés à réduire leur production de 500 000 barils par jour (b/j) et ont appelé les autres producteurs à les imiter en vue de retirer 1,6 à 2 millions de b/j du marché. Ce dernier n'ayant pas réagi positivement, d'autres initiatives ont suivi : Barheïn, Oman et le Conseil de coopération du Golfe-CCG (Arabie saoudite, Koweït, Émirats arabes unis, Qatar) se sont accordés pour diminuer leur débit de 415 000 b/j à compter du 1er juillet 1998. L'ensemble de l'OPEP, enfin, a annoncé fin juin une nouvelle réduction de 1,35 million de b/j pour une durée d'une année. Cumulées, toutes ces baisses, y compris celles de quelques non-OPEP comme le Mexique, devaient dépasser les 3 millions de b/j sur une production mondiale de 73 millions de b/j.

Mi-juillet 1998, les acheteurs restaient sceptiques. Croissance très modérée de

Électricité		
Pays	Milliards de kWh (TWh)	% du total
États-Unis	3 764,0	26,8
Chine	1 174,4	8,4
Japon	1 027,7	7,3
Russie	829,2	5,9
Canada	567,0	4,0
Total 5 pays	7 362,3	52,4
Allemagne	549,8	3,9
France	503,9	3,6
Inde	455,9	3,3
Royaume-Uni	344,8	2,5
Brésil	304,8	2,2
Italie	254,4	1,8
Corée du Sud	224,4	1,6
Afrique du Sud	207,7	1,5
Total monde	14 016,4	100,0

Pétrole brut		
Pays	Millions de tonnes	% du total
Arabie saoudite	453,1	13,1
États-Unis	380,3	9,6
Russie	305,6	8,8
Iran	181,0	5,2
Vénézuela	177,7	5,1
Total 5 pays	1 497,7	41,8
Mexique	167,2	4,8
Chine	160,5	4,6
Norvège	155,5	4,5
Royaume-Uni	128,8	3,7
Canada	117,0	3,4
Nigéria	112,8	3,3
Koweït	109,0	3,1
Total monde	3 468,2	100,0
dont OPEP	1 441,5	41,0

Énergie hydraulique		
Pays	TWh	% du total
États-Unis	359,4	13,7
Canada	348,7	13,3
Brésil	278,9	10,6
Chine	205,9	7,8
Russie	158,0	6,0
Total 5 pays	1 350,9	51,4
Norvège	110,8	4,2
Japon	95,6	3,7
Inde	81,4	3,1
Suède	69,0	2,6
France	67,8	2,6
Total monde	2 628,9	100,0

Gaz naturel		
Pays	Milliards de m^3	% du total
Russie	569,2	24,5
États-Unis	539,6	23,3
Canada	170,5	7,4
Royaume-Uni	91,6	4,0
Pays-Bas	85,0	3,7
Total 5 pays	1 455,9	62,9
Algérie	70,9	3,1
Indonésie	68,5	3,0
Norvège	46,5	2,0
Arabie saoudite	43,9	1,9
Iran	43,0	1,9
Total monde	2 322,3	100,0

Énergie nucléaire		
Pays	TWh	% du total
États-Unis	667,2	27,9
France	395,5	16,5
Japon	323,4	13,5
Allemagne	170,3	7,1
Russie	107,1	4,5
Total 5 pays	1 663,5	69,5
Royaume-Uni	99,1	4,1
Canada	82,5	3,5
Ukraine	79,4	3,3
Corée du Sud	77,1	3,2
Suède	68,7	2,9
Total monde	2 393,7	100,0

Charbon et lignite		
Pays	Millions de tonnes	% du total
Chine	1 380,0	29,3
États-Unis	987,6	21,0
Inde	319,1	6,8
Australie	269,1	5,7
Russie	244,4	5,2
Total 5 pays	3 200,2	68,0
Allemagne	232,0	4,9
Afrique du Sud	215,4	4,6
Pologne	202,1	4,3
Canada	78,6	1,7
Rép. tchèque	73,5	1,6
Total monde	4 709,4	100,0

Source : ENERDATA.

Matrice des échanges de pétrole
(1997, en millions de tonnes)

Origine / Destination	États-Unis	Canada	Amérique latine	Europe	Afrique	Asie		Australie/ Nlle-Zélande	Autres[a]	Total
						Total	(dont Japon)			
États-Unis	–	7,7	19,9	9,9	0,5	7,2	2,0	0,8	0,9	46,9
Canada	72,4	–	–	0,8	0,1	–	–	–	–	73,6
Amérique latine	200,1	7,8	8,1	19,5	2,1	8,4	3,5	–	0,3	246,3
Europe	33,3	19,1	2,1	15,1	7,4	5,4	0,1	–	4,4	86,8
Moyen-Orient	86,9	5,4	28,8	207,2	32,0	529,2	218,1	9,8	1,4	900,7
Afrique du Nord[b]	15,6	3,0	1,6	101,9	4,3	5,6	1,2	–	3,2	135,2
Afrique de l'Ouest	68,3	1,2	14,2	40,2	0,9	29,6	1,4	–	–	154,4
Ex-URSS	0,6	0,2	2,2	122,6	0,5	9,2	0,4	–	32,3	167,6
Australie/Nlle-Zélande	2,4	–	–	–	–	11,3	3,1	–	2,0	15,7
Japon	0,1	–	–	–	–	5,7	–	–	0,2	6,0
Chine	2,2	–	0,2	–	–	22,3	11,5	0,2	0,1	25,0
Reste de l'Asie	5,1	–	–	1,6	–	72,5	42,2	13,8	0,2	93,2
Non identifié	2,3	1,8	–	12,1	0,8	8,5	–	2,0	–	27,5
Total	489,6	46,2	77,1	530,9	48,6	714,9	283,5	26,6	45,0	1 978,9

a. Y compris destinations « non identifiées » ; b. Dont Égypte.
Source : British Petroleum, *Statistical*, juin 1998.

Sites Internet

IEPE (Institut d'économie et de politique de l'énergie)
(recherches en cours)
http ://www.upmf-grenoble.fr/iepe

ENERDATA (statistiques énergétiques)
http ://www.amitel.fr/enerdata

Agence internationale de l'énergie
(statistiques, politiques des États, rapports divers)
http ://www.iea.org

Agence d'information sur l'énergie (États-Unis)
http ://www.eia.doc.gov.

la demande et retour progressif de l'Irak sur le marché (les Nations unies venaient d'autoriser Bagdad à importer les équipements nécessaires à une montée en puissance des exportations de brut) ne jouaient pas en faveur d'une hausse des prix. Mais surtout, la persistance de capacités excédentaires confortait leur conviction que la concurrence l'emportera toujours sur les velléités de coopération. La Norvège n'avait-elle pas déjà annoncé qu'elle n'était liée par aucun engagement ? Le Vénézuela, dont la production venait de dépasser celle du Mexique, n'avait-il pas donné l'exemple du refus de toute discipline au sein de l'OPEP ?

La chute des prix pétroliers a entraîné celle de toutes les autres sources d'énergie. En Europe occidentale, le gaz naturel était en passe de se débarrasser de son handicap de 1 à 2 dollars par million de British Thermal Unit (Btu) de plus qu'en Amérique du Nord. Sur le marché spot de Rotterdam, les prix du charbon vapeur étaient tombés au-dessous de 40 dollars la tonne. Au Japon, les sidérurgistes suppliaient les électriciens de ne pas acculer les compagnies charbonnières australiennes à la faillite.

L'abondance et le bas prix des sources d'énergie fossiles sont évidemment lourds de conséquences sur l'évolution des systèmes énergétiques dans le monde. En dépit des risques annoncés (même les États-Unis ont dû faire quelques concessions à la conférence sur le climat de Kyoto en décembre 1997), les politiques de maîtrise de la demande sont encore plus difficiles à mettre en œuvre que par le passé. Les constructeurs automobiles limitent leurs efforts aux réductions d'émissions polluantes indispensables à la survie du moteur thermique en zone urbaine. Déréglementée et privatisée, l'industrie électrique tourne le dos aux techniques plus risquées parce que lourdes en capital et à longue durée de vie. En 1997, la production d'électricité nucléaire a reculé et la croissance du parc mondial est restée quasiment au point mort. Même en France, la turbine à gaz en cycle combiné est devenue économiquement plus intéressante que les réacteurs nucléaires en semi-base et, sous certaines conditions, en base. En dépit de sensibles progrès technologiques, les énergies renouvelables en pâtissent elles aussi. ■

Marchés financiers Conjoncture 1997-1998

Jean-Luc Schilling
Gestionnaire de capitaux, Londres

Décomposition économique et financière en Asie, restructuration accélérée autour de la prochaine monnaie unique en Europe, huitième année consécutive d'expansion économique aux États-Unis : une trame tout en contraste aura dessiné l'environnement des marchés financiers en 1997 et pendant le premier semestre de 1998, avant que n'éclate la crise financière russe à l'été 1998. Avec des investisseurs qui, pendant cette période, ont en général opté pour les situations les plus « liquides » (pouvoir acheter ou vendre facilement et rapidement), préférant ainsi les Bourses occidentales aux marchés émergents et les grandes valeurs aux petites capitalisations. Si la liquidité offre à l'agent économique le confort de pouvoir modifier à tout instant une décision d'investissement, elle a également son corollaire : une volatilité accrue des marchés, qu'ils soient boursiers, monétaires ou obligataires.

Dix ans après le krach boursier de 1987, certains ont cru déceler, avec le déclenchement de la crise asiatique la plus sérieuse de l'après-guerre, un signe commémoratif. Mais personne, y compris au niveau des organisations économiques internationales, n'avait en fait prévu un tel cataclysme. A l'origine, la dévaluation, en juillet 1997, du bath thaïlandais, qui, en révélant « incidemment » l'énorme endettement des entreprises asiatiques facilité par la faiblesse des infrastructures financières locales et l'absence d'un marché obligataire régional, a rapidement entraîné dans sa chute les principales devises et économies de la région. A fin 1997, les marchés d'actions avaient ainsi baissé, en dollars américains (effets boursier et monétaire conjugués), de... 73 % en Indonésie (le pays le plus sérieusement et durablement atteint), de 76 % en Thaïlande, de près de 70 % en Corée du Sud et Malaisie, de 61 % aux Philippines et de 43 % à Singapour. A Hong Kong, six mois après une sereine restitution du territoire à la Chine, Peregrine, la première banque d'affaires de la région, avait disparu dans la tourmente et la Bourse avait perdu 20 % pendant que les actions de sa nouvelle mère-patrie – qui joue un rôle clé quant à la stabilité de la région – gagnaient ironiquement 31 % sur la même période. Au cours du premier semestre de 1998, la détérioration boursière s'est poursuivie en Asie, sauf pour la Corée du Sud qui a semblé sortir un peu la tête de l'eau grâce à une mise à plat déterminée de ses structures économiques et financières.

Le voisin japonais, toujours deuxième puissance économique de la planète, mais empêtré depuis huit ans dans une crise bancaire qui l'a conduit en 1998 à la récession économique, a également été touché par les malheurs asiatiques qui ont rongé les résultats de ses entreprises, très présentes dans la région. Résultat : une grande faillite bancaire (Hokkaido Takushoku Bank), la disparition de deux importantes maisons de titres (Yamaichi et Sanyo), une perte de plus de 20 % pour l'indice Nikkei de la Bourse de Tokyo en 1997, lequel a seulement surnagé au premier semestre 1998, pendant que la devise nippone s'affaiblissait nettement (passant de 115 yens pour un dollar, début 1997, à plus de 140 en juillet 1998). Le très bas niveau historique des taux d'intérêt japonais (0,5 % pour le trois mois et

1,3 % pour le dix ans en juin 1998) n'a pas suffi à endiguer la crise de confiance des industriels, tardant à investir, et des ménages, freinant leur consommation mais achetant nombreux des... coffres-forts pour conserver leurs économies chez eux plutôt qu'à la banque.

Même s'il restait à la mi-1998 encore difficile d'apprécier l'impact à long terme de la crise asiatique sur les entreprises et marchés occidentaux, le climat a été, au même moment, autrement plus optimiste et solide en Europe et aux États-Unis.

Pour la première fois sur le continent européen, onze nations ont officiellement décidé, en mai 1998, d'adopter une monnaie unique, l'euro [*voir article p. 40*]. Certes, il allait falloir inventer la suite (harmonisation économique, monétaire et fiscale) de cette aventure sans précédent historique. Mais la naissance de l'euro élargit d'ores et déjà les frontières d'une concurrence nationale à celles d'un marché de 320 millions de consommateurs et d'investisseurs et accélère la mutation et les regroupements des acteurs financiers européens : rachat en France du CIC par le Crédit mutuel, fusions en Suisse (entre les banques UBS et SBS) et en Italie, acquisition de l'assureur français AGF par son concurrent allemand Allianz. Même attitude de la part des places financières qui, concurrentes hier, tentent dorénavant de s'organiser à plusieurs pour offrir demain à des investisseurs-clients exigeants des services de cotation modernisés, centralisés et économiques. En février 1998 se créait Euro-Alliance, qui devrait regrouper les marchés à terme de Paris, Francfort et Zurich. Mais l'annonce-surprise en juillet d'une association entre les Bourses britannique et allemande risquait d'isoler la place financière de Paris et menaçait le premier projet. En attendant, de nouveaux indices paneuropéens étaient lancés pour mesurer les performances des plus grandes capitalisations boursières européennes (FTSE Eurotop 300 et 100, DJ Euro Stoxx). Cette « euro-vitalité », combinée à un cycle économique en phase nouvellement ascendante (sur le continent européen – le Royaume-Uni étant, lui, en phase de ralentissement de croissance), à des taux d'intérêt stables, convergents et modérés (en France et en Allemagne, autour de 3,5 % pour le trois mois et de 4,75 % pour le dix ans gouvernemental) et à un dollar ferme, a dopé les marchés d'actions européens : de janvier 1997 à juin 1998, on a enregistré près de 75 % de progression pour l'indice français et de 70 % pour l'indice paneuropéen.

Aux États-Unis, on a assisté également à des fusions bancaires, des regroupements de places boursières (Nasdaq et American Stock Exchange). C'est sans doute la nouvelle révolution industrielle par la haute technologie qui explique essentiellement un cycle de prospérité économique exceptionnellement long – les théoriciens parlent de « nouveau paradigme ». ■

@ Sites Internet

La Tribune
http ://www.latribune.fr/

Les Échos
http ://www.lesechos.fr/

L'Agefi
http ://www.agefi.fr/

L'Expansion
http ://www.expansion.tm.fr/

Financial Times
http ://www.ft.com/

The Economist
http ://www.economist.com/

Wall Street Journal
http ://www.wsj.com/

Tous les pays du monde

États et ensembles géopolitiques

RÉDIGÉ PAR LES MEILLEURS SPÉCIALISTES, LE BILAN DE L'ANNÉE POUR TOUS LES ÉTATS SOUVERAINS DE LA PLANÈTE AINSI QUE POUR LES PRINCIPAUX TERRITOIRES SOUS TUTELLE.
SOUS L'ANGLE POLITIQUE, ÉCONOMIQUE, SOCIAL ET DIPLOMATIQUE.
DES CARTES, DE NOMBREUX TABLEAUX STATISTIQUES, DES BIBLIOGRAPHIES SÉLECTIVES, DES FICHES SIGNALÉTIQUES...

Présentation par **Pierre-Marie Decoudras**
Géographe, université Bordeaux-III.

Par quelles clés d'entrée nuancer l'approche de l'Afrique, continent massif de 30 millions de km²?

Selon les paysages ? La seule unité réside dans l'ancienneté du socle, témoin de la terre originelle de Gondwana. L'horizontalité domine dans les bassins sédimentaires (Niger, Tchad, haut Nil, Congo, Kalahari) et les étendues de plateaux peu élevés d'Afrique occidentale. A cela s'oppose l'Afrique des Hautes Terres : si le socle est soulevé de l'Éthiopie au Drakensberg, il s'est effondré dans la Rift Valley, noyée par les grands lacs, Tanganyika, Malawi, Kivu... Aux fractures sont associés les plus hauts volcans, Kilimandjaro, mont Kénya, Virunga, mais aussi mont Cameroun, Ahaggar, Tibesti. Au nord se dessine une montagne plus jeune, l'Atlas.

Selon le climat ? De la très grande humidité des zones équatoriales à l'aridité extrême des déserts du Sahara, du Kalahari, du Namib, de la Corne de l'Afrique, existent toutes les gammes de transition. L'opposition entre alizés continentaux et moussons océaniques, d'une part, et l'étagement selon l'altitude, d'autre part, commandent la distribution des pluies. Aux extrêmes, le Maghreb et la province du Cap s'individualisent par des caractères méditerranéens. Il en ressort une mosaïque de formations végétales, de la forêt dense humide au désert, se dégradant en forêts sèches, savanes et steppes.

Selon les modes de vie ? C'est à la diversité des ressources des milieux que l'on doit la répartition de la population. Le fort peuplement de quelques régions côtières (Afrique du Nord, Abidjan), du Nigéria, de la vallée du Nil, des Hautes Terres est une originalité dans un ensemble où dominent les faibles densités. Aux régions humides de production de tubercules s'opposent les terres plus sèches de culture des mils. Les sociétés d'agriculteurs sédentaires, dans les zones humides et les terroirs de montagne, contrastent avec les peuples de pasteurs sahéliens, contraints à la mobilité. Cette approche induit un repli ancestral sur l'ethnie qui entretient les images les plus irréductibles du continent : Masaï, Peuls, Touaregs, Pygmées, Bochimans, Dogons, Zoulous.

Afrique

Selon le partage colonial ? La connaissance de l'Afrique resta longtemps fragmentaire. Les côtes et les îles furent intégrées aux espaces de commerce des civilisations de l'Antiquité, puis des Européens et des Chinois. Le Nil servit de voie de pénétration aux dynasties égyptiennes jusqu'en Nubie. La première conquête continentale fut celle du monde arabe en Afrique du Nord, diffusant l'islam par les routes commerciales du Sahara jusqu'au « pays des Noirs », au Ghana, au Mali, dans les cités haoussa, et jusqu'à Zanzibar. Les Hollandais s'installèrent ensuite en Afrique du Sud. Au XIXe siècle, les grands fleuves, Congo, Niger, Sénégal, Zambèze, permirent les découvertes missionnaires. Caillé, Barth, Nachtigal, Livingstone, Brazza, Stanley ouvrirent ainsi la voie à la conquête militaire. Le congrès de Berlin, en 1884, mit un terme à la compétition entre les Européens pour un partage colonial en zones d'influence.

Selon les États ? L'indépendance intervint à partir de

PAR QUELLES CLÉS D'ENTRÉE NUANCER L'APPROCHE DE L'AFRIQUE, CONTINENT MASSIF DE 30 MILLIONS DE KM² ?

1960. Les séparatismes régionaux triomphèrent sans mal du panafricanisme. La dépendance extérieure s'amplifia avec la guerre froide, et nombre de rébellions ne furent que des conflits par procuration entre l'URSS et les États-Unis. Certains tentèrent la solution marxiste ou socialiste révolutionnaire (Guinée, Tanzanie, Ghana, Égypte, Mali, Congo, Algérie), mais ces projets dérivèrent souvent en dictature, individuelle ou de parti unique. Dans la plupart des cas, le clientélisme vis-à-vis de l'ancienne puissance tutélaire demeura, et la situation actuelle du continent est largement tributaire de l'organisation mise en place à l'époque coloniale : frontières tracées dans des vides relatifs, prédominance de l'islam vers le nord à partir du Sahel, césure entre pays anglophones, francophones, lusophones, permanence de la Zone franc, persistance de la gestion rentière des économies nationales, importance des espaces côtiers et des villes au détriment de l'intérieur et des zones rurales.

PION MINEUR SUR L'ÉCHIQUIER ÉCONOMIQUE MONDIAL, L'AFRIQUE RESTE SOUS CONTRÔLE POUR L'ESSENTIEL, QUE SON AVENIR DÉPENDE DE L'APPLICATION DE PROGRAMMES D'AJUSTEMENT STRUCTUREL, DE RECOMPOSITION D'INFLUENCES, OU DE L'ÉMERGENCE D'ÉLITES COMPÉTENTES ET RESPONSABLES.

Selon l'actualité ? A la croisée de l'apport des sociétés autochtones et du modèle importé coexistent de multiples réalités. Si la croissance démographique est encore forte (3 % par an), les prémices d'une transition sont perceptibles. L'explosion urbaine (plus de 600 % entre 1950 et 1980), alimentée par l'exode rural, marque la fin du millénaire. Les embryons de villes mis en place par la colonisation sont devenus de grandes métropoles (Johannesburg, Le Caire, Kinshasa, Lagos, Abidjan), centres de pouvoir, de concentration des équipements de santé et de formation. Les mal-gouvernés s'y débrouillent seuls, dans un secteur informel de plus en plus prégnant. La misère et l'opulence s'y côtoient, en même temps que se dessinent des solidarités nouvelles et la contestation contre les pouvoirs autoritaires et les clans prédateurs. Avec la crise des États, la violence a gagné du terrain, caractérisant à tort l'ensemble du continent. Mais il est vrai que nombre de coups d'État et de rébellions, en créant le chaos, ont réduit à l'humanitaire l'aide au développement et engendré la lassitude des bailleurs de fonds. Pourtant de nouvelles entités se font jour : au Nigéria, en Afrique du Sud où émerge un ensemble ambitieux qui pourrait bien polariser les pays au sud du Sahara. Qu'adviendra-t-il de l'ex-Zaïre ? Dans le même temps l'Afrique du Nord, isolée par le Sahara, n'est-elle pas dans l'orbite de la Communauté européenne ?

Pion mineur sur l'échiquier économique mondial, l'Afrique reste sous contrôle pour l'essentiel, que son avenir dépende de l'application de programmes d'ajustement structurel, de recomposition d'influences, ou de l'émergence d'élites compétentes et responsables. ■

Repères

Maghreb	112
Afrique sahélienne	125
Afrique extrême-occidentale	133
Golfe de Guinée	141
Afrique centrale	153
Afrique de l'Est	164
Vallée du Nil	183
Afrique sud-tropicale	190
Afrique australe	199
Océan Indien	208

Par **Stephen Smith**
Journaliste

En Afrique, la guerre froide a pris fin un an avant la chute du mur de Berlin, avec la signature, en décembre 1988 au siège de l'ONU, des accords permettant l'accession à l'indépendance de la Namibie en échange du retrait des troupes cubaines d'Angola.

Depuis la création par le sociologue Frantz Fanon, en pleine guerre algérienne pour l'indépendance, d'un journal du même nom, la « révolution africaine » a suivi, pour le meilleur et pour le pire, le cours de l'histoire de l'Algérie : brève euphorie post-indépendance, prise de pouvoir militaire et instauration d'un parti unique, forte étatisation de l'économie, puis espoir de démocratisation, suivi d'une restauration autoritaire sur fond de crise identitaire et de violences. D'ici le tournant du siècle, la question est de savoir si le continent s'inspirera davantage du modèle sud-africain, non seulement géographiquement aux antipodes mais marqué par une réconciliation nationale entreprise à rebours de l'histoire coloniale et de quatre décennies de discrimination raciale institutionnalisée. Avec la « révolution » de Laurent-Désiré Kabila dans l'ex-Zaïre, redevenu République démocratique du Congo en mai 1997, un troisième pôle a émergé au printemps 1997 au cœur de l'Afrique, alliant le libéralisme économique sud-africain au déni des libertés qui caractérise le modèle algérien. Cependant, de mauvais augure pour le continent, cette zone de fusion des deux « modèles » s'est révélée, depuis, plus liberticide que libérale.

En Afrique, la guerre froide a pris fin un an avant la chute du mur de Berlin, avec la signature, en décembre 1988 au siège de l'ONU, des accords permettant l'accession à l'indépendance de la Namibie en échange du retrait des troupes cubaines d'Angola. Depuis, à l'échelle du continent, le fait saillant de l'évolution africaine a été l'émergence de puissances régionales et, partant, de stratégies politiques locales comblant le vide laissé par le retrait des rivaux de la guerre froide et celui, plus progressif, de la France, principale puissance néocoloniale. Le slogan « l'Afrique aux Africains » s'inscrit dans les faits tout en servant, aussi, de discours d'adieu aux Occidentaux, désormais intéressés seulement par l'accès aux richesses du sous-sol, les minerais et le pétrole, ainsi que par les marchés d'infrastructures et de télécommunications. Proposant « *trade not aid* » – du commerce à la place de l'aide –, le monde extérieur fait du développement de l'Afrique un problème « indigène » qui, non sans paradoxe, trouverait sa solution dans la mondialisation.

Le niveau intermédiaire des relations bilatérales entre États souverains s'efface, d'autant que la constitution de grands ensembles à l'échelle mondiale contraint l'Afrique « balkanisée » à l'intégration régionale. Il en résulte, dans l'immédiat, une crise de l'État africain, opérateur économique affaibli et, sur le plan politique, de moins en moins pertinent.

Au printemps 1997, après un règne de trente et un ans, le maréchal Mobutu Sese Seko a perdu le pouvoir au Zaïre, dans un contexte de rivalité franco-américaine. Sur

La France a longtemps mis en avant la « particularité » de l'Afrique et y a joué le rôle du « gendarme ».

Par **Stephen Smith**
Journaliste

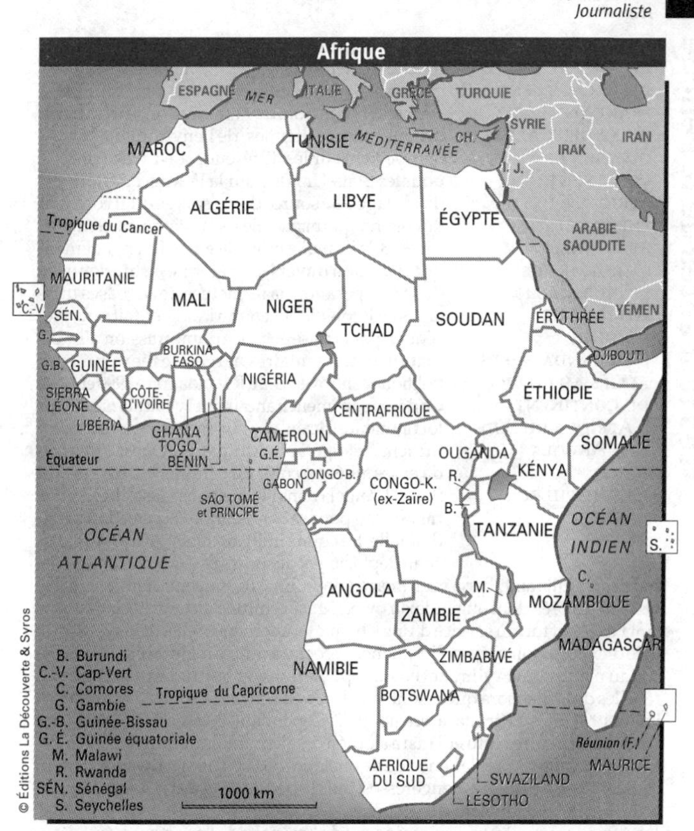

le continent, celle-ci est ancienne et remonte, sinon à l'affaire de Fachoda où l'orgueil national français avait été outragé en 1898 par la présence « anglo-saxonne » au Sud-Soudan, du moins à la Charte de l'Atlantique qui, en 1941, sur l'insistance du président Franklin Roosevelt, proclama le droit à l'autodétermination de tous les peuples sous tutelle. Par-delà l'idéal d'égalité, la fin des empires coloniaux et autres « chasses gardées » correspond à une logique marchande d'intégration dans l'économie-monde. La France s'y est longtemps opposée en mettant en avant la « particularité » de l'Afrique et, grâce à la sous-traitance sécuritaire du continent pendant la guerre froide, y a joué le rôle du « gendarme ». Dans l'après-guerre froide, ses rentes de situation – des parts de marché en Afrique francophone de l'ordre de 50 % à 60 %, alors qu'en 1996 la part française du commerce international était de 5,6 % – ont été remises en

Par **Stephen Smith**
Journaliste

LE DÉSENGAGEMENT FRANÇAIS INTERVIENT ALORS QUE, SUR LE CONTINENT AFRICAIN, DES PUISSANCES RÉGIONALES S'AFFIRMENT : LE NIGÉRIA EN AFRIQUE DE L'OUEST, L'OUGANDA ET SES ALLIÉS AU CŒUR DU CONTINENT, L'AFRIQUE DU SUD ET L'ANGOLA DANS L'HÉMISPHÈRE AUSTRAL.

question. La compétition commerciale ne change cependant rien au fait que, globalement, les intérêts communs du monde extérieur par rapport à l'Afrique – contrôle de l'émigration, du trafic de drogues, des épidémies, de l'environnement... – l'emportent sur les différends. En fin de compte, pour les États-Unis et pour la France, l'Afrique est davantage une source de nuisances qu'il convient de cogérer qu'un pactole à se ravir mutuellement. En 1998, la France a officialisé son désengagement de l'Afrique à travers une réforme institutionnelle de sa Coopération, la fermeture de ses bases militaires en République centrafricaine, et, fait sans précédent, par la mise en place d'une mission d'information parlementaire chargée de réexaminer sa politique controversée au Rwanda entre 1990 et 1994. Ce désengagement français intervient alors que, sur le continent africain, des puissances régionales s'affirment : le Nigéria en Afrique de l'Ouest, l'Ouganda et ses alliés au cœur du continent, l'Afrique du Sud et l'Angola dans l'hémisphère austral. Quoique mis au ban pour sa confiscation de l'élection présidentielle, le régime militaire nigérian a arbitré grâce au déploiement de son corps expéditionnaire, l'issue des conflits au Libéria et en Sierra Léone. En Afrique centrale, le « *no party system* » du président ougandais Yoweri Museveni, une dictature éclairée mettant l'exécutif fort au service d'une « bonne gouvernance », est devenu un modèle d'exportation. Déjà politiquement proche d'autres régimes également issus du maquis, en Érythrée et en Éthiopie, le pouvoir ougandais a parrainé les rebelles de la diaspora qui se sont installés *manu militari* à Kigali (Rwanda), en juillet 1994, puis à Kinshasa, en mai 1997. Cependant, le caractère génocidaire des relations entre Hutu et Tutsi a ajouté à ces alternances une dimension mortifère effrayante. Après le génocide de quelque 750 000 Tutsi au Rwanda, d'avril à juillet 1994, des tueries vengeresses, puis la persécution des réfugiés hutu au Zaïre ont fait quelque 200 000 victimes.

En Afrique australe, la prédominance de l'ex-pays de l'apartheid s'est d'autant plus affirmée que la guerre de succession au président Nelson Mandela a tourné à la faveur du vice-président Thabo Mbeki. Longtemps exilé, celui-ci se fait le chantre de la « renaissance de l'Afrique » et de la projection de la puissance sud-africaine vers l'intérieur du continent. Cette stratégie a le triple avantage de lui ouvrir un terrain connu et favorable, par rapport à ses rivaux de l'ancienne résistance intérieure, tout en offrant de nouveaux marchés aux grandes sociétés sud-africaines, telles que la De Beers ou l'Anglo-American, et en donnant aux habitants un nouveau rêve panafricain. L'avenir de la République démocratique du Congo (ex-Zaïre) décidera de la validité de l'« extraversion » sud-africaine. Ici comme ailleurs, stabilité politique et performances économiques seront critères de succès qui, bien davantage que le respect de libertés fondamentales, conditionneront l'insertion de l'Afrique dans le monde. ■

Par **Jean-Michel Dolbeau**
Politologue, CEAN/IEP-Bordeaux

1997

21 juin. Centrafrique. Reprise des combats à Bangui entre soldats mutins et MISAB (Mission interafricaine de surveillance des accords de Bangui), faisant plusieurs dizaines de victimes.
13 juillet. Sierra Léone. Les combats entre soldats de l'armée nigériane et forces armées de la junte au pouvoir s'intensifient, faisant plusieurs centaines de victimes.
14 juillet. Kénya. Émeutes dans la plupart des grandes villes, opposant les forces de sécurité aux partisans des réformes constitutionnelles et aux étudiants. En août, des villages seront pillés dans la région touristique de Mombasa.
17 juillet. Rwanda. Opérations militaires dans le nord du pays contre les miliciens hutu, faisant plusieurs centaines de victimes.
19 juillet. Libéria. Charles Taylor, leader du Front national patriotique du Libéria (NPFL), partie du conflit civil déclenché en 1989, remporte l'élection présidentielle avec presque 75 % des suffrages.
24 juillet. Angola. Le président José Eduardo dos Santos déclare son pays à nouveau en guerre civile avec la reprise des combats dans le Nord entre l'armée régulière et l'UNITA (Union nationale pour l'indépendance totale de l'Angola). Le 28 août, le Conseil de sécurité de l'ONU vote des sanctions contre le mouvement de Jonas Savimbi.
3 août. Comores. L'île d'Anjouan autoproclame son indépendance en réclamant son rattachement à la France. Le 3 septembre, une tentative de débarquement des troupes fédérales se soldera par un échec.
29 août. Algérie. Massacre de 300 personnes à Sidi Moussa (sud d'Alger), alors que le FIS (Front islamique du salut) se dit prêt au dialogue. De nouveaux massacres auront lieu en septembre, notamment dans la nuit du 22 au 23 à Bentalha, près d'Alger.
7 septembre. Mobutu. Décès au Maroc de l'ancien président zaïrois Mobutu Sese Seko (66 ans), resté au pouvoir de 1965 à 1997 et renversé en avril par Laurent-Désiré Kabila.
3-10 octobre. Sénégal. Une offensive de l'armée régulière contre les sécessionnistes de Casamance fait une centaine de victimes.
12 octobre. Cameroun. Paul Biya est réélu président. Le scrutin, boycotté par les principaux partis d'opposition, a été marqué par une faible participation et de nombreuses irrégularités.
16 octobre. Congo (-Brazza). Chute de Pointe-Noire et de Brazzaville devant l'offensive des partisans de l'ancien président Denis Sassou Nguesso (1979-1991), soutenus militairement par des troupes angolaises. Le président Lissouba abandonne le pouvoir. Le 25, Sassou Nguesso sera investi président.
25 octobre. Algérie. Le RND (Rassemblement national démocratique), parti du président Liamine Zéroual, remporte les élections municipales et départementales avec 55 % des suffrages. Le 31, l'opposition dénoncera des fraudes massives lors d'une manifestation rassemblant islamistes et démocrates. En novembre, les massacres de civils au sud d'Alger s'intensifieront, faisant des centaines de victimes.
31 octobre. Lésotho. Letsie III est couronné roi et succède officiellement à son père, Moshoeshoe II, décédé en 1996.
14 novembre. Maroc. Premières élections législatives entièrement au suffrage universel direct. Elles mobilisent peu et ne dégagent aucune majorité. L'Union socialiste des forces populaires (USFP) arrive en tête.
17 novembre. Égypte. Attentat à Louxor, revendiqué par la Djamaa Islamiya (islamiste), faisant près de 70 morts, en grande majorité des touristes.
19 novembre. Rwanda. L'offensive des rebelles hutu contre une prison du Nord-Ouest est repoussée par les forces gouvernementales. Elle fait plusieurs centaines de victimes. Le 4 décembre, une autre tentative permettra l'évasion de 600 détenus accusés dans le génocide de 1994.
24 novembre. Afrique du Sud. Comparution devant la commission Vérité et réconciliation de Winnie Mandela, ex-épouse du président Nelson Mandela. Elle est accusée de complicité dans une douzaine de meurtres commis du temps de l'apartheid.
12 décembre. Mauritanie. Réélection au premier tour du président Maaouya ould Taya, au pouvoir depuis 1984, après un scrutin marqué par le boycottage de l'opposition.
16 décembre. Afrique du Sud. Le vice-président Thabo Mbeki succède à Nelson Mandela à la tête de l'ANC (Congrès national africain).
19 décembre. Djibouti. Élections législatives remportées par l'alliance au pouvoir du RPP

Par **Jean-Michel Dolbeau**
Politologue, CEAN/IEP-Bordeaux

(Rassemblement populaire pour le progrès) et du FRUD (Front pour la restauration de l'unité et de la démocratie) qui obtient la totalité des sièges.
29 décembre. Kénya. Daniel Arap Moi, au pouvoir depuis 20 ans, est réélu président pour 5 ans avec 40 % des suffrages devant Mwai Kibaki, au terme d'un scrutin entaché d'irrégularités.

1998

1er janvier. Burundi. L'attaque d'une base militaire à Bujumbura par des miliciens hutu provoque la mort de 150 personnes. Le 30, le major Pierre Buyoya acceptera le principe d'une médiation externe afin de résoudre le conflit.
9 janvier. Algérie. Le gouvernement accepte le principe d'une mission européenne de discussion mais rejette toute idée d'enquête internationale. Le 11, à Sidi Hammed, entre 120 et 250 civils seront tués.
12 février. Sierra Léone. Les troupes nigérianes de l'Ecomog (Force ouest-africaine d'interposition) reprennent Freetown à la junte militaire arrivée au pouvoir par un coup d'État le 25 mai 1997. Le 10 mars, le président Ahmad Tejan Kabbah sera rétabli dans ses fonctions.
25 février. Comores. Échec des médiations de l'OUA (Organisation de l'unité africaine) et adoption par référendum à 99 % d'une Constitution par l'île sécessionniste d'Anjouan.
14 mars. Maroc. Après un mois de négociation entre le Premier ministre socialiste, Abderrahmane Youssoufi, et le roi Hassan II, un gouvernement d'alternance est constitué avec neuf ministres de l'USFP (Union socialiste des forces populaires).
15 mars. Madagascar. Un référendum constitutionnel renforce par une courte majorité (50,56 %) le pouvoir exécutif du président, et donne au pays une forme fédérale avec six provinces autonomes.
29 mars. Rwanda. Nouveaux combats dans le Nord-Ouest entre l'armée régulière et des miliciens hutu. Le 24 mars, 22 personnes accusées d'avoir participé au génocide de 1994 avaient été exécutées en public.
31 mars. Botswana. Le président Quett Ketumile Joni Masire, en poste depuis 1980, laisse le pouvoir à son vice-président, Festus Mogae, un an avant le terme de son mandat.
4 avril. Soudan. Le secrétaire général de l'ONU, Kofi Annan, lance un appel à l'aide internationale afin d'endiguer les risques de famine menaçant 350 000 personnes dans le sud du pays.
6 avril. Afrique du Sud. Le chef des armées, le général George Meiring, démissionne, désavoué par Nelson Mandela alors qu'il venait de lui révéler un complot d'officiers noirs. Il est remplacé par le général Siphiwe Nyanda.
10 avril. Congo (-Kinshasa). L'ONU suspend sa mission d'enquête sur les massacres de réfugiés hutu perpétrés par l'armée de L.-D. Kabila lors de son arrivée au pouvoir un an plus tôt, après l'arrestation d'un de ses enquêteurs et la saisie d'une liste de témoins. Le 15 mai, le sommet régional destiné à célébrer l'arrivée au pouvoir de L.-D. Kabila sera reporté devant l'absence de la plupart des invités, dont les anciens soutiens ougandais et rwandais.
25 avril. Nigéria. Élections législatives boycottées par une large partie de l'opposition et remportées par le parti du général Sani Abacha.
5 mai. Éthiopie-Érythrée. Début d'un conflit relatif à des différends frontaliers. La ville de Mekele, en Éthiopie, sera bombardée par les forces érythréennes et l'aéroport d'Asmara (Érythrée) par l'armée éthiopienne. Les hostilités s'interrompront le 14, comme suite aux pressions des États-Unis.
8 mai. Bénin. Démission du Premier ministre, Adrien Houngbédji, mettant un terme à la coalition qui dirigeait le pays depuis mars 1996. Le président Mathieu Kérékou prend en charge l'ensemble de l'exécutif.
11 mai. Algérie. Massacre d'une vingtaine de personnes à un faux barrage dans la région d'Oran. Le 22, un attentat à la bombe sur le marché d'Alger fera 16 morts. Le 27, onze personnes seront tuées à Blida alors que l'armée poursuit ses opérations contre les maquis islamistes.
24 mai. Sénégal. Élections législatives remportées par le Parti socialiste du président Abdou Diouf avec 93 des 140 sièges à pourvoir. L'opposition dénonce des fraudes.
24 mai. Congo (-Kinshasa). Instabilité et répression à Kinshasa avec l'arrestation sans motif de deux ministres alors que des combats se poursuivent dans l'est du pays contre

Par **Jean-Michel Dolbeau**
Politologue, CEAN/IEP-Bordeaux

les rebelles Mai-Mai. Le 30, le président Kabila acceptera pour la première fois de rencontrer le principal leader d'opposition, Étienne Tshisekedi. En août, une rébellion soutenue militairement par l'Ouganda et le Rwanda se développera, bientôt combattue par des troupes angolaises, zimbabwéennes et namibiennes.
25 mai. Guinée équatoriale. Ouverture du procès d'une centaine d'opposants au régime autoritaire du président Teodoro Obiang Nguema Mbasogo.
7 juin. Guinée-Bissau. Soulèvement d'une partie de l'armée contre le président João Bernardo Vieira, entraînant de nombreux affrontements dans le pays. L'armée sénégalaise intervient en faveur du pouvoir en place.
8 juin. Nigéria. Décès du général Sani Abacha, arrivé au pouvoir en novembre 1993 à la suite d'un coup d'État et unique candidat à l'élection présidentielle du 1er août. Il est immédiatement remplacé par le chef des armées, le général Abdulsalam Abubakar.
21 juin. Togo. Élections présidentielles opposant le président Étienne Gnassingbé Eyadéma et Gilchrist Olympio. Interruption du dépouillement face à de nombreuses irrégularités.
21 juin. Burundi. Signature à Arusha d'un accord de cessez-le-feu entre le gouvernement et les rebelles hutu.
21 juin. Algérie. Assassinat du chanteur et militant berbère Lounes Matoub, déclenchant une vague de protestations et de violences en Kabylie.

Afrique/Bibliographie sélective

J. F. Ade Ajayi, M. Crowder (sous la dir. de), *Atlas historique de l'Afrique*, Jaguar, Paris, 1988.

G. Balandier, *Afrique ambiguë*, Pocket, Paris, 1983.

J.-F. Bayart, *L'État en Afrique, la politique du ventre*, Fayard, Paris, 1989.

J.-F. Bayart, S. Ellis, B. Hibou, *Criminalisation de l'État en Afrique*, Complexe, coll. « Espace international », Bruxelles, 1997.

CEAN, *L'Afrique politique*, Karthala (annuel).

J. Copans, *La Longue Marche de la modernité africaine, savoirs intellectuels, démocratie*, Karthala, Paris, 1990.

C. Coquery-Vidrovitch, H. Moniot, *L'Afrique noire de 1800 à nos jours*, PUF, Paris, 1974.

C. Coulon, D.-C. Martin (sous la dir. de), *Les Afriques politiques*, La Découverte, Paris, 1991.

A. Dubresson, J.-Y. Marchal, J.-P. Raison, « Les Afriques au sud du Sahara », *in* R. Brunet (sous la dir. de), *Géographie universelle*, vol. VI, Belin/Reclus, Paris/Montpellier, 1994.

M.-F. Durand, J. Lévy, D. Retaillé, « L'invention géographique de l'Afrique », *in* M.-F. Durand, J. Lévy, D. Retaillé, *Le Monde, espaces et systèmes*, Dalloz, Paris, 1993.

S. Ellis, *L'Afrique maintenant*, Karthala, Paris, 1995.

A. Glaser, S. Smith, *L'Afrique sans Africains. Le rêve blanc du continent noir*, Stock, Paris, 1994.

P. Hugon, *L'Économie de l'Afrique*, La Découverte, coll. « Repères », Paris, 1993.

J. Ki Zerbo, *Histoire de l'Afrique noire : d'hier à demain*, Hatier, Paris, 1972.

É. M'Bokolo, *L'Afrique au XXe siècle, le continent convoité*, Seuil, Paris, 1985.

J.-F. Médard, *États d'Afrique noire. Formations, mécanismes et crises*, Karthala, Paris, 1991.

Politique africaine (trimestriel), Karthala, Paris.

P. Vennetier, *Les Villes d'Afrique tropicale*, Masson, Paris, 1991.

Maghreb

Algérie, Libye, Maroc, Mauritanie, Tunisie

Algérie

Les institutions et les tueries

« *Anni Horribili* » pour la population algérienne. En effet, si les « décideurs » politico-militaires algériens ont parachevé, comme ils l'avaient promis, le nouvel édifice institutionnel du pays avec les élections à la proportionnelle des conseils des communes et des *willayat* (départements) (octobre 1997) et surtout, au suffrage indirect, du Conseil de la Nation, la chambre haute du Parlement (décembre 1997), ils n'auront guère réussi à véritablement maîtriser le dossier sécuritaire qui aura été caractérisé par d'effroyables massacres de civils.

Par ailleurs, l'Armée islamique du salut (AIS), branche militaire du Front islamique du salut (FIS), au terme, selon elle, de pourparlers secrets avec des émissaires de l'armée, a décidé en octobre 1997 d'une trêve unilatérale dont la poursuite était conditionnée à l'engagement d'un dialogue politique pour trouver une solution à la crise. Les militaires ont opposé une fin de non-recevoir, estimant que la trêve était en fait une « reddition » pure et simple.

Si à Alger, malgré des attentats sporadiques, la tension est nettement retombée dans la plupart des quartiers, plusieurs régions ont été marquées par des tueries en série, jetant l'effroi au sein de la population et suscitant une onde de choc à l'étranger. Raïs, Bentalha, Béni-Messous, aux portes de la capitale, sont devenus les symboles d'une escalade sans précédent dans l'horreur. Dans ces villages martyrs, au début de l'automne 1997, des groupes armés ont massacré plus de 500 personnes en l'espace de trois nuits. Méthodiquement, les assaillants ont mutilé, décapité, égorgé ou brûlé vifs hommes, femmes, enfants, vieillards.

Macabres scénarios

L'Algérois est resté, durant tout l'été, le théâtre de cette violence ciblée dont l'épicentre s'est, cependant, déplacé à la fin de l'année et au début de 1998, en plein mois de ramadan, dans l'ouest du pays. Des massacres ont ainsi été perpétrés dans des villages isolés aux alentours de Relizane, Mascara, Tlemcen, Sidi-Bel-Abbès, Saïda. Selon des bilans partiels ils auraient fait quelque 428 morts. Avec ces nouveaux massacres, la presse algérienne privée estimait à plus d'un millier le nombre de personnes tuées au cours des six premiers jours du jeûne coranique, puisque l'attaque (janvier 1998) du village de Sidi Hammed, dans l'Algérois, aurait dépassé de loin, selon des estimations non vérifiables, le bilan officiel de 139 morts.

Les tueries se sont déroulées selon un macabre scénario : les « tueurs » connaissent parfaitement les lieux ; venus de plusieurs directions, ils encerclent le village – en général une localité abritant une population déshéritée – ; ils coupent l'électricité puis commencent leur sinistre besogne. Leurs victimes sont en majorité des femmes et des enfants. Les autorités et la presse affirment

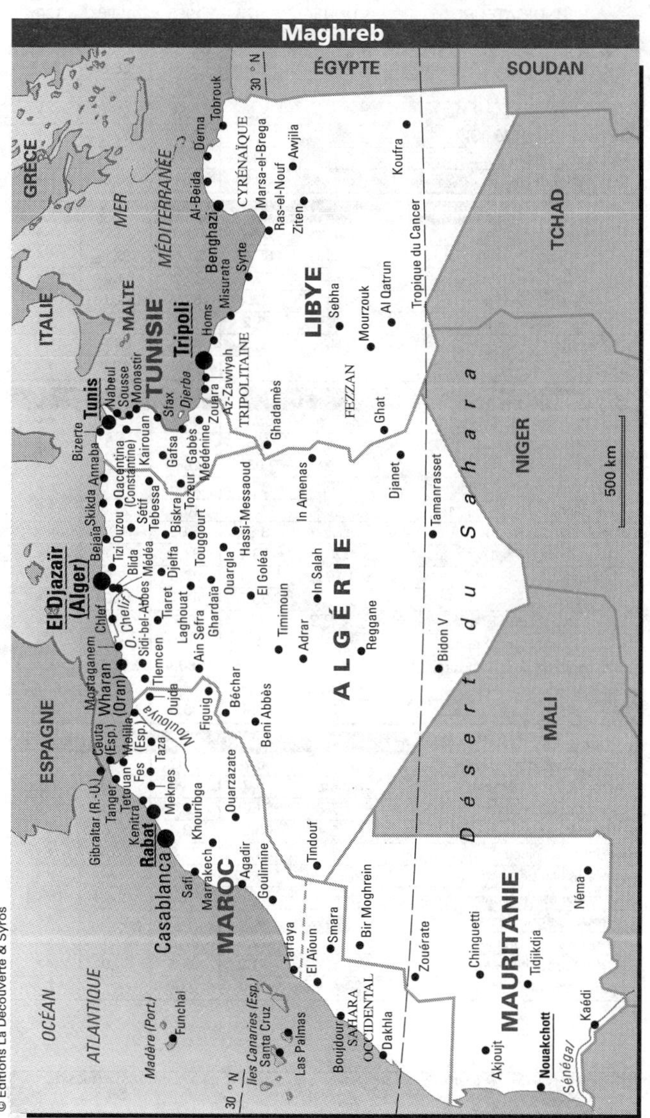
Maghreb
ESPAGNE
ITALIE
GRÈCE
MALTE
MER
MÉDITERRANÉE
OCÉAN
ATLANTIQUE
ÉGYPTE
SOUDAN
TCHAD
NIGER
MALI
MAROC
ALGÉRIE
TUNISIE
LIBYE
MAURITANIE
SAHARA OCCIDENTAL
CYRÉNAÏQUE
TRIPOLITAINE
FEZZAN
Désert du Sahara
Tropique du Cancer
30° N
500 km
Madère (Port.)
Funchal
Îles Canaries (Esp.)
Santa Cruz
Las Palmas
Gibraltar (R.-U.)
Tanger
Ceuta (Esp.)
Tetouan
Melilla (Esp.)
Kenitra
Rabat
Casablanca
Meknes
Fes
Taza
Khouribga
Safi
Marrakech
Agadir
Ouarzazate
Goulimine
Tarfaya
El Aïoun
Smara
Boujdour
Dakhla
Tindouf
Bir Moghrein
Zouérate
Mostaganem
Wharan (Oran)
Tlemcen
Oujda
Moulouya
Figuig
Béchar
Beni Abbès
Sidi-bel-Abbes
Chlef
O. Chelif
El Djazaïr (Alger)
Blida
Médéa
Tiaret
Tizi Ouzou
Bejaïa
Skikda
Annaba
Qacentina (Constantine)
Sétif
Tebessa
Djelfa
Laghouat
Ain Sefra
Ghardaïa
Biskra
Touggourt
Ouargla
Hassi-Messaoud
El Goléa
Timimoun
Adrar
Reggane
In Salah
In Amenas
Djanet
Tamanrasset
Bidon V
Bizerte
Tunis
Nabeul
Sousse
Monastir
Kairouan
Sfax
Gafsa
Tozeur
Gabès
Médénine
Djerba
Zouara
Az-Zawiyah
Tripoli
Homs
Misurata
Syrte
Benghazi
Al-Beida
Derna
Tobrouk
Marsa-el-Brega
Ras-el-Nouf
Ziten
Awjila
Ghadamès
Sebha
Mourzouk
Al Qatrun
Ghat
Koufra
Nouakchott
Akjoujt
Chinguetti
Tidjikdja
Kaédi
Néma
Sénégal

INDICATEUR*	UNITÉ	1975	1985	1996	1997
Démographie**					
Population	*million*	16,0	21,9	28,8	29,5
Densité	*hab./km²*	6,7	9,2	12,1	12,4
Croissance annuelle	%	3,2[a]	2,5[b]	2,3[c]	••
Indice de fécondité (ISF)		6,8[a]	4,6[b]	3,8[c]	••
Mortalité infantile	‰	100[a]	61[b]	44[c]	••
Espérance de vie	*année*	59,0[a]	66,1[b]	68,9[c]	••
Indicateurs socioculturels					
Nombre de médecins	*‰ hab.*	0,12[i]	0,43[k]	0,82[m]	••
Analphabétisme (hommes)	%	65,2[n]	31,8[o]	26,1[g]	••
Analphabétisme (femmes)	%	75,7[n]	59,2[o]	51,0[g]	••
Scolarisation 12-17 ans	%	37,4	57,4	59,3[m]	••
Scolarisation 3e degré	%	3,2	7,9	10,9[g]	••
Téléviseurs	‰	31,2	68,5	67,5	••
Livres publiés	*titre*	275[n]	718[o]	323[f]	••
Économie					
PIB total[h]	*milliard $*	55,6[n]	86,6	132,7	••
Croissance annuelle	%	5,6[d]	1,7[e]	3,8	1,3
PIB par habitant[h]	$	2 980[n]	3 960	4 620	••
Investissement (FBCF)	*% PIB*	37,5	29,5	27,6	••
Taux d'inflation	%	9,0	10,5	21,6	3,6
Population active	*million*	3,81	5,85	9,02	••
Agriculture	% } *100 %*	39,2	31,0	24,1[g]	••
Industrie	% } *100 %*	24,1	27,3	27,6[g]	••
Services	% } *100 %*	36,7	41,7	48,3[g]	••
Dépense publique Éducation	*% PIB*	6,7	8,5	5,6[g]	••
Dépense publique Défense	*% PIB*	4,1	1,7	4,0	••
Énergie (taux de couverture)	%	723,6	560,4	369,5[g]	••
Dette extérieure totale	*milliard $*	4,63	18,3	32,2	35,4
Service de la dette/Export.	%	8,9	35,6	26,3	25,1
Échanges extérieurs		**1974**	**1986**	**1996**	**1997**
Importations de services	*milliard $*	0,7	2,02	••	••
Importations de biens	*milliard $*	3,7	7,90	8,84	8,63
Produits alimentaires	%	21,7[p]	22,0	30,4[f]	••
Produits manufacturés	%	63,6[p]	63,4	61,5[f]	••
dont machines	%	31,3[p]	25,8	22,5[f]	••
Exportations de services	*milliard $*	0,2	0,55	••	••
Exportations de biens	*milliard $*	4,9	8,07	12,62	13,44
Produits agricoles	%	4,1	0,3	0,7[f]	••
Produits énergétiques	%	92,5	97,5	97,1[f]	••
dont produits pétroliers	%	91,2	63,8	65,0[f]	••
Solde transactions courantes	*% du PIB*	– 7,2[q]	0,0[r]	••	7,2

* Définition des indicateurs p. 25 et suiv. ** Dernier recensement utilisable : 1987. a. 1975-85 ; b. 1985-95 ; c. 1995-2000 ; d. 1970-80 ; e. 1980-96 ; f. 1996 ; g. 1995 ; h. A parité de pouvoir d'achat (PPA, voir définition p. 581) ; i. 1974 ; k. 1984 ; m. 1993 ; n. 1980 ; o. 1990 ; p. 1975 ; q. 1977-80 ; r. 1981-91.

que le Groupe islamique armé (GIA), affaibli par les opérations de grande envergure de l'armée et la multiplication des groupes de légitime défense (GLD) dans les villages, étant aux abois, s'est dès lors engagé dans une logique de représailles contre les civils « qui les rejettent ». Enfin, toujours selon les mêmes sources, certaines tueries pourraient être liées à des rivalités entre groupes islamistes armés rivaux.

La multiplicité et la barbarie de ces massacres, comme les conditions dans lesquelles ils se sont déroulés – parfois non loin de casernes, les forces de sécurité ne se rendant sur les lieux que plusieurs heures après la tuerie – ont certes terrorisé la population, mais elles ont également suscité de nombreuses interrogations. Plusieurs partis ont accusé de « passivité » l'armée qui, sortant de son mutisme, a expliqué que certains massacres avaient été rendus possibles par des défauts d'« alerte », tout en soulignant la difficulté de la lutte antiterroriste. « Nous ne pouvons mettre un soldat devant chaque citoyen » a plaidé un général...

Le 25 juin 1998, l'assassinat du chanteur engagé kabyle Lounes Matoub par des islamistes présumés, non loin de Tizi-Ouzou, a soulevé une intense émotion en Kabylie où se sont déroulées de violentes manifestations populaires.

Interpellations étrangères

A l'étranger, la tournure tragique des événements a forcé organisations internationales et certains gouvernements à sortir du silence gêné dans lequel ils se cantonnaient face au problème algérien. L'ONU, Washington, Paris, Londres et plusieurs organisations humanitaires, notamment Amnesty International, ont demandé l'ouverture d'une enquête internationale : des « appels à l'ingérence » qui ont été vivement condamnés et rejetés par les autorités pour qui les « terroristes » aux abois en sont réduits à s'attaquer aux civils ; et de réclamer dans la foulée plus de soutien de la part d'une Europe accusée d'accueillir des chefs islamistes et d'abriter des réseaux de soutien. Après bien des réticences, Alger acceptera, en janvier 1998, la visite éclair d'une troïka gouvernementale européenne composée des chefs de la diplomatie du Royaume-Uni, du Luxembourg et d'Autriche et, un mois plus tard, d'une délégation de neuf

République algérienne démocratique et populaire

Capitale : Alger.
Superficie : 2 381 741 km².
Monnaie : dinar (au taux officiel, 100 dinars = 10,24 FF au 30.5.98).
Langues : arabe (off.), berbère, français.
Chef de l'État : Liamine Zéroual (par ailleurs ministre de la Défense), élu président de la République le 16.11.95, a annoncé le 11.9.98 la tenue d'une élection présidentielle anticipée avant fin févr. 1999, déclarant ne pas se représenter.
Premier ministre : Ahmed Ouyahia (depuis le 31.12.95, confirmé à son poste le 14.6.97).
Ministre de l'Intérieur : Mostéfa Benmansour (reconduit le 25.6.97).
Ministre des Affaires étrangères : Mohamed Attaf (reconduit le 25.6.97).
Nature de l'État : république ; l'islam est religion d'État.
Nature du régime : présidentiel. L'armée joue un rôle prépondérant. Une Assemblée pluraliste de 380 membres a été élue le 5.6.97. Un Conseil de la Nation de 144 membres a parachevé, en déc. 1998, le nouvel édifice institutionnel.
Principaux partis politiques : Rassemblement national démocratique (RND, fondé en févr. 1997 et soutenant le chef de l'État) ; Front de libération nationale (FLN, parti unique de 1962 à 1989) ; MSP (Mouvement de la société pour la paix, ex-Hamas, islamiste) ; Mouvement Ennahda (islamiste) ; FFS (Front des forces socialistes) ; Rassemblement pour la culture et la démocratie (RCD) ; MDS (ex-Ettahadi, ex-PAGS, communiste) ; Parti des travailleurs (PT, extrême gauche). Le FIS (Front islamique du salut) a été dissous et interdit par le pouvoir le 4.3.92.

Algérie/Bibliographie

L. Addi, *L'Algérie et la Démocratie*, La Découverte, Paris, 1994.

Amnesty International, FIDH, Human Rights Watch, Reporters sans frontières, *Algérie. Le livre noir*, La Découverte, Paris, 1997.

M. Benrabah, A. Djellouli, N. Farès *et alii, Les Violences en Algérie*, Odile Jacob, coll. « Opus », Paris, 1998.

F. Burgat, *L'Islamisme en face*, La Découverte, Paris, 1996 (nouv. éd.).

L. Hanoune, *Une autre voix pour l'Algérie, Entretiens avec G. Mouffok*, La Découverte, Paris, 1996.

G. Hidouci, *Algérie. La libération inachevée*, La Découverte, Paris, 1995.

R. Leveau (sous la dir. de), *L'Algérie dans la guerre*, Complexe, coll. « Espace international », Bruxelles, 1995.

G. Manceron (sous la dir. de), *Algérie, connaître la crise*, Complexe, Bruxelles, 1998.

L. Martinez, *La Guerre civile en Algérie*, Karthala, coll. « Recherches internationales », Paris, 1998.

L. Provost, *La Seconde Guerre d'Algérie. Le quiproquo franco-algérien*, Flammarion, Paris, 1996.

Reporters sans frontières, *Le Drame algérien. Un peuple en otage*, La Découverte, Paris, 1996 (nouv. éd. mise à jour).

B. Stora, *Histoire de l'Algérie depuis l'indépendance*, La Découverte, coll. « Repères », Paris, 1995 (nouv. éd. mise à jour).

Voir aussi la bibliographie « Maghreb », p. 124.

parlementaires européens. Au terme de ces deux missions, réduites à un vague objectif de « reprise d'un véritable dialogue politique » avec les autorités, l'Europe devait reconnaître son impuissance face à la crise algérienne. Un dossier apparemment clos avant même que d'avoir été entrouvert.

Les autorités ont toutefois permis, fin juillet et pour une douzaine de jours, à une mission de l'ONU dirigée par l'ancien président portugais Mario Soares, de venir « s'informer » sur place de la situation auprès des différents acteurs du monde politique et de la société civile.

Sur le plan politique, le pouvoir a mené à son terme le programme constitutionnel qu'il avait engagé avec l'élection présidentielle de novembre 1995. Les élections législatives et locales ont confirmé par ailleurs l'émergence d'un puissant pôle « islamo-conservateur », dominé par le parti du président Liamine Zéroual, le Rassemblement national démocratique (RND), qui a largement remporté ces scrutins, entachés de fraudes selon l'opposition. Le parti présidentiel a également « raflé » la mise au Conseil de la Nation qui doit avoir un rôle prépondérant dans l'élaboration des lois. A l'issue d'une élection par un collège électoral formé d'élus départementaux et municipaux, il s'est vu crédité de 80 des 96 sièges composant les deux tiers de ce Sénat qui en comprend 144. Le RND a ainsi obtenu un score sans comparaison avec l'ancien parti unique, le Front de libération nationale (FLN, 10 sièges), le Front des forces socialistes (FFS, 4 sièges) et le Mouvement de la société pour la paix (MSP, ex-Hamas, 2 sièges). Le chef de l'État, Liamine Zéroual, a coopté le tiers restant, soit 48 personnalités.

Point d'orgue de l'âpre lutte à laquelle les différents clans militaires se sont livrés durant l'été 1998, L. Zéroual a annoncé le 11 septembre qu'il quitterait le pouvoir, après la tenue d'un scrutin présidentiel anticipé, avant la fin de février 1999.

Sur le plan économique, l'Algérie, dont la dette s'élevait à 33 milliards de dollars, devait s'affranchir en 1998 de la tutelle du FMI avec lequel elle avait signé en 1994 un contrat *stand-by*, suivi en 1995 d'un contrat dit « de facilité de financement élargie » de trois ans. Alger avait également signé deux accords de rééchelonnement de sa dette extérieure avec le Club de Paris et deux autres avec le Club de Londres, en 1994 et 1995. Cela lui avait valu un différé de remboursement de 16 milliards de dollars. Le délai de grâce (portant sur le principal de sa dette) a expiré en mai 1998. Selon le Premier ministre, Ahmed Ouyahia, les grands équilibres ont été rétablis et les réserves de change ont atteint le taux record de 8,8 milliards de dollars. Les investisseurs étrangers ont marqué un regain d'intérêt pour le pays, notamment dans le domaine des hydrocarbures. Cependant, le programme de restructuration d'une économie délabrée imposé par le Fonds monétaire a marqué le pas. Les privatisations se sont certes poursuivies, mais au compte-gouttes, la production industrielle piétinant et les fermetures d'usines entraînant le licenciement de dizaines de milliers de travailleurs dans un pays comptant officiellement 2,3 millions de chômeurs (28 % de la population active), dont 70 % de jeunes. La pauvreté gagne des couches de plus en plus importantes de la population, alors qu'une minorité de nantis affiche ostensiblement les signes extérieurs d'une richesse rapidement acquise grâce au libéralisme économique sauvage qui a succédé à l'économie planifiée des ères Boumédiène et Chadli. - **Ali Habib** ■

Libye

L'année écoulée aura-t-elle été, pour le régime du colonel Mouammar Kadhafi, le début de sa sortie de l'ornière, voire de sa réhabilitation sur la scène internationale ? Certes, la Libye demeurait au ban des nations, en butte à l'isolement diplomatique et aux sanctions, plutôt sévères, édictés par le Conseil de sécurité des Nations unies à partir de 1992 et régulièrement reconduites, selon une modalité quasi automatique ; mais force était de constater que la Jamahiryia avait pu, durant les mois passés, opérer quelques percées significatives, remporter quelques victoires, sans céder sur l'essentiel.

En effet, Tripoli se refusait toujours à extrader deux de ses ressortissants, Lamine Fahima et Abdel Basset el-Megrahi, membres de ses services spéciaux, et auteurs présumés de l'explosion en vol, en 1988, d'un appareil civil américain, au-dessus de la localité écossaise de Lockerbie (270 morts). Six années de sanctions onusiennes, prohibant les ventes d'armes à la Libye, limitant les déplacements de ses diplomates et interdisant les vols aériens de et vers son territoire, n'ont pu entamer la détermination de Tripoli sur ce point, qu'elle

Jamahirya arabe libyenne populaire et socialiste

Capitale : Tripoli.
Superficie : 1 759 540 km².
Nature du régime : militaire.
Chef de l'État : de fait le colonel Mouammar Kadhafi, « guide de la Révolution » (depuis le 1.9.69).
Chef du gouvernement : Mohammed Ahmad al-Mangoush, qui a succédé en déc. 97 à Abdelmajid al-Gaoud.
Ministre de la Défense et chef des Armées : colonel Abou Bakr Younes Jaber.
Ministre des Affaires étrangères : Omar al-Mountasser.
Monnaie : dinar libyen (au cours officiel, 1 dinar = 15,11 FF au 29.7.98).
Langue : arabe.
Contestation territoriale : un arrêt de la Cour internationale de justice de La Haye, rendu le 3.2.94, a attribué définitivement au Tchad la bande d'Aozou, occupée par la Libye depuis vingt ans.

INDICATEUR*	UNITÉ	ALGÉRIE	LIBYE
Démographie**			
Population	*millier*	29 473	5 784
Densité	*hab./km²*	12,4	3,3
Croissance annuelle[d]	%	2,3	3,3
Indice de fécondité (ISF)[d]		3,8	5,9
Mortalité infantile[d]	‰	44	56
Espérance de vie[d]	*année*	68,9	65,7
Population urbaine	%	57,1	86,2
Indicateurs socioculturels			
Développement humain (IDH)[c]		0,737	0,801
Nombre de médecins	*‰ hab.*	0,82[n]	1,07[i]
Analphabétisme (hommes)[b]	%	26,1	12,1
Analphabétisme (femmes)[b]	%	51,0	37,0
Scolarisation 12-17 ans	%	59,3[i]	79,1[k]
Scolarisation 3e degré	%	10,9[b]	16,4[g]
Adresses Internet	*‰ hab.*	0,01	0,01
Livres publiés	*titre*	323[c]	26[c]
Armées			
Armée de terre	*millier d'h.*	107	35
Marine	*millier d'h.*	7	8
Aviation	*millier d'h.*	10	22
Économie			
PIB total[ae]	*million $*	132 700	39 051
Croissance annuelle 1986-96	%	0,6	– 1,5
Croissance 1997	%	1,3	2,6
PIB par habitant[ae]	*$*	4 260	6 125[c]
Investissement (FBCF)[f]	*% PIB*	28,7	20,0[m]
Taux d'inflation	%	3,6	6,0
Énergie (taux de couverture)[b]	%	369,5	603,3
Dépense publique Éducation	*% PIB*	5,6[b]	7,1
Dépense publique Défense[a]	*% PIB*	4,0	5,1
Dette extérieure totale[a]	*million $*	33 260	3 700
Service de la dette/Export.[f]	%	33	••
Échanges extérieurs			
Importations	*million $*	8 627	7 414
Principaux fournisseurs[a]	%	UE 66,3	UE 66,8
	%	Fra 31,9	Ita 21,7
	%	PED 18,0	PED 25,6
Exportations	*million $*	13 440	8 950
Principaux clients[a]	%	UE 62,5	UE 80,3
	%	Fra 20,2	Ita 41,0
	%	E-U 16,8	RFA 18,0
Solde transactions courantes	*% PIB*	7,20	••

* Définition des indicateurs p. 25 et suiv. Chiffres 1997 sauf notes. ** Derniers recensements utilisables : Algérie, 1987 ; Libye, 1995 ; Maroc, 1994 ; Mauritanie, 1988 ; Tunisie, 1994. a. 1996 ; b. 1995 ; c. 1994 ; d. 1995-2000 ; e. À parité de pouvoir d'achat (PPA, voir définition p. 581), f. 1994-96 ; g. 1991 ;

MAROC	MAURITANIE	TUNISIE
27 518	2 392	9 325
61,2	2,3	57,0
1,8	2,5	1,8
3,1	5,0	2,9
51	92	37
66,6	53,5	69,5
53,2	53,8	53,2
0,566	0,355	0,748
0,36[c]	0,06[n]	0,57[c]
43,4	50,4	21,4
69,0	73,7	45,2
38,2[m]	20,1[k]	65,8[k]
11,3[c]	4,1[d]	12,9[b]
0,32	–	0,02
940[b]	••	569[c]
175	15	27
7,8	0,5	4,5
13,5	0,15	3,5
89 700	4 200	41 500
5,1	3,4	3,5
– 2,2	4,5	5,6
3 320	1 810	4 550
20,9	18,2	24,8
1,5	4,2	3,9
6,6	0,2	90,1
4,9[b]	5,0[b]	6,8[b]
4,3	2,9	2,0
21 767	2 363	9 887
30	24	18
9 510	484	7 914
UE 64,1	UE 63,4	Fra 24,3
Fra 26,2	Fra 31,1	Ita 18,7
PED 25,8	Asie[h] 16,7	PED 18,6
6 987	460	5 559
UE 69,4	UE 52,7	Fra 25,7
Fra 33,0	Jap 30,0	Ita 20,7
PED 18,8	Afr 13,8	PED 14,4
– 1,70[a]	2,07[b]	– 2,75[a]

h. Y compris Japon et Moyen-Orient ; i. 1990 ; k. 1991 ; m. 1992 ; n. 1993 ; o. 1985.

considère comme relevant de l'exercice de sa souveraineté. Pourtant, les pertes de l'économie libyenne, combinées avec la baisse du cours du brut, ont été, pour le moins, inquiétantes (24 milliards de dollars de 1992 à 1997, selon les sources officielles). Les secteurs les plus touchés ont été ceux des hydrocarbures, de l'agriculture et de l'industrie.

Mais cette situation n'a pas empêché le colonel Kadhafi de se maintenir et de passer à la contre-attaque. Dès octobre 1997, il s'est dit prêt à extrader les deux auteurs présumés de l'attentat de Lockerbie vers un pays neutre, pour y être jugés « équitablement ». Proposition qui, dans un premier temps, a emporté l'adhésion des familles des victimes, lassées par la longueur de la procédure. Elle a également reçu l'appui du président sud-africain Nelson Mandela, qui, bravant le courroux de Washington, s'est rendu à Tripoli à deux reprises en l'espace d'une semaine. Par ailleurs, la demande de levée des sanctions contre la Libye est devenue récurrente dans les desiderata d'organisations régionales telles que la Ligue arabe, l'Organisation de la conférence islamique (OCI) ou l'Organisation de l'unité africaine (OUA). La diplomatie libyenne a même réalisé des percées au sein du camp occidental, puisque l'Italie a annoncé, en novembre 1997, qu'elle était prête à rétablir ses relations avec Tripoli. Le régime du colonel Kadhafi apportait aussi un soin particulier – et qui s'est révélé fructueux – à ses relations avec la France, présentant la coopération dont il fait preuve à l'égard du juge Jean-Louis Bruguière, enquêtant sur l'explosion d'un avion français survenue, en 1989, au-dessus du désert du Niger et imputée aux services libyens, comme exemplaire. Le juge Bruguière n'en a pas moins remis, en janvier 1998, son rapport au procureur général de Paris, accusant six Libyens, dont un beau-frère du chef de l'État, d'avoir commandité l'attentat.

Mais c'est en février 1998 que la Libye a enregistré son succès le plus significatif :

lorsque la Cour internationale de justice (dépendant de l'ONU) a été habilitée à examiner les plaintes libyennes contre les États-Unis et le Royaume-Uni.

Sur le plan interne, le régime semblait avoir repris les choses en main, au prix d'une impitoyable répression (plusieurs milliers de détenus dans les geôles du pays, selon l'Organisation arabe des droits de l'homme) et d'une coopération sécuritaire étroite avec les pays limitrophes. Et malgré les informations, difficilement vérifiables, sur des attentats visant les hommes clés du régime, dont M. Kadhafi lui-même, ou des affrontements avec les forces de l'ordre, l'opposition islamiste libyenne semblait en perte de vitesse. Quant aux autres formations, elles peinaient toujours à s'ériger en alternative crédible. - **Salah Bechir** ■

Maroc

Une alternance voulue par le Trône

A quarante ans d'intervalle, le Maroc a revécu l'expérience d'une « alternance » voulue par le Palais royal. Nommé Premier ministre le 4 février 1998, Abderrahmane Youssoufi, le leader du principal parti d'opposition, l'Union socialiste des forces populaires (USFP), a formé le 14 mars 1998, au terme de longues tractations, un gouvernement de coalition. Quatre « ministères de souveraineté » – l'Intérieur, les Affaires étrangères, la Justice et les Affaires islamiques – sont demeurés entre les mains d'hommes choisis par le souverain chérifien ; le portefeuille de la Défense restant supprimé depuis le coup d'État de son dernier titulaire, le général Oufkir, en 1972. Le nouveau gouvernement s'est immédiatement trouvé confronté à un triple défi : une situation sociale difficile, l'islamisme montant et le référendum d'autodétermination au Sahara occidental (revendiqué par le Front de libération sahraoui – ou Front Polisario), prévu en principe pour décembre 1998.

Quatre décennies auparavant, entre 1958 et 1960, le gouvernement d'Abdallah Ibrahim, issu de l'Istiqlal, le Parti de l'indépendance, avait dû faire face aux attentes suscitées par l'accession à la souveraineté nationale et assumer à la fois la sanglante répression de l'insurrection dans le Rif et la liquidation de l'Armée de libération dans le Sud saharien (opération militaire franco-espagnole *Écouvillon*).

Un socialiste à la tête du gouvernement

Combattant de la première heure pour l'indépendance, compagnon de lutte de la grande figure que fut Medhi Ben Barka (enlevé en 1965) et, en tant que militant socialiste, condamné par Hassan II à la prison puis à un long exil en France (1965-1980), Abderrahmane Youssoufi, avocat de formation, n'ignore rien de ce passé. Devenu secrétaire général de l'USFP en 1992, après la mort d'Abderrahim Bouabid, il a d'abord refusé l'offre royale d'une alternance, à la suite des élections législatives de 1993, en dénonçant les « tripatouillages indécents » du scrutin et en repartant, pendant un an, en exil volontaire à Cannes. Après les législatives du 14 novembre 1997, également entachées de fraudes et qualifiées par lui-même de « décevantes », il a cependant accepté la charge du gouvernement, estimant que, face à la montée des périls, « les forces populaires au Maroc [devaient] s'associer au Trône » pour assurer la continuité dynastique dans les meilleures conditions. Presque septuagénaire, le roi Hassan II (au pouvoir depuis 1961) doit en effet préparer sa succession.

Cependant, l'« alternance » n'est pas sortie des urnes. Lors des législatives de novembre 1997, le Bloc démocratique (Koutla), rassemblant notamment l'USFP et l'Istiqlal, a fait jeu égal, d'une part, avec l'ancienne majorité de l'Entente nationale (Wifaq) et, d'autre part, avec un « centre » lui aussi composé en bonne partie de « partis de l'administration » aux ordres du Palais royal. Au lendemain du scrutin, l'Istiqlal, grand perdant (32 sièges sur 325 à la chambre basse du Parlement), avait d'ailleurs dénoncé la « falsification de la volonté populaire » et annoncé son boycottage de « toute structure issue de ces élections ». Il n'a accepté d'entrer au gouvernement qu'après l'élection d'un nouveau secrétaire général, Abbas al-Fassi (21-23 février 1998), à la place de M'Hamed Boucetta. Pour disposer d'une majorité parlementaire, le gouvernement s'est également appuyé sur le Rassemblement national des indépendants (RNI, 46 élus) et sur une formation berbériste, le Mouvement national populaire (MNP, 19 élus).

Sur le plan social, l'ensemble des partis, tout comme le pouvoir royal, a continué de se voir mis en cause par une mouvance islamiste montante. Illégale et clandestine, Al-Adl wa-l-Ishane (Justice et Bienfaisance), la formation d'Abdessalam Yassine, assigné à résidence par « mesure administrative » depuis 1989, est très présente non seulement dans les universités, mais aussi dans les quartiers populaires des grandes villes. Moins radical, Al-Islah wa Attajdid (Réforme et Renouveau) a investi, en 1996, la coquille vide d'un vieux parti légal, le Mouvement populaire constitutionnel et démocratique (MPCD) d'Abdelkrim al-Khatib, ce qui a permis l'entrée de neuf élus islamistes au Parlement en novembre 1997. Le pouvoir chérifien a ainsi poursuivi sa double stratégie d'endiguement, alliant tentatives de récupération et répression. Il revient désormais au nouveau Premier ministre socialiste d'assumer cette tâche, après avoir accepté le maintien à la tête du ministère de l'Intérieur de Driss Basri, inamovible à ce poste depuis quinze ans. Le 16 juillet 1998, la Cour suprême a confirmé l'arrêté d'expulsion prononcé en 1991 contre l'opposant Abraham Serfaty, exilé en France.

L'éternel dossier du Sahara occidental

Spécialement chargé du Sahara occidental, l'ex-colonie espagnole que se disputent depuis 1975 le Maroc et le Front Polisario (soutenu par l'Algérie), D. Basri joue un rôle clé dans le « recouvrement des terres sahariennes » qui, pour l'ensemble de la classe politique marocaine, est l'unique dénouement acceptable du différend territorial. Le 16 septembre 1997, au terme d'un cycle de négociations conduites à Houston (Texas) par James Baker, l'ancien secrétaire d'État américain, le Maroc et le Polisario ont renouvelé leur adhésion au prin-

Royaume du Maroc

Capitale : Rabat.
Superficie : 450 000 km², sans le Sahara occidental.
Monnaie : dirham (au taux officiel, 1 dirham = 0,61 FF au 30.5.98).
Langues : arabe (off.) et berbère (trois dialectes différents), le français restant de pratique courante.
Chef de l'État : Hassan II (roi depuis le 3.3.61), également Commandeur des croyants.
Premier ministre : Abderrahmane Youssoufi, qui a succédé le 4.2.98 à Abdellatif Filali.
Échéances électorales : référendum d'autodétermination au Sahara occidental (déc. 98).
Nature de l'État : royaume.
Nature du régime : monarchie constitutionnelle de droit divin.
Principaux partis politiques : *Gouvernement :* Union socialiste des forces populaires (USFP) ; Parti de l'Istiqlal (PI) ; Rassemblement national des indépendants (RNI) ; Mouvement national populaire (MNP).
Opposition : Union constitutionnelle (UC) ; Mouvement populaire (MP) ; Parti national démocrate (PND) ; Mouvement démocrate social (MDS).
Territoire revendiqué : Sahara occidental (266 000 km²), ex-colonie espagnole (jusqu'en 1975), disputé par le Front Polisario (mouvement indépendantiste sahraoui).

Maroc/Bibliographie

B. Cubertafond, *Le Système politique marocain*, L'Harmattan, Paris, 1997.

C. Daure-Serfaty, *Rencontres avec le Maroc*, La Découverte, Paris, 1993.

B. Hibou, « Les enjeux de l'ouverture au Maroc : dissidence économique et contrôle politique », *Les Études du CERI*, n° 15, FNSP, Paris, avr. 1996.

F. Layadi, N. Rerhaye, *Maroc. Chronique d'une démocratie en devenir. Les 400 jours d'une transition annoncée*, EDDIF, Rabat, 1998.

Voir aussi la bibliographie « Maghreb », p. 124.

cipe d'organisation d'un référendum d'autodétermination, sous les auspices de l'ONU. Ils ont accepté un échéancier prévoyant la tenue de la consultation en décembre 1998. Cependant, comme par le passé, l'identification du corps électoral a continué de poser problème et, à l'été 1998, le report de l'échéance paraissait déjà certain. De nombreux observateurs doutaient même de la volonté réelle des deux parties de s'en remettre à moins de 150 000 électeurs sahraouis pour trancher cette question existentielle, à la fois pour le Polisario et pour le royaume.

Sur le plan économique, le Maroc, toujours largement tributaire d'aléas climatiques, a vu s'éroder son taux de croissance, qui est passé de 5 % en 1985 à moins de 2,1 % en 1997 (3,1 % de croissance, si l'on exclut l'agriculture). Même si les pluies abondantes de l'hiver 1998 promettaient un redressement spectaculaire, le royaume, qui est avec l'Égypte le pays du Bassin méditerranéen le plus aidé par l'Union européenne, restait insuffisamment préparé à affronter la concurrence qu'implique l'entrée dans une zone de libre-échange avec l'UE, prévue pour 2010. - **Stephen Smith** ■

Mauritanie

Malgré un faible taux de participation aux élections présidentielles du 12 décembre 1997 (34 %), le président Maaouya ould Taya s'est fait réélire pour un second mandat de six ans. L'opposition, qui n'avait pas confiance dans la volonté du pouvoir d'assurer la transparence du scrutin, l'a boycotté. Elle a aussi protesté contre la visite en Mauritanie, le 5 septembre 1997, du président français Jacques Chirac, trois mois avant ce scrutin, la voyant comme une caution à un régime peu respectueux des droits de l'homme.

L'autre fait politique majeur de la pé-

République islamique de Mauritanie

Capitale : Nouakchott.

Superficie : 1 030 700 km².

Nature du régime : officiellement civil depuis la dissolution du Comité militaire de salut national (CMSN) et l'organisation d'élections présidentielles (janv. 92 et déc. 97).

Chef de l'État : colonel Maaouya ould Sid'Ahmed Taya (depuis le 12.12.84).

Chef du gouvernement : Mohamed Lemine ould Guig, qui a remplacé Cheikh el-Avia ould Mohamed Khouna (en déc. 97).

Ministre de la Défense : Kaba ould Elewa (depuis juil. 98).

Ministre des Affaires étrangères : Cheikh El-Avia ould Mohamed Khouna (depuis juil. 98).

Échéances institutionnelles : élection présidentielle (2003).

Monnaie : ouguiya (100 ouguiyas = 3,34 FF au 30.5.98).

Langues : arabe, français (off.), hassaniya, pulaar, soninké, ouolof.

riode a été la vague d'arrestations du 17 janvier 1998 qui a suivi la diffusion par la chaîne télévisée *France 3*, deux jours auparavant, en marge du rallye Paris-Dakar, d'un documentaire sur l'esclavage persistant dans le pays malgré son abolition officielle en 1981. Parmi les personnes incarcérées figuraient les militants anti-esclavagistes Boubacar ould Messaoud leader de SOS-Esclaves et Cheikh Saad Bouh Kamara président de l'Association mauritanienne des droits de l'homme. Ils ont été accusés de « faux et usage de faux » et d'« intelligence avec l'étranger ». Condamnés le 24 mars à trois mois de prison, ils ont été graciés par M. ould Taya à la suite d'une forte campagne de mobilisation internationale.

Sur le plan économique, toujours dans l'incapacité de protéger ses côtes parmi les plus poissonneuses du monde, la Mauritanie tire peu de bénéfices de son activité de pêche. Celle-ci constitue pourtant sa principale richesse et représente 56 % des exportations. La production du minerai de fer a poursuivi un déclin engagé depuis plusieurs années. Par ailleurs l'État est resté aux prises avec le poids de sa dette extérieure (2,36 milliards de dollars, soit environ 200 % de son PIB). Les institutions internationales ont continué de manifester leur confiance au pays. La Banque africaine de développement (BAD) lui a accordé un prêt de 4,4 millions de dollars en 1998 et la Banque mondiale 430 millions pour une période allant de 1998 à 2001. Quant au taux de croissance économique, il a légèrement progressé, passant de 4,4 % en 1997 à 4,5 % en 1998, autorisant certains espoirs.

Les principaux défis restent la maîtrise de sa forte poussée démographique (avec un taux de croissance annuel de 2,6 %) et l'exode de populations qui fuient les zones rurales vers les deux principales villes : Nouakchott, capitale administrative, et Nouadhibou, capitale économique. L'insuffisance du soutien à l'agriculture et la centralisation excessive des pôles de décision expliquent en partie l'ampleur de cet exode.
- **Diallo Bios** ■

Tunisie

A côté de l'Algérie en proie à une guerre civile persistante et de l'expérience inédite d'une alternance politique en terre chérifienne, la Tunisie a gardé un profil fort discret en 1997-1998. Parce que les pays tranquilles n'ont pas d'histoire ou pour poursuivre sans être dérangée sa dérive autoritaire ? Les institutions financières internationales privilégient la première hypothèse, louant les performances économiques de ce pays semblant solidement engagé sur la voie de la prospérité. Les associations de défense des droits de l'homme ont continué, en revanche, à s'inquiéter de la dureté du régime vis-à-vis de tous ceux qui ne lui font pas explicitement allégeance. Il est vrai qu'en 1998 les procès d'opinion, le harcèlement des familles d'opposants emprisonnés et la surveillance tatillonne de l'ensemble de la population ne se sont pas relâchés. Le vice-président de la Ligue des

République tunisienne

Capitale : Tunis.
Superficie : 163 610 km².
Nature du régime : à pouvoir présidentiel fort.
Chef de l'État : Zine el-Abidine Ben Ali (depuis le 7.11.87).
Premier ministre : Hamed Karoui (depuis le 27.9.89).
Ministre-directeur du cabinet présidentiel : Mohamed Jegham.
Ministre de l'Intérieur : Mohamed Ben Rejeb.
Ministre des Affaires étrangères : Saïd Ben Mustapha.
Monnaie : dinar (1 dinar = 5,17 FF au 30.5.98).
Langue : arabe (off.).

Maghreb/Bibliographie

Amnesty International, *Tunisie. Du discours à la réalité,* « Rapport pays », Paris, 1993.

Annuaire de l'Afrique du Nord, IREMAM/CNRS-Éditions, Aix-en-Provence, Paris.

O. M. Ba, *Noirs et Beydanes mauritaniens : l'école, creuset de la Nation ?,* L'Harmattan, Paris, 1993.

F. Burgat, A. Laronde, *La Libye,* PUF, coll. « Que sais-je ? », Paris, 1996.

M. Djaziri, *État et société en Libye,* L'Harmattan, Paris, 1996.

C. et Y. Lacoste (sous la dir. de), *L'état du Maghreb,* La Découverte, coll. « L'état du monde », Paris, 1991. Éd. tunisienne : Cérès-Productions, Tunis, 1991 ; éd. marocaine : Éditions du Fennec, Casablanca, 1991.

C. et Y. Lacoste (sous la dir. de), *Maghreb. Peuples et civilisations,* La Découverte, coll. « Les Dossiers de L'état du monde », Paris, 1995.

R. Leveau, *Le Sabre et le Turban. L'avenir du Maghreb,* François Bourin, Paris, 1993.

A. Manaï, *Supplice tunisien. Le jardin secret du général Ben Ali,* La Découverte, Paris, 1995.

P. Marchesin, *Tribus, ethnies et pouvoir en Mauritanie,* Karthala, Paris, 1992.

« Mauritanie : un tournant démocratique ? », *Politique africaine,* n° 55, Karthala, Paris, oct. 1994.

K. Mohsen-Finan, *Sahara occidental. Les enjeux d'un conflit régional,* CRNS-Éditions, Paris, 1997.

Monde arabe/Maghreb-Machrek (trimestriel), La Documentation française.

G. Mutin, « Afrique du Nord, Moyen-Orient », *in* R. Brunet (sous la dir. de), *Géographie universelle,* vol. VIII, Belin/Reclus, Paris/Montpellier, 1995.

REMMM (*Revue du monde musulman et de la Méditerranée,* semestrielle), Édisud, Aix-en-Provence (voir notamment n° 54, sur la Mauritanie, n° 57, sur les Touaregs, et n° 65, sur l'Algérie).

F. Soudan, *Le Marabout et le Colonel : la Mauritanie de Ould Daddah à Ould Taya,* Jeune Afrique Livres, Paris, 1992.

M. Villa Sante-De Beauvais, *Parenté et politique en Mauritanie. Essai d'anthropologie historique,* L'Harmattan, Paris, 1998.

S. Yatera, *La Mauritanie, immigration et développement dans la vallée du fleuve Sénégal,* L'Harmattan, Paris, 1997.

Voir aussi les bibliographies « Algérie » et « Maroc », p. 116 et 122.

droits de l'homme, Khemaïs Ksila, a été condamné à trois ans de prison ferme en février 1998. Et, un mois plus tard, une vague d'arrestations frappait des syndicalistes et des étudiants, et l'une des cibles favorites du régime, l'avocate Radhia Nasraoui, se voyait signifier onze graves chefs d'inculpation à la fin du même mois.

Cette poursuite obstinée de la répression apparaît d'autant plus étrange aux observateurs que le pouvoir du président Zine el-Abidine Ben Ali n'est en rien menacé. C'est la raison pour laquelle les alliés de la Tunisie – Washington en particulier, la France se tenant très en retrait sur ce chapitre – souhaiteraient qu'il offre un visage plus présentable. Le peu de cas fait de la liberté d'expression n'altère pas vraiment, toutefois, les relations avec les pays occidentaux voyant dans la Tunisie un pôle de stabilité dans une région troublée.

Mais ce pays jouit surtout d'une honnête réputation internationale du fait de sa bonne tenue économique. Malgré les inconnues que réservent les dix prochaines années, pendant lesquelles le pays devra digérer le choc de l'accord de libre-échange signé en 1995 avec l'Union européenne, les perspectives ne sont pas alarmantes. A tel point que les planificateurs tunisiens tablent sur la création de 320 000 emplois entre 1997 et 2001, et estiment possible d'atteindre un PIB par tête de 3 000 dollars en 2010 (contre 1 820 en 1995), ce qui placerait définitivement la Tunisie dans la catégorie des pays ayant « décollé ». Ces résultats pourraient être obtenus grâce au développement du tourisme, dont les recettes brutes ont atteint 1,5 milliard de dollars en 1997, et à la poursuite d'une libéralisation ayant pour principal objectif d'accroître la capacité exportatrice de ce petit pays de 9 millions d'habitants.

Toute la question est de savoir à quel coût social pourra se faire l'adaptation de l'économie à la nouvelle donne mondiale. Jusqu'à présent, le pays ne s'en est pas mal tiré et les Tunisiens ont vu leur niveau de vie augmenter dans des proportions non négligeables au cours des dernières années. Ce relatif bien-être peut expliquer que la population s'accommode de l'autoritarisme d'un régime attentif par ailleurs à ses attentes sociales. Mais les fragilités structurelles n'ont pas pour autant disparu. Outre la « désertification » du paysage politique, la trop grande dépendance vis-à-vis du marché européen, la vétusté d'une bonne partie des installations industrielles, la lourdeur de l'administration et les dangers de la corruption pourraient mettre à mal un consensus qui n'est pas inébranlable, malgré l'unanimisme affiché au congrès du RCD (Rassemblement constitutionnel démocratique, au pouvoir), qui s'est tenu du 31 juillet au 2 août 1998. - **Sophie Bessis** ■

Afrique sahélienne

Burkina Faso, Mali, Niger, Tchad

Burkina Faso

Après la révision constitutionnelle du 27 janvier 1997 qui a supprimé la limitation des mandats présidentiels, le chef de l'État Blaise Compaoré a pu s'engager sereinement dans la campagne des législatives, d'autant qu'il contrôlait la Commission nationale d'organisation des élections (CNOE) à la neutralité contestée. Fort de sa position et des moyens qu'il a pu engager à cet effet, son parti, le Congrès pour la démocratie et le progrès (CDP), qui était le seul à présenter des candidats dans les 45 provinces du pays, a remporté haut la main les élections du 11 mai 1997. Malgré les protestations de l'opposition et des observateurs contestant la validité des listes électorales et des cartes d'électeurs, il s'est octroyé 101 des 111 sièges de l'Assemblée. L'opposition, à travers le Parti pour la démocratie et le progrès (PDP) de Joseph Ki Zerbo, membre de l'Internationale socialiste, et le Rassemblement démocratique africain

INDICATEUR*	BURKINA FASO	MALI	NIGER	TCHAD
Démographie**				
Population *(millier)*	11 087	11 480	9 787	6 702
Densité *(hab./km²)*	40,4	9,3	7,7	5,2
Croissance annuelle[d] *(%)*	2,8	3,0	3,3	2,7
Indice de fécondité (ISF)[d]	6,6	6,6	7,1	5,5
Mortalité infantile[d] *(‰)*	97	149	114	115
Espérance de vie[d] *(année)*	46,1	48,1	48,6	47,8
Population urbaine *(%)*	17,0	28,1	19,2	22,8
Indicateurs socioculturels				
Développement humain (IDH)[c]	0,221	0,229	0,206	0,288
Nombre de médecins *(‰ hab.)*	0,03[m]	0,05[g]	0,02[g]	0,03[k]
Analphabétisme (hommes)[b] *(%)*	70,5	60,6	79,1	37,9
Analphabétisme (femmes)[b] *(%)*	90,8	76,9	93,4	65,3
Scolarisation 12-17 ans *(%)*	12,7[k]	12,8[k]	13,2[g]	26,4[k]
Scolarisation 3e degré *(%)*	1,1[c]	0,8[g]	••	0,8[c]
Adresses Internet *(‰ hab.)*	0,04	0,03	0,04	–
Livres publiés *(titre)*	17[b]	••	5[k]	••
Armées				
Armée de terre *(millier d'h.)*	5,6	7,35	5,2	25
Marine *(millier d'h.)*	–	0,05	–	–
Aviation *(millier d'h.)*	0,2	0,4	0,1	0,35
Économie				
PIB total[ae] *(million $)*	10 100	7 100	8 600	5 800
Croissance annuelle 1986-96 *(%)*	2,9	3,4	1,2	3,3
Croissance 1997 *(%)*	5,5	6,7	3,5	8,6
PIB par habitant[ae] *($)*	950	710	920	880
Investissement (FBCF)[f] *(% PIB)*	23,6	26,2	8,5	18,6
Taux d'inflation *(%)*	– 0,1	– 0,4	4,1	4,1
Énergie (taux de couverture)[b] *(%)*	1,9	11,4	34,3	••
Dépense publique Éducation *(% PIB)*	3,6[c]	2,2[b]	3,1[k]	2,2[c]
Dépense publique Défense[a] *(% PIB)*	2,4	1,8	0,9	2,7
Dette extérieure totale[a] *(million $)*	1 294	3 020	1 557	997
Service de la dette/Export.[f] *(%)*	17	24	20	11
Échanges extérieurs				
Importations *(million $)*	558	620	377	270
Principaux fournisseurs[a] *(%)*	UE 34,0	UE 33,3	UE 29,9	UE 56,9
(%)	Afr 25,8	Fra 19,2	PED 24,2	Fra 34,7
(%)	PNS[h] 33,0	Afr 49,2	PNS[h] 37,5	Cam 24,1
Exportations *(million $)*	286	542	268	248
Principaux clients[a] *(%)*	UE 22,7	UE 33,9	UE 54,1	UE 62,1
(%)	PED 39,2	Asie[i] 48,9	Can 17,6	Por 34,7
(%)	PNS[h] 34,5	Afr 9,3	PED 23,5	PED 29,8
Solde transactions courantes *(% PIB)*	0,80[c]	– 8,87[c]	– 8,07[b]	– 4,55[c]

* Définition des indicateurs p. 25 et suiv. Chiffres 1997 sauf notes. ** Derniers recensements utilisables : Burkina Faso, 1996 ; Mali, 1987 ; Niger, 1988 ; Tchad, 1993. a. 1996 ; b. 1995 ; c. 1994 ; d. 1995-2000 ; e. A parité de pouvoir d'achat (PPA, voir définition p. 581) ; f. 1994-96 ; g. 1990 ; h. Pays non spécifiés ; i. Y compris Japon et Moyen-Orient ; k. 1991 ; m. 1989.

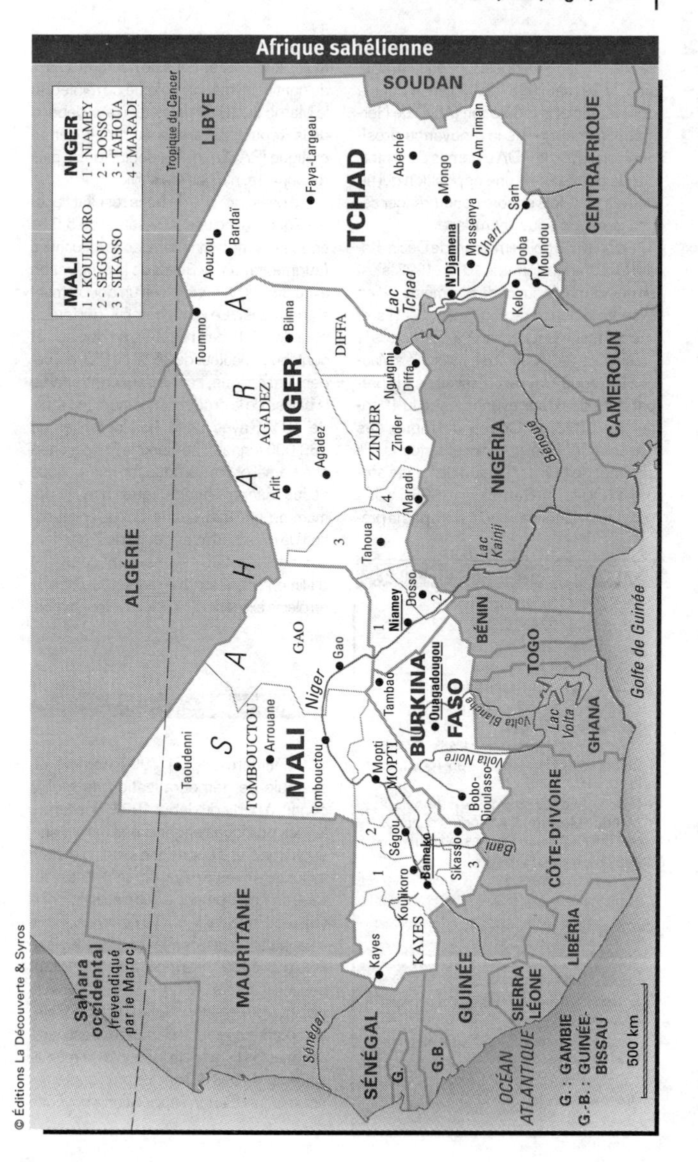
Afrique sahélienne
MALI
1 - KOULIKORO
2 - SÉGOU
3 - SIKASSO
NIGER
1 - NIAMEY
2 - DOSSO
3 - TAHOUA
4 - MARADI
Tropique du Cancer
LIBYE
SOUDAN
ALGÉRIE
TCHAD
CENTRAFRIQUE
CAMEROUN
NIGÉRIA
BÉNIN
TOGO
GHANA
CÔTE-D'IVOIRE
LIBÉRIA
SIERRA LÉONE
GUINÉE
G.B.
G.
SÉNÉGAL
MAURITANIE
Sahara occidental (revendiqué par le Maroc)
OCÉAN ATLANTIQUE
Golfe de Guinée
S A H A R A
NIGER
AGADEZ
DIFFA
ZINDER
MALI
TOMBOUCTOU
GAO
MOPTI
KAYES
BURKINA FASO
Aouzou
Bardaï
Faya-Largeau
Abéché
Am Timan
Mongo
Sarh
Massenya
N'Djamena
Moundou
Doba
Kelo
Chari
Lac Tchad
Toummo
Bilma
Nguigmi
Diffa
Zinder
Maradi
Agadez
Arlit
Tahoua
Dosso
Niamey
Gao
Tambao
Ouagadougou
Bobo-Dioulasso
Niger
Arrouane
Taoudenni
Tombouctou
Mopti
Ségou
Bamako
Koulikoro
Sikasso
Kayes
Bani
Volta Noire
Volta Blanche
Lac Volta
Lac Kainji
Bénoué
Sénégal
G. : GAMBIE
G.-B. : GUINÉE-BISSAU
500 km

(RDA) de Gérard Kango Ouédraogo, a dû se contenter de 8 sièges. Cependant, la fusion, le 29 mai 1998, de l'Alliance pour la démocratie et la fédération (ADF) de Hermann Yaméogo, de la mouvance présidentielle, avec le RDA a permis de renforcer de deux sièges une opposition qui ne pouvait toutefois encore concurrencer sérieusement le pouvoir en place.

Le nouveau gouvernement de Désiré Kadré Ouédraogo, formé le 10 juin 1997, s'est en grande partie succédé à lui-même, si l'on excepte le départ de H. Yaméogo, et l'arrivée d'Arsène Bognessan Yé, qui a laissé la présidence de l'Assemblée nationale à Maurice Mélégué Traoré. Il s'est attelé à la préparation des deux événements du 1er trimestre 1998, la Coupe d'Afrique des Nations (CAN 98) en février et surtout le 34e sommet de l'Organisation de l'unité africaine (OUA), du 8 au 10 juin 1998, institution dont le Burkina Faso a alors pris la présidence. B. Compaoré avait au préalable multiplié les visites dans de nombreux pays du continent, mais sa volonté de réintégrer le Maroc dans l'Organisation aux dépens de la République arabe sahraouie démocratique (RASD), qu'il a décidé de ne plus reconnaître, n'a pas été suivie.

Le pays a affiché de bons résultats économiques, avec une croissance de 5,5 % en 1997 et une bonne campagne cotonnière (augmentation de 38 % de la production avec 334 000 tonnes, soit un doublement en deux ans). Le « tout coton », qui fournit plus de 55 % des recettes en devises et contribue à hauteur de 35 % au PIB, est cependant critiqué, car il a pour contrepartie la baisse de la production vivrière (en recul de 19 %, avec un déficit céréalier de 160 000 tonnes). Le Burkina Faso a cherché à améliorer sa production énergétique et ses réserves hydrauliques avec le démarrage, en 1998, des travaux de construction de deux barrages : celui de Ziga, dont la capacité de 200 millions de m³ permettra d'alimenter en eau Ouagadougou, capitale en pleine expansion, et celui de Bougouriba.

République du Burkina Faso

Capitale : Ouagadougou.
Superficie : 274 200 km².
Nature de l'État : république parlementaire.
Nature du régime : présidentiel.
Chef de l'État : Blaise Compaoré (depuis le 15.10.87).
Chef du gouvernement : Kadré Désiré Ouédraogo (depuis le 7.2.96, reconduit le 10.6.97).
Président de l'Assemblée nationale : Maurice Melegué Traoré, qui a succédé le 7.6.97 à Arsène Bognessan Yé.
Ministre des Affaires étrangères : Ablassé Ouédraogo.
Ministre de la Défense : Albert Millogo.
Ministre de l'Administration territoriale et de la Sécurité : Yéro Bolly.
Ministre d'État à l'Environnement et à l'Eau : Salif Diallo.
Échéances électorales : présidentielle (nov. 98).
Monnaie : franc CFA (1 FCFA = 0,01 FF).
Langues : français (off.), moré, dioula, gourmantché, foulfouldé.

Mali

Considéré depuis 1992 comme un exemple de démocratisation, le Mali a connu, à partir du début 1997, des turbulences politiques engendrées par les surenchères d'une opposition « radicale » très minoritaire dans le pays. Arguant de la mauvaise organisation initiale des élections, pourtant reconnue par le pouvoir et ayant abouti à l'annulation du premier tour des législatives d'avril 1997, elle a visé à bloquer le processus électoral. Malgré les tentatives de dialogue du président Alpha Oumar Konaré, les nombreux reports électoraux destinés à corriger les listes et la tentative de médiation en avril 1998 de l'ancien président américain Jimmy Carter, l'opposition a boycotté

République du Mali

Capitale : Bamako.
Superficie : 1 240 000 km^2.
Nature de l'État : république parlementaire.
Nature du régime : présidentiel.
Chef de l'État : Alpha Oumar Konaré (depuis le 26.4.92, réélu le 11.5.97).
Chef du gouvernement : Ibrahima Boubacar Keita (depuis le 4.2.94, reconduit le 13.9.97).
Ministre des Affaires étrangères et des Maliens de l'extérieur : Modibo Sidibé (depuis le 16.9.97).
Ministre des Forces armées : Mohamed Salia Sokona (depuis le 16.9.97).
Ministre de l'Administration territoriale et de la Sécurité : colonel Sada Samaké (depuis le 16.9.97).
Ministre des Finances : Soumaïla Cissé (depuis le 16.9.97).
Monnaie : franc CFA (1 FCFA = 0,01 FF).
Langues : français (off.), bambara, sénoufo, sarakolé, dogon, peul, tamachaq (touareg), arabe.

en bloc les consultations. Celles-ci se sont pourtant tenues (présidentielle le 16 mai 1997, législatives les 20 juillet et 3 août) et ont abouti à la réélection de A.O. Konaré avec 84,36 % des suffrages et au raz de marée de l'Adema (Alliance pour la démocratie au Mali, au pouvoir), remportant 130 des 147 sièges de l'Assemblée.

Le climat tendu qui les caractérisait, accompagné de manifestations violentes et notamment du lynchage d'un policier, s'est soldé par la mise en cause et les arrestations de dirigeants de l'hétéroclite coalition radicale, lesquels ont fini par appeler à la désobéissance civile. Rapidement libérés, ils ont continué à appeler au boycottage, malgré l'effritement de leur front lors des municipales du 21 juin 1998, suivies, à l'automne, des consultations pour les 682 nouvelles communes issues d'une importante décentralisation. Le retour au calme des zones nomades a permis le rapatriement des réfugiés touaregs, qui s'est achevé en mai 1997 pour les réfugiés de Mauritanie, et en octobre pour ceux du Burkina Faso.

La croissance soutenue du pays en 1997 (6,7 %) a été en grande partie fondée sur les exportations en hausse de coton, vendu surtout sur le marché asiatique, et d'or issu de la mine de Sadiola (124 tonnes de réserves). Le barrage de Manantali, dont l'édification réunit, au sein de l'Organisation de mise en valeur du fleuve Sénégal (OMVS), le Sénégal, la Mauritanie et le Mali, doit à terme fournir 800 millions de kWh et résoudre les difficultés énergétiques de la région.

Les médiations effectuées par le Mali dans les crises centrafricaine et congolaise en janvier et juin 1997, l'envoi d'un bataillon au Libéria venu renforcer, en février 1997, les forces d'interposition de l'Ecomog (Force ouest-africaine d'interposition) ont montré le dynamisme de sa politique extérieure, renforcé par les nombreux voyages du président A.O. Konaré, tant en Afrique qu'en Europe et aux États-Unis. La visite en décembre 1997 du Premier ministre français Lionel Jospin a permis d'évoquer la gestion commune des flux migratoires maliens vers la France, pays qui reste le premier bailleur de fonds du Mali (plus de 400 millions FF d'aide au développement en 1997).

Niger

Le général Ibrahim Baré Maïnassara, instigateur du coup d'État de janvier 1996 et devenu président par le coup de force électoral de juillet suivant, a eu ensuite à faire face à la spirale des crises dans lesquelles s'est enfoncé le pays. La contestation politique de l'opposition, regroupée depuis septembre 1996 au sein du Front pour la restauration et la défense de la démocratie (FRDD), s'est concrétisée par de nombreuses manifestations, violemment répri-

Afrique sahélienne/Bibliographie

Amnesty International, *Niger : le harcèlement des opposants est devenu systématique*, EFAI, Paris, mai 1997.

Amnesty International, *Tchad, des espoirs déçus*, EFAI, Paris, mars 1997.

D. C. Bach, A. Kirk-Greene (sous la dir. de), *États et sociétés en Afrique francophone*, Économica, Paris, 1993.

P. Boilley, « Aux origines des conflits dans les zones touarègues et maures », *Relations internationales et stratégiques*, n° 23, Paris, 1996.

P. Boilley, « La démocratisation au Mali : un processus exemplaire », *Relations internationales et stratégiques*, n° 14, Paris, 1994.

A. Bourgeot, *Les Sociétés touarègues. Nomadisme, identité, résistances*, Karthala, Paris, 1995.

« Burkina-Faso », *Marchés tropicaux et méditerranéens*, n° 2685, Paris, avr. 1997.

H. Claudot-Hawad et Hawad, *Touaregs, voix solitaires sous l'horizon confisqué*, Ethnies, Paris, 1996.

M. Dayak, *Touareg. La tragédie d'un peuple*, Lattès, Paris, 1992.

F. Henry-Labordère, « Le Tchad, un État à réinventer ? », *Relations internationales et stratégiques*, n° 23, Paris, aut. 1996.

V. Kovana, *Précis des guerres et conflits au Tchad*, L'Harmattan, Paris, 1994.

B. Issa Abdourhamane, *Crise institutionnelle et démocratisation au Niger*, CEAN, Bordeaux, 1996.

« Le Mali, la transition », *Politique africaine*, n° 47, Karthala, Paris, oct. 1992.

« Le Niger sous astreinte », *Marchés tropicaux et méditerranéens*, n° 2677, Paris, févr. 1997.

E. Meunier, « Burkina Faso : Blaise Compaore et la consolidation du nouvel ordre politique », *in* CEAN, *L'Afrique politique 1998*, Karthala, Paris, 1998.

R. Otayek, F.M. Sawadogo, J. P. Guingane, *Le Burkina entre révolution et démocratie*, Karthala, Paris, 1996.

A. Salifou, *La Question touarègue*, Karthala, Paris, 1993.

« Tchad », *Marchés tropicaux et méditerranéens*, n° 2714, Paris, nov. 1997.

J. Vernet (sous la dir. de), *Pays du Sahel, du Tchad au Sénégal, du Mali au Niger*, Autrement, Paris, 1994.

mées par un pouvoir décidé à museler l'expression (interdiction régulière des médias privés, arrestations de journalistes et de représentants des organisations de défense des droits de l'homme, inculpations de dirigeants de partis).

A cette violence politique se sont ajoutées la désorganisation des services publics, confrontés à des dizaines de grèves catégorielles ou générales des fonctionnaires conduits par l'Union des syndicats des travailleurs du Niger (USTN), contestant le programme de privatisation et réclamant jusqu'à sept mois d'arriérés de salaires, et la colère des étudiants exigeant le rattrapage de paiement de plus d'un an de bourse. Le mécontentement social est allé jusqu'à toucher les forces armées et s'est traduit par plusieurs mutineries de soldats, assorties de prises d'otages, dont la plus importante, qui a éclaté dans la région de Diffa, s'est étendue en février 1998 à deux régions militaires sur trois.

Les difficultés économiques, issues à la fois de la méfiance des partenaires étrangers (qui n'ont repris que très progressive-

République du Niger

Capitale : Niamey.
Superficie : 1 267 000 km².
Nature de l'État : république parlementaire.
Nature du régime : présidentiel.
Chef de l'État : général Ibrahim Baré Maïnassara, qui, par un coup d'État militaire, a renversé Mahamane Ousmane le 27.1.96. Il a été « élu » président de la République, le 8.7.96, par un coup de force électoral.
Chef du gouvernement : Ibrahim Hassan Mayaki, qui a succédé le 27.11.97 à Amadou Boubacar Cissé.
Ministre des Affaires étrangères et de l'Intégration africaine : Mamane Sambo Sidikou (depuis le 1.12.97).
Ministre de la Défense : Dr Yahaya Tounkara (depuis le 1.12.97).
Ministre de l'Intérieur et de l'Aménagement du territoire : Souley Abdoulaye (depuis le 1.12.97).
Monnaie : franc CFA (1 FCFA = 0,01 FF).
Langues : français (off.), haoussa, peul, zarma, kanuri, tamachaq (touareg).

ment leur coopération après le coup d'État) et des déficits céréaliers successifs (120 000 tonnes au début de 1997, 152 000 tonnes prévues pour 1998) – engendrant famines et épidémies dans de nombreuses régions du pays –, l'insécurité persistante dans le Nord due aux attaques des rebelles toubous des Forces armées révolutionnaires du Sahara (FARS), alliés aux Touaregs de l'Union des forces de la résistance armée (UFRA), ont encore assombri le tableau.

Devant cette situation, I.B. Maïnassara a tenté de réagir en limogeant le Premier ministre Amadou Boubacar Cissé, remplacé par Ibrahim Hassane Mayaki, qui a formé son gouvernement le 1er décembre 1997. Celui-ci n'a pu porter à son actif que la conclusion heureuse, le 23 avril 1998, des négociations avec le FMI (déblocage de la seconde tranche du programme triennal de la Facilité d'ajustement structurel renforcé). Le Niger a aussi pu compter sur des dons, au titre notamment de l'aide alimentaire d'urgence, provenant du Japon, de la France et de l'Union européenne, et sur l'aide de la Chine, avec laquelle il a renoué ses relations en 1996. Il a reçu la visite des chefs de l'État libyen (mai 1997) et nigérian (juillet 1997), le colonel Mouammar Khadafi et le général Sani Abacha (décédé en juin 1998), et a entretenu des relations suivies avec l'Algérie et le Burkina Faso, deux pays ayant eux aussi un militaire à leur tête.

Tchad

Le long processus de mise en place des institutions démocratiques engagé en avril 1993 s'est achevé en mai 1997. Le général Idriss Déby, arrivé au pouvoir par la force en 1990, avait été élu président en juillet 1996 ; le 4 avril 1997 a été mise en place la première Assemblée nationale pluraliste de l'histoire du pays, au sein de laquelle le parti présidentiel, le Mouvement patriotique du salut (MPS), pouvait disposer de la majorité absolue. Une certaine ouverture du pouvoir a permis au général Wadal Abdelkader Kamougué, dirigeant de l'Union pour le renouveau et la démocratie (URD), d'être élu président de l'Assemblée, ainsi que l'entrée au sein du gouvernement de Nassour Ouaïdou, formé le 20 mai 1997, de représentants de formations autres que le MPS. L'apaisement politique s'est poursuivi par une série d'accords signés avec les mouvements d'opposition politico-militaires.

Mais cette embellie s'est achevée dès la fin octobre 1997, avec les affrontements entre l'armée et des éléments des FARF (Forces armées pour la République fédérale), à Moundou (Sud), lesquels ont fait plus d'une centaine de morts civils et militaires. En janvier 1998, les troubles ont gagné le lac Tchad ; en février, quatre Français ont

République du Tchad

Capitale : N'Djamena.
Superficie : 1 284 000 km².
Nature de l'État : république parlementaire.
Nature du régime : présidentiel.
Chef de l'État : général Idriss Déby (depuis le 4.12.90, élu le 3.7.96), président du Mouvement patriotique du salut (MPS).
Chef du gouvernement : Nassour Ouaïdou, qui a remplacé le 16.5.97 Djimasta Koïbla.
Président de l'Assemblée nationale : général Wadal Abdelkader Kamougué (depuis le 10.5.97).
Ministre des Affaires étrangères : Mahamat Saleh Annadif (depuis le 20.5.97).
Ministre de la Défense et de la Réinsertion : Mahamat Nimir Hamata (depuis le 20.5.97).
Ministre de l'Intérieur, de la Sécurité et de la Décentralisation : Abderahman Salah (depuis le 20.5.97).
Monnaie : franc CFA (1 FCFA = 0,01 FF).
Langues : français (off.), arabe (off.), sara, baguirmi, boulala, etc.
Contestation territoriale : un arrêt de la Cour internationale de justice de La Haye, rendu le 3.2.94, a attribué définitivement au Tchad la bande d'Aozou.

été enlevés dans le Sud par le Dr Hahmout Ngawara Nahor, créateur de l'Union des forces démocratiques (UFD), et en mars huit Européens ont été pris en otages dans le Tibesti par un groupe armé du Front national du Tchad rénové (FNTR). Leur libération s'est accompagnée de massacres dénoncés par les organisations de défense des droits de l'homme et qui s'ajoutaient aux accusations d'atteintes aux libertés (arrestations arbitraires, exécutions sommaires).

La campagne record de coton en 1996-1997 (+ 30 % avec 204 600 tonnes) et les progrès économiques du pays soulignés par le FMI (déficit budgétaire en réduction et déficit extérieur des comptes courants ramené à 19,4 % du PIB) sont restés ternis par la forte inflation (11,3 %) et l'important déficit céréalier. L'inexistence de stocks de sécurité a ainsi obligé le Tchad à demander l'aide des bailleurs de fonds pour faire face à la pénurie alimentaire. Les revenus pétroliers se sont fait attendre, du fait du retard pris dans le démarrage des travaux de l'oléoduc Tchad-Cameroun. Le FMI a lancé la troisième tranche de la Facilité d'ajustement structurel renforcé (FASR), avec un prêt de 22 millions de dollars.

Le Tchad, où la France maintient le dispositif militaire *Épervier* (850 hommes), a été médiateur dans la crise congolaise de juin 1997. Il a approfondi ses relations avec la Libye (visite du colonel Mouammar Khadafi en mai 1998) et avec le Maroc, ce qui l'a amené à revenir sur sa reconnaissance de la République arabe sahraouie démocratique (RASD). Le rétablissement des relations avec Taïwan a occasionné une rupture avec Pékin. - **Pierre Boilley** ■

Afrique extrême-occidentale

Cap-Vert, Gambie, Guinée, Guinée-Bissau, Libéria, Sénégal, Sierra Léone

Cap-Vert

Un an après l'entrée de la Guinée-Bissau dans la Zone franc, le Cap-Vert, seule autre ancienne colonie portugaise d'Afrique de l'Ouest, a resserré ses liens avec Lisbonne. Un accord a été signé le 13 mars 1998, liant l'escudo cap-verdien à l'escudo portugais par un taux de change fixe garanti par Lisbonne. En décembre 1997, un crédit de 30 millions de dollars avait été accordé par la Banque mondiale, pour rééchelonner la dette et soutenir les réformes libérales du gouvernement.

L'économie reste tributaire de l'extérieur, et notamment de la diaspora cap-verdienne (700 000 personnes), plus nombreuse que la population de l'archipel (400 000 personnes, dont la moitié vit en dessous du seuil de pauvreté). Autre signe d'adhésion à un ensemble lusophone, formalisé le 17 juillet 1996 par la création de la Communauté des pays de langue portugaise (CPLP), des accords ont été passés avec l'Angola le 10 septembre 1997, prévoyant notamment la libre circulation des ressortissants des deux pays.

République du Cap-Vert

Capitale : Praïa.
Superficie : 4 030 km².
Nature du régime : parlementaire.
Chef de l'État : Antonio Mascarenhas Montero (depuis le 17.2.91, réélu le 18.2.96).
Chef du gouvernement : Carlos Veiga (depuis le 15.1.91, reconduit le 17.12.95).
Ministre des Affaires étrangères et des Communautés : Amilcar Spencer Lopes (depuis le 1.3.96).
Secrétaire d'État aux Affaires étrangères et à la Coopération : José Luis Jésus (depuis le 1.3.96).
Ministre de la Justice et de l'Administration interne : Simão Rodrigues (depuis le 1.3.96).
Échéances institutionnelles : élection présidentielle en 2001.
Monnaie : escudo cap-verdien (100 escudos = 6,15 FF au 30.12.97).
Langues : portugais (off.), créole.

Gambie

Peu démocratique, la transition promise par les putschistes du 22 juillet 1994 a tout de même abouti. Élu président le 26 septembre 1996, après avoir interdit les principaux partis politiques, Yaya Jammeh, trente-trois ans, a continué de gouverner de manière autoritaire et peu transparente. New Citizen, un groupe de presse indépendant, a été fermé pour avoir diffusé des informations sur le limogeage d'un responsable des services de renseignement. Le 19 janvier 1998, le ministre des Affaires étrangères Omar Njie a été limogé, sans explication. De même, le 3 mars 1998, un remaniement ministériel a eu lieu sans plus

République islamique de Gambie

Capitale : Banjul.
Superficie : 11 300 km^2.
Nature du régime : parlementaire, une nouvelle Constitution a été adoptée par référendum le 8.8.96.
Chef de l'État : Yaya Jammeh (depuis le 22.7.94, élu le 26.9.96).
Secrétaire d'État chargé des Affaires présidentielles : Edward Singhateh (depuis le 7.3.97).
Secrétaire d'État à l'Intérieur : Momodou Bojang (depuis le 7.3.97).
Secrétaire d'État aux Affaires étrangères : Lamine Sedat Jobe (depuis le 19.1.98).
Monnaie : dalasi (1 dalasi = 0,56 FF au 30.5.98).
Langues : anglais (off.), ouolof, malinké, peul, etc.

d'explication. Privé d'aide, excepté quelques crédits de la Banque africaine de développement (BAD) et de la Banque islamique du développement (BID), Y. Jammeh a financé son programme de construction grâce à des liens resserrés avec le Nigéria et la Libye. Cependant, les recettes du tourisme ont chuté de 60 % depuis le putsch de 1994, comme les exportations, principale source de revenus de Banjul, port franc spécialisé dans la réexportation dans la sous-région.

Guinée

Expulsions de journalistes étrangers, arrestations et saisies de matériel dans la presse indépendante... Le climat s'est dégradé en Guinée à l'approche de l'élection présidentielle de décembre 1998. Au pouvoir depuis quatorze ans, Lansana Conté s'est présenté le premier, le 8 avril 1997, pour un second mandat. La Coordination de l'opposition démocratique (Codem), formée par les principaux partis d'opposition, n'a pas obtenu du pouvoir la création d'une Commission électorale nationale indépendante (CENI), afin d'éviter les fraudes qui ont marqué le précédent scrutin présidentiel (1993). Quatorze ans après la mort de Sékou Touré, au pouvoir de 1958 à 1984, la crise de l'État guinéen va s'éternisant. Le 12 février 1998 s'est ouvert le procès de la mutinerie militaire qui avait ébranlé le pouvoir les 2 et 3 février 1996. Une juridiction d'exception, la Cour de sûreté de l'État, a été spécialement créée pour juger quelque quatre-vingt-seize militaires, accusés d'avoir participé « activement ou passivement » à la mutinerie.

Dépêchées le 24 mars 1998 à Kaporo Rails, dans la banlieue de Conakry, pour y expulser les habitants, en majorité des Peuls, d'un quartier promis à la rénovation, les forces de l'ordre se sont heurtées à une manifestation qui a tourné à l'émeute et fait neuf morts et une quarantaine de blessés. En réponse, les autorités ont fait arrêter, le 5 avril, cinq députés de l'oppo-

République de Guinée

Capitale : Conakry.
Superficie : 245 860 km^2.
Nature du régime : présidentiel.
Chef de l'État et ministre de la Défense : Lansana Conté (depuis le 5.4.84, élu le 19.12.93).
Chef du gouvernement : Sidya Touré (depuis le 11.7.96).
Ministre de la Sécurité : Goureissy Condé (depuis le 21.10.97).
Ministre des Affaires étrangères : Lamine Camara (depuis le 10.7.96).
Ministre de l'Intérieur et de la Décentralisation : Zaïnoul Abbidine Sanoussi (depuis le 21.10.97).
Échéances institutionnelles : élections législatives (2001), présidentielle (2003).
Monnaie : franc guinéen (100 francs = 0,49 FF au 30.5.98).
Langues : français (off.), malinké, peul, soussou, etc.

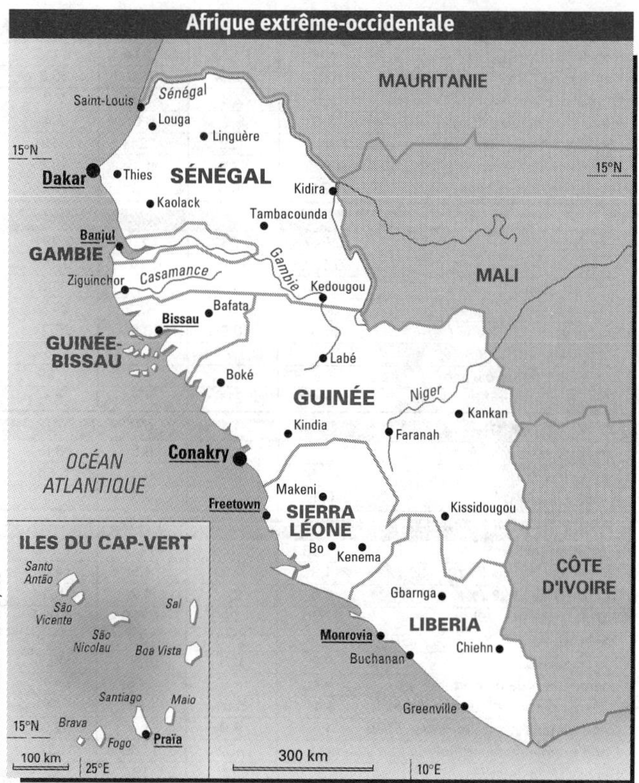

sition. Parmi eux figurait Mamadou Bâ, leader de l'Union pour la nouvelle république (UNR) et président de la Codem.

Un remaniement ministériel a été effectué le 21 octobre 1997, isolant un peu plus Sydia Touré, Premier ministre jugé trop populaire. Une croissance de 4,7 %, une inflation maîtrisée, des déficits en baisse et des recettes en hausse... L'efficacité de ce technocrate a valu à la Guinée de voir débloquée, le 21 août 1997, une seconde tranche de crédits par les institutions financières internationales, au titre d'une Facilité d'ajustement structurel renforcée (FASR), signée en 1996. C'était une grande première dans un pays longtemps privé de crédits, faute de résultats. L'investissement n'a pas repris, malgré l'abondance de richesses inexploitées (terres, bois, eau, bauxite, fer, nickel, or, diamant...), en raison d'un avenir politique incertain – aussi bien à l'intérieur qu'à l'extérieur, avec l'évolution du Libéria et de la Sierra Léone voisins.

INDICATEUR*	CAP-VERT	GAMBIE	GUINÉE	GUINÉE-BISSAU
Démographie**				
Population *(millier)*	406	1 168	7 614	1 112
Densité *(hab./km²)*	100,7	103,4	31,0	30,8
Croissance annuelle[d] *(%)*	2,5	2,3	1,3	2,0
Indice de fécondité (ISF)[d]	3,6	5,2	6,6	5,4
Mortalité infantile[d] *(‰)*	41	122	124	132
Espérance de vie[d] *(année)*	66,5	47,1	46,5	43,8
Population urbaine *(%)*	57,5	30,4	30,7	22,5
Indicateurs socioculturels				
Développement humain (IDH)[c]	0,547	0,281	0,271	0,291
Nombre de médecins *(‰ hab.)*	0,23[g]	0,09[h]	0,15[c]	0,14[h]
Analphabétisme (hommes)[b] *(%)*	18,6	47,2	50,1	32,0
Analphabétisme (femmes)[b] *(%)*	36,2	75,1	78,1	57,5
Scolarisation 12-17 ans *(%)*	45,9[h]	40,9[o]	18,8[o]	25,2[h]
Scolarisation 3e degré *(%)*	–	1,7[c]	1,1[h]	0,5[i]
Adresses Internet *(‰ hab.)*	••	–	–	0,09
Livres publiés *(titre)*	10[m]	21[c]	••	••
Armées				
Armée de terre *(millier d'h.)*	1		8,5	6,8
Marine *(millier d'h.)*	0,05	0,8	0,4	0,35
Aviation *(millier d'h.)*	0,1		0,8	0,1
Économie				
PIB total[ae] *(million $)*	1 028	1 461	11 600	1 100
Croissance annuelle 1986-96 *(%)*	4,3	2,3	4,5	4,6
Croissance 1997 *(%)*	3,0	2,1	4,7	5,1
PIB par habitant[ae] *($)*	2 640	1 280	1 720	1 030
Investissement (FBCF)[f] *(% PIB)*	36,6	21,0	13,7	21,9
Taux d'inflation *(%)*	8,9	0,3	1,9	49,1
Énergie (taux de couverture)[b] *(%)*	••	••	31,5	••
Dépense publique Éducation *(% PIB)*	4,4[o]	5,5[b]	1,8[bk]	••
Dépense publique Défense[a] *(% PIB)*	1,7	3,9	1,9	2,9
Dette extérieure totale[a] *(million $)*	211	452	3 240	937
Service de la dette/Export.[f] *(%)*	3	14	16	42
Échanges extérieurs				
Importations *(million $)*	241[a]	252	785[a]	75
Principaux fournisseurs[a] *(%)*	E-U 21,8	UE 52,9	E-U 11,6	E-U 7,5
(%)	UE 65,1	Afr 12,1	UE 47,9	UE 59,4
(%)	Por 40,1	Asie[n] 21,0	PED 36,4	PED 22,6
Exportations *(million $)*	13[a]	11	696[a]	54
Principaux clients[a] *(%)*	UE 77,8	Fra 36,4	E-U 16,5	Ita 14,1
(%)	Por 50,0	R-U 22,7	UE 49,6	Esp 28,2
(%)	Afr 16,7	PED 22,7	PED 27,3	Inde 40,0
Solde transactions courantes *(% PIB)*	– 9,2[b]	– 13,4[a]	– 4,5[a]	– 10,2[b]

* Définition des indicateurs p. 25 et suiv. Chiffres 1997 sauf notes. ** Derniers recensements utilisables : Cap-Vert, 1990 ; Gambie, 1993 ; Guinée, 1996 ; Guinée-Bissau, 1991 ; Libéria, 1984 ; Sénégal, 1988 ; Sierra Léone, 1985. a. 1996 ; b. 1995 ; c. 1994 ; d. 1995-2000 ; e. À parité de pouvoir d'achat (PPA, voir définition p. 581) ; f. 1994-96 ; g. 1992 ; h. 1990 ; i. 1988 ; k. Dépenses courantes seulement ;

LIBÉRIA	SÉNÉGAL	SIERRA LÉONE
2 468	8 762	4 428
22,2	44,7	61,7
8,6	2,7	3,0
6,3	5,6	6,1
153	62	169
51,5	51,3	37,6
46,2	45,0	34,6
••	0,326	0,176
0,11[h]	0,03[c]	0,07[h]
46,1	57,0	56,4
77,6	76,8	81,8
27,6[p]	30,0[h]	26,6[h]
••	3,4[b]	1,3[h]
••	0,31	–
••	42[q]	16[q]
••	12	11 à 15
••	0,7	0,2
••	0,65	–
••	14 100	2 400
••	2,9	0,8
••	5,2	– 3,4
••	1 650	510
••	15,2	7,8
••	1,1	7,4
12,7	••	••
••	3,6[b]	0,9[m]
3,3	1,7	5,9
2 107	3 663	1 167
–	17	46
s	1 190	211[a]
UE 16,2	UE 61,8	E-U 8,9
Jap 23,5	Fra 35,0	UE 41,8
Cor 25,0	PED 29,1	PED 33,0
s	924	47[a]
Bel 48,0	UE 40,0	E-U 10,3
Asie[n] 21,6	Fra 20,3	UE 63,2
Ukr 10,7	PED 46,8	PED 7,4
••	– 1,2[b]	– 8,9[b]

m. 1989 ; n. Y compris Japon et Moyen-Orient ; o. 1991 ; p. 1986 ; q. 1984 ; s. Les chiffres ci-dessous (communiqués par les partenaires du Libéria) doivent être considérés avec précaution.

Guinée-Bissau

Accusé de couvrir un trafic d'armes en faveur des indépendantistes de Casamance, région frontalière du Sénégal, le général Ansumane Mané, chef d'état-major des armées, a été suspendu en janvier 1998, puis remplacé en juin. Aussitôt, une mutinerie militaire s'est déclenchée, le 7 juin 1998, dont il a pris la tête. Au pouvoir depuis 1975, le président João Bernardo Vieira s'est rallié la frange loyaliste de l'armée, forte du soutien de 1 300 soldats guinéens et sénégalais, dépêchés dès les 8 et 9 juin à Bissau. Plusieurs tentatives de médiation ont échoué, d'abord offertes par la Gambie et la Communauté des pays de langue portugaise (CPLP). L'envoi d'une mission luso-angolaise a abouti à la signature d'une première trêve, le 28 juin 1998, et un groupe de contact dépêché par la CPLP a permis une seconde trêve, le 26 juillet. Appelée à la rescousse par João Bernardo Vieira, la Communauté économique des États de l'Afrique de l'Ouest (CEDEAO) a envisagé l'envoi de l'Ecomog, sa

République de Guinée-Bissau

Capitale : Bissau.

Superficie : 36 120 km².

Nature du régime : parlementaire.

Chef de l'État : João Bernardo Vieira (depuis le 14.11.80, élu le 7.8.94).

Chef du gouvernement : Carlos Correia, qui a remplacé le 30.5.97 Manuel Saturnino da Costa.

Ministre des Affaires étrangères : Fernando Delfim da Silva (depuis le 19.1.96).

Ministre de la Défense : Zeca Martins (depuis le 19.1.96).

Ministre de l'Intérieur : Amaro Correia (depuis le 19.1.96).

Échéances institutionnelles : élection présidentielle (99).

Monnaie : franc CFA, qui a remplacé le peso guinéen le 2.5.97 (1 FCFA = 0,01 FF).

Langues : portugais (off.), créole, mandé, etc.

force d'interposition, dépêchant le 30 juillet une mission auprès du Conseil de sécurité pour le consulter à ce sujet.

Conséquence indirecte du conflit casamançais, la mutinerie a résulté d'une longue crise politique et économique. Le Parti africain pour l'indépendance de la Guinée-Bissau et du Cap-Vert (PAIGC, au pouvoir) s'est montré de plus en plus miné par des dissensions internes. L'introduction du franc CFA, le 1er août 1997, a fait quintupler les prix sans qu'aucune mesure d'accompagnement n'ait été prévue.

Libéria

Lors des élections générales du 19 juillet 1997, le Front national patriotique du Libéria (NPFL) de Charles Taylor, devenu depuis Parti national patriotique (NPP), l'a emporté avec plus de 65 % des voix. Cette victoire écrasante n'a laissé que 16 % des voix au plus sérieux rival du *warlord*, Ellen Johnson-Sirleaf, fonctionnaire internationale et candidate du Parti de l'unité (UP), l'un des treize partis en lice. Cette victoire a peut-être été en partie motivée par la peur, le plus puissant chef de guerre libérien ayant averti qu'il reprendrait les armes s'il perdait les élections. A quarante-neuf ans, C. Taylor, le tombeur du président Samuel K. Doe en décembre 1989, a remporté par les urnes une victoire que l'Ecomog, la Force ouest-africaine d'interposition déployée depuis le 24 août 1990 par la Communauté économique des États de l'Afrique de l'Ouest (CEDEAO), l'avait empêché de prendre par les armes.

A sept longues années d'une guerre meurtrière (au moins 150 000 morts) a succédé une période d'insécurité, la police abattant sommairement, dans les rues, des malfaiteurs présumés. La logique des factions a perduré, dans un pays où la crise de l'État passe, aux yeux de nombre d'observateurs, pour l'une des plus graves du continent africain. Dans le gouvernement qu'il a formé le 5 août 1997, C. Taylor a nommé l'un de ses pires ennemis des derniers mois de la guerre. Devenu ministre de l'Environnement rural, Roosevelt Johnson, chef de la branche krahn du Mouvement uni de libération (Ulimo-J), a néanmoins accusé, le 16 février 1998, le chef de l'État de ne placer que des anciens combattants du NPFL au sein des forces nationales de sécurité. De son côté, C. Taylor a dénoncé, le 1er septembre 1997, l'engagement de l'Ulimo-M (Mouvement uni de libération-branche mandingue) d'Alhaji Kromah auprès des Kamajors (chasseurs traditionnels constitués en milices civiles) en Sierra Léone. Les Forces armées libériennes (AFL) devaient être restructurées par l'Ecomog, mais C. Taylor s'y est opposé au lendemain des élections. Un bras de fer a persisté, l'Ecomog contrôlant toujours des points stratégiques de la capitale (notamment l'aéroport international), malgré les demandes insistantes des nouvelles autorités pour que ces troupes quittent le pays.

Quatre mois après son investiture, C. Taylor n'avait toujours pas défini de politique de reconstruction. Le rapatriement de quelque 479 000 réfugiés n'a pas non plus fait l'objet d'un plan précis. Ils n'étaient guère que 26 000, en mai 1998, à avoir pris le chemin du retour au pays natal.

République du Libéria

Capitale : Monrovia.
Superficie : 111 370 km².
Nature du régime : présidentiel.
Chef de l'État : Charles Taylor (élu président le 19.7.97).
Ministre des Affaires étrangères : Monie Captan.
Ministre de la Justice : Eddington Varmah.
Ministre de la Sécurité nationale : Philip Kammah.
Monnaie : dollar libérien (1 dollar = 5,98 FF au 30.5.98).
Langues : anglais (off.), bassa, kpellé, kru, etc.

Sénégal

A deux ans de la prochaine élection présidentielle, les législatives du 24 mai 1998 ont eu valeur de test. Comme ceux de 1988 et 1993, ce scrutin a été contesté par l'opposition, malgré l'instauration d'un Observatoire national des élections (Onel). Au pouvoir depuis l'indépendance (1960), le Parti socialiste (PS) a été une nouvelle fois accusé de fraudes « massives ». En dépit d'un net recul, il a conservé, avec 50,1 % des voix, la majorité absolue à l'Assemblée nationale. Le Parti démocratique sénégalais (PDS) a pour sa part gardé son rang de principal parti d'opposition, avec 23 députés et une victoire totale à Dakar, la capitale. La principale nouveauté a été l'apparition, le 2 avril 1998, de l'Union pour le renouveau démocratique (URD) de Djibo Ka. Ce parti, né d'une dissidence au sein du PS, a gagné 11 des 140 sièges de l'Assemblée. Ancien ministre de l'Intérieur et ancien ténor du PS, Djibo Ka s'est opposé à Ousmane Tanor Dieng, le secrétaire général du PS, dans la lutte de succession qui se joue autour d'Abdou Diouf, le chef de l'État. Élu en 1988 et réélu en 1993 (mais au pouvoir, en fait, depuis 1981, comme successeur désigné de Léopold Sédar Senghor), ce dernier devrait briguer un dernier mandat à 65 ans, lors de la présidentielle de 2000.

Les performances économiques du pays (5,2 % de croissance en 1997, réduction des déficits et réformes mises en chantier), consécutives à la dévaluation du franc CFA, en janvier 1994, ont été récompensées par un volume d'aide sans précédent : deux milliards de dollars sur trois ans ont été promis pour la période 1998-2000 par les bailleurs de fonds. Si les indicateurs macroéconomiques sont passés au vert, la reprise de la croissance ne s'est guère fait sentir dans la vie quotidienne. Au contraire, la pauvreté a augmenté, touchant 38 % de la population.

Les grandes réformes annoncées tardaient à être mises en œuvre, notamment dans l'agriculture, tandis que les privatisations bloquaient toujours, en raison des résistances opposées par certains monopoles. La société française France Telecom l'a emporté sur un groupe de repreneurs américains, suédois et taïwanais, dans la privatisation partielle de la Sonatel. L'investissement n'a pas repris, dans un pays qui paraît de plus en plus risqué du point de vue politique. Les rumeurs prédisant une seconde dévaluation du franc CFA, liée au remplacement du franc français par l'euro, la monnaie européenne, ont renforcé cet attentisme.

En Casamance, région du sud du pays, le conflit qui oppose depuis 1982 l'armée aux rebelles du Mouvement des forces démocratiques de Casamance (MFDC) a repris de plus belle. L'opération « Gabou », déclenchée le 9 juin 1998 par l'armée sénégalaise en soutien à la frange loyaliste de l'armée bissau-guinéenne, a été justifiée par un accord de défense passé en 1975 entre les deux pays. En envoyant des troupes à Bissau, Dakar a cherché à prévenir la déstabilisation de son voisin au profit d'un général rebelle soupçonné de collusion avec les indépendantistes casamançais.

République du Sénégal

Capitale : Dakar.
Superficie : 196 200 km².
Nature du régime : présidentiel, multipartite.
Chef de l'État : Abdou Diouf (depuis le 1.1.81, réélu le 21.2.93).
Chef du gouvernement : Habib Thiam (depuis le 7.4.91, reconduit le 15.3.95).
Ministre d'État aux Affaires présidentielles : Ousmane Tanor Dieng (depuis le 2.6.93).
Ministre d'État aux Affaires étrangères : Moustapha Niasse (depuis le 2.6.93).
Ministre de l'Intérieur : général Lamine Cissé.
Échéances institutionnelles : élection présidentielle en 2000.
Monnaie : franc CFA (1 FCFA = 0,01 FF).
Langues : français (off.), ouolof, peul, sérère, dioula, etc.

Afrique extrême-occidentale/Bibliographie

Amnesty International, *Sénégal : la terreur en Casamance*, « Rapport pays », Paris, 1998.

D. C. Bach, A. Kirk-Greene (sous la dir. de), *États et sociétés en Afrique francophone*, Économica, Paris, 1993.

F. Barbier-Wiesser (sous la dir. de), *Comprendre la Casamance*, Karthala, Paris, 1994.

D. Cruise O'Brien, « Difficile transition en Afrique : au Sénégal, une démocratie sans alternance », *Le Monde diplomatique*, Paris, avr. 1993.

T. Cruvellier, « Sierra Leone, la guerre et le néant », *Le Monde diplomatique*, Paris, janv. 1996.

M. Devey, « La Guinée après la tentative de coup d'État, une passe difficile », *Marchés tropicaux*, n° 2640, Paris, juin 1996.

M. C. Diop (sous la dir. de), *Sénégal, trajectoires d'un État*, Codestria, Dakar, 1992.

A. Enders, *Histoire de l'Afrique lusophone*, Chandeigne, Paris, 1994.

M. Galy, « La Guinée en survie », *Le Monde diplomatique*, Paris, janv. 1996.

B. Lootvoet, « Guinée. Les tentations du passé : éléments d'analyse de la scène politique », *L'Afrique politique 1996*, Karthala, Paris, 1996.

R. Otayek, « Démocratie, culture politique, sociétés plurales : une approche comparative à partir de situations africaines », *Revue française de science politique*, vol. 47, Paris, juin 1997.

J.-P. Rémy, « Libéria, le seigneur de guerre devient chef d'État », *L'Autre Afrique*, n° 11, Paris, juil.-août. 1997.

P. Leymarie, « L'Ouest africain rongé par ses abcès régionaux », *Le Monde diplomatique*, Paris, janv. 1996.

Sierra Léone

Contraint à l'exil en Guinée à la suite du putsch du 25 mai 1997, Ahmad Tejan Kabbah a retrouvé son fauteuil de président le 15 mars 1998, grâce à l'intervention militaire du Nigéria. La junte de Johnny Paul Koroma, un commandant de trente-quatre ans, a été chassée du pouvoir le 12 février 1998 par l'Ecomog, Force ouest-africaine d'interposition, déployée à partir de 1990 au Libéria par la Communauté économique des États de l'Afrique de l'Ouest (CEDEAO). Président de la CEDEAO et principal soutien de l'Ecomog, le régime militaire nigérian a décidé d'employer cette force pour restaurer A.T. Kabbah. Cette décision a été prise unilatéralement, sans le moindre mandat de la CEDEAO. Malgré un accord de paix signé le 24 octobre 1997 à Conakry, les combats n'ont pas connu de trêve. Ils ont été ponctués de bombardements meurtriers par les forces de l'Ecomog. A.T. Kabbah a retrouvé un pays sous influence du Nigéria, encore plus ruiné et toujours en guerre. La rébellion du Front révolutionnaire unifié (RUF), apparue en 1991 avec le soutien du chef de guerre libérien Charles Taylor, n'a pas

République de Sierra Léone

Capitale : Freetown.
Superficie : 71 740 km².
Nature du régime : démocratique.
Chef de l'État et ministre de la Défense : Ahmad Tejan Kabbah (élu le 17.3.96).
Ministre des Affaires étrangères : Dr Sama Banya.
Ministre de l'Intérieur : Charles Margai.
Monnaie : leone (100 leones = 0,40 FF au 30.4.98).
Langues : anglais (off.), krio, mende, temne, etc.

désarmé. Ses éléments ont continué de pactiser avec des soldats de l'armée régulière pour piller le pays et combattre Ecomog et Kamajors, des milices civiles de chasseurs traditionnels apparues en 1995 pour protéger les populations.

Déjà dénoncée par le passé, avec la présence, entre 1995 et 1997, des mercenaires sud-africains de la société privée Executive Outcomes, la collusion entre compagnies de sécurité et intérêts miniers a fait scandale à Londres, l'ancienne métropole de cette ex-colonie anglaise. Robin Cook, le secrétaire du Foreign Office, a nommé le 18 mai 1998 une commission d'enquête indépendante chargée de faire la lumière sur le rôle de Sandline International, une société de sécurité en lien avec le gouvernement britannique. Elle aurait opéré pour la restauration de A.T. Kabbah en échange de droits sur les mines de diamant du pays. - **Sabine Cessou** ■

Golfe de Guinée

Bénin, Côte-d'Ivoire, Ghana, Nigéria, Togo

Bénin

En démissionnant le 8 mai 1998, le Premier ministre Adrien Houngbédji a fait éclater l'alliance hétéroclite d'une vingtaine de partis rivaux qui avaient porté le général Mathieu Kérékou au pouvoir en mars 1996 (ce dernier avait exercé un pouvoir autoritaire « marxiste » de 1972 à 1991). En janvier, lors du vote du budget, les fissures se sont approfondies au sein de la fragile coalition gouvernementale, révélant l'inconfortable position du Premier ministre. Ce dernier était désormais libre pour préparer les élections présidentielles de 2001, à l'instar des leaders des principaux partis. Afin de donner une majorité parlementaire à son nouveau gouvernement, qui ne comporte plus le poste de Premier ministre – ce que n'a pas prévu la Constitution –, M. Kérékou lorgnait en vain vers son prédécesseur, Nicéphore Soglo, dont le parti de la Renaissance du Bénin (RB) détenait vingt sièges dans l'hémicycle. La tâche semblait d'autant plus difficile qu'il n'avait pas de formation propre sur laquelle s'appuyer.

Cette crise politique est intervenue sur fond de mécontentement social et de grèves (en janvier et en février 1998) et de mouvements de protestation des fonctionnaires (en mai) exigeant le paiement de 24 milliards de francs CFA d'arriérés d'augmentation de salaires accumulés entre 1991 et 1997, le renoncement à une application élargie de la TVA (Taxe sur la valeur ajoutée) et de meilleures conditions de travail. Le déficit budgétaire (114,03 milliards de francs CFA), en augmentation de 2,24 % par rapport à 1997, allait connaître une nette aggravation du fait du ralentissement de l'activité économique dû à une pénurie d'électricité à compter de février. Une partie de l'apport du troisième plan d'ajustement structurel que le Bénin a signé avec la

Banque mondiale et le FMI allait servir à combler ce déficit budgétaire que l'État n'a pas les moyens de financer. Il s'est d'ailleurs montré incapable de créer les 20 000 emplois par an promis en 1996 à une jeunesse massivement touchée par le chômage.

République du Bénin

Capitale : Porto Novo.
Superficie : 112 622 km^2.
Nature du régime : présidentiel.
Chef de l'État et du gouvernement : général Mathieu Kérékou, élu en mars 96).
Premier ministre (coordonnant l'action gouvernementale) : Adrien Houngbédji (depuis le 9.4.96).
Ministre délégué à la Présidence, chargé de la Défense : Pierre Osho (depuis le 14.5.98).
Ministre de l'Intérieur, de la Sécurité et de l'Administration territoriale : Daniel Tawéna (depuis le 14.5.98).
Ministre des Affaires étrangères et de la Coopération : Antoine Kolawolé (depuis le 14.5.98).
Monnaie : franc CFA (1 FCFA = 0,01 FF).
Langues : français (off.), adja-fon, yorouba, pila-pila, goun, dendi, sonika.

Dans ce contexte est née la première chaîne de télévision privée du pays, *LC2*, qui, avec le huitième quotidien, *Le Matinal* (paru le 11 janvier), et la radio *Golfe FM*, contribue à la diversification du paysage médiatique. Il en faudra cependant davantage pour réhabiliter un pouvoir discrédité aux yeux de la population et empêtré dans des scandales liés à des commissions touchées sur l'achat de générateurs destinés à pallier la pénurie d'électricité.

Côte-d'Ivoire

Les manœuvres pour les élections présidentielles de l'an 2000 ont commencé dès 1998. L'ancien Premier ministre Alassane Dramane Ouattara, directeur général adjoint du FMI jusqu'en octobre 1999, a en effet révélé en avril 1998 son intention de se porter candidat. Le 6 mars 1998, le président Henri Konan Bédié a nommé le député-maire de Korhogo, Adama Coulibaly, au ministère des Transports. Pour le chef de l'État, cette cooptation au gouvernement du secrétaire général adjoint et numéro deux du Rassemblement des républicains (RDR), militant activement pour la candidature de A. Ouattara, est apparue comme une bonne stratégie qui déstabilise l'opposition formée du Front populaire ivoirien (FPI) de Laurent Gbagbo et du RDR de Djéni Kobina. Ce dernier a prononcé l'exclusion du ministre traître.

Au sein de cette formation, les partisans de A. Coulibaly ont créé, sous la houlette de Hyacinthe Leroux, l'un des membres fondateurs, un courant dénommé RDR-National pour conquérir le parti au profit du Parti démocratique de Côte-d'Ivoire-Rassemblement démocratique africain (PDCI-RDA) de H. Bédié. Au sein même du PDCI-RDA, l'autorité du chef de l'État n'est pas complètement assurée : les différents clans qui contrôlent le pouvoir seraient tentés de provoquer une nouvelle scission si l'ouverture allait contre leurs intérêts. En annonçant son retour au pays, A. Ouattara a accru les inquiétudes du PDCI-RDA qui, par des manœuvres sordides (code électoral du 23 novembre 1994), l'avait écarté des présidentielles en octobre 1995.

L'économie ivoirienne semble avoir trouvé un second souffle attendu depuis la dévaluation du franc CFA. Le pays a cessé de rembourser sa dette en avril 1987. Celle-ci obère lourdement l'économie, s'élevant en 1997 à 19,7 milliards de dollars et absorbant la moitié du budget de l'État. Avec 14 milliards de dollars, la dette publique représentait 300 % du PIB. Des négociations furent entamées à partir de 1996 entre le couple FMI-Banque mondiale et le gouvernement ivoirien pour aboutir le 9 février 1998

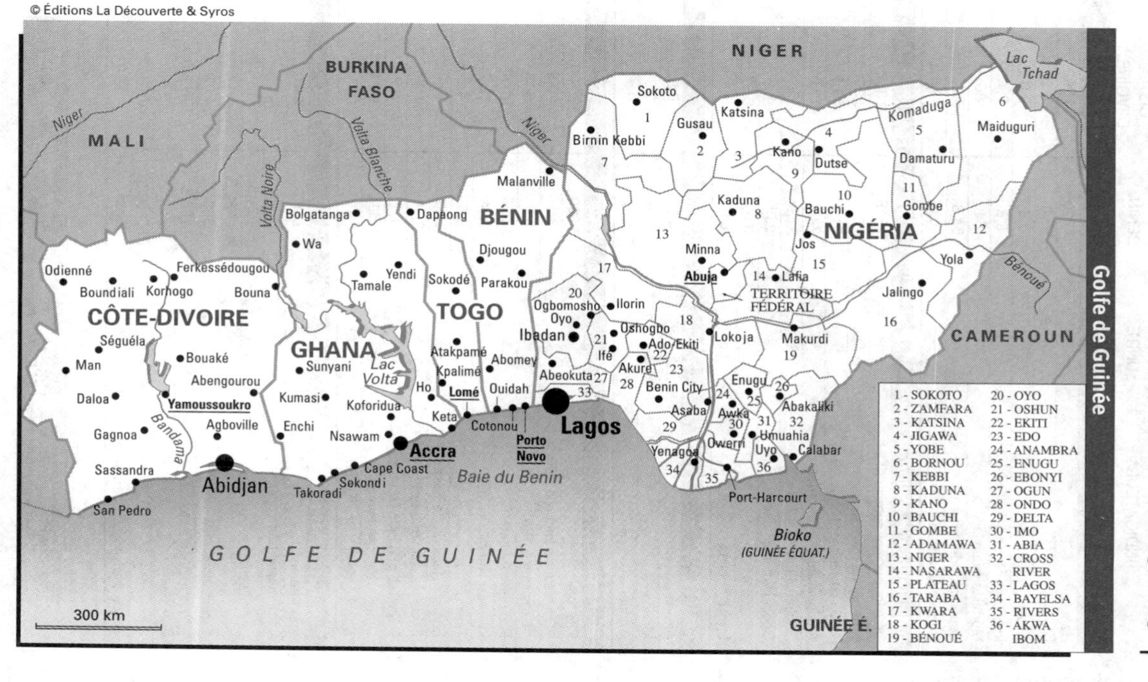
Golfe de Guinée
NIGER
BURKINA FASO
MALI
CAMEROUN
NIGÉRIA
BÉNIN
TOGO
GHANA
CÔTE-DIVOIRE
GUINÉE É.
Lac Tchad
Bénoué
Niger
Komaduga
Volta Blanche
Volta Noire
Lac Volta
Bandama
Baie du Benin
GOLFE DE GUINÉE
Bioko (GUINÉE ÉQUAT.)
TERRITOIRE FÉDÉRAL
Lagos
Abuja
Porto Novo
Lomé
Accra
Yamoussoukro
Abidjan
Sokoto
Katsina
Gusau
Birnin Kebbi
Kano
Dutse
Damaturu
Maiduguri
Kaduna
Bauchi
Gombe
Jos
Minna
Lafia
Yola
Jalingo
Malanville
Bolgatanga
Dapaong
Wa
Djougou
Tamale
Yendi
Sokodé
Parakou
Ogbomosho
Ilorin
Oyo
Ibadan
Oshogbo
Ado-Ekiti
Ife
Akure
Lokoja
Makurdi
Odienné
Boundiali
Korhogo
Ferkessédougou
Bouna
Séguéla
Bouaké
Man
Abengourou
Daloa
Sunyani
Kumasi
Koforidua
Atakpamé
Kpalimé
Abomey
Ho
Ouidah
Abeokuta
Benin City
Enugu
Abakaliki
Asaba
Awka
Gagnoa
Agboville
Enchi
Nsawam
Keta
Cotonou
Owerri
Umuahia
Calabar
Uyo
Yenagoa
Sassandra
San Pedro
Takoradi
Sekondi
Cape Coast
Port-Harcourt
300 km
1 - SOKOTO
2 - ZAMFARA
3 - KATSINA
4 - JIGAWA
5 - YOBE
6 - BORNOU
7 - KEBBI
8 - KADUNA
9 - KANO
10 - BAUCHI
11 - GOMBE
12 - ADAMAWA
13 - NIGER
14 - NASARAWA
15 - PLATEAU
16 - TARABA
17 - KWARA
18 - KOGI
19 - BÉNOUÉ
20 - OYO
21 - OSHUN
22 - EKITI
23 - EDO
24 - ANAMBRA
25 - ENUGU
26 - EBONYI
27 - OGUN
28 - ONDO
29 - DELTA
30 - IMO
31 - ABIA
32 - CROSS RIVER
33 - LAGOS
34 - BAYELSA
35 - RIVERS
36 - AKWA IBOM

INDICATEUR*	UNITÉ	BÉNIN	CÔTE-D'IVOIRE
Démographie**			
Population	*millier*	5 720	14 299
Densité	*hab./km²*	50,8	44,3
Croissance annuelle[d]	%	2,8	2,0
Indice de fécondité (ISF)[d]		5,8	5,1
Mortalité infantile[d]	‰	84	86
Espérance de vie[d]	*année*	54,8	51,1
Population urbaine	%	40,0	44,6
Indicateurs socioculturels			
Développement humain (IDH)[c]		0,368	0,368
Nombre de médecins	*‰ hab.*	0,06[c]	0,09[g]
Analphabétisme (hommes)[b]	%	51,3	50,1
Analphabétisme (femmes)[b]	%	74,2	70,0
Scolarisation 12-17 ans	%	21,9[i]	45,7[i]
Scolarisation 3e degré	%	2,6[b]	4,4[c]
Adresses Internet	*‰ hab.*	0,02	0,17
Livres publiés	*titre*	84[c]	••
Armées			
Armée de terre	*millier d'h.*	4,5	6,8
Marine	*millier d'h.*	0,15	0,9
Aviation	*millier d'h.*	0,15	0,7
Économie			
PIB total[ae]	*million $*	6 900	22 700
Croissance annuelle 1986-96	%	3,1	– 2,2
Croissance 1997	%	5,8	6,0
PIB par habitant[ae]	$	1 230	1 580
Investissement (FBCF)[f]	*% PIB*	16,4	12,7
Taux d'inflation	%	4,8	4,9
Énergie (taux de couverture)[b]	%	64,3	19,3
Dépense publique Éducation	*% PIB*	3,1[b]	4,7[ch]
Dépense publique Défense[a]	*% PIB*	1,4	0,9
Dette extérieure totale[a]	*million $*	1 594	19 713
Service de la dette/Export.[f]	%	9	27
Échanges extérieurs			
Importations	*million $*	658	2 918
Principaux fournisseurs[a]	%	UE 60,0	UE 48,3
	%	Fra 21,5	Nig 18,3
	%	Asie[k] 32,3	Asie[k] 13,0
Exportations	*million $*	300	4 070
Principaux clients[a]	%	E-U 6,8	E-U 7,0
	%	UE 28,5	UE 48,3
	%	PED 63,9	Afr 20,0
Solde transactions courantes	*% PIB*	2,43[c]	– 4,50

* Définition des indicateurs p. 25 et suiv. Chiffres 1997 sauf notes. ** Derniers recensements utilisables : Bénin, 1992 ; Côte-d'Ivoire, 1988 ; Ghana, 1984 ; Nigéria, 1991 ; Togo, 1981. a. 1996 ; b. 1995 ; c. 1994 ; d. 1995-2000 ; e. A parité de pouvoir d'achat (PPA, voir définition p. 581) ; f. 1994-96 ; g. 1990 ; h. Dépenses

GHANA	NIGÉRIA	TOGO
18 338	118 369	4 316
76,9	128,1	77,1
2,8	2,8	2,7
5,3	6,0	6,1
73	77	86
58,1	52,4	50,1
36,9	41,3	31,7
0,468	0,393	0,365
0,04[g]	0,19[n]	0,09[i]
24,1	32,7	33,0
46,5	52,7	63,0
53,0[g]	32,0[i]	57,9[g]
1,4[g]	4,1[c]	3,2[c]
0,15	–	0,01
28[m]	1 314[b]	••
5	62	6,5
1	5,5	0,2
1	9,5	0,25
31 400	99 700	7 000
4,5	4,6	1,3
3,0	5,1	4,8
1 790	870	1 350
17,7	18,5	12,7
20,8	4,2	8,2
32,9	872,3	0,3
3,1[g]	0,8[b]	5,6[c]
1,4	3,5	2,5
6 202	31 407	1 463
30	20	11
1 927	9 020	374
E-U 10,2	E-U 13,6	UE 26,1
UE 43,8	UE 48,8	Afr 38,7
PED 37,9	Asie[k] 23,7	Asie[k] 30,9
1 481	14 350	237
E-U 9,6	E-U 37,8	UE 17,3
UE 53,1	UE 37,6	Afr 23,3
PED 26,6	PED 20,1	Asie[k] 29,3
– 5,10[a]	1,50	– 6,11[c]

courantes seulement ; i. 1991 ; k. Y compris Japon et Moyen-Orient ; m. 1992 ; n. 1993.

à la conclusion d'un nouveau programme nécessitant une enveloppe de plus de 237 millions de dollars pour la période 1998-2000.

L'accord a permis l'annulation de 80 % du service de la dette publique couvrant la période avril 1998-mars 2001, soit 1,4 milliard de dollars. Les objectifs de ce nouveau PAS (plan d'ajustement structurel) sont de maintenir le taux de croissance réel du PIB à au moins 7 %, de contenir l'inflation à 3 %, de réduire le déficit courant extérieur à 2 % du PIB, d'éliminer le déficit budgétaire et de libéraliser en profondeur des secteurs où l'État ivoirien résiste encore. En dépit du discours rassurant du Premier ministre Daniel Kablan Duncan et du ministre de l'Économie et des Finances Namien Ngoran sur l'état de santé de l'économie, le FMI estimait que celle-ci restait très fragile, notamment à cause du manque de transparence dans la gestion publique.

Alors que le pouvoir était déjà en campagne électorale, en distribuant généreusement des enveloppes juteuses à ses clients, en multipliant les gestes pour amadouer la population musulmane du nord du pays – comme l'accueil en février à Abidjan du Congrès mondial islamique – ou en lais-

République de Côte-d'Ivoire

Capitale : Yamoussoukro.
Superficie : 322 462 km².
Nature du régime : présidentiel.
Chef de l'État : Henri Konan Bédié, (depuis le 7.12.93, élu le 22.10.95).
Premier ministre : Daniel Kablan Duncan (depuis le 15.2.93, reconduit le 26.1.96 et le 6.3.98).
Ministre de l'Intérieur et de l'Intégration nationale : Émile Constant Bombet.
Ministre de la Défense : Vincent Bandama N'Gatta.
Ministre des Affaires étrangères : Amara Essy.
Monnaie : franc CFA (1 FCFA = 0,01 FF).
Langues : français (off.), baoulé, dioula, bété, sénoufo.

Golfe de Guinée/Bibliographie

T. Apédo-Amah, « Togo : le ventre d'une démocratisation », *in* CEAN, *L'Afrique politique 1997*, Karthala, Paris, 1997.

D. Bailly, *La Réinstauration du multipartisme en Côte-d'Ivoire*, L'Harmattan, Paris, 1995.

R. Banégas, « Marchandisation du vote, citoyenneté et consolidation démocratique au Bénin », *Politique africaine*, n° 69, Karthala, Paris, mars 1998.

T. Bierschenk, P.-Y. Le Meur (sous la dir. de), *Trajectoires peules au Bénin, six études anthropologiques*, Karthala, Paris, 1997.

C. Chavagneux, *Ghana, une révolution de bon sens*, Karthala, Paris, 1997.

C. Coquery-Vidrovitch (sous la dir. de), *L'Afrique occidentale au temps des Français*, La Découverte, Paris, 1992.

S. Diarra, *Les Faux Complots d'Houphouët-Boigny*, Karthala, Paris, 1997.

E. Hutchful, *The Institutional and Political Framework of Macro-economic Management in Ghana*, UNRISD, Genève, 1997.

J. O. Igue et B. G. Soule, *L'État entrepôt au Bénin*, Karthala, Paris, 1992.

« Le Bénin », *Politique africaine*, n° 59, Karthala, Paris, oct. 1995.

T. Paulais, *Le Développement urbain en Côte-d'Ivoire*, Karthala, Paris, 1995.

P. Puy Denis, *Le Ghana*, Karthala, Paris, 1994.

C. Thiriot, « Ghana : les aléas d'un modèle », *in* CEAN, *L'Afrique politique 1997*, Karthala, Paris, 1997.

J. Ziegler, R. Ouédraogo (sous la dir. de), *Démocratie et nouvelle forme de légitimitation en Afrique : les conférences nationales du Bénin et du Togo*, IUED, Genève, 1997.

Voir aussi la bibliographie « Nigéria », p. 150.

sant la corruption s'étendre impunément, il était à craindre que le « deuxième miracle ivoirien » annoncé ne soit à l'image du premier.

Ghana

Après la visite historique du président américain Bill Clinton le 23 mars 1998 et les longs préparatifs qu'elle a nécessités, le pays a retrouvé ses dures réalités économiques. Le barrage d'Akosombo sur la Volta, qui fournissait en temps normal 912 mégawatts, n'assurait plus, en avril 1998, que 250 MW à cause de la sécheresse. Cette pénurie d'électricité, subie aussi par d'autres pays dépendant du barrage comme le Bénin et le Togo, a paralysé l'activité économique, entraînant des licenciements dans les industries situées autour d'Accra et de la ville portuaire de Tema, ainsi que l'augmentation du prix du kWh jusqu'alors bon marché.

Le « bon élève du FMI et de la Banque mondiale », chez qui le PIB par habitant ne dépasse guère 420 dollars par an (aux taux de change courants), n'est pas sorti du tunnel, car à ce malheur climatique se sont ajoutés la chute du cours de l'or (passant de 320 dollars l'once début 1997 à 280 dollars en janvier 1998), le projet de nouvelles pressions fiscales (comme la TVA – Taxe sur la valeur ajoutée), une inflation de 20,8 % et la dépréciation continue du cédi par rapport au dollar. Aussi les prévisions optimistes des institutions de Bretton Woods devraient-elles être corrigées à la baisse : l'inflation pouvait difficilement être ramenée à 11 % en 1998 et le PIB passer de 5,6 % à 5,8 % en 1999 et 2000.

Si le Ghana a fourni de gros efforts de redressement, la stabilité financière n'a pas été acquise. L'épargne et l'investissement dans le secteur privé ont été faibles. A l'issue de la signature, fin mars 1998, d'un programme triennal, le FMI a accordé au pays un prêt de 110 millions de dollars et la Banque mondiale 35 millions début avril pour soutenir l'action du gouvernement dans le domaine social. Parallèlement, on le sommait de libéraliser les secteurs du pétrole, du cacao, et de s'engager dans une ferme politique de privatisation.

République du Ghana

Capitale : Accra.
Superficie : 238 537 km².
Nature du régime : présidentiel.
Chef de l'État et du gouvernement : Jerry Rawlings (depuis déc. 81, élu le 3.11.92, réélu le 7.12.96).
Vice-président : John Evans Atta-Mills (depuis le 7.12.96).
Ministre de la Défense : Alhaji Mohama Idrissou (depuis le 29.4.97).
Ministre de l'Intérieur : Nii Okaidja Adamafio (depuis le 29.4.97).
Ministre des Affaires étrangères : James Victor Behoe.
Monnaie : cedi (100 cedis = 0,26 FF au 28.2.98).
Langues : anglais (off.), akan, ewe, mossi, mamprusi, dagomba, gonja.

La désignation officielle, le 6 juin (date symbolique rappelant le coup d'État du 4 juin 1979, alors placé sous le signe de la Révolution morale), par Jerry Rawlings de son vice-président, John Evans Atta Mills, comme candidat du Congrès national démocratique (NDC) pour l'élection présidentielle de 2000, a moins soulevé l'enthousiasme des foules que le voyage de Bill Clinton. Il en fut de même de la visite, le 12 mai 1998, du président togolais, le général Étienne Gnassingbé Éyadéma. La première au Ghana depuis son accession au pouvoir en 1967, il n'est pas certain que cette visite ait vidé le lourd contentieux historique (remise en cause par le Togo du tracé frontalier entre les deux pays), politique (accusations réciproques d'abriter des opposants), économique (pillage du cacao et trafic de l'or ghanéens organisés par les autorités togolaises), militaire (près de 300 déserteurs de l'armée togolaise vivant au Ghana depuis 1991) qui a périodiquement entraîné des fermetures de frontière de part et d'autre. - **Comi Toulabor** ■

Nigéria

Retour à la case départ

Le Nigéria semblait plus que jamais engagé dans un cycle éternel de tentatives infructueuses pour se débarrasser du régime militaire. Le septième programme de transition depuis l'indépendance a en effet connu une interruption abrupte en juin 1998, avec la mort soudaine du chef de l'État, le général Sani Abacha. Son successeur, le général Abdulsalam Abubakar (nommé le 9 juin 1998), a rompu avec le processus qui avait été entamé à la mi-1996 et était entré en discussion avec le plus « important » détenu politique du pays, le chef Moshood Abiola, lorsque lui aussi a succombé à une crise cardiaque, au début du mois de juillet.

La disparition inattendue de ces deux personnalités politiques, qui représentaient – et polarisaient – des forces politiques adverses, a laissé le champ ouvert à la création de toutes nouvelles formations politiques et à de nouvelles élections.

Le général Abubakar, proche de l'ancien président Ibrahim Babangida (1985-1993), a agi rapidement pour défaire une grande partie de ce qu'avaient fait ses prédécesseurs. Il a promis un programme de transi-

INDICATEUR*	UNITÉ	1975	1985	1996	1997
Démographie**					
Population	*million*	62,8	83,1	115,0	118,4
Densité	*hab./km²*	67,9	90,0	124,5	128,1
Croissance annuelle	%	2,8[a]	3,0[b]	2,8[c]	••
Indice de fécondité (ISF)		6,4[a]	6,4[a]	6,0[c]	••
Mortalité infantile	‰	102[a]	88[b]	77[c]	••
Espérance de vie	*année*	45,7[a]	49,4	52,4[c]	••
Indicateurs socioculturels					
Nombre de médecins	*‰ hab.*	0,05	0,19	0,19[i]	••
Analphabétisme (hommes)	%	53,3[n]	39,2[o]	32,7[g]	••
Analphabétisme (femmes)	%	77,0[n]	61,4[o]	52,7[g]	••
Scolarisation 12-17 ans	%	23,5	39,9	32,0[k]	••
Scolarisation 3e degré	%	0,8	3,3	4,1[f]	••
Téléviseurs	‰	1,6	6,5	54,8[g]	••
Livres publiés	*titre*	1 324	2 213	1 314[g]	••
Économie					
PIB total[h]	*milliard $*	38,4[n]	43,3	99,7	••
Croissance annuelle	%	4,6[d]	2,2[e]	4,6	5,1
PIB par habitant[h]	$	540[n]	520	870	••
Investissement (FBCF)	*% PIB*	24,4[q]	18,3[e]	18,7	••
Taux d'inflation	%	33,9	7,4	29,3	4,2
Population active	*million*	25,7	33,7	45,4	••
Agriculture	% } 100 %	69,6	48,3	37,7[g]	••
Industrie	% } 100 %	11,1	7,6	7,5[g]	••
Services	% } 100 %	19,4	44,1	54,8[g]	••
Dépense publique Éducation	*% PIB*	3,3[r]	1,2	0,8[g]	••
Dépense publique Défense	*% PIB*	5,3	1,7	3,5	••
Énergie (taux de couverture)	%	25 123,6	749,2	872,3[g]	••
Dette extérieure totale	*milliard $*	1,7	19,5	31,4	35,2
Service de la dette/Export.	%	3,0	33,3	20[m]	13
Échanges extérieurs		**1974**	**1986**	**1996**	**1997**
Importations de services	*milliard $*	1,85	1,11	4,21	••
Importations de biens	*milliard $*	2,48	3,14	5,6	••
Produits alimentaires	%	9,6	16,1	13,3[f]	••
Produits manufacturés	%	70,2	79,6	••	••
dont machines et mat. de transport	%	35,2	38,1	35,0[f]	••
Exportations de services	*milliard $*	0,19	0,25	0,64	••
Exportations de biens	*milliard $*	9,70	5,08	14,1	••
Produits énergétiques	%	93,0	93,1	96,5[f]	••
Produits agricoles	%	6,1	5,4	3,1[f]	••
Produits manufacturés	%	0,2	••	••	••
Solde transactions courantes	*% du PIB*	– 0,4[p]	– 0,6[e]	9,7	1,50

* Définition des indicateurs p. 25 et suiv. ** Dernier recensement utilisable : 1991. a. 1975-85 ; b. 1985-95 ; c. 1995-2000 ; d. 1970-80 ; e. 1980-96 ; f. 1994 ; g. 1995 ; h. A parité de pouvoir d'achat (PPA, voir définition p. 581) ; i. 1993 ; k. 1991 ; m. 1994-96 ; n. 1980 ; o. 1990 ; p. 1977-80 ; q. 1973-80 ; r. 1994.

tion accéléré, devant aboutir en mai 1999 à la passation du pouvoir à un président élu. Il a libéré la plupart des prisonniers politiques, accordé le pardon à des personnes reconnues coupables d'avoir comploté contre le général Abacha (dont l'ancien président Olusegun Obasanjo), commué les peines de mort prononcées en mai 1998 contre le général Oladipo Diya, « numéro deux » du régime, et d'autres officiers supérieurs jugés coupables de conspiration contre le régime. Enfin, il a insufflé un élan d'optimisme quant aux perspectives politiques et économiques du pays.

La mort du pilier du régime

Le général Abacha, qui avait pris les rênes du pays dans le cadre d'une « révolution de palais » en novembre 1993, dirigeait le pays d'une poigne de fer. Son programme de transition politique, marqué à ses débuts par l'espoir d'une évolution paisible vers un pouvoir civil, s'est progressivement révélé n'être que la toile de fond du maintien du pouvoir dans les mains des militaires.

Les premiers coups portés aux espoirs d'un passage du pouvoir en douceur à des institutions démocratiquement élues sont intervenus à la fin 1996, lorsque les autorités ont décidé que seulement cinq des partis souhaitant être officiellement reconnus verraient leurs aspirations satisfaites. En étaient exclus tous les mouvements progressistes soutenant M. Abiola, vainqueur présumé des élections annulées de 1993, mais aussi les formations conservatrices financées par l'élite traditionnelle du Nord.

Lors des élections aux conseils des collectivités locales de mars 1997, le Parti unifié du Congrès nigérian (UNCP) a très nettement obtenu l'avantage, et a confirmé sa position dominante sur la scène politique en remportant les deux tiers des suffrages lors des élections pour les 36 assemblées d'État tenues en décembre 1997. Le Parti démocratique du Nigéria (DPN) est arrivé loin derrière, suivi du Parti national central du Nigéria (NCPN), du Comité pour le consensus national (CNC) et du Mouvement démocratique de base (GDM), qui ont « ramassé les miettes ».

Les électeurs sont massivement restés chez eux lors des scrutins fédéraux, engendrant l'un des plus forts taux d'abstention jamais enregistrés dans le pays. Outre la confusion qui a prévalu dans l'identification de ceux qui se présentaient (peu de candidats ont eu le temps de faire campagne), l'Action unie pour la démocratie (UAD, coalition lâche d'une quarantaine de mouvements d'opposition progressistes, agissant dans le pays ou en exil) avait appelé à boycotter le scrutin, marquant ainsi sa désapprobation de la décision prise, deux semaines plus tôt, par chacun des cinq partis autorisés, de présenter comme candidat unique à la Présidence le général Abacha.

République fédérale du Nigéria

Capitale : Abuja.
Superficie : 923 768 km^2.
Monnaie : naira (au taux officiel, 1 naira = 0,27 FF au 30.5.98).
Langues : anglais (off., utilisée dans tous les documents administratifs) ; 200 langues dont le haoussa (Nord), l'igbo (Sud-Est), le yorouba (Sud-Ouest).
Chef de l'État (et ministre de la Défense) : général Abdulsalam Abubakar, qui a remplacé le 9.6.98 le général Sani Abacha (décédé).
Échéances institutionnelles : élection présidentielle (1er trim. 99).
Nature de l'État : république fédérale (36 États).
Nature du régime : militaire.
Principaux partis politiques : les cinq partis politiques qui avaient été reconnus le 30.9.96 ont été dissous le 22.7.98. De nouvelles formations étaient en cours de constitution.
Territoires contestés : la presqu'île de Bakassi (revendiquée par le Nigéria et le Cameroun, objet d'un litige devant la Cour internationale de justice de La Haye depuis 1994) ; îlots sur le lac Tchad (revendiqués par le Nigéria et le Tchad).

Nigéria/Bibliographie

D. C. Bach, J. Egg, J. Philippe (sous la dir. de), *Nigéria, le pouvoir en puissance*, Karthala, Paris, 1988.

P. A. Beckett, C. Youngs (sous la dir. de), *Dilemmas of Democracy in Nigeria*, University of Rochester Press, 1997.

L. Diamond, A. Kirk-Greene, O.Oyediran (sous la dir. de), *Transition without End : Nigerian Politics and Civil Society under Babangida*, Lynne Rienner Publishers, Boulder, 1997.

T. Forrest, *Politics and Economic Development in Nigeria*, Westview Press, Oxford, 1995 (2e éd.).

J. O. Ihonvbere, *Labor, State and Capital in Nigeria's Oil Industry*, Edwin Mellen Press, 1998.

P. Lewis, « From Prebendalism to Predation : The Political Economy of Decline in Nigeria », *The Journal of Modern African Studies*, n° 34.1, Cambridge, 1996.

M. Maringues, *Nigéria, un journalisme de guérilla*, Reporters sans frontières, Paris, 1996.

G. Moser, « Nigeria : Experience with Structural Adjustment », *IMF Occasional Paper*, n° 148, FMI, Washington, 1997.

E. Osaghae, *The Crippled Giant : Nigeria since Independence*, C. Hurst & Co, Londres, 1998.

A. Oyewole, *Historical Dictionary of Nigeria-African Historical Dictionaries*, n° 40, Scarecrow Press, Londres, 1997.

J. Peters, *The Nigerian Military and the State*, IB Tauris, Londres, 1995.

W. Soyinka, *The Burden of Memory, the Muse of Forgiveness*, Oxford University Press, Oxford, 1998.

E. I. Udogu, « Nigeria and the politics of Survival as a Nation State », *Studies in African Economic and Social Development*, n° 8, Edwin Mellen Press, 1997.

Voir aussi la bibliographie « Golfe de Guinée », p. 146.

Le projet d'organiser des élections présidentielles en même temps que celle des 36 gouverneurs d'État, le 1er août 1998, a été abandonné début juin, peu après l'annonce du décès du président, officiellement d'une crise cardiaque. Par ailleurs, les cinq partis politiques autorisés ont été dissous le 22 juillet 1998. De nouvelles formations étaient en cours de constitution.

Grogne populaire et répression

Malgré l'isolement diplomatique du pays (le Nigéria a été suspendu du Commonwealth lors de l'exécution de l'écrivain Ken Saro Wiwa en 1995 et de nombreux pays occidentaux lui ont imposé de légères sanctions), le pape Jean-Paul II s'est rendu à Abuja en mars 1998. Il a présenté au général Abacha une liste de prisonniers que le Vatican souhaitait voir libérer. Mais les appels à la clémence, non seulement n'ont pas été entendus, mais en plus semblent avoir eu l'effet contraire : la liste des opposants emprisonnés s'est encore allongée.

Le musellement systématique de l'opposition et le mécontentement grandissant face à la mainmise des autorités militaires sur le programme de transition ont encouragé l'expression ouverte de la grogne populaire. Les mouvements d'opposition ont multiplié les appels à des actions concrètes pour contrer les manifestations de propagande en faveur du général Abacha. Un rassemblement, organisé début mai 1998, s'est soldé par plusieurs morts : les forces de sécurité ont chargé la foule à Ibadan, laquelle a répliqué en attaquant les propriétés d'hommes politiques locaux partisans de S. Abacha.

La résignation de la population à ce qui pouvait être considéré comme une trahison de promesse politique pouvait s'expliquer par l'état alarmant de la situation sociale. Les statistiques officielles dépeignaient certes l'économie comme en relative bonne santé, avec une croissance de 5,1 % en 1997 (plus élevée qu'en 1996, mais légèrement au-dessous des prévisions gouvernementales de 5,5 %). Les indicateurs affichaient un taux de change réel stable (environ 85 nairas pour 1 dollar), une inflation en baisse (6,5 % en mars 1998 selon les chiffres officiels, alors qu'elle était de 69,9 % en 1995), un doublement des réserves en devises depuis 1996 (8,4 milliards de dollars contre 4,1 l'année précédente), une réduction de la dette extérieure (tombée de 32 milliards de dollars à 27 milliards), et un budget excédentaire pour la première fois depuis plusieurs années.

Le fossé s'est élargi, cependant, entre des résultats macroéconomiques positifs et la vie quotidienne de la grande majorité de la population. La stabilité a été atteinte aux dépens du dynamisme économique et l'équilibre budgétaire a été obtenu en réduisant drastiquement les dépenses publiques. Résultat : des infrastructures industrielles fonctionnant à tout juste un quart de leur capacité, des stocks s'accumulant et des milliers de salariés jetés à la rue. L'indice de la Bourse de Lagos s'est effondré de plus de 35 % de mai 1997 à mai 1998, sous l'effet de la réduction des profits des entreprises et de la tendance des investisseurs à réaliser leur capital. Ce sombre tableau a dissuadé tous les investisseurs étrangers, sauf peut-être les plus téméraires (les rares investissements réalisés l'ont été dans le secteur du pétrole). Pire encore, alors qu'il produit plus de deux millions de barils de pétrole brut par jour, le Nigéria a connu de graves pénuries dues à la très mauvaise maintenance de ses raffineries.

Des réformes économiques indispensables

Comme les années précédentes, le budget 1998 n'a pas traduit les réformes indispensables à une amélioration des relations avec la communauté financière internationale. Le système de taux de change dual, très controversé, a été maintenu, le taux officiel de 22 nairas pour 1 dollar coexistant avec le taux du marché libre de 85 nairas pour 1 dollar. Quant aux promesses de privatisation, elles n'ont pas été concrétisées. L'incapacité du gouvernement à s'attaquer à ces dossiers clés a bloqué les négociations avec le FMI et la Banque mondiale, mais les nouvelles autorités ont exprimé leur volonté de renouer le contact, améliorant à nouveau quelque peu les chances de voir rééchelonner la dette, une mesure indispensable.

Les seuls véritables succès diplomatiques du pays durant les douze mois précédents ont été paradoxalement liés aux initiatives armées du Nigéria visant à restaurer des régimes civils. En Sierra Léone, la junte armée qui s'était emparée du pouvoir a été matée par les forces du maintien de la paix de l'Écomog (Force ouest-africaine d'interposition) sous commandement nigérian, au début de 1998, de manière à ramener au pouvoir le président élu. Au Libéria voisin, après des années de guerre civile, la paix est revenue, grâce à la médiation du général Abacha, qui avait agité le spectre d'une intervention militaire. - **Duncan H. James** ■

Togo

Les élections présidentielles du 21 juin 1998 ont officiellement donné dès le premier tour la victoire au général Étienne Gnassingbé Éyadéma par 52,13 % des voix, contre 34,6 % à son principal rival Gilchrist Olympio, de l'Union des forces de chan-

République du Togo

Capitale : Lomé.
Superficie : 56 000 km².
Nature du régime : présidentiel.
Chef de l'État : général Étienne Gnassingbé Eyadéma (depuis le 13.1.67, élections contestées le 25.8.93 et le 21.6.98).
Chef du gouvernement : Kwassi Klutsé, (depuis le 20.8.96, reconduit le 18.2.98).
Ministre de la Défense : Bitokotipou Yagninim (depuis le 20.8.96).
Ministre de l'Intérieur et de la Sécurité : général Séyi Mémène (depuis le 20.8.96).
Ministre des Affaires étrangères et de la Coopération : Koffi Panou (depuis le 20.8.96).
Monnaie : franc CFA (1 FCFA = 0,01 FF).
Langues : français (off.), éwe, kotokoli, kabiyè, moba.

gement (UFC). Mais ces résultats ont été fortement contestés par ce dernier qui a lancé des opérations « villes mortes » les 17 et 24 juillet. L'Union européenne, l'un des principaux bailleurs de fonds du Togo, qui s'est financièrement engagée dans l'organisation de ces élections (3,78 milliards de francs CFA contre 2 à l'État togolais), se fondant sur les résultats réels sortis des urnes, n'a pas davantage reconnu la validité de la réélection du président sortant, au pouvoir depuis 1967. Gelés à la suite des présidentielles frauduleuses de 1993, ses 310 millions FF d'aide au Togo attendront des jours meilleurs dans les caisses de Bruxelles.

Le pouvoir n'a jamais cessé de violer les droits de l'homme et d'étendre sa mainmise sur les médias et les institutions du pays. La situation économique était, quant à elle, toujours morose, les investisseurs boudant le pays, affecté depuis février par une pénurie d'électricité. Le FMI, qui a estimé la croissance du PIB à 4,8 % en 1997, tableait sur 5,2 % pour 1998. Il soutenait dans le même temps que l'inflation descendrait de 8,2 % en 1997 à 3,7 % en 1998. Il allait devoir revoir ses prévisions à la baisse, une chute d'au moins 40 % de recettes fiscales étant prévue, que ni les engagements du FMI en janvier (15 millions de dollars), de la Banque mondiale en mars (30 millions de dollars), ni les recettes attendues de la privatisation de quatorze entreprises publiques (OTP, CEET et une dizaine d'hôtels de luxe, etc.) ne pourraient compenser.

Sans négliger son amitié traditionnelle, même refroidie, avec la France, le général Éyadéma a multiplié, au cours du premier semestre 1998, les déplacements au Moyen-Orient (Israël, Iran), et au Ghana qui recevait le 12 mai pour la première fois la visite d'un chef d'État togolais.

- **Comi Toulabor** ■

Afrique centrale

Cameroun, Centrafrique, Congo (-Brazza), Congo (-Kinshasa), Gabon, Guinée équatoriale, São Tomé et Principe

Cameroun

L'économie camerounaise a poursuivi la dynamique de croissance engagée depuis 1994-1995 grâce aux effets de la dévaluation du franc CFA en janvier 1994. Les pouvoirs publics ont mis en œuvre une stratégie d'assainissement des finances publiques qui s'est traduite par une croissance de 50 % de l'excédent budgétaire (5,7 % du PIB pour 1997-1998).

Les réformes des entreprises publiques se sont poursuivies avec l'adjudication provisoire de la concession de la Regifercam aux groupes français SAGA (transit, transport, bâtiment) et sud-africain Comazar (transport). Par ailleurs, le transport maritime a été libéralisé avec le lancement d'appels d'offres pour le marché du dragage du chenal du port de Douala. D'autres mesures ont été prévues dans les secteurs de l'énergie, concernant la Société nationale des eaux du Cameroun (SNEC) et la Société nationale d'électricité (Sonel). Dans le secteur des hydrocarbures, des mesures de libéralisation ont également été arrêtées (audit de la SNEC et libération des prix-sortie de la Sonara – Société nationale de raffinerie).

Le FMI et la Banque mondiale ont réaffirmé leur confiance à l'égard du processus de réajustement camerounais. Celui-ci avait été appuyé par une facilité d'ajustement structurel renforcé conclue en août 1997 dans le cadre d'un programme économique triennal. Dans cette optique, le rééchelonnement de la dette convenu en octobre 1997 avec le Club de Paris a été accueilli favorablement. En dépit d'une conjoncture favorable – amélioration de la position extérieure (avec une augmentation de 24,8 milliards de francs CFA entre février 1997 et février 1998), accroissement du crédit intérieur (+ 12 %), progression de la masse monétaire (+ 13 % en 1997-1998) –, la gestion sociale de l'ajustement restait délicate.

République du Cameroun

Capitale : Yaoundé.
Superficie : 475 440 km².
Nature de l'État : unitaire décentralisé.
Nature du régime : semi-présidentiel, multipartisme.
Chef de l'État : Paul Biya (depuis le 6.11.82).
Chef du gouvernement : Peter Mafany Musonge, Premier ministre (depuis le 19.9.96).
Ministre d'État chargé des Affaires étrangères : Augustin Kontchou Kouomegni.
Ministre d'État délégué à la Présidence chargé de la Défense : Amadou Ali.
Ministre de l'Administration territoriale (Intérieur) : Samson Ename Ename.
Monnaie : franc CFA (1 FCFA = 0,01 FF).
Langues : français et anglais (off.), bassa, douala, ewondo et boulou (Fang-Beti), feefée, medumba et ghomalu (Bamiléké), mungaka (Bali), foulbé et arabe [langues régionales et nationales].

La lutte contre la pauvreté est demeurée complexe en raison de la persistance de problèmes d'intégration au marché de l'emploi, de la difficulté d'accès aux services essentiels (santé préventive, éducation primaire) et de la faiblesse du pouvoir d'achat. Malgré la reprise, le processus de stabilisation économique et de réforme structurelle est resté confronté à des problèmes de mobilisation et de production de recettes, à la fraude fiscale et à la lenteur de la mise en place de la TVA (Taxe sur la valeur ajoutée).

Au plan de la politique intérieure, les élections présidentielles d'octobre 1997 ont été marquées par la victoire de Paul Biya (92 % des suffrages), pour un nouveau mandat de sept ans. Ce scrutin a été boycotté par les deux principaux partis d'opposition susceptibles de concurrencer le Rassemblement démocratique du peuple camerounais (RDPC) de P. Biya, le Front social démocrate (SDF) de John Fru Ndi et l'Union nationale pour la démocratie et le progrès (UNDP) de Maïgari Bello Bouba. Un gouvernement de coalition dominé par le RDPC a été formé en décembre 1997 avec la reconduction de Peter Mafany Musonge comme Premier ministre, l'entrée au gouvernement de trois membres de l'UNDP, dont M. Bello Bouba (ministre d'État chargé du Développement industriel et commercial), et la participation d'un représentant de l'UPC en la personne de Henri Hogbe Nlend (ministre de la Recherche scientifique et technique). Des négociations ont été engagées entre le RDPC et le SDF en janvier 1998 sans aboutir à une plate-forme de consensus.

Au plan international, la reconnaissance par la Cour internationale de justice de La Haye de sa compétence dans le contentieux frontalier camerouno-nigérian concernant la péninsule de Bakassi a constitué une première victoire diplomatique pour le gouvernement camerounais. - **Mathias Éric Owona Nguini** ■

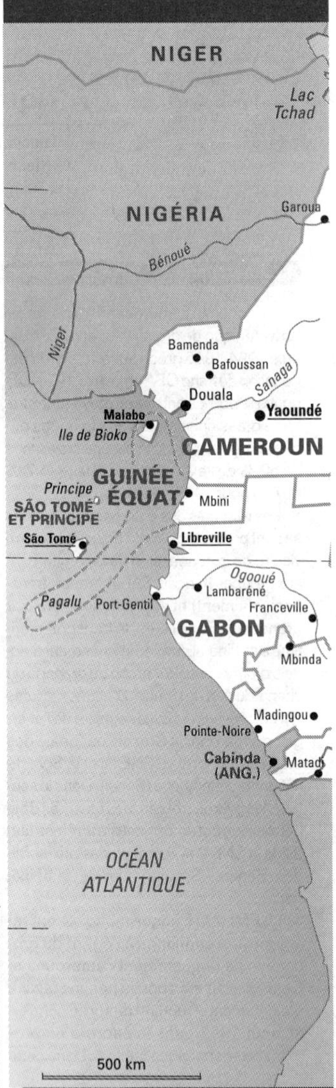

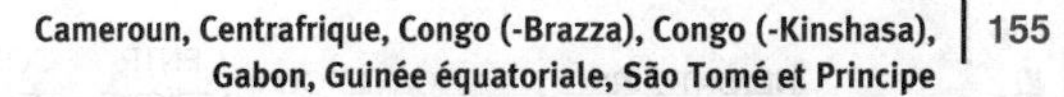

Afrique centrale
Chari
TCHAD
Maroua
Birao
10°N
SOUDAN
Ndelé
Ouadda
Bossangoa
Bossoum
CENTRAFRIQUE
Bouar
Sanga
Bambari
Bangui
Mobaye
Berbérati
Oubangui
Buta
Moto
Congo
Bangala
HAUT-ZAÏRE
Ouesso
ÉQUATEUR
CONGO
CONGO
Kisangani
OUGANDA
(ex-ZAÏRE)
Mbandaka
Liranga
Owendo
Équateur
Ikela
Goma
KIVU
RWANDA
BANDUNDU
Bukavu
Kasai
KASAI
ORIENTAL
Kindu
Brazzaville
BURUNDI
Kasango
Kinshasa
KASAI
OCCIDENTAL
Kikwit
BAS-
ZAÏRE
Lac
Tanganyika
TANZANIE
Kananga
Mbuji-Mayi
Moba
Manono
SHABA
Lac
Mweru
10°S
ANGOLA
Likassi
Lubumbashi
Zambèze
ZAMBIE

INDICATEUR*	CAMEROUN	CENTR-AFRIQUE	CONGO-Brazza[1]	GABON
Démographie**				
Population *(millier)*	13 937	3 416	2 745	1 138
Densité *(hab./km²)*	29,3	5,5	8,0	4,3
Croissance annuelle[d] *(%)*	2,7	2,1	2,8	2,8
Indice de fécondité (ISF)[d]	5,3	5,0	5,9	5,4
Mortalité infantile[d] *(‰)*	58	96	90	85
Espérance de vie[d] *(année)*	55,9	48,7	51,0	55,5
Population urbaine *(%)*	46,4	39,9	60,1	52,2
Indicateurs socioculturels				
Développement humain (IDH)[c]	0,468	0,355	0,500	0,562
Nombre de médecins *(‰ hab.)*	0,08[p]	0,04[h]	0,27[h]	0,50[g]
Analphabétisme (hommes)[b] *(%)*	25,0	31,5	16,9	26,3
Analphabétisme (femmes)[b] *(%)*	47,9	47,6	32,8	46,7
Scolarisation 12-17 ans *(%)*	53,0[h]	25,0[h]	••	••
Scolarisation 3e degré *(%)*	3,3[h]	1,4[i]	5,3[h]	••
Adresses Internet *(‰ hab.)*	0,05	0,02	••	••
Livres publiés *(titre)*	22[n]	••	••	••
Armées				
Armée de terre *(millier d'h.)*	11,5	2,5	8[q]	3,2
Marine *(millier d'h.)*	1,3	–	0,8	0,5
Aviation *(millier d'h.)*	0,3	0,15	1,2	1,0
Économie				
PIB total[ae] *(million $)*	24 100	4 800	35 700	7 100
Croissance annuelle 1986-96 *(%)*	– 2,1	– 1,0	1,3	– 2,2
Croissance 1997 *(%)*	5,1	4,6	0,3	4,5
PIB par habitant[ae] *($)*	1 760	1 430	1 410	6 300
Investissement (FBCF)[f] *(% PIB)*	15,2	10,2	49,4	20,8
Taux d'inflation *(%)*	4,3	0,6	8,6	2,5
Énergie (taux de couverture)[b] *(%)*	397,1	8,1	1 661,2	1 312,5
Dépense publique Éducation *(% PIB)*	2,9[c]	2,5[i]	5,9[b]	3,2[p]
Dépense publique Défense[a] *(% PIB)*	2,4	2,4	1,9	2,0
Dette extérieure totale[a] *(million $)*	9 515	928	12 826	4 213
Service de la dette/Export.[f] *(%)*	26	6	3	13
Échanges extérieurs				
Importations *(million $)*	1 514	187	1 650	1 100
Principaux fournisseurs[a] *(%)*	UE 70,4	UE 42,5	E-U 6,0	E-U 6,3
(%)	Fra 36,7	Fra 31,0	UE 38,1	Fra 42,4
(%)	PED 18,7	Afr 30,5	PED 52,0	PED 24,6
Exportations *(million $)*	1 820	190	1 900	3 140
Principaux clients[a] *(%)*	UE 69,7	Belg 40,6	E-U 16,1	E-U 65,9
(%)	Afr 15,8	PED 16,4	UE 62,0	UE 14,2
(%)	Asie[k] 7,0	PNS[m] 34,0	Belg 43,4	PED 14,2
Solde transactions courantes *(% PIB)*	– 1,30	– 2,75[c]	– 43,30[a]	1,95[b]

1. Congo-Brazzaville. Ce pays a été le théâtre d'un conflit civil en 1997 ; 2. Congo-Kinshasa (ex-Zaïre). Ce pays a été l'objet de conflits armés en 1997 et 1998. * Définition des indicateurs p. 25 et suiv. Chiffres 1997 sauf notes. ** Derniers recensements utilisables : Cameroun, 1987 ; Centrafrique, 1988 ; Congo (Brazza.), 1984 ; Gabon, 1993 ; Guinée équatoriale, 1983 ; São Tomé et Principe, 1991 ; Congo (Kinshasa), 1984. a. 1996 ; b. 1995 ; c. 1994 ; d. 1995-2000 ; e. A parité de pouvoir d'achat (PPA, voir définition p.581) ; f. 1994-96 ;

GUINÉE-ÉQU.	SÃO TOMÉ ET PRINC.	CONGO-Kinsh.[2]
420	138	48 040
15,0	143,7	20,5
2,5	2,3	2,6
5,5	4,6	6,2
107	51[g]	89
50,0	64,0	52,9
44,6	44,4	29,3
0,462	0,534	0,381
0,28[a]	0,52[h]	0,07[g]
10,4	••	13,4
31,9	••	32,3
••	••	37,9[h]
••	••	2,3[c]
••	••	••
17[o]	••	64[p]
1,1	–	••
0,12	–	••
0,1	–	••
1 104	219[c]	35 700
7,3	0,5	– 3,9
76,1	2,0	– 5,7
2 690	1 704[c]	790
87,3	51,1	7,1
3,0	45,3	190,0
595,0	••	164,1
1,8[g]	••	••
1,0	••	2,8
282	261	13 900
4	25	21,5
334	15,4[a]	268
E-U 11,8	UE 75,6	E-U 4,5
UE 57,9	Por 43,9	Fra 68,7
Afr 23,0	Afr 12,2	PED 6,2
353	12,5	221
E-U 52,5	UE 87,5	E-U 18,4
UE 22,7	P-B 25,0	UE 50,6
Asie[k] 24,1	PED 12,5	Taiw 21,5
– 120,60[a]	– 75,52[a]	••

g. 1993; h. 1990; i. 1991; k. Y compris Japon et Moyen-Orient; m. Pays non spécifiés; n. 1979; o. 1983; p. 1992; q. Ces chiffres doivent être pris avec précaution. Ils ne tiennent pas compte des milices qui se sont affrontées en 1997.

Centrafrique

A la suite de l'offensive de la MISAB (Mission interafricaine de surveillance des accords de Bangui) en juin 1997 contre les positions tenues par les mutins à Bangui, le processus de « pacification », entamé en janvier 1997, s'est poursuivi. Ainsi, les mutins ont réintégré les rangs des Faca (Forces armées centrafricaines) et l'opération de ramassage des armes a pu être progressivement engagée. Le processus d'apaisement politique a également progressé avec le retour, en août 1997, de l'opposition au sein du gouvernement d'union nationale.

Pour autant, la situation politique n'a pas été exempte de tensions. En effet, la tenue d'une conférence de réconciliation nationale a été menacée d'un refus de participation de l'opposition, des poursuites judiciaires pour diffamation ayant été engagées par le gouvernement à l'encontre de plusieurs de ses dirigeants. Des mesures d'apaisement, comme l'arrêt de ces poursuites ou le vote par le Parlement d'une

République centrafricaine

Capitale : Bangui.
Superficie : 622 980 km².
Nature du régime : présidentiel, multipartisme autorisé à partir d'août 91.
Chef de l'État : Ange-Félix Patassé (depuis le 20.10.93).
Premier ministre : Michel Gbezera-Bria, qui a remplacé, le 30.1.97, Paul Ngoupande, lequel avait succédé à Gabriel Koyambounou.
Ministre de l'Administration du territoire et de la Sécurité publique : général François N'Djdder Bedaya (depuis le 18.2.97).
Ministre de la Défense : Pascal Kado (depuis le 18.2.97).
Ministre des Affaires étrangères : Jean Mette Yapende (depuis le 18.2.97).
Échéances institutionnelles : élection présidentielle (août 99).
Monnaie : franc CFA (1 FCFA = 0,01 FF).
Langues : français, sango.

Afrique centrale/Bibliographie

R. Bazenguissa-Ganga, *Les Voies du politique au Congo. Essai de sociologie historique*, Karthala, Paris, 1997.

R. Bazenguissa-Ganga, « Milices politiques et bandes armées à Brazzaville. Enquête sur la violence politique et sociale des jeunes déclassés », *Les Études du CERI*, n° 13, FNSP, Paris, avr. 1996.

J. E. Clark, D. E. Gardinier (sous la dir. de), *Political Reform in Francophone Africa*, Westview Press, Boulder, 1997.

S. Éboua, *D'Ahidjo à Biya ; le changement au Cameroun*, L'Harmattan, Paris, 1996.

F. Eboussi Boulaga, *Cameroun : la démocratie en transit*, L'Harmattan, Paris, 1998.

R. Fegley, *Equatorial Guinea : an African Tragedy*, Peter Lang Verlag, Berne, 1990.

Gardinier (sous la dir. de), *Political Reform in Francophone Africa*, Westview Press, Boulder, 1997.

« Identité politique et démocratisation au Cameroun », *Polis*, vol. I, n° spéc., GRAP, Yaoundé, févr. 1996.

M. Kuoh, *Cameroun : un nouveau départ*, L'Harmattan, Paris, 1996.

M. Liniger-Goumaz, *Who's who de la dictature de Guinée équatoriale. Les Nguemistes*, Éd. du Temps, Genève, 1993.

A. Mbembé, *La Naissance du maquis dans le Sud-Cameroun*, Karthala, Paris, 1996.

J. P. Ngoupande, *Chronique de la crise centrafricaine de 1996-1997. Le syndrome Barracuda*, L'Harmattan, Paris, 1997.

R. Pourtier, *Le Gabon* (2 vol.), L'Harmattan, Paris, 1989.

L. Sindjoun, M. É. Owona Nguini, « Politisation du droit et juridiction de la politique : l'esprit sociopolitique du droit de la transition démocratique au Cameroun », *in* D. Darbon, J. Du Bois De Gaudusson (sous la dir. de), *La Création du droit en Afrique*, Karthala, Paris, 1997.

« Spécial São Tomé et Principe », *Marchés tropicaux et méditerranéens*, n° 2477, Paris, avr. 1993.

I. Verdier, *Cameroun. Cent hommes de pouvoir*, Indigo Publications, Paris, 1998.

I. Verdier, *Gabon. Cent hommes de pouvoir*, Indigo Publications, Paris, 1996.

D. A. Yates, « Central Africa : Oil and the Franco-American Rivalry », *in* CEAN, *L'Afrique politique 1998*, Karthala, Paris, 1998.

Voir aussi la bibliographie « Congo (-Kinshasa) », p. 162.

loi d'amnistie générale couvrant les délits commis par des responsables sous le régime de l'ancien président André Kolingba (1982-1993), ont permis la signature, le 5 mars 1998, d'un pacte de réconciliation nationale. Ce dernier a été signé par des représentants de toutes les forces politiques et sociales du pays, en présence d'une dizaine de chefs d'État et ministres africains.

L'enjeu était de taille, puisqu'il s'agissait de réunir les conditions politiques nécessaires au déploiement d'une force de l'ONU après la fin du mandat de la MISAB. Le 15 avril, la MISAB a donc été remplacée par la Minurca (Mission des Nations unies en République centrafricaine), structure devant maintenir la paix jusqu'aux élections législatives prévues en septembre-octobre 1998.

Cette implication directe de l'ONU aura eu lieu dans le contexte inédit du désengagement militaire français. S'intégrant dans le cadre de la réorganisation de son dispositif militaire « prépositionné » en Afrique, la France a ainsi fermé ses bases centrafricaines de Bouar en décembre 1997 et de Bangui en mars 1998. Elle allait désormais se limiter au soutien logistique et sanitaire de la Minurca.

La situation économique est restée toujours aussi précaire pour les finances publiques. L'État centrafricain n'a plus bénéficié d'aucune aide financière extérieure à partir de la mi-1996 et il a accumulé les arriérés de salaires vis-à-vis des fonctionnaires. L'actualité sociale a ainsi été rythmée par une succession de manifestations d'étudiants et de longues grèves dans la santé ou l'éducation. Le problème des arriérés de salaires concerne aussi les militaires. Or, c'est cette question qui avait provoqué la première des trois mutineries qu'a connues la Centrafrique en 1996-1997.

Congo (-Brazza)

Déclenchée le 5 juin 1997 entre deux des principaux protagonistes de l'élection présidentielle prévue le 27 juillet, la guerre civile congolaise s'est terminée en octobre par la victoire militaire de l'ancien président Denis Sassou Nguesso (1979-1992), avec l'aide déterminante de l'Angola, le président Pascal Lissouba étant défait. Les combats auraient fait entre 4 000 et 10 000 morts, ont détruit la capitale, Brazzaville, et provoqué le déplacement de centaines de milliers de personnes. Le pays est sorti traumatisé par deux guerres civiles en cinq ans et par une situation tant politique qu'économique dévastée.

Investi le 25 octobre 1997, D. Sassou Nguesso a organisé en janvier 1998 un « forum sur l'unité et la réconciliation nationale ». Le principe d'une transition de trois ans avec un référendum constitutionnel et des élections en 2001 a été adopté, ainsi qu'une résolution réclamant la comparution devant des instances judiciaires internationales des anciens dignitaires du régime de P. Lissouba pour « crimes de guerre » et « génocide ». Le devenir des miliciens a également été évoqué. Malgré l'opération de désarmement lancée en décembre 1997, l'insécurité a perduré, comme l'ont montré les incidents qui ont éclaté, en avril 1998, entre les forces de l'ordre, appuyées par l'armée angolaise, et des miliciens de l'ancien président, retranchés dans les forêts du sud-ouest du pays.

L'économie a été gravement affectée par la guerre. Un programme de reconstruction a été présenté aux différents bailleurs de fonds (16-17 juin 1998) à Washington. Sa mise en œuvre a été conditionnée à l'approbation initiale du FMI, qui a donné son accord fin juillet 1998. - **Éric Gauvrit** ■

République du Congo

Capitale : Brazzaville.
Superficie : 342 000 km².
Nature du régime : présidentiel, multipartisme.
Chef de l'État : Denis Sassou Nguesso, qui a succédé à Pascal Lissouba en oct. 1997, au terme d'un conflit civil.
Chef du gouvernement : pas de Premier ministre, mais un « cabinet présidentiel » dirigé directement par le chef de l'État, également ministre de la Défense.
Ministre de la Programmation, de la Privatisation et de la Promotion de l'entreprise privée nationale : Paul Kaya (depuis le 2.11.97).
Ministre de la Reconstruction, du Développement urbain : Lekoundzou Itihi Ossetoumba (depuis le 2.11.97).
Ministre de la Justice : Pierre Nzé (depuis le 2.11.97).
Échéances institutionnelles : période de transition avec référendum constitutionnel en 2001.
Monnaie : franc CFA (1 FCFA = 0,01 FF).
Langues : français (off.), lingala et kikongo (nationales), autres langues du groupe bantou.

Congo (-Kinshasa)

Le retour des « chefs de guerre »

Depuis le 17 mai 1997, le Congo de Laurent-Désiré Kabila s'est substitué au Zaïre de Mobutu Sese Seko. Le paysage politique a-t-il changé ? Le discours officiel l'a affirmé. Cependant, des nuances s'imposent.

Dans le système de pouvoir qui s'installe se trouvent « récapitulées » diverses étapes historiques de l'ensemble Zaïre-Congo. Les rangs du pouvoir comptent tout autant les héritiers du lumumbisme et du nationalisme des années soixante et du mulelisme des années 1964-1965 que les représentants d'un Katanga revanchard, des « Tutsi congolais » qui avaient dirigé sous le précédent régime et auxquels les « Zaïrois authentiques » créaient des ennuis depuis le début des années quatre-vingt, des membres d'une diaspora zaïroise euro-américaine prétendant représenter l'opposition, et même de grands barons de ce régime, tel le grand communicateur de Mobutu, Sakombi Inongo, reconverti en prophète d'un mouvement religieux qui faisait naguère trembler les puissants. Au total, durant la phase d'installation, il était difficile de savoir, en dehors de Kabila, où était le pouvoir et qui le détenait véritablement.

A dater de début 1998, il semble que le noyau dur du pouvoir politique se soit solidifié quelque peu avec la relative mise en veilleuse de l'influence de la diaspora tutsi et la montée en puissance d'un entourage surtout nord-katangais. Certains opposants n'hésitaient pas à avancer que ces Nord-Katangais joueraient progressivement le même rôle que les Ngbandi sous Mobutu.

Ré-étatisation « à la Kabila »

Toutefois, la manière dont le nouveau pouvoir s'est manifesté ne se réduit pas à des luttes factionnelles. A compter de la fin de 1997, le gouvernement s'est efforcé de se redéfinir sur le plan institutionnel. Trois initiatives majeures ont été prises dans ce domaine : la création d'une commission constitutionnelle, la préparation d'une conférence nationale sur la reconstruction et la tenue d'une conférence sur la redynamisation de l'administration locale.

La première initiative a débouché sur un projet de Constitution qui consacre un présidentialisme ne rendant pas de comptes aux organes législatifs traditionnels (Sénat et Chambre des représentants) et où il n'est plus question de fédéralisme. La décentralisation administrative a été fortement réduite puisque l'État central ne ristourne aux entités décentralisées que 40 % de ses recettes nationales. Pour ce qui regarde le sujet très délicat de la nationalité, ce projet consacre le principe constitutionnel établi par la loi de 1981 suivant lequel ne peut être congolais que celui dont les ascendants étaient installés au Congo au moment de l'indépendance, tout en encourageant l'acquisition individuelle de la nationalité congolaise « une et indivisible ».

La conférence nationale sur la reconstruction a été interrompue après quelques mois parce qu'il était estimé soit qu'elle aurait été une répétition de l'ancienne Conférence nationale souveraine, avec laquelle le pouvoir en place ne souhaitait pas s'identifier, soit qu'elle conférait trop de pouvoir au ministre de la Reconstruction nationale, Étienne Mbaya, soit encore que la manifestation aurait été redondante avec le plan de trois ans présenté à la Conférence des pays amis du Congo tenue à Bruxelles en décembre 1997.

Quant à la troisième initiative, elle a consacré un retour évident à la revalorisation de l'ancien service territorial de l'époque coloniale : il n'est plus question d'un personnel représentant des communautés locales, mais bien de fonctionnaires représentant l'autorité de l'État dans son entité.

Ces initiatives n'ont pas suffi à convaincre une large partie des élites civiles et politiques qui, lorsqu'elles ne cherchent pas à s'insérer discrètement dans les structures du pouvoir, manifestent leur mécontentement face à un pouvoir qui leur paraît « étranger » puisque essentiellement habité par des diasporas euro-américaines ou par des « citoyens à nationalité douteuse ».

Un pouvoir agressif qui menace la société civile

Est-ce parce qu'il ne parvient pas à poser ses marques en matière de légitimité que, depuis le début 1998, le gouvernement Kabila a fait montre d'une grande agressivité à l'égard de ce qui s'opposait à sa volonté de ré-étatiser le pays à sa manière ? Les arrestations d'opposants – et surtout le renvoi dans son village du *refuznik* historique, Étienne Tshisekedi – se sont multipliées, de même que la détention prolongée ou les intimidations à l'égard de certains journalistes. Certains hommes politiques, au nom d'un étatisme suranné, se sont faits menaçants à l'égard des membres d'une société civile qui avait réussi à percer durant la transition ; ont été arrêtés tous ceux qui, intellectuels ou chefs coutumiers, étaient accusés de collaborer avec les mouvements rebelles (Mayi-Mayi) au Kivu, etc. C'est précisément au Kivu que la situation a semblé la plus dangereuse. Les populations locales, qui avaient espéré que le nouveau pouvoir leur apporterait la paix, sont apparues désappointées, tant par l'impression d'être « envahies » par le voisin rwandais que par la résurgence de l'insécurité provoquée par une armée qui a recommencé à piller et à tuer.

Cet « énervement » du gouvernement Kabila aura aussi été produit par sa déception face aux réserves des bailleurs de fonds. La conférence des « pays amis » n'a donné que de vagues promesses d'engagement financier. Même les États-Unis, naguère suspectés d'avoir contribué à épauler Kabila dans sa conquête du pouvoir, n'ont promis qu'une aide de 10 millions de dollars et tendent à renvoyer la sébile aux pays européens, tandis que la Banque mondiale déclarait qu'elle n'avait plus d'argent pour le Congo. D'un côté, les bailleurs de fonds se sont rabattus à l'envi sur des conditionnalités politiques. De l'autre, le gouvernement congolais, ou plus exactement certains éléments « nationalistes » en son sein, ont estimé ces conditionnalités inacceptables et se sont livrés à d'incessantes et parfois dérisoires provocations : remise en cause des accords passés avec les institutions financières internationales, refus d'autoriser la mission de la Commission des droits de l'homme de l'ONU à effectuer son travail d'investigation au Kivu et en Équateur où des massacres ont été commis par l'armée en 1996, accusations contre la Belgique, traitée d'« État terroriste », parce que son ambassade a détenu des armes datant de l'époque de l'arrivée de l'armée de l'Alliance…

Un pouvoir fragile

Tout cela indique la fragilité d'un pouvoir qui n'a pas réussi à s'installer dans la durée et à se structurer en régime identifiable. La nouvelle rébellion qui, une fois encore, s'est développée à partir du Kivu

République démocratique du Congo

Capitale : Kinshasa.

Superficie : 2 345 409 km².

La **République du Zaïre** a été rebaptisée le 17.5.97 **République démocratique du Congo** par Laurent-Désiré Kabila après la chute du régime de Mobutu Sese Seko (au pouvoir depuis le 24.11.65).

Chef de l'État et chef du gouvernement : Laurent-Désiré Kabila (autoproclamé le 24.5.97).

Nature de l'État et du régime : L.-D. Kabila s'est arrogé les « pleins pouvoirs jusqu'à l'adoption d'une Constitution », lors de sa prestation de serment, le 29.5.97. Des élections ont été annoncées pour juillet 1999. A l'été 1999 a éclaté une rébellion militairement soutenue par le Rwanda et l'Ouganda et militairement combattue par l'Angola, le Zimbabwé et la Namibie.

Monnaie : franc congolais (1 franc congolais = 3,97 FF au 24.8.98).

Langues : français (off.), lingala, swahili (véhiculaires), diverses langues locales.

Congo (-Kinshasa)/Bibliographie

C. Braeckman, M.-F. Gros, G. de Villers *et alii*, *Kabila prend le pouvoir*, Complexe/Éd. du GRIP, Bruxelles, 1998.

E. Kennes, « Du Zaïre à la République démocratique du Congo : une analyse de la guerre de l'Est », *in* CEAN, *L'Afrique politique 1998*, Karthala, Paris, 1998.

I. Ndaywel é Nziem, *Histoire du Zaïre. De l'héritage ancien à l'âge contemporain*, Duculot, Louvain-la-Neuve, 1997.

H. Nicolaï, P. Gourou, Mashini Dhi Mbita Mulengha, *L'Espace zaïrois. Hommes et milieu*, CEDAF/L'Harmattan, Bruxelles/Paris, 1996.

Table ronde de concertation sur les droits humains, *Zaïre 1992-1996. Chronique d'une transition inachevée*, L'Harmattan, Paris, 1996.

G. de Villers, *De Mobutu à Mobutu. Trente ans de relations Belgique-Zaïre*, Boeck-Westmael, Bruxelles, 1995.

G. de Villers, J. Omasombo Tshonda, « Zaïre. La transition manquée. 1990-1997 », *Cahiers africains*, coll. « Zaïre, années 90 », vol. 7, n° 27-28-29, L'Harmattan/Institut africain, Paris/Bruxelles, 1997.

J.-C. Willame, « Banyarwanda et Banyamulenge. Violences ethniques et gestion de l'identitaire au Kivu », *Cahiers africains*, coll. « Zaïre, années 90 », vol. 6, n° 25, L'Harmattan/Institut africain, Paris/Bruxelles, 1997.

B. C. Wilungula, « Fizi 1967-1986. Le maquis Kabila », *Cahiers africains*, n° 26, L'Harmattan/Institut africain, Paris/Bruxelles, 1997.

Voir aussi la bibliographie « Afrique centrale », p. 158.

au mois d'août 1998 en apporte la preuve. A l'origine de cette rébellion, qui est liée à la détérioration des relations depuis le début de l'année 1998 entre le Congo d'une part, le Rwanda et l'Ouganda d'autre part, il y a la décision du président Kabila de mettre un terme à la présence des troupes rwandaises encore stationnées en territoire congolais ou y entrant régulièrement pour lancer des opérations contre les bases des « génocidaires hutu ». Cette décision a été clairement un geste politique par lequel Kabila, qui entendait accroître sa popularité au Congo, démontrait qu'il n'était pas « inféodé » aux Tutsi congolais et rwandais.

Toutefois Kabila ne mesurait sans doute pas la capacité de rétorsion des milieux tutsi (rwandais et congolais), particulièrement celle des « commandants » militaires qui détiennent les clés du pouvoir militaire dans l'est du pays et qui ne souhaitent nullement retourner dans leur pays d'origine, où ils ne seraient sans doute pas bien accueillis et réintégrés. Appuyés surtout par des éléments des ex-forces armées zaïroises, mécontents de la précarité de leur statut et de leur solde, et bénéficiant sans doute aussi de discrets appuis logistiques en provenance de Kigali – où l'on ne peut plus accepter l'incapacité du pouvoir congolais à venir à bout des attaques constantes des ex-forces armées rwandaises et des *Interahamwe* au nord-est du Rwanda à partir de bases d'entraînement au Nord-Kivu –, ces « commandants » ont réussi à verrouiller le pouvoir militaire au Kivu et à lancer une audacieuse offensive à l'extrême ouest du Congo.

La vulnérabilité de ces « chefs de guerre » tient cependant à l'absence de structuration politique sérieuse susceptible d'épauler leur mouvement de rébellion contre L.-D. Kabila. A Goma ou à Kigali, on assiste à un défilé d'hommes politiques, opposants, transfuges ou « mobutistes », cherchant à s'insérer dans une « coordination » dont les contours sont loins d'être clairs. - **Jean-Claude Willame** ■

Gabon

Le Gabon a dû faire face à un contexte régional particulièrement troublé. Le Zaïre puis le Congo se sont embrasés en 1997. Avec ce dernier, le Gabon a eu un rôle diplomatique central à travers le Comité international de médiation sur la crise congolaise, dirigé par le président Omar Bongo, qui réunissait plusieurs chefs d'État africains.

Les élections législatives partielles d'août 1997 ont vu le Parti démocratique gabonais (PDG) renforcer sa majorité parlementaire. Fort de cette prééminence électorale, le gouvernement s'est résolu à demander une assistance internationale pour garantir la transparence de la prochaine élection présidentielle de décembre 1998. De même, il a institué, le 15 avril 1998, un Conseil national de la démocratie (CND) réunissant, entre autres, tous les chefs des partis politiques représentés au Parlement. L'économie, avec un taux de croissance de 4,5 % en 1997, a été marquée par le succès de la mise en vente dans le public d'une partie des actions de la SEEG (Société d'énergie et d'eau du Gabon), première société parapublique gabonaise privatisée. Dans le cadre de la libéralisation du secteur minier et de la promotion de l'offshore profond, le gouvernement a maintenu sa politique de diversification des partenaires économiques. Quant au marché du bois, il a dû subir, début 1998, le contrecoup de la crise monétaire et financière en Asie, continent qui représentait 60 % des exportations de bois gabonais en 1997.

République gabonaise

Capitale : Libreville.
Superficie : 267 670 km².
Nature du régime : présidentiel, multipartisme.
Chef de l'État : Omar Bongo (depuis le 28.11.67).
Premier ministre : Paulin Obame Nguema (depuis le 13.10.94, reconduit le 29.01.97).
Ministre des Affaires étrangères et de la Coopération : Casimir Oye Mba.
Ministre d'État à l'Intérieur : Antoine Mboumbou Miyakou (depuis le 29.1.97).
Ministre de la Défense, de la Sécurité et de l'Immigration : général Idriss Ngari.
Monnaie : franc CFA (1 FCFA = 0,01 FF).
Langues : français (off.), langues du groupe bantou.

Guinée équatoriale

Alors que la Guinée équatoriale connaissait un boom pétrolier sans précédent, le climat politique était toujours tendu à l'approche des élections législatives prévues pour la fin de l'année 1998. Des troubles, lourdement réprimés, avaient éclaté en janvier sur l'île de Bioko. Malgré le protocole d'accord signé en mars entre le gouvernement et l'opposi-

République de Guinée équatoriale

Capitale : Malabo.
Superficie : 28 050 km².
Nature du régime : présidentiel, Parti démocratique de Guinée équatoriale (PDGE).
Chef de l'État : Teodoro Obiang Nguema Mbasogo (depuis le 3.8.79).
Premier ministre : Angel Serafin Seriche Dugan (depuis le 29.3.96, reconduit le 17.1.98).
Vice-premier ministre, ministre des Affaires étrangères : Miguel Oyono Ndong Mifumu (depuis le 22.12.93).
Vice-premier ministre, ministre de l'Intérieur : Demetrio Elo Ndong (depuis le 23.1.98).
Monnaie : franc CFA (1 FCFA = 0,01 FF).
Langues : espagnol (off.), langues du groupe bantou, créole.

tion sur le recensement électoral, des opposants ont été arrêtés, à l'intérieur ou à l'extérieur du pays, interdisant une véritable démocratisation de la vie politique.

São Tomé et Principe

Le blocage politique de l'archipel s'est maintenu malgré la tenue, en mars 1998, d'un « forum d'unité pour la réconciliation nationale ». La division de la classe politique a même conduit à la rupture des liens diplomatiques avec la Chine, le camp présidentiel reconnaissant Taïwan. Dépendant financièrement à 80 % de la communauté internationale, confronté à une grève générale en mars 1998 liée à des arriérés de salaires, le pays a misé sur la découverte de pétrole dans ses eaux territoriales. - **Éric Gauvrit** ■

République démocratique de São Tomé et Principe

Capitale : São Tomé.
Superficie : 960 km².
Nature du régime : parlementaire, multipartisme.
Chef de l'État : Miguel Trovoada (élu le 3.3.91, réélu le 21.7.96).
Premier ministre : Raul Brangaça Neto, qui a succédé, le 19.11.96, à Armindo Vaz D'Almeida.
Ministre des Affaires étrangères et des Communautés : Homero Jeronimo Salvaterra (depuis le 28.11.96).
Ministre de la Défense et de l'Intérieur : capitaine Joao Quaresma Viegas Bexigas (depuis le 28.11.96).
Échéances institutionnelles : élection présidentielle (2001).
Monnaie : dobra (100 dobras = 0,09 FF au 30.4.98).
Langues : portugais (off.), créole, ngola.

Afrique de l'Est

Burundi, Kénya, Ouganda, Rwanda, Tanzanie

Burundi

A l'été 1998, deux ans après le coup d'État militaire du major Pierre Buyoya qui mettait fin, le 25 juillet 1996, à trois années d'instabilité consécutives à l'assassinat par des militaires, en octobre 1993, de Melchior Ndadaye (premier président élu démocratiquement trois mois plus tôt), le Burundi demeurait sous l'embargo décidé par les pays riverains et cherchait toujours une issue politique à la guerre civile.

La guérilla burundaise a perdu en octobre 1996 ses bases arrières dans l'ex-Zaïre mais a pu les reconstituer partiellement en Tanzanie. A partir d'août 1997, quelque 230 000 réfugiés s'y sont concentrés. Cet accueil et le soutien affiché par les autorités tanzaniennes aux dirigeants du parti évincé du pouvoir, le Frodébu (Front pour la démocratie au Burundi), réfugiés à Dar-es-Salam, a débouché sur une vive tension entre les deux pays. La réunion des chefs d'État de la région qui s'est tenue dans cette même

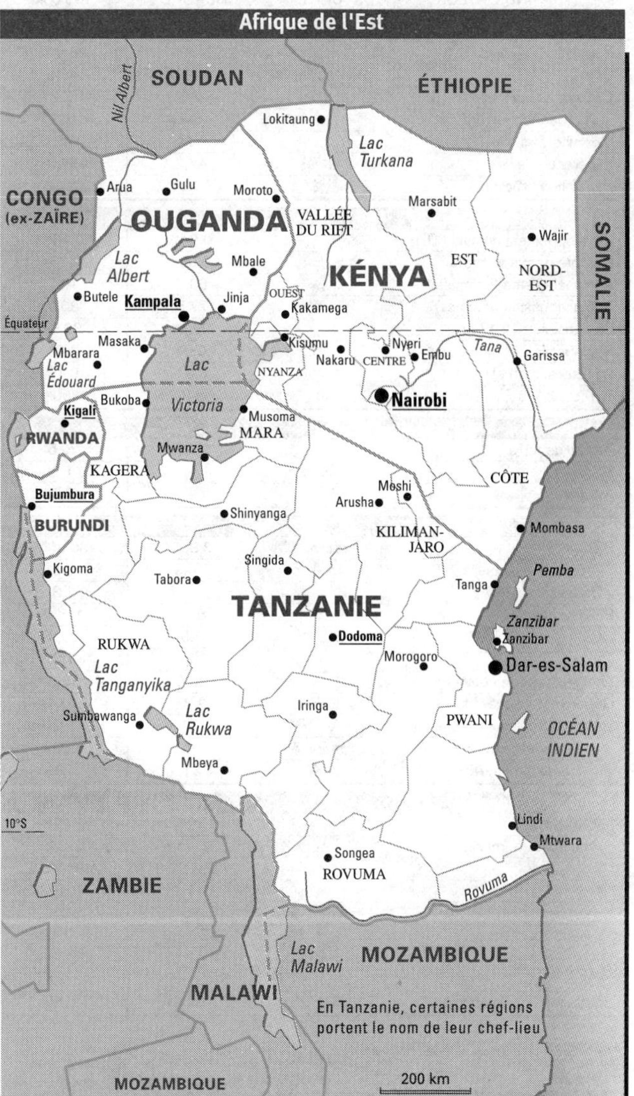
Afrique de l'Est
SOUDAN
ÉTHIOPIE
Nil Albert
Lokitaung
Lac Turkana
CONGO (ex-ZAÏRE)
Arua
Gulu
Moroto
Marsabit
OUGANDA
VALLÉE DU RIFT
Wajir
SOMALIE
Lac Albert
Mbale
KÉNYA
EST
NORD-EST
Butele
Kampala
Jinja
OUEST
Kakamega
Équateur
Masaka
Kisumu
Nakaru
Nyeri
Embu
Tana
Garissa
Mbarara
Lac Édouard
Lac Victoria
NYANZA
CENTRE
Nairobi
Bukoba
Kigali
Musoma
MARA
RWANDA
Mwanza
KAGERA
Moshi
Arusha
CÔTE
Bujumbura
Shinyanga
BURUNDI
KILIMANJARO
Mombasa
Singida
Kigoma
Tabora
Pemba
Tanga
TANZANIE
Zanzibar
Dodoma
RUKWA
Morogoro
Dar-es-Salam
Lac Tanganyika
Iringa
Sumbawanga
Lac Rukwa
PWANI
OCÉAN INDIEN
Mbeya
10°S
Lindi
Mtwara
Songea
ROVUMA
ZAMBIE
Rovuma
Lac Malawi
MOZAMBIQUE
MALAWI
En Tanzanie, certaines régions portent le nom de leur chef-lieu
MOZAMBIQUE
200 km

INDICATEUR*	UNITÉ	BURUNDI	KÉNYA
Démographie**			
Population	*millier*	6 398	28 414
Densité	*hab./km²*	230,0	48,8
Croissance annuelle[d]	%	2,8	2,2
Indice de fécondité (ISF)[d]		6,3	4,8
Mortalité infantile[d]	‰	114	65
Espérance de vie[d]	*année*	47,2	54,0
Population urbaine	%	8,1	30,4
Indicateurs socioculturels			
Développement humain (IDH)[c]		0,247	0,463
Nombre de médecins	*‰ hab.*	0,06[k]	0,06[k]
Analphabétisme (hommes)[b]	%	50,7	13,7
Analphabétisme (femmes)[b]	%	77,5	30,0
Scolarisation 12-17 ans	%	29,1[k]	62,6[h]
Scolarisation 3e degré	%	0,9[g]	1,6[h]
Adresses Internet	*‰ hab.*	0,01	0,16
Livres publiés	*titre*	54[n]	300[c]
Armées			
Armée de terre	*millier d'h.*	18,5	20,5
Marine	*millier d'h.*	–	1,2
Aviation	*millier d'h.*	–	2,5
Économie			
PIB total[ae]	*million $*	3 800	30 900
Croissance annuelle 1986-96	%	– 0,8	3,3
Croissance 1997	%	4,4	1,3
PIB par habitant[ae]	*$*	590	1 130
Investissement (FBCF)[f]	*% PIB*	8,5	20,9
Taux d'inflation	%	26,6	7,9
Énergie (taux de couverture)[b]	%	16,9	19,5
Dépense publique Éducation	*% PIB*	2,8[b]	7,4[c]
Dépense publique Défense[a]	*% PIB*	4,1	2,2
Dette extérieure totale[a]	*million $*	1 127	6 893
Service de la dette/Export.[f]	%	31	29
Échanges extérieurs			
Importations	*million $*	121	3 273
Principaux fournisseurs[a]	%	UE 45,5	UE 34,1
	%	Asie[q] 29,3	Asie[q] 46,2
	%	Afr 17,1	Afr 11,0
Exportations	*million $*	86	2 057
Principaux clients[a]	%	UE 18,9	E-U 4,6
	%	Afr 24,3	UE 38,4
	%	PNS[s] 45,9	Afr 32,1
Solde transactions courantes	*% PIB*	– 0,53[b]	– 0,80[a]

* Définition des indicateurs p. 25 et suiv. Chiffres 1997 sauf notes. ** Derniers recensements utilisables : Burundi, 1990 ; Kénya, 1989 ; Ouganda, 1991 ; Rwanda, 1991 ; Tanzanie, 1988. a. 1996 ; b. 1995 ; c. 1994 ; d. 1995-2000 ; e. A parité de pouvoir d'achat (PPA, voir définition p. 581) ; f. 1994-96 ; g. 1992 ; h. 1990 ; i. 1993 ; k. 1991 ; m. Dépenses courantes seulement ; n. 1998 ; o. 1987 ; p. 1989 ; q. Y compris Japon et

OUGANDA	RWANDA	TANZANIE
20 791	5 883[t]	31 506
88,1	223,3	33,3
2,6	7,8	2,3
7,1	6,0	5,5
113	125	80
41,4	42,1	51,4
13,2	5,9	25,7
0,328	0,187	0,357
0,04[p]	0,04[p]	0,03[k]
26,3	30,2	20,6
49,8	48,4	43,2
45,5[h]	36,4[h]	52,7[k]
1,5[c]	0,6[h]	0,5[b]
0,01	0,01	0,02
314[i]	207[o]	172[h]
40 à 55	62	30
		1
		3,6
20 300	4 200	19 267
6,6	– 4,9	3,7
5,0	13,0	4,1
1 030	630	640[b]
15,7	8,9	21,4
8,4	16,6	15,4
17,4	7,9	16,6
1,9[k]	3,7[p]	4,6[cm]
2,4	6,3	2,5
3 674	1 034	7 412
26	25	23
1 313	181[a]	1 337
UE 34,5	E-U 10,8	UE 24,2
Asie[q] 22,2	UE 38,1	Afr 28,7
Afr 36,8	Afr 28,1	Asie[q] 37,3
558	60,5[a]	719
UE 72,7	E-U 4,8	UE 27,8
Esp 21,1	UE 28,0	Afr 14,8
PED 17,9	Bré 48,8	Asie[q] 42,4
– 8,18[a]	0,05[a]	– 15,82[a]

Moyen-Orient ; s. Pays non spécifiées ; t. La population du Rwanda enregistre les effets du génocide de 1994 ainsi que des migrations de masse qui l'ont suivi.

ville en septembre 1997 en l'absence du président Buyoya s'est prononcée en faveur du maintien des sanctions économiques. Le 27 octobre, des combats directs entre les armées tanzanienne et burundaise ont eu lieu.

Sur le plan économique interne, l'embargo a eu des répercussions tangibles mais s'est révélé inefficace. Tangibles, car la guerre au Zaïre a compromis l'exportation des récoltes de thé et café de 1997, privant le pays d'une partie des recettes qui avaient permis de soutenir les finances publiques l'année précédente. Inefficace, car la porosité des frontières restait grande et l'attitude effective des autorités des pays voisins ambiguë. Les Nations unies ont critiqué ouvertement l'embargo en décembre 1997, insistant sur le fait que la population, prise en otage entre les rebelles hutu et l'armée tutsi, en était la principale victime. A la suite de la réunion des huit chefs d'État de la région tenue à Kampala le 21 février 1998, qui a reconduit l'embargo en vigueur depuis dix-huit mois, la France a apporté son soutien au président Buyoya, invité à Paris début mars, et a annoncé le rétablissement de sa coopération avec le Burundi.

Sur le plan politico-militaire interne, un rétablissement sensible de la sécurité était observable, la dernière grande attaque des forces rebelles lancée le 1er janvier 1998 visait l'aéroport de Bujumbura et les casernes proches. L'armée a repris le contrôle des grands axes routiers et des campagnes après la mise en œuvre de sa politique de regroupements forcés des populations rurales hutu dans des camps sous haute surveillance. Le coût humain de cette politique semble avoir été très élevé avec des milliers de morts de faim, de maladie, et des violences militaires.

Au début de l'année 1998, le gouvernement a démantelé progressivement les camps et estimait se trouver « en sortie de phase aiguë de la crise », grâce aux premiers résultats du « processus de paix » promu par les autorités dès janvier 1997.

Celui-ci comporte différents volets : meetings populaires dans les communes de l'intérieur – révélant l'extrême lassitude des populations après cinq années de guerre civile ; négociations avec les forces rebelles préconisant la lutte armée – sans que les autorités, privilégiant le rapport de forces interne, en attendent des résultats très significatifs ; et, enfin, stratégique, l'arrivée à échéance en juin 1998 des mandats du président de la République et de l'Assemblée nationale légitimes (issus du Frodébu) et la mise en place d'un « partenariat intérieur » entre les diverses forces politiques en conflit.

Après des discussions intenses en mai-juin la signature de l'accord de partenariat a débouché sur la mise en place d'un nouveau gouvernement réintégrant des ministres du Frodébu, et sur l'ouverture d'une période de transition préalable à l'élaboration d'un nouveau cadre constitutionnel débattu par une Assemblée nationale recomposée. Enfin, un accord a été signé par toutes les parties en conflit à Arusha le 21 juin, prévoyant l'ouverture de négociations globales et l'établissement d'un cessez-le-feu pour le 20 juillet 1998, deux préalables maintenus avant la levée de l'embargo par les pays voisins.

A Arusha s'est ouverte une deuxième série de pourparlers sur la nature et les racines du conflit. Au terme des travaux, le 29 juillet 1998, les dix-sept délégations présentes sont convenues de se retrouver le 12 octobre 1998 pour mettre en place des commissions de travail et discuter de « la démocratie, la bonne gouvernance et la sécurité pour tous ». Estimant avoir tout à perdre dans les nouvelles aventures militaires des pays voisins et craignant leur dessein hégémonique, la majorité des délégués burundais voulaient donner l'image de responsables soucieux de remédier prioritairement à leurs déchirements internes. - **André Guichaoua** ■

République du Burundi

Capitale : Bujumbura.

Superficie : 27 830 km².

Nature de l'État : unitaire.

Nature du régime : présidentiel. Parti unique jusqu'en mai 92. Multipartisme reconnu ensuite. Suspendue le 25.7.96, l'existence des partis est à nouveau formellement reconnue à partir du 12.9.96.

Chef de l'État : major Pierre Buyoya, président de fait depuis le putsch du 25.7.96, qui a renversé Sylvestre Ntibantuganya. Il a été confirmé dans ses fonctions le 11.6.98, après la promulgation d'un « acte constitutionnel de transition ».

Premier vice-président, chargé des questions politiques et administratives : Frédéric Bamvuginyumvira (Frodébu).

Second vice-président, chargé des questions économiques et sociales : Mathias Sinamenye (Uprona).

Ministre de l'Intérieur et de la Sécurité publique : colonel Ascension Twagiramungu.

Ministre de la Défense nationale : lieut.-col. Alfred Nkurunziza.

Ministre des Relations extérieures et de la Coopération : Séverin Ntahomvukiye (Frodébu).

Échéances institutionnelles : un « acte constitutionnel de transition », promulgué le 6.6.98, en même temps qu'était signé un accord de partenariat politique, définit diverses innovations à apporter à l'organisation des pouvoirs. L'acte émane de la Constitution de 1992 et du décret-loi du 13.9.96 organisant le régime institutionnel de transition.

Monnaie : franc burundais (100 francs = 1,46 FF au 30.5.98).

Langues : kirundi, français, swahili.

Kénya

La réélection de Daniel Arap Moi à la tête de l'État kényan le 29 décembre 1997 a suivi un scénario attendu. Avec un peu plus du tiers des suffrages exprimés (38,5 %), le chef de l'État sortant est parvenu à devancer ses seize opposants. Cette victoire ne s'est cependant pas soldée par l'obtention d'une franche majorité parlementaire pour l'Union nationale africaine du Kénya (KANU, au pouvoir depuis l'indépendance). Malgré des fraudes électorales répétées et une violence politique rampante, amorcée en août 1997, sur la côte, par des ratissages ethniques contre les électeurs supposés de l'opposition, la KANU n'a obtenu que 107 sièges sur 210.

Cet échec relatif de l'ancien parti unique reflète son état de décomposition. Depuis que le président a annoncé, en janvier 1997, que son cinquième mandat serait le dernier, le combat engagé pour lui succéder au sein de la KANU n'a pas cessé. Le poste de vice-président, occupé depuis 1989 par un successeur présumé, le ministre du Plan, George Saitoti, est devenu l'objet d'une telle convoitise que le chef de l'État a décidé de le laisser vacant lors de la formation du nouveau gouvernement, en janvier 1998.

Dès avril 1997, l'initiative politique était de même passée dans le camp de la société civile. En faisant se succéder les rassemblements de masse, un mouvement d'organisations non gouvernementales soutenu par les grandes Églises du pays, réclamant des réformes constitutionnelles, le Conseil exécutif de la convention nationale (NCEC), a forcé le gouvernement à entamer le dialogue avec l'opposition parlementaire. Après deux mois de tractations (août-septembre 1997), le gouvernement a notamment été obligé de concéder l'établissement d'une liberté d'association presque totale et l'accès des partis d'opposition à la radio nationale. En septembre, une grève générale des instituteurs l'avait simultanément forcé à accepter une revalorisation sans précédent de leurs salaires (300 % d'augmentation).

Au lendemain des élections, un vide politique s'est paradoxalement installé du fait des incertitudes de la succession. Cela a facilité la reprise des excès meurtriers du régime (développement des ratissages ethniques contre les paysans kikuyu de la vallée du Rift entre février et avril 1998, explosion des vols de bétail tournant au conflit armé entre pasteurs pokot et marakwet de mars à juin).

De plus, malgré le volontarisme du nouveau ministre des Finances, Siméon Nyachae, qui doit faire face à l'explosion de la dette intérieure (50 milliards de shillings kényans en 1993, 140 milliards en 1998) et à une menace de banqueroute publique, les déclarations d'intention sur la réduction des dépenses et l'austérité budgétaire n'ont pas convaincu la communauté internationale. Celle-ci avait suspendu toute aide financière multilatérale en juillet 1997. Si ce n'est pour la reconstruction du réseau routier, presque totalement détruit par les pluies torrentielles qui ont frappé le pays de septembre 1997 à avril 1998, l'aide n'a pas repris après les élections.

L'attentat contre l'ambassade américaine à Nairobi, le 7 août 1998, qui a fait 249 morts et plus de 4 000 blessés parmi la population kényane, s'est de plus révélé une véritable catastrophe économique pour le pays. Le coût en a été évalué à plus de 30 milliards de shillings, ruinant à court terme tout espoir de retour à la croissance. - **François Grignon** ■

République du Kénya

Capitale : Nairobi.
Superficie : 582 640 km².
Nature de l'État : république, membre du Commonwealth.
Nature du régime : présidentiel. Retour au multipartisme en déc. 91.
Chef de l'État et du gouvernement : Daniel Arap Moi, président de la République, commandeur en chef des Forces armées (depuis le 22.8.78).
Ministre des Affaires étrangères : Boyana Adhi Godana (depuis le 9.1.98).
Ministre des Finances : Siméon Nyachae (depuis le 9.1.98).
Échéances électorales : législatives et présidentielle (2002).
Monnaie : shilling kényan (100 shillings = 9,93 FF au 30.5.98).
Langues : anglais (off.), swahili (nat.), kikuyu, luo, luhya, kamba.

Ouganda

Principal maître d'œuvre de l'offensive antimobustiste, le régime du président Yoweri Museveni a largement tiré profit de la prise de Kinshasa par Laurent-Désiré Kabila en mai 1997. La chute du régime Mobutu – qui offrait des facilités logistiques et territoriales à l'armée soudanaise – a permis à Kampala de desserrer l'étau de son ennemi du nord et de réduire la menace des rebelles du Front de la rive ouest du Nil (WNBF), soutenus par Karthoum. L'armée ougandaise a de fait étendu sa zone d'influence au-delà des frontières de la République démocratique du Congo (ex-Zaïre). Un accord sur la sécurité frontalière a d'ailleurs été signé entre les deux pays en avril 1998, mais celle-ci n'a pas été rétablie par les Forces armées congolaises incapables de faire face à l'exacerbation des tensions au Kivu. Ajouté aux velléités de L.-D. Kabila de se défaire de la tutelle de ses parrains rwandais et ougandais, ce motif sécuritaire a poussé Kampala à intervenir une seconde fois en RDC aux côtés de Kigali. Début août 1998, ces deux pays ont lancé une nouvelle offensive au Congo (-Kinshasa) en appuyant la rébellion banyamulenge contre leur ancien protégé qui s'est aussitôt tourné vers l'Angola – lequel avait été, en 1996, le troisième artisan de sa victoire sur Mobutu. Le Zimbabwé et la Namibie ont également apporté leur soutien au régime de L.-D. Kabila.

L'Ouganda a également tiré des bénéfices économiques au Congo (-Kinshasa) en captant une partie du commerce informel en provenance du Kivu et de la Province orientale. En 1997, les exportations d'or ont ainsi triplé, alors que le pays n'en produit quasiment pas. Sur le plan diplomatique, enfin, l'Ouganda est bien devenu une puissance régionale et le poids international de Y. Museveni a été conforté. Cette position a été renforcée par la visite très médiatisée du président des États-Unis Bill Clinton en mars 1998 et par celle de la secrétaire d'État américaine Madeleine Albright, en décembre 1997, qui a réaffirmé la place centrale de l'Ouganda dans le dispositif stratégique des États-Unis, principalement dirigé contre le Soudan islamiste.

Salués par les bailleurs de fonds (le pays a bénéficié le premier, en mars 1998, d'une remise de la dette multilatérale au titre de l'initiative pour les pays les plus endettés), les bons résultats économiques enregistrés depuis une dizaine d'années ont montré en 1997-1998 quelques signes de fléchissement : le taux de croissance, qui atteignait 8,5 % en moyenne depuis trois ans, a chuté à 5 % en 1997 en raison de la sécheresse, le taux d'inflation, jusqu'ici contenu à moins de 5 %, avait doublé en janvier 1998, les recettes fiscales ont sen-

République d'Ouganda

Capitale : Kampala.
Superficie : 236 040 km^2.
Nature de l'État : unitaire décentralisé, reconnaissant l'existence des ex-royaumes restaurés (Constitution de 1995). Forte revendication fédéraliste.
Nature du régime : présidentiel de type populiste, s'apparentant à un régime de parti unique formellement « pluraliste » ou une « démocratie à la base » sans partis.
Chef de l'État et ministre de la Défense : Yoweri Museveni (depuis le 29.1.86, élu en 96).
Chef du gouvernement : Kintu Musoke (depuis déc. 95).
Premier vice-premier ministre et ministre des Affaires étrangères : Eriya Kategaya.
Deuxième vice-premier ministre, ministre du Tourisme, du Commerce et de l'Industrie : brigadier Moses Ali.
Ministre de l'Intérieur : Tom Butime.
Échéances électorales : référendum sur le multipartisme en l'an 2000.
Monnaie : shilling ougandais (100 shillings = 0,48 FF au 30.4.98).
Langues : anglais (off.), kiganda, kiswahili.

siblement baissé et le déficit budgétaire s'est aggravé. Certes, l'Ouganda est devenu, en 1997, le premier exportateur africain de café, mais le partage de la croissance est resté très inégal et les indicateurs sociaux sont demeurés parmi les plus bas du continent.

En procédant à deux remaniements ministériels (janvier et mai 1998), au remplacement des plus hauts responsables de la Défense et à l'élection, en juin, de ses organes locaux, le Mouvement de résistance nationale (NRM, au pouvoir depuis 1986) a conforté ses assises. Il a cependant aussi subi quelques revers : controverse sur la loi foncière, vote d'une motion de censure contre un proche du chef de l'État, le général Jim Muhwezi, ministre de l'Éducation, et surtout semi-échec lors des élections locales du 19 avril 1998. Si elles ont confirmé la prééminence du NRM (80 % des suffrages), elles ont aussi révélé un profond mouvement de contestation qui s'est notamment traduit par l'élection à la mairie de Kampala d'un opposant, Nasser Sebaggala, membre du Parti démocratique et avocat du multipartisme.

Enfin, la période a connu un regain d'activité des oppositions armées. Dans le nord, l'Armée de résistance du Seigneur (LRA) a accentué sa pression au premier semestre 1998 avec l'entrée en Ouganda d'un millier de combattants. A l'ouest, la rébellion des Forces démocratiques alliées a multiplié ses attaques dans le Ruwenzori, provoquant la mort de quatre-vingts étudiants en juin 1998. Début juillet 1998, cinq mouvements rebelles se sont en vain réunis à Khartoum pour coordonner leurs actions. Les appels en faveur d'une solution politique aux rébellions se sont multipliés (organisation d'une « marche pour la paix » en novembre 1997), mais le pouvoir a continué de camper sur son option militaire, comme en a témoigné l'augmentation constante du budget de la Défense. - **Richard Banégas** ■

Rwanda

Les autorités rwandaises ont puissamment aidé à la mise en place des troupes de l'Alliance des forces démocratiques de libération du Congo (AFDL) de Laurent-Désiré Kabila à Kinshasa (mai 1997) et « réglé » le problème des quelque 1,7 million de réfugiés installés sur ses frontières (selon le HCR, Haut Commissariat des Nations unies pour les réfugiés), dont environ 1 300 000 sont rentrés, plus de 100 000 se sont dispersés entre le Congo, l'Angola, le Centrafrique, etc., et 240 000 ont été « portés manquants », pour l'essentiel victimes de massacres. Elles pensaient ainsi créer les conditions d'une stabilité durable dans la région. Cet objectif a pourtant été démenti.

Dans les mois qui ont suivi le rapatriement massif des réfugiés, la violence s'est fortement intensifiée dans le Nord-Ouest et, à partir de février 1998, dans le centre du pays. En obligeant les autorités de Kigali à recourir à des moyens militaires importants et à une répression brutale, les rescapés de l'appareil militaire du génocide revenus au pays avec les réfugiés ont entretenu l'instabilité, compromettant la reconstruction économique et poussant à la radicalisation un régime profondément divisé. Réquisitionnées pour des travaux de défense et voyant leurs récoltes généralement détruites ou confisquées, les populations rurales étaient ainsi prises en otage entre la rébellion hutu et l'armée tutsi.

Dans les campagnes, la cohabitation demeurait difficile entre les anciens résidents hutu, dont les effectifs ont été renforcés par les retours massifs de 1996, et les réfugiés tutsi qui se considèrent comme de nouveaux occupants légitimes. Au niveau des élites, les anciens rivaux du président Juvénal Habyarimana (assassiné en 1994) ralliés au FPR (Front patriotique rwandais, au pouvoir), Théoneste Lizinde (député) et Alexis Kanyarengwe (vice-premier ministre et ministre de l'Intérieur, président du FPR) ont été, quant au premier, assassiné à Nairobi

Rwanda/Bibliographie

D. De Lamet, *Une colline entre mille, ou le calme avant la tempête. Transformations et blocages du Rwanda rural*, Musée royal d'Afrique centrale, Tervuren, 1996.

J.-F. Dupaquier *et alii*, *La Justice internationale face au drame rwandais*, Karthala, Paris, 1996.

D. Franche, *Généalogie d'un génocide*, Mille et une nuits, Paris, 1997.

A. Guichaoua (sous la dir. de), *Les Crises politiques au Burundi et au Rwanda 1993-1994*, Université de Lille/Karthala, Lille/Paris, 1995, 2e éd.

R. Omaar, A. de Waal (sous la dir. de), *Rwanda, Death, Despair and Defiance*, African Rights, Londres, 1995 (rééd.).

G. Prunier, *Rwanda 1959-1996, Histoire d'un génocide*, Dagorno, Paris, 1997.

« Rwanda-Burundi 1994-1995. Les politiques de la haine », *Les Temps modernes*, n° 583, Paris, juil.-août 1995.

J.-C. Willame, *Les Belges au Rwanda, le parcours de la honte. Commission Rwanda, quels enseignements ?*, GRIP/Complexe, Bruxelles, 1997.

Voir aussi bibliographie « Afrique de l'Est », p. 174.

en 1996, et, quant au second, limogé en mars 1997. L'éviction des personnalités hutu occupant des postes stratégiques s'est poursuivie. De même, la pression sur les personnalités indépendantes a continué avec l'assassinat de l'abbé Vjeco Curic en janvier, la mort de l'abbé André Sibomana, figure majeure de la défense des droits de l'homme et de la liberté de la presse, en mars 1998 (qui n'avait pas été autorisé à se faire soigner à l'étranger), enfin l'assassinat à Nairobi en mai 1998 de Seth Sendashonga, ancienne personnalité du FPR et principal leader de l'opposition à l'étranger.

Cette dégradation de l'environnement interne et externe a poussé à la radicalisation des groupes extrémistes tutsi, aussi bien parmi les rescapés du génocide que dans les différentes branches de l'ancienne diaspora. L'armée, sous la menace d'une démobilisation massive de près de 60 000 de ses membres dans les trois années à venir exigée par les bailleurs de fonds, a été à la fois critiquée pour son inefficacité et mise en accusation du fait du nombre élevé des victimes civiles. De plus, la corruption croissante en son sein et l'enrichissement rapide de ses officiers de retour du Zaïre ont altéré son image. C'est dans ce contexte que le vice-président Paul Kagame a encore renforcé ses pouvoirs en prenant la présidence du FPR le 15 février 1998, la vice-présidence revenant au président Pasteur Bizimungu.

En matière de justice, le Tribunal pénal international d'Arusha a pu procéder à partir de juillet 1997 à des arrestations de personnalités importantes impliquées dans le génocide des Tutsi en 1994 et devait prononcer ses premières condamnations dans le courant de l'année 1998. Au Rwanda, quelque 300 jugements ont été rendus entre le début des procès (en 1996) et la mi-1998 pour une population carcérale officiellement recensée de plus de 130 000 personnes, de sorte que la tâche apparaissait insurmontable. Sur les 114 personnes condamnées à mort, en mars 1998, 22 ont été exécutées publiquement le 24 avril 1998, déclenchant diverses protestations internationales du fait des conditions réservées à la défense.

Les grandes ambassades et les bailleurs de fonds sont restés dans l'expectative vis-à-vis d'un régime dont près de la moitié du budget national va à la Défense et doutaient de sa capacité à instaurer un cadre politique et institutionnel durable. Après un refus d'accorder des facilités budgétaires en juillet 1997, le financement en juin 1998 à hauteur de 250 millions de dollars sur trois ans d'un programme négocié avec la Banque mondiale et le FMI a récompensé les efforts accomplis par le Rwanda en matière de stabilisation macro-économique et le maintien d'un taux de croissance positif ramenant le PIB à 85 % de son niveau d'avant avril 1994. Cependant, hormis les États-Unis, le Royaume-Uni et les Pays-Bas, aucun pays donateur n'a souhaité conférer à cet accord une dimension autre qu'économique. En visite à Kigali, le 7 mai 1998, le secrétaire général des Nations unies, Kofi Annan, a pu prendre la mesure de la crispation politique interne et du profond désarroi d'un pays s'estimant abandonné par la communauté internationale. Le lendemain, la mission des droits de l'homme de l'ONU au Rwanda était suspendue, puis invitée à cesser ses activités quelques semaines plus tard, alors que l'ONU rendait public un rapport sur les massacres de réfugiés hutu rwandais dans l'ex-Zaïre, accusant l'AFDL – Alliance des forces démocratiques de libération du Congo (pro-Kabila) – et l'armée rwandaise de « crimes contre l'humanité ».

Offensive militaire au Congo-Kinshasa

C'est dans ce contexte qu'en août 1998 le Rwanda et ses alliés banyamulenge du Sud-Kivu (Tutsi congolais d'origine rwandaise), progressivement évincés par L.-D. Kabila de leurs positions acquises au Congo depuis 1996, ont pris l'initiative d'une seconde offensive militaire pour installer à Kinshasa une équipe dirigeante plus conforme à leurs intérêts. Le régime de L.-D. Kabila allait pour sa part bénéficier de l'engagement militaire de l'Angola, du Zimbabwé et de la Namibie. Quel qu'en soit le résultat final, il était acquis à la mi-août 1998 que les provinces de l'est du Congo passaient désormais sans faux-semblant sous tutelle rwandaise (et ougandaise au nord), ce qui contribuait à résoudre au moins partiellement la question de la démobilisation à l'intérieur et à élargir l'espace économique national. Mais comme en 1996, il restait à établir le retour à une paix durable face à des opposants rwandais et congolais déterminés, si ce n'est solidaires. - **André Guichaoua** ■

République rwandaise

Capitale : Kigali.

Superficie : 26 340 km².

Nature du régime : présidentiel (avec une forte composante militaire). Parti unique jusqu'en juin 1991. Multipartisme reconnu ensuite. Tolérées après la prise de pouvoir du Front patriotique rwandais (FPR), en juil. 94, les activités publiques des partis ne sont plus autorisées depuis févr. 95.

Chef de l'État : Pasteur Bizimungu, désigné président en juil. 1994, après la victoire militaire du FPR.

Vice-président et ministre de la Défense : général-major Paul Kagame.

Premier ministre : Pierre-Célestin Rwigema (nommé Premier ministre le 30.5.95, reconduit le 28.3.97), qui a succédé à Faustin Twagiramungu (Premier ministre désigné par les accords d'Arusha), révoqué le 28.08.95.

Ministre de l'Intérieur, du Développement communal et de la Réinstallation : Sheikh Abdulkarim Harelimana.

Ministre des Affaires étrangères et de la Coopération : Anastase Gasana.

Échéances institutionnelles : le cadre institutionnel défini par la Constitution du 10.6.91 et les accords d'Arusha du 4.8.93 est considéré comme dépassé par les autorités, mais elles se refusaient à toute hypothèse sur le cadre politique futur. Des propos officieux, destinés aux bailleurs de fonds, ont fait état de la mise en place d'un nouveau cadre constitutionnel pour 1999.

Monnaie : franc rwandais (au taux officiel, 100 francs = 1,95 FF au 30.5.98).

Langues : kinyarwanda, français, anglais, swahili.

Afrique de l'Est/Bibliographie

R. Banégas, « Entre guerre et démocratie, l'évolution des imaginaires politiques en Ouganda », *in* D.C. Martin (sous la dir. de), *Nouveaux langages du politique en Afrique orientale*, Karthala, Paris, 1998.

R. Banégas, « Ouganda : un pays en mutation au cœur d'une zone de fracture », *Les Études du CERI*, FNSP, Paris, 1995.

C. Braeckman, *Terreur africaine, Burundi, Rwanda, Zaïre. Les racines de la violence*, Fayard, Paris, 1996.

Centre d'étude de la région des Grands Lacs d'Afrique (Université d'Anvers), *L'Afrique des Grands Lacs. Annuaire 1996-97*, L'Harmattan, Paris, 1997.

J.-P. Chrétien, *Le Défi de l'ethnisme*, Karthala, Paris, 1997.

F. Constantin, C. Barouin (sous la dir. de), *La Tanzanie contemporaine*, IFRA/Karthala, Paris, 1998.

F. Constantin, C. Coulon (sous la dir. de), *Religion et transition démocratique en Afrique*, Karthala, Paris, 1997.

« Géopolitique d'une Afrique médiane », *Hérodote*, n° 86-87, La Découverte, Paris, 3e-4e trim. 1997.

P. Gibbon (sous la dir. de), *Liberalised Development in Tanzania*, Nordiska Afrikainstitutet, Uppsala, 1995.

F. Grignon, G. Prunier (sous la dir. de), *Le Kenya contemporain*, Karthala, Paris, 1998.

A. Guichaoua (sous la dir. de), *Les Crises politiques au Burundi et au Rwanda 1993-1994*, Université de Lille/Karthala, Lille/Paris, 1995, 2e éd.

H. B. Hansen, M. Twaddle (sous la dir. de), *From Chaos to Order : the Politics of Constitution-making in Uganda*, James Currey, Londres, 1994.

J. Lafargue, *Contestations démocratiques en Afrique. Sociologie de la protestation au Kénya et en Zambie*, Karthala, Paris, 1996.

R. Lemarchand, *Burundi, Ethnic Conflict and Genocide*, Woodrow Wilson Center Press-Cambridge University Press, 1996 (rééd.).

H. Maupeu, F. Grignon (sous la dir. de), « Kénya : un contrat social à l'abandon », *Politique africaine*, n° 70, Karthala, Paris, juin 1998.

« Les politiques internationales dans la région des Grands Lacs », *Politique africaine*, n° 68, Karthala, Paris, déc. 1997.

G. Prunier, B. Calas (sous la dir. de), *L'Ouganda contemporain*, Karthala, Paris, 1994.

Réseau documentaire international sur la région des Grands Lacs, CD-Rom n° 5, mai 1998 (semestr. [CP 136, 1211 Genève 21, Suisse]).

« Rwanda-Burundi 1994-1995. Les politiques de la haine », *Les Temps modernes*, n° 583, Paris, juil.-août 1995.

M. G. Schatzberg (sous la dir. de), *The Political Economy of Kenya*, Praeger, New York, 1997.

H. P. Schmitz, « Kenya and Uganda : Defining and Diffusing Democracy in a Transnational World », *in* CEAN, *L'Afrique politique 1998*, Karthala, Paris, 1998.

G. Sebudandi, P.-O. Richard, *Le Drame burundais. Hantise du pouvoir ou tentation suicidaire*, Karthala, Paris, 1996.

Voir aussi la bibliographie « Rwanda », p. 172.

Tanzanie

Réélu en décembre 1997 avec 93,5 % des suffrages à la tête du Chama Cha Mapinduzi (CCM-Parti de la révolution, au pouvoir depuis l'indépendance), le président Benjamin Mkapa et l'ancien parti unique ont à nouveau montré leur capacité et leur détermination à conserver les rênes du pays au-delà de l'échéance électorale de novembre 2000. Le principal parti d'opposition, la Convention nationale pour la construction et la réforme (NCCR), n'a offert aucune perspective d'alternative crédible en 1997-1998, période marquée par des querelles intestines destinées à en expulser le leader, Augustine Mrema. De plus, après un premier semestre de fermeté vis-à-vis du gouvernement, soupçonné de ne pas prendre de mesures drastiques pour endiguer la corruption, la communauté internationale s'est progressivement montrée compréhensive à son égard.

Malgré la destruction du réseau routier par le phénomène climatique El Niño et la prolongation de la sécheresse dans le Sud, qui a fortement affaibli l'économie et menacé de famine trois millions de Tanzaniens en décembre 1997, le gouvernement s'est en effet évertué à maintenir la rigueur budgétaire. La confirmation des privatisations annoncée dans le secteur de l'énergie en janvier 1998 et la mise en demeure faite à cinq parlementaires de déclarer leurs biens, conformément au code éthique du leadership mis en application par le juge William Maina, ont fini de convaincre le FMI d'accorder la deuxième tranche du plan d'accompagnement à l'ajustement structurel signé en novembre 1996. En janvier 1998, 97 millions de dollars des États-Unis ont ainsi été libérés et une troisième tranche du même montant était prévue pour juillet.

Le maintien d'un climat politique empoisonné et d'une violence sporadique dans l'archipel de Zanzibar est cependant resté une gêne permanente pour le président Mkapa. Ne voulant pas désavouer le président CCM Salmin Amour, qui est parvenu à se maintenir au pouvoir par la fraude lors des élections générales de novembre 1995, B. Mkapa a laissé se dégrader la situation. La tension entre le gouvernement de Zanzibar et l'opposition du Front civique uni (CUF) a culminé en décembre 1997, lors des attaques contre des édifices publics et l'emprisonnement de plusieurs parlementaires du CUF, accusés de tentative de coup d'État et de haute trahison. En juin 1998, un espoir de déblocage de la situation est apparu grâce à de nouveaux efforts de médiation.

Sur le flanc ouest de l'Union, des affrontements sporadiques entre les troupes tanzaniennes et burundaises ont laissé craindre une extension de la crise des Grands Lacs. Ces escarmouches ont pris fin dès janvier 1998, mais la mobilisation de la Tanzanie en faveur du blocus économique international contre le Burundi et la présence, dans le nord-ouest du pays, de plus de 300 000 ré-

République unie de Tanzanie

Capitale : Dodoma.
Superficie : 945 090 km^2.
Nature de l'État : république, union de Zanzibar et du Tanganyika.
Nature du régime : présidentiel, retour au multipartisme le 19.2.92.
Chef de l'État : Benjamin Mkapa, président de la République (depuis nov. 95).
Vice-président : Omar Ali Juma (depuis nov. 95).
Premier ministre : Frederick Sumaye (depuis nov. 95).
Ministre des Affaires étrangères : Jakaya Kikwete.
Ministre des Finances et de la Planification : Daniel Yona.
Ministre de la Défense : Edgar Majogo.
Échéances électorales : législatives et présidentielle (2000).
Monnaie : shilling tanzanien (au taux officiel, 100 shillings = 0,90 FF au 30.5.98).
Langues officielles : swahili (nat.), anglais.

fugiés burundais et rwandais majoritairement hutu, ne favorisaient pas le retour à la confiance entre les deux pays. En février 1998, le Burundi accusait toujours la Tanzanie de laisser des rebelles hutu s'entraîner et s'organiser sur son territoire, parmi les réfugiés.

L'attentat du 7 août 1998 contre l'ambassade américaine à Dar-es-Salam a profondément choqué les Tanzaniens, même si le nombre de victimes a été plus limité (12 morts) que dans l'attentat du même jour à Nairobi (Kénya). Après les affrontements de la mosquée de Mwembechai (janvier-mars 1998) entre militants islamistes et forces de l'ordre, les tensions interconfessionnelles risquaient de se développer dans la capitale. - **François Grignon** ■

Afrique du Nord-Est

Djibouti, Érythrée, Éthiopie, Somalie

Djibouti

Après le succès relatif de la table ronde des donateurs à Genève les 29 et 30 mai 1997, le gouvernement djiboutien a mis en œuvre des mesures d'ajustement drastiques sous la houlette des institutions internationales. Ces décisions ont provoqué d'importants mouvements sociaux. Le pouvoir avait certes peu à craindre de son opposition légale, divisée ou limitée dans ses droits d'expression par une répression bien ciblée : il a remporté les élections parlementaires le 19 décembre 1997 grâce à une alliance opportune avec certains secteurs afars. Il a également profité de la crise entre l'Éthiopie et l'Érythrée, puisque Djibouti a pris une importance croissante dans les importations de l'Éthiopie (35 % en 1997, contre 10 % un an plus tôt). La rapide augmentation de ces flux est cependant apparue peu maîtrisée.

La diminution des effectifs des troupes françaises de 3 200 soldats à 2 600, annoncée en décembre 1997, aura un impact récessif d'autant plus important que 1 500 soldats effectueront des rotations de quatre mois à Djibouti sans leur famille. Le ré-

République de Djibouti

Capitale : Djibouti.
Superficie : 23 200 km^2.
Nature du régime : présidentiel autoritaire.
Chef de l'État et chef du gouvernement) : Hassan Gouled Aptidon (depuis le 27.6.77, réélu le 6.5.93).
Chef du cabinet présidentiel : Ismaïl Omar Guelle (depuis le 12.7.77).
Premier ministre : Hamadou Barkat Gourad (depuis le 21.9.78).
Ministre de l'Intérieur et de la Décentralisation : Idriss Harbi Farah.
Ministre de la Défense : Abdallah Chirwa Djibril.
Ministre des Affaires étrangères : Mohamed Moussa Chehim.
Monnaie : franc Djibouti (rattaché au dollar, 100 francs = 3,36 FF au 30.5.98).
Langues : arabe, français, afar et issa.

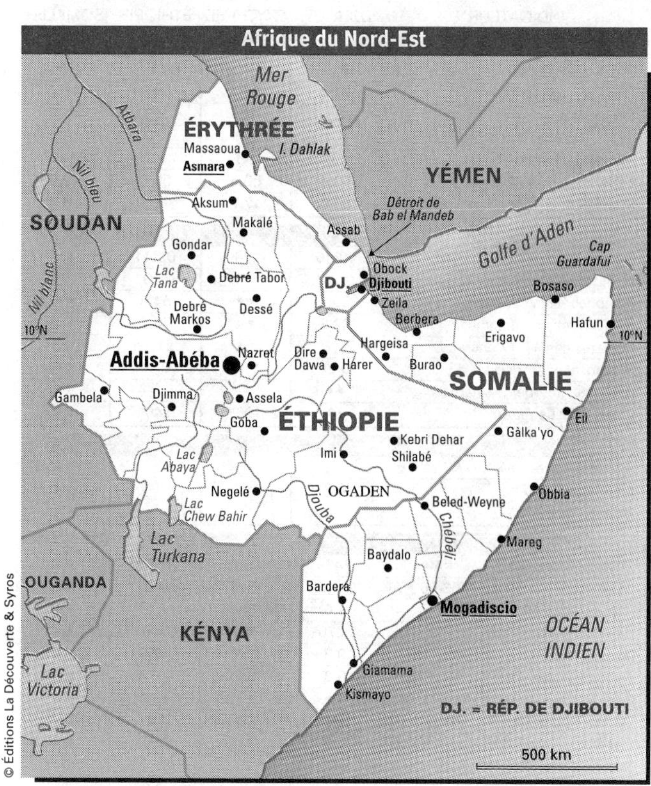

chauffement des relations avec l'Éthiopie n'a pu faire oublier le mécontentement d'une part croissante de la population lassée du clientélisme et de la prévarication.

Érythrée

Le conflit frontalier avec l'Éthiopie, déclenché par une escarmouche à Badme, le 6 mai 1998, ne pouvait qu'avoir de très graves conséquences pour l'Érythrée.

D'une part, cette crise a mis en lumière, au-delà du statut du territoire à la souveraineté contestée (triangle de Yirga), l'incapacité du régime à entrer dans une négociation sans moyens militaires : ses opposants ont rappelé l'expédition militaire sur les îles Hanish, conduisant à une confrontation armée avec le Yémen en décembre 1995 avant l'instauration d'une médiation française, et la mini-crise avec Djibouti au printemps 1997 après la publication

INDICATEUR*	DJIBOUTI	ÉRYTHRÉE	ÉTHIOPIE	SOMALIE[1]
Démographie**				
Population *(millier)*	634	3 409	60 148	10 217
Densité *(hab./km²)*	27,3	28,1	54,8	16,0
Croissance annuelle[d] *(%)*	2,7	3,7	3,2	3,9
Indice de fécondité (ISF)[d]	5,4	5,3	7,0	7,0
Mortalité infantile[d] *(‰)*	106	98	107	112
Espérance de vie[d] *(année)*	50,4	50,6	50,0	49,0
Population urbaine *(%)*	82,6	17,7	16,3	26,4
Indicateurs socioculturels				
Développement humain (IDH)[c]	0,319	0,269	0,244	••
Nombre de médecins *(‰ hab.)*	0,16[n]	••	0,03[c]	0,07[n]
Analphabétisme (hommes)[b] *(%)*	39,7	••	54,5	••
Analphabétisme (femmes)[b] *(%)*	67,3	••	74,7	••
Scolarisation 12-17 ans *(%)*	23,2[m]	••	21,1[n]	10,3[o]
Scolarisation 3e degré *(%)*	0,2[b]	1,1[c]	0,7[c]	••
Adresses Internet *(‰ hab.)*	••	–	–	••
Livres publiés *(titre)*	••	106[d]	240[q]	••
Armées				
Armée de terre *(millier d'h.)*	8	} 46	} 120	••
Marine *(millier d'h.)*	0,2			••
Aviation *(millier d'h.)*	0,2			••
Économie				
PIB total[ae] *(million $)*	743[c]	2 935	29 100	••
Croissance annuelle 1986-96 *(%)*	– 1,6	4,2[p]	4,3	••
Croissance 1997 *(%)*	1,0	7,0	5,3	••
PIB par habitant[ae] *($)*	1 270[c]	960[c]	500	••
Investissement (FBCF)[f] *(% PIB)*	9,8	20,0	17,3	••
Taux d'inflation *(%)*	3,0	3,2	– 6,4	••
Énergie (taux de couverture)[b] *(%)*	••	••	15,4	••
Dépense publique Éducation *(% PIB)*	3,8[q]	1,9[bi]	4,7[c]	0,5[k]
Dépense publique Défense[a] *(% PIB)*	5,2	7,5	2,0	4,8
Dette extérieure totale[a] *(million $)*	241	46	10 077	2 647
Service de la dette/Export.[f] *(%)*	5	–	47	5
Échanges extérieurs				
Importations[a] *(million $)*	220	514	1 358	66
Principaux fournisseurs[a] *(%)*	UE 38,0	ArS 31,4[h]	E-U 11,7	UE 8,8
(%)	Asie[g] 41,2	Ita 15,2[h]	UE 44,5	Afr 51,8
(%)	Afr 13,1	EAU 10,7[h]	Asie[g] 25,1	Asie[g] 19,0
Exportations *(million $)*	40	95	418	123
Principaux clients[a] *(%)*	Eth 33,6	Eth 44,9[h]	E-U 6,9	Ita 10,6
(%)	Som 39,6	ArS 26,5[h]	UE 53,7	ArS 54,7
(%)	Yém 20,9	Sou 13,2[h]	Asie[g] 24,5	Yém 19,0
Solde transactions courantes *(% PIB)*	– 4,69[b]	••	– 7,69[a]	••

1. Une situation confuse de guerre civile et de sécession territoriale s'est instaurée en Somalie à compter de 1991, ce qui explique l'absence de certaines données. * Définition des indicateurs p. 25 et suiv. Chiffres 1997 sauf notes. ** Derniers recensements utilisables : Djibouti, 1960 ; Érythrée, 1984 ; Éthiopie, 1994 ; Somalie, 1986. a. 1996 ; b. 1995 ; c. 1994 ; d. 1995-2000 ; e. A parité de pouvoir d'achat (PPA, voir définition p. 581) ; f. 1994-96 ; g. Y compris Japon et Moyen-Orient ; h. 1993 ; i. Dépenses courantes seulement ; k. 1985 ; m. 1992 ; n. 1990 ; o. 1985 ; p. 1992-96 ; q. 1991.

par Asmara d'une carte qui déplaçait la frontière à son profit.

D'autre part, la mobilisation nationaliste ne pouvait suffire à dissimuler les profondes déceptions à l'égard d'un régime qui n'a pas su tenir les promesses faites à l'aube de l'indépendance (1993). La transition vers un système démocratique aurait dû être achevée à la fin de 1997 et l'allié américain n'a pu que critiquer les arrestations arbitraires (notamment celle, en avril 1997, de la représentante de l'AFP, détenue sans jugement) et le contrôle absolu sur les moyens d'expression.

La situation économique était préoccupante après l'introduction, en novembre 1997, d'une monnaie remplaçant le berr éthiopien, le nakfa. Addis-Abéba a limité l'usage de cette devise au seul commerce frontalier pour un montant ridiculement bas (2 000 berrs, soit moins de 300 dollars), le reste des échanges devant se faire en devises fortes. L'activité du port d'Assab, fermé depuis le 20 mai 1998, devrait également être réduite à la suite du « réchauffement » des relations entre Djibouti et Addis-Abéba. Les relations avec le Soudan étant exécrables depuis 1994, l'Érythrée, politiquement et économiquement isolée, risquait de pâtir du nationalisme intransigeant de ses dirigeants.

République d'Érythrée

Capitale : Asmara.
Superficie : 121 144 km^2.
Nature du régime : présidentiel à parti unique.
Chef de l'État et du gouvernement : Issayas Afeworki (depuis le 24.5.93).
Ministre de la Défense : Sebhat Ephraïm (depuis 94).
Ministre des Affaires étrangères : Haile Woldensae (depuis févr. 97).
Monnaie : nakfa, nouvelle monnaie introduite en juil. 97 (taux officiel, 1 nakfa = 0,92 FF au 6.4.98).
Langues : tigrinya (off.), arabe (off.), tigré, afar, bilein, etc.

Éthiopie

Les combats entre l'Éthiopie et l'Érythrée ont débuté comme une escarmouche de gardes-frontières incontrôlés le 6 mai 1998 pour devenir en quelques jours une véritable guerre faisant des centaines de victimes et provoquant l'exode de milliers de personnes. L'objet des affrontements (400 km^2 de terres arides dans le triangle de Yirga) pouvait paraître disproportionné par rapport aux enjeux réels de la reconstruction de deux économies mises à mal par des décennies de dictature et de guerre civile.

L'Éthiopie avait, depuis 1991 – date de la chute du régime Mengistu Haïlé Mariam –, gagné une grande crédibilité internationale et apparaissait comme le bon élève du FMI dans la région. Malgré des difficultés réelles liées aux conditions climatiques dans plusieurs régions, l'économie s'améliorait. Les donateurs multipliaient *satisfecit* et nouveaux prêts massivement orientés vers l'amélioration des infrastructures et l'énergie. Le taux de croissance en 1997 avait été de 5,3 %, avec une augmentation substantielle des services (+ 10,6 %) et d'un secteur industriel en pleine renaissance (+ 9,8 %). Les exportations avaient également crû de plus de 20 % grâce à une excellente récolte de café (près de 200 000 tonnes).

Toutefois, les problèmes politiques et sociaux subsistaient. L'Éthiopie est restée le premier pays africain pour le nombre de journalistes emprisonnés, son Parlement a continué de fonctionner comme une chambre d'enregistrement et l'opposition ne disposant pas de véritable moyen de contribuer au débat public. La corruption est restée endémique et les arrestations de hauts fonctionnaires, après celle de l'ancien vice-premier ministre Tamrat Layne, n'ont pas suffi à calmer les critiques sur des privatisations ayant profité à certains secteurs proches du pouvoir. Les relations entre l'État et le secteur privé n'ont pas vu s'instaurer une plus grande confiance, à cause de mesures impopulaires comme la hausse des baux commerciaux dans la capitale ou le contrôle de l'État sur le foncier.

Le leadership régional de l'Éthiopie n'est pas sans faille. Les relations avec l'Égypte sont tendues. D'une part, les discussions sur le partage des eaux du Nil n'ont toujours pas débouché sur un accord : Addis-Abéba veut une révision drastique de l'accord de 1959 alors que Le Caire entend simplement le dépoussiérer. Le dossier somalien a également suscité des déclarations peu aimables entre les deux capitales. Le Premier ministre Méles Zenawi entendait en effet piloter une solution après l'accord de Sodere signé en janvier 1997, mais il s'est vu marginalisé par une diplomatie arabe et égyptienne qui a obtenu un accord plus large au Caire, le 21 décembre 1997. Le fait que ces deux accords soient restés lettre morte est dû au manque de crédibilité intérieure des signataires somaliens, mais aussi aux mesures de sabotage des pays de la région. L'Éthiopie n'a pas hésité à livrer des armes et des munitions à tous les adversaires de l'accord, malgré un embargo décrété par le Conseil de sécurité des Nations unies. Il aura fallu une implication de l'IGAD (Autorité intergouvernementale pour le développement) pour aboutir à une posture plus conciliante. Les relations avec le Soudan sont encore restées à un niveau plus bas, l'Éthiopie exigeant la remise de trois terroristes ayant attenté à la vie d'Hosni Moubarak en visite à Addis-Abéba et offrant des facilités à l'opposition à proximité de la région soudanaise du Nil Bleu...

Avec l'Érythrée, le contentieux s'était accru, rendant possible le conflit ouvert en mai 1998. Le Front populaire de libération du Tigré, principale composante du bloc au pouvoir en Éthiopie et le parti unique érythréen s'étaient notamment combattus en 1986 ; ce n'est que très tardivement qu'il y eut une véritable collaboration pour renverser le régime de Mengistu. Ces organisations ont fait vibrer la corde nationaliste pour renforcer leur soutien dans la population. De plus, après leur arrivée au pouvoir en juin 1991, les politiques économiques ont suivi dans les deux pays des cours différents qui ont débouché sur de véritables conflits d'intérêts en novembre 1997, lorsque l'État érythréen a renoncé à utiliser la monnaie éthiopienne, le berr, au profit d'une nouvelle monnaie, le nakfa. Addis-Abéba a alors exigé que l'essentiel du commerce entre les deux pays se fasse en devises fortes, ce qui contribua à déprécier la nouvelle monnaie. Plusieurs fois humiliés par les autorités érythréennes d'Assab, les Éthiopiens ont décidé de rechercher des accès à la mer alternatifs au port érythréen. Djibouti, qui n'occupait qu'une place marginale jusqu'alors, est devenu le port de transit pour 35 % des hydrocarbures nécessaires au marché éthiopien. Cette proportion pourrait augmenter si Djibouti est capable de relever le défi. De même, les Éthiopiens entretiennent les meilleures relations avec les autorités du Somaliland (région nord-ouest de la Somalie ayant fait sécession) et pourraient officialiser une collaboration pour l'usage du port de Berbera, réservé jusqu'alors au commerce informel avec la région somali de l'Éthiopie.

Le différend frontalier est devenu une véritable guerre mettant en péril la paix régio-

République d'Éthiopie

Capitale : Addis-Abéba.
Superficie : 1 097 900 km^2.
Nature de l'État : fédéral.
Nature du régime : autoritaire.
Chef de l'État : Negaso Gidada (depuis le 22.8.95).
Premier ministre : Méles Zenawi (depuis le 23.8.95). Il détient l'essentiel des pouvoirs.
Ministre de la Défense : Teffera Walwa (depuis le 24.10.96).
Ministre des Affaires étrangères : Mesfin Seyoum.
Monnaie : berr (au taux officiel, 1 berr = 0,85 FF au 28.2.98).
Langues : amharique, oromo, tigrinya, guragé, afar, somali, wälayta, etc.

nale, déjà relative. Cette crise a aussi servi de désaveu à la politique américaine puisque deux des « nouveaux leaders » africains les plus célébrés par Bill Clinton se seront déchirés. Les islamistes soudanais y ont vu un affaiblissement de leur opposition sanctuarisée dans les deux pays belligérants. Cette guerre aura également montré la fragilité des engagements pacifistes de dirigeants issus de longues guerres.

Somalie

La Somalie n'a pas été épargnée par les pluies diluviennes provoquées par El Niño. Dès l'été 1997, les inondations ont frappé les régions du Sud, détruisant récoltes et villages dans les zones voisines des fleuves Shabelle et Jubba. La situation a été dramatique dans certains endroits du bas Jubba, obligeant les populations à dépendre de l'aide internationale.

Au-delà de la dimension purement humanitaire, les inondations ont affecté le soubassement de l'économie locale : l'exportation des bananes et des ovins, principale source de devises conditionnant l'importation de nourriture. Plus de la moitié des plantations de bananes a été détruite. S'est ajoutée la décision de l'Organisation mondiale du commerce (OMC), acceptée par l'Union européenne (UE), de suspendre en 1999 l'accès préférentiel de ce fruit sur le marché européen, que garantissait la convention de Lomé. Par ailleurs, l'apparition d'une fièvre mortelle au Kénya, appelée « fièvre de la vallée du Rift », affectant les animaux mais transmissible à l'homme, a fourni une justification à l'Arabie saoudite pour interdire en février 1998 les importations d'ovins et de camélidés venant de Somalie (*via* le port de Berbera situé au nord-ouest – Somaliland, sécessionniste).

Une grave récession économique était donc prévisible. La dégradation des conditions de vie dans les campagnes allait entraîner de nouvelles migrations vers les villes, avec des conséquences mécaniques sur la sécurité et la situation alimentaire des populations les plus fragilisées. L'effet le plus visible risquait de s'observer au Somaliland où le gouvernement autoproclamé de Mohamed Ibrahim Egal avait réussi à maintenir une paix relative qui mettait Hargeisa au niveau de bien des capitales africaines. La réduction drastique des taxes d'exportation allait donc probablement mettre en cause le règne d'Egal fondé sur le clientélisme et mécontenter gravement les miliciens qui bénéficiaient au moins de la nourriture grâce

République démocratique de Somalie

L'État s'est effondré en janv. 91. Le pays a ensuite été partagé entre différentes régions contrôlées avec plus ou moins d'efficacité par des factions militaires. L'ancienne colonie britannique (Nord-Ouest) a fait sécession et a repris son nom d'avant l'indépendance, le Somaliland.

Capitale : Mogadiscio.

Superficie : 637 660 km^2.

Principaux chefs politiques : Mohamed Ibrahim Egal, « président du Somaliland » depuis mai 1993 (réélu le 23.2.97) ; Hussein Mohamed Aydiid élu « président de la Somalie » par ses partisans le 7.8.96, en succession de son père qui est mort (contrôle d'une large partie du centre et du sud de la Somalie) ; Ali Mahdi Mohamed, élu président au terme de la conférence de Djibouti (19.8.91) ; général Morgan, leader de la région de Kismayo ; Omar Haji Massale (chef de la faction de l'extrême sud) ; Abdullali Yussuf Ahmed (chef de la faction du Nord-Est).

Conseil national de salut (CNS). La conférence de Sodere a élu un conseil présidentiel de 5 membres le 3.1.97, le CNS, composé de Ali Mahdi Mohamed, Osman Ali Ato, Abdullali Yussuf Ahmed, Abdullali Nur Gabyow, Abdulkahder Zoppe.

Monnaie : shilling somali (1 000 shillings = 0,75 FF au 3.8.98).

Langue : somali.

Afrique du Nord-Est/Bibliographie

P. Baxter, J. Hultin, A. Triulzi, *Being and Becoming Oromo. Historical and Anthropological Enquiries*, Red Sea Press, Lawrenceville/Asmara, 1996.

W. Clarke, J. Herbst, *Learning from Somalia : the Lessons of Armed Humanitarian Intervention*, Westview Press, Boulder, 1997.

D. Connel, *Against all odds*, Trenton, 1997.

« Corne de l'Afrique », *Cahiers d'études africaines*, Paris, juin 1997.

A. Coubba, *Le Mal djiboutien. Enjeux ethniques et enjeux politiques*, L'Harmattan, Paris, 1995.

J. Hammond : *Fires from Ashes : a Chronicle of the Revolution in Tigray, Ethiopia 1975-1995*, Red Sea Press, Trenton (NJ), 1998.

M. Lavergne, « Les relations yéméno-érythréennes à l'épreuve du conflit des Hanish », *Maghreb-Machrek*, n° 155, Paris, janv.-avr. 1997.

R. Marchal, *Commerce et guerre en Somalie*, Karthala, Paris, 1997.

R. Marchal, C. Messiant, *Les Chemins de la guerre et de la paix*, Karthala, Paris, 1997.

M. Maren, *The Road to Hell*, Free Press, New York, 1997.

I. Neggash, *Eritrea and Ethiopia : the Federal Experience*, Transaction Publishers, 1997.

A. Simmons, *Networks of Dissolution*, Westview Press, Boulder, 1996.

T. Vircoulon, « Éthiopie : les risques du fédéralisme », *Afrique contemporaine*, n° 174, Paris, 1995.

à leur ralliement au régime. Dans le sud de la Somalie, les conséquences seraient d'autant plus aiguës qu'elles s'inscriraient dans un contexte politique autrement plus délétère.

En janvier 1997, l'Éthiopie parrainait un accord entre différentes factions somaliennes, à l'exception du gouvernement du Somaliland et des factions rassemblées dans le gouvernement d'Hussein Mohamed Aydiid. Cet accord a fait long feu à cause de la faiblesse de ses signataires et d'une diplomatie arabe, surtout yéménite et égyptienne, appuyée par l'Italie, qui a réintroduit Hussein Aydiid dans le jeu politique grâce à l'accord du Caire signé le 21 décembre 1997 par toutes les factions, à l'exception d'Egal. De profondes divergences ont cependant persisté. Les dirigeants du Nord-Est, s'appuyant sur des aspirations légitimes de la population, ont tenté de rééditer l'option du Somaliland en créant un Puntland, quasi-État clanique. L'Éthiopie a livré armes et munitions à tous les adversaires de l'accord du Caire et les combats dans la région de Kismayo se sont multipliés, compromettant une aide d'urgence. Surtout, la situation à Mogadiscio ne pouvait que tourner au chaos puisque les chefs de guerre, toujours prisés par la communauté internationale, sont restés incapables de se mettre d'accord pendant que leurs troupes sombraient dans le banditisme.

La détérioration durant cette période a au moins permis de tirer deux enseignements. Le premier est que la communauté internationale devrait cesser de courtiser des leaders somaliens dont les capacités de contrôle sur leurs propres partisans sont aussi limitées et dont les ambitions politiques interdisent tout compromis réaliste. Le second est que la régulation clanique qui avait en partie contenu les formes de violence dans la guerre civile s'affaiblit tendanciellement. Ces deux aspects peuvent-ils être les éléments d'une recomposition nécessaire ? - **Roland Marchal** ■

Vallée du Nil

Égypte, Soudan

Égypte

Le traumatisme de Louxor

Tant au niveau politique qu'économique, l'année 1997-1998 a été marquée par l'attentat de Louxor (17 novembre 1997) qui a fait 62 morts, dont 58 touristes. S'en sont suivies d'une part la chute des activités du tourisme, l'une des principales ressources du pays, et de l'autre la relance de la confrontation violente avec certains groupes islamistes, le tout associant plus que jamais stabilité politique et stabilité économique. Cet attentat avait été précédé de la réitération d'un appel à la trêve (septembre 1997) par les leaders islamistes emprisonnés, auquel le pouvoir n'avait pas donné suite. Jusqu'à la reprise des confrontations sporadiques entre forces de l'ordre et islamistes dans le sud du pays en mars 1998, une trêve de fait s'était imposée à la suite de cet attentat, liée à la violence sans précédent de l'opération et aux divergences qu'elle a suscitées au sein même des groupes islamistes radicaux. Que ces divergences ne soient que l'effet d'une orchestration, comme le soutenait le pouvoir, ou qu'elles rendent compte de réels clivages, il reste qu'entre les leaders emprisonnés, ceux réfugiés à l'étranger et ceux – incontrôlables – qui agissent sur le terrain, la lutte contre ceux qu'on a présentés, à partir de 1995, comme les derniers tenants du terrorisme n'était pas encore achevée. La nomination d'un nouveau ministre de l'Intérieur, Habib al-Adli, en novembre 1997, valait comme sanction des failles de l'appareil de sécurité et devait permettre de poursuivre cet objectif, en demandant notamment l'extradition des islamistes réfugiés à l'étranger, perçus comme les commanditaires des opérations menées sur le terrain. 1 362 personnes ont été victimes des opérations de violence entre 1992 et 1998. De leur côté, les tribunaux militaires ont prononcé pour la même période 106 peines de mort dont 68 exécutées.

Davantage d'accords politiques

L'année a été marquée par l'élargissement des accords politiques ponctuels autour de certaines questions. L'attentat de Louxor a donné lieu à une dénonciation unanime du terrorisme et l'ampleur de cette opération lourde en pertes humaines, menée sur les sites archéologiques, justifiait d'autant plus la thèse de l'acte isolé. Les Frères musulmans étaient ainsi disculpés de cette violence même si, par ailleurs, certains de leurs membres ont été arrêtés. L'opposition a salué le boycottage de la Conférence économique pour le Moyen-Orient et l'Afrique du Nord, MENA, Qatar, novembre 1997, perçu comme un acte de résistance de l'Égypte face aux pressions américaines, tout comme le furent les réserves du pouvoir face à l'éventualité d'une opération militaire américaine contre Bagdad dans la crise irako-américaine de février 1998.

L'examen de la situation des coptes en Égypte par une commission du Congrès

INDICATEUR*	UNITÉ	ÉGYPTE	SOUDAN[1]
Démographie**			
Population	*millier*	64 466	27 898
Densité	*hab./km^2*	64,4	11,1
Croissance annuelle[d]	%	1,8	2,2
Indice de fécondité (ISF)[d]	%	3,4	4,6
Mortalité infantile[d]	‰	54	71
Espérance de vie[d]	*année*	66,0	55,0
Population urbaine	%	45,1	33,2
Indicateurs socioculturels			
Développement humain (IDH)[c]		0,614	0,333
Nombre de médecins[i]	*‰ hab.*	1,83[c]	0,09[g]
Analphabétisme (hommes)[b]	%	36,4	42,3
Analphabétisme (femmes)[b]	%	61,2	65,4
Scolarisation 12-17 ans	%	60,9[m]	28,3[g]
Scolarisation 3e degré	%	18,1	3,0[g]
Adresses Internet	*‰ hab.*	0,31	–
Livres publiés	*titre*	3 102[h]	138[n]
Armées			
Armée de terre	*millier d'h.*	320	75
Marine	*millier d'h.*	20	1,7
Aviation	*millier d'h.*	30	3
Économie			
PIB total[ae]	*million $*	169 500[a]	28 330[c]
Croissance annuelle 1986-96[o]	%	4,0	3,5[h]
Croissance 1997	%	5,0	5,5
PIB par habitant[ae]	*$*	2 860[a]	1 084[c]
Investissement (FBCF)[f]	*% PIB*	16,3	• •
Taux d'inflation	%	4,0	32,0
Énergie (taux de couverture)[b]	%	187,7	7,0
Dépense publique Éducation	*% PIB*	5,6[c]	4,0[i]
Dépense publique Défense[a]	*% PIB*	4,5	4,3
Dette extérieure totale[a]	*million $*	31 407	16 972
Service de la dette/Export.[f]	%	13	6
Échanges extérieurs			
Importations	*million $*	15 301	1 385
Principaux fournisseurs[a]	%	E-U 17,7	UE 27,9
	%	UE 40,2	PED 63,9
	%	Asie[k] 20,3	M-O 39,6
Exportations	*million $*	5 060	697
Principaux clients[a]	%	E-U 12,4	UE 27,6
	%	UE 54,7	Asie[k] 61,4
	%	Asie[k] 17,7	M-O 31,0
Solde transactions courantes	*% PIB*	0,74	– 12,96[a]

1. Le Soudan, en proie à des conflits armés depuis de longues années, a connu une nouvelle catastrophe humanitaire en 1998. * Définition des indicateurs p. 25 et suiv. Chiffres 1997 sauf notes. ** Derniers recensements utilisables : Égypte, 1996 ; Soudan, 1993. a. 1996 ; b. 1995 ; c. 1994 ; d. 1995-2000 ; e. A parité de pouvoir d'achat (PPA, voir définition p. 581) ; f. 1994-96 ; g. 1990 ; h. 1993 ; i. 1985 ; k. Y compris Japon et Moyen-Orient ; m. 1991 ; n. 1980 ; o. 1990-96.

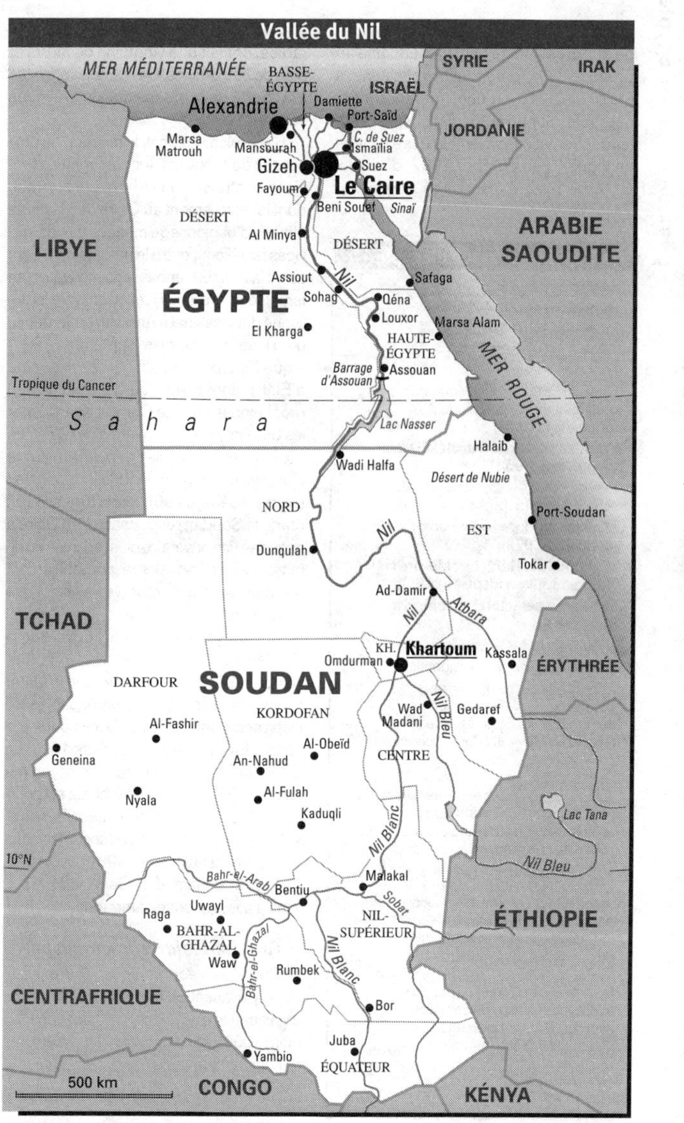
Vallée du Nil
MER MÉDITERRANÉE
BASSE-ÉGYPTE
SYRIE
IRAK
ISRAËL
Alexandrie
Damiette
Port-Saïd
JORDANIE
Marsa Matrouh
Mansourah
C. de Suez
Ismaïlia
Gizeh
Suez
Le Caire
Fayoum
Beni Souef
Sinaï
DÉSERT
ARABIE SAOUDITE
LIBYE
Al Minya
DÉSERT
Assiout
Nil
Safaga
ÉGYPTE
Sohag
Qéna
Louxor
Marsa Alam
El Kharga
HAUTE-ÉGYPTE
MER ROUGE
Barrage d'Assouan
Assouan
Tropique du Cancer
Sahara
Lac Nasser
Halaib
Wadi Halfa
Désert de Nubie
NORD
Port-Soudan
Nil
EST
Dunqulah
Tokar
Ad-Damir
Nil
Atbara
TCHAD
KH.
Khartoum
Kassala
Omdurman
ÉRYTHRÉE
DARFOUR
SOUDAN
Nil Bleu
Wad Madani
Gedaref
KORDOFAN
Al-Fashir
Al-Obeïd
Geneina
An-Nahud
CENTRE
Nyala
Al-Fulah
Kaduqli
Lac Tana
Nil Blanc
10°N
Nil Bleu
Bahr-el-Arab
Malakal
Bentiu
Sobat
Uwayl
Raga
NIL-SUPÉRIEUR
ÉTHIOPIE
BAHR-AL-GHAZAL
Bahr-el-Ghazal
Waw
Nil Blanc
Rumbek
CENTRAFRIQUE
Bor
Juba
Yambio
ÉQUATEUR
500 km
CONGO
KÉNYA

américain (avril 1998), assorti de menaces de suppression de l'aide américaine au prétexte d'une persécution religieuse, a été rejeté au titre d'une ingérence inacceptable. Sur un autre plan, cependant, les confrontations violentes liées à l'entrée en vigueur, en octobre 1997, d'une loi (n° 96 de 1992) libérant les baux agricoles, à laquelle les islamistes avaient été favorables, ont fait une vingtaine de morts et près de 300 blessés. De nouvelles atteintes à la liberté de la presse sont intervenues en mars 1998.

Sur le plan régional, le blocage du processus de paix s'est accompagné de tensions contrôlées entre l'Égypte et Israël, dont le dévoilement au Caire de plusieurs affaires d'espionnage menées par les services israéliens, outre le harcèlement dont aurait fait l'objet l'ambassadeur égyptien en Israël (octobre 1997), et la tentative israélienne d'assassinat à Amman, en Jordanie, d'un leader de Hamas (septembre 1997) – que l'Égypte a qualifiée de terrorisme d'État. L'année a été marquée par un rapprochement entre Le Caire et Khartoum et les deux pays sont convenus de régler les contentieux accumulés depuis la tentative d'assassinat du président Hosni Moubarak (Addis-Abéba, 1996), dont l'Égypte avait rendu le Soudan responsable. Le Caire a esquissé une ouverture plus réservée en direction de Téhéran et les responsables n'ont pas dissimulé leurs réserves au sujet des manœuvres militaires turco-israéliennes. A la suite du boycottage par l'Égypte de la Conférence économique de Doha (novembre 1997), les rapports avec le Qatar se sont détériorés, les responsables de Doha accusant Le Caire d'avoir soutenu le coup d'État avorté de décembre 1996. En dépit d'une médiation saoudienne, en décembre 1997, l'escalade verbale s'est poursuivie. Des licenciements massifs de travailleurs immigrés égyptiens sont intervenus dans l'émirat en février 1998 et seule la visite de l'émir Hamad au Caire, le mois suivant, a mis fin à cette campagne.

République arabe d'Égypte

Capitale : Le Caire.
Superficie : 1 001 449 km².
Monnaie : livre (au taux officiel, 1 livre = 1,76 FF au 30.5.98).
Langue : arabe.
Chef de l'État : Hosni Moubarak, président de la République (depuis le 6.10.81).
Premier ministre : Kamal al-Ganzuri (depuis le 3.1.96).
Ministre des Affaires étrangères : Amr Moussa (depuis mai 91).
Ministre de l'Intérieur : Habib al-Adli (depuis nov. 97).
Ministre de la Défense : Muhammad Hussein Tantawi (depuis mai 91).
Échéances électorales : présidentielle (oct. 1999).
Nature de l'État : république.
Nature du régime : présidentiel.
Principaux partis politiques : *Gouvernement :* Parti national démocratique. *Opposition légale :* Néo-Wafd (libéral) ; Parti socialiste du travail (populiste) ; Rassemblement progressiste unioniste (marxistes et nassériens de gauche) ; Parti des verts égyptiens ; Parti de la Jeune Égypte ; Parti démocratique unioniste ; Parti nassérien. *Illégaux :* les Frères musulmans – non autorisés à constituer un parti politique ni à se reconstituer comme association – ont participé à la vie politique formelle sous le couvert du Parti du travail ; néanmoins, à partir de 1994, certains de leurs dirigeants ont fait l'objet de poursuites judiciaires et ont été accusés de complicité avec les groupes islamistes clandestins ; Parti communiste égyptien ; al-Jihad ; al-Jama'a al-islamya (islamistes).

Favoriser les investissements privés

Sur le plan économique, couronnées par la privatisation partielle et néanmoins significative des télécommunications, en mars 1998, les cessions d'établissements publics ont été accélérées ; elles ont touché 80 des 314 entreprises publiques.

Égypte/Bibliographie

« Age libéral et néolibéralisme », *Dossiers du CEDEJ*, Le Caire, 1996.

« Al-Ahram Center », *Arab Strategic Report 1995*, Le Caire, 1996.

« Égypte : les paradoxes de la réislamisation », *Maghreb-Machrek*, n° 151, La Documentation française, Paris, janv.-mars 1996.

Égypte-Monde arabe, CEDEJ, Le Caire (trimestriel), Saint-Martin-d'Hères.

S. Gamblin (sous la dir. de), *Contours et détours du politique en Égypte. Les élections législatives de 1995*, L'Harmattan/CEDEJ, Paris, 1997.

« Nasser, 25 ans », *Peuples méditerranéens*, n° 74-75, Paris, 1996.

A. Roussillon, « L'Égypte et l'Algérie au péril de la libéralisation », *Dossiers du CEDEJ*, Le Caire, 1996.

Les recettes (2,4 milliards de dollars) ont été pour partie versées au Trésor et ont servi à financer les préretraites des travailleurs et à régler aux banques la dette des entreprises déficitaires. Le remaniement ministériel restreint de juillet 1997, touchant notamment les portefeuilles de l'Économie, des Affaires sociales et de l'Environnement, reflétait bien l'accent mis sur les réformes économiques et les mesures sociales d'accompagnement. L'essentiel des efforts dans ce sens est apparu orienté vers la réunion de conditions favorables aux investissements privés lourds, présentés comme source d'emplois et, à plus long terme, facteur d'amélioration des performances à l'exportation. Sur ce plan, les capitaux investis sont passés de 1,6 milliard de dollars en 1996 à 4,7 milliards en 1997. L'exercice financier clos le 30 juin 1997 enregistrait un taux de croissance de 5,5 %. La dette égyptienne s'élevait à 26,9 milliards de dollars, l'aide militaire américaine à 1,3 milliard de dollars et l'aide économique à 815 millions de dollars. Enfin, le rapport bisannuel du FMI (avril 1998) a souligné l'amélioration des résultats économiques, alors qu'un rapport sur le développement humain de l'Institut national de planification (juillet 1997) relevait, pour sa part, que depuis 1991 la pauvreté s'était aggravée dans les villes. - **Iman Farag** ■

Soudan

Le Soudan a connu à partir de l'hiver 1997-1998 une nouvelle grande crise humanitaire dont la communauté internationale, passablement blasée par la récurrence des descriptions apocalyptiques dans cette région, a semblé hésiter à mesurer l'ampleur. Malgré un premier appel des Nations unies en février 1998, la modicité des promesses (environ 20 % des 109 millions de dollars exigés initialement) a incité le secrétaire général Kofi Annan à plaider lui-même cette cause, avec à peine plus de succès. De fait, le chiffre initial de 300 000 personnes habitant la région du Bahr-el-Ghazal est revu à la hausse après chaque évaluation. A l'été 1998, plus de 1,2 million de personnes étaient menacées, dans cette région, dans l'Équatoria oriental et dans le Kordofan méridional. La cause d'une telle urgence humanitaire aura une fois de plus été, non pas les conditions climatiques, mais la poursuite d'une guerre sans merci entre le régime de Khartoum, appuyé par des supplétifs du Sud-Soudan, et l'Armée populaire de libération du Soudan (APLS) dirigée par John Garang.

Des opérations militaires mettent en péril le contrôle d'une partie du territoire jugée stratégique par Khartoum. Aux déplacés par les combats s'ajoutent ceux qui fuient les effets d'une politique de la terre brûlée

Soudan/Bibliographie

Amnesty International, *Soudan : quel avenir pour les droits de l'homme ?*, « Rapport pays », Paris, 1995.

J. M. Burr, R. O. Collins, *Requiem for the Sudan, War, Drought and Disaster Relief on the Nile*, Westview Press, Boulder (CO), 1995.

Human Rights Watch/Africa, *Behind the Red Line. Political Repression in the Sudan*, Human Rights Watch, New York, 1996.

S. Hutchinson, *Nuer Dilemmas : Coping with Money, War and the State*, University of California Press, Los Angeles, 1996.

« Le Soudan : échec d'une expérience islamiste ? » (dossier), *Politique africaine*, n° 66, Karthala, Paris, juin 1997.

R. Marchal, « Éléments d'une sociologie du Front national islamique », *Les Études du CERI*, n° 5, FNSP, Paris, sept. 1995.

R. Marchal, « Vers une recomposition du champ politique soudanais », *REMMM/ Revue du monde musulman et de la Méditerranée*, Édisud, Aix-en-Provence, juin 1997.

P. A. Nyaba, *The Politics of Liberation in South Sudan*, Fountain Publishers, Kampala, 1997.

G. Prunier, « Une nouvelle diplomatie révolutionnaire : les Frères musulmans au Soudan », *Islam et sociétés au sud du Sahara*, n° 6, Paris, 1992.

A. S. Sidahmed, *Politics and Islam in Contemporary Sudan*, St. Martin's Press, Londres, 1996.

menée par l'un ou l'autre camp. Le régime interdit aux organisations humanitaires d'agir dans les zones à risque ou limite l'accès aux victimes. L'opposition armée utilise la détérioration de la situation alimentaire comme une arme politique et, à l'occasion, s'octroie une part notable des secours. Chacun dénonce l'autre, tandis que les organisations humanitaires s'affairent devant une opinion internationale de plus en plus indifférente face à un conflit qui a commencé en 1983.

Le gouvernement et l'APLS avaient accepté, en juillet 1997, de reprendre des négociations sous l'égide de l'IGAD (Autorité intergouvernementale pour le développement) après trois ans de rupture. Après neuf mois de tergiversations, cette reprise a eu lieu à Nairobi du 30 avril au 6 mai 1998 et a débouché sur un accord (la tenue d'un référendum d'autodétermination), dont chacun s'est empressé de souligner les zones d'ombre : la durée de la période intérimaire n'était pas fixée, pas plus que les régions (ou « États » dans le vocabulaire administratif soudanais) qui devraient y participer. La guerre a donc pu reprendre tous ses droits. Nelson Mandela a été mis à contribution avec un résultat tout aussi dérisoire.

La guerre peut-elle fournir une solution ? Fin janvier 1998, l'APLS a mené une offensive dans le Bahr-el-Ghazal et a pu contrôler Wau, la capitale régionale, pendant quelques heures. Le drame humanitaire en a été l'une des conséquences. Certes, l'opposition nordiste (Alliance nationale démocratique – AND) dont fait partie l'APLS, a prétendu avoir conquis des localités stratégiques à proximité de Damazin, voire être en état de couper avant la fin de l'été 1998 l'axe stratégique Khartoum-Port-Soudan, mais cette revendication n'était pas nouvelle et les victoires militaires des deux camps ont toujours été d'une grande fragilité.

L'opposition, malgré une aide massive des Érythréens, n'a pas été capable de s'imposer militairement. De nombreuses rumeurs ont fait état de ses dissensions affectant son efficacité tant au Soudan que sur la scène internationale. De plus, le conflit érythréo-éthiopien a affaibli son potentiel militaire. Madeleine Albright, la secrétaire d'État américaine, rencontrant John Garang à Kampala en décembre 1997, dut rappeler la nécessité d'avoir une opposition unie et solidaire.

Il est vrai que la cohérence n'est pas toujours apparue évidente du côté des alliés : les États-Unis ont rouvert après dix-neuf mois leur ambassade à Khartoum pour décréter six semaines plus tard l'embargo total à l'encontre du Soudan. Le FMI, qui, pendant des années, avait maintenu la possibilité d'une exclusion du Soudan de ses instances, a projeté d'ouvrir un bureau à Khartoum tant les réformes économiques du régime sont appréciées depuis le paiement d'une fraction du service de la dette qui s'élevait en 1997 à 21 milliards de dollars. Le PIB a connu une croissance de 5,5 % en 1997 et l'inflation est passée en moins de huit mois de 123 % à moins de 15 % en mars 1998. Le pays s'est affirmé comme premier producteur africain de sucre, espérant être autosuffisant en hydrocarbures d'ici à l'an 2000. D'autres chiffres tempèrent cet optimisme commandé : le déficit commercial était de 700 millions de dollars pour des importations de l'ordre de 1,4 milliard de dollars, et les recettes d'exportations agricoles ont décliné en 1997 de 16,5 %.

Le régime a resserré ses rangs. La mort du vice-président, le général Zubeyr Mohamed Saleh, et d'autres notables du régime dans un accident d'avion le 12 février 1998 a incité à un remaniement ministériel où les principaux leaders islamistes ont été mis à tous les postes de commande, offrant des strapontins aux ralliés sudistes et à quelques dissidents nordistes. La nouvelle Constitution, censée définir une ouverture politique, n'est apparue être qu'un plat exercice de rhétorique où les droits élémentaires de la vie politique ne sont pas pleinement garantis. Pourtant, les difficultés qui l'assaillent ne désarment pas les secteurs les plus radicaux du pouvoir. Alors qu'une nouvelle tentative de normalisation avec l'Égypte a échoué au printemps, le mouvement palestinien Hamas a pu ouvrir début juin une représentation à Khartoum.

République du Soudan

Capitale : Khartoum.
Superficie : 2 505 810 km².
Nature de l'État : le Soudan est doté d'un système fédéral, dont la réalité est contestée.
Nature du régime : dictature, menant une guerre civile sanglante, notamment dans le Sud, et interdisant toute activité politique en dehors de ses propres institutions.
Chef de l'État et du gouvernement : général Omar Hassan Ahmed al-Bechir (depuis le 30.6.89, élu en mars 96).
Président du Parlement : Hassan al-Tourabi (depuis mars 95).
Ministre de l'Intérieur : général Abdel Rahim Mohamed Husein (depuis le 9.3.98).
Ministre de la Défense : général Ibrahim Suleiman (depuis le 9.3.98).
Ministre des Affaires étrangères : Mustapha Osman Ismaël (depuis le 9.3.98).
Monnaie : livre soudanaise (100 livres = 0,032 FF en 30.5.98). Le dinar vaut 10 livres soudanaises.
Langues : arabe (off.), anglais, dinka, nuer, shilluck, etc.

Enfin, le 20 août 1998, le pays a subi un bombardement américain visant une usine de produits pharmaceutiques (présentée comme fabriquant des armes chimiques) en riposte aux attentats sanglants ayant visé, le 7 août précédent, les ambassades des États-Unis au Kénya et en Tanzanie. - **Roland Marchal** ■

Afrique sud-tropicale

Angola, Malawi, Mozambique, Zambie, Zimbabwé

Angola

La déclaration par l'Unita (Union pour l'indépendance totale de l'Angola, mouvement en conflit armé contre le régime depuis l'indépendance du pays) de sa démilitarisation, et, en avril 1997, la formation d'un gouvernement dit d'unité et de réconciliation nationale, censées ouvrir la dernière phase – politique – du processus de paix signé à Lusaka en novembre 1994 par le gouvernement du MPLA (Mouvement populaire de libération de l'Angola, ancien parti unique) et le mouvement de Jonas Savimbi, n'ont pas permis la pacification du pays. Alors que l'Unita, restée interdite d'activité politique, avait conservé des forces armées, continuait à recevoir des armements, et posait des conditions au rétablissement de l'administration dans les zones qu'elle contrôlait, le gouvernement (ou plutôt le centre réel du pouvoir : Présidence et État-Major) s'engageait dans des interventions chez ses voisins : après l'aide apportée au renversement du président Mobutu dans l'ex-Zaïre, en mai 1997, et alors qu'à Brazzaville (Congo) l'issue de la guerre civile était incertaine, les Forces armées angolaises (FAA) intervenaient en octobre, et cette fois décisivement, pour assurer la victoire de Denis Sassou Nguesso contre le président Pascal Lissouba qui avait permis tant à l'Unita qu'aux divers fronts de libération de l'enclave de Cabinda (FLEC) d'utiliser le territoire congolais. Cette intervention massive, lancée comme la précédente au Zaïre essentiellement pour des objectifs intérieurs – porter un coup à ses oppositions armées et s'assurer des voisins sûrs –, violait le droit international et le protocole de Lusaka, sans toutefois susciter de la part des grandes puissances, et notamment de la troïka (États-Unis, Portugal, Russie), chargée avec l'ONU du processus de paix angolais, plus que des condamnations verbales. La communauté internationale était lassée, en effet, des manœuvres dilatoires de l'Unita et la poursuite de la guerre au Congo risquait de menacer les intérêts pétroliers congolais et angolais des États-Unis et de la France, alors même que de nouvelles et très importantes découvertes pétrolières renforçaient encore la position internationale de Luanda. Au lendemain de cette intervention (fin octobre 1997), le Conseil de sécurité votait d'ailleurs des sanctions contre l'Unita.

Sous cette double contrainte et alors que la communauté internationale faisait aussi pression sur le gouvernement pour qu'il ne déclenche pas d'offensive militaire contre le mouvement de Jonas Savimbi, ce dernier faisait enregistrer et démobiliser quelque 8 000 militaires jusque-là soustraits au processus de paix et cédait pas à pas la grande majorité des territoires sous son contrôle. Une nouvelle déclaration de démilitarisation était faite en mars 1998, suivie de la promulgation du statut de « chef du principal parti d'opposition » à J. Savimbi, de la légalisation politique de l'Unita et de la venue d'une partie de sa direction à Luanda. En mai 1998 cependant, les deux princi-

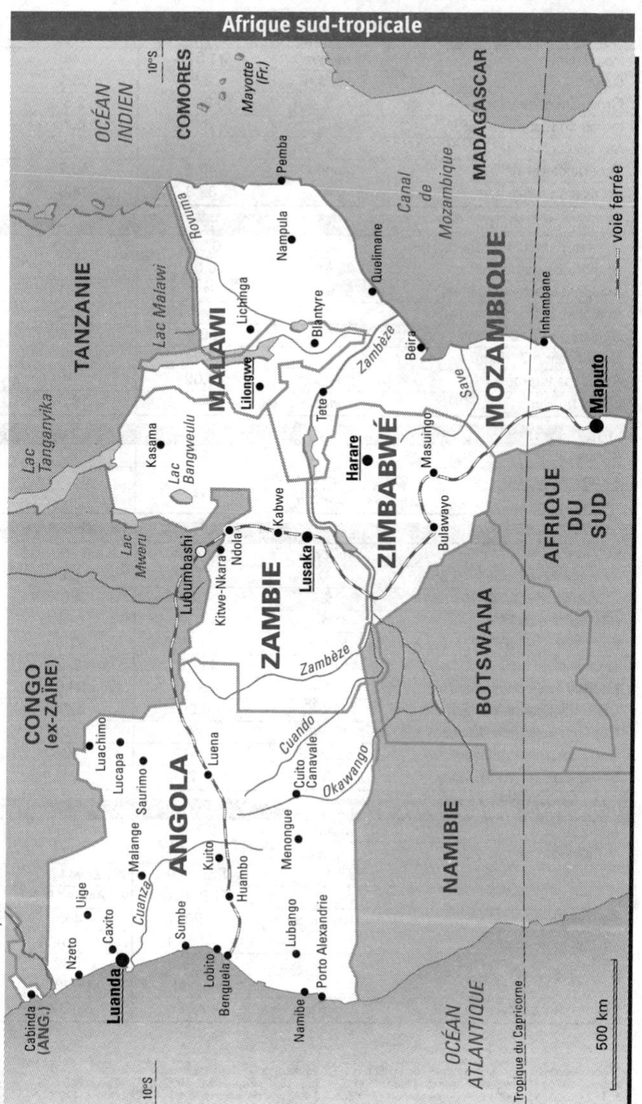
Afrique sud-tropicale
OCÉAN INDIEN
COMORES
Mayotte (Fr.)
10°S
MADAGASCAR
Canal de Mozambique
Pemba
Rovuma
Nampula
Quelimane
TANZANIE
Lac Malawi
Lichinga
Blantyre
MALAWI
Lilongwe
Beira
Zambèze
Tete
Save
MOZAMBIQUE
Inhambane
Maputo
voie ferrée
Lac Tanganyika
Kasama
Lac Bangweulu
Harare
ZIMBABWÉ
Masvingo
Bulawayo
AFRIQUE DU SUD
Lac Mweru
Lubumbashi
Kitwe-Nkana
Ndola
Kabwe
Lusaka
ZAMBIE
BOTSWANA
CONGO (ex-ZAÏRE)
Cuando
Cuito Canavale
Okawango
Luachimo
Lucapa
Saurimo
Luena
ANGOLA
NAMIBIE
Malange
Kuito
Menongue
Huambo
Uige
Caxito
Cuanza
Nzeto
Sumbe
Lubango
Porto Alexandrie
Luanda
Lobito
Benguela
Namibe
Cabinda (ANG.)
OCÉAN ATLANTIQUE
Tropique du Capricorne
500 km
© Éditions La Découverte & Syros

INDICATEUR*	UNITÉ	ANGOLA	MALAWI
Démographie**			
Population	*millier*	11 570	10 087
Densité	*hab./km²*	9,3	85,1
Croissance annuelle[d]	%	3,3	2,5
Indice de fécondité (ISF)[d]		6,7	6,7
Mortalité infantile[d]	‰	124	142
Espérance de vie[d]	*année*	46,5	40,7
Population urbaine	%	32,3	14,3
Indicateurs socioculturels			
Développement humain (IDH)[c]		0,335	0,320
Nombre de médecins[i]	*‰ hab.*	0,04	0,02
Analphabétisme (hommes)[b]	%	••	28,1
Analphabétisme (femmes)[b]	%	••	58,2
Scolarisation 12-17 ans	%	38,6[i]	51,8[i]
Scolarisation 3e degré	%	0,7[g]	0,8[h]
Adresses Internet	*‰ hab.*	0,02	–
Livres publiés	*titre*	••	182[b]
Armées			
Armée de terre	*millier d'h.*	98	5
Marine	*millier d'h.*	1,75	–
Aviation	*millier d'h.*	11	–
Économie			
PIB total[ae]	*million $*	11 400	6 900
Croissance annuelle 1986-96	%	– 2,8	4,1
Croissance 1997	%	6,5	4,6
PIB par habitant[ae]	$	1 030	690
Investissement (FBCF)[f]	% PIB	15,7	12,9
Taux d'inflation	%	111,2	9,1
Énergie (taux de couverture)[b]	%	4 263,5	23,6
Dépense publique Éducation	% PIB	4,9[i]	5,7[b]
Dépense publique Défense[a]	% PIB	6,4	1,2
Dette extérieure totale[a]	*million $*	10 612	2 312
Service de la dette/Export.[f]	%	17	21
Échanges extérieurs			
Importations	*million $*	2 750	596
Principaux fournisseurs[a]	%	UE 57,6	AfS 35,7
	%	Por 23,9	Zbw 17,8
	%	PED 23,0	Asie[m] 16,3
Exportations	*million $*	5 200	460
Principaux clients[a]	%	E-U 59,1	E-U 14,4
	%	UE 19,5	UE 32,2
	%	Asie[m] 11,7	Afr 23,7
Solde transactions courantes	% PIB	– 7,88[c]	– 34,94[b]

* Définition des indicateurs p. 25 et suiv. Chiffres 1997 sauf notes. ** Derniers recensements utilisables : Angola, 1970 ; Malawi, 1987 ; Mozambique, 1997 ; Zambie, 1990 ; Zimbabwé, 1992. a. 1996 ; b. 1995 ; c. 1994 ; d. 1995-2000 ; e. A parité de pouvoir d'achat (PPA, voir définition p. 581) ; f. 1994-96 ; g. 1991 ;

MOZAMBIQUE	ZAMBIE	ZIMBABWÉ
18 265	8 478	11 682
23,3	11,3	29,9
2,5	2,4	2,1
6,1	5,5	4,7
110	103	68
47,0	42,9	48,5
36,4	43,6	33,2
0,281	0,369	0,513
0,03	0,09	0,14
42,3	14,4	9,6
76,7	28,7	20,1
28,3[n]	60,7[i]	94,9[n]
0,5[b]	2,5[c]	6,9[b]
0,02	0,27	0,24
• •	• •	232[n]
4,5	20	35
0,1	–	–
1	1,6	4
9 000	7 900	24 700
6,8	3,4	3,6
6,6	3,5	3,7
500	860	2 200
50,2	10,3	18,0
6,9	24,4	16,0
8,3	73,1	55,0
6,3[i]	1,8[b]	7,2[bh]
3,7	1,8	3,9
5 842	7 113	5 003
42	25	24
855	1 485	2 640
UE 15,8	UE 23,8	UE 18,8
Afr 61,9	AfS 34,2	AfS 52,1
Asie[m] 16,4	Asie[m] 23,1	Asie[m] 8,6
234	840	2 400
E-U 10,4	UE 17,4	UE 32,1
UE 40,0	Afr 13,9	Afr 38,5
Afr 25,0	Asie[m] 61,1	Asie[m] 16,2
– 30,41[b]	• •	– 7,30[c]

h. 1993 ; i. 1990 ; k. Dépenses courantes seulement ; m. Y compris Japon et Moyen-Orient ; n. 1992.

pales bases du mouvement (Bailundu et Andulo) n'étaient toujours pas repassées sous administration gouvernementale, et J. Savimbi ne s'était pas installé à Luanda. Surtout, sur le terrain, l'extension de l'administration était loin de se faire dans le calme et d'amener la pacification : elle s'accompagnait parfois du côté gouvernemental d'offensives militaires, et très généralement de l'intervention d'une police spéciale (la PIR) militairement équipée, et donnait lieu à une répression locale contre les cadres de l'Unita, ce mouvement incitant, pour sa part, la population à s'opposer à l'action de la police. Plusieurs provinces du pays étaient le cadre d'attaques armées menées par des troupes de l'Unita non enregistrées ou ayant déserté les camps de démobilisation, par des bandes sans affiliation, mais aussi par des policiers et soldats.

En mai 1998, l'Unita, bien qu'ayant déclaré sa démilitarisation, disposait encore de plusieurs milliers d'hommes, de moyens militaires et d'une part de ses ressources en diamant. Le désarmement de la population civile prévu par le protocole de Lusaka était quasi inexistant dans la capitale, et la police échappait de fait au contrôle international. L'éradication des « bandes errantes » était à l'ordre du jour, et des dirigeants politiques et militaires de Luanda menaçaient de reprendre par la force le contrôle de tout le territoire.

Combats, attaques, banditisme ont entraîné des dizaines de milliers de nouveaux déplacés. La population continuait à vivre de combines, vols, trafics et patronage, dans un climat de violence et d'insécurité. L'argent du pétrole continuait d'être détourné dans l'opacité par la direction du pays, le mécontentement social trouvant peu de débouchés dans un mouvement syndical vulnérable, une opposition parlementaire menée par l'Unita que le gouvernement poussait à se détacher pièce à pièce de J. Savimbi.

Dans le contexte de la rébellion qui s'est développée en République démocratique du Congo (ex-Zaïre) en août 1998, le pouvoir angolais, d'abord hésitant, a opté pour une intervention militaire décisive aux côtés de Laurent-Désiré Kabila. Ce choix visait à renforcer l'ascendant de l'Angola dans la région et dans la SADC (Communauté de développement de l'Afrique australe), aiguisant les contradictions dans cette partie de l'Afrique, et à susciter la rupture d'une partie des dirigeants de l'Unita présents à Luanda avec J. Savimbi. La communauté internationale se trouvait ainsi mise en demeure de reconnaître cette dissidence et de soutenir une probable offensive militaire et policière contre l'« Unita belliciste », militarisations intérieure et extérieure se renforçant mutuellement. - **Christine Messiant** ■

République d'Angola

Capitale : Luanda.
Superficie : 1 246 700 km².
Nature de l'État : république.
Nature du régime : parlementaire présidentiel. Le 11.4.97 a été mis en place un Gouvernement d'unité et de réconciliation nationale (GURN), selon les accords de paix de nov. 94.
Chef de l'État et du gouvernement : José Eduardo dos Santos (depuis le 20.9.79).
Premier ministre : Fernando França van Dunem (depuis le 3.6.96, reconduit en avr. 97).
Jonas Savimbi, leader de l'Unita (Union pour l'indépendance totale de l'Angola), a disposé du statut constitutionnel de « dirigeant du plus important parti d'opposition » à partir d'avr. 97.
Ministre de la Défense : Pedro Sebastião (MPLA, Mouvement populaire de libération de l'Angola, ancien parti unique).
Ministre de l'Intérieur : Santana André Pita (dit « Petroff », MPLA).
Ministre des Affaires étrangères : Venancio de Moura (MPLA).
Échéances électorales : le Parlement (élu en 92) a voté sa prorogation jusqu'en 2000, alors que la Constitution prévoit des élections législatives tous les quatre ans.
Monnaie : kwanza réajusté (1 000 kwanzas = 0,023 FF au 3.8.98).
Langues : portugais (off.), langues du groupe bantou : umbundu, kimbundu, kikongo, quioco, ganguela (« nationales »).
Souveraineté contestée : dans le Cabinda, divers mouvements indépendantistes, dont plusieurs armés : FLEC [Front de libération de l'enclave de Cabinda]-FAC, FLEC renovada.

Malawi

Le processus de stabilisation économique et politique s'est poursuivi. Le chef de l'État, Bakili Muluzi, soutenu par son parti, le Front démocratique uni, a fait face sans trop de difficultés aux turbulences de la vie politique nationale.

Ainsi, le projet d'unification entre deux partis d'opposition, l'Alliance pour la démocratie (Aford) et le Parti du Congrès du Malawi, n'a-t-il finalement abouti qu'à révéler les divergences entre les responsables de ces formations. De plus, une telle alliance aurait eu pour conséquence d'entraîner des élections parlementaires anticipées, le Front démocratique uni se retrouvant en minorité. Or, les partis d'opposition ont à craindre de telles élections qui avantagent le parti du président, dont le soutien essentiel se trouve dans le Sud, région la plus peuplée du pays.

L'agriculture a continué sa restructuration avec priorité donnée aux petits et moyens producteurs et privatisation des circuits de commercialisation. Globalement, à la fin de la saison 1997, les récoltes principales (maïs, tabac, coton, sucre, thé) avaient reculé de plus de 20 %, les pluies excessives et les inondations ayant entraîné beaucoup de dégâts. La croissance engagée à partir de 1996 semblait cependant devoir se maintenir avec un taux de 4,6 % ; l'inflation étant contenue à 9,1 %.

Enfin, le pays, fort des engagements pris

en matière de rétablissement des droits de l'homme (adhésion à divers protocoles et conventions), a continué d'attirer dons et prêts étrangers.

République du Malawi

Capitale : Lilongwé.
Superficie : 118 480 km².
Nature du régime : présidentiel parlementaire.
Chef de l'État et du gouvernement : Bakili Muluzi (depuis le 17.5.94).
Ministre de l'Agriculture : Aleke Banda (depuis le 24.7.97).
Ministre des Affaires étrangères : Mapopa Chipeta (depuis le 24.7.97).
Ministre de la Défense : Joseph Kubalo (depuis le 24.7.97).
Ministre de l'Intérieur : Mevin Moyo (depuis le 24.7.97).
Monnaie : kwacha (au taux officiel, 1 kwacha = 0,23 FF au 30.5.98).
Langues : anglais, chichewa.

Dans ce contexte, la mort, le 25 novembre 1997, de l'ancien président Kamuzu Banda, « père de l'indépendance » et longtemps considéré comme l'un des derniers dictateurs africains, n'a pas suscité de réaction d'envergure. Le gouvernement a d'ailleurs annoncé qu'il renonçait à toute procédure pour récupérer les avoirs financiers considérables que détenait le docteur Banda au Royaume-Uni. - **Philippe L'Hoiry-Labarthe** ■

Mozambique

Le président Joaquim Chissano a pu tabler, au cours de l'année 1997, sur une croissance économique favorable. Le taux d'inflation a considérablement baissé (seulement 6,9 % en 1997), la production industrielle s'est largement accrue, dépassant toutes les prévisions, ce qui a motivé un fort accroissement des investissements étrangers. Ainsi plusieurs sociétés françaises étaient-elles sur le pied de guerre, en 1998, pour décrocher d'importants contrats (construction d'une usine d'aluminium, d'une centrale hydroélectrique). Seule la campagne de privatisations a été freinée par de multiples obstacles.

L'argent a afflué au Mozambique, devenu un pays extrêmement attractif pour des opérations financières ou commerciales d'envergure (réhabilitation de raffineries de pétrole, coopération Maputo-Macao, etc.). Les seules craintes des analystes de la Banque mondiale et du FMI étaient que le programme de réformes soit entravé par des ressources humaines encore faibles, voire par la réticence de certains secteurs devant une libéralisation forcenée de l'économie qui pourrait rogner leurs intérêts économiques ou politiques acquis.

Les deux principaux partis opposants, la Renamo (Résistance nationale du Mozambique) et l'UD (Union démocratique), ont révélé leur faiblesse financière et leur manque d'organisation. Le Frelimo (Front de libération du Mozambique), parti au pouvoir,

République du Mozambique

Capitale : Maputo.
Superficie : 783 080 km².
Nature du régime : présidentiel pluraliste depuis déc. 90.
Chef de l'État : Joaquim Alberto Chissano (depuis le 4.1.87, élu le 29.10.94).
Premier ministre : Pascoal Mocumbi (depuis le 16.12.94).
Ministre de la Défense et de l'Intérieur : Almerinho Manhenje.
Ministre des Affaires étrangères : Leonardo Simão.
Échéances institutionnelles : élections présidentielle et législatives (99).
Monnaie : metical (au taux officiel, 1 000 meticals = 0,5 FF au 30.5.98).
Langues : portugais (off.), macua-lómué, maconde, chona, tonga, chicheua...

a largement dominé la scène politique et a eu les mains relativement libres pour réguler la vie institutionnelle. C'est ainsi que les élections municipales prévues en novembre 1997 ont été une fois de plus repoussées au cours de l'été 1998, sans que cette échéance ait pu être considérée comme définitive. En effet, la Renamo a contesté le recensement des électeurs, établi sur la base des élections générales de 1994 où quantité de Mozambicains n'avaient pu s'inscrire. Elle a de ce fait menacé de boycotter les élections si un nouveau recensement n'était pas réalisé.

Les efforts du gouvernement ont massivement porté sur la lutte contre la criminalité urbaine, notamment grâce à l'action volontariste du ministre de l'Intérieur, Almerinho Manhenje, qui a cherché à restaurer l'image de la police. Les premiers résultats de cette vaste entreprise se sont révélés assez concluants, mais les tribunaux ont été rapidement encombrés. En revanche, le banditisme s'est accru dans le sud du pays, où des touristes ont été plusieurs fois attaqués par des bandes armées. De surcroît, la croissance économique était encore loin de tempérer les conditions de vie souvent misérables. Plusieurs manifestations dans les régions du Centre et du Nord ont été organisées par la Renamo tout au long du mois de mai 1997 pour protester contre cette détresse, et, par ricochet, contre le Frelimo qui tenait au même moment sa convention nationale. Si le pays semblait sur la voie de la recomposition, bien des choses restaient à accomplir.

Zambie

Le second mandat du chef de l'État Frederik Chiluba a commencé dans un concert de récriminations émanant de l'opposition. Les moyens de pression ont pourtant cruellement manqué au principal parti d'opposition, l'UNIP (Parti unifié pour l'indépendance nationale), qui, après avoir boycotté les élections générales de la fin 1996, ne disposait d'aucun siège parlementaire. Ce parti n'a pas été épargné par les divisions internes. Le retour à sa tête de Kenneth Kaunda, l'ancien président, n'a pas été jugé probant par plusieurs dirigeants. Certains d'entre eux ont même entamé des manœuvres de rapprochement avec le parti au pouvoir, le MMD (Mouvement pour la démocratie multipartite), pendant que K. Kaunda poursuivait ses activités pour discréditer le gouvernement. Cela lui a valu d'être mis en cause lors de la tentative avortée de coup d'État d'un capitaine de l'armée, en octobre 1997. L'établissement immédiat de l'état d'urgence, qui a été maintenu jusqu'à fin avril 1998, a été l'occasion de violentes passes d'armes entre le pouvoir et les opposants. Ces derniers ont accusé le gouvernement, dirigé à partir de décembre 1997 par Christen Tembo, maître d'œuvre d'une reprise en main autoritaire, de profiter des circonstances pour les envoyer en prison. K. Kaunda a ainsi été arrêté en janvier 1998.

Pourtant, dès le début de l'année 1997, le gouvernement avait préféré jouer la carte de la prudence politique afin de préserver sa bonne image auprès des donateurs internationaux. Une commission permanente des droits de l'homme a ainsi été créée en mars 1997 et la commission anticorruption s'est vue renforcée. Le gouvernement a sapé la stratégie des partis d'opposition qui n'ont pu que contester systématiquement la régularité des élections. Or, les donateurs ont semblé bien plus intéressés par le mode de gouvernement postélectoral que par les élections elles-mêmes. Le MMD, en position de force, a dû cependant faire face à un climat social délétère. Les vendeurs de rue se sont de nouveau révoltés au mois d'août 1997 à Lusaka. Les relations entre le gouvernement et les syndicats se sont progressivement dégradées, les négociations sur l'augmentation des salaires de la fonction publique ayant échoué.

République de Zambie

Capitale : Lusaka.
Superficie : 752 610 km².
Nature du régime : présidentiel, multipartisme autorisé depuis sept. 90.
Chef de l'État : Frederik Titus Chiluba (depuis le 1.11.91, réélu le 18.11.96).
Chef du gouvernement : Christen Tembo, qui a succédé en déc. 97 à Godfrey Miyanda.
Ministre de l'Intérieur : Peter Machungwa.
Ministre de la Défense : Chitalu Sampa.
Ministre des Affaires étrangères : Keli Walubita.
Monnaie : kwacha (au taux officiel, 100 kwachas = 0,32 FF au 30.4.98).
Échéances institutionnelles : élections présidentielle et législatives (2001).
Langues : anglais (off.), langues du groupe bantou.
Territoires contestés : Province de l'Ouest, ancien protectorat britannique (Barotseland), peuplé par des Lozi réclamant l'application de l'accord de 1964 (reconnaissance de droits de représentation politique en échange de l'annexion).

Sur le plan économique, la privatisation du ZCCM (Consortium zambien des mines de cuivre) a traîné en longueur. Les prévisions du gouvernement sur le taux d'inflation se sont révélées une fois de plus très optimistes (24,4 % au lieu des 15 % espérés), ce qui n'a pas empêché les investisseurs étrangers de continuer et même d'augmenter leurs engagements, en raison de la bonne santé du marché des changes de Lusaka. Les donateurs internationaux ont décidé de reprendre leur aide à la fin juin 1997, alors même que la Zambie était loin de remplir les objectifs fixés par le FMI. Ce dernier a cependant cherché à rassurer le gouvernement en lui certifiant sa confiance. Le coup d'État de la fin 1997 et ses conséquences ont certes ennuyé les donateurs qui, à nouveau, se sont posé la question de la poursuite de leur aide, mais des indicateurs économiques favorables les ont confortés dans leur choix. - **Jérôme Lafargue** ■

Zimbabwé

Le pays est entré dans une nouvelle phase de récession et les chances de restaurer les comptes de la plupart des entreprises n'avaient jamais été aussi mauvaises depuis l'indépendance. Le gouvernement n'est pas parvenu à limiter l'accroissement des dépenses de l'État. En 1997, 90 % des rentrées fiscales ont été absorbés par le service de la dette et par les salaires du secteur public. Les projets de nationalisation d'entreprises agricoles et l'augmentation des pensions des vétérans de la guerre de libération devraient en 1998 élever ce taux à 100 %. La détérioration des finances publiques a continué d'entraîner une baisse de la qualité et de la couverture des services publics.

Le secteur agricole marchand, un des piliers de l'économie du pays, est resté perturbé par la menace réitérée de nationalisation. Même si cette menace appartient à la rhétorique du régime, la posture de plus en plus aux abois de ses dirigeants pouvait laisser présager un risque de passage à l'acte. Il s'est ensuivi une limitation des sur-

République du Zimbabwé

Capitale : Hararé.
Superficie : 390 580 km².
Nature du régime : présidentiel.
Chef de l'État et du gouvernement : Robert G. Mugabe (Premier ministre depuis 80 et président depuis le 31.12.87).
Échéances électorales : législatives (avr. 2000) et présidentielle (mars 2002).
Monnaie : dollar Zimbabwé (au taux officiel, 1 dollar = 0,36 FF au 28.2.98).
Langues : anglais, shona, ndebele.

Afrique sud-tropicale/Bibliographie

Angola. A transiçao para a paz, reconciliaçao e desenvolvimento, Huguin, Lisbonne, 1996.

M. Anstee, *Orphan of the Cold War : The Inside Story of the Collapse of the Angolan Peace Process 1992-1993*, St Martin's Press, New York, 1996.

J.-L. Balans, M. Lafon (sous la dir. de), *Le Zimbabwé contemporain*, Karthala/IFRA, Paris, 1995.

Country Report 1996, Malawi, Economic Intelligence Unit Agency, Londres, 1996.

J.-P. Dalloz, J. D. Chileshe (sous la dir. de), *La Zambie contemporaine*, Karthala, Paris, 1996.

J. Lafargue, *Contestations démocratiques en Afrique. Sociologie de la protestation au Kénya et en Zambie*, Karthala, Paris, 1996.

« Les transitions libérales en Afrique lusophone », *Lusotopie*, Karthala, Paris, 1995.

J. M. Mabeko Tali, « L'interminable transition angolaise et les multiples dangers de l'incertitude politique », *Lusotopie*, vol. 1997, Karthala, Paris, 1997.

K. Maier, *Angola Promises and Lies*, SERIF, Londres, 1996.

C. Messiant, « Angola : Deconstructing a Nation ? », *in* D. Birmingham, P. Martin (sous la dir. de), *History of Central Africa*, vol. III, Longman, Londres, 1997.

C. Messiant, R. Marchal, *Les Chemins de la guerre et de la paix - Fins de conflit en Afrique orientale et australe*, Karthala, Paris, 1997.

P. Nordlung, *Organising Democracy. Politics and Power in Zambia*, University of Uppsala, Uppsala, 1995.

J. Vialatte, « Mozambique : l'État en quête d'une nouvelle symbolique », *in* CEAN, *L'Afrique politique. Revendications populaires et recompositions politiques*, Karthala, Paris, 1997.

faces plantées pour 1998, succédant à des récoltes médiocres en 1997. Pendant ce temps, le secteur manufacturier continuait de perdre des emplois (50 % de chômage dans le secteur formel), à cause de l'ouverture aux importations et du manque de compétitivité. La monnaie a connu une chute importante et est demeurée instable.

En avril 1998, un nouveau plan d'ajustement structurel de l'économie a été présenté, visant à rétablir la coopération avec la Banque mondiale et le FMI qui s'étaient retirés après avoir abandonné le précédent plan en 1995, conséquence de l'incapacité du gouvernement à respecter les conditions fixées dans le domaine fiscal.

Depuis la réélection de Robert Mugabe à la Présidence en 1996, les conflits sociaux ont été quasi permanents. La Confédération des syndicats (ZCTU) a forcé celui-ci à retirer un plan d'augmentation des taxes à la consommation en décembre 1997, après avoir organisé des manifestations sur l'ensemble du territoire. Le gouvernement l'a accusée d'avoir été derrière les troubles violents (émeutes de la faim) de janvier 1998, au cours desquels la police anti-émeutes avait tué six personnes, tandis que des pillages avaient lieu à Hararé.

A la suite d'un détournement de leurs pensions par des hauts fonctionnaires, les « vétérans », un pilier du régime, s'en sont pris au chef de l'État lors d'une cérémonie officielle et ont saccagé le siège de son parti. Il ne s'agissait que d'un des nombreux scandales s'accumulant autour du président et de son entourage soupçonnés d'attributions douteuses de marchés publics. Le procès de l'ancien chef de l'État Canaan Banana (1980 - 1987), accusé d'abus sexuels sur son aide de camp, n'avait rien pour redorer l'image extérieure d'un président Mugabe puritain qui se complaît à dénoncer régulièrement l'homosexualité.

Dans ce contexte, l'opposition, habilement neutralisée par l'intimidation et les procès, n'apparaissait pas en mesure de jouer un rôle qui laisserait présager un réajustement politique. Seules assuraient une fonction de contrepoids certaines institutions demeurées relativement indépendantes telles que la justice et certains organes de presse.

En août 1998, le Zimbabwé s'est engagé en République démocratique du Congo (ex-Zaïre), soutenant diplomatiquement et militairement Laurent-Désiré Kabila (envoi de troupes). Cette attitude a dénoté le souci de s'imposer face au leadership de Prétoria, en même temps qu'elle visait à redorer l'image déclinante de R. Mugabe. - **Patrick Quantin** ■

Afrique australe

Afrique du Sud, Botswana, Lésotho, Namibie, Swaziland

Afrique du Sud

Normaliser... avant la normalisation

Après deux années consacrées à l'implantation des nouvelles institutions démocratiques, le pouvoir issu des élections de 1994 s'est engagé dans une politique de normalisation imposée par la confirmation du refus du président Nelson Mandela d'être candidat à sa succession en 1999. L'économie et l'organisation politique du pays devront être en ordre et solidement ancrées dans la société pour que ce départ n'affaiblisse pas significativement le pays au risque d'entraîner une instabilité financière à court terme, voire des remous politiques. Le double exercice de consolidation des structures économiques et politiques entrepris à compter du début 1997 a montré les progrès accomplis dans la transformation du pays et le changement de régime.

Après la crise financière de 1996, marquée par une forte dépréciation du rand, puis les attaques sur le rand de 1997 dans la foulée des crises monétaires et financières asiatiques, les efforts du gouvernement pour assainir les structures de l'économie se sont amplifiés. Une gestion très conservatrice des finances publiques a d'abord conduit à une réduction du déficit budgétaire, à une diminution structurelle et sans précédent du taux d'inflation (6,1 %), à un assainissement progressif de la structure de la dette et à une augmentation des réserves de la Banque centrale. Cette politique d'assainissement, véhiculée par le programme GEAR (Growth, employment and reconstruction), a accompagné un mouvement de restructuration de fond de l'économie du pays. D'une part, l'ouverture tous azimuts du pays et son adhésion aux principes du libéralisme économique ont contraint l'Afrique du Sud à lever progressivement

INDICATEUR*	UNITÉ	1975	1985	1996	1997
Démographie**					
Population	*million*	25,7	33,0	42,4	43,3
Densité	*hab./km²*	21,0	27,0	34,7	35,5
Croissance annuelle	*%*	2,6[a]	2,3[b]	2,2[c]	••
Indice de fécondité (ISF)		4,9[a]	4,2[b]	3,8[c]	••
Mortalité infantile	*‰*	67[a]	55[b]	48[c]	••
Espérance de vie	*année*	56,9[a]	61,7[b]	65,3[c]	••
Indicateurs socioculturels					
Nombre de médecins	*‰ hab.*	0,55	0,63[i]	••	••
Analphabétisme (hommes)	*%*	23,1[s]	19,7[o]	18,1[g]	••
Analphabétisme (femmes)	*%*	25,5[s]	20,6[o]	18,3[g]	••
Scolarisation 2e degré[n]	*%*	20[k]	55[m]	84[g]	••
Scolarisation 3e degré	*%*	••	12,8[o]	17,3[g]	••
Téléviseurs	*‰*	3,9	89,3	123,4	••
Livres publiés	*titre*	3 849[p]	••	5 418[g]	••
Économie					
PIB total[h]	*milliard $*	125,4[s]	157,8	280,4	••
Croissance annuelle	*%*	3,4[d]	1,3[e]	3,2	1,7
PIB par habitant[h]	*$*	4 620[s]	5 140	7 450	••
Investissement (FBCF)	*% PIB*	26,8[d]	20,6[e]	17,2	17,4
Recherche et Développement	*% PIB*	••	••	0,7[q]	••
Taux d'inflation	*%*	13,5	16,3	7,4	6,1[t]
Population active	*million*	9,08	11,56	14,81	••
Agriculture	*%* } *100 %*	24,7	15,4	11,4[g]	••
Industrie	*%* } *100 %*	32,2	33,3	32,8[g]	••
Services	*%* } *100 %*	43,1	51,3	55,8[g]	••
Dépense publique Éducation	*% PIB*	••	6,0[m]	6,8[g]	••
Dépense publique Défense	*% PIB*	3,5	2,7	1,8	••
Énergie (taux de couverture)	*%*	80,0	127,8	134,8[g]	••
Dette extérieure totale	*milliard $*	13,8	26,5	29,4	••
Service de la dette/Export.	*%*	••	••	••	••
Échanges extérieurs		**1974**	**1986**	**1996**	**1997**
Importations de services	*milliard $*	1,5	2,90	5,69	••
Importations de biens	*milliard $*	8,5	11,13	27,03	••
Produits agricoles	*%*	9,8	10,1[r]	8,7[g]	••
Produits énergétiques	*%*	0,3	0,7[r]	10,2[gw]	••
Produits manufacturés	*%*	79,5	86,2[r]	76,0[g]	••
Exportations de services	*milliard $*	0,9	2,05	4,25	••
Exportations de biens	*milliard $*	8,4	18,33	29,06	••
Produits agricoles	*%*	38,0	20,9	11,8[g]	••
Produits énergétiques	*%*	0,8	14,8	8,1[g]	••
Minerais et métaux	*%*	26,3	25,6	10,3[g]	••
Solde transactions courantes	*% du PIB*	2,1[u]	0,5[e]	– 1,6	– 1,6

* Définition des indicateurs p. 25 et suiv. ** Dernier recensement utilisable : 1996. a. 1975-85 ; b. 1985-95 ; c. 1995-2000 ; d. 1970-80 ; e. 1980-96 ; f. 1994 ; g. 1995 ; h. A parité de pouvoir d'achat (PPA, voir définition p. 581) ; i. 1987 ; k. 1972 ; m. 1986 ; n. Taux brut ; o. 1990 ; p. 1974 ; q. 1993 ; r. 1985 ; s. 1980 ; t. Décembre à décembre ; u. 1976-80 ; w. Avec la fin des sanctions liées à l'apartheid, les importations de pétrole « déclarées » ont été multipliées par 36.

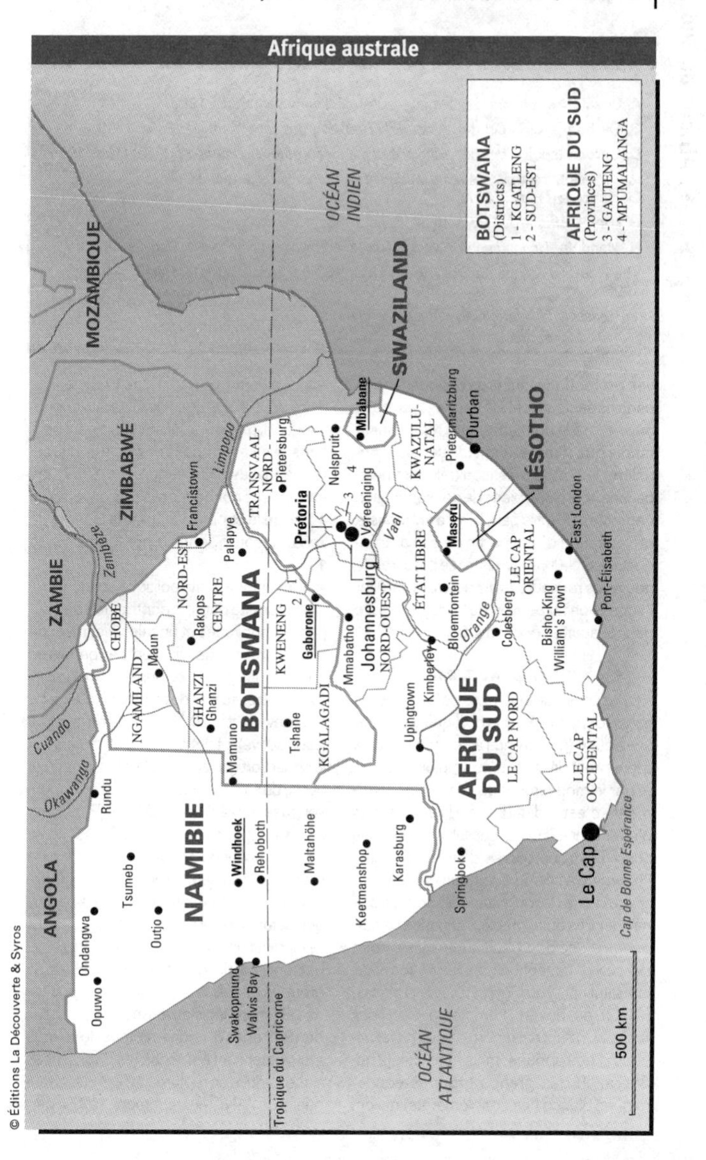
Afrique australe
BOTSWANA
(Districts)
1 - KGATLENG
2 - SUD-EST
AFRIQUE DU SUD
(Provinces)
3 - GAUTENG
4 - MPUMALANGA
OCÉAN INDIEN
OCÉAN ATLANTIQUE
ANGOLA
ZAMBIE
ZIMBABWÉ
MOZAMBIQUE
NAMIBIE
BOTSWANA
SWAZILAND
LÉSOTHO
AFRIQUE DU SUD
Zambèze
Limpopo
Cuando
Okawango
Vaal
Orange
CHOBÉ
NGAMILAND
NORD-EST
CENTRE
GHANZI
KWENENG
KGALAGADI
TRANSVAAL-NORD
NORD-OUEST
ÉTAT LIBRE
KWAZULU-NATAL
LE CAP NORD
LE CAP ORIENTAL
LE CAP OCCIDENTAL
Opuwo
Ondangwa
Outjo
Tsumeb
Rundu
Swakopmund
Walvis Bay
Windhoek
Rehoboth
Maltahöhe
Keetmanshop
Karasburg
Springbok
Mamuno
Ghanzi
Maun
Rakops
Francistown
Palapye
Tshane
Gaborone
Mmabatho
Johannesburg
Prétoria
Pietersburg
Vereeniging
Nelspruit
Mbabane
Pietermaritzburg
Durban
Upingtown
Kimberley
Bloemfontein
Maseru
Colesberg
Bisho-King William's Town
East London
Port-Élisabeth
Le Cap
Cap de Bonne Espérance
Tropique du Capricorne
500 km

Afrique du Sud/Bibliographie

A. Bosch, *Nelson Mandela : le dernier titan*, L'Harmattan, Paris, 1996.

D. Darbon (sous la dir. de), *Afrique du Sud, état des lieux*, Karthala, Paris, 1993.

D. Darbon (sous la dir. de), *Ethnicité et nation en Afrique du Sud*, Karthala, Paris, 1995.

P. Gervais-Lambony, *L'Afrique du Sud et les États voisins*, Armand Colin, coll. « U-Géographie », Paris, 1997.

G. Lory, *L'Afrique du Sud*, Karthala, Paris, 1998.

N. Mandela, *Un long chemin vers la liberté, autobiographie*, Fayard, Paris, 1995.

« La Nouvelle Afrique du Sud », *Hérodote*, n° 82-83, La Découverte, Paris, 3e-4e trim. 1996.

Voir aussi la bibliographie « Afrique australe », p. 208.

ses protections tarifaires et douanières : certains secteurs ont été fragilisés par cette ouverture à la concurrence (textile, mines) tandis que d'autres l'ont utilisée pour accélérer leur modernisation (télécommunications, tourisme, biens de consommation courante). D'autre part, l'État a entrepris la privatisation d'une partie de son actif industriel. Cela lui a permis de se procurer de nouvelles ressources qui devraient faciliter l'accession au pouvoir de la majorité noire dans le secteur économique.

Le « Black empowerment »

Cet accès des Noirs au pouvoir économique est stimulé par la politique d'affirmative action (préférence à l'emploi) menée à leur profit dans tous les emplois publics, et par le mouvement de *Black empowerment*– c'est-à-dire d'aide à la constitution d'un actionnariat, d'un capitalisme noir, mais aussi d'une bourgeoisie d'affaires noire. Si l'exercice a connu quelques échecs cinglants et se déroule dans un contexte financier très défavorable, il annonce l'émergence d'une bourgeoisie capitaliste noire dont Cyril Ramaphosa, ancien négociateur constitutionnel du Congrès national africain (ANC), est devenu l'emblème. Ce *Black empowerment* est facilité par les privatisations d'entreprises, mais aussi par la coopération des grands groupes économiques blancs (les conglomérats) qui ont appuyé l'émergence d'une bourgeoisie noire dont ils partagent les intérêts économiques et grâce à laquelle ils espèrent pouvoir s'assurer un accès privilégié et plus serein au pouvoir politique. En 1997, les entreprises noires représentaient environ 10 % de la capitalisation de la Bourse de Johannesburg, contre presque 0 % en 1993.

Cependant, cette politique économique s'est traduite par une contraction des dépenses publiques et un ralentissement du taux de croissance, qui n'ont pas permis de répondre aux nouvelles demandes d'emploi (350 000 par an) ni de réduire un chômage très élevé (entre 20 % et 35 % de la population active), et ont pesé négativement sur le climat politique et social. Les tensions n'ont cessé de se développer. La coalition au pouvoir rassemblant ANC, SACP (Parti communiste sud-africain) et COSATU (Congrès des syndicats d'Afrique du Sud) s'est de plus en plus divisée. La politique budgétaire restrictive du gouvernement et l'embourgeoisement des élites se sont opposés aux revendications de redistribution formulées par une partie des membres des trois groupes de l'alliance. Seule la perspective des élections législatives et présidentielles de 1999 et les divisions internes de chaque mouvement ont empêché les divergences de se traduire en rupture. La 50e réunion annuelle de l'ANC en décembre 1997 a permis d'imposer la ligne du président Mandela et du vice-président Thabo Mbeki, qui a exercé effectivement le pouvoir à compter de 1995 et a été intronisé à cette occasion successeur officiel à la Présidence. Dans ce contexte, le durcissement du ton envers les conservateurs blancs relevait aussi bien de la stratégie politique interne à l'ANC que du constat de l'incapacité du Parti national (NP) à moderniser son discours et à s'adapter à la nouvelle donne politique. Le départ de Frederik De Klerk de la tête de ce parti et son remplacement par F. Van Schalwyck illustraient cette impuissance confirmée par la démission de Rolf Meyer, l'ancien négociateur constitutionnel du parti.

Normalisation de la vie politique

L'entrée en vigueur de la Constitution de 1996 avec son Conseil national des provinces, la confirmation de certaines constitutions provinciales, ainsi que l'importance prise par la Cour constitutionnelle dans le respect de la division des pouvoirs ont confirmé la consolidation des institutions politiques et entériné le rôle essentiel de l'échelon régional dans les mécanismes de séparation des pouvoirs (et ce, même si leurs finances étaient en piteux état et si les tensions politiques entre le centre et les « périphéries » perduraient).

Le temps des discours prophétiques était passé et celui de la gestion était venu. L'État de droit, appuyé sur un appareil judiciaire solide et fiable, s'est imposé en Afrique du Sud comme une réalité concrète qui structure les compromis et les stratégies politiques, au point de pouvoir obliger le président à rendre compte devant le juge de ses choix politiques. Pendant ce temps, les anciennes oppositions raciales et politiques occultées depuis 1994 ont refait surface, les anciens privilégiés du régime d'apartheid, les Blancs, sentant peser sur eux les coûts financiers, économiques et sociaux de la démocratisation du régime et se percevant comme les mal-aimés du nouveau pouvoir, les exclus constatant pour leur part la lenteur des changements économiques et, travaillés par les tendances populistes, commençant à s'organiser. Cette montée des tensions sociales n'a fait que traduire la fin de l'âge prophétique de la nouvelle Afrique du Sud et sa normalisation. Les difficultés qu'a rencontrées la commission « Vérité et réconciliation » pour obtenir la coopération effective des leaders politiques de l'apartheid ou de certains dirigeants de l'ANC, et les blocages enregistrés dans certains domaines et notamment dans certains cercles militaires et dans la fédération sud-africaine de rugby ont bien reflété cette situation.

En réalité, pour l'essentiel, le pouvoir réel s'est désormais réorganisé autour d'une association ternaire, faisant intervenir le gouvernement, les intérêts économiques encore très largement blancs et les grandes fédérations syndicales. C'est dans cette *tripartite politics*, très proche des systèmes néo-corporatistes qui gèrent l'essentiel des grands pays démocratiques occidentaux, qu'il faut rechercher le fondement d'un pou-

République d'Afrique du Sud

Capitale : Prétoria.

Superficie : 1 221 037 km².

Monnaie : rand (1 rand = 1,16 FF au 30.5.98).

Langues : afrikaans, anglais, xhosa, zoulou, sotho, etc.

Chef de l'État : Nelson Mandela, président de la République (depuis le 9.5.94).

Vice-président : Thabo Mbeki (depuis mai 94).

Échéances électorales : législatives et présidentielle (1999).

Nature de l'État : république unitaire composée de 9 provinces dotées de constitutions.

Nature du régime : mixte présidentiel-parlementaire.

Principaux partis politiques : Congrès national africain (ANC, au pouvoir) ; Parti national ; Parti démocratique (libéral) ; Inkatha (IFP, zoulou) ; Front de la liberté (FF) ; Congrès panafricaniste (PAC) ; Parti communiste sud-africain (SACP).

voir qui confirme la fin de l'état autoritaire d'apartheid. Le nouvel État sud-africain se normalise pour pouvoir survivre à la sortie officielle de son fondateur et de son emblème : Nelson Mandela. L'institution prend le relais de l'incarnation humaine du pouvoir. - **Dominique Darbon** ■

Botswana

Le retrait de la vie politique le 31 mars 1998 du président Quett Masire, 72 ans, au pouvoir depuis 1980, a constitué une surprise. Le ministre des Finances, Festus Mogae, a été chargé d'assurer l'intérim jusqu'aux élections générales de 1999. La Constitution venait pourtant d'être amendée, permettant au président de briguer deux mandats de cinq ans supplémentaires. Cette question était exclue du référendum du 5 octobre 1997 qui a adopté un abaissement du droit de vote à 18 ans, autorisé le vote des Botswanais de l'étranger et instauré une commission électorale indépendante.

République du Botswana

Capitale : Gaborone.
Superficie : 600 372 km².
Nature du régime : présidentiel, multipartisme limité.
Chef de l'État : Festus Mogae, président par intérim, qui a remplacé, le 31.3.98, le Dr Quett Ketumile Joni Masire (retiré du pouvoir).
Chef du gouvernement : Festus Mogae, depuis 96 (également vice-président et ministre des Finances).
Ministre de l'Intérieur : Bahiti Temane.
Ministre des Affaires étrangères : lieut.-gén. Mompati Merafhe.
Échéances institutionnelles : élections présidentielle et législatives (99).
Monnaie : pula (au taux officiel, 1 pula = 1,50 FF au 30.5.98).
Langues : setswana, anglais.

Les restrictions sur la presse ont par ailleurs été renforcées en juillet 1997, avec l'obligation pour les organes locaux de demeurer à 80 % sous direction nationale, un contrôle accru sur l'attribution des cartes de presse, et l'interdiction aux journalistes étrangers de tout reportage sur les Bushmen du Kalahari menacés de déplacement au profit des zones touristiques. Ces règles se sont ajoutées au contrôle gouvernemental existant déjà sur l'agence de presse nationale.

Les relations avec la Namibie se sont dégradées alors que le Botswana entendait maintenir la présence de ses troupes sur des îlots d'un fleuve frontalier. La question de l'eau est au centre de ces tensions. En octobre le Botswana décidait de porter le litige devant la Cour internationale de justice de La Haye. Enfin, le gouvernement a unilatéralement décidé, en février 1998, la privatisation des principales entreprises publiques, provoquant la colère des syndicats.

Lésotho

La crise ouverte entre le Premier ministre, Ntsu Mokhehle, âgé de 79 ans, et son parti, le Basotho Congress Party (BCP) qui lui avait retiré sa direction en mars 1997 (pour avoir été complice de raids sud-africains en territoire basotho dans les années quatre-vingt), a abouti à la création d'un nouveau parti, le Lesotho Congress for the Democracy (LCD). Cette manœuvre du Premier ministre lui a permis de conserver le contrôle du gouvernement et la majorité au Parlement. En août 1997, la tension s'est accentuée avec l'interdiction à la presse et au public d'assister aux sessions parlementaires et avec une présence policière accrue. Les élections générales de mai 1998 ont permis au LCD de remporter 78 des 79 sièges à pourvoir, provoquant une réaction violente de l'opposition rapidement menée par le BCP. Celle-ci dénonçait des fraudes massives lors des opérations de recensement des électeurs et réclamait l'annulation du scrutin, ainsi que la démission du Premier ministre.

Des conflits sociaux persistants ont également perturbé la stabilité du royaume. Le secteur des télécommunications a été le théâtre d'une grève en août 1997. Dans celui du textile, l'une des principales activités du pays, les revendications salariales ont dégénéré, en janvier 1998, en émeutes contre la communauté chinoise qui contrôle en partie ce secteur.

République du Lésotho

Capitale : Maseru.
Superficie : 30 350 km².
Nature du régime : monarchie parlementaire, multipartisme intégral (depuis 93).
Chef de l'État : roi Letsie III (depuis le 7.2.96).
Chef du gouvernement : Ntsu Mokhehle, Premier ministre (depuis le 28.3.93).
Vice-premier ministre et ministre de l'Intérieur : Pakalifha Mosisili.
Monnaie : loti (au taux officiel, 1 loti = 1 rand sud-africain = 1,16 FF au 30.5.98).
Langues : sesotho, anglais.

Sur le plan économique, le pays attendait beaucoup du lancement en janvier 1999 de l'un des plus vastes systèmes d'acheminement d'eau et d'irrigation du monde, le Lesotho Highland Water Project, destiné à alimenter six provinces sud-africaines, et qui devrait constituer une importante source de revenus.

Namibie

Le congrès de l'Organisation du peuple du Sud-Ouest africain (SWAPO), parti au pouvoir depuis l'indépendance du pays (1990), a eu lieu en juin 1997 : le Premier ministre, Hage Geingob, y a été évincé de la vice-présidence du parti, au profit du vice-premier ministre, Hendrick Witbooi. Le principe d'une réforme constitutionnelle afin de permettre au président de la République, Samuel Nujoma, de briguer un troisième mandat en 1999 (question qui devait être soumise à un référendum populaire) semblait en bonne voie, sans toutefois être acquis. Cependant, les élections locales du 16 février 1998 ont vu une avancée sensible de l'opposition et des associations civiles locales, malgré une faible participation.

La sécheresse est demeurée une préoccupation essentielle, le niveau d'eau très bas de la centrale hydroélectrique de Ruacana obligeant désormais le pays à importer la quasi-totalité de son électricité d'Afrique du Sud. Le secteur minier, principale ressource du pays, a souffert de la baisse du cours des matières premières.

République de Namibie

Capitale : Windhoek.
Superficie : 824 790 km².
Nature du régime : démocratique parlementaire, multipartisme avec un parti dominant avec deux tiers des élus, la SWAPO (Organisation du peuple du Sud-Ouest africain).
Chef de l'État : Samuel Nujoma, président (depuis le 21.3.90, réélu le 8.10.94).
Chef du gouvernement : Hage Geingob, Premier ministre (depuis le 21.3.90).
Vice-premier ministre : Hendrick Witboi.
Ministre de la Défense : Erikki Nghimtina (depuis le 11.12.97).
Ministre des Affaires étrangères : Theo Ben Gurirab.
Échéances institutionnelles : élections présidentielle et législatives (1999).
Monnaie : dollar namibien (au taux officiel, 1 dollar = 1 rand sud-africain = 1,16 FF au 30.5.98).
Langues : ovambo, afrikaans, anglais, khoi.

INDICATEUR*	UNITÉ	AFRIQUE DU SUD	BOTSWANA
Démographie**			
Population	*millier*	43 337	1 518
Densité	*hab./km²*	35,5	2,5
Croissance annuelle[d]	%	2,2	2,2
Indice de fécondité (ISF)[d]		3,8	4,5
Mortalité infantile[d]	‰	48	56
Espérance de vie[d]	*année*	65,3	50,3
Population urbaine	%	49,7	65,6
Indicateurs socioculturels			
Développement humain (IDH)[c]		0,716	0,673
Nombre de médecins	*‰ hab.*	0,61[m]	0,19[c]
Analphabétisme (hommes)[b]	%	18,1	19,5
Analphabétisme (femmes)[b]	%	18,3	40,1
Scolarisation 12-17 ans	%	• •	89,8[i]
Scolarisation 3e degré	%	17,3[b]	4,1[c]
Adresses Internet	*‰ hab.*	30,7	1,6
Livres publiés	*titre*	5 418[b]	158[k]
Armées			
Armée de terre	*millier d'h.*	54,3	7
Marine	*millier d'h.*	8	–
Aviation	*millier d'h.*	11,1	0,5
Économie			
PIB total[ae]	*million $*	280 000	10 900
Croissance annuelle 1986-96	%	1,7	8,8
Croissance 1997	%	1,7	5,5
PIB par habitant[ae]	$	7 450	7 390
Investissement (FBCF)[f]	*% PIB*	16,6	24,3
Taux d'inflation	%	6,1	8,4
Énergie (taux de couverture)[b]	%	134,8	• •
Dépense publique Éducation	*% PIB*	6,8[b]	9,6[b]
Dépense publique Défense[a]	*% PIB*	1,8	6,7
Dette extérieure totale[a]	*million $*	23 590	613
Service de la dette/Export.[f]	%	12	5
Échanges extérieurs			
Importations	*million $*	32 938	2 196
Principaux fournisseurs	%	E-U 11,1[a]	AfS 78,0[a]
	%	UE 40,1[a]	Eur 8,0[a]
	%	Asie[h] 28,5[a]	Zim 6,0[a]
Exportations	*million $*	31 020	2 942
Principaux clients	%	E-U 8,4[a]	AfS 21,0[a]
	%	UE 36,5[a]	Eur 74,0[a]
	%	Asie[h] 29,4[a]	Zim 3,0[a]
Solde transactions courantes	*% PIB*	– 1,61	7,46[a]

* Définition des indicateurs p. 25 et suiv. Chiffres 1997 sauf notes. ** Derniers recensements utilisables : Afrique du Sud, 1996 ; Botswana, 1991 ; Lésotho, 1996 ; Namibie, 1991 ; Swaziland, 1986. a. 1996 ; b. 1995 ; c. 1994 ; d. 1995-2000 ; e. A parité de pouvoir d'achat (PPA, voir définition p. 581) ; f. 1994-96 ; g. 1993 ;

LÉSOTHO	NAMIBIE	SWAZILAND
2 131	1 613	906
70,2	2,0	52,2
2,5	2,4	2,8
4,9	4,9	4,5
72	60	65
58,6	55,7	60,0
25,6	38,0	33,0
0,457	0,570	0,582
0,04[m]	0,23[k]	0,11[m]
18,9	••	22,0
37,7	••	24,4
73,8[k]	83,4[m]	73,7[k]
2,4[c]	8,1[b]	5,1[g]
0,08	2,16	••
••	193[k]	••
2	5,7	••
–	0,1	••
–	–	••
4 800	8 500	3 075
4,7	5,2	2,5
7,2	4,0	3,0
2 380	5 390	3 320
96,6	21,1	21,1
8,4	7,0	11,0
••	••	••
5,9[c]	9,4[b]	8,1[b]
5,0	3,0	2,3[c]
654	307	220
6	••	3
968	1 595	1 286
AfS 84,5[b]	AfS 85,0[c]	AfS 96,7
Asie[h] 11,1[b]	CdI 3,0[c]	Jap 0,7[b]
UE 2,3[b]	Jap 3,0[c]	R-U 0,7[b]
200	1 500	937[b]
AfS 53,0[b]	R-U 37,0[c]	AfS 58,3[b]
AmN 40,9[b]	AfS 25,0[c]	UE 16,8[b]
UE 5,0	Esp 10,0[c]	CorN 3,4[b]
14,13[c]	2,59[a]	0,89[a]

h. Y compris Japon et Moyen-Orient ; i. 1992 ; k. 1991 ; m. 1990.

La diplomatie namibienne a traversé des tourmentes face aux différends territoriaux avec le Botswana et l'échec d'une réunion bilatérale en janvier 1998. En mars, lors de la visite du président allemand Roman Herzog, un incident diplomatique a éclaté, à propos de la réparation des victimes de la colonisation et de l'enseignement de l'allemand (la Namibie était avant la Première Guerre mondiale colonie allemande).

Enfin, dans le contexte de la rébellion qui s'est développée au Congo (-Kinshasa), la Namibie a choisi de soutenir militairement le pouvoir de Laurent-Désiré Kabila, aux côtés de l'Angola et du Zimbabwé.

Swaziland

L'opposition a maintenu sa pression sur une monarchie n'entendant toujours pas autoriser le multipartisme. Elle s'est appuyée sur les révélations de corruption et la découverte par la police, sur les terres

Royaume du Swaziland (Ngwane)

Capitale : Mbabane.
Superficie : 17 360 km².
Nature du régime : monarchie, absence de multipartisme depuis 73.
Chef de l'État : roi Mswati III, depuis avr. 86 (également ministre de la Défense depuis avr. 87).
Chef du gouvernement : prince Sibusiso Dlamini, Premier ministre (depuis juil. 96).
Ministre de l'Intérieur : prince Guduza (depuis nov. 96).
Ministre des Affaires étrangères : Arthur Khoza (depuis nov. 96).
Monnaie : lilangeni (au taux officiel, 1 lilangeni = 1 rand sud-africain = 1,16 FF au 30.5.98).
Langues : swazi, anglais.

Afrique australe/Bibliographie

A. de Coquereaumont-Gruget, *Le Royaume de Swaziland*, L'Harmattan, Paris, 1992.

P. du Toit, *State Building and Democraty in Southern Africa : Botswana, Zimbabwe and South Africa*, United States Institute of Peace Press, Washington DC, 1995.

J.-C. Fritz, *La Namibie indépendante. Les coûts d'une décolonisation retardée*, L'Harmattan, Paris, 1991.

M. Lory, *Le Botswana*, Karthala, Paris, 1995.

B. Radipati, « Botswana : Are the San/Bushmen Entitled to Occupy their Ancestral Lands ? Essay on Exotic Pastiche », *in* CEAN, *L'Afrique politique 1998*, Karthala, Paris, 1998.

B. Radipati, « Swaziland Today : Law and Politics Under King Mswati III », *in* CEAN/CREPAO, *L'Année africaine 1992-1993*, Bordeaux, 1993.

R. Southall, T. Petlane (sous la dir. de), *Democratization and Demilitarization in Lesotho : the General Elections of 1993 and its Aftermath*, Africa Institute of South Africa, Pretoria, 1995.

Voir aussi la bibliographie « Afrique du Sud », p. 202.

du Premier ministre Sibusiso Dlamini, de plantations de cannabis. Le gouvernement a imposé des restrictions supplémentaires aux journalistes travaillant dans le pays. Par ailleurs, la principale compagnie sucrière est passée sous contrôle d'un conglomérat sud-africain. - **Jean-Michel Dolbeau** ■

Océan Indien

Comores, Madagascar, Maurice, Réunion, Seychelles

Comores

L'archipel comorien est apparu menacé d'implosion par l'indépendance autoproclamée de l'île d'Anjouan, le 14 juillet 1997. Le mouvement séparatiste a administré l'île à partir de cette date. Le président comorien Mohamed Taki Abdulkarim a envoyé un commando militaire à Anjouan début septembre 1997. L'opération fut un sanglant fiasco : les militaires ont été tués et beaucoup d'autres fait prisonniers par les milices anjouanaises. Les séparatistes ont ensuite organisé un référendum le 26 octobre pour faire avaliser la sécession de l'île. L'OUA (Organisation de l'unité africaine) a réuni les belligérants à Addis-Abéba, début décembre 1997. Les séparatistes ont malgré tout fait adopter par référendum, le 25 février 1998, une Constitution pour leur île. Le « président » d'Anjouan, Abdallah Ibrahim, a nommé un gouvernement et un Premier ministre, Saïd Omar Chamasi, le 7 mars 1998. L'OUA a alors envoyé une délégation interministérielle qui s'est achevée dans la confusion le 20 mars. Certains pays de la région en sont venus à estimer une intervention militaire limitée nécessaire. Paris s'est opposé à l'option militaire et tentait en avril 1998 de susciter des négociations. Sur le plan économique, la mission du FMI qui s'est rendue à Moroni en février 1998 a relevé plusieurs problèmes (hausse des dépenses salariales, absence d'engagement politique dans le

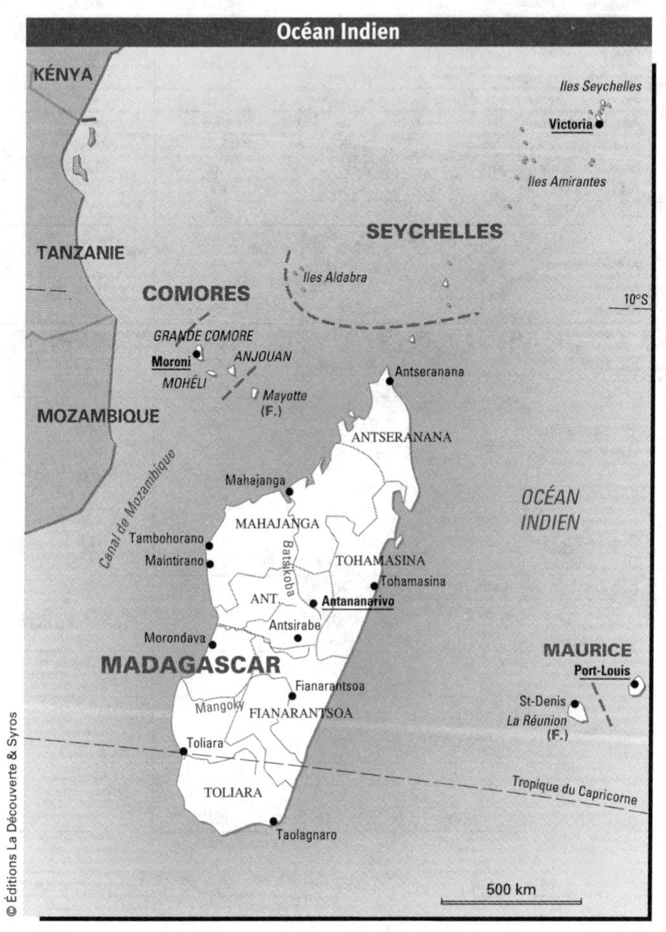

INDICATEUR*	UNITÉ	COMORES	MADA-GASCAR
Démographie**			
Population	*millier*	652	15 845
Densité	*hab./km²*	300,5	27,0
Croissance annuelle[d]	%	3,1	3,1
Indice de fécondité (ISF)[d]		5,5	5,7
Mortalité infantile[d]	‰	82	77
Espérance de vie[d]	*année*	57,5	58,5
Population urbaine	%	31,5	27,7
Indicateurs socioculturels			
Développement humain (IDH)[c]		0,412	0,350
Nombre de médecins	*‰ hab.*	0,11[m]	0,12[m]
Analphabétisme (hommes)[b]	%	35,8	••
Analphabétisme (femmes)[b]	%	49,6	••
Scolarisation 12-17 ans	%	41,3[m]	34,4[m]
Scolarisation 3e degré	%	0,6[b]	3,4[h]
Adresses Internet	*‰ hab.*	••	0,03
Livres publiés	*titre*	••	131[b]
Armées			
Armée de terre	*millier d'h.*	••	20
Marine	*millier d'h.*	••	0,5
Aviation	*millier d'h.*	••	0,5
Économie			
PIB total[ae]	*million $*	893	13 832
Croissance annuelle 1986-96	%	0,6	1,2
Croissance 1997	%	– 0,5	3,5
PIB par habitant[ae]	*$*	1 770	900
Investissement (FBCF)[f]	*% PIB*	16,2	10,6
Taux d'inflation	%	2,5	4,8
Énergie (taux de couverture)[b]	%	••	7,4
Dépense publique Éducation	*% PIB*	3,9[bh]	1,9[g]
Dépense publique Défense[a]	*% PIB*	••	0,8
Dette extérieure totale[a]	*million $*	206	4 175
Service de la dette/Export.[f]	%	2	10
Échanges extérieurs			
Importations	*million $*	39	477
Principaux fournisseurs	%	Fra 58,9	UE 54,7
	%	Afr 27,4	Fra 40,6
	%	Asie[k] 6,5	Asie[k] 32,4
Exportations	*million $*	9,2	224
Principaux clients	%	E-U 42,9	UE 70,3
	%	Fra 42,9	Fra 40,8
	%	PED 7,1	PED 15,6
Solde transactions courantes	*% PIB*	– 8,13[b]	– 3,68[a]

* Définition des indicateurs p. 25 et suiv. Chiffres 1997 sauf notes. ** Derniers recensements utilisables : Comores, 1991 ; Madagascar, 1993 ; Maurice, 1990 ; Réunion, 1990 ; Seychelles, 1987. a. 1996 ; b. 1995 ; c. 1994 ; d. 1995-2000 ; e. A parité de pouvoir d'achat (PPA, voir définition p. 581) ; f. 1994-96 ; g. 1993 ;

MAURICE	RÉUNION	SEY-CHELLES
1 141	673	78
557,9	267,1	278,6
1,1	1,3	1,4
2,3	2,1	2,3
15	7	17
71,7	75,4	71,4
40,8	69,0	56,1
0,831	••	0,845
0,86[b]	1,92[a]	1,0[n]
12,9	••	••
21,2	••	••
57,9[m]	••	••
6,3[b]	••	••
1,84	••	••
64[b]	69[h]	••
	–	0,2
1,8	–	0,2
	–	0,02
10 200	6 352[bo]	133
6,1	4,9[p]	4,5
5,6	••	2,0
9 000	9 978[bo]	1 780[c]
26,7	32,3	22,7
5,7	••	1,1
2,4	7,7	••
4,3[c]	14,8[g]	7,5[b]
2,3	–	3,1
1 818	–	148
8	–	5
2 563	2 700[a]	274[a]
UE 36,6	UE 82,4	E-U 33,6
Fra 17,7	Fra 69,5	UE 24,5
Asie[k] 35,6	PED 15,1	PED 33,3
1 848	179[a]	58[a]
Fra 20,3	Fra 76,0	E-U 31,4
R-U 31,2	Afr 9,5	UE 22,5
E-U 13,3	Asie[k] 6,7	Asie[k] 27,2
0,40[a]	••	– 3,90[a]

h. 1992 ; i. Dépenses courantes seulement ; k. Y compris Japon et Moyen-Orient ; m. 1990 ; n. 1991 ; o. Au taux de change courants ; p. 1986-94.

République fédérale islamique des Comores

Capitale : Moroni.
Superficie : 2 170 km².
Nature de l'État : fédéral islamique.
Nature du régime : présidentiel.
Chef de l'État : Mohamed Taki Abdulkarim, qui a succédé le 16.3.96 à Saïd Mohamed Djohar.
Chef du gouvernement : Nourdine Bourhane, qui a remplacé Ahmed Abdou le 8.12.97 (également chargé de l'Intérieur, de la Sécurité et de l'Information).
Ministre des Affaires étrangères, de la Coopération : Ibrahim Ali Mzimba (depuis le 8.12.97).
Monnaie : franc comorien (1 franc = 0,01 FF).
Langues : comorien (voisin du swahili), français.
Souveraineté contestée : un mouvement séparatiste réclame le rattachement de l'île d'Anjouan à la France (ancienne tutelle coloniale). Des émeutes ont eu lieu en 97 et l'île a autoproclamé son indépendance le 14.7.97.

contrôle des dépenses et manque de rigueur dans la discipline fiscale) s'ajoutant à la faiblesse des activités économiques de l'archipel. Ces dernières ont, en outre, été handicapées par l'effondrement de l'approvisionnement en électricité.

Madagascar

Après un an de pouvoir, le président Didier Ratsiraka (qui avait déjà dirigé le pays de 1975 à 1992) n'est pas parvenu à élargir sa base électorale. La nouvelle Constitution, renforçant les pouvoirs présidentiels sous couvert de régionalisation, n'a été adoptée que de justesse au référendum du 19 mars 1998. Les élections législatives du 17 mai 1998 risquaient de déboucher sur

Océan Indien/Bibliographie sélective

Annuaire des pays de l'océan Indien XII. 1990-1991, Presses du CNRS, Paris, 1992.

G. Belorgey, G. Bertrand, *Les DOM-TOM*, La Découverte, coll. « Repères », Paris, 1994.

J.-L. Guebourg, *La Grande Comore*, L'Harmattan, Paris, 1994.

La Lettre de l'océan Indien (hebdomadaire), Indigo Publications, Paris.

J.-C. Lau Thi Keng, *Interethnicité et politique à l'île Maurice*, L'Harmattan, Paris, 1991.

« Madagascar », *Politique africaine*, n° 52, Éd. Ambozontany/Karthala, Paris, déc. 1993.

P. Perri, *Comores : les nouveaux mercenaires*, L'Harmattan, Paris, 1994.

J. Ravaloson, *Transition démocratique à Madagascar*, L'Harmattan, Paris, 1994.

Y. Salesse, *Mayotte, l'illusion de la France. Propositions pour une décolonisation*, L'Harmattan, Paris, 1995.

« Tableau économique de la Réunion 1996-1997 », supplément de *L'Économie de la Réunion*, Saint-Denis de la Réunion, oct. 1996.

P. Vérin, *Les Comores*, Karthala, Paris, 1994.

P. Vérin, *Madagascar*, Karthala, Paris, 1990.

un Parlement éclaté, mais l'Aréma (parti présidentiel) a remporté 62 sièges sur 150 et a pu atteindre la majorité grâce à des alliances à l'Assemblée nationale, notamment avec des députés indépendants. Mais, pendant ce temps, les relations au sein du gouvernement demeuraient assez conflictuelles, attisées par des convoitises pour le poste de Premier ministre, voire pour la présidence (la santé de D. Ratsiraka semblant ne pas lui permettre de briguer un nouveau mandat). Le Premier ministre Pascal Rakotomavo ne s'est guère impliqué lors du référendum constitutionnel en soutien à la position du chef de l'État. Par la suite, il a soutenu financièrement des listes indépendantes pour les législatives dans l'espoir de conserver son poste en formant un gouvernement de coalition après le scrutin. Pour sa part, le vice-premier ministre en charge du Budget, Pierrot Rajaonarivelo, également secrétaire général de l'Aréma, a, en privé, rendu P. Rakotomavo responsable du mauvais score du « oui » au référendum. Avec d'autres ministres de son parti, P. Rajaonarivelo tentait, en avril 1998, d'orchestrer des manœuvres politiques contre P. Rakotomavo dont il briguait la place. L'autre vice-premier ministre, en charge des Affaires étrangères, Heirzo Razafimahaleo, a adopté un profil plus bas durant cette période, ses ambitions portant p lutôt sur les futures élections présidentielles.

Ces conflits au sein de l'équipe gouvernementale ont été momentanément réglés par la nomination d'un nouveau Premier ministre, Tantély Andrianarivo, le 23 juillet 1998, lequel a désigné, début août, un nouveau gouvernement au sein duquel P. Rajaonarivelo a conservé ses fonctions, mais dont H. Razafimahaleo ne faisait plus partie.

Aiguillonnées par la Banque mondiale et le FMI, les autorités se sont engagées dans une série de réformes économiques concernant notamment les privatisations. Elles ont cependant beaucoup « traîné les pieds » en 1997. Une mission de la banque qui s'est rendue en février 1998 à Antananarivo a proposé un nouveau calendrier pour la cession des banques d'État BTM (Banque nationale pour le développement de l'agriculture) et BFV (Banque nationale pour le développement du commerce), la privatisation de la Solima (produits pétroliers) par lots, avec vente ou fermeture de la raffinerie, l'ouverture du capital d'Air Madagascar et la privatisation de Telma (télécommunications). Les sociétés publiques déjà vendues au secteur privé étaient en effet peu nombreuses en 1997, et parmi les moins importantes. Les bailleurs de fonds ont par ailleurs de plus en plus insisté sur la gestion des finances publiques. Dès l'adoption du budget, le 23 décembre 1997, le FMI a demandé des modifications du programme des dépenses gouvernementales ; une loi de finances rectificative devait être adoptée courant 1998. En fait, la fraude fiscale était le premier responsable des faibles moyens budgétaires. L'enquête d'un expert du FMI a révélé que nombre de sociétés de la zone franche qui bénéficiaient d'avantages fiscaux liés aux exportations écoulaient toute leur production localement, tandis qu'une douzaine de grosses sociétés n'avaient pas payé d'impôts depuis des années et bénéficiaient d'exemptions de taxes douanières assez systématiques.

République démocratique de Madagascar

Capitale : Antananarivo.
Superficie : 587 040 km².
Nature du régime : présidentiel.
Chef de l'État : Didier Ratsiraka, qui a succédé, le 10.2.97, à Albert Zafy.
Chef du gouvernement : Tantely Andrianarivo, qui a succédé le 23.7.98 à Pascal Rakotomavo, lequel avait remplacé, le 20.2.97, Norbert Ratsirahonana.
Ministre des Affaires étrangères : Mme Lila Ratsifandriamanane (depuis le 31.7.98).
Ministre de l'Intérieur : général Jean-Jacques Rasolondraibe (depuis le 31.7.98).
Ministre des Forces armées : général Marcel Ranjeva.
Monnaie : franc malgache (100 FMG = 0,11 FF au 30.1.98).
Langues : malgache, français.

Maurice

Après avoir limogé son vice-premier ministre et ministre des Affaires étrangères, Paul Bérenger, le 20 juin 1997, le Premier ministre Navin Ramgoolam a formé avec, pour vice-premier ministre, Kailash Purryag, un gouvernement avec le seul Parti travailliste (PT). P. Bérenger, devenu leader de l'opposition au Parlement, a trouvé de nouveaux alliés pour son Mouvement militant mauricien (MMM). Lors d'une législative partielle, le 5 avril 1998, le candidat du PT l'a cependant emporté, la moitié des électeurs traditionnels du MMM n'ayant pas voté pour le candidat de l'alliance soutenu par ce parti. Cette élection a par ailleurs remis en selle le Mouvement socialiste mauricien (MSM, opposition de l'ancien Premier ministre Anerood Jugnauth. L'économie a continué à bien se porter globalement. Toutefois, le chômage a réapparu (5,5 % de la population active en 1996), le déficit commercial est allé croissant, de même que l'endettement. Les grands groupes ayant fondé leur prospérité sur l'industrie sucrière craignent la baisse des prix de vente du sucre mauricien à l'Europe et s'orientent vers des projets à l'étran-

Maurice

Capitale : Port-Louis.
Superficie : 2 045 km².
Nature du régime : démocratie parlementaire.
Un statut de « république à l'indienne » a été adopté par le Parlement le 12.3.92.
Chef de l'État : Cassam Uteem (depuis le 30.6.92).
Chef du gouvernement : Navin Ramgoolam (depuis le 31.12.95).
Vice-premier ministre chargé des Affaires étrangères et de la Coopération internationale et régionale : Kailash Purryag (depuis le 2.7.97).
Monnaie : roupie mauricienne (au taux officiel, 1 roupie = 0,26 FF au 30.5.98).
Langues : anglais, créole, français, langues indiennes.

ger (Côte-d'Ivoire, Mozambique). Dans le textile, la délocalisation vers Madagascar est restée à l'ordre du jour. Tandis que Maurice lorgne vers les marchés de la Communauté de développement de l'Afrique australe (SADC), l'Afrique du Sud a pour la première fois en 1997 pris la place de premier fournisseur de l'île devant la France.

Réunion

La gauche réunionnaise, qui avait raflé quatre des cinq sièges aux législatives du 1er juin 1997, a moins bien réussi en 1998. Aux élections régionales du 15 mars 1998, la liste de Rassemblement (Fédération du Parti socialiste, Parti communiste réunionnais – PCR – et divers droite) menée par le sénateur communiste Paul Vergès n'a remporté que 31 % des suffrages, moins que la somme des voix du PS et du PCR au précédent scrutin régional. N'ayant pas la majorité absolue, Paul Vergès a dû s'allier avec le groupe Free Dom (cinq élus) de Camille Sudre pour accéder à la présidence de l'assemblée régionale. Parallèlement, le renouvellement de certains conseillers généraux n'a pas été favorable à la gauche, le PS ayant perdu la présidence du conseil général. La Réunion a pris, en avril 1998, la présidence tournante de la Commission de l'océan Indien (COI) et devait accueillir en août les Jeux de la francophonie. L'économie a cependant encore été marquée par la hausse du chômage en 1997 et par une dépendance toujours accrue vis-à-vis des financements de l'État, dont 50 % vont aux frais de personnels.

Seychelles

Les élections générales du 22 mars 1998 ont conforté France-Albert René à la présidence et son Front progressiste du peuple des Seychelles (SPPF) au Parlement, et bouleversé l'opposition. L'United Opposition (UO) a devancé le Democratic Party (DP) de l'ex-président James Mancham, laissant présager de vifs débats parlementaires. Par ailleurs, la diplomatie a été redéployée début 1998. Au plan économique, la fréquentation touristique a baissé de 2 % en 1997, phénomène que risque d'accentuer la hausse des taxes aériennes pour les visiteurs adoptée en février 1998. - **Francis Soler** ■

République des Seychelles

Capitale : Victoria.
Superficie : 280 km².
Nature du régime : présidentiel.
Chef de l'État et du gouvernement : France-Albert René (depuis le 5.6.77, réélu en 93 et le 22.3.98).
Ministre des Affaires étrangères, du Plan et de la Coopération : Jérémie Bonnelame (depuis juil. 97).
Monnaie : roupie seychelloise (au taux officiel, 1 roupie = 1,15 FF au 30.5.98).
Langues : créole, anglais, français.

Présentation par **André Bourgey**
Géographe, président de l'INALCO

Jusqu'au XIXe siècle, on parlait de l'« Orient » pour désigner les territoires sous domination ottomane. La pénétration européenne en Chine, à la fin du XIXe siècle, conduisit à inventer la notion d'« Extrême-Orient », ce qui aboutit par réaction à faire naître l'expression « Proche-Orient ». Les Anglo-Saxons introduisirent au début du XXe siècle la notion de « Moyen-Orient », pour qualifier les régions allant de la mer Rouge à l'empire britannique des Indes. Après la chute de l'Empire ottoman, ils étendirent cette notion de Moyen-Orient à l'ensemble des pays arabes, évacuant ainsi le terme de Proche-Orient.

Dans la terminologie française, on emploie en général indistinctement les notions de Proche et de Moyen-Orient, mais l'Afrique du Nord (ou Maghreb) en est toujours exclue. Le Proche et Moyen-Orient comprend l'Orient arabe (ou Machrek), le monde turco-iranien (Turquie, Iran, Aghanistan) et Israël. L'Orient arabe englobe la péninsule Arabique (Arabie saoudite, Yémen, Oman, Émirats arabes unis, Qatar, Bahreïn et Koweït), les pays du Croissant fertile (Liban, Syrie, Jordanie, Irak, et l'ancienne Palestine [Israël et les Territoires palestiniens autonomes et occupés]), mais aussi les pays arabes de la vallée du Nil (Égypte et Soudan).

Certains classent plutôt l'Égypte et le Soudan avec l'Afrique et rattachent la Turquie à l'Europe méditerranéenne. C'est l'option adoptée ici. Le rattachement du Pakistan au Moyen-Orient est contesté par certains, car il faisait partie de l'ancien « empire des Indes » des Britanniques. Cependant, son rattachement au Moyen-Orient se justifie également : les mêmes groupes ethno-linguistiques (Pachtou, Baloutches) se retrouvent de part et d'autre de la frontière pakistano-afghane imposée par les Anglais au XIXe siècle.

Le Proche et Moyen-Orient, dans le cadre des limites adoptées dans cet ouvrage, regroupe donc quinze États, situés en Asie occidentale, mais au carrefour de trois continents (Europe, Afrique, Asie).

Le pétrole donne aux pays du Golfe (Iran, Irak, Arabie saoudite, Koweït, Bahreïn, Qatar, Émirats arabes unis et Oman) une valeur géopolitique sans rapport avec la faible population de la plupart d'entre eux. Ils ont assuré en 1997 29 % de la production mondiale de pétrole (dont 433 millions de tonnes pour l'Arabie saoudite, premier rang mondial). En 1998, 26 % des réserves mondiales prouvées se trouvaient en Arabie saoudite, et l'Irak, les EAU, le Koweït et l'Iran en détenaient chacun environ 10 %.

La diversité humaine du Proche et Moyen-Orient est d'abord confessionnelle. La région a été le berceau des trois grandes religions monothéistes : judaïsme, christianisme et islam. L'islam sunnite est le plus répandu, mais les chiites ont une importance grandissante. Ils sont majoritaires en Iran, en Irak, à Bahreïn. Au Liban, ils

LA PERMANENCE DES TENSIONS INTERNES ET LE DÉVELOPPEMENT DES CONFLITS ARMÉS FONT QUE LE PROCHE ET MOYEN-ORIENT EST LA RÉGION DU MONDE QUI DÉPENSE LE PLUS D'ARGENT POUR SON ARMEMENT.

LE TRACÉ DES FRONTIÈRES, LORS DU DÉPEÇAGE DE L'EMPIRE OTTOMAN, APRÈS LA PREMIÈRE GUERRE MONDIALE, A ÉTÉ ESSENTIELLEMENT CONÇU SELON LES INTÉRÊTS DES PUISSANCES EUROPÉENNES, ET SE TROUVE À L'ORIGINE DE NOMBRE DE LITIGES RÉGIONAUX DES DERNIÈRES DÉCENNIES.

constituent la première communauté, et forment d'actives minorités au Koweït, en Arabie saoudite, en Afghanistan, etc. Sont issus du chiisme les ismaéliens (Syrie et Yémen), les druzes (Liban et Syrie), les alaouites au pouvoir en Syrie, ou encore les zaïdites, majoritaires au Yémen. Les chrétiens ont un rôle majeur au Liban (maronites), non négligeable en Égypte (coptes), en Syrie (grecs-orthodoxes), en Irak (chaldéens) et parmi les Palestiniens. Enfin, la religion juive est aujourd'hui essentiellement pratiquée en Israël.
Il existe aussi des minorités ethno-linguistiques. En Afghanistan s'opposent persanophones (Pachtou, Tadjiks, Hazaras) et turcophones (Ouzbeks, Turkmènes), mais aussi des groupes particuliers (Nouristanis, Pachaïs). Les bouleversements politiques du XXe siècle ont fait de ces minorités des « peuples sans État ». Ainsi les 23 millions de Kurdes : 12 millions en Turquie (20 % de la population turque), 6 millions en Iran (12 % de la population), 4,5 millions en Irak (25 % de la population), 1 million en Syrie (9 % de la population)... Il existe aussi une diaspora arménienne au Liban et en Syrie. Enfin, les Palestiniens sont dispersés depuis le partage de la Palestine et la création de l'État d'Israël en 1948. Ils étaient 5 millions en 1994, répartis entre Israël (700 000, dont 155 000 à Jérusalem-Est (1993), la Cisjordanie (1 330 000 en 1995), la bande de Gaza (930 000), la Jordanie (2 500 000), le Liban (400 000), la Syrie (250 000), le Koweït (50 000 en 1994). La création de l'Autorité palestinienne dans la bande de Gaza et sur des portions de la Cisjordanie [*voir encadré p. 222-223*] apparaît cependant comme un embryon d'État [*voir encadré p. 221*].
Les travailleurs étrangers dans les pays arabes du Golfe riches en pétrole forment aussi des minorités : ils étaient 5 millions en Arabie saoudite, 2,4 millions dans les émirats, et 1,5 million en Irak avant les bouleversements consécutifs à l'invasion du Koweït par l'Irak en août 1990. Ces travailleurs étrangers sont, pour une part croissante, originaires de pays asiatiques non arabes (Pakistanais, Indiens, Thaïlandais, Sri Lankais, Philippins, Sud-Coréens, etc.). Ces Asiatiques sont même majoritaires dans certains émirats.
Le tracé des frontières, lors du dépeçage de l'Empire ottoman, après la Première Guerre mondiale, a été essentiellement conçu selon les intérêts des puissances européennes, et se trouve à l'origine de nombre de litiges régionaux des dernières décennies.
La permanence des tensions internes et le développement des conflits armés – conflit israélo-palestinien et guerres israélo-arabes (1948, 1956, 1967, 1973, 1982), guerres libanaises à partir de 1975, guerre Iran-Irak (1980-1988), guerre d'Afghanistan à partir de 1979, second conflit du Golfe en 1990-1991 consécutivement à l'invasion du Koweït par l'Irak – font que le Proche et Moyen-Orient est la région du monde qui dépense le plus d'argent pour son armement. ■

Par **Bernard Botiveau**
CERMOC et université de Birzeit

Précarité politique et sociale des sociétés arabes, avatars du processus de paix, rivalités géopolitiques parmi les voisins asiatiques ont marqué, au Proche et Moyen-Orient, les années postérieures à la deuxième guerre du Golfe (1990-1991).

L'apparente stabilité des régimes arabes de la région ne peut faire oublier que l'ouverture économique des deux dernières décennies a modifié les équilibres sociaux sans produire d'ouverture politique réelle. Une contestation latente témoigne des frustrations nées de l'absence d'alternance politique, de l'inégalité des chances sociales et culturelles et d'une paupérisation des classes touchées par un libéralisme économique qu'elles évaluent en termes d'inflation, d'urbanisation non maîtrisée, de chômage chronique et de pression démographique et qu'elles relient à la critique de systèmes clientélaires servant une minorité de privilégiés et à la dénonciation de pratiques de corruption.

Les États tentent de contenir cette mobilisation par des politiques sécuritaires qu'ils justifient par la permanence de la « menace israélienne » et de la « subversion islamiste » : état d'urgence régulièrement reconduit en Égypte ou réduction des libertés constitutionnelles au Liban, renforcement de la censure (en Jordanie et au Koweït notamment), élections sur mesure ou surveillance des syndicats et associations, lieux d'expression de la société civile. De timides réformes sociales n'ont pas fait oublier des mesures d'austérité souvent imposées de l'extérieur (Fonds monétaire international – FMI), ni empêché des explosions sociales.

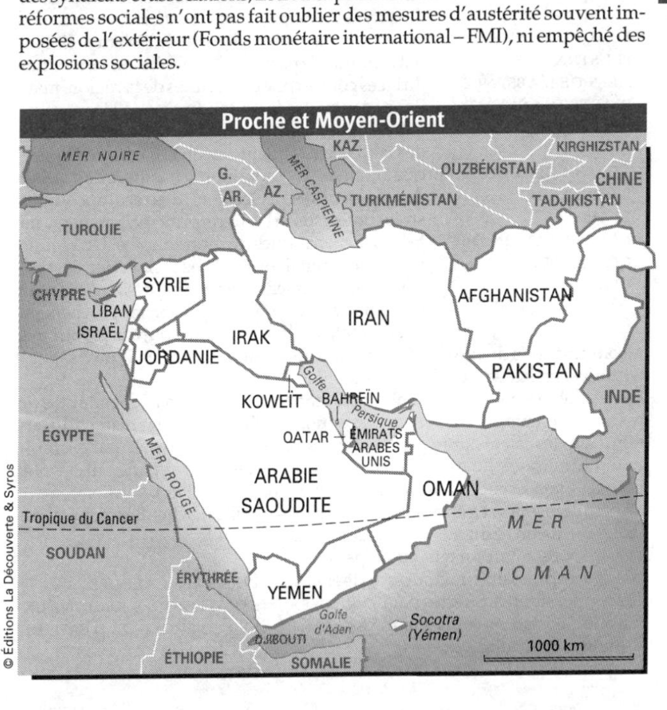

Par **Bernard Botiveau**
CERMOC et université de Birzeit

L'APPARENTE STABILITÉ DES RÉGIMES ARABES DE LA RÉGION NE PEUT FAIRE OUBLIER QUE L'OUVERTURE ÉCONOMIQUE DES DEUX DERNIÈRES DÉCENNIES A MODIFIÉ LES ÉQUILIBRES SOCIAUX SANS PRODUIRE D'OUVERTURE POLITIQUE RÉELLE. UNE CONTESTATION LATENTE TÉMOIGNE DES FRUSTRATIONS NÉES DE L'ABSENCE D'ALTERNANCE POLITIQUE, DE L'INÉGALITÉ DES CHANCES SOCIALES ET CULTURELLES ET DE LA PAUPÉRISATION DE CERTAINES CLASSES.

Malgré la réaffirmation de leur puissance militaire et économique dans la région depuis 1991, les États-Unis ont dû affronter, en 1997, deux crises majeures. Le processus de paix entre Israël et la Palestine tout d'abord, quasiment au point mort depuis la mise en chantier de l'implantation israélienne de Abou Ghaneïm Har Homa à Jérusalem (mars 1997) et le durcissement de l'occupation militaire d'une large partie de la Cisjordanie et de Gaza, a fait perdre de leur crédibilité régionale aux Américains, incapables de – ou hostiles à – toute pression efficace sur l'État hébreu. Leur volonté ensuite de lancer, avec le Royaume-Uni, une opération militaire contre le régime de Saddam Hussein, aux conséquences qui pouvaient être dévastatrices pour la population irakienne et les sociétés arabes du Proche-Orient, a pu être contrecarrée de justesse, fin février 1998, sous la pression d'alliés inquiets comme l'Égypte, la Jordanie ou l'Arabie saoudite, mais aussi d'une partie des pays européens, dont la France.

Les mouvements se réclamant de l'islam politique ont continué de peser sur les mobilisations internes dirigées contre certains régimes de la région, mais ils ont connu des fortunes diverses. Si les conflits entre chiites et sunnites au Pakistan, la progression des taliban en Afghanistan ou la bataille de la succession en Arabie saoudite ont continué de susciter des inquiétudes en Occident, des recompositions stratégiques sont à l'œuvre, principalement parmi les voisins asiatiques du monde arabe. Un régime turc où les militaires n'ont pas dit leur dernier mot a pu pour le moment écarter le parti islamiste Refah et inquiéter les pays arabes par son rapprochement avec Israël, tandis que l'Iran a pu, à la faveur des recompositions dues aux élections présidentielles de mai 1997, envisager à terme le dégel de ses relations avec les États-Unis.

Les réalités géopolitiques sont cependant beaucoup moins dépendantes de ces mouvements internes et des perceptions de l'Islam que des réalités du terrain. Dans les calculs stratégiques régionaux, le contrôle de l'eau (par exemple pour l'Euphrate), du pétrole et du gaz joue un rôle déterminant. S'il est vital pour les États-Unis de protéger leur source saoudienne d'approvisionnement en pétrole, il leur est tout aussi important de surveiller l'acheminement du pétrole caucasien et du gaz de la Caspienne vers les ports environnants, en soupesant le poids de plusieurs facteurs : exigences russes, possibilités offertes par l'Afghanistan et le Pakistan, ou coûts moindres de l'utilisation du territoire iranien. ■

DANS LES CALCULS STRATÉGIQUES RÉGIONAUX, LE CONTRÔLE DE L'EAU, DU PÉTROLE ET DU GAZ EST DÉTERMINANT.

Proche et Moyen-Orient

Par **Ignace Leverrier**
Chercheur et consultant

1997

30 juillet. Israël. Les Brigades Izz al-Din al-Qassam, bras armé du Hamas, commettent un attentat dans un marché juif de Jérusalem à une heure de grande affluence (17 morts, plus de 100 blessés), en représailles pour une affiche injurieuse pour le Prophète placardée à Hébron.
3 août. Iran. Après son élection triomphale du 23 mai, le président Mohammad Khatami est installé à la tête de la République islamique.
4 septembre. Israël. Les Brigades Izz al-Din al-Qassam revendiquent un nouvel attentat à Jérusalem (8 morts et 190 blessés), qui entraîne un nouveau bouclage des Territoires, l'arrestation de nombreux militants du Hamas et la fermeture de 16 de ses institutions.
1er octobre. Palestine. Après l'échec d'une tentative d'assassinat contre Khaled Machaal, chef du Bureau politique du Hamas, menée par ses services secrets, Israël est contraint de libérer Cheikh Ahmad Yassin, guide spirituel du mouvement islamiste, emprisonné depuis 1989.
29 octobre. Irak. Bagdad expulse les experts américains de l'Unscom (Commission spéciale des Nations unies chargée du désarmement irakien), qu'il accuse d'être surreprésentés et d'espionner au profit de la CIA, ce qui entraîne un renforcement de la présence militaire américaine dans la région.
4 novembre. Jordanie. Boycottées par les Frères musulmans et les partis de gauche en raison des « agissements antidémocratiques de l'exécutif », les élections législatives permettent aux proches du pouvoir de s'imposer au Parlement (64 sièges sur 80).
16-18 novembre. MENA. Doha (Qatar) accueille la 4e conférence économique pour le Moyen-Orient et l'Afrique du Nord, boycottée par l'Arabie saoudite, l'Égypte, les Émirats arabes unis et le Maroc, qui entendent dénoncer l'attitude du gouvernement israélien à l'égard du processus de paix.
11 décembre. OCI. Le 8e sommet de l'Organisation de la conférence islamique (OCI), qui a permis à l'Iran de briser son isolement et de progresser dans sa normalisation avec l'Arabie saoudite, s'achève à Téhéran sur une condamnation de la politique d'Israël dans les Territoires occupés, qui ne remet pas en cause le processus de paix.
31 décembre. Pakistan. Candidat de Mian Nawaz Sharif, Mohammad Rafiq Tarar succède à la tête de l'État pakistanais au président Farooq Ahmed Khan Leghari, contraint à la démission (2 décembre) par un coup de force du Premier ministre.

1998

7 janvier. Iran. Trois semaines après s'être prononcé « pour un dialogue des cultures avec le grand peuple américain », le président Khatami laisse entendre, dans un entretien avec *CNN*, que l'Iran souhaite améliorer ses relations avec les États-Unis.
8 février. Syrie. Le président Hafez el-Assad démet soudainement son frère Rifa'at de son poste de vice-président et de ses autres fonctions, dans une démarche qui vise à faciliter l'accès à sa succession de son fils Bachar.
23 février. Irak. Au cours d'une visite à Bagdad, Kofi Annan obtient l'accord de Saddam Hussein pour la visite des « sites présidentiels » par les équipes d'inspecteurs de l'Unscom, dans des conditions plus transparentes et plus respectueuses de la souveraineté irakienne.
1er mars. Israël. Benyamin Netanyahou déclare qu'Israël est « prêt à accepter la résolution 425 » du Conseil de sécurité de l'ONU (adoptée en 1978) « et à retirer ses forces du Liban », mais sa revendication d'une « entente préalable sur des dispositions de sécurité » est rejetée par le Liban et la Syrie, qui réclament un « retrait sans conditions ».
2 mars. Irak. Le Conseil de sécurité de l'ONU adopte à l'unanimité la résolution 1154, qui menace l'Irak des « plus graves conséquences » en cas de violation de l'accord conclu le 23 février entre Saddam Hussein et Kofi Annan, mais qui n'autorise pas de recours automatique à la force.
15 mars. Koweït. Pour éviter un vote de défiance réclamé par les islamistes à l'encontre du ministre de l'Information, membre de la famille royale, le gouvernement démissionne en bloc. Celui qui lui fait suite n'offre guère de visages nouveaux.
22 mars. OPEP. Les ministres du Pétrole d'Arabie saoudite, du Vénézuela et du Mexique se réunissent à Riyad pour tenter d'enrayer, sans succès au 30 août, une chute continue du prix du baril qui menace les économies des pays de l'Organisation des pays exportateurs de pétrole.

Proche et Moyen-Orient

Par **Ignace Leverrier**
Chercheur et consultant

4 avril. Iran. L'arrestation du maire de Téhéran, Gholamhossein Karbastchi, et sa mise en cause pour « escroquerie et mauvaise gestion » traduisent la tension qui règne au sein du régime entre les forces conservatrices et les rénovateurs partisans du président Khatami.
17 avril. Afghanistan. Bill Richardson, ambassadeur américain à l'ONU, obtient le principe d'une trêve dans la guerre civile, aussitôt rompue par les taliban.
29 avril. Yémen. Le chef du gouvernement, Faraj bin Ghanem, démissionne faute d'obtenir du président Ali Abdallah Saleh le remplacement des ministres jugés par lui incompétents et corrompus.
24 mai. Liban. Pour la première fois depuis 35 ans, les Libanais sont convoqués aux urnes pour des élections municipales, auxquelles participent l'ensemble des communautés et des partis politiques, et dans lesquelles Damas s'abstient d'interférer, ses intérêts n'étant pas menacés.
28 et 30 mai. Pakistan. Réagissant aux 5 essais nucléaires de l'Inde (11 et 13 mai), avec laquelle il ne veut pas être en reste, le Pakistan prend le risque de se mettre à dos la communauté internationale et fait exploser, dans le Baloutchistan, 6 charges nucléaires dont la puissance s'échelonne entre 6 et 14 kilotonnes.

Proche et Moyen-Orient/Bibliographie sélective

P. Bocco, M.-R. Djalili (sous la dir. de), *Moyen-Orient : migrations, démocratisation, médiations*, PUF, Paris, 1994.

B. Botiveau, J. Césari, *Géopolitique des islams*, Économica, Paris, 1997.

K. A. Chaudry, *The Price of Wealth. Economies and Institutions in the Middle East*, Cornell University Press, Ithaca (État de NY, É-U), 1997.

G. Corm, *L'Europe et l'Orient*, La Découverte, Paris, 1989.

G. Corm, *Le Proche-Orient éclaté*, La Découverte, Paris, 1986.

G. Corm, *Le Proche-Orient éclaté - II. Mirages de paix et blocages identitaires*, La Découverte, Paris, 1997.

Crise du Golfe et ordre politique au Moyen-Orient, CNRS-Éditions, Paris, 1994.

B. Ghalioun, *Islam et politique. La modernité trahie*, La Découverte, Paris, 1997.

B. Ghalioun, *Le Malaise arabe. L'État contre la nation*, La Découverte/ENAG, Paris/Alger, 1991.

A. Gresh, D. Vidal, *Les 100 portes du Proche-Orient*, Éd. de l'Atelier, Paris, 1996.

Les Cahiers de l'Orient (trim.), Paris.

« Les partis politiques dans les pays arabes. 1. Le Machrek », *REMMM/Revue du monde musulman et de la Méditerranée*, n° 81-82, Édisud, Aix-en-Provence, 1997.

Monde arabe/Maghreb-Machrek (trim.), La Documentation française, Paris.

G. Mutin, « Afrique du Nord, Moyen-Orient », *in* R. Brunet (sous la dir. de), *Géographie universelle*, vol. VIII, Belin/Reclus, Paris/Montpellier, 1995.

Revue d'études palestiniennes (trim.), diff. Éd. de Minuit, Paris.

J. Roberts, *Visions and Mirages. Middle East in a New Era*, London Mainstream Publishing, Édimbourg, 1995.

G. Salamé (sous la dir. de), *Démocraties sans démocrates. Politiques d'ouverture dans le monde arabe et islamique*, Fayard, Paris, 1994.

J. et A. Sellier, *L'Atlas des peuples d'Orient. Moyen-Orient, Caucase, Asie centrale*, La Découverte, Paris, 1993.

S. Yérasimos, *Questions d'Orient. Frontières et minorités des Balkans au Caucase*, La Découverte/« Livres Hérodote », Paris, 1993.

Voir aussi les bibliographies « Égypte » et « Turquie », p. 183 et 532.

Croissant fertile

Autonomie palestinienne, Irak, Israël, Jordanie, Liban, Syrie

Autonomie palestinienne

Cinq ans après la signature solennelle des accords d'Oslo en septembre 1993, le processus dit « de paix » israélo-palestinien affichait sa mort clinique. Refus du gouvernement d'Israël de tenir ses engagements sur les redéploiements, intensification de sa politique de colonisation et élimination de leaders islamistes palestiniens ont, chaque jour, failli déboucher sur un embrasement général.

Les négociations avaient été réduites à un dialogue de sourds sur les seules questions des trois redéploiements territoriaux israéliens prévus par l'accord d'Hébron, sur l'ouverture d'une route « sécurisée » reliant la bande de Gaza et la Cisjordanie, prévue par l'accord d'Oslo, et sur celle de l'aéroport de Gaza [*voir contenu et calendrier des accords p. 223*]. Le Premier ministre israélien Benyamin Netanyahou, profitant de l'entière liberté à déterminer l'ampleur des redéploiements territoriaux reconnue

Les institutions de l'Autonomie palestinienne et leurs compétences

Selon la « déclaration de principes » du 13 septembre 1993 et l'accord de Washington du 28 septembre 1995, l'organe suprême de l'Autonomie palestinienne est un Conseil d'autonomie de 88 membres élus au suffrage universel direct par la population palestinienne des Territoires autonomes et occupés, ainsi que de Jérusalem-Est.

Le président de l'autorité exécutive est lui aussi élu au suffrage universel direct, en même temps que les membres du Conseil. Les membres de l'Autorité exécutive, dont 80 % doivent être membres du Conseil, sont, quant à eux, choisis par le président et approuvés par le Conseil.

Les compétences territoriales du Conseil s'étendent aux seules zones A et B [*voir p. 222*] mais ne sauraient concerner les Israéliens de passage dans ces zones. Déléguées par Israël, ces compétences comprennent la plupart des domaines civils, à l'exception de ce qui ressortit au statut final et qui reste à négocier (Jérusalem, colonies, frontières, réfugiés) et de toute autre matière expressément réservée (eau). Le Conseil n'a, par ailleurs, aucune compétence en matière de défense, pas plus que de politique étrangère. Seule l'Organisation de libération de la Palestine (OLP) se voit habilitée à conduire des négociations et à signer des accords pour le compte du Conseil dans les seuls domaines économiques, culturels et scientifiques, Yasser Arafat étant à la fois président de son Comité exécutif et président de l'autorité exécutive, tandis que les 88 membres du Conseil sont membres de droit du Conseil national palestinien (CNP). - **J.-F. L.** ■

Les Territoires autonomes et occupés

A partir de la fin de la guerre des Six Jours (juin 1967), l'État hébreu a exercé *de facto* sa souveraineté sur la totalité de la Palestine mandataire. Israël s'est ainsi approprié l'ensemble des terres destinées, par le plan de partage de l'ONU de 1947, à constituer un État arabe palestinien : bande de Gaza sous administration militaire égyptienne depuis 1949 (934 000 Palestiniens environ en 1995 et de 5 000 à 6 000 colons répartis dans 16 implantations) et Cisjordanie annexée par le royaume hachémite de Jordanie en 1950 (1,33 million de Palestiniens et plus de 330 000 Israéliens dans quelque 155 colonies). Israël a également conquis le Golan syrien (annexé le 14 décembre 1981 ; 16 000 Syriens, druzes pour la plupart ; 14 000 colons environ répartis dans 36 implantations) et la péninsule du Sinaï (restituée à l'Égypte dans le cadre du traité de paix du 26 mars 1979, consécutif aux accords de Camp David).

♦ **Jérusalem-Est annexée.** Dès le 27 juin 1967, le gouvernement israélien a étendu les limites municipales occupées de 607 ha à 7 285 ha et déclaré que « la loi, la juridiction et l'administration de l'État [d'Israël] » s'y exerçaient. La « Loi fondamentale » du 30 juillet 1980 a fait de Jérusalem , « entière et réunifiée », la « capitale d'Israël ». La plupart des Palestiniens y ont néanmoins conservé leur nationalité et leur passeport jordaniens. Ils sont dorénavant minoritaires (160 000 pour 165 000 Israéliens environ). A partir du printemps 1993, l'accès à la ville comme à Israël a été interdit à tout Palestinien des Territoires occupés ou autonomes non détenteur d'un permis spécial. Le 26 décembre 1994, la Knesset a adopté une loi interdisant à l'Autorité palestinienne d'y exercer des activités officielles.

♦ **Territoires autonomes et occupés.** L'accord intérimaire signé à Washington le 28 septembre 1995 a défini trois zones distinctes :

– une zone A représentant moins de 4 % de la superficie de la Cisjordanie et 20 % de sa population, qui comprend les sept grandes cités palestiniennes (Jénine, Qalqilya, Tulkarm, Naplouse, Ramallah, Bethléem et Hébron), Jérusalem-Est annexée étant exclue ainsi qu'une importante partie d'Hébron. Le retrait israélien de ces villes s'est effectué fin 1995, à l'exception d'Hébron, dont l'évacuation partielle n'a eu lieu que le 17 janvier 1997. Ces villes relèvent dorénavant d'un statut comparable à celui des zones autonomes de la bande de Gaza et de Jéricho, objets d'un premier redéploiement en mai 1994. L'Autorité palestinienne s'y trouve chargée de l'ensemble des pouvoirs civils et de police ;

– une zone B qui comprend la quasi-totalité des 450 villages palestiniens de Cisjordanie, soit environ 23 % de sa superficie. L'Autorité palestinienne n'y est dotée que des pouvoirs civils et d'une partie des pouvoirs de police, l'armée israélienne y conservant la responsabilité de la sécurité et un droit permanent et unilatéral d'intervention ;

– une zone C, enfin, soit quelque 73 % de la superficie de la Cisjordanie (au statut comparable à celui de 30 % à 40 % non évacués de la bande de Gaza), qui comprend les zones non peuplées, les zones dites « stratégiques » et les colonies. Elle demeure sous le contrôle exclusif d'Israël. - **J.-F. L.** ■

Le calendrier des accords

♦ **9 septembre 1993.** L'OLP, à travers Y. Arafat, reconnaît Israël et son droit à l'existence ; le 10, Israël, à travers son Premier ministre, Itzhak Rabin, reconnaît l'OLP comme le « représentant du peuple palestinien ».

♦ **13 septembre 1993.** Négociée à Oslo depuis plusieurs mois en secret, la « déclaration de principe sur les arrangements intérimaires d'autonomie » est signée à Washington par Israël et l'OLP, sous le parrainage des États-Unis et de la Russie. Le texte, qui entre en vigueur le 13 octobre, définit les grandes lignes d'une autonomie appelée à s'exercer durant les cinq années à venir dans l'attente d'un règlement final.

♦ **29 avril 1994.** Le « protocole sur les relations économiques » entre Israël et l'OLP est signé à Paris. Il prévoit une intégration des deux économies.

♦ **4 mai 1994.** Le premier accord (dit « Gaza-Jéricho d'abord » ou « Oslo I ») sur les modalités de l'autonomie palestinienne, qui était censée entrer en vigueur au plus tard le 13 décembre 1993, est signé au Caire. Il est quasi immédiatement suivi du redéploiement de l'armée israélienne dans la bande de Gaza et hors de Jéricho. Israël transfère alors une partie de ses pouvoirs civils, deux accords complémentaires étant signés les 29 août 1994 et 27 août 1995.

♦ **28 septembre 1995.** Un nouvel accord intérimaire (dit « de Taba » ou « Oslo II ») portant sur l'ensemble des modalités de la mise en œuvre de l' autonomie et son extension géographique à la Cisjordanie est signé à Washington.

♦ **20 janvier 1996.** Élections du président de l'Autorité et du Conseil d'autonomie qui, initialement, auraient dû se dérouler avant le 13 juillet 1994.

♦ **5 mai 1996.** A Taba (Égypte), ouverture officielle des négociations sur le statut définitif des Territoires autonomes. Ces négociations, immédiatement gelées et reportées au-delà des élections législatives israéliennes, doivent porter sur toutes les questions exclues des négociations de la période intérimaire (Jérusalem, réfugiés, colonies, arrangements de sécurité, frontières, relations de coopération). Au 1.5.98, ces négociations, bloquées depuis l'arrivée au pouvoir, en Israël, de Benyamin Netanyahou, n'avaient pas repris. Le statut définitif est censé entrer en vigueur au plus tard le 4 mai 1999.

♦ **15 janvier 1997.** Signature à Erez (entre Gaza et Israël) de l'« accord d'Hébron ». 80 % de la ville passe en zone A. Un texte d'accompagnement précise que la première des trois phases du redéploiement israélien dans les zones rurales de Cisjordanie, prévu par l'accord de Taba, aura lieu pendant la première semaine de mars 1997, les deux étapes ultérieures devant suivre « dans les douze mois, et pas plus tard qu'à la mi-1998 ». Ce redéploiement n'avait toujours pas eu lieu au 1.5.98. - **J.-F. L.** ■

Palestine/Bibliographie sélective

A. Dieckhoff, *Israéliens et Palestiniens, l'épreuve de la paix*, Aubier, Paris, 1996.

B. Kodmani-Darwish, *La Diaspora palestinienne*, PUF, Paris, 1997.

J.-F. Legrain, « Autonomie palestinienne : la politique des néo-notables », *REMMM/ Revue du monde musulman et de la Méditerranée*, n° 81-82, Édisud, Aix-en-Provence, 1997.

J.-F. Legrain, « La Palestine : de la terre perdue à la reconquête du territoire », *Cultures et conflits*, L'Harmattan, Paris, juin 1996.

Ligue internationale pour le droit et la libération des peuples, *Le Dossier Palestine. La question palestinienne et le droit international*, La Découverte, Paris, 1991.

Voir aussi les bibliographies « Proche et Moyen-Orient », « Croissant fertile » et « Israël », p. 220, 238 et 233.

à Israël par les accords, refusait que son armée évacue plus de 9 % des territoires quand les États-Unis recommandaient 13,1 %. Il réclamait également l'ouverture des négociations sur le statut final sans avoir à se soumettre au 3e redéploiement. Les Palestiniens, après avoir proclamé s'être attendus à une évacuation de 90 % des territoires de Cisjordanie et de la bande de Gaza occupés en 1967 comme préalable à l'ouverture de ces négociations sur le statut final, s'alignaient sur les propositions américaines. Les redéploiements prenaient ainsi plus de deux ans de retard sur les calendriers prévus par les divers accords. De plus, en contradiction avec leurs stipulations, la partie israélienne liait ses redéploiements à des engagements palestiniens sur le désarmement des islamistes et à une nouvelle abrogation de la charte de l'OLP. A plusieurs reprises, l'Union européenne a fait publiquement état de ses critiques à l'encontre de la politique israélienne de refus, sans toutefois engager de véritables pressions.

Parallèlement, la colonisation s'est poursuivie, Israël ayant refusé les demandes américaines de suspension provisoire. Pour la première fois depuis la fin des années quatre-vingt, de nouvelles colonies ont ainsi été créées, tant à Jérusalem qu'en Cisjordanie. En juin, le gouvernement formalisait le « Grand Jérusalem » qui inclut désormais deux des plus vastes colonies de Cisjordanie.

Fin septembre 1997 à Amman, les services secrets israéliens ont échoué à assassiner Khaled Machaal, chef du bureau politique du Mouvement de la résistance islamique-Hamas. L'attentat a entraîné une crise sévère entre la Jordanie et Israël. Ce dernier s'est vu contraint par le roi Hussein à libérer Cheikh Ahmad Yassin, condamné à la détention à perpétuité depuis 1989 en sa qualité de fondateur du mouvement islamiste palestinien.

Si la libération de ce dernier a désamorcé les vengeances annoncées, l'élimination, fin mars 1998, de l'un des responsables de la branche armée du mouvement, Muhiyeddine Chérif, attribuée tantôt aux Israéliens tantôt aux services palestiniens, risquait d'entraîner à tout moment de nouveaux cycles de violences. Dans ce contexte de négociations moribondes et de conditions économiques dramatiques, des échauffourées ont failli à plusieurs reprises dégénérer en affrontements armés généralisés. En janvier 1998, il s'agissait de manifestations près de colonies israéliennes de Gaza. En mars 1998, c'était la mort de trois travailleurs palestiniens tués « par erreur » à un barrage israélien près d'Hébron. Et en mai 1998, la commémoration de la « *Nakba* » (catastrophe) de l'expulsion des Palestiniens en 1948. - **Jean-François Legrain** ■

Fausse alerte

Le décor est resté en apparence immuable : plus de sept années après la fin de la guerre du Golfe (1991), Saddam Hussein était toujours au pouvoir et les sanctions internationales contre l'Irak ont été régulièrement reconduites.

L'arrivée en mai 1997 de l'Australien Richard Butler à la tête de l'Unscom, la Commission spéciale de l'ONU chargée du désarmement de l'Irak, a correspondu à un nouvel épisode de tension avec Bagdad. Un nouveau bras de fer entre le régime de S. Hussein et les États-Unis a dominé l'actualité. Motivée par l'obstruction irakienne face à l'influence jugée excessive des inspecteurs américains au sein des équipes de l'Unscom, ainsi que par le refus de Bagdad de laisser inspecter des sites dits « présidentiels », suspectés d'abriter des armes biologiques et chimiques, la crise s'est déroulée en deux temps. La première montée de tensions a trouvé sa solution le 20 novembre 1997, grâce à la médiation d'Evgueni Primakov, ministre russe des Affaires étrangères, Bagdad acceptant le retour sans condition des inspecteurs américains de l'Unscom, contre des assurances sur le rééquilibrage des missions de cette commission. La seconde a été conclue par la visite à Bagdad de Kofi Annan, le secrétaire général de l'ONU ; ainsi, le 23 février, un accord entre ce dernier et S. Hussein était-il annoncé. Le dirigeant irakien acceptait le libre accès, sans limitation de temps, aux sites présidentiels suspects, une vingtaine de diplomates devant accompagner les inspecteurs de l'Unscom sur ces sites. Le président américain Bill Clinton a approuvé l'accord le jour même sous conditions. Et le 24 février, le Conseil de sécurité de l'ONU a pris acte de l'accord conclu, mais menaçait l'Irak des « conséquences les plus graves » s'il se dérobait à son engagement (résolution 1154, votée à l'unanimité le 2 mars). Il existait cependant des divergences sur l'automaticité du recours à la force en cas de violation par Bagdad de ses engagements, K. Annan, la France, la Russie et la Chine s'y opposant.

République irakienne

Capitale : Bagdad.

Superficie : 434 924 km^2.

Monnaie : dinar (au taux officiel, 1 dinar = 19,12 FF au 29.7.98).

Langues : arabe, kurde, syriaque (off.), turkmène, persan, sabéen.

Chef de l'État : Saddam Hussein, président de la République (depuis le 16.7.79), Premier ministre (depuis le 29.5.94), maréchal, chef suprême des forces armées, président du Conseil de commandement de la Révolution, secrétaire général du parti Baas.

Chef du gouvernement : Saddam Hussein. Ses deux fils Oudaï et Qusay jouent un rôle important, bien que sans fonction officielle.

Ministre des Affaires étrangères : Muhammad Saïd as-Sahhaf (depuis 1991).

Nature de l'État : « État arabe », avec statut d'autonomie pour une partie du Kurdistan accordée en 1974.
La zone au nord des anciennes lignes de front de 1991 vit une situation de quasi-indépendance, depuis la création d'une « zone de protection » pour les Kurdes, selon les termes de la résolution 688 du Conseil de sécurité de l'ONU votée le 5 avril 1991.
Le 4 octobre 1992, les partis kurdes ont proclamé l'État fédéral.

Nature du régime : autoritaire, dominé par le parti Baas et le clan des Takriti.

Principaux partis politiques : Baas (seul parti légal, nationaliste arabe), parti Da'wa et Assemblée supérieure de la Révolution islamique en Irak (islamistes chiites), Parti communiste, Parti démocratique du Kurdistan (PDK, de Massoud Barzani), Union patriotique du Kurdistan (UPK, de Jalal Talabani), Congrès national irakien.

Territoires contestés : la nouvelle frontière entre le Koweït et l'Irak n'a été acceptée par Bagdad que le 10.11.94, une partie de l'opposition continuant à la refuser.

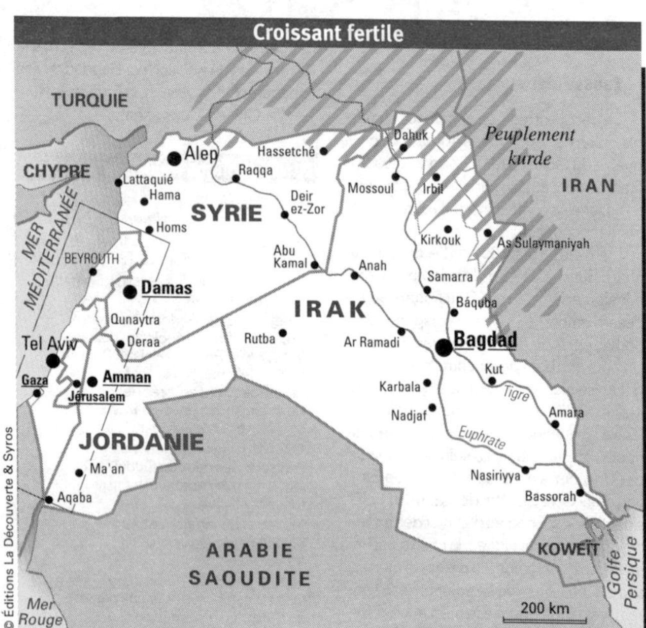

Dramatisation des tensions

Cette crise a d'abord suscité de nouvelles résolutions de l'ONU contre l'Irak, puis une dramatisation du conflit, laissant à penser qu'on était à la veille d'une nouvelle guerre. Le 27 janvier 1998, Washington affirmait avoir pris la décision d'un recours à la force en Irak et l'opération *Desert Thunder* (Tonnerre du désert) se mettait en place, avec le déploiement de 17 bâtiments de guerre et de 300 avions de combat dans le Golfe. En pleine crise, le Conseil de sécurité de l'ONU votait à l'unanimité la résolution 1153 (20 février), autorisant l'Irak à doubler son quota semestriel d'exportation de pétrole (nouveau plafond : 5,2 milliards de dollars), ce qui semblait hors de portée des capacités réelles de production irakienne.

Le 16 avril 1998, l'Unscom achevait l'inspection des huit palais présidentiels suspects sans rien trouver. S. Hussein semblait jouer le jeu, mais la partie n'était pas terminée. Le 20 avril, trois rapports étaient publiés sur le désarmement de l'Irak : un rapport négatif de l'Unscom, un autre positif de l'AIEA (Agence internationale de l'énergie atomique) ; quant au troisième, sur l'inspection des huit sites présidentiels, il était ambigu. Bagdad a demandé une levée de l'embargo. Mais le 27 avril, le Conseil de sécurité a reconduit les sanctions économiques, jugeant les progrès encore insuffisants. Les États-Unis ont toutefois adopté un ton plus modéré à propos du désarmement irakien, reconnaissant « un certain progrès ».

Le vice-premier ministre irakien Tarek

Aziz a jugé le rapport de l'Unscom « inacceptable » et Bagdad a réclamé le limogeage de R. Butler. Le 6 mai, l'ONU a fait, toutefois, un geste symbolique envers l'Irak, déclarant que Bagdad avait rempli les conditions pour une levée des restrictions de voyages imposées depuis le 12 novembre 1997 aux dirigeants irakiens.

Comme lors des précédentes crises entre Bagdad et l'ONU, une dramatisation savamment orchestrée par les deux parties, la désinformation et les faux-semblants ont été la règle. Au-delà du dossier du désarmement, dont tout semblait prouver qu'il était artificiellement maintenu ouvert (alors que plus de trois ans de travail de l'Unscom avaient d'ores et déjà permis, grâce à un système de surveillance sophistiqué, de s'assurer du démantèlement de ce qu'il est possible de contrôler), c'est la fin de l'embargo, la réinsertion du régime irakien dans la région et, à terme, sa réhabilitation par les États-Unis qui étaient en cause.

Le régime irakien estimait qu'il s'était plié à toutes les exigences de l'ONU et que l'ONU devait désormais en tenir compte et annoncer une date pour la fin des sanctions. Mais Washington n'avait pas encore pris de décision, semblant préférer continuer à tirer profit de la mise sous tutelle internationale de l'Irak permise par le maintien en place du régime de S. Hussein.

Poursuite des combats au Kurdistan

Lors de la crise, remarquable a été le silence de l'opposition irakienne, qui a paru tétanisée et incapable de prendre position dans un jeu dont elle était exclue. Par ailleurs, la guerre menée par le régime contre la hiérarchie religieuse chiite a continué avec les assassinats, en avril et juin 1998, de deux importants religieux dans les villes saintes.

Au Kurdistan autonome, des combats intermittents ont continué entre les mouvements kurdes rivaux, le Parti démocratique du Kurdistan (PDK) et l'Union patriotique du Kurdistan (UPK), malgré de nombreuses médiations. Les incursions de l'armée turque ont été de plus en plus massives et répétées : en septembre 1997, une offensive menée au Kurdistan d'Irak, contre le Parti des travailleurs du Kurdistan (PKK, mouvement insurgé contre l'État turc), et en liaison avec le PDK, a vite abouti à l'en-

Irak/Bibliographie

P.-M. Gallois, *Le Sang du pétrole. Irak, essai de géopolitique*, L'Age d'homme, Lausanne, 1996.

P.-J. Luizard, « Il y avait un pays qui s'appelait l'Irak... », *REMMM/Revue du monde musulman et de la Méditerranée*, n°s 81-82, t. 1, Édisud, Aix-en-Provence, 1997.

K. Makiya, *Cruelty and Silence*, Penguin Books, Londres, 1994.

Voir aussi les bibliographies « Proche et Moyen-Orient » et « Croissant fertile », p. 220 et 238.

gagement de 20 000 soldats turcs en Irak. Ces opérations ont repris en février, puis en mai 1998.

Après l'exécution, le 9 décembre 1997, de quatre étudiants jordaniens accusés de trafic de pièces de voitures, les relations entre l'Irak et la Jordanie ont connu une nouvelle crise.

Le 14 juin 1998, l'Irak et l'Unscom se sont entendus sur un calendrier de désarmement de deux mois, au terme duquel l'embargo pétrolier pourrait être levé. - **Pierre-Jean Luizard** ■

Israël

Un horizon bouché

Inquiétant cinquantième anniversaire pour l'État hébreu : le 30 avril 1998, un demi-siècle, selon le calendrier hébraïque, après la naissance d'Israël proclamée par David Ben Gourion, les Israéliens se sont retrouvés divisés, peu sûrs d'eux et en pleine crise identitaire. Deux semaines plus tard, le 14 mai, date de la création d'Israël dans le calendrier international, les Palestiniens des Territoires occupés ou autonomes choisissaient de commémorer ce qu'ils appellent la *nakba* (« catastrophe » en arabe, début du problème des réfugiés). Se sont ensuivies des scènes d'émeutes comme aux pires heures de l'*intifada* (« guerre des pierres »), avec un lourd bilan de neuf morts et d'une centaine de blessés.

Ce double anniversaire symbolisait la difficile période traversée actuellement par Israël : les perspectives de paix avec les voisins palestiniens s'éloignant, l'économie en net ralentissement, et des lignes de fracture de plus en plus criantes : entre riches et pauvres, entre communautés, entre laïcs et religieux... Et un Premier ministre, Benyamin Netanyahou (Likoud, droite), qui, arrivé à mi-mandat (deux ans), demeurait en tête des sondages d'opinion, malgré un bilan que de nombreux Israéliens et observateurs étrangers jugeaient désastreux.

L'accord d'Oslo bafoué

C'est sur le processus de paix israélo-palestinien que B. Netanyahou a opéré la première véritable rupture avec ses prédécesseurs travaillistes. Après avoir démarré l'année 1997 avec l'accord sur le désengagement israélien partiel de la ville palestinienne d'Hébron, il a provoqué ensuite le gel de toute négociation et de tout progrès dans les relations avec les Palestiniens en relançant la colonisation juive, en particulier à Jérusalem-Est. C'est d'ailleurs sur la construction de 6 500 logements dans le nouveau quartier juif de Har Homa, à Jérusalem-Est, que le dialogue politique avec l'Autorité palestinienne de Yasser Arafat a été « gelé » en février 1997 et jamais renoué malgré les efforts diplomatiques américains. B. Netanyahou est allé jusqu'à tenir tête, en mai 1998, aux États-Unis, qui ont épuisé leurs diplomates à tenter de lui arracher des concessions : un « redéploiement » israélien de 13,1 % de la Cisjordanie, déjà considérablement en deçà de ce que souhaitent les Palestiniens et de ce qu'étaient disposés à leur concéder les précédents Premiers ministres Itzhak Rabin et Shimon Pérès, « pères » israéliens du processus d'Oslo [*voir p. 223*]. Le chef du gouvernement a au contraire adopté, en juin 1998, un plan d'extension des limites de la ville sainte, un schéma de « Grand Jérusalem », aussitôt qualifié de « provocation » à Washington et de « déclaration de guerre » par les Palestiniens. Il s'agissait en tout cas d'un fait accompli constituant une violation claire de l'esprit de l'accord d'Oslo de septembre 1993, qui prévoyait de ne régler le statut de Jérusalem que dans la dernière phase des négociations avec les autorités palestiniennes, au plus tard en mai 1999.

Le Premier ministre a justifié son intransigeance d'abord par des préoccupations de sécurité, conforté en cela par le faible nombre d'attentats par rapport à la dernière période de gouvernement travailliste (« seuls » deux attentats très graves commis par des « kamikazes » palestiniens à Jérusalem, en août et septembre 1997, sont venus troubler un calme relatif), mais aussi par la nécessité de maintenir la cohésion de sa coalition hétéroclite qui comporte une frange extrémiste, conduite par l'ancien général « faucon » Ariel Sharon. Ce dernier, ministre des Infrastructures, a plusieurs fois menacé de rompre avec le Premier ministre et d'entraîner avec lui plusieurs députés, privant ainsi le chef du Likoud de sa majorité à la Knesset (Parlement). Cette majorité est devenue des plus réduites (une voix) depuis que le ministre des Affaires étrangères, David Lévy, a quitté le gouvernement en janvier 1998, révélant sa frustration tant politique que sociale. Il a emmené avec lui les cinq autres députés de son parti, le Guesher, se voulant le défenseur des Juifs orientaux, premiers affectés par l'austérité née de l'essoufflement de l'économie et par la remontée du chômage.

A la surprise générale, B. Netanyahou est toutefois parvenu à surmonter crise après crise, qu'il s'agisse du processus de paix, du conflit latent s'éternisant au Sud-Liban, mais aussi des rapports avec les partis religieux autour de la question rituelle

État d'Israël

Capitale : Jérusalem (état de fait, contesté au plan international).

Superficie : 20 325 km²; Territoires occupés : Golan (1 150 km², annexé en 1981), Cisjordanie (5 879 km², dont l'enclave autonome de Jéricho et la zone A autonome depuis 1995 [*voir p. 222*]), Gaza (378 km², dont 336 km² pour la zone autonome palestinienne et 42 km² pour les colonies juives). Jérusalem-Est (70 km²) a été annexée en 1967.

Monnaie : nouveau shekel (1 nouveau shekel = 1,64 FF au 30.5.98).

Langues : hébreu et arabe (off.) ; anglais, français, russe.

Chef de l'État : Ezer Weizmann (président depuis le 13.5.93).

Premier ministre : Benyamin Netanyahou (depuis le 29.05.96).

Nature de l'État : Israël dispose de « lois constitutionnelles » devant évoluer vers une Constitution. Le pays est divisé en six districts administratifs.

Nature du régime : démocratie parlementaire combinée à une administration militaire dans les Territoires occupés.

Principaux partis politiques :
Gouvernement : Likoud (droite nationaliste) ; Tsomet (extrême droite) ; Yisraël Ba Aliya (immigrants russes) ; Troisième voie (centre) ; Parti national religieux (droite sioniste) ; Parti unifié de la Thora (orthodoxe ashkénaze non sioniste) ; Shass (orthodoxe séfarade).
Opposition : Parti travailliste (social-démocrate, sioniste) ; Guesher (centre-droite) ; Merets (bloc parlementaire comprenant trois partis sionistes de gauche : le Mouvement pour les droits civiques, le Mapam, Shinoui) ; Parti communiste israélien (Hadash) ; Parti démocratique arabe.
Mouvements extra-parlementaires : Shalom Akhshav (La Paix maintenant) ; Goush Emounim (Bloc de la foi, extrémiste-nationaliste religieux) ; Kakh (raciste, banni en mars 1994).

Carte : p. 227 et 234-235.

INDICATEUR*	UNITÉ	IRAK	ISRAËL	PALESTINE[1]
Démographie**				
Population	*millier*	21 177	5 781	2 350[g]
Densité	*hab./km²*	48,7	278,3	375,6[g]
Croissance annuelle[d]	%	2,8	1,9	4,2
Indice de fécondité (ISF)[d]		5,3	2,8	6,0
Mortalité infantile[d]	‰	95	7	34
Espérance de vie[d]	*année*	62,4	77,6	68,7
Population urbaine	%	75,4	90,9	••
Indicateurs socioculturels				
Développement humain (IDH)[c]		0,531	0,913	••
Nombre de médecins	*‰ hab.*	0,59[i]	••	••
Analphabétisme (hommes)[b]	%	29,3	••	••
Analphabétisme (femmes)[b]	%	55,0	••	••
Scolarisation 12-17 ans	%	55,4[m]	••	••
Scolarisation 3e degré	%	12,6[m]	41,1[b]	••
Adresses Internet	*‰ hab.*	–	104,8	••
Livres publiés	*titre*	••	4 608[q]	••
Armées				
Armée de terre	*millier d'h.*	350	134	35 (Armée de terre, Marine, Aviation)
Marine	*millier d'h.*	2,5	9	
Aviation	*millier d'h.*	35	32	
Économie				
PIB total[ae]	*million $*	p	103 000	3 300
Croissance annuelle 1986-96	%	– 14,0[n]	5,6	••
Croissance 1997	%	10,0	2,1	••
PIB par habitant[ae]	*$*	o	18 100	1 500
Investissement (FBCF)[f]	*% PIB*	••	22,0	••
Taux d'inflation	%	45,0	7,0	••
Énergie (taux de couverture)[b]	%	158,2	0,2	••
Dépense publique Éducation	*% PIB*	••	6,6[i]	••
Dépense publique Défense[a]	*% PIB*	8,3	12,1	••
Dette extérieure totale[a]	*million $*	113 000	••	800
Service de la dette/Export.[f]	%	••	••	••
Échanges extérieurs				
Importations	*million $*	4 256	30 781	1 550
Principaux fournisseurs[a]	%	••	E-U 20,0	••
	%	••	UE 51,7	••
	%	••	Asie[k] 10,1	••
Exportations	*million $*	5 548	22 503	235
Principaux clients[a]	%	••	E-U 30,8	••
	%	••	UE 32,3	••
	%	••	Asie[k] 19,5	••
Solde transactions courantes	*% PIB*	••	– 3,4	••

1. Les sources et méthodes à l'origine des données « Palestine » sont différentes de celles de « Cisjordanie » et « Gaza » ; 2. Les données pour la Cisjordanie correspondent ici à l'ensemble de la Cisjordanie, y compris les territoires encore occupés. * Définition des indicateurs p. 25 et suiv. Chiffres 1997 sauf notes. ** Derniers recensements utilisables : Irak, 1997 ; Israël, 1995 ; Gaza, 1967 ; Jordanie, 1994 ; Liban, 1970 ; Syrie, 1994.

CISJORDANIE[2]	GAZA	JORDANIE	LIBAN	SYRIE
1 496	988	5 774	3 144	15 063
255,3	2 744,1	64,9	302,3	80,7
4,3	6,6	3,3	1,8	2,5
5,1	7,7	5,1	2,7	4,0
27	26	30	29	33
72,1	72,5	69,8	69,9	68,9
••	94,5[b]	72,5	88,4	53,1
••	••	0,730	0,794	0,755
••	••	1,63[c]	1,86[i]	0,83[m]
••	••	6,6	5,3	14,3
••	••	20,6	9,7	44,2
••	••	••	72,8[m]	54,8
••	••	24,5[h]	27,0[b]	17,9[i]
••	••	0,38	2,72	–
••	••	465[b]	••	598[q]
••	••	90	53,3	215
••	••	0,65	1	5
••	••	13,4	0,8	40
2 800	1 000	15 400	24 700	43 800
8,3[r]	11,5[r]	1,2	– 3,7	4,2
••	••	5,0	4,0	5,0
1 600	1 100	3 570	6 060	3 020
••	••	32,8	31,8	••
••	••	6,3	8,5	1,6
••	••	0,1	1,6	243,4
••	••	6,3[b]	2,0[c]	3,6[c]
••	••	5,6	4,4	4,8
••	••	8 118	3 996	21 420
••	••	14	7	4
777[s]	339[c]	4 102	7 582[a]	3 425
Isr 90,9[s]	Isr 82,4[c]	E-U 9,4	E-U 10,9	UE 29,6
Jord 1,5[s]	••	UE 40,0	UE 43,6	Asie[k] 23,8
••	••	Asie[k] 27,3	Asie[k] 20,7	Ex-CAEM 16,5
173[s]	49[c]	1 845	1 017[a]	3 925
Isr 70,3[s]	Isr 69,2[c]	UE 11,2	UE 17,8	UE 56,0
Jord 29,1[s]	Jord 25,1[c]	Asie[k] 54,6	PED 71,6	PED 39,9
••	••	M-O 28,7	M-O 57,0	M-O 19,2
••	••	– 3,07[a]	– 25,72[a]	1,74[a]

a. 1996 ; b. 1995 ; c. 1994 ; d. 1995-2000 ; e. A parité de pouvoir d'achat (PPA, voir définition p. 581), f. 1994-96 ; g. Y compris Jérusalem-Est ; h. 1989 ; i. 1993 ; k. Y compris Japon et Moyen-Orient ; m. 1990 ; n. 1990-96 ; o. 2000 selon la CIA, 3 160 selon les Nations unies ; p. Entre 41 et 65 milliards de dollars ; q. 1992 ; r. 1987-93 ; s. 1991.

INDICATEUR*	UNITÉ	1975	1985	1996	1997
Démographie**					
Population	*million*	3,5	4,2	5,66	5,78
Densité	*hab./km²*	168,5	202,2	278,5	284,4
Croissance annuelle	%	2,1[a]	2,7[b]	1,9[c]	• •
Indice de fécondité (ISF)		3,3[a]	3,0[b]	2,8[c]	• •
Indicateurs socioculturels					
Nombre de médecins	*‰ hab.*	2,50	2,90[n]	• •	• •
Scolarisation 2e degré[m]	%	66	80	89[g]	• •
Scolarisation 3e degré	%	23,0	33,1	41,1[f]	• •
Téléviseurs	‰	196,8	259,9	303,1[g]	• •
Livres publiés	*titre*	1 907	2 214	4 608[o]	• •
Économie					
PIB total[h]	*milliard $*	27,9[q]	38,7	103,0	• •
Croissance annuelle	%	5,5[d]	4,7[e]	7,1	4,5
PIB par habitant[h]	$	7 195[q]	9 140	18 100	• •
Investissement (FBCF)	*% PIB*	25,3[d]	20,2[e]	23,5	23,2
Recherche et Développement	*% PIB*	• •	3,2	2,2[o]	• •
Taux d'inflation	%	39,3	404,6	11,3	7,0[r]
Population active	*million*	1,26	1,63	2,33	• •
Agriculture	% } 100 %	7,9	5,1	2,5	• •
Industrie	% } 100 %	33,7	30,5	28,5	• •
Services	% } 100 %	58,3	64,4	69,0	• •
Chômage	%	• •	6,7	6,7	7,9[s]
Énergie (consom./hab.)[b]	*kgec*	2 093	2 676	3 325[g]	• •
Énergie (taux de couverture)	%	102,7	0,7[k]	0,2[g]	• •
Dépense publique Éducation	*% PIB*	6,7	6,4	6,6[p]	• •
Dépense publique Défense	*% PIB*	28,3	21,2	12,1	• •
Échanges extérieurs		**1974**	**1986**	**1996**	**1997**
Importations de services	*milliard $*	1,09	3,20	10,32	• •
Importations de biens	*milliard $*	5,06	9,73	28,41	29,55
Produits alimentaires	%	13,5	9,2	5,9[f]	• •
Produits énergétiques	%	14,9	8,1	6,1[f]	• •
Produits manufacturés	%	55,2	75,9	81,6[f]	• •
Exportations de services	*milliard $*	1,14	3,12	7,86	• •
Exportations de biens	*milliard $*	2,03	7,89	20,44	22,50
Produits agricoles	%	18,3	12,8	7,1[f]	• •
Produits manufacturés	%	75,3	84,4	91,0[f]	• •
dont machines	%	5,5	19,0	28,1[f]	• •
Solde transactions courantes	*% du PIB*	– 6,5[d]	– 2,3[e]	– 5,6	– 3,4
Position extérieure nette	*milliard $*				

* Définition des indicateurs p. 25 et suiv. ** Dernier recensement utilisable : 1983 (les données incluent Jérusalem-Est annexée ainsi que les résidents israéliens des colonies juives des Territoires occupés) ; a. 1975-85 ; b. 1985-95 ; c. 1995-2000 ; d. 1970-80 ; e. 1980-96 ; f. 1994 ; g. 1995 ; h. A parité de pouvoir d'achat (PPA, voir définition p. 581) ; k. La brusque chute du taux de couverture s'explique par le retour du Sinaï à l'Égypte ; m. 14-17 ans ; n. 1983 ; o. 1992 ; p. 1993 ; q. 1980 ; r. Décembre à décembre ; s. En fin d'année.

Israël/Bibliographie

Atlas historique d'Israël, par les correspondants du New York Times, Autrement, Paris, 1998.

J.-C. Attias, E. Benbassa, *Israël imaginaire*, Flammarion, Paris, 1998.

A. Dieckhoff, *L'Invention d'une nation. Israël et la modernité politique*, Gallimard, Paris, 1993.

I. Greilsamer, *La Nouvelle Histoire d'Israël, essai sur une identité nationale*, Gallimard, Paris, 1998.

P. Haski, D. Gryn, *Ben Gourion*, Autrement, Paris, 1998.

A. Kapeliouk, *Rabin. Un assassinat politique. Religion, nationalisme, violence en Israël*, Le Monde-Éditions, Paris, 1996.

C. Klein, *La Démocratie d'Israël*, Seuil, Paris, 1997.

Ligue internationale pour le droit et la libération des peuples, *Le Dossier Palestine. La question palestinienne et le droit international*, La Découverte, Paris, 1991.

A. Michel, *Racines d'Israël : 1948, plongée dans 3 000 ans d'histoire*, Autrement, Paris, 1998.

S. Pérès, *Le Voyage imaginaire*, Éditions n° 1, Paris, 1998.

D. Vidal, *Le Péché original d'Israël*, Éd. de L'Atelier, Paris, 1998.

Voir aussi les bibliographies « Proche et Moyen-Orient », « Croissant fertile » et « Palestine », p. 220, 238 et 224.

« Qui est juif ? » (à la faveur d'un projet de loi restrictif imposé par les courants ultra-orthodoxes), ou dans l'opinion après une série d'échecs des agents du Mossad (services secrets) en Jordanie (octobre 1997, entraînant la libération du leader islamiste palestinien Cheikh Ahmad Yassin pour calmer la colère du roi Hussein de Jordanie) et en Suisse (février 1998). Il se trouvait conforté dans son pouvoir, il est vrai, par la réforme du mode de scrutin dont il avait été le premier bénéficiaire en 1996, avec l'instauration de l'élection directe du Premier ministre, parallèlement à celle des députés. Il a pu disposer, dès lors, d'une position quasi invulnérable, alors que les membres de la Knesset redoutaient avant tout une dissolution qui pouvait leur coûter leur siège. L'opposition travailliste a réussi à faire passer, en première lecture, en mai 1998, un projet de loi remettant en cause l'élection directe du Premier ministre, mais il n'était pas acquis pour autant que cette nouvelle réforme voie le jour.

L'invulnérabilité de B. Netanyahou tenait aussi à la performance peu convaincante de son nouveau challenger travailliste, l'ancien chef d'État-Major Ehud Barak, qui a succédé à S. Pérès après son échec électoral de 1996. Le général Barak avait été préféré à ses rivaux au sein du Parti travailliste dans l'espoir que son profil de héros militaire – présentant, qui plus est, un programme de paix – en fasse un digne héritier du Premier ministre assassiné en 1995, I. Rabin. Or, sa prudence lui a progressivement fait perdre cet avantage, au point de brouiller sur bien des aspects les clivages entre l'actuel chef du gouvernement et le leader de l'opposition. Résultat, dans les sondages d'opinion, E. Barak a laborieusement suivi, derrière un Premier ministre que rien n'affectait. Le président Ezer Weizman, un ex-général travailliste, a réussi en mars 1998, à 73 ans, à se faire réélire par les députés pour un second mandat, et ce malgré la présence en face de lui d'un candidat du Likoud. La

Présidence n'est cependant qu'une charge honorifique, même si E. Weizman est parvenu à en faire un poste plus controversé, embarrassant parfois ses amis comme ses ennemis.

L'essoufflement de l'économie

B. Netanyahou résistait même, pour l'heure, à l'essoufflement de l'économie, alors qu'il avait promis, lors de sa campagne, de la propulser encore plus haut en libéralisant plus vite ce qui restait du passé égalitariste de l'État hébreu. Tous les clignotants sont passés à l'orange, après plusieurs années consécutives d'une forte croissance qui a permis d'absorber des centaines de milliers de nouveaux immigrants. La croissance est passée de 4,4 % en 1996 à 2,1 % en 1997, et devait tomber à 1,5 % en 1998 selon les prévisions. Le chômage est reparti à la hausse, avec 7,9 % de la population active sans emploi, soit une hausse de 2 % en deux ans. En cause, la perte de confiance, tant des investisseurs que des consommateurs, devant l'incertitude politique depuis que B. Netanyahou a pris les commandes, ainsi que la crise en Asie, où l'État hébreu réalise 13 % de ses exportations. Les milieux économiques, tout comme les partisans d'une reprise du processus de paix avec les Palestiniens, voyaient l'horizon bouché tant que B. Netanyahou garderait le cap suivi lors des deux premières années de son mandat. - **Pierre Haski** ■

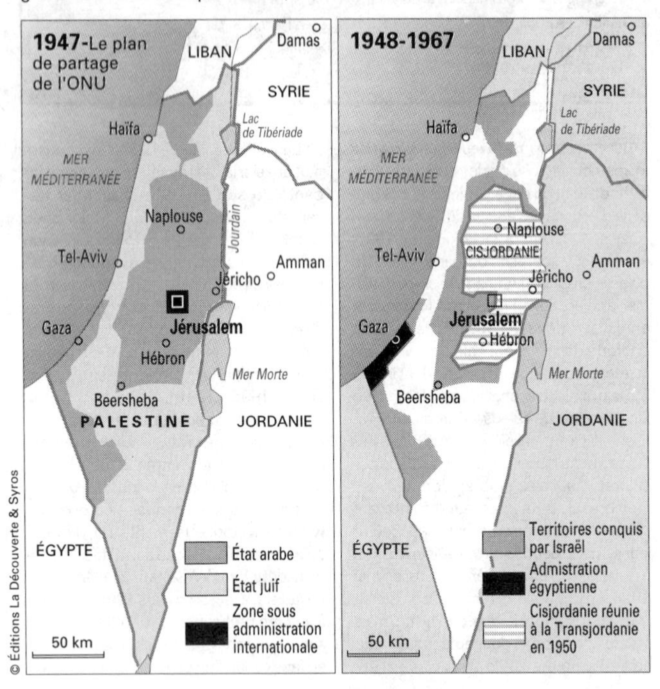

Jordanie

Le 19 mars 1997, Abdul Salam al-Majali revenait à la tête d'un gouvernement rénové, afin notamment de préparer démocratiquement les législatives de novembre 1997, mais l'introduction d'un décret-loi limitant la liberté de la presse, le 16 mai, a déclenché une vague de refus dans l'ensemble de la société, traduit par l'appel au boycottage des élections. Le plus faible taux de participation enregistré depuis 1989 et le laminage des représentants des partis politiques ont ainsi marqué la constitution du treizième parlement, tandis que, le 26 janvier 1998, la justice se prononçait pour l'inconstitutionnalité du décret du 16 mai. Le limogeage du juge Kilany, responsable de cette « fronde », a fait écho au retour des journaux suspendus, l'interdit redevenant la règle. Les manifestations de soutien à Bagdad, lors de la crise américano-irakienne de février 1998, ont été violemment réprimées. Elles ont fait un mort à Ma'an, placée sous couvre-feu pendant une semaine, et mené à la troisième arrestation de la principale figure de l'opposition, Leith Shbeilat.

La maîtrise affichée de l'inflation et la diminution du déficit du commerce extérieur ont satisfait les instances internationales, d'autant que la politique de privatisation devrait soulager le secteur social, où paupérisation (21 %) et chômage (de 15 % à 28 %) demeuraient irréductibles. Au printemps 1998, le gouvernement a abandonné son projet de contrôle des réserves privées des sociétés tandis que l'ouverture des com-

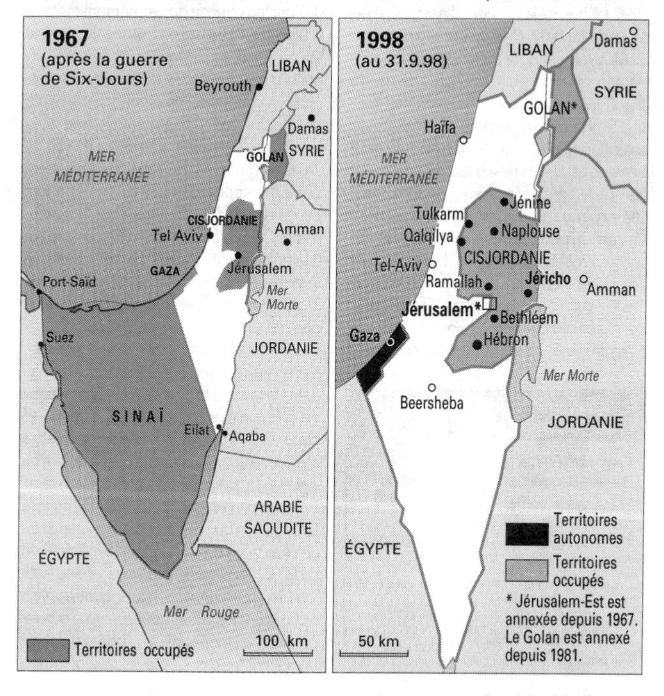

pagnies nationales aux capitaux étrangers déclenchait quelques craintes.

L'espérance économique s'est traduite, sur le plan international, par l'accord d'association avec l'Union européenne, l'accroissement des aides américaines, la progression des échanges avec Israël et la reconduction de l'accord pétrolier avec l'Irak, malgré des relations tendues. La perception d'un alignement de plus en plus orienté vers Washington et Tel-Aviv focalisait les mécontentements nationaux et régionaux, notamment après la participation à titre d'observateur aux manœuvres navales israélo-turco-américaines (6-7 janvier 1998). Le blocage du processus de paix, la crise de l'eau comme le fiasco du Mossad (services secrets israéliens) à Amman en septembre 1997 (échec de la tentative d'assassinat de Khaled Machaal, chef du bureau politique du Mouvement de la résistance islamique-Hamas, qui a contraint Israël, à la demande du roi Hussein, à libérer Cheikh Ahmad Yassin, fondateur du mouvement islamiste palestinien) n'ont pas fondamentalement remis en cause les relations avec Israël, tandis que le soutien inconditionnel affiché à l'émergence d'un État palestinien avec Jérusalem pour capitale péchait par l'absence de gestes significatifs. Le roi Hussein apparaissait davantage comme un intermédiaire utile entre Israéliens et Palestiniens, de Yasser Arafat (président de l'Autorité palestinienne) à Cheikh Ahmad Yassin.

Royaume hachémite de Jordanie

Capitale : Amman.
Superficie : 89 000 km².
Nature du régime : monarchie parlementaire.
Chef de l'État : roi Hussein ben Tallal (depuis 1952).
Chef du gouvernement : Abdul Salam al-Majali.
Monnaie : dinar (au taux officiel, 1 dinar = 8,43 FF au 30.5.98).
Langues : arabe, anglais.

S'il rejetait toute ingérence extérieure dans les affaires irakiennes et en appelait à la volonté de son peuple lors de la crise de l'hiver 1998, le roi, hospitalisé à quatre reprises en 1997-1998 et ayant annoncé suivre une chimiothérapie en juillet 1998, laissait néanmoins à la Jordanie l'image d'un pouvoir de plus en plus tourné vers la force, et dont la destinée apparaissait de plus en plus étrangère à sa population. - **Yann Le Troquer** ■

Liban

L'interdiction d'une interview télévisée de l'ancien chef du gouvernement militaire (1988-1990) en exil en France, le général Michel Aoun, a provoqué un phénomène inconnu au Liban depuis les années d'avant-guerre : la mobilisation d'une grande partie de la jeunesse étudiante, retranchée dans ses campus pendant une semaine (du 14 au 20 décembre 1997) au nom du respect des libertés publiques. Les étudiants ne sont pas parvenus à institutionnaliser leur mouvement et à se faire reconnaître comme acteur social par le pouvoir, divisés comme le reste de la société sur l'adoption de modes d'action et d'objectifs politiques plus concrets.

La société civile s'est trouvée concernée par un autre enjeu après l'initiative lancée début février par le chef de l'État Élias Hraoui de créer un mariage civil facultatif pour les couples libanais refusant de se soumettre au régime communautaire normalement en vigueur. Le président est parvenu à obtenir l'accord du Conseil des ministres (malgré l'opposition du chef du gouvernement Rafic Hariri), en conditionnant la réussite du projet à la laïcisation progressive des institutions. Cette innovation a rencontré la vive opposition des autorités spirituelles, qui disposent d'un monopole en matière de statut personnel, les critiques les plus vigoureuses émanant de la plus haute autorité sunnite du pays, le mufti de la République, le cheikh Mohammed Rachid Kabbani, rapidement rejoint par le patriarche maronite Boutros Nasrallah Sfeir au nom de la solidarité religieuse entre les communautés libanaises.

République libanaise

Capitale : Beyrouth.
Superficie : 10 400 km^2. Dans le Liban sud, une bande de territoire est occupée par Israël.
Nature du régime : république parlementaire à base communautaire. Les accords de Taef (oct. 89) prévoient la déconfessionnalisation des institutions.
Chef de l'État : général Émile Lahoud, qui a succédé à Elias Hraoui le 24.11.98.
Premier ministre : Rafic Hariri (depuis le 30.10.92, reconduit le 19.10.95).
Ministre de l'Intérieur : Michel al-Murr.
Ministre de la Défense : Mohsen Dalloul.
Ministre des Affaires étrangères : Farès Boueiz.
Monnaie : livre libanaise (au taux officiel, 100 livres = 0,39 FF au 30.5.98).
Langues : arabe, français.

Début avril 1998, cette question a été escamotée en raison de développements régionaux potentiellement déstabilisateurs. En reconnaissant en mars 1998 la résolution 425 adoptée vingt ans auparavant par le Conseil de sécurité de l'ONU (retrait des troupes israéliennes du Sud-Liban), le gouvernement israélien a placé les responsables libanais et syriens dans une position très inconfortable, puisqu'une application de la résolution moyennant des garanties de sécurité à la frontière priverait du même coup la Syrie d'un moyen de pression face à Israël (*via* la résistance islamique du Hezbollah) et rendrait la reprise des négociations sur le plateau du Golan (annexé par Israël) encore plus hypothétique. La diplomatie libanaise s'est aussitôt activée de concert avec Damas pour déjouer la manœuvre et conjurer les risques d'une implication internationale en obtenant le soutien de la France lors de la visite à Paris du président Hafez el-Assad, et en justifiant sa politique par un discours de principe hostile à tout retrait conditionné aux exigences de l'occupant.

L'évolution du contexte régional apparaissant menaçante pour ses intérêts, la Syrie a multiplié les ouvertures en direction des maronites (rencontres entre responsables de la communauté et membres du régime ; déroulement transparent du scrutin municipal dans les régions à populations chrétiennes le 24 mai 1998), tout en rassurant son allié iranien (feu vert donné par Damas en janvier à la répression du « mouvement des affamés » lancé dans la Bekaa par un ancien responsable du Hezbollah, le cheikh Toufayli). Le Liban est donc entré dans une phase de turbulences, sur fond de ralentissement de l'activité économique, d'accroissement du poids de la dette et de tensions sociales souvent transformées en tensions communautaires. - **Bernard Rougier** ■

Syrie

Les négociations avec Israël sont demeurées gelées en 1998. La Syrie exigeait de les reprendre au point où elles s'étaient arrêtées en février 1996, ce qu'Israël refusait. Le Parlement israélien a de surcroît voté en juillet 1997 une loi prévoyant qu'un éventuel retrait du plateau du Golan occupé depuis 1967 et revendiqué par Damas devrait recueillir l'approbation des deux tiers des députés. Par la suite, le chef d'état-major Hikmet Chihabi a déclaré en septembre 1997 que la Syrie récupérerait le Golan par la force si elle n'y parvenait pas en négociant. En décembre 1997, les services de sécurité israéliens admettaient avoir été trompés par l'un de leurs agents qui transmettait de fausses informations sur des pré-

Croissant fertile/Bibliographie

S. Al Khazendar, *Jordan and the Palestine Question,* Ithaca Press, Berqshire, 1997.

R. Bocco, B. Destremeau, J. Hannoyer, *Palestine, Palestiniens. Territoire national, espaces communautaires,* Éditions du CERMOC, Beyrouth, 1997.

C. Boltanski, J. El-Tahri, *Les Sept Vies de Yasser Arafat,* Grasset, Paris, 1997.

M. Hamarneh, R. Hollis, K. Shikaki, *Jordanian-Palestinian Relations : Where to ? Four scenarios for the Future,* Royal Institute of International Affairs, Londres, 1997.

T. Hanf, *Coexistence in Wartime Lebanon : Decline of a State and Rise of a Nation,* Tauris, Londres, 1993.

H. Hourani (sous la dir. de), *Islamic Movements in Jordan,* Sindbad Publishing, Amman, 1997.

Jordanies, n° 3 et 4, Éditions du CERMOC, Amman, juin 1997-déc. 1998.

F. Kiwan (sous la dir. de), *Le Liban aujourd'hui,* CNRS-Éditions, Paris, 1994.

« La Syrie de l'après-guerre froide : permanences et changements », *Monde arabe/Maghreb-Machrek,* n° 158, La Documentation française, Paris, oct.-déc. 1997.

M. Lavergne, *La Jordanie,* Karthala, Paris, 1996.

D. Le Gac, *La Syrie du général Assad,* Complexe, Bruxelles, 1991.

J.-F. Legrain, « Les 1 001 successions de Yasser Arafat », *Monde arabe/ Maghreb-Machrek,* n° 160, La Documentation française, Paris, avr.-juin 1998.

V. Perthes, *The Political Economy of Syria under Assad,* I. B. Tauris, Londres, 1995.

É. Picard, *Lebanon, the Shattered Country,* Holmes & Meier, New York, 1996.

Politique et État en Jordanie 1946-1996, Actes du colloque international des 24-25 juin 1997, CERMOC/IMA, Éditions du CERMOC, Beyrouth (à paraître).

A. Renon, *Géopolitique de la Jordanie,* Complexe, Bruxelles, 1996.

V. Rivière-Tencer, A. Attac, *Jérusalem, destin d'une métropole,* L'Harmattan, Paris, 1998.

B. Rougier, « Liban : les élections législatives de l'été 1996 », *Monde arabe/ Maghreb-Machrek,* n° 155, La Documentation française, Paris, janv.-mars 1997.

Voir aussi les bibliographies « Irak », « Israël » et « Palestine », p. 228, 233 et 224, ainsi que la bibliographie sélective « Proche et Moyen-Orient », p. 220.

paratifs de guerre syriens, à l'origine de graves tensions entre les deux pays en 1996. A l'instar de beaucoup de pays arabes, la Syrie a boycotté la conférence économique de Doha pour le Moyen-Orient et l'Afrique du Nord (MENA, novembre 1997), à laquelle Israël participait.

Par ailleurs, le gouvernement israélien a de nouveau proposé en mars 1998 de retirer son armée du Sud-Liban en échange d'un accord de sécurité. La Syrie, qui dispose de 30 000 soldats au Liban, a maintenu son refus d'un tel accord et dénoncé une manœuvre pour l'isoler. La réunion à Damas des dirigeants libanais avec le président Hafez el-Assad (mars 1998) s'est conclue par la définition d'une position commune réclamant l'application sans conditions de la résolution 425 du Conseil de sécurité de l'ONU enjoignant Israël de se retirer du Liban. L'alliance militaire de la Turquie avec Israël n'a, en outre, cessé d'inquiéter les dirigeants syriens, qui se sont élevés contre les manœuvres navales communes que ces pays ont menées avec les États-Unis en Méditerranée orientale en décembre 1996. Pour contenir les risques liés à cette alliance, la Syrie s'est rapprochée de l'Irak et a renforcé ses liens avec l'Iran. La frontière avec l'Irak a été rouverte (juin 1997) et des accords commerciaux ont été signés (août 1997).

Les incertitudes pesant sur l'avenir politique de la région ont contribué au gel des réformes menées en Syrie depuis le début des années quatre-vingt-dix. 250 prisonniers politiques ont cependant été libérés en juin 1998, parmi lesquels Ryad Turk, chef du Parti communiste dissident, et Aktham Nouaisseh, responsable des comités de défense des droits de l'homme et des libertés démocratiques. Des réaménagements internes au régime étaient également en cours. Le frère cadet de Hafez el-Assad, Rifaat el-Assad, a été destitué en février 1998 de son poste de vice-président, où il ne jouait plus qu'un rôle marginal depuis son retour d'exil en 1992. Le fils du président, Bachar el-Assad, a par ailleurs été promu dans l'armée au grade de lieutenant-colonel en juillet 1997. Déjà impliqué dans la gestion du dossier libanais, il jouait aussi un rôle actif dans la lutte contre la corruption, dont le quotidien officiel *Techrine* dénonçait en août 1997 l'étendue dans la haute administration et les milieux d'affaires. Depuis le décès de son frère Bassel en 1994, il était présenté par la propagande officielle comme l'« espoir » du pays. A Damas, en mai 1998, les funérailles du poète national Nizar Qabbani, qui maintenait ses distances avec le régime, ont rassemblé 10 000 personnes dans un cortège populaire spontané, exceptionnel en Syrie.

Le processus de libéralisation économique n'a pas progressé en 1998 et les milieux d'affaires syriens continuaient de réclamer la réforme du secteur public, de la fiscalité et du régime bancaire. Le ministre de l'Économie Muhammad al-Imadi a confirmé en août 1997 que les réformes économiques se poursuivraient mais n'a pas défini de calendrier. Alors qu'elle ne comptait plus sur l'aide internationale promise aux pays impliqués dans le processus de paix, la Syrie a commencé, en juillet 1997, à rembourser à la Banque mondiale une partie de sa dette (562 milliards de dollars) et a demandé en octobre 1997 l'ouverture de négociations en vue d'un accord d'association avec l'Union européenne. En février 1998, elle a par ailleurs signé avec le Liban un accord prévoyant l'abolition progressive des barrières douanières. De nouveaux investissements publics ont été réalisés dans les domaines des communications, de l'hydraulique et du pétrole. La situation économique et sociale continuait toutefois de se dégrader en raison du ralentissement de la croissance depuis 1995, du manque de liquidités, du recul des exportations et de la hausse des importations, selon une étude publiée par le quotidien officiel *Al-Baas* (mai 1997). - **Emmanuel Bonne** ■

République arabe syrienne

Capitale : Damas.
Superficie : 185 180 km² (incluant le plateau du Golan dont l'annexion par Israël en 1981 n'est pas reconnue au plan international).
Nature de l'État : république « démocratique, populaire et socialiste ».
Nature du régime : présidentiel autoritaire, appuyé sur un parti dirigeant, le Baas.
Chef de l'État : Hafez el-Assad (depuis le 22.2.71).
Chef du gouvernement (au 7.8.98) : Mahmoud al-Zubi, Premier ministre (depuis nov. 87).
Vice-président (au 7.8.98) : Abd al-Halim Khaddam.
Ministre des Affaires étrangères (au 7.8.98) : Farouk al-Charah.
Ministre de la Défense (au 7.8.98) : Mustafa Tlass.
Monnaie : livre syrienne (au taux officiel, 1 livre = 0,53 FF au 30.5.98).
Langue : arabe.
Revendication territoriale : le Golan, occupé par Israël depuis 1967, qui l'a annexé en 1981.

Péninsule Arabique

Arabie saoudite, Bahreïn, Émirats arabes unis, Koweït, Oman, Qatar, Yémen

Arabie saoudite

Sans disposer de l'ensemble des attributs du pouvoir, depuis l'embolie cérébrale qui a écarté du pouvoir le roi Fahd, en 1995, le prince héritier Abdallah n'en a pas moins confirmé son autorité sur les diverses structures de l'État. Certains ont voulu voir sa main dans l'évolution du Conseil consultatif, dont les membres sont passés de 60 à 90 (7 juillet 1997) et dont les prérogatives ont été discrètement élargies.

Sous sa conduite, et en dépit de fortes pressions, le royaume a manifesté une volonté nouvelle d'indépendance à l'égard de Washington : il a critiqué la position du Congrès considérant Jérusalem comme la « capitale unifiée d'Israël » (16 juin 1997) ; il a justifié son refus de participer à la Conférence économique pour le Moyen-Orient et l'Afrique du Nord (Doha, 16 au 18 novembre 1997) par la politique du Premier ministre israélien Benyamin Netanyahou concernant la question palestinienne, mais a assisté au sommet de l'OCI (Organisation de la conférence islamique) à Téhéran (3 décembre 1997) ; dans le cadre du processus de paix au Proche-Orient, il n'a pas ménagé son soutien à la Syrie et au Liban ; il a écarté toute collaboration avec le FBI (Federal Bureau of Investigation) dans l'enquête sur l'attentat contre des militaires américains à Al-Khobar (19 morts et des centaines de blessés, 25 juin 1996), qu'il a déclarée achevée, le 30 mars 1998 ; il a rejeté la politique du « double endiguement » de l'Irak et de l'Iran prônée par Washington, au profit d'une « prise en charge de la sécurité du Golfe par ses riverains » ; le 14 février 1998, il a ouvert ses bases à l'armée de l'air américaine, mais en lui interdisant de les utiliser pour mener des attaques contre l'Irak ; il s'est aussi engagé dans une normalisation à rythme soutenu avec Téhéran, qui s'est traduite par un échange sans précédent de visites au plus haut niveau ; le 29 mars, il a accueilli un avion des lignes libyennes transportant des pèlerins pour le pèlerinage à La Mecque, en violation de l'embargo…

Royaume d'Arabie saoudite

Capitale : Riyad.
Superficie : 2 149 690 km².
Nature du régime : monarchie absolue.
Chef de l'État et du gouvernement : roi Fahd ben Abdul-Aziz al-Saoud (depuis juin 82).
Ministre des Affaires étrangères : prince Saoud al-Faysal ben Abdul-Aziz al-Saoud.
Ministre de l'Intérieur : prince Nayef ben Abdul-Aziz al-Saoud.
Ministre de la Défense : prince Sultan ben Abdul-Aziz al-Saoud.
Monnaie : riyal saoudien (1 riyal = 1,59 FF au 29.7.98).
Langue : arabe.
Territoires contestés : litige avec le Koweït sur la délimitation de leur frontière maritime ; différend avec le Yémen sur la majeure partie de leur frontière commune.

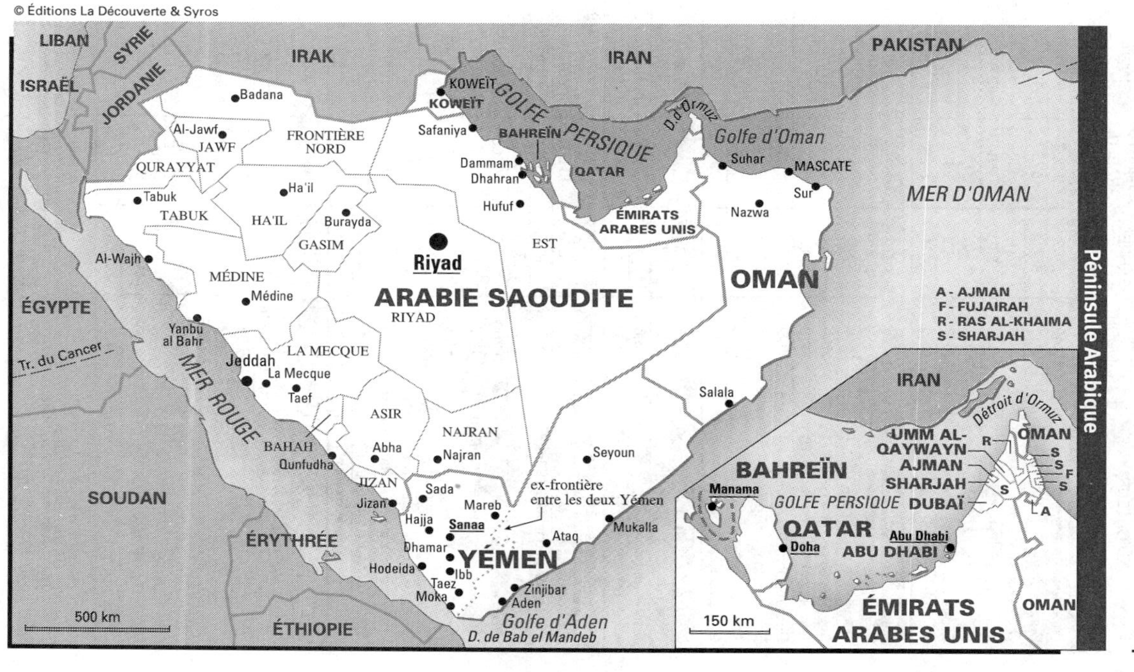
Péninsule Arabique
LIBAN
SYRIE
ISRAËL
JORDANIE
IRAK
IRAN
PAKISTAN
Badana
Al-Jawf
JAWF
FRONTIÈRE NORD
QURAYYAT
Tabuk
TABUK
Ha'il
HA'IL
Burayda
GASIM
KOWEÏT
KOWEÏT
GOLFE PERSIQUE
BAHREÏN
Safaniya
Dammam
Dhahran
QATAR
Hufuf
D. d'Ormuz
Golfe d'Oman
Suhar
MASCATE
Sur
Nazwa
MER D'OMAN
ÉMIRATS ARABES UNIS
EST
Riyad
ARABIE SAOUDITE
RIYAD
OMAN
A - AJMAN
F - FUJAIRAH
R - RAS AL-KHAIMA
S - SHARJAH
Al-Wajh
MÉDINE
Médine
ÉGYPTE
Yanbu al Bahr
Tr. du Cancer
LA MECQUE
Jeddah
La Mecque
Taef
MER ROUGE
ASIR
BAHAH
Qunfudha
Abha
NAJRAN
Najran
Seyoun
Salala
JIZAN
Jizan
Sada
Mareb
ex-frontière entre les deux Yémen
Hajja
Sanaa
Ataq
Mukalla
SOUDAN
ÉRYTHRÉE
Dhamar
YÉMEN
Hodeida
Ibb
Taez
Moka
Zinjibar
Aden
Golfe d'Aden
D. de Bab el Mandeb
500 km
ÉTHIOPIE
IRAN
Détroit d'Ormuz
OMAN
UMM AL-QAYWAYN
AJMAN
SHARJAH
DUBAÏ
R
S
F
A
BAHREÏN
Manama
GOLFE PERSIQUE
QATAR
Doha
Abu Dhabi
ABU DHABI
150 km
ÉMIRATS ARABES UNIS
OMAN

INDICATEUR*	ARABIE SAOUDITE	BAHREÏN	ÉMIRATS ARAB. U.	KOWEÏT
Démographie**				
Population *(millier)*	19 494	582	2 308	1 731
Densité *(hab./km²)*	9,1	854,4	27,6	97,2
Croissance annuelle[d] *(%)*	3,4	2,1	2,0	3,0
Indice de fécondité (ISF)[d]	5,9	3,0	3,5	2,8
Mortalité infantile[d] *(‰)*	23	18	15	14
Espérance de vie[d] *(année)*	71,7	73,2	75,2	76,2
Population urbaine *(%)*	84,0	91,1	84,6	97,2
Indicateurs socioculturels				
Développement humain (IDH)[c]	0,774	0,870	0,866	0,844
Nombre de médecins *(‰ hab.)*	1,34[g]	1,32[h]	0,84[o]	0,20[m]
Analphabétisme (hommes)[b] *(%)*	28,5	10,9	21,1	17,8
Analphabétisme (femmes)[b] *(%)*	49,8	20,6	20,2	25,1
Scolarisation 12-17 ans *(%)*	59,8[h]	92,9[h]	71,6[h]	75,9[m]
Scolarisation 3e degré *(%)*	15,3[c]	20,2[g]	8,8[g]	25,4[b]
Adresses Internet *(‰ hab.)*	0,15	••	7,66	21,7
Livres publiés *(titre)*	••	••	293[g]	196[o]
Armées				
Armée de terre *(millier d'h.)*	70	8,5	59	11
Marine *(millier d'h.)*	13,5	1	1,5	1,8
Aviation *(millier d'h.)*	18	1,5	4	2,5
Économie				
PIB total[ae] *(million $)*	188 300	8 368	43 000	38 817[b]
Croissance annuelle 1986-96 *(%)*	1,6	2,6	4,8	– 0,5
Croissance 1997 *(%)*	2,7	3,1	3,0	1,5
PIB par habitant[ae] *($)*	9 700	13 970	17 000	23 790[b]
Investissement (FBCF)[f] *(% PIB)*	19,7	31,0	24,0	15,2
Taux d'inflation *(%)*	– 0,4	1,0	4,4	1,7
Énergie (taux de couverture)[b] *(%)*	581,3	126,7	474,7	1 220,0
Dépense publique Éducation *(% PIB)*	5,5[b]	4,8[b]	1,8[b]	5,6[b]
Dépense publique Défense[a] *(% PIB)*	12,8	5,5	5,2	12,9
Dette extérieure totale[a] *(million $)*	••	2 710	11 440	7 040
Service de la dette/Export.[f] *(%)*	••	••	••	••
Échanges extérieurs				
Importations *(million $)*	27 280	3 825	29 953	4 097
Principaux fournisseurs[a] *(%)*	E-U 22,0	E-U 6,0	E-U 9,6	E-U 28,4
(%)	UE 38,1	UE 19,4	UE 31,2	UE 37,9
(%)	Asie[i] 28,4	ArS 0,8	Asie[i] 49,8	Asie[i] 21,5
Exportations *(million $)*	56 700	4 262	34 450	7 069
Principaux clients[a] *(%)*	E-U 15,0	Asie[i] 17,9	Asie[i] 75,6	E-U 14,9
(%)	UE 17,8	E-U 0,8	Jap 37,2	UE 16,6
(%)	Asie[i] 56,6	PNS[k] 78,6	PNS[k] 13,8	Asie[i] 66,6
Solde transactions courantes *(% PIB)*	– 1,70	11,01[b]	••	26,70

* Définition des indicateurs p. 25 et suiv. Chiffres 1997 sauf notes. ** Derniers recensements utilisables : Arabie saoudite, 1992 ; Bahreïn, 1991 ; Émirats arabes unis, 1980 ; Koweït, 1995 ; Oman, 1993 ; Qatar, 1986 ; Yémen, 1994. a. 1996 ; b. 1995 ; c. 1994 ; d. 1995-2000 ; e. A parité de pouvoir d'achat (PPA, voir définition p. 581) ;

OMAN	QATAR	YÉMEN
2 401	569	16 294
11,3	51,7	30,9
4,2	1,8	3,7
7,2	3,8	7,6
25	17	80
71,1	72,7	57,9
79,0	91,8	35,3
0,718	0,840	0,361
0,88[g]	1,50[m]	0,10[m]
••	20,8	••
••	20,1	••
72,3[h]	80,1[h]	••
4,7[g]	27,4[c]	4,3[h]
–	••	–
24[o]	419[b]	••
25	8,5	61
4,2	1,8	1,8
4,1	1,5	3,5
18 900	10 745	12 500
4,5	5,0	3,5[n]
3,6	15,5	5,5
8 680	16 330	790
••	••	21,0
0,0	2,6	6,3
1 120,0	252,6	388,3
4,4[b]	3,4[c]	7,5[c]
15,6	10,2	3,7
3 415	12 640	6 356
11	••	3
5 026	5 467	2 607
UE 34,1	E-U 8,0	E-U 7,6
Asie[i] 53,0	UE 49,5	UE 27,0
M-O 27,9	Asie[i] 32,6	Asie[i] 49,1
7 630	6 210	2 150
E-U 6,4	E-U 3,3	UE 6,3
Asie[i] 87,2	Asie[i] 89,3	Asie[i] 74,3
Jap 27,7	Jap 50,3	Chin 22,8
– 2,52[a]	••	– 1,16[a]

f. 1994-96 ; g. 1993 ; h. 1991 ; i. Y compris Japon et Moyen-Orient, k. Pays non spécifiés ; m. 1990 ; n. 1990-96 ; o. 1992.

Alors que les négociations entre Riyad et Sanaa sur l'ensemble des dossiers yéméno-saoudiens en litige depuis février 1995 (délimitation de la frontière commune, concession à l'Arabie d'un accès à la mer, retour des travailleurs yéménites dans le royaume...) semblaient avoir progressé, des échauffourées sur la frontière ont provoqué un regain de tension (17 novembre 1997) et entraîné, au grand dam de Sanaa, un nouvel arrêt prolongé des discussions.

Pour la quatrième année consécutive, l'économie a enregistré en 1997 une croissance positive (2,7 %) dans un contexte de relative stabilité des prix. Le gouvernement a assigné au budget 1998 (47,5 milliards de dollars de recettes, 52,3 milliards de dollars de dépenses) les mêmes objectifs qu'en 1997 : amélioration de la formation professionnelle et meilleure insertion des Saoudiens sur le marché du travail ; développement des capacités des secteurs public et privé ; renforcement du rôle du secteur privé dans l'économie nationale. La chute brutale et persistante du prix des hydrocarbures a cependant contraint Riyad, le 18 mai 1998, à adopter des mesures d'austérité et à geler les dépenses liées à la Défense. Premier exportateur mondial de pétrole, le pays a par ailleurs usé de son influence au sein de l'OPEP (Organisation des pays exportateurs de pétrole) pour obtenir des réductions de quotas, mais n'avait pu, au terme du premier semestre 1998, faire remonter les cours.

Bahreïn

Le pouvoir monarchique est resté sourd aux revendications politiques (rétablissement de la Constitution de 1973 et du Parlement dissous en 1975) et sociales (meilleure intégration des chiites, « bahreïnisation » des emplois), mais les actes de violence (cycle des troubles et des répré-

Émirat du Bahreïn

Capitale : Manama.
Superficie : 678 km².
Nature de l'État : émirat.
Nature du régime : monarchie absolue.
Chef de l'État : Cheikh Issa ben Salman al-Khalifa (depuis 1961).
Chef du gouvernement : Cheikh Khalifa ben Salman al-Khalifa (depuis 1970).
Ministre des Affaires étrangères : Cheikh Mohammed ben Moubarak al-Khalifa.
Ministre de l'Intérieur : Cheikh Mohammed ben Khalifa ben Hamid al-Khalifa.
Ministre de la Défense : Cheikh Khalifa ben Ahmed al-Khalifa.
Monnaie : dinar (1 dinar = 15,8 FF au 29.7.98).
Langue : arabe.
Territoires contestés : litige avec le Qatar sur les îles Hawar.

sailles incessant depuis 1994) ont baissé d'intensité. La détente amorcée en 1997 dans les relations avec le Qatar (litige sur la souveraineté des îles Hawar) et l'Iran (accusé par Manama d'inspirer son agitation intérieure) s'est confirmée.

Émirats arabes unis (EAU)

En dépit de son grand âge (plus de 80 ans), Cheikh Zayed, émir d'Abu Dhabi et président de la Fédération, a défendu avec pugnacité les causes arabes en 1997-1998 : il a boycotté la Conférence économique de Doha pour le Moyen-Orient et l'Afrique du Nord (16 au 18 novembre 1997) en raison de la stagnation du processus de paix dans la région, s'est opposé à une nouvelle agression américaine contre l'Irak et s'est fait l'avocat d'une levée rapide de l'embargo imposé aux peuples irakien, libyen et soudanais.

Émirats arabes unis (EAU)

Capitale : Abu Dhabi.
Superficie : 83 600 km².
Nature de l'État : fédération réunissant sept émirats (Abu Dhabi, Dubai, Sharjah, Ajman, Umm al-Qaywayn, Ras el-Khaima, Fujairah).
Nature du régime : monarchies absolues.
Chef de l'État : Cheikh Zayed ben Sultan al-Nahyan, émir d'Abu Dhabi (depuis 1971).
Chef du gouvernement : Cheikh Maktoum ben Rached al-Maktoum, émir de Dubai.
Ministre des Affaires étrangères : Cheikh Rached ben Abdallah al-Nuaymi.
Ministre de l'Intérieur : Mohammed Saïd al-Badi.
Ministre de la Défense : Cheikh Mohammed ben Rached al-Maktoum.
Monnaie : dirham (1 dirham = 1,63 FF au 30.5.98).
Langue : arabe.
Territoires contestés : litige avec l'Iran sur les îles Tomb (Grande Tomb et Petite Tomb) et sur Abu Mussa.

Malgré la chute du prix du pétrole, le budget fédéral (un tiers des budgets cumulés) a traduit une prise en compte des attentes sociales et économiques de la population.

En multipliant foires et expositions, Dubai a élargi son rôle régional en matière de commerce. Pour renforcer sa position de centre de services et de pôle touristique au Moyen-Orient, l'émirat a lancé et achevé de nombreux projets d'infrastructures. A partir de sa zone franche de Jabal Ali (1 200 sociétés), il s'est affirmé comme la plaque tournante des échanges avec l'Iran et l'Irak.

Koweït

La population a accueilli dans la liesse le prince héritier et Premier ministre Cheikh Saad al-Abdallah, qui a regagné l'émirat le

12 octobre 1997, après sept mois passés à l'étranger pour raison de santé.

Les relations entre exécutif et législatif sont demeurées agitées. Pour éviter l'interpellation du ministre de l'Information par les députés islamistes, qui lui reprochaient d'avoir autorisé la vente d'« ouvrages interdits », et prévenir un vote de défiance, le gouvernement a démissionné en bloc, le 15 mars 1998. Par mesure de défi, Cheikh Saad a tenu le Parlement à l'écart des consultations et des nominations (22 mars 1998) et a conservé au gouvernement le ministre objet de l'ire des parlementaires, mais en lui confiant le portefeuille du Pétrole.

Émirat du Koweït

Capitale : Koweït.
Superficie : 17 811 km².
Nature de l'État : émirat.
Nature du régime : monarchie.
Chef de l'État : Cheikh Jaber al-Ahmed al-Sabah (depuis 1977).
Chef du gouvernement : Cheikh Saad al-Abdallah al-Salem al-Sabah (depuis 1978).
Ministre des Affaires étrangères : Cheikh Sabah al-Ahmed al-Jaber al-Sabah.
Ministre de l'Intérieur : Cheikh Mohammed al-Khaled al-Hamed al-Sabah.
Ministre de la Défense : Cheikh Salem al-Sabah al-Salem al-Sabah.
Échéances électorales : législatives (2000).
Monnaie : dinar (1 dinar = 19,4 FF au 29.7.98).
Langue : arabe.
Territoires contestés : litige sur la délimitation de la frontière maritime avec l'Arabie saoudite.

En focalisant, comme à leur habitude, l'attention publique sur les questions de conformité à la *charia* (législation islamique), les députés islamistes ont permis au pouvoir d'ouvrir tout grand le territoire national aux forces militaires américaines, sans susciter de réaction notable. En revanche, les Koweïtiens ont réagi avec humeur au reproche d'« ingratitude » proféré par un officiel américain, après l'annonce faite par l'émirat de l'achat de canons chinois (28 décembre 1997).

En dépit de ses sentiments à l'égard du président irakien Saddam Hussein, le Koweït a émis des « réserves » quant au plan d'action américain contre l'Irak. Mais il n'a pu éviter, au lendemain de l'annonce d'un excédent budgétaire record (1 646 millions de dollars), de régler la facture du déploiement allié (30 à 35 millions de dollars par jour).

Oman

Sultan Qabous a poursuivi la mise en place des institutions : il a promulgué, le 4 juin 1997, le premier code de statut personnel (qui fixe les devoirs et obligations des individus dans la société et au sein de la famille), institué un Conseil d'État (chargé d'élaborer les lois) et un Conseil de l'Oman (qui réunit en congrès le Conseil d'État et le Conseil consultatif), créé une Cour su-

Sultanat d'Oman

Capitale : Mascate.
Superficie : 212 457 km².
Nature de l'État : sultanat.
Nature du régime : monarchie absolue.
Chef de l'État et du gouvernement : Sultan Qabous ben Saïd al-Saïd (depuis 1970).
Ministre des Affaires étrangères : Youssef ben Alaoui ben Abdallah.
Ministre de l'Intérieur : Ali ben Hammoud ben Ali al-Bousaïdi (depuis le 5.11.96).
Ministre de la Défense : Badr ben Saoud ben Hareb al-Bousaïdi (depuis le 5.11.96).
Monnaie : riyal (1 riyal = 15,45 FF au 29.7.98).
Langue : arabe.

Péninsule Arabique/Bibliographie

R. Abbassi, *L'Iran et le golfe Persique*, AAA, Paris, 1993.

S. Altorki, D. P. Cole, « Unayzah, le "Paris du Nadj" : le changement en Arabie saoudite », *Monde arabe/Maghreb-Machrek*, n° 156, La Documentation française, Paris, avril-juin 1997.

L. Blin, *Le Pétrole du Golfe. Guerre et paix au Moyen-Orient*, Maisonneuve & Larose, Paris, 1995.

S. Carapico, *Civil Society in Yemen. The Political Economy of Activism in Modern Arabia*, Cambridge University Press, 1998.

A. H. Cordesman, *Bahrain, Oman, Qatar and the UAE : Challenges of Security*, Westview Press, Boulder, 1997.

A. H. Cordesman, *Saudi Arabia : Guarding the Desert Kingdom*, Westview Press, Boulder, 1997.

Y. Courbage, « Péninsule Arabique. Les surprises de la démographie », *Monde arabe/Maghreb-Machrek*, n° 144, La Documentation française, Paris, avr.-juin 1994.

O. Da Lage, « Arabie saoudite : périls en la demeure », *Politique internationale*, n° 76, Paris, été 1997.

O. Da Lage, *Géopolitique de l'Arabie saoudite*, Complexe, Bruxelles, 1996.

R. H. Dekmejian, « Saudi Arabia's Consulting Council », *The Middle East Journal*, vol. 52, n° 2, Middle East Institute, Washington, print. 1998.

R. Detalle, « Les islamistes yéménites et l'État : vers l'émancipation ? », *in* M. Chartouny-Dubarry (sous la dir. de), *Les Stratégies des États arabes vis-à-vis des mouvements islamistes*, IFRI/Armand Colin, Paris, 1997.

B. Dumortier, *Géographie de l'Orient arabe*, Armand Colin, Paris, 1997.

S. Ghabra, « Kuwait and the Dynamics of Socio-economic Change », *The Middle East Journal*, vol. 51, n° 3, Middle East Institute, Washington, été 1997.

A. Gresh, « Les mystères d'un attentat en Arabie saoudite », *Le Monde diplomatique*, Paris, sept. 1997.

I. Leverrier, « L'Arabie saoudite, le pèlerinage et l'Iran », *CEMOTI, Cahiers d'études sur la Méditerranée orientale et le monde turco-iranien*, n° 22, Paris, juil.-déc. 1996.

F. Mermier, « Expérimentation démocratique au Yémen », *Le Monde diplomatique*, n° 517, Paris, avr. 1997.

J. Seguin, « L'aménagement du territoire en Arabie saoudite : ses enjeux politiques », *Monde arabe/Maghreb-Machrek*, n° 156, La Documentation française, Paris, avr.-juin 1997.

F. Sellier, « Le Qatar dans la cour des grands », *Le Monde diplomatique*, Paris, nov. 1997.

F. Thual, *Abrégé géopolitique du Golfe*, Ellipses, Paris, 1997.

« Yémen : l'État face à la démocratie », *Monde arabe/Maghreb-Machrek*, n° 155, La Documentation française, Paris, 1997.

Voir aussi la bibliographie sélective « Proche et Moyen-Orient », p. 220.

prême et séparé les ministères de la Justice et des Affaires religieuses, le 16 décembre 1997. Il a par ailleurs encouragé la participation des femmes à la vie politique.

Le sultanat a participé, du 16 au 18 novembre 1997, à la Conférence économique de Doha pour le Moyen-Orient et l'Afrique du Nord, sans que ses relations avec Israël aient connu de réchauffement. Il a, en revanche, ouvert, le 22 juillet 1997, un bureau de représentation diplomatique à Gaza.

Alors que le budget 1998 favorisait les dépenses d'investissement (+ 21 %), la chute du prix du pétrole brut a contraint Mascate à rechercher de nouvelles entrées de devises. Le sultanat a obtenu un financement de 2 milliards de dollars pour la construction d'une usine de liquéfaction de gaz.

Qatar

Un problème rénal a tenu Cheikh Hamad absent durant de nombreux mois. L'émirat a confirmé sa volonté de démocratisation (annonce de l'élection de conseils municipaux au suffrage universel, suppression du ministère de l'Information...) et s'est posé en véritable acteur régional (accueil de la 4e conférence économique pour l'Afrique du Nord et le Moyen-Orient, du 16 au 18 novembre 1997, et du Conseil ministériel de l'OCI – Organisation de la conférence islamique –, visites officielles en Irak et en Iran...). Cet activisme a irrité certains de ses voisins du Golfe. - **Ignace Leverrier** ■

Émirat du Qatar

Capitale : Doha.
Superficie : 11 000 km².
Nature de l'État : émirat.
Nature du régime : monarchie absolue.
Chef de l'État : Cheikh Hamad ben Khalifa ben Hamed al-Thani, également ministre de la Défense (depuis le 27.6.95).
Chef du gouvernement : Cheikh Abdallah ben Khalifa ben Hamed al-Thani (également ministre de l'Intérieur).
Ministre des Affaires étrangères : Cheikh Hamed ben Jasem ben Jaber al-Thani.
Monnaie : riyal (1 riyal = 1,63 FF au 29.7.98).
Langue : arabe.
Territoires contestés : litige avec le Bahreïn sur les îles Hawar.

Yémen

Les espoirs mis en mai 1997 dans un gouvernement dirigé par un technocrate sudiste, Faraj bin Ghanem, et composé de fidèles du président Ali Abdallah Saleh ne se sont pas concrétisés. Après vingt ans au pouvoir, le président, autopromu maréchal en janvier 1998, a refusé de sacrifier ses proches, soupçonnés de corrup-

République du Yémen

Capitale : Sanaa.
Superficie : 527 968 km².
Nature de l'État : issu de l'unification engagée en 1990 du Yémen du Sud et du Yémen du Nord, marqué par le tribalisme qui atténue la centralisation administrative et financière.
Nature du régime : présidentiel, pluralisme politique restreint.
Chef de l'État : général Ali Abdallah Saleh, président de la République (depuis le 22.5.90).
Président du Conseil : Abdulkarim al-Iryani, qui a succédé le 14.5.98 à Faraj bin Ghanem.
Ministre de l'Intérieur : Hussein Muhammad Arab (depuis 95).
Ministre de la Défense : Muhammad Dhaifallah (depuis le 16.5.97).
Échéances institutionnelles : élections locales et présidentielle (1999).
Monnaie : riyal (au taux officiel, 100 riyals = 4,51 FF au 30.5.98).
Langue : arabe.
Territoires contestés : le Yémen et l'Arabie saoudite ont signé en févr. 95 un document confirmant la section de leur frontière terrestre tracée en 1934. Le renouvellement du bornage a été retardé par la détermination de la frontière maritime en mer Rouge. La partie orientale de la frontière yéméno-saoudienne jusqu'à Oman est l'objet de négociations au long cours, relancées par un accord signé à Sanaa fin juil. 98. Après les affrontements de déc. 95 et les tensions de 1996 sur l'archipel des Hanish, le Yémen et l'Érythrée ont opté pour un règlement pacifique avec un tribunal d'arbitrage international siégeant à Londres.

tion ou incompétents, comme le lui demandait le président du Conseil. Après la démission de ce dernier en mai 1998, le vétéran Abdulkarim al-Iryani a pris sa succession en renouvelant des promesses de réformes (fonction publique, justice, privatisations) épargnant les soutiens du régime.

Une hausse de 40 % des prix des produits pétroliers fin juin 1998 a provoqué plusieurs jours d'émeutes et de pillages dans les grandes villes. Les régions de Mareb et du Jawf ont connu des combats de grande ampleur entre l'armée et les tribus qui protestaient également. A la suite du bombardement de villages, le pipe-line évacuant le pétrole brut vers la mer Rouge a été dynamité à plusieurs reprises en juillet et août 1998. Ces événements et des attentats à la bombe, en particulier sur le territoire de l'ancien Yémen du Sud, ont révélé une dégradation de la situation politique, aggravée par la politique d'ajustement structurel de l'économie entamée en 1995 sous la surveillance du FMI et de la Banque mondiale. Le parti islamo-tribal de la Réforme s'essaie à un rôle d'opposant actif malgré les menaces du régime. L'écrasement de la tentative de sécession du Sud en 1994 a connu un nouvel épilogue avec les sévères verdicts prononcés contre ses 15 dirigeants qui animent l'opposition en exil (5 condamnations à mort, notamment).

L'instabilité politique et les nombreux enlèvements de touristes et de résidents étrangers ont affecté les revenus du tourisme. Ces pertes se sont ajoutées à la baisse des revenus pétroliers consécutive à la chute des cours mondiaux. La production est restée proche de 400 000 barils par jour, mais le gouvernement encourage l'exploration avec des contrats avantageux.

Les succès obtenus dans l'assainissement budgétaire et fiscal ont valu au Yémen l'annulation de près de 80 % de sa dette publique, y compris les créances de l'ex-URSS, après l'admission de la Russie au Club de Paris. L'Union européenne (UE) a offert un nouvel accord d'assistance pour une coopération accrue et diversifiée, entré en vigueur en juillet 1998. A Aden, les promesses de la zone franche ont été renforcées par un contrat d'assistance technique avec le port de Singapour, mais les investisseurs tardaient à s'engager, alors que le terminal de conteneurs devait être prêt en 1999. Au moment où le nouveau gouvernement affrontait les vives réactions de la population, des combats ont éclaté avec l'Arabie saoudite au nord du pays et sur des îlots en mer Rouge, alors que ce pays est régulièrement accusé d'organiser les enlèvements et de financer l'opposition en exil. Un accord signé à Sanaa le 28 juillet 1998 a relancé les négociations entre les deux pays. Le commerce bilatéral a cependant augmenté et le marché du travail saoudien s'est entrouvert aux nombreux chômeurs yéménites. Malgré l'appel au boycottage, le Yémen a participé à la conférence économique de Doha (réunissant pays arabes et occidentaux – dont Israël – en novembre 1997) pour préserver ses bonnes relations avec le Qatar et les États-Unis. Ces derniers ont poursuivi leur rapprochement avec le Yémen en multipliant les visites de délégations militaires et en intervenant pour empêcher une escalade des combats avec l'Arabie saoudite. - **Renaud Detalle** ■

Moyen-Orient

Afghanistan, Iran, Pakistan

Afghanistan

Les taliban, mouvement fondamentaliste d'étudiants en théologie d'ethnie pachtou, n'ont pas réussi à imposer leur hégémonie sur l'Afghanistan. Le 24 mai 1997, ils se sont emparés de Mazar-i-Charif (fief du général Rachid Doustom, qui venait d'en être évincé par son allié Abdoul Malik Pahlawan). Mais le retournement de ce dernier et la résistance virulente des chiites du parti Wahdat les ont chassés hors de la ville, trois jours après la victoire. Les alignements dans le Nord sont devenus avant tout ethniques : les commandants pachtou de la région de Kunduz ont rejoint les taliban, toutes tendances confondues.

A partir du printemps 1997, la carte militaire s'est stabilisée. Les taliban contrôlaient, à l'été 1998, environ les deux tiers du pays, selon un croissant allant de Kaboul à la frontière turkmène au nord de Herat, excédant légèrement l'espace de peuplement pachtou. En face d'eux, la coalition du Nord a réuni trois forces, sur des bases ethniques : les Ouzbeks avec Rachid Doustom et Abdoul Malik, les chiites hazaras du Wahdat (dirigés par Karim Khalili), tenant le centre, et les troupes de Ahmed Shah Massoud, dans le Nord-Est, menaçant directement Kaboul. Mais cette coalition, reconnaissant officiellement le président Burhanuddin Rabbani, apparaissait en fait très divisée. En octobre 1997, R. Doustom est rentré dans Mazar-i-Charif, évinçant Abdoul Malik, qui s'est réfugié en Iran. Par la suite, des combats sporadiques ont opposé le Wahdat aux factions ouzbèkes pour le contrôle de la ville de Mazar. Début 1998, Abdoul Malik et Gulbuddin Hekmatyan, chef du Hizb-i Islami, sont revenus dans le nord de l'Afghanistan, à l'initiative des Iraniens, ce qui a compliqué encore le jeu.

Refusant tout partage du pouvoir, les taliban n'ont cependant pas profité des divisions de leurs adversaires. En octobre 1997, ils ont renommé l'ancienne « République d'Afghanistan » « Émirat d'Afghanistan », pour marquer la nature exclusivement islamique de leur pouvoir. Ils ont, par ailleurs, instauré un blocus du Hazarajat. Leur stricte application de la *charia* – législation islamique – (mains coupées, exécutions publiques) et leur volonté d'exclure les femmes de l'espace public (fermeture des écoles pour les filles, exclusion des femmes des hôpitaux) ont fini par susciter une réprobation générale de l'opinion publique occidentale. Les incidents avec les ONG et l'ONU se sont multipliés et la commissaire européenne aux affaires humanitaires, Emma Bonino, a été brièvement détenue à Kaboul, le 29 septembre 1997.

La visite de la secrétaire d'État américaine Madeleine Albright au Pakistan (fin 1997) a été l'occasion pour Washington d'exprimer publiquement sa nouvelle attitude face aux taliban, à savoir leur condamnation explicite. Dans le même temps, des mouvements féministes américains ont menacé de boycotter la compagnie Unocal qui s'apprêtait à construire un gazoduc reliant

INDICATEUR*	AFGHANISTAN	IRAN	PAKISTAN
Démographie**			
Population *(millier)*	22 132	71 518	143 831
Densité *(hab./km²)*	34,2	43,4	178,9
Croissance annuelle[d] *(%)*	5,3	2,2	2,7
Indice de fécondité (ISF)[d]	6,9	4,8	5,0
Mortalité infantile[d] *(‰)*	154	39	74
Espérance de vie[d] *(année)*	45,5	69,3	64
Population urbaine *(%)*	20,7	60,0	35,4
Indicateurs socioculturels			
Développement humain (IDH)[c]	••	0,780	0,445
Nombre de médecins[m] *(‰ hab.)*	0,14	0,33	0,52
Analphabétisme (hommes)[b] *(%)*	52,8	21,6	50,0
Analphabétisme (femmes)[b] *(%)*	85,0	34,2	75,6
Scolarisation 12-17 ans *(%)*	15,5[g]	59,8[h]	17,0[g]
Scolarisation 3e degré *(%)*	1,8[g]	14,8[c]	3,0[g]
Adresses Internet *(‰ hab.)*	••	–	0,07
Livres publiés *(titre)*	••	9 716[b]	124[c]
Armées			
Armée de terre *(millier d'h.)*	••	350	520
Marine *(millier d'h.)*	••	18	22
Aviation *(millier d'h.)*	••	30	45
Économie			
PIB total[ae] *(million $)*	14 401[m]	335 000	213 600
Croissance annuelle 1986-96 *(%)*	– 0,5	3,2	4,1
Croissance 1997 *(%)*	6,0	3,2	3,5
PIB par habitant[ae] *($)*	800[m]	5 360	1 600
Investissement (FBCF)[f] *(% PIB)*	••	23,0	17,4
Taux d'inflation *(%)*	14,0	15,1	8,1
Énergie (taux de couverture)[b] *(%)*	40,6	248,5	62,6
Dépense publique Éducation *(% PIB)*	1,5[g]	4,0[b]	2,7[h]
Dépense publique Défense[a] *(% PIB)*	15,4	5,0	5,7
Dette extérieure totale[a] *(million $)*	••	21 183	29 901
Service de la dette/Export.[f] *(%)*	••	17	29
Échanges extérieurs			
Importations *(million $)*	496[a]	16 600	11 595
Principaux fournisseurs[a] *(%)*	UE 27,0	UE 38,2	E-U 10,6
(%)	Asie[i] 51,2	Asie[i] 34,4	UE 20,8
(%)	Ex-URSS 11,5	Ex-URSS 5,2	Asie[i] 53,7
Exportations *(million $)*	125[a]	19 000	8 717
Principaux clients[a] *(%)*	E-U 12,8	UE 28,8	E-U 16,7
(%)	UE 26,4	Asie[i] 37,5	UE 29,9
(%)	Asie[i] 44,8	PNS[k] 14,2	Asie[i] 40,0
Solde transactions courantes *(% PIB)*	••	3,67[a]	– 6,00

* Définition des indicateurs p. 25 et suiv. Chiffres 1997 sauf notes. ** Derniers recensements utilisables : Afghanistan, 1979 ; Iran, 1991 ; Pakistan, 1981. a. 1996 ; b. 1995 ; c. 1994 ; d. 1995-2000 ; e. A parité de pouvoir d'achat (PPA, voir définition p. 581) ; f. 1994-96 ; g. 1990 ; h. 1991 ; i. Y compris Japon et Moyen-Orient ; k. Pays non spécifiés ; m. 1993.

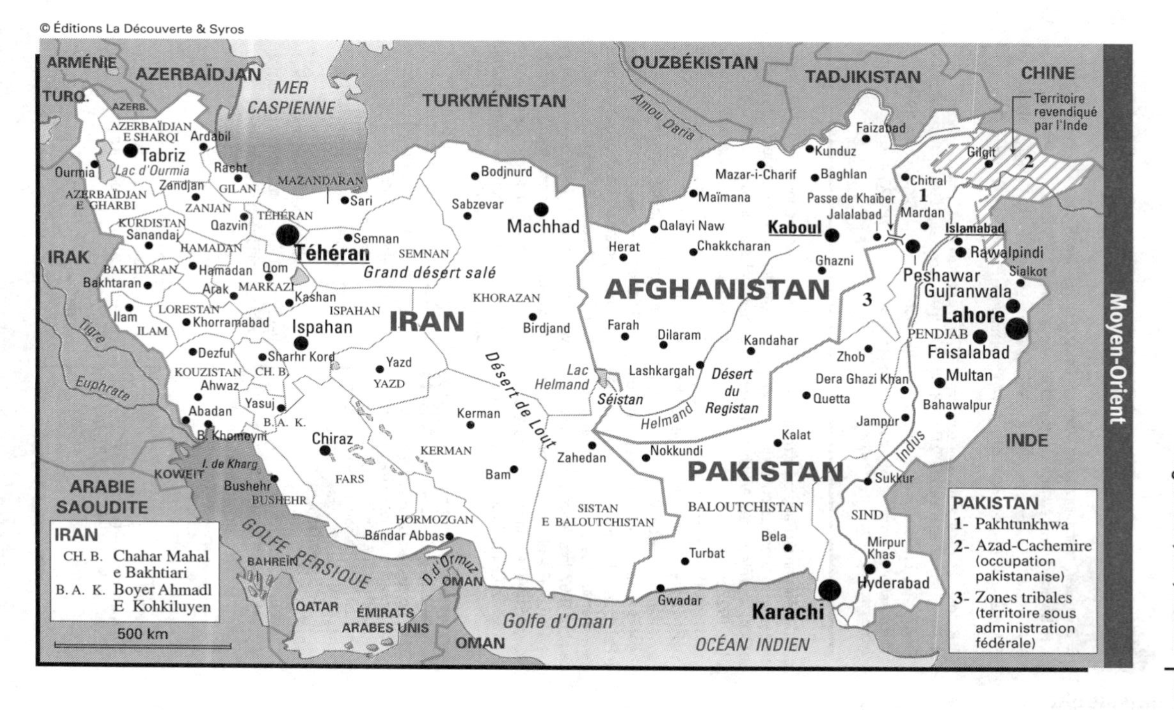
© Éditions La Découverte & Syros
Moyen-Orient
ARMÉNIE
AZERBAÏDJAN
TURQ.
AZERB.
MER CASPIENNE
TURKMÉNISTAN
OUZBÉKISTAN
TADJIKISTAN
CHINE
Territoire revendiqué par l'Inde
Amou Daria
IRAK
ARABIE SAOUDITE
KOWEIT
BAHREIN
QATAR
ÉMIRATS ARABES UNIS
OMAN
INDE
Tigre
Euphrate
Indus
Helmand
Lac d'Ourmia
Lac Helmand
I. de Kharg
D. d'Ormuz
GOLFE PERSIQUE
Golfe d'Oman
OCÉAN INDIEN
IRAN
AFGHANISTAN
PAKISTAN
Téhéran
Kaboul
Islamabad
Tabriz
Ourmia
Ardabil
Racht
Zandjan
Qazvin
Sanandaj
Hamadan
Bakhtaran
Ilam
Khorramabad
Arak
Qom
Kashan
Dezful
Ahwaz
Abadan
B. Khomeyni
Bushehr
Yasuj
Sharhr Kord
Ispahan
Chiraz
Yazd
Kerman
Bam
Bandar Abbas
Zahedan
Birdjand
Machhad
Sabzevar
Bodjnurd
Semnan
Sari
Grand désert salé
Désert de Lout
AZERBAÏDJAN E SHARQI
AZERBAÏDJAN E GHARBI
KURDISTAN
BAKHTARAN
ZANJAN
GILAN
HAMADAN
LORESTAN
ILAM
KOUZISTAN
MARKAZI
TÉHÉRAN
MAZANDARAN
SEMNAN
ISPAHAN
CH. B.
B. A. K.
FARS
BUSHEHR
YAZD
KERMAN
HORMOZGAN
KHORAZAN
SISTAN E BALOUTCHISTAN
Herat
Farah
Séistan
Lashkargah
Dilaram
Qalayi Naw
Chakkcharan
Maïmana
Mazar-i-Charif
Kunduz
Baghlan
Faizabad
Passe de Khaïber
Jalalabad
Ghazni
Kandahar
Désert du Registan
Chitral
Mardan
Peshawar
Gilgit
Rawalpindi
Sialkot
Gujranwala
Lahore
Faisalabad
PENDJAB
Multan
Bahawalpur
Dera Ghazi Khan
Jampur
Zhob
Quetta
Kalat
Nokkundi
BALOUTCHISTAN
Turbat
Gwadar
Bela
Karachi
Sukkur
SIND
Mirpur Khas
Hyderabad
1
2
3
IRAN
CH. B. Chahar Mahal e Bakhtiari
B. A. K. Boyer Ahmadl E Kohkiluyen
500 km
PAKISTAN
1- Pakhtunkhwa
2- Azad-Cachemire (occupation pakistanaise)
3- Zones tribales (territoire sous administration fédérale)

Afghanistan/Bibliographie

E. Bachelier, *L'Afghanistan en guerre, la fin du grand jeu soviétique*, PUL, Lyon, 1992.

J.-P. Digard, *Le Fait ethnique en Iran et en Afghanistan*, CNRS-Éditions, Paris, 1988.

P. Frison, *L'Afghanistan post-communiste*, La Documentation française, Paris, 1993.

F. Nahavandi, *L'Asie du Sud-Ouest : Afghanistan, Iran, Pakistan*, L'Harmattan, Paris, 1991.

A. Rashid, « Pakistan and the Taliban », *in* W. Maley (sous la dir. de), *Fundamentalism Reborn ? Afghanistan and the Taliban*, Hurst & Company, Londres, 1998.

O. Roy, *The Lessons of the Soviet-Afghan War*, Adelphi Paper, HSS, Londres, 1991.

Voir aussi la bibliographie sélective « Proche et Moyen-Orient », p. 220, ainsi que les bibliographies « Iran » et « Pakistan », p. 256 et 260.

le Turkménistan au Pakistan *via* des zones tenues par les taliban (un consortium du nom de Centgaz a été formé à Achkhabad en octobre 1997).

En août 1997, le secrétaire général de l'ONU a nommé un nouvel envoyé spécial en Afghanistan, le diplomate algérien Lakhdar Brahimi. Très vite, il est apparu que le Pakistan détenait la clé de tout changement d'attitude de la part des taliban. En décembre 1997, lors du sommet islamique de Téhéran, le Premier ministre pakistanais, Nawaz Sharif, et son ministre des Affaires étrangères, Gohar Ayub Khan, se sont engagés à pousser dans le sens d'un règlement politique. Mais l'armée et les services secrets pakistanais continuaient de soutenir les taliban, qui ont bombardé, en janvier 1998, l'aéroport de Bamyan (à l'ouest de Kaboul) où stationnait un avion de l'ONU. La base de la négociation était la mise sur pied d'une assemblée d'oulémas (docteurs de la loi) appartenant aux deux camps, mais les taliban ont récusé les oulémas qui ne provenaient pas des mêmes écoles qu'eux. Les deux camps se sont donc réarmés. La coalition du Nord a reçu des armes russes et iraniennes ; les taliban, des armes ukrainiennes vendues par des intermédiaires pakistanais. Des failles ont commencé d'apparaître dans les zones taliban : des Pachtou des provinces de la Kounar et du Laghman (est du pays) se sont alliés à A.S. Massoud, tandis que des révoltes contre le recrutement forcé éclataient dans la province de Kandahar.

La visite d'une délégation américaine de haut niveau au Pakistan et en Afghanistan, présidée par Bill Richardson, ambassadeur auprès de l'ONU (avril 1998), n'a pas permis de débloquer la situation. Un cessez-le-feu a été proclamé et aussitôt rompu par les taliban qui ont expulsé, en juillet 1998, l'ensemble des ONG (organisations non gouvernementales) travaillant à Kaboul. Les agences de l'ONU ont, en revanche, accepté les conditions des taliban (ajourne-

Émirat d'Afghanistan

Une situation institutionnelle confuse a prévalu après la chute du régime mis en place par l'URSS, le 27.4.92. Cette situation a été marquée par une guerre civile entre factions, qui s'est poursuivie après la prise de Kaboul par les taliban, le 26.9.96.

Capitale : Kaboul.

Superficie : 647 497 km^2.

Nature de l'État : émirat islamique.

Chef de l'État et du gouvernement (reconnu par l'ONU au 31.9.98) : Burhanuddin Rabbani (depuis le 28.6.92). Le pouvoir de fait est détenu par les taliban.

Monnaie : afghani (au taux officiel, 100 afghanis = 0,19 FF au 30.5.98).

Langues : pachtou, dari, ouzbek, etc.

ment des programmes portant sur les femmes). Le 10 août les taliban prenaient la ville de Mazar-i-Charif au nord-ouest de Kaboul. Quelques jours plus tard, le 20, le pays était l'objet de frappes américaines en représailles aux attentats perpétrés le 7 contre les ambassades des États-Unis au Kénya et en Tanzanie, l'Afghanistan étant accusé d'abriter l'activiste islamiste Oussama Ben Laden soupçonné d'être chef d'un réseau terroriste international. - **Olivier Roy** ■

Iran

D'indéniables transformations internes

Élu triomphalement le 23 mai 1997 à la présidence de la République, Mohammad Khatami a formé son gouvernement peu après son entrée en fonctions en août et l'a vu approuvé par le Parlement, alors même que la droite y restait très influente et que plusieurs des ministres auditionnés, tel Ataollah Mohajerani, en charge de la Culture, ne dissimulaient pas leurs intentions réformatrices. Néanmoins, la lutte factionnelle n'a pas tardé à reprendre le dessus. Dès septembre, plusieurs responsables de la municipalité de Téhéran ont été inquiétés par les tribunaux pour corruption, à l'instigation de l'ayatollah Mohammad Yazdi, la plus haute autorité judiciaire. Chacun y a immédiatement vu une attaque dirigée par la droite, voire le guide de la Révolution lui-même, Ali Khamenei, contre Gholamhossein Karbastchi, le très populaire maire de Téhéran, et l'un des chefs de file du courant des Reconstructeurs qui avaient contribué à priver la droite de sa majorité absolue lors des législatives de 1996, avant de se rallier à la candidature de M. Khatami aux présidentielles de 1997 et d'aider à sa victoire. De fait, G. Karbastchi a été écroué le 4 avril 1998. Mais la vigueur de la réaction de l'opinion, des Reconstructeurs et de la gauche, ainsi que de nombreux maires d'autres villes et de plusieurs membres du gouvernement, dont le ministre de l'Intérieur, Abdollah Nouri, ont amené le guide de la Révolution à intervenir et à susciter un compromis : G. Karbastchi a été mis en liberté provisoire dès le 15 avril, dans l'attente de son procès public, lequel s'est soldé, en juillet, par une lourde condamnation dont il a fait appel. Dans le même temps la droite conservatrice a obtenu la destitution de Nouri par le Parlement (21 juin).

République islamique d'Iran

Capitale : Téhéran.
Superficie : 1 648 000 km².
Monnaie : rial (au taux off., 100 rials = 0,34 FF au 29.7.98).
Langues : persan (off.), kurde, turc azéri, baloutche, arabe, arménien...
Chef de l'État : Ali Khamenei, guide de la Révolution (depuis juin 89).
Chef de l'Assemblée pour la défense de la raison d'État : Ali Akbar Hachemi Rafsandjani (depuis mars 97).
Président de la République, chef du gouvernement : Mohammad Khatami, qui a succédé, le 3.8.97, à Ali Akbar Hachemi Rafsandjani.
Porte-parole du Conseil de surveillance de la Constitution : ayatollah Ahmad Djannati.
Président du Parlement : Ali Akbar Nategh Nouri (depuis le 3.6.96, réélu en 97).
Nature de l'État : république islamique.
Nature du régime : fondé sur les principes de l'éthique de l'islam, combinés à quelques éléments de démocratie parlementaire.
Partis politiques : théoriquement reconnus par l'article 26 de la Constitution, les partis politiques semblent en cours de constitution. En fait, le régime repose sur un système factionnel : Société du clergé combattant (droite conservatrice) ; Association des clercs combattants et Alliance de la ligne de l'Imam (rassemblant la gauche), Serviteurs de la reconstruction (rafsandjanistes). *Opposition :* Organisation des modjahedin du peuple (en exil et sans réelle audience en Iran).

INDICATEUR*	UNITÉ	1975	1985	1996	1997
Démographie**					
Population	*million*	33,3	48,9	69,97	71,52[q]
Densité	*hab./km²*	20,2	29,7	42,5	43,4
Croissance annuelle	%	3,9[a]	3,4[b]	2,2[c]	••
Indice de fécondité (ISF)		6,7[a]	6,1[b]	4,8[c]	••
Mortalité infantile	‰	89[a]	47[b]	39[c]	••
Espérance de vie	*année*	59,6[a]	66,3[b]	69,3[c]	••
Indicateurs socioculturels					
Nombre de médecins	*‰ hab.*	0,31[i]	0,35	0,33[k]	••
Analphabétisme (hommes)	%	51,8[r]	••	21,6[g]	••
Analphabétisme (femmes)	%	75,6[r]	••	34,2[g]	••
Scolarisation 12-17 ans	%	46,7	51,6	59,8[m]	••
Scolarisation 3e degré	%	5,0	4,1	14,8[f]	••
Téléviseurs	‰	45,0	51,1	163,6	••
Livres publiés	*titre*	3 027[n]	5 567	9 716[g]	••
Économie					
PIB total[h]	*milliard $*	116,2[o]	183,6	335,0	••
Croissance annuelle	%	6,0[d]	3,1[e]	5,1	3,2
PIB par habitant[h]	$	2 970[o]	3 960	5 360	••
Investissement (FBCF)	*% PIB*	26,1[w]	19,1[e]	25,6	••
Recherche et Développement	*% PIB*	••	••	0,5[f]	••
Taux d'inflation	%	12,9	4,4	28,9	15,1[s]
Population active	*million*	9,79	13,80	18,87	••
Agriculture	% } *100 %*	43,7	42,2	36,3[g]	••
Industrie	% } *100 %*	26,5	23,2	23,4[g]	••
Services	% } *100 %*	29,8	34,6	40,3[g]	••
Dépense publique Éducation	*% PIB*	7,2[o]	3,6	4,0[g]	••
Dépense publique Défense	*% PIB*	19,7	36,0	5,0	••
Énergie (taux de couverture)	%	9 666,1	277,4	257,0[g]	••
Dette extérieure totale	*milliard $*	3,8	6,1	16,81	11,61
Service de la dette/Export.	%	••	4,1	17[x]	••
Échanges extérieurs		**1974**	**1986**	**1996**	**1997**
Importations de services	*milliard $*	2,4	2,28	3,08	••
Importations de biens	*milliard $*	7,3	10,58	15,0	••
Produits alimentaires	%	18,4	12,7[p]	15,7[f]	••
Produits manufacturés	%	74,7	82,4[p]	••	••
dont machines	%	23,1	34,5[p]	••	••
Exportations de services	*milliard $*	0,96	0,24	0,86	••
Exportations de biens	*milliard $*	21,4	7,17	22,4	••
Produits énergétiques	%	97,3	95,8	79,2[g]	••
Produits agricoles	%	1,2	1,6	5,3[g]	••
Produits manufacturés	%	1,2	2,5	••	••
Solde transactions courantes	*% du PIB*	5,4[t]	– 1,5[u]	3,7	••

* Définition des indicateurs p. 25 et suiv. ** Dernier recensement utilisable : 1991. a. 1975-85 ; b. 1985-95 ; c. 1995-2000 ; d. 1970-80 ; e. 1980-96 ; f. 1994 ; g. 1995 ; h. A parité de pouvoir d'achat (PPA, voir définition p. 581) ; i. 1970 ; k. 1993 ; m. 1991 ; n. 1977 ; o. 1980 ; p. 1985 ; q. 60,7 millions selon d'autres estimations (*Bulletin statistique des Nations unies*, juin 1998, p. 3) ; r. 1996 ; s. Décembre à décembre ; t. 1976-80 ; u. 1981-91 ; w. 1974-80 ; x. 1994-96.

L'épisode a prouvé une fois de plus que la classe politique au pouvoir depuis la Révolution savait surmonter ses divergences pour ne pas compromettre son hégémonie. En effet, la mobilisation des étudiants de gauche et les premiers heurts entre ceux-ci et les militants populistes du Ansar-e hezbollah (Compagnons du parti de Dieu) menaçaient de rendre la situation incontrôlable, à un moment où la chute des cours du pétrole, l'accélération de l'inflation et la dépréciation du dollar aggravaient davantage encore les conditions de vie, et partant le mécontentement populaire.

Le rôle croissant de la société civile

Un an après l'élection de M. Khatami, alors que sa popularité semblait intacte, il restait difficile de savoir quelle était sa marge de manœuvre réelle, sous la contrainte de cette lutte factionnelle. Il a dû non seulement composer avec les prérogatives du guide de la Révolution et du Parlement, mais aussi avec celles de l'Assemblée pour la défense de la raison d'État présidée par son prédécesseur Hachemi Rafsandjani depuis mars 1997, et dont les compétences ont été élargies.

Toutefois, depuis le début de la décennie, le poids des forces sociales et de l'opinion publique est apparu de plus en plus évident. L'habileté de M. Khatami a justement consisté à en prendre acte, et notamment à reconnaître l'aspiration de la « société civile » à un État de droit. Il s'en fallait cependant encore de beaucoup pour que l'on puisse parler d'une véritable démocratisation du régime. Les circonstances de la condamnation à mort de Morteza Firouzi, le rédacteur en chef d'*Iran News*, et celles de la libération de Faraj Sarkouhi, le rédacteur en chef de la revue *Adineh*, restaient par exemple mystérieuses. Et le Ansar-e hezbollah a multiplié les agressions contre les expressions culturelles de l'ouverture. Mais les progrès du pluralisme, après les législatives de 1996, ont été indéniables ; ils se sont traduits par l'intensification de la discussion sur le « gouvernement du jurisconsulte » (*velayat-e faqih*), qu'assume le guide de la Révolution conformément à la Constitution. Le 21 octobre 1997, une association d'étudiants de gauche a organisé une réunion publique sur ce thème à l'université de Téhéran. Le 14 novembre, l'ayatollah Hossein Ali Montazeri, l'ancien dauphin de l'imam Khomeyni, en résidence surveillée depuis plusieurs années, mais très influent auprès du clergé de Qom, et l'ayatollah Ahmad Azari Qomi ont mis en cause les qualifications personnelles de A. Khamenei dans l'exercice de sa fonction de guide. Une violente campagne de protestation contre ces prises de position s'est ensuivie. Elle n'a pu dissimuler que le débat se poursuivait jusqu'au sein de la droite. De façon générale, le principe de la dissociation et de la différenciation du religieux et du politique est apparu s'imposer de plus en plus, sous des formulations idéologiques diverses.

Le champ économique a lui aussi tendu à affirmer sa spécificité grâce à la multiplication des entreprises privées (*sherkat*) et des coopératives, et grâce à la puissance des réseaux islamiques de crédit, des organisations de bienfaisance et du secteur informel. Les détenteurs du pouvoir, le haut clergé, les fondations créées au moment de la Révolution sont demeurés des opérateurs de première importance dans le cadre de la libéralisation et de la privatisation. Mais la rationalité économique a semblé l'emporter de plus en plus. L'intensification des échanges avec la diaspora, en particulier aux États-Unis, en Europe de l'Ouest, à Dubai, en Turquie et au Japon, n'a pu que conforter cette recomposition de la République islamique à l'avantage de la société.

Les scènes de joie qui ont salué la qualification de l'équipe nationale pour la Coupe mondiale de football (Saint-Denis, France), le 29 novembre 1997, et au cours desquelles des groupes de femmes ont imposé aux forces de l'ordre leur présence sur les gradins du stade de Téhéran, et les pas-

Iran/Bibliographie

F. Adelkhah, *Être moderne en Iran*, Karthala, coll. « Recherches internationales », Paris, 1998.

F. Adelkhah, « Iran : vers un espace public confessionnel », *Les Cahiers du CERI*, n° 27, Paris, 1997.

« Arabes et Iraniens », *Cahiers d'études sur la Méditerranée orientale et le monde turco-iranien (CEMOTI)*, n° 22, Paris, 1996.

A. Bayat, *Street Politics. Poor people's Movements in Iran*, Columbia University Press, New York, 1997.

P. Clawson (sous la dir. de), *Iran's Strategic Intentions and Capabilities*, National Defense University, Washington (DC), 1994.

T. Coville (sous la dir. de), *L'Économie de l'Iran islamique. Entre l'État et le marché*, Institut français de recherche en Iran, Téhéran, 1994.

J.-P. Digard, B. Hourcade, Y. Richard, *L'Iran au XXe siècle*, Fayard, Paris, 1996.

« Iran : vers un nouveau rôle régional ? » (dossier constitué par M.-R. Djalili), *Problèmes politiques et sociaux*, n° 720, La Documentation française, Paris, 1994.

« Iran's Revolutionary Impass », *Middle East Report*, n° 191, nov.-déc. 1994.

F. Khosrokhavar, *L'Anthropologie de la révolution iranienne. Le rêve impossible*, L'Harmattan, Paris, 1997.

F. Khosrokhavar, *L'Utopie sacrifiée. Sociologie de la révolution iranienne*, Presses de Sciences-Po, Paris, 1993.

H. Naficy, *The Making of Exile Cultures. Iranian Television in Los Angeles*, University of Minnesota Press, Minneapolis, 1993.

Voir aussi la bibliographie sélective « Proche et Moyen-Orient », p. 220.

sions qu'ont suscitées les retransmissions télévisées de la coupe, à l'été 1998, ont, à leur tour, symbolisé cette évolution.

Le retour dans le concert des nations

Ces transformations ont grandement aidé l'Iran à sortir de sa condition de paria du système international. Les États-Unis s'en sont trouvés embarrassés pour sanctionner la compagnie pétrolière française Total, coupable d'avoir violé l'embargo voté par le Congrès américain, d'autant plus que les gouvernements européens ont fait front pour soutenir la position française et que les compagnies pétrolières américaines s'accommodent de moins en moins bien de la loi D'Amato sanctionnant toute société, américaine ou étrangère, qui investirait plus de 40 millions de dollars par an en Iran. Elf est apparu en passe de s'engouffrer dans la brèche. Et M. Khatami a très habilement poussé son avantage en s'adressant au « peuple américain » sur *CNN*, le 7 janvier 1998, non sans susciter de fortes oppositions au sein de la classe politique. Le 17 juin, Madeleine Albright, secrétaire d'État américain, a proposé de rouvrir le dialogue avec l'Iran.

Quant à l'Union européenne, elle n'a pas tardé à renvoyer à Téhéran ses ambassadeurs rappelés en consultation au lendemain du verdict du procès de l'attentat de Mykonos – Berlin 1992 – (avril-novembre 1997). Néanmoins, c'est avec l'Arabie saoudite, les Émirats arabes unis et le reste du monde arabe que le réchauffement a été le plus spectaculaire en raison de l'enlisement du processus de paix au Proche-Orient et du rapprochement turco-israélien. Pour l'Iran, le 8e sommet de la Conférence islamique qui s'est tenu à Téhéran en décembre a été un franc succès qui a consacré son retour dans le concert des nations et mis en valeur la prudence de sa diplomatie régionale. Cette dernière a également concouru au maintien de bonnes relations avec Moscou.

En revanche, la dégradation de la situation économique et des équilibres financiers, malgré un désendettement notable, a continué de peser lourdement sur la République islamique. De même, celle-ci est restée soupçonnée de mener, avec l'aide de la Chine, des programmes nucléaire et balistique incompatibles avec le Traité de non-prolifération (TNP), dont elle a pourtant favorisé la reconduction. Mais les essais indiens et pakistanais, au printemps 1998, avaient notablement changé les données de la sécurité régionale et déplacé l'attention de la communauté internationale. - **Fariba Adelkhah** ■

Pakistan

Débuts difficiles pour le nouveau pouvoir

Les espoirs suscités par la victoire sans précédent de la Ligue musulmane du Pakistan (PML, parti fondé en 1906 et qui avait milité pour la création du Pakistan) aux élections législatives de février 1997 ont été rapidement déçus. Le Premier ministre Mian Nawaz Sharif n'a pas tenu ses promesses et l'année a été une fois de plus marquée par l'instabilité politique, la décadence des institutions, ainsi que par la poursuite des actes de terrorisme et des violences confessionnelles.

Le conflit qui a opposé pendant près de deux mois le Premier ministre et le président de la Cour suprême, à propos de la nomination de cinq juges, a déclenché une crise constitutionnelle grave, mettant à mal l'indépendance du pouvoir judiciaire et entraînant la démission du président Farooq Ahmed Khan Leghari, le 2 décembre 1997. Mian Nawaz Sharif est sorti vainqueur de cette lutte pour le pouvoir grâce à la médiation du chef de l'État-Major, le général Jahangir Karamat. L'élection de Mohammad Rafiq Tarar à la Présidence, le 31 décembre 1997, a renforcé la concentration du pouvoir entre les mains des Pendjabis, voire des proches de Nawaz Sharif. La personnalisation du pouvoir est devenue de plus en plus évidente, créant des tensions au sein même du gouvernement. Le Parlement a pris l'allure d'une chambre d'enregistrement ratifiant les projets de loi sans débats ; en outre, l'adoption du 14e amendement (« loi antidéfection »), visant à neutraliser toute dissidence au sein de la PML, empêche les députés de voter selon leur conscience. Il n'existe plus de véritable opposition, l'ancien Premier ministre Benazir Bhutto (désavouée en novembre 1996) ayant été fortement discréditée par les accusations de corruption formulées contre elle et son mari, Asif Ali Zardari, notamment dans l'affaire dite des « comptes en Suisse ». Aucune inculpation n'a toutefois été prononcée.

Des violences incessantes

L'adoption, en août 1997, de la « loi antiterroriste » qui a instauré des tribunaux d'exception appliquant une procédure accélérée n'a pas mis fin aux violences confessionnelles qui ont fait plus de 300 victimes sunnites et chiites en 1997, dont 200 pour la seule province du Pendjab. Aucun responsable des violences n'a été poursuivi et le gouvernement n'a pas semblé réaliser la gravité de la situation. Une grève générale, accompagnée de violences perpétrées par des extrémistes sunnites, a notamment paralysé Karachi, le 7 novembre 1997, à la suite de l'assassinat de deux dignitaires religieux sunnites. Vingt-cinq chiites ont, par ailleurs, été abattus le 11 janvier 1998 dans un cimetière de Lahore. Les attaques aveugles ont été moins fréquentes, les violences semblant désormais ciblées (médecins, avocats, dirigeants communautaires, bureaucrates

INDICATEUR*	UNITÉ	1975	1985	1996	1997
Démographie**					
Population	*million*	74,7	102,5	139,97	143,8
Densité	*hab./km²*	92,9	127,5	174,1	178,9
Croissance annuelle	%	3,1[a]	3,0[b]	2,7[c]	••
Indice de fécondité (ISF)		6,7[a]	6,3[b]	5,0[c]	••
Mortalité infantile	‰	122[a]	92[b]	74[c]	••
Espérance de vie	*année*	54,8[a]	60,2[b]	64[c]	••
Indicateurs socioculturels					
Nombre de médecins	*‰ hab.*	0,22	••	0,52[i]	••
Analphabétisme (hommes)	%	61,6[m]	53,7[k]	50,0[g]	••
Analphabétisme (femmes)	%	85,3[m]	79,1[k]	75,6[g]	••
Scolarisation 12-17 ans	%	11,7	12,5	17,0[k]	••
Scolarisation 3e degré	%	1,8	2,5	3,0[k]	••
Téléviseurs	‰	5,1	13,3	24,2	••
Livres publiés	*titre*	1 143	••	124[f]	••
Économie					
PIB total[h]	*milliard $*	49,5[m]	89,4	213,6	••
Croissance annuelle	%	4,6[d]	5,9[e]	4,5	3,5
PIB par habitant[h]	$	600[m]	930	1 600	••
Investissement (FBCF)	*% PIB*	15,2[d]	17,3[e]	17,0	16,6
Recherche et Développement	*% PIB*	••	1,0[o]	0,9[k]	••
Taux d'inflation	%	20,9	5,6	10,4	8,1[n]
Population active	*million*	23,0	33,9	47,8	••
Agriculture	% } *100 %*	56,8	52,2	47,8[g]	••
Industrie	% } *100 %*	17,2	17,9	18,9[g]	••
Services	% } *100 %*	26,0	29,9	33,3[g]	••
Dépense publique Éducation	*% PIB*	2,2	2,5	2,7[p]	••
Dépense publique Défense	*% PIB*	6,3	6,9	5,7	••
Énergie (taux de couverture)	%	62,2	64,6	62,6[g]	••
Dette extérieure totale	*milliard $*	5,8	13,4	31,4	32,3
Service de la dette/Export.	%	20,6	24,2	24,5	25,0
Échanges extérieurs		**1974**	**1986**	**1996**	**1997**
Importations de services	*milliard $*	0,33	1,23	2,92	••
Importations de biens	*milliard $*	1,49	6,00	11,20[g]	••
Produits alimentaires	%	23,2	17,8	17,4[g]	••
Produits énergétiques	%	13,8	14,2	16,2[g]	••
Produits manufacturés	%	47,2	61,1	56,6[g]	••
Exportations de services	*milliard $*	0,18	0,85	1,85	••
Exportations de biens	*milliard $*	1,02	2,94	8,31[g]	••
Produits agricoles	%	43,9	32,1	15,7[g]	••
dont céréales	%	26,1	9,2	5,9[g]	••
Produits manufacturés	%	52,2	65,5	83,0[g]	••
Solde transactions courantes	*% du PIB*	– 4,6[d]	– 3,2[e]	– 6,5	– 6,0

* Définition des indicateurs p. 25 et suiv. ** Dernier recensement utilisable : 1981. a. 1975-85 ; b. 1985-95 ; c. 1995-2000 ; d. 1970-80 ; e. 1980-96 ; f. 1994 ; g. 1995 ; h. A parité de pouvoir d'achat (PPA, voir définition p. 581) ; i. 1993 ; k. 1990 ; m. 1980 ; n. Décembre à décembre ; o. 1987 ; p. 1991.

de rang assez élevé). Des étrangers ont également été visés : cinq militaires iraniens ont été assassinés à Rawalpindi en septembre 1997. Quatre Américains ont, par ailleurs, été abattus en novembre 1997 à Karachi, probablement à titre de représailles pour la condamnation, la veille, aux États-Unis d'Aimal Kansi, un Pakistanais accusé d'avoir tué deux employés de la CIA et qui se cachait depuis cinq ans au Baloutchistan.

La domination politique du Pendjab et la concentration des projets de développement dans le centre de cette province ont suscité frustration et ressentiment dans les autres provinces. Le très âpre débat qui s'est ouvert en novembre 1997 autour du changement de nom de la province de la frontière du Nord-Ouest (NWFP) en « Pakhtunkhwa » (« le versant pachtou »), prôné par le Parti national Awami (ANP, nationaliste pachtou), a entraîné la rupture de l'alliance entre ce parti et la PML, soucieuse de ne pas s'aliéner le soutien des populations autres. Le Baloutchistan a dénoncé l'exploitation de ses ressources au profit des autres provinces. Les affrontements qui ont, par ailleurs, repris à Karachi entre factions rivales du Mouvement national muhaiir (MQM, parti des musulmans de langue ourdou venus de l'Inde après la partition du sous-continent en 1947), devenu « Muttahida Qaumi Movement » (Mouvement national uni), ont fait quelque 500 morts à partir de février 1997, dont au moins 200 entre le 18 mai et le 30 juin 1998. Le MQM (Altaf), tendance majoritaire, a menacé de mettre un terme à son alliance avec la PML si celle-ci ne l'aidait pas à chasser de Karachi ses rivaux du MQM (Haqiqi).

C'est dans ce contexte très tendu que le recensement, initialement prévu en 1991 et maintes fois ajourné, a finalement eu lieu, en mars 1998, avec le concours de l'armée. Les résultats semblaient devoir remettre en cause la suprématie du Pendjab et refléter l'urbanisation rapide du pays depuis le dernier recensement. Le Premier ministre a toutefois exclu tout redécoupage des circonscriptions électorales et toute révision de la répartition des crédits fédéraux entre les provinces.

République islamique du Pakistan

Capitale : Islamabad.

Superficie : 803 943 km^2.

Monnaie : roupie (au taux off., 100 roupies = 13 FF au 29.7.98).

Langues : ourdou, anglais (officielles) ; pendjabi, sindhi, pachtou, baloutchi.

Chef de l'État : Mohammad Rafiq Tarar, président de la République, qui a succédé le 31.12.97 à Farooq Ahmed Khan Leghari (démissionnaire).

Premier ministre : Mian Nawaz Sharif, qui a succédé, le 17.2.97, à Malik Meraj Khalid, lequel avait remplacé, le 5.11.96, Benazir Bhutto.

Ministre des Affaires étrangères : Gohar Ayub Khan.

Ministre des Finances : Sartaj Aziz.

Chef de l'État-Major : général Jahangir Karamat.

Nature de l'État : république fédérale islamique.

Nature du régime : semi-présidentiel.

Principaux partis politiques : *Partis laïques :* Parti du peuple pakistanais (PPP, social-démocrate) ; Parti national du peuple (NPP, socialiste) ; Ligue musulmane du Pakistan (PML, libérale) : faction (N), faction (J). *Partis régionaux : baloutche :* Jamboori Watan Party (JWP) ; *pathan :* Parti national Awami (ANP) ; Parti national populaire pachtou (PKMAP) ; *immigrés indiens musulmans dans le Sind :* Mouvement national unifié (MQM) ; *Partis de religieux :* Rassemblement des oulémas de l'islam (JUI) ; Rassemblement des oulémas du Pakistan (JUP). *Partis religieux :* Jamaat-e Islami (JI, fondamentaliste sunnite) ; Mouvement djafarite du Pakistan (TJP, chiite).

Territoires revendiqués : anciennes principautés de Junagadh et de Jammu et Cachemire, administrées par l'Inde, qui revendique l'Azad-Cachemire, administré par le Pakistan.

Pakistan/Bibliographie

M. Abou Zahab, « Pakistan : un sectarisme à contre-culture, pourquoi ? », *Économie et humanisme*, n° 343, Lyon, déc. 1997.

R. Akhtar, *Pakistan Yearbook*, East & West Publishing Co., Karachi-Lahore.

M. Boivin, *Le Pakistan*, PUF, coll. « Que sais-je ? », Paris, 1996.

J.-J. Boillot, *Le Pakistan. Économie et développement*, L'Harmattan, Paris, 1990.

J. Bray, « Pakistan at 50 : a State in Decline ? », *International Affairs*, n° 73-2, 1997.

A. Jalal, *Democracy and Authoritariarism in South Asia*, Cambridge University Press, Cambridge, 1995.

Mahbub-ul-Haq, *Human Development in South Asia*, Oxford University Press, Karachi, 1997.

I. H. Malik, *State and Civil Society in Pakistan. Politics of Authority, Ideology and Ethnicity*, MacMillan Press, Londres, 1997.

M. Pochoy, « Pakistan. "République islamique" » *in L'Islamisme*, La Découverte, « Les Dossiers de L'état du monde », Paris, 1994.

S. Shafqat, *Civil-Military Relations in Pakistan. From Zulfikar Ali Bhutto to Benazir Bhutto*, Westview, Boulder, Colorado, 1997.

M. A. Shah, *The Foreign Policy of Pakistan. Ethnic Impacts on Diplomacy*, I.B. Tauris, Londres/New York, 1997.

Voir aussi les bibliographies « Proche et Moyen-Orient » et « Inde et périphérie », p. 220 et 282.

Une politique extérieure mal définie

L'isolement diplomatique du Pakistan, dû au soutien apporté aux taliban afghans (mouvement fondamentaliste d'« étudiants en religion » d'ethnie pachtou), qui ont pris le contrôle de deux tiers du pays fin 1996-début 1997, s'est encore accentué. Nawaz Sharif, en désaccord avec l'ISI (Service de renseignements de l'armée pakistanaise) sur la politique à mener en Afghanistan, n'a pris aucune initiative pour faire avancer les négociations amorcées dès juillet 1996 avec l'opposition anti-taliban de l'ancien chef de l'État Burhanuddin Rabbani. Les États-Unis, intéressés par le projet de gazoduc et d'oléoduc devant amener le gaz et le pétrole turkmènes jusqu'à un terminal sur la côte de Makran, au Pakistan (*via* l'Afghanistan, donc), et dont la société californienne Unocal détient 46 % des actions, encourageaient au moins tacitement le soutien pakistanais aux taliban. Début 1998, ils ont cependant commencé à dénoncer ouvertement la violation des droits humains fondamentaux en Afghanistan et le danger que représentent les taliban pour la stabilité de la région et l'aboutissement du projet de gazoduc.

Le Pakistan s'est estimé négligé – au profit de l'Inde – par les États-Unis, qu'il rend en grande partie responsables de la crise économique et sociale.

Les espoirs de normalisation des relations avec l'Inde ont été réduits à néant à la suite des élections indiennes qui ont vu la formation d'un gouvernement BJP (Bharatiya Janata Party, nationaliste hindou) en mars 1998. La tension s'est immédiatement accrue entre les deux pays ainsi qu'en ont témoigné les affrontements sur la frontière à la fin de mars 1998 et le tir d'un missile nucléaire pakistanais en avril. Les efforts de Nawaz Sharif pour développer des relations commerciales avec l'Inde se sont, par ailleurs, heurtés aux réticences de l'armée et de la classe dirigeante, qui réclament que soit d'abord résolue la question de la région frontalière que l'Inde et le Pakistan se disputent.

A la suite des essais nucléaires indiens et d'un regain de tension sur la ligne de cessez-le-feu au Cachemire, le Pakistan, cédant aux pressions de l'opinion publique quasi unanime, a procédé les 28 et 30 mai 1998 à six essais dans la province du Baloutchistan, dans le but de rétablir l'équilibre stratégique dans la région. L'état d'urgence a été proclamé dans le pays le 28 mai et les comptes en devises ont été immédiatement bloqués. La condamnation de la communauté internationale a été suivie de l'annonce de sanctions, notamment la suspension de l'aide bilatérale accordée par les États-Unis et le Japon. Il était encore difficile à la mi-1998 d'évaluer l'impact des sanctions mais il semblait clair que des grands projets d'infrastructure seraient ralentis voire annulés.

Économie : des mesures erratiques

Le Premier ministre n'est pas parvenu à redresser la situation économique. Le taux d'inflation était officiellement de 8,1 % en 1997 et aucun des objectifs fixés par le FMI n'a été atteint, malgré une dévaluation de 8,7 % de la roupie en octobre 1997. Le taux de croissance n'a été que de 3,5 % (au lieu des 6 % prévus) pour l'année fiscale achevée au 30 juin 1997 et le déficit budgétaire est resté presque aussi élevé que l'année précédente. Le remboursement de la dette extérieure représentait 5 milliards de dollars par an.

Les privatisations des entreprises du secteur public très déficitaires n'ont pas rencontré le succès escompté, la confiance des investisseurs tant étrangers que locaux ayant été ébranlée par l'instabilité politique et l'insécurité. Dans un souci d'assainissement des entreprises publiques, plus de 20 000 employés des banques ont été licenciés, au risque d'engendrer des troubles sociaux. Alors que la Banque mondiale et le FMI réclamaient une réduction drastique des dépenses publiques pour réduire le déficit budgétaire, le Premier ministre a poursuivi sa politique de grands projets, comme la construction du nouvel aéroport de Lahore ou l'autoroute Lahore-Islamabad inaugurée en novembre 1997.

Malgré une restructuration de l'administration fiscale, le gouvernement n'est pas parvenu à améliorer la collecte des impôts en raison de la corruption endémique : 1 % seulement de la population s'acquitte régulièrement de l'impôt sur le revenu et l'incitation à la déclaration spontanée n'a été suivie d'aucun effet.

Le FMI a menacé de ne plus aider le Pakistan si les rentrées fiscales et les exportations n'augmentaient pas. Or, la récolte de coton ayant été mauvaise en raison de pluies excessives, les exportations ont fortement baissé. Par ailleurs, le contrecoup de la crise financière qui a frappé les pays d'Asie du Sud-Est à l'été 1997 s'est fait sentir en janvier 1998, les exportations ayant diminué de 30 % par rapport au mois précédent. Les milieux d'affaires ont réclamé une nouvelle dévaluation pour ne pas perdre d'autres parts de marché. - **Mariam Abou Zahab** ■

Asie méridionale et orientale

Présentation par **Pierre Gentelle**
Géographe, CNRS

Beaucoup d'hommes – la moitié de l'humanité – occupent les immenses territoires de l'Asie méridionale et orientale, aux limites floues : il n'existe pas de caractères géographiques « asiatiques », tant diversité et contrastes sont grands. Aux limites nord, le monde des steppes se lie sans solution de continuité à la Sibérie. A l'ouest, la mer Caspienne ne suffit pas à isoler l'Asie de l'Europe ; le monde persan (Iran, Afghanistan et Tadjikistan) est partagé entre l'Asie centrale et le Moyen-Orient. Au sud et à l'est, les océans forment une frontière. A l'intérieur de ces limites floues, les divisions culturelles et ethniques, religieuses ou nationales sont si grandes que l'on peut dessiner plusieurs Asie, à l'intérieur des cadres géographiques : Asie arctique, Asie moyenne ou tropicale ; Asie des moussons et haute Asie…

On peut aussi voir l'Asie comme un ensemble de plateaux et de plaines, pluvieux ou désertiques, entourant l'immense môle du Tibet et du Tian Shan, d'où rayonnent tous les grands fleuves asiatiques (Amou Daria, fleuve Jaune [Huang He], Mékong, Brahmapoutre, Gange, Indus…). Deux traits originaux doivent être soulignés : la continuité climatique de la façade orientale, de la Mandchourie à la Cochinchine, sans zone aride ; l'ancienneté de la vie de relations, routes des steppes, de la soie, des épices, du bouddhisme…

L'Asie *est* une géographie surprenante. Développés dans des contextes naturels allant des montagnes sèches, des plateaux glacés et des pentes abruptes jusqu'aux deltas humides, luxuriants, et aux forêts de plus en plus surexploitées, six États réunissent la moitié de la population mondiale, avec des concentrations d'une extrême densité : Chine, Inde, Indonésie, Pakistan, Japon, Bangladesh, par rang démographique. Chacun d'eux, cependant, contient, dans de grands espaces vides, des peuples mal intégrés, des cultures minoritaires, qui ont besoin de protection tant leur faiblesse est évidente devant des mutations qui leur échappent. De petits États subsistent aux côtés des colosses démographiques et de quelques États moyens aux traditions culturelles bien affirmées (Vietnam, Corée, Philippines, Thaïlande).

Partout, cependant, les particularismes restent attachés à la pauvreté. Chez les éleveurs nomades, les chasseurs-trappeurs de la forêt sibérienne, les aborigènes taïwanais, les montagnards de l'Asie du Sud-Est, les communautés de pêcheurs des mers tropicales… la persistance d'une vie proche de la nature maintient la précarité. Même dans les deux États les plus peuplés du monde, la Chine et l'Inde, des centaines de millions de personnes – les paysans, usant de techniques d'exploitation souvent raffinées, mais archaïques pour notre siècle –

Il n'existe pas de caractères géographiques « asiatiques », tant diversité et contrastes sont grands.

subsistent avec des productivités basses les laissant en proie à la violence de la migration.

Partie en 1945 du Japon, l'onde d'américanisation n'a pas partout apporté la richesse bien que, partout, elle ait grignoté les manières de vivre traditionnelles. Depuis la disparition de l'URSS en 1991, elle atteint l'Inde comme le Vietnam, la Chine ayant d'elle-même (1978) ouvert ses portes et ses ports, mettant fin – au plan économique – à trois décennies de communisme. Depuis 1950, des conflits internes et des guerres ont largement contribué à détruire économies locales et philosophies orientales. Il en subsiste assez pour que les sociétés en soient encore marquées, mais le syncrétisme est partout différent. Intérêts régionalistes, oppositions teintées de rivalités ethno-religieuses conduisent, à l'intérieur de chaque État et de presque chaque société, à des conflits meurtriers. L'Asie n'est pas pacifique. En outre, il n'y a pas d'humanité « asiatique », pas de civilisation « asiatique », mais *des* civilisations qui se superposent, se juxtaposent et se tolèrent mal.

DEPUIS 1950, DES CONFLITS INTERNES ET DES GUERRES ONT LARGEMENT CONTRIBUÉ À DÉTRUIRE ÉCONOMIES LOCALES ET PHILOSOPHIES ORIENTALES. IL EN SUBSISTE CEPENDANT ASSEZ POUR QUE LES SOCIÉTÉS EN SOIENT ENCORE MARQUÉES, MAIS LE SYNCRÉTISME EST PARTOUT DIFFÉRENT.

La secousse de la crise financière qui a touché l'Asie orientale depuis 1997 ne peut faire oublier qu'une partie de l'Asie semblait triompher dans le domaine économique, révélant par contraste que beaucoup de pays et de régions ne décollaient pas, loin s'en faut (Corée du Nord, Cambodge, Tibet, nombre d'États indiens et d'îles indonésiennes), et qu'un développement social et culturel autochtone faisait de plus en plus défaut, sans parler de l'absence de précaution pour l'environnement. Il a toujours existé, dans l'histoire de l'Asie, une double fracture, d'une part entre ceux qui cherchaient la puissance matérielle et ceux qui produisaient pour les riches, les puissants, les maîtres, d'autre part, entre la vie laborieuse des multitudes et la finesse d'expression des porteurs de la conscience du monde. Cette fracture se reproduit de nos jours, élargie par la frénésie de la mondialisation, qui agrandit la rupture entre les actifs et les sans-travail. Il n'y a pas et il n'y a probablement jamais eu de « valeurs » asiatiques, tant les civilisations présentes sont différentes et puissamment cohérentes chacune pour son compte.

On a pu observer ces cinquante dernières années dans quelques pays (Japon, Corée du Sud, Taïwan, Singapour…) l'efficacité économique de l'autoritarisme et du goût confucéen pour la discipline, les pratiques clientélistes et claniques, le repli sur la communauté, l'attirance pour l'épargne et le jeu, l'intérêt pour une éducation menant à la seule réussite matérielle, le peu d'attention portée à la vie d'autrui hors du cercle des proches… Certains souhaitent instituer cette « efficace » en valeur universelle, à la place des idéaux de démocratie, de liberté d'expression, d'égalité des chances, de solidarité… Il ne saurait en être question. Ces recettes fragiles n'ont rien de spécifiquement asiatique, malgré les apparences. Elles peuvent accompagner une transition. Elles ne sont pas porteuses d'avenir. ■

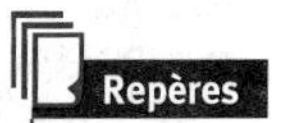

Inde et périphérie 269
Asie du Nord-Est 283
Péninsule indochinoise 308
Asie du Sud-Est insulaire 321

Par **Éric de Lavarène**
Journaliste

PENDANT PLUS D'UNE DÉCENNIE, LE MONDE DES AFFAIRES ET LES HOMMES POLITIQUES ONT PLÉBISCITÉ LES « VALEURS ASIATIQUES », QUI DEVAIENT DISPENSER LE CONTINENT DES EMBARRAS DE LA DÉMOCRATIE, TOUT EN LUI ASSURANT UNE CROISSANCE RÉGULIÈRE. OR, CES « SURDOUÉS DU CAPITALISME » ONT PLONGÉ DANS LA TOURMENTE AVEC UNE RAPIDITÉ SURPRENANTE.

Un an après la dévaluation du baht thaïlandais, le 2 juillet 1997, qui a ouvert la crise asiatique, une partie du continent s'enfonçait dans un marasme profond et durable. La tempête financière a fait des millions de chômeurs dans toute la région et entraîné des changements de gouvernement à Bangkok et Jakarta. Après la Thaïlande, l'Indonésie et la Corée du Sud ont demandé l'aide du FMI. La Fédération de Malaisie, les Philippines et le Vietnam sont apparus mal en point. L'archipel indonésien a, quant à lui, été balayé par une lame de fond : la rue est venue à bout d'un Suharto chancelant et abandonné de tous. La performance économique était devenue sa seule légitimité. Après trente-deux années de règne sans partage, la crise financière, particulièrement violente dans l'archipel, aura eu raison de lui. Au Japon, la récession a engendré un véritable malaise social. Le pays s'est replié sur lui-même. La Chine, à travers son ambition d'assumer le rôle de puissance du XXIe siècle, a compris que cette crise pouvait être une opportunité supplémentaire dans sa politique d'ouverture. D'autant plus que la visite à Pékin du président américain Bill Clinton, en juin 1998, a définitivement tourné la page ouverte neuf ans plus tôt par la sanglante répression de la place Tian An Men. Très courtisé, le pays s'affiche dorénavant comme un interlocuteur incontournable. Pourtant, en août 1998, la catastrophe née de la crue du Yangsi, qui a fait d'innombrables morts, menaçait directement la santé du yuan, tandis que la tempête financière s'emparait à nouveau de la bourse de Hong Kong, en recul de 36 % depuis le mois de janvier. Une partie de l'Asie (notamment Taïwan et Singapour, soutenus par des réserves financières considérables) a paru échapper dans un premier temps à la débâcle. L'Asie du Sud, quant à elle, peu affectée par la crise économique, a suscité un retour du spectre nucléaire. Les séries d'essais nucléaires auxquels ont procédé l'Inde et le Pakistan en mai 1998 ont accru l'instabilité de toute cette zone, où la montée des nationalismes et les questions de frontières restent vives. Par-delà les tensions existant avec Islamabad, New Delhi affiche une hostilité croissante vis-à-vis de Pékin. Les plaies du conflit de 1962 sont toujours ouvertes. Désormais, le continent asiatique compte trois puissances nucléaires avérées. En Corée du Nord, où l'information est bâillonnée par un régime passé maître dans la diffusion de rumeurs, une terrible famine a causé d'innombrables morts. A la mi-1998, il était néanmoins impossible de se faire une idée précise de l'ampleur du drame, tant le pays demeure fermé. Enfin, au Cambodge, Pol Pot, chef historique des Khmers rouges responsables de la disparition de près de deux millions de Cambodgiens entre 1975 et 1979, est décédé.

UNE ÈRE NUCLÉAIRE S'EST OUVERTE EN ASIE DU SUD ET L'INDE ADOPTE UNE NOUVELLE POSTURE INTERNATIONALE.

Asie méridionale et orientale

Par **Éric de Lavarène**
Journaliste

La fabuleuse expansion extrême-orientale a donc semblé se retourner comme un gant. Et pourtant, pendant plus d'une décennie, le monde des affaires et les hommes politiques ont plébiscité les « valeurs asiatiques », qui devaient dispenser le continent des embarras de la démocratie, tout en lui assurant une croissance régulière. Or, ces pays, qui apparaissaient comme des surdoués du capitalisme, ont plongé dans la tourmente avec une rapidité surprenante. Face à une situation à laquelle ils n'étaient pas préparés, ils allaient devoir engager d'importants ajustements structurels : modernisation du système financier, développement de l'éducation, effort pour rendre les institutions plus transparentes. Une croissance honorable serait certes toujours promise à l'Asie mais, en avril 1998, le Bureau international du travail (BIT) pronostiquait au minimum le doublement des taux de chômage, puis une augmentation rapide du sous-emploi.

Empêtré dans une profonde dépression depuis le début des années quatre-vingt-dix, le Japon a continué de prendre l'eau : le pays n'est pas parvenu à retrouver le chemin de la croissance. A Tokyo, d'ailleurs, la crise financière a été plutôt perçue comme le prolongement d'une forte récession, non comme un naufrage. Une thèse que certains pays occidentaux, à l'affût d'un affaiblissement de l'archipel, se sont pourtant empressés d'accréditer. Mais avec la faillite du système bancaire, les Japonais ont perdu confiance dans leurs dirigeants. Habité par une urgence intérieure, l'archipel ne peut plus pleinement assumer son rôle clé sur le continent. Les cartes asiatiques sont renversées.

Porté par le rétablissement du dialogue avec Washington, et par une action politique d'une grande souplesse à Hong Kong, Pékin entend bien marquer à nouveau son implantation régionale et son importance sur la scène internationale. En janvier 1998, la libération et l'exil aux États-Unis de Wei Jingsheng, dissident chinois emprisonné depuis dix-huit ans, est apparue aller dans ce sens. La nouvelle équipe au pouvoir, avec pour Premier ministre Zhu Rongji, entend moderniser rapidement le pays. Les réformes économiques sont à la mesure du colossal barrage des Trois-Gorges. La Chine aura, dit-on, bientôt rattrapé le Japon. D'aucuns affirment cependant que Pékin brûle de la flamme nationaliste et les réformes économiques ne seraient qu'un instrument au service d'une stratégie de puissance. En tout état de cause, Taïwan reste au cœur des relations Chine/États-Unis et le voyage de Bill Clinton en Chine était emprunt d'une prudence certaine.

En Inde, début mars 1998, les tenants d'une vision nationaliste hindoue, le Bharatiya Janata Party (BJP), étaient portés à la direction du gouvernement. Opposé à l'idéal laïque des pères fondateurs, Gandhi et Nehru, le BJP affiche la volonté de reconquérir la dignité nationale hindoue et d'assurer au pays une place méritée dans le monde. Deux mois après ce changement de pouvoir, l'État indien procédait à cinq essais nucléaires dans le désert du Rajasthan, non loin de la frontière pakistanaise. Une ère nucléaire s'ouvrait en Asie du Sud et l'Inde adoptait une nouvelle posture internationale. Les réactions ne se sont guère fait attendre : la Chine et les États-Unis ont fermement condamné ces essais, tandis que le Pakistan criait à la provocation... et procédait à son tour à des essais nucléaires [*voir article p. 49*]. Ces deux puissances ont ravivé les craintes d'une course aux armements et d'une escalade de violence dans cette région marquée du sceau de l'instabilité. La frontière indo-pakistanaise demeure une zone de conflit majeur, notamment autour de contestations territoriales relatives au Cachemire. Les deux bombes, indienne et pakistanaise, pourront-elles rester dissuasives ? Cela supposerait l'ouverture d'un dialogue permanent. Mais New Delhi a continué de désigner Pékin comme la principale menace régionale. ■

AVEC LA FAILLITE DU SYSTÈME BANCAIRE, LES JAPONAIS ONT PERDU CONFIANCE EN LEURS DIRIGEANTS.

Par **Éric de Lavarène**
Journaliste

1997

1er juillet. Chine. La Chine retrouve sa souveraineté sur Hong Kong.
2 juillet. Thaïlande. Le Premier ministre thaïlandais annonce la dévaluation de la monnaie nationale. Le baht perd 30 % de sa valeur. Le dollar de Singapour atteint son plus bas niveau depuis février 1995, tandis que le ringgit malaisien est en chute libre. C'est le début de la crise financière en Asie, qui va toucher la Birmanie, les Philippines, l'Indonésie, la Corée du Sud... [*voir article p. 33*].
5-7 juillet. Cambodge. De violents combats opposent à Phnom Penh des partisans des deux co-Premiers ministres. Hun Sen revendique la victoire. Exilé en France, le prince Ranariddh appelle à la résistance.
Sri Lanka. Une vaste offensive des troupes gouvernementales contre les bastions des séparatistes tamouls fait plusieurs centaines de morts de chaque côté.
23 juillet. ANSEA. La Birmanie et le Laos intègrent l'Association des nations du Sud-Est asiatique.
26 juillet. Cambodge. Pol Pot, ancien leader des Khmers rouges, est condamné par ses anciens partisans à la prison à vie. Il décédera le 15 avril 1998.
11 août. Thaïlande. Bangkok reçoit un prêt de 17,2 milliards de dollars du FMI. Le baht continue de se déprécier. Le 13, la roupie indonésienne atteindra son plus bas niveau historique.
18 septembre. Chine. Lors de son XVe congrès, le Parti communiste chinois annonce la réforme des entreprises d'État, prévoyant la suppression de plus de quatre millions d'emplois en trois ans. Le « numéro trois » du Parti, Qiao Shi, est écarté.
19 septembre. Indonésie-Malaisie. État d'urgence dans l'État de Sarawak. Les feux de forêt qui ravagent l'Indonésie provoquent une véritable catastrophe écologique dans toute la région.
8 octobre. Corée du Nord. Kim Jong-il devient secrétaire général du Parti des travailleurs de Corée du Nord. Le pays connaît une très grave pénurie alimentaire.
23 octobre. Hong Kong. La Bourse de Hong Kong s'effondre. Le 27, Wall Street perdra 554 points. De Londres à Tokyo, toutes les Bourses clôturent en baisse.
31 octobre. Indonésie. Jakarta signe un accord avec le FMI pour un prêt-bail de 40 milliards de dollars avec pour contrepartie le démantèlement de certains monopoles d'État et la fermeture de 16 institutions bancaires.
6 novembre. Corée du Sud. Chute vertigineuse du won. Le système financier du pays est malade. Huit « chaebols » (conglomérats) annoncent leur faillite. Le 21, Séoul fera appel au FMI et obtiendra, le 4 décembre, un prêt de 57 milliards de dollars.
9 novembre. Thaïlande. Chute du gouvernement. Chuan Leekpaï, leader du Parti démocratique, devient Premier ministre.
15 novembre. Myanmar (Birmanie). La junte s'appelle dorénavant le Conseil pour la paix et le développement et accueille des civils dans le gouvernement.
16 novembre. Chine. Wei Jingsheng, dissident chinois incarcéré pendant près de 18 ans, est libéré. Il gagne les États-Unis.
24 novembre. Japon. La maison de titres Yamaichi, quatrième du pays, annonce sa faillite. Les jours suivants, le yen sera à son plus bas niveau depuis cinq ans.
28 novembre. Inde. Démission du Premier ministre Shankar Dayal Sharma.
29 novembre. Taïwan. L'opposition remporte les régionales et balaie pour la première fois le Kuomintang, au pouvoir depuis la création du pays.
2 décembre. Pakistan. La crise politique conduit le président Farooq Ahmad Khan Leghari à démissionner. Il sera remplacé le 31 par Mohammad Rafiq Tarar.
8 décembre. Hong Kong. Alerte sanitaire à Hong Kong, après la mort de plusieurs personnes supposées avoir contracté la « grippe du poulet ». Plus d'un million de poulets seront abattus.
9 décembre. Corée. Ouverture à Genève, sous l'égide de la Chine et des États-Unis, de pourparlers entre les deux Corées. Depuis la fin des hostilités, en 1953, aucun accord de paix n'a été signé.
18 décembre. Corée du Sud. Kim Dae-jung, célèbre opposant, est élu président de la République.

1998

2 janvier. Vietnam. Les investissements étrangers ont baissé de 50 % en 1997. Le pays connaît à son tour une récession économique.

Asie méridionale et orientale

Par **Éric de Lavarène**
Journaliste

12 janvier. Crise financière. Peregrine, l'une des plus importantes banques de Hong Kong, est mise en liquidation. Face à la hausse du chômage, l'Indonésie, la Fédération de Malaisie et la Thaïlande adoptent des mesures pour renvoyer une partie des étrangers travaillant sur leur territoire, afin de libérer des emplois.
7-8 février. Indonésie. De violentes émeutes éclatent.
26 février. Laos. L'Assemblée nationale choisit le général Khamtay Siphandone comme nouveau président de la République et Sisavath Keobounphanh comme Premier ministre.
7 mars. Inde. La fin des élections législatives se soldent par une majorité relative pour le BJP (Bharatiya Janata Party, parti nationaliste hindou).
10 mars. Indonésie. Le général Suharto est réélu président et nomme Jussuf Habibie à la vice-présidence.
16 mars. Chine. Zhu Rongji devient Premier ministre à la place de Li Peng.
11 mai. Philippines. Joseph Estrada, candidat de l'opposition et ancien acteur, est élu président.
11-13 mai. Inde. L'Inde procède à cinq essais nucléaires dans le désert du Rajasthan. Le Pakistan procédera à six tests nucléaires les 28 et 30 mai [*voir article p. 49*]. La communauté internationale condamne cette escalade et les États-Unis bloquent leur aide aux deux pays. Début juin, les escarmouches reprendront entre militaires indiens et pakistanais au Cachemire.
14 mai. Indonésie. Alors que des manifestations étudiantes ont relayé les émeutes populaires déclenchées fin avril, pillages et incendies se multiplient. Les commerçants chinois sont une cible pour les émeutiers.
21 mai. Indonésie. Suharto démissionne, après 32 ans de règne sans partage. Jussuf Habibie le remplace. Plusieurs centaines de personnes auront trouvé la mort depuis les premières émeutes.
10 juin. Chine. Le gouverneur de la Banque centrale s'inquiète des répercussions de la chute du yen sur l'économie. Une dévaluation du yuan, la monnaie chinoise, serait une véritable catastrophe pour le reste de l'Asie.
12 juin. Philippines. Le pays fête un siècle d'indépendance.
15 juin. Japon. Le yen atteint son plus bas niveau depuis huit ans.
25 juin. Chine-États-Unis. Début d'une visite officielle de Bill Clinton, la première d'un président américain depuis le massacre de Tian An Men.

Asie méridionale et orientale/Bibliographie sélective

Asia Yearbook 1998, Far Eastern Economic Review, Hong Kong, 1998.

R. Benedict, *Le Chrysanthème et le Sabre*, Éd. Piquier, Arles, 1987.

S. Bésanger, G. Schulders (sous la dir. de), *Les Relations internationales en Asie-Pacifique*, Alban, Paris, 1998.

S. Boisseau du Rocher, *L'ASEAN et la construction régionale en Asie du Sud-Est*, L'Harmattan, Paris, 1998.

D. Camroux, J.-L. Domenach (sous la dir. de), *L'Asie retrouvée*, Seuil, coll. « L'idée du monde », Paris, 1997.

N. Chanda, *Les Frères ennemis*, CNRS-Éditions, Paris, 1987.

J.-L. Domenach, *L'Asie en danger*, Fayard, Paris, 1998.

F. Godement, *La Renaissance de l'Asie*, Odile Jacob, Paris, 1996.

P. Gourou, *La Terre et l'Homme en Extrême-Orient*, Flammarion, Paris, 1972.

F. Joyaux, *Géopolitique de l'Extrême-Orient* (2 vol.), Complexe, Bruxelles, 1991.

G. Myrdal, *Asian Drama*, Pantheon Books, New York, 1968.

L. W. Pye, *Asian Power and Politicis. The Cultural Dimension of Authority*, Harvard University Press, Cambridge, 1985.

South East Asian Affairs 1997, Institute of South East Asian Studies, Singapour, 1997.

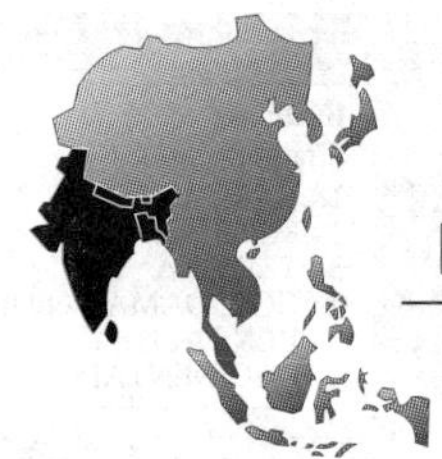

Inde et périphérie

Bangladesh, Bhoutan, Inde, Maldives, Népal, Sri Lanka

Bangladesh

Les chantiers de la transition

En dépit de quelques inquiétudes portant sur le climat politique intérieur, le gouvernement de la Ligue Awami dirigé par Sheikh Hasina Wajed a remporté des succès diplomatiques majeurs en matière d'apaisement des tensions, au cours de sa deuxième année de mandat, s'attaquant à des sujets d'inquiétude déjà anciens, dans la sphère nationale comme internationale. En mars 1997, un traité a été signé avec l'Inde pour une entente cordiale à propos du partage des eaux du Gange. En décembre, un traité de paix s'est finalement conclu pour mettre fin à l'état d'insurrection dans les Chittagong Hill Tracts, peuplés de Jhums qui réclament leur autonomie (voire l'indépendance) depuis les années soixante-dix. Disposant d'un rôle clé au sein de la SAARC (Association de l'Asie du Sud pour la coopération régionale), Dhaka a aussi tenté de dissiper les tensions consécutives aux essais nucléaires réalisés en Inde et au Pakistan en mai 1998, pour contenir la course à l'armement dans la région.

Instabilité politique menaçante

L'évolution économique a toutefois continué d'être entravée par la menace constante d'instabilité politique planant sur le pays, potentiellement dissuasive pour les investissements étrangers pourtant si recherchés. L'âpre rivalité qui oppose les deux principaux partis politiques, la Ligue Awami et le Parti national du Bangladesh (BNP), a engendré des désaccords sur tous les sujets, y compris sur les traités précités acclamés par la communauté internationale. Bien que le principe de gouvernements intérimaires ayant charge de surveiller la passation de pouvoirs d'un régime élu à un autre semble viable, il n'y a pas encore trace d'une culture d'opposition loyale, d'où les fréquents boycottages du Parlement.

A l'inverse, le pays reste fréquemment confronté à des perturbations à motifs politiques : fermeture générale des magasins en signe de protestation et grèves. L'état de grâce relatif qui a suivi les élections de juin 1996 est apparu de plus en plus menacé, l'opposition cherchant à exploiter les failles du système pour faire tomber le gouvernement. En cela, sa stratégie n'a pas semblé différente de celle de la Ligue Awami, qui avait utilisé l'agitation dans les rues entre 1994 et 1996 pour venir à bout du gouvernement de la bégum Khaleda Zia (BNP).

Les mesures de politique intérieure ont reçu un accueil mitigé, avant tout parce que le pays est idéologiquement divisé. Parmi les efforts du gouvernement pour restaurer l'esprit de la guerre de Libération et rectifier des faits historiques perçus comme falsifiés sous les régimes précédents, le procès des assassins passés aux aveux de Bangabandhu Sheikh Mujibur

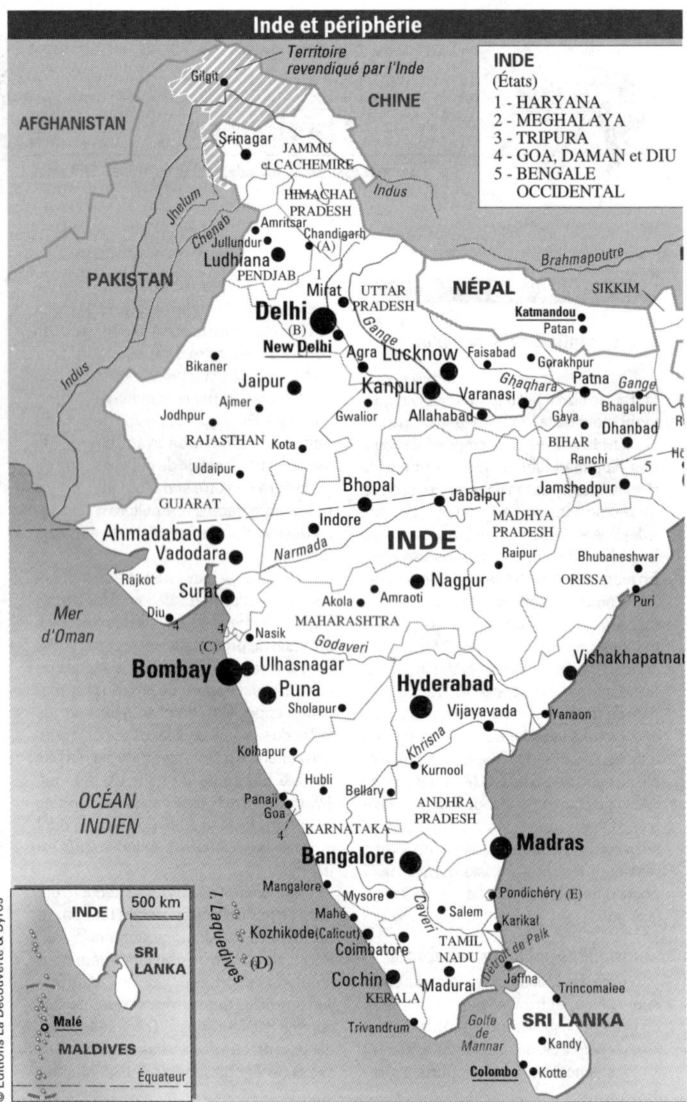
Inde et périphérie
Territoire revendiqué par l'Inde
Gilgit
CHINE
AFGHANISTAN
INDE
(États)
1 - HARYANA
2 - MEGHALAYA
3 - TRIPURA
4 - GOA, DAMAN et DIU
5 - BENGALE OCCIDENTAL
Srinagar
JAMMU et CACHEMIRE
HIMACHAL PRADESH
Indus
Jhelum
Chenab
Amritsar
Chandigarh (A)
Jullundur
Ludhiana
PENDJAB
PAKISTAN
Brahmapoutre
NÉPAL
SIKKIM
Mirat
UTTAR PRADESH
Delhi
(B)
New Delhi
Gange
Katmandou
Patan
Bikaner
Agra
Lucknow
Faisabad
Gorakhpur
Jaipur
Kanpur
Ghaghara
Patna
Ajmer
Varanasi
Bhagalpur
Jodhpur
Gwalior
Allahabad
Gaya
Dhanbad
RAJASTHAN
Kota
BIHAR
Ranchi
Udaipur
Bhopal
Jamshedpur
GUJARAT
Jabalpur
Indore
MADHYA PRADESH
Ahmadabad
INDE
Vadodara
Narmada
Raipur
Bhubaneshwar
Rajkot
ORISSA
Surat
Nagpur
Amraoti
Puri
Mer d'Oman
Diu
Akola
MAHARASHTRA
Nasik
Godaveri
(C)
Bombay
Ulhasnagar
Vishakhapatnam
Puna
Hyderabad
Sholapur
Vijayavada
Yanaon
Khrisna
Kolhapur
Kurnool
Hubli
Bellary
OCÉAN INDIEN
Panaji
Goa
ANDHRA PRADESH
KARNATAKA
Madras
Bangalore
Mangalore
Mysore
Pondichéry (E)
Caveri
I. Laquedives
Salem
Mahé
Karikal
Kozhikode (Calicut)
TAMIL NADU
Détroit de Palk
Coimbatore
(D)
Cochin
Madurai
Jaffna
Trincomalee
KERALA
Golfe de Mannar
SRI LANKA
Trivandrum
Kandy
Colombo
Kotte
INDE
500 km
SRI LANKA
Malé
MALDIVES
Équateur

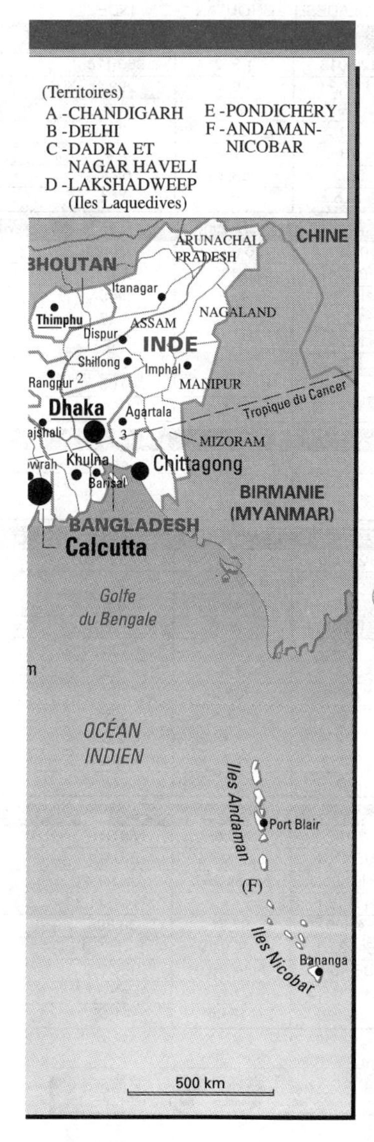

Rahman, fondateur de la nation et père de Sheikh Hasina Wajed, commencé en mars 1997, a revêtu une importance centrale. Les observateurs critiques remarquaient que l'autonomie des médias et le retour au calme sur les campus (souvent en proie à la violence), qui faisaient partie des promesses électorales du gouvernement, auraient été autrement prioritaires que la restauration de l'image et du statut de l'ancien président.

Comme pour contrer les retombées possibles de l'instabilité politique sur l'économie, le Bangladesh a semblé s'être débarrassé de son image de « grand malade ». Des statistiques révisées ont suggéré que le pays disposait d'un revenu par habitant plus élevé que celui qu'on lui prête (320 dollars aux taux de change courants). Aujourd'hui, le pays apparaît comme presque autosuffisant sur le plan alimentaire et le taux de croissance de sa population est tombé à 1,8 %, parmi les plus bas d'Asie du Sud. La progression de

République populaire du Bangladesh

Capitale : Dhaka.
Superficie : 143 998 km².
Monnaie : taka (1 taka = 0,13 FF au 29.7.98).
Langues : bengali, anglais (off.), urdu.
Chef de l'État : Shahabuddin Ahmed, président de la République (depuis le 23.7.96).
Chef du gouvernement : Sheikh Hasina Wajed, Premier ministre (depuis le 23.6.96).
Ministre des Finances : Shah A. M. S. Kibria.
Ministre des Affaires étrangères : Abdus Samad Azad.
Ministre de l'Intérieur : Rafiqul Islam.
Nature de l'État : république.
Nature du régime : démocratie parlementaire.
Principaux partis : Ligue Awami ; BNP (Bangladesh Nationalist Party) ; Jatiya Party ; Jamaat-I-Islami.

INDICATEUR*	BANGLADESH	BHOUTAN	INDE
Démographie**			
Population *(millier)*	122 013	1 862	960 178
Densité *(hab./km²)*	847,3	46,5	292,1
Croissance annuelle[d] *(%)*	1,6	2,8	1,6
Indice de fécondité (ISF)[d]	3,1	5,9	3,1
Mortalité infantile[d] *(‰)*	78	104	72
Espérance de vie[d] *(année)*	58,2	53,3	62,4
Population urbaine *(%)*	19,5	6,4	27,4
Indicateurs socioculturels			
Développement humain (IDH)[c]	0,368	0,338	0,446
Nombre de médecins[m] *(‰ hab.)*	0,19[n]	0,16[c]	0,41[h]
Analphabétisme (hommes)[b] *(%)*	50,6	43,8	34,5
Analphabétisme (femmes)[b] *(%)*	73,9	71,9	62,3
Scolarisation 12-17 ans *(%)*	19,9[g]	10,7[g]	43,8[g]
Scolarisation 3e degré *(%)*	4,4[g]	• •	6,4[b]
Adresses Internet *(‰ hab.)*	–	• •	0,05
Livres publiés *(titre)*	• •	• •	11 643[b]
Armées			
Armée de terre *(millier d'h.)*	101		980
Marine *(millier d'h.)*	10,5	5	55
Aviation *(millier d'h.)*	9,5		110
Économie			
PIB total[ae] *(million $)*	122 900	2 220[b]	1 493 000
Croissance annuelle 1986-96 *(%)*	4,4	7,1	5,7
Croissance 1997 *(%)*	5,5	5,7	5,6
PIB par habitant[ae] *($)*	1 010	1 260[b]	1 580
Investissement (FBCF)[f] *(% PIB)*	16,4	46,9	24,2
Taux d'inflation *(%)*	4,8	7,0	4,9
Énergie (taux de couverture)[b] *(%)*	78,1	201,9	86,7
Dépense publique Éducation *(% PIB)*	2,3[h]	2,7[hk]	3,5[c]
Dépense publique Défense[a] *(% PIB)*	1,7	• •	2,8
Dette extérieure totale[a] *(million $)*	16 083	87	89 827
Service de la dette/Export.[f] *(%)*	13	6	27
Échanges extérieurs			
Importations *(million $)*	7 199	110,9[a]	40 356
Principaux fournisseurs[a] *(%)*	UE 11,3	Inde 73,4	E-U 9,1
(%)	Asie[m] 69,2	Autres 26,6	UE 30,4
(%)	Inde 16,1	• •	Asie[m] 41,2
Exportations *(million $)*	4 490	97,7[a]	33 898
Principaux clients[a] *(%)*	E-U 32,1	Inde 91,9	E-U 17,0
(%)	UE 46,7	Autres 8,0	UE 27,0
(%)	Asie[m] 13,3	• •	Asie[m] 39,7
Solde transactions courantes *(% PIB)*	– 5,14[a]	– 15,04[a]	– 1,50

* Définition des indicateurs p. 25 et suiv. Chiffres 1997 sauf notes. ** Derniers recensements utilisables : Bangladesh, 1991 ; Bhoutan, 1969 ; Inde, 1991 ; Maldives, 1995 ; Népal, 1991 ; Sri Lanka, 1981. a. 1996 ; b. 1995 ; c. 1994 ; d. 1995-2000 ; e. A parité de pouvoir d'achat (PPA, voir définition p. 581) ; f. 1994-96 ;

MALDIVES	NÉPAL	SRI LANKA
273	22 592	18 273
919,1	160,5	278,5
3,4	2,5	1,0
6,8	4,9	2,1
49	82	15
64,5	57,4	73,2
27,5	10,9	22,7
0,611	0,347	0,711
0,07[g]	0,07[h]	0,15[h]
6,7	59,1	6,6
7,0	86,0	12,8
70,3[i]	33,4[g]	62,3[n]
10,6[c]	5,2[h]	5,1[b]
••	0,07	0,33
••	••	3 933[b]
••	46	93
••	••	12
••	••	10
802	24 000	41 900
9,8	5,0	3,4
6,2	4,5	6,0
3 140	1 090	2 290
••	21,7	25,6
12,8	7,5	10,7
••	15,5	17,5
8,4[h]	2,8[i]	3,1[b]
0,9	0,9	6,5
167	2 413	7 995
3	8	8
349	1 813	5 839
UE 10,2	UE 12,7	UE 17,7
Asie[m] 82,0	Asie[m] 77,7	Asie[m] 57,8
M-O 26,3	Inde 23,3	Jap 9,9
73	399	4 633
RFA 27,1	E-U 34,4	E-U 34,1
Asie[m] 48,1	UE 47,1	UE 30,0
Pak 19,4	Inde 9,5	Asie[m] 21,6
3,00[a]	– 9,24	– 4,69[a]

g. 1990 ; h. 1993 ; i. 1992 ; k. Dépenses courantes seulement ; m. Y compris Japon et Moyen-Orient ; n. 1991.

l'industrialisation est en revanche restée lente. Un secteur important, l'industrie vestimentaire, s'est toutefois développé jusqu'à peser 3 milliards de dollars, représentant l'un des premiers produits d'exportation.

Pour l'année fiscale 1997-1998, la croissance a été de 5,7 % avec un objectif de 6,3 % pour l'année suivante. Le pays avait cependant besoin d'une croissance annuelle supérieure (7 %) pour engager son économie sur la voie d'une croissance auto-entretenue (or, ce taux pendant les années quatre-vingt-dix aura plutôt été de 4 %).

Miser sur l'énergie pour relancer la croissance industrielle ?

Pour atteindre ce but, le cinquième plan quinquennal a misé sur une transformation structurelle de l'économie, avec un taux de croissance de l'industrie de 14 %. Il préconise de faire tirer l'industrialisation par le secteur privé en développant les industries de main-d'œuvre. L'objectif a pu apparaître irréaliste, car reposant massivement sur l'investissement privé (96 %), lequel pourrait ne pas répondre à la hauteur des attentes. Le pays dispose cependant d'un fort potentiel en matière d'agro-industries, qui appelait une planification soigneuse.

Le secteur de l'énergie ouvre d'intéressantes perspectives de développement. La découverte d'importantes réserves de gaz sur le continent et *offshore* et la possibilité technologique de le liquéfier ont stimulé les investisseurs étrangers (les compagnies Cairn et Shell notamment). Les réserves exploitables connues sont estimées à 10,9 milliards de m^3 (trente fois plus que les estimations de 1990). Mais les coûts de développement pourraient être faramineux.

Il apparaissait donc possible que le « pivot » à l'est de l'Asie du Sud connaisse une régénérescence économique et la prospérité avec l'entrée en vigueur en 2001 de

Bangladesh/Bibliographie

Bangladesh Bureau of Statistics, *National Accounts Statistics of Bangladesh,* Dhaka, 1998.

Economic Intelligence Unit, *Country Profile : Bangladesh, 1997-98,* Londres, 1997.

P. Fowler, « The Bangladesh Economy : A Regional Perspective », *Asian Affairs,* Royal Society for Asian Affairs, févr. 1998.

W. Mahmud, « "Macroeconomic Update" in Centre for Policy Dialogue », *Growth or Stagnation. A Review of Bangladesh's Development,* 1996, Dhaka University Press, 1997.

Voir aussi la bibliographie « Inde et périphérie », p. 282.

la SAFTA (Zone de libre-échange de l'Asie du Sud), comme l'avait conclu le Sommet d'affaires des trois nations (Pakistan, Inde, Bangladesh), réuni au Bangladesh en avril 1998. - **Tazeen M. Murshid** ■

Bhoutan

Fin juillet 1997 à Thimbou, la huitième rencontre népalo-bhoutanaise consacrée au sort des 100 000 Bhoutanais d'origine népalaise réfugiés au Népal n'a pas permis d'avancée significative. Les autorités bhoutanaises ont continué de considérer que la plupart ont quitté volontairement le pays et renoncé à leur nationalité. L'Inde, qui assure la sécurité extérieure du Bhoutan, ne s'est pas investie dans le règlement de cette crise. Par ailleurs, les troubles régionalistes dans l'État indien voisin de l'Assam ont eu pour la première fois un prolongement majeur au Bhoutan, avec le meurtre, le 4 octobre 1997, de quatre policiers, une action que le Bhoutan et l'Inde ont attribuée aux activistes d'ethnie Bodo. - **Philippe Ramirez** ■

Royaume du Bhoutan

Capitale : Thimbou.
Superficie : 40 077 km^2.
Nature du régime : monarchie constitutionnelle.
Chef de l'État et du gouvernement : Jigme Singye Wangchuck (roi depuis 72).
Ministre de l'Intérieur : Lyonpo Dago Tshering.
Chef de l'état-major : lieut.-gén. Lam Dorji.
Ministre des Affaires étrangères : Lyonpo Dawa Tshering.
Monnaie : ngultrum (au taux officiel, 1 ngultrum = 0,14 FF au 30.5.98).
Langue officielle : dzong-ka (dialecte tibétain). Autre langue : népali.

Inde

La montée en puissance du BJP

Depuis avril 1997, l'Inde était dirigée par un gouvernement de coalition regroupant, sous le nom de Front uni (UF), treize partis de gauche et régionalistes, formation minoritaire devant sa survie au soutien externe du parti du Congrès-I (« I » pour Indira). En novembre 1997 a été rendu public le rapport Jain, dénonçant la négligence du Dravida Munetra Khazagham (DMK), au pouvoir au Tamil Nadu et partenaire important de la coalition gouvernementale au Centre, envers le groupe terroriste tamoul sri-lankais responsable de l'assassinat du Premier ministre Rajiv Gandhi en 1991. Le président du Congrès-I, Sitaram Kesri, s'est saisi de l'occasion pour demander la démission des membres du DMK au gouvernement. Devant le refus du Premier ministre, Inder Kumar Gujral, le Congrès-I a retiré son soutien au cabinet en place, provoquant de nouvelles élections générales, moins de deux ans après le précédent scrutin. S. Kesri semblait avoir été motivé dans cette décision davantage par la progression de l'enquête sur l'affaire Bofors que par les conclusions du rapport. Des proches de R. Gandhi, voire l'ancien Premier ministre lui-même, auraient bénéficié de pots-de-vin substantiels de la part de cette firme d'armement suédoise, en l'échange de l'obtention d'un contrat de vente de canons. Il est probable que, sous la pression de la veuve de Rajiv, Sonia, le Congrès ait cherché à éviter que le gouvernement ne dévoile les progrès de l'enquête.

Nouveau gouvernement : des composantes instables

Le retour de la famille Nehru-Gandhi sur le devant de la scène politique s'est confirmé avec la décision de Sonia Gandhi de faire campagne pour le parti, puis avec sa nomination après les élections, à la tête de tous les organes de décision du Congrès-I. Néanmoins, le retour au pouvoir de ce parti ne semblait pas proche. Les élections générales de février-mars 1998 ont confirmé l'installation de l'Inde dans l'ère des coalitions. Comme en 1996, aucune formation n'a obtenu la majorité. Au Front uni a succédé un gouvernement issu de l'alliance du Bharatiya Janata Party (BJP, nationaliste hindou) avec quatorze partis régionaux (AIADMK, Samata Party, Shiromani Akali Dal, Biju Janata Dal, Trinamool Congress, Shiv Sena et Lok Shakti pour les plus importants) et dirigé par Atul Bihari Vajpayee. Il a passé l'épreuve de la motion de confiance le 28 mars 1998, grâce au soutien externe d'un des anciens constituants de l'UF, le Telugu Desam Party. L'importance des partis régionaux et le rôle de ba-

Union indienne

Capitale : New Delhi.

Superficie : 3 287 590 km².

Monnaie : roupie (au taux officiel, 1 roupie = 0,14 FF au 29.7.98).

Langues : outre l'anglais, langue véhiculaire, 15 langues officielles (assamais, bengali, gujarati, hindi, kannada, cachemiri, malayalam, marathi, oriya, pendjabi, sanscrit, sindhi, tamoul, telugu et ourdou).

Chef de l'État : Kocheril Raman Narayanan (depuis le 14.7.97).

Chef du gouvernement : Atul Bihari Vajpayee (aussi min. des Affaires étrangères), qui a remplacé le 18.3.98 Inder Kumal Gujral, successeur de H. D. Deve Gowda (démissionnaire le 11.4.97).

Ministre de l'Intérieur : Lal Krishna Advani (BJP).

Ministre de la Défense : Georges Fernandes (Samata Party).

Nature de l'État : république fédérale (25 États, 7 territoires de l'Union).

Nature du régime : démocratie parlementaire.

Principaux partis politiques : *Au pouvoir au plan national :* Bharatiya Janata Party (BJP, nationaliste hindou) ; All India Anna Dravida Munetra Kazhagam (AIADMK, parti régionaliste tamoul) ; Samata Party (parti régional implanté au Bihar et dans l'est de l'Uttar Pradesh) ; Shiromani Akali Dal (SAD, parti régional pendjabi) ; Biju Janata Dal (issu d'une scission du Janata Dal en Orissa) ; Trimamool Congress (issu d'une scission du Congrès-I au Bengale occidental) ; Shiv Sena (au pouvoir au Maharashtra) ; Lok Shakti (issu d'une scission du Janata Dal au Karnataka).
Au pouvoir au plan régional : Congrès-I ; Janata Dal (promotion des basses castes) ; CPI-M (Parti communiste de l'Inde-marxiste) ; Telugu Desam Party (Andhra Pradesh) ; Conférence nationale du Cachemire (intégrationniste, Cachemire).

Revendication territoriale : Azad-Cachemire, administré par le Pakistan.

INDICATEUR*	UNITÉ	1975	1985	1996	1997
Démographie**					
Population	*million*	620,7	767,9	944,6	960,2
Densité	*hab./km²*	188,8	233,6	287,3	292,1
Croissance annuelle	%	2,2[a]	1,9[b]	1,6[c]	••
Indice de fécondité (ISF)		4,6[a]	3,7[b]	3,1[c]	••
Mortalité infantile	‰	117[a]	85[b]	72[c]	••
Espérance de vie	*année*	54,1[a]	59,1[b]	62,4[c]	••
Indicateurs socioculturels					
Nombre de médecins	*‰ hab.*	0,20	0,40[i]	0,41[k]	••
Analphabétisme (hommes)	%	44,7[o]	37,6[m]	34,5[g]	••
Analphabétisme (femmes)	%	74,7[o]	66,5[m]	62,3[g]	••
Scolarisation 12-17 ans	%	25,1	36,6	43,8[m]	••
Scolarisation 3e degré	%	8,7	6,0	6,4[f]	••
Téléviseurs	‰	0,8	5,2	63,5	••
Livres publiés	*titre*	12 708	11 660	11 643[f]	••
Économie					
PIB total[h]	*milliard $*	357,4	550,9	1 493,3	••
Croissance annuelle	%	3,1[d]	5,5[e]	7,5	5,6
PIB par habitant[h]	$	520[o]	720	1 580	••
Investissement (FBCF)	*% PIB*	16,8[d]	21,8[e]	25,6	••
Recherche et Développement	*% PIB*	0,5	0,9	0,8[f]	••
Taux d'inflation	%	5,7	5,6	9,0	6,3[p]
Population active	*million*	258,5	329,0	408,0	••
Agriculture	% } *100 %*	70,7	66,8	61,6[g]	••
Industrie	% } *100 %*	12,9	14,5	17,1[g]	••
Services	% } *100 %*	16,4	18,7	21,3[g]	••
Dépense publique Éducation	*% PIB*	2,8	3,4	3,5[f]	••
Dépense publique Défense	*% PIB*	3,1	3,0	2,8	••
Énergie (taux de couverture)	%	87,5	94,4	86,7[g]	••
Dette extérieure totale	*milliard $*	13,7	41,0	89,8	91
Service de la dette/Export.	%	13,1	22,7	27[n]	23,8
Échanges extérieurs		**1974**	**1986**	**1996**	**1997**
Importations de services	*milliard $*	0,36	2,22	10,66	••
Importations de biens	*milliard $*	5,21	17,74	43,12	••
Produits alimentaires	%	19,7	7,0	5,3[f]	••
Produits énergétiques	%	28,0	15,1	28,8[f]	••
Produits manufacturés	%	34,2	66,8	50,2[f]	••
Exportations de services	*milliard $*	0,58	3,22	7,71	••
Exportations de biens	*milliard $*	3,99	10,42	33,66	••
Produits agricoles	%	38,5	30,0	12,3[f]	••
Minerais et métaux	%	11,1	7,9	3,8[f]	••
Produits manufacturés	%	49,5	56,8	75,9[f]	••
Solde transactions courantes	*% du PIB*	– 0,3[d]	– 2,0[e]	– 1,1	– 1,5

* Définition des indicateurs p. 25 et suiv. ** Dernier recensement utilisable : 1991. a. 1975-85 ; b. 1985-95 ; c. 1995-2000 ; d. 1970-80 ; e. 1980-96 ; f. 1994 ; g. 1995 ; h. A parité de pouvoir d'achat (PPA, voir définition p. 581) ; i. 1984 ; k. 1993 ; m. 1990 ; n. 1994-96 ; o. 1980 ; p. Décembre à décembre.

lancier qu'ils ont acquis depuis les élections de 1996 se sont confirmés. A lui seul, le BJP n'a remporté que 178 sièges, un résultat insuffisant pour accéder seul au pouvoir, mais en progression par rapport à 1996, grâce à son avancée, encore faible mais réelle, dans le sud du pays. La survie du gouvernement semblait donc devoir dépendre du bon vouloir de partis ne partageant non seulement pas le credo nationaliste hindou mais divergeant aussi sur des points cruciaux comme la place à accorder aux investisseurs étrangers ou la réforme du secteur public. Les chevaux de bataille du BJP (imposition d'un code civil uniforme, autonomie du Cachemire ou restitution des lieux de culte disputés) ne figuraient plus au « programme national de gouvernement » présenté le 18 mars 1998 par le Premier ministre. La configuration de pouvoir voyait donc le BJP contraint de céder du terrain à ses alliés sur le plan idéologique ainsi que sur celui de la gestion des affaires de l'Union. Les principaux partis appartenant à l'alliance faisaient déjà preuve d'un régionalisme risquant de mettre en difficulté le BJP, notamment par leurs demandes de crédits supplémentaires pour les États, voire d'autonomie fiscale. L'AIADMK (All India Anna Dravida Munetra Kazagham, formation nationaliste tamoule) qui, avec ses partenaires, a apporté 25 sièges à l'alliance, en était la composante la plus instable.

A la suite d'élections régionales, deux États supplémentaires sont passés au BJP : le Gujarat et l'Himachal Pradesh. Le paysage politique du nord de l'Inde allait donc être dominé désormais par cette formation et ses alliés, à l'exception du Jammu-et-Cachemire, dirigé par la Conférence nationale (favorable au maintien de l'intégration nationale) de Farooq Abdullah, du Bengale occidental, toujours dirigé par le Parti communiste de l'Inde-marxiste (CPI-M), et du Bihar, dirigé par l'épouse de Laloo Prasad Yadav, ex-dirigeant du Janata Dal (JD) ayant formé son propre parti, le Rashtriya Janata Dal, en 1997.

Extension des tensions communautaires

Au Cachemire, le nouveau gouvernement s'est montré incapable d'empêcher une reprise de la violence, après neuf ans d'insurrection séparatiste, et les massacres de populations cachemiri, en particulier de *pandit* (brahmanes), se sont multipliés au long de l'année. L'inefficacité et la corruption du gouvernement de F. Abdullah et son rapprochement avec le BJP lui ont ôté la faveur de nombreux Cachemiris.

Une extension visible des tensions communautaires par groupes fondamentalistes interposés s'est faite dans des régions jusque-là relativement épargnées. Au Kerala, les affrontements se sont multipliés entre fondamentalistes hindous et, notamment, cadres du CPI-M. Au Tamil Nadu, une organisation musulmane, Al Umma, s'est illustrée en février 1998, en pleine campagne électorale, par l'explosion d'une série de bombes dans la ville de Coimbatore, causant plus de 60 morts. La population musulmane de Coimbatore avait été la cible d'émeutes en décembre 1997, à l'occasion desquelles une inquiétante collusion était apparue entre la police locale et les extrémistes hindous.

Dans le Nord-Est, en particulier au Tripura, en Assam et au Nagaland, les populations civiles ont continué de subir les attaques des militants indépendantistes. L'intensification de l'action du Front uni de libération de l'Assam (ULFA) est devenue un sujet d'inquiétude. Le racket qu'il opère sur les entreprises locales a été dévoilé dans l'« affaire Tata Tea », branche du conglomérat Tata.

Le gouvernement du Front uni poursuivant la politique de libéralisation lancée sous le gouvernement de Narasimha Rao, a dû faire face à des difficultés économiques croissantes. Le budget n'a pas correspondu aux prévisions et, bien qu'elle ait échappé à la crise asiatique, l'économie indienne a continué de s'essouffler. La croissance économique, que l'on attendait à plus de 7 %,

Inde/Bibliographie

Amnesty International, *Inde. Les groupes armés de l'État de Jammu-et-Cachemire doivent observer les règles du droit humanitaire*, Paris, 1997.

J. Assayag, *Au confluent de deux rivières. Musulmans et hindous dans le sud de l'Inde*, École française d'Extrême-Orient, Paris, 1996.

J.-A. Bernard, *L'Inde, le pouvoir et la puissance*, Paris, Fayard, 1985.

R. Deliege, *Les Intouchables en Inde : des castes d'exclus*, Imago, Paris, 1995.

G. Étienne, *Chine/Inde, le match du siècle*, Presses de Sciences-Po, Paris, 1998.

G. Heuzé, *Entre émeutes et mafias, l'Inde dans la mondialisation*, L'Harmattan, Paris, 1996.

« L'Inde et la question nationale », *Hérodote*, n° 71, La Découverte, Paris, 4e trim. 1993.

C. Jaffrelot, *La Démocratie en Inde. Religion, caste et politique*, Fayard, Paris, 1998.

C. Jaffrelot, *Les Nationalistes hindous. Idéologies, implantation et mobilisation des années 1920 aux années 1990*, Presses de Sciences-Po, Paris, 1993.

C. Jaffrelot (sous la dir. de), *L'Inde contemporaine de 1950 à nos jours*, Fayard, Paris, 1996.

C. Markovits (sous la dir. de), *Histoire de l'Inde moderne, 1480-1950*, Fayard, Paris, 1994.

É. Meyer, D. Vidal, G. Tarabout, « Violences et non-violence en Inde », *Purusartha*, n° 16, EHESS, Paris, 1994.

J. Pouchepadass (sous la dir. de), « Histoire de l'Inde » (dossier), *Historiens et Géographes*, n° 353, Paris, juin-juil. 1996.

J. Pouchepadass (sous la dir. de), « L'Inde contemporaine » (dossier), *Historiens et Géographes*, n° 356, Paris, févr.-mars 1997.

J. Virama-Racine, J. Racine, *Une vie de paria : le rire des asservis*, Plon, coll. « Terre humaine »/UNESCO, Paris, 1995.

M. J. Zins, *Histoire politique de l'Inde indépendante*, PUF, Paris, 1992.

Voir également les bibliographies « Océan Indien » et « Inde et périphérie », p. 212 et 282.

n'a atteint que 5,6 % pour l'année fiscale 1997-1998, portée avant tout par le secteur des services (+ 7,5 %). La production agricole a enregistré une chute très importante pour atteindre un plancher à 0,1 % (contre 7,9 % en 1996-1997), tandis que la production industrielle augmentait de 4,6 %. Les entrepreneurs ont été confrontés à des difficultés de financement croissantes. La balance commerciale a affiché une perte de 6,5 milliards de dollars. La surévaluation de la roupie et la politique monétaire du gouvernement du Front uni avaient une part de responsabilité dans ces mauvais résultats, mais elles ont permis un maintien sous contrôle de l'inflation à 6,3 % pour 1997. D'autres indicateurs ont souligné une lente détérioration économique. Le déficit fiscal s'est élevé à 6,1 % du PIB et la dette interne s'est accrue par rapport à 1996-1997. Seul bon point, la dette extérieure a continué de baisser. Elle représentait toujours quelque 90 millions de dollars, mais avec 7 % seulement à court terme. De plus, les réserves de devises ont atteint le niveau record, en 1997, de 23 milliards de dollars.

Ces difficultés sont à relier à la résistance que continuaient d'entraîner les réformes, six ans après leur lancement. L'action du nouveau gouvernement n'a pas fait exception. Sur le plan du commerce extérieur, il a choisi d'allier réformes et protection des entreprises nationales, d'accueillir l'investissement étranger mais seulement dans les secteurs cruciaux pour le développement du pays, comme les infrastructures, d'encourager les exportations mais de pratiquer une politique plus sélective en matière d'importation et d'accélérer les procédures de décision concernant les projets industriels. Ces ambiguïtés ont été bien accueillies par les milieux d'affaires indiens qui, jusque-là, se sentaient désavantagés par rapport aux investisseurs étrangers.

De la « doctrine Gujral »...

Après sa nomination au poste de Premier ministre, Inder Kumar Gujral avait conservé le portefeuille des Affaires étrangères. Sa politique dans ce domaine a conduit à un recentrage des priorités indiennes autour de l'Asie du Sud et à une distanciation vis-à-vis des États-Unis. Postulant que l'Inde ne serait à même de jouer un rôle international réel que si ses relations avec ses voisins directs s'amélioraient, la « doctrine Gujral » reposait sur le respect des affaires intérieures de chaque État et sur des concessions unilatérales faites par l'Inde. Des avancées ont été observées avec le Bangladesh (rapatriement des réfugiés chakmas – bouddhistes ayant fui au Tripura pour échapper à la discrimination promusulmane du gouvernement de Dhaka –, partage des eaux mitoyennes) et avec le Népal (ouverture d'une route directe Népal-Bangladesh, passant donc par l'Inde (Bengale occidental), lancement du projet hydroélectrique de Pancheshwar, discussions sur la renégociation du traité bilatéral de 1950 – contraignant jusque-là le Népal à consulter l'Inde sur les questions de sécurité extérieure). Cette bonne volonté indienne s'est aussi manifestée envers le Pakistan par un assouplissement des attributions de visas et deux rencontres entre les ministres d'État aux Affaires étrangères indien et pakistanais. Elle n'a cependant pas empêché des affrontements entre troupes indiennes et pakistanaises à la frontière du Jammu-et-Cachemire en août 1997. L'Inde a également poursuivi son effort d'« indigénisation » et de modernisation de son arsenal militaire. Le missile Prithvi, capable de porter une charge à 250 km, a été testé avec succès et la coopération militaire russo-indienne a été relancée avec la livraison d'un premier lot de Sukhoi-30 et avec un projet de développement d'un système de défense aérienne intégré.

Conséquence de la « doctrine Gujral », l'Inde a cherché à trouver des appuis internationaux, notamment en relançant le Mouvement des non-alignés, pour faire face aux États-Unis, mécontents de son refus de signer le Traité de non-prolifération nucléaire (TNP) et le Traité d'interdiction des essais atomiques (TIEA). Les visites, durant l'année 1997, des présidents sud-africain, sénégalais, péruvien, malaisien et philippin se sont inscrites dans cette perspective.

... à la crispation ultranationaliste

Le gouvernement Gujral a aussi cherché à développer des liens économiques et à intensifier la coopération diplomatique avec ses voisins hors Asie du Sud. Un accord de transit avec l'Iran et le Turkménistan a été conclu et la recherche d'une solution régionale au conflit afghan a été réaffirmée de concert avec l'Iran. L'Inde s'est aussi efforcée de développer ses relations avec le reste de l'Asie. En 1996-1997, la part de l'ANSEA (Association des nations du Sud-Est asiatique) dans le commerce avec l'Inde s'élevait à 6 milliards de dollars, dont 3 milliards provenaient du seul commerce bilatéral avec Singapour.

Ces avancées ont été remises en question par l'arrivée au pouvoir du BJP, qui estimait que l'Inde avait donné trop de gages de bonne volonté sans en obtenir en retour. Extension agressive de la « doctrine Gujral », il s'agissait de faire en sorte que l'Inde soit traitée comme une égale par les grandes puissances, en premier lieu les États-Unis et la Chine. Les essais nucléaires des 11 et 13 mai 1998 procédaient ainsi de l'idéologie ultranationaliste du BJP, tout comme l'engagement d'une politique active pour lutter contre le terrorisme pakistanais au Cachemire (poursuite des groupes terroristes et bombardements de leurs camps sur le territoire pakistanais). Ce durcissement s'est traduit localement par une intensification des affrontements frontaliers, d'autant plus inquiétante du point de vue régional que les deux adversaires ont fait la preuve de leur capacité nucléaire. Les six essais pakistanais des 28 et 30 mai 1998 ont ramené la courte avance stratégique indienne au *statu quo ante*, à cela près que les sanctions imposées par les États-Unis, le Japon et l'Australie à la suite de cette démonstration de force, venant se surimposer à une hausse rapide de l'inflation, ont provoqué une rapide chute de l'enthousiasme populaire.

Sur le plan intérieur, le BJP et ses alliés dans les États ont également fait preuve d'un durcissement ultranationaliste. Les destructions de lieux identifiés comme des symboles de l'influence jugée néfaste des États-Unis se sont multipliées depuis l'arrivée au pouvoir de ce parti, des artistes ou des sportifs pakistanais se sont vu refuser le droit de se produire en Inde et la nomination de recteurs d'universités ou de représentants d'organes de recherche scientifique et historique traduisaient une certaine volonté de mise au pas idéologique. - **Jasmine Zérinini** ■

Maldives

En 1997 a été élaborée une réforme institutionnelle visant à rendre plus transparent le processus de désignation du président par l'Assemblée (Majlis). L'actuel président Maumoon Abdul Gayoom, en place depuis 1978, allait probablement se représenter en 1998 pour un cinquième mandat. Sa popularité considérable est restée fondée sur la prospérité dont jouit l'archipel – son économie a été dopée par le tourisme (338 000 arrivées en 1996) –, sur l'attention du gouvernement à éviter les effets pervers de ce tourisme en matière d'environnement et de relations sociales et sur l'image internationale qu'il a su se donner, en prenant la tête d'une croisade en faveur des pays menacés par la montée du niveau des océans et en favorisant le dialogue entre l'Inde et le Pakistan dans le cadre de l'Association de l'Asie du Sud pour la coopération régionale (SAARC). - **Éric Meyer** ■

République des Maldives

Capitale : Male.
Superficie : 298 km².
Nature du régime : présidentiel. Il n'y a pas de partis.
Chef de l'État et du gouvernement : Maumoon Abdul Gayoom (depuis le 11.11.78).
Ministre du Cabinet présidentiel : Mohamed Zahir Hussain.
Monnaie : rufiyaa (au taux officiel, 1 rufiyaa = 0,50 FF au 30.5.98).
Langues : divehi, anglais.

Népal

En 1997 et 1998, les rivalités internes aux trois principaux partis politiques népalais ont atteint leur paroxysme, bousculant les majorités parlementaires et les gouvernements. C'est d'abord la fracture au sein du Parti national démocrate (RPP) qui a permis, le 4 octobre 1997, la censure du gouvernement à majorité communiste dirigé par Lokendra Bahadur Chand (RPP) et l'avènement de son rival, Surya Bahadur Thapa (RPP), soutenu par un Nepali Congress trop divisé pour prendre la tête de l'exécutif. Le 8 janvier 1998, S. B. Thapa, menacé par une coalition dirigée par le Parti communiste marxiste-léniniste (UML), a demandé sans succès auprès de la Cour suprême la dissolution du Parlement, avant d'échapper à la censure le 20 février.

Profitant de la scission de son principal concurrent, l'UML, le Nepali Congress a négocié, en avril, un « soutien sans participation » des communistes modérés, ce qui a permis à Girija Prasad Koirala, président du Congress, de reprendre le poste de Premier ministre qu'il avait cédé en 1994. Cette alliance a été dès le départ mise à rude épreuve lorsque les communistes et les opposants à G. P. Koirala dans le Congress ont vivement contesté la nomination de ministres précédemment impliqués dans des scandales politico-financiers. Une des tâches les plus urgentes du nouveau cabinet allait consister à approcher les chefs de la rébellion maoïste afin de mettre un terme aux affrontements sporadiques qui ont fait près de 150 morts depuis 1995.

Royaume du Népal

Capitale : Katmandou.
Superficie : 140 797 km².
Nature du régime : monarchie parlementaire.
Chef de l'État : Birendra Shah (roi depuis 72).
Chef du gouvernement, ministre de la Défense et des Affaires étrangères : Girija Prasad Koirala, qui a succédé le 15.4.98 à Surya Bahadur Thapa, lequel avait remplacé Lokendra Bahadur Chand, le 7.10.97.
Monnaie : roupie népalaise (au taux officiel, 100 roupies = 8,74 FF au 29.7.98).
Langues : népali (off.), maithili, bhojpuri (dialectes hindi), néwari, tamang, etc.

Le ministre de l'Économie, Ram Sharan Mahat, a promis une réduction immédiate de 10 % des dépenses publiques : malgré l'introduction en novembre 1997 de la TVA (taxe sur la valeur ajoutée), l'État rencontre les plus grandes difficultés à couvrir ses dépenses, notamment à cause de son incapacité à prélever l'impôt. Par ailleurs, la libéralisation entreprise depuis sept ans n'a eu d'effet durable ni sur les exportations (moins d'un quart des importations) ni sur la diversification d'une économie très agricole. - **Philippe Ramirez** ■

Sri Lanka

Le 4 février 1998, Sri Lanka a célébré le cinquantenaire de son indépendance dans une atmosphère tendue : au cours de l'année écoulée, le conflit séparatiste tamoul est resté dans l'impasse, la popularité du gouvernement de Mme Chandrika Kumaratunga s'est quelque peu érodée, mais la croissance économique s'est maintenue en dépit de la crise asiatique.

République démocratique socialiste de Sri Lanka

Capitale : Colombo.
Superficie : 65 610 km².
Nature de l'État : unitaire (évolution fédérale en projet).
Nature du régime : démocratie présidentielle.
Chef de l'État : Mme Chandrika Kumaratunga, présidente de la République (depuis le 12.11.94).
Premier ministre : Mme Sirimavo Bandaranaïke (depuis le 12.11.94).
Vice-ministre de la Défense : Anuruddha Ratwatte.
Ministre de la Justice et des Affaires constitutionnelles : G. L. Peiris.
Ministre des Affaires étrangères : Lakshman Kadirgamar (depuis le 12.11.94).
Monnaie : roupie sri-lankaise (au taux officiel, 100 roupies = 9,30 FF au 30.5.98).
Langues : cinghalais et tamoul (off.), anglais (semi-off.).
Sécessionnisme : depuis le début des années quatre-vingt, un mouvement insurrectionnel tamoul affronte les forces gouvernementales.

Inde et périphérie/Bibliographie

F. Durand-Dastès, « Mondes indiens », *in* R. Brunet (sous la dir. de), *Géographie universelle*, vol. VIII, Belin/Reclus, Paris/Montpellier, 1995.

M. Hutt (sous la dir. de), *Nepal in the Nineties, Versions of the Past, Visions of the Future*, Oxford University Press, Delhi, 1994.

« Le communalisme en Asie du Sud » (dossier constitué par C. Jaffrelot), *Problèmes politiques et sociaux*, n° 702, La Documentation française, Paris, avr. 1993.

É. Meyer, « Impasse à Sri Lanka », *in Manière de voir/Le Monde diplomatique*, n° 29, Paris, févr. 1996.

L. Paul, *La Question tamoule à Sri Lanka*, L'Harmattan, Paris, 1998.

L.-E. Rose, *The Politics of Bhutan*, Cornell University Press, Ithaca (NY), 1977.

R. Shaha, *Politics in Nepal, 1980-1990*, Manohar, New Delhi, 1990.

A. C. Sinha, *Bhutan : Ethnic Identity and National Dilemma*, Reliance Publication House, New Delhi, 1991.

Voir aussi les bibliographies « Pakistan », « Inde » et « Bangladesh », p. 260, 278 et 274.

Les troupes gouvernementales ont engagé une vaste opération (baptisée *Jaya Sikurui*) visant à désenclaver la péninsule septentrionale de Jaffna, jadis fief du groupe militant des Tigres de libération de l'Eelam tamoul (LTTE, séparatistes tamouls), dont les forces gouvernementales avaient repris le contrôle en 1995-1996. Au bout d'un an de combats meurtriers, un tiers de la route restait aux mains des séparatistes. La corruption et l'incompétence d'une partie de l'État-Major ont entraîné de nombreuses désertions. Les LTTE ont répliqué à cette opération militaire en multipliant les attentats dans le sud du pays contre des objectifs symboliques, tels que le World Trade Center à Colombo (15 octobre 1997) et le temple de la Dent du Bouddha à Kandy (25 janvier 1998), et contre la population civile. Ils ont continué à refuser d'entrer dans un processus de négociation, considérant que le projet de fédéralisme proposé par le gouvernement ne répondait pas à leurs revendications et n'avait pas le soutien de l'opposition.

En effet, le gouvernement de l'Alliance populaire (PA) de C. Kumaratunga, élue présidente en 1994 avec 62 % des suffrages, ne disposait que d'une très fragile majorité parlementaire lui interdisant d'engager des réformes constitutionnelles sans l'aval de l'opposition menée par le Parti national unifié (UNP, dirigé par Ranil Wickramasinghe, au pouvoir de 1977 à 1994). Cette opposition comptait sur la désillusion de l'opinion face à l'impasse politico-militaire du gouvernement pour revenir aux affaires. C. Kumaratunga a cependant bénéficié de deux atouts : une conjoncture économique favorable et des succès diplomatiques largement dus à son ministre des Affaires étrangères (Lakshman Kadirgamar, d'origine tamoule) qui est parvenu à isoler les LTTE, notamment lorsque les États-Unis, en octobre 1997, ont fini par les inclure dans la liste des organisations terroristes mondiales.

La croissance économique a atteint 6,0 % en 1997, les tensions inflationnistes et le déficit budgétaire ont diminué, les comptes extérieurs se sont redressés et les privatisations se sont poursuivies (Télécommunications, Air Lanka). La crise asiatique n'a guère fait sentir ses effets : le thé a profité de cours élevés, le tourisme et le rapatriement des salaires des travailleurs émigrés ont continué de procurer des devises ; la chute des monnaies d'Asie du Sud-

Est s'est traduite par une baisse des prix des tissus importés par l'industrie locale de la confection, qui a maintenu sa position à l'exportation (50 % en valeur) grâce au système des quotas et à la qualité croissante de ses produits.

En dépit de résultats macroéconomiques bien supérieurs à ceux du reste de la région, une partie de la population continue de vivre dans des conditions précaires, notamment les personnes déplacées dans le nord et l'est du pays, qui bénéficient toutefois de l'aide gouvernementale avec le concours de la Croix-Rouge internationale et de quelques ONG, y compris dans les zones tenues par les rebelles. - **Éric Meyer** ■

Asie du Nord-Est

Chine, Corée du Nord, Corée du Sud, Japon, Macao, Mongolie, Taïwan

Chine

Les incertitudes nées de la crise politique

Les changements de titulaires à certains postes de responsabilité, lors du 15e congrès du Parti (12-18 septembre 1997) et lors de la session inaugurale de la 9e Assemblée nationale populaire en mars 1998, ont renforcé le fonctionnement collégial de la direction du pays. Néanmoins, les nombreux obstacles qu'a immédiatement rencontrés la réforme radicale des entreprises publiques, annoncée à ce congrès, ont démontré la faible marge de manœuvre du gouvernement en matière économique. Parallèlement, la manière très constructive dont a réagi Pékin aux nouvelles contraintes nées de la crise asiatique a révélé l'intégration croissante, économique et diplomatique, de la Chine.

Le 15e congrès a été marqué par une référence appuyée et tous azimuts à Deng Xiaoping (décédé le 19 février 1997) et par le refus d'une réforme politique profonde. La seule surprise, de taille, a concerné la « retraite » de Qiao Shi, le seul concurrent sérieux du chef de l'État, Jiang Zemin. En jouant sur la fibre du « rajeunissement des cadres dirigeants », Jiang Zemin a réussi à contraindre Qiao Shi à abandonner ses fonctions de membre du comité permanent du Bureau politique. Il ne s'est agi toutefois que d'un demi-succès. Non seulement cette éviction a été compensée par le refus des principaux dirigeants de voir un certain nombre de protégés du secrétaire général accéder à des postes importants, mais Qiao Shi a conservé une influence considérable. D'après certaines sources, grâce à la forte pression de nombreux députés et de responsables provinciaux, il continuerait à participer aux réunions du Bureau politique.

La session de la nouvelle Assemblée (5-19 mars 1998) a confirmé les grandes lignes du congrès. Qiao Shi a bien abandonné ses fonctions de président du comité permanent de l'Assemblée nationale populaire, Zhu Rongji a, comme prévu, accédé au

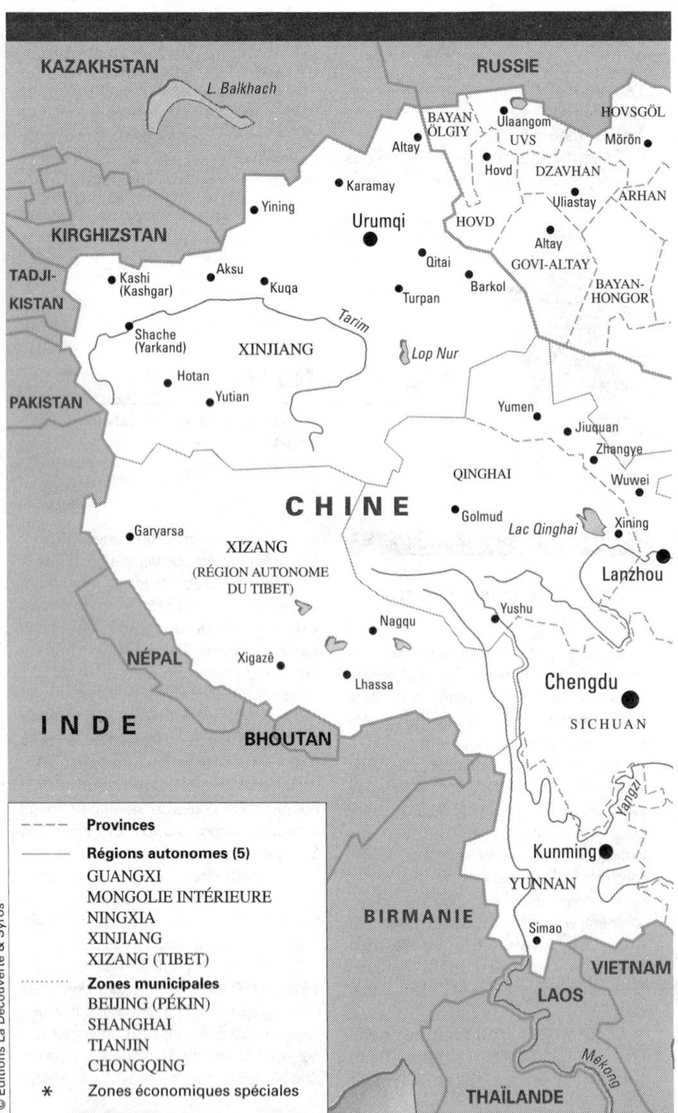
KAZAKHSTAN
RUSSIE
L. Balkhach
BAYAN ÖLGIY
Ulaangom
UVS
HOVSGÖL
Mörön
Altay
Hovd
DZAVHAN
Karamay
Uliastay
ARHAN
Yining
Urumqi
HOVD
KIRGHIZSTAN
Altay
Qitai
GOVI-ALTAY
TADJI-KISTAN
Kashi (Kashgar)
Aksu
Kuqa
Barkol
Turpan
BAYAN-HONGOR
Tarim
Shache (Yarkand)
XINJIANG
Lop Nur
Hotan
Yutian
PAKISTAN
Yumen
Jiuquan
Zhangye
QINGHAI
Wuwei
CHINE
Golmud
Garyarsa
Lac Qinghai
Xining
XIZANG
(RÉGION AUTONOME DU TIBET)
Lanzhou
Yushu
Nagqu
NÉPAL
Xigazê
Lhassa
Chengdu
SICHUAN
INDE
BHOUTAN
Yangzi
Provinces
Régions autonomes (5)
GUANGXI
MONGOLIE INTÉRIEURE
NINGXIA
XINJIANG
XIZANG (TIBET)
Zones municipales
BEIJING (PÉKIN)
SHANGHAI
TIANJIN
CHONGQING
* Zones économiques spéciales
Kunming
YUNNAN
BIRMANIE
Simao
VIETNAM
LAOS
Mékong
THAÏLANDE

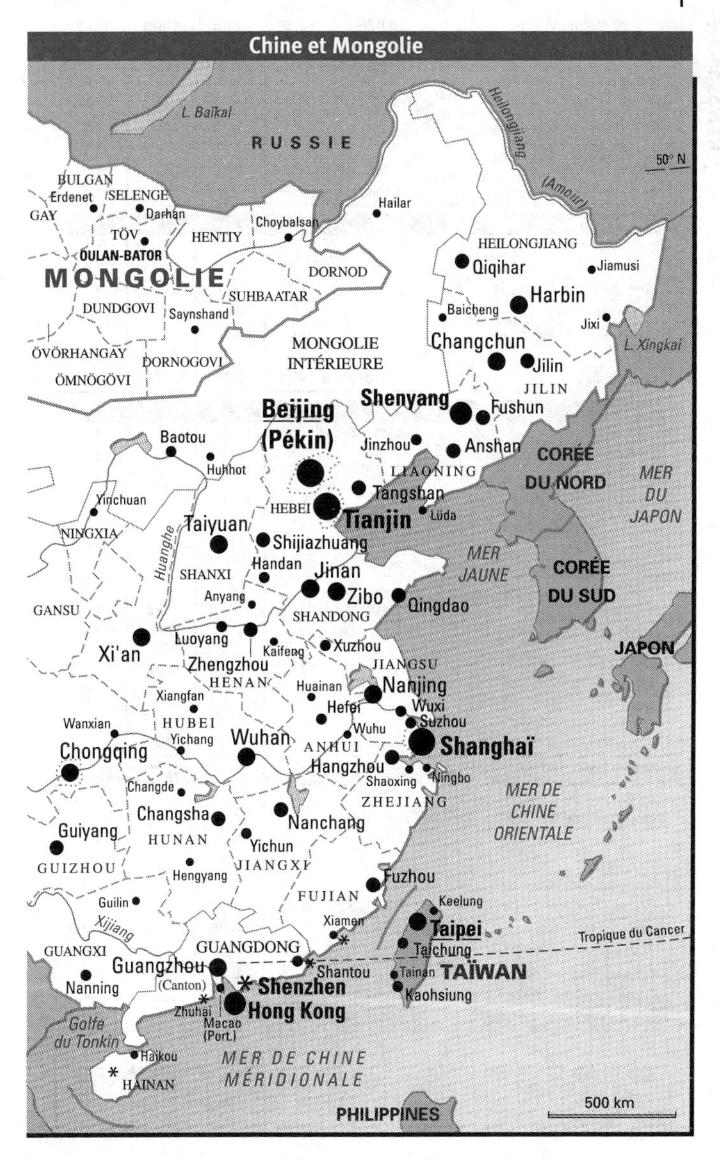
Chine et Mongolie
L. Baïkal
RUSSIE
Heilongjiang
(Amour)
50° N
BULGAN
Erdenet
SELENGE
GAY
Darhan
TÖV
OULAN-BATOR
HENTIY
Choybalsan
Hailar
MONGOLIE
DORNOD
SUHBAATAR
DUNDGOVI
Saynshand
ÖVÖRHANGAY
DORNOGOVI
ÖMNÖGÖVI
MONGOLIE INTÉRIEURE
HEILONGJIANG
Qiqihar
Jiamusi
Harbin
Baicheng
Jixi
Changchun
L. Xingkai
Jilin
JILIN
Shenyang
Fushun
Beijing (Pékin)
Baotou
Huhhot
Jinzhou
Anshan
CORÉE DU NORD
MER DU JAPON
LIAONING
Tangshan
Yinchuan
HEBEI
Tianjin
Lüda
NINGXIA
Taiyuan
Shijiazhuang
Huanghe
MER JAUNE
CORÉE DU SUD
SHANXI
Handan
Jinan
Zibo
Qingdao
GANSU
Anyang
SHANDONG
Xi'an
Luoyang
Kaifeng
Xuzhou
JAPON
Zhengzhou
JIANGSU
HENAN
Huainan
Nanjing
Xiangfan
Hefei
Wuxi
Wanxian
HUBEI
Suzhou
Yichang
Wuhan
Wuhu
Shanghaï
Chongqing
ANHUI
Hangzhou
Shaoxing
Ningbo
Changde
ZHEJIANG
MER DE CHINE ORIENTALE
Changsha
Nanchang
Guiyang
HUNAN
Yichun
GUIZHOU
Hengyang
JIANGXI
Fuzhou
Guilin
FUJIAN
Keelung
Xijiang
Xiamen
Taipei
Tropique du Cancer
GUANGXI
GUANGDONG
Taichung
Guangzhou
Shantou
Tainan
TAÏWAN
(Canton)
Nanning
Shenzhen
Kaohsiung
Zhuhai
Hong Kong
Macao (Port.)
Golfe du Tonkin
Haikou
MER DE CHINE MÉRIDIONALE
HAINAN
500 km
PHILIPPINES

INDICATEUR*	UNITÉ	1975	1985	1996	1997
Démographie**					
Population	*million*	927,8	1 070,2	1 232,1	1 493,7
Densité	*hab./km²*	96,7	111,5	128,4	129,6
Croissance annuelle	%	1,4[a]	1,3[a]	0,9[c]	• •
Indice de fécondité (ISF)		2,9[a]	2,2[b]	1,8[c]	• •
Mortalité infantile	‰	52[a]	47[b]	38[c]	• •
Espérance de vie	*année*	65,9[a]	67,8[b]	70[c]	• •
Indicateurs socioculturels					
Nombre de médecins	*‰ hab.*	0,71	0,99	1,57[f]	• •
Analphabétisme (hommes)	%	21,4[n]	13,0[q]	10,1[g]	• •
Analphabétisme (femmes)	%	47,3[n]	31,9[q]	27,3[g]	• •
Scolarisation 12-17 ans	%	67[k]	40,9	43,7[i]	• •
Scolarisation 3e degré	%	0,6	1,4	5,7[g]	• •
Téléviseurs	‰	1,3	38,1	252,0[g]	• •
Livres publiés	*titre*	12 493[m]	40 265	100 951[f]	• •
Économie					
PIB total[h]	*milliard $*	490,6[n]	956,4	4 047,3	• •
Croissance annuelle	%	6,0[d]	10,1[e]	9,7	8,8
PIB par habitant[h]	$	500[n]	910	3 330	• •
Investissement (FBCF)	*% PIB*	29,1[s]	30,6[e]	35,6	33,8
Recherche et Développement	*% PIB*	• •	• •	0,5[g]	• •
Taux d'inflation	%	0,4	11,9	8,3	0,4[r]
Population active	*million*	476,8	601,8	718,2	• •
Agriculture	% } *100 %*	76,3	73,3	47,7	• •
Industrie	% } *100 %*	12,1	14,5	20,8	• •
Services	% } *100 %*	11,7	12,2	31,5	• •
Dépense publique Éducation	*% PIB*	1,7	2,6	2,3[f]	• •
Dépense publique Défense	*% PIB*	• •	7,9	5,7	• •
Énergie (taux de couverture)	%	109,1	114,0	105,7[g]	• •
Dette extérieure totale	*milliard $*	4,5[n]	16,7	128,8	• •
Service de la dette/Export.	%	4,3[n]	8,3	10[p]	• •
Échanges extérieurs		**1974**	**1986**	**1996**	**1997**
Importations de services	*milliard $*	0,2	2,3	22,58	30,31
Importations de biens	*milliard $*	7,8	34,90	131,54	136,45
Produits agricoles	%	10,6[o]	14,8	11,8[g]	• •
Minerais	%	22,0[o]	2,6	4,3[g]	• •
Produits manufacturés	%	61,3[o]	79,8	80,9[g]	• •
Exportations de services	*milliard $*	0,1	3,8	20,60	24,58
Exportations de biens	*milliard $*	7,1	25,76	151,08	182,67
Produits agricoles	%	42,4	16,2	10,2[g]	• •
Produits énergétiques	%	16,3	8,4	3,6[g]	• •
Produits manufacturés	%	47,5	71,4	85,3[g]	• •
Solde transactions courantes	*% du PIB*	• •	0,3[e]	0,9	3,7

* Définition des indicateurs p. 25 et suiv. ** Dernier recensement utilisable : 1990. a. 1975-85 ; b. 1985-95 ; c. 1995-2000 ; d. 1970-80 ; e. 1980-96 ; f. 1994 ; g. 1995 ; h. A parité de pouvoir d'achat (PPA, voir définition p. 581) ; i. 1991 ; k. 1960 ; m. 1978 ; n. 1980 ; o. 1975 ; p. 1994-96 ; q. 1990 ; r. Décembre à décembre ; s. 1978-80.

poste de Premier ministre, tandis que Li Peng devenait président du comité permanent de l'Assemblée à la place de Qiao Shi. Il reste que les nominations aux différents postes à pourvoir ont fait l'objet d'âpres négociations. Chacun des principaux leaders a dû renoncer à certaines de ses ambitions. Dorénavant, les décisions sont le fruit de longues et difficiles consultations au cours desquelles de nombreux intérêts politiques et économiques s'affrontent.

Réforme des entreprises et crise sociale

Outre la question du personnel politique, le grand événement du 15e congrès fut l'annonce de la transformation des entreprises publiques en sociétés par actions. Certes, il ne s'agit pas d'une véritable « privatisation » puisque, pour la plupart des entreprises de grande ou de moyenne taille, le capital public doit rester dominant. Néanmoins, le passage rapide et radical à l'actionnariat apparaît comme une étape dans le processus de séparation entre la gestion et la propriété des entreprises et, plus globalement, dans le processus de modernisation du secteur d'État qui aboutirait *de facto* à la disparition d'une grande majorité d'entreprises publiques. Zhu Rongji s'est engagé à réaliser cette modernisation en trois ans, liant ainsi son avenir politique à cette tâche délicate. Dès le dernier trimestre 1997, une série d'événements ont pourtant conduit dirigeants politiques et économiques chinois à revenir sur leur détermination. D'abord, la crise asiatique qui s'est ouverte à la mi-1977 rendait périlleuse et financièrement impossible toute réforme d'envergure. Ensuite, les licenciements, massifs depuis 1996, avaient déjà contribué à une situation sociale explosive (grèves, manifestations, pétitions, agressions de cadres). Enfin, l'annonce de l'introduction officielle de l'actionnariat a provoqué un engouement foudroyant dans les provinces. Les autorités locales et les hommes d'affaires ont fait des demandes massives de mise en faillite afin de se débarrasser des « canards boiteux », accroissant encore les risques d'embrasement social. Experts et cadres ont donc dû modérer les ambitions et rassurer les inquiets. La presse a de nouveau insisté sur la nécessaire progressivité de la

République populaire de Chine

Capitale : Pékin (Beijing).
Superficie : 9 596 961 km^2.
Monnaie : renminbi (*yuan*) ; (au taux officiel, 1 yuan = 1 renminbi = 0,72 FF au 24.8.98).
Langues : mandarin (*putonghua*, langue commune off.) ; huit dialectes avec de nombreuses variantes ; 55 minorités nationales avec leur propre langue.
Chef de l'État : Jiang Zemin, président de la République (depuis le 29.3.93).
Premier ministre : Zhu Rongji, qui a succédé en mars 98 à Li Peng.
Président de l'Assemblée nationale populaire (Parlement) : Li Peng, qui a succédé en mars 98 à Qiao Shi.
Président de la Conférence consultative du peuple (chargé de l'idéologie) : Li Ruihuan.
Nature de l'État : « république socialiste unitaire et multinationale » (22 provinces, 5 régions « autonomes », 4 grandes municipalités : Pékin, Shanghaï, Tianjin et Chongqing).
Nature du régime : démocratie populaire à parti unique : le Parti communiste chinois (secrétaire général : Jiang Zemin, depuis le 24.6.89).
Problèmes de souveraineté territoriale : Taïwan est considérée par la Chine continentale comme une province devant un jour revenir à la mère patrie ; Macao, sous administration portugaise, doit revenir à la Chine en 1999 (comme l'ex-colonie britannique Hong Kong l'a fait le 1.7.97). Les archipels de la mer de Chine du Sud (Spratly, Paracels, Macclesfield, Pratas) font l'objet de revendications multiples. Les îles Senkaku, sous administration japonaise, sont revendiquées par Pékin. L'Inde et la Chine revendiquent mutuellement des territoires frontaliers, respectivement l'Aksaï Chin et l'Arunachal Pradesh.
Carte : p. 284-285.

Chine/Bibliographie

Amnesty International, *Chine : le règne de l'arbitraire*, « Rapport pays », Paris, 1996.

P. de Beer, J.-L. Rocca, *La Chine à la fin de l'ère Deng Xiaoping*, Le Monde-Marabout, Paris, 1995.

M.-C. Bergère, *La République populaire de Chine de 1949 à nos jours*, Armand Colin, Paris, 1987.

J.-L. Domenach, *Chine : l'archipel oublié*, Fayard, Paris, 1992.

J.-L. Domenach, P. Richier, *La Chine 1949-1985* (2 vol.), Imprimerie nationale, Paris, 1987.

P. Gentelle (sous la dir. de), *L'état de la Chine*, La Découverte, coll. « L'état du monde », Paris, 1989.

P. Gentelle, « Chine 2000 », *Documentation photographique*, n° 7034, La Documentation française, Paris, 1996.

P. Gentelle (sous la dir. de), *Chine, peuples et civilisations*, La Découverte, « Les Dossiers de L'état du monde », Paris, 1997.

Hou Xiotian, *Comme une herbe dans le désert. Le combat d'une Chinoise pour la liberté*, La Découverte/Reporters sans frontières, Paris, 1994.

« La Chine après Deng », *Pouvoirs*, n° 81 (spéc.), Seuil, Paris, 1997.

« La Chine après Deng », *Revue Tiers-Monde*, n° 147, Paris, juil.-sept. 1996.

Le Courrier des pays de l'Est (10 numéros/an), CEDUCEE, La Documentation française, Paris.

F. Lemoine, *La Nouvelle Économie chinoise*, La Découverte, coll. « Repères », Paris, 1994 (nouv. éd.).

« Nouvelle crise dans le détroit de Taïwan » (dossier constitué par J.-P. Cabestan), *Problèmes politiques et sociaux*, n° 771, La Documentation française, Paris, août 1996.

J.-L. Rocca, *L'Empire et son milieu. La criminalité en Chine populaire*, Plon, Paris, 1991.

D. J. Solinger, *China's Transition from Socialism : Statistic Legacies and Marketing Reforms*, M.E. Sharpe, Armonck, 1993.

P. Trolliet, *La Diaspora chinoise*, PUF, Paris, 1994.

« Une Chine plurielle. Stratégies de développement régional, profils statistiques et risques économiques des provinces », *Le Courrier des pays de l'Est*, n° 418, La Documentation française, Paris, avril 1997.

Voir aussi la bibliographie sélective « Asie méridionale et orientale », p. 268, ainsi que la bibliographie « Asie du Nord-Est », p. 306.

réforme des entreprises et sur l'importance de la stabilité. Le nombre de faillites a diminué en 1997 par rapport à 1996. Une fois encore, le pouvoir central a semblé incapable de piloter une réforme jusqu'au bout. Sa faiblesse a pu aussi se mesurer au nombre d'incidents armés entre organismes officiels (armée, police armée, police, douanes) à propos du contrôle de telle ou telle activité lucrative, et à son incapacité à faire face aux crues exceptionnelles – notamment du Yangsi – qui ont eu des conséquences considérables pour les populations touchées (morts et blessés, sans-abri...).

Malgré les avertissements du Centre, les licenciements se sont poursuivis. Officiellement, parmi les quelque 12 millions de licenciés en 1997, près de 5 millions n'ont pas retrouvé de travail. En raison de la multitude des catégories de personnes sans travail (chômeurs indemnisés, licenciés conservant un maigre revenu, retraités sans pensions, salariés qui n'ont plus de poste de travail), il est toutefois très difficile d'avancer des chiffres précis. Début 1998, des statistiques officielles évaluaient les chômeurs urbains à 8 millions, mais d'autres estimations, fournies par la presse officielle, donnaient 13 millions, voire 15,5 millions de sans-emploi. Des sources de Hong Kong allaient jusqu'à 30 millions. Par ailleurs, le nombre de travailleurs « surnuméraires » s'élevait à 22 millions en ville et à 175 millions dans les campagnes à la fin de 1997, ce qui semble très en dessous de la vérité. Quoi qu'il en soit, la politique de « réemploi », adoptée en 1996, est devenue une véritable priorité. Elle a pour objectif de faciliter le redéploiement de la main-d'œuvre mais, en réalité, seuls des « petits boulots » ou des activités précaires sont proposés.

Le chômage, les retards de paiement de salaire, la corruption et le racket fiscal dont est victime la population rurale, l'augmentation continuelle de la criminalité ont accru le mécontentement social. Des émeutes ont éclaté dans de nombreuses régions rurales et des conflits très violents ont opposé ouvriers urbains et autorités, notamment dans des villes industrielles du Sichuan durant l'été 1997. Des pétitionnaires ont même manifesté devant les bâtiments officiels lors du congrès et de la session inaugurale de l'Assemblée. Selon les autorités de Pékin, la lutte contre la corruption serait devenue une priorité absolue. Toutefois, s'il est vrai que les condamnations de cadres de rang relativement élevé (maires de villes, responsables d'administration provinciale) se sont nettement accrues, elles restent aléatoires en raison de l'importance du clientélisme.

Les faiblesses du système financier

La Chine semble avoir échappé pour l'essentiel à la tourmente frappant les économies de la région. En 1997, la croissance est restée forte (8,8 %), les importations (142 milliards de dollars) et surtout les exportations (183 milliards de dollars) ont continué de croître, respectivement de 2,5 % et 20,9 %. Les investissements directs étrangers ont connu une nouvelle croissance de 8,5 %. Cependant, des difficultés se sont profilées à l'horizon. Déjà, le montant des contrats d'investissements directs étrangers signés en 1997 a baissé de près de 30 %. La crise asiatique a servi de révélateur d'un phénomène endémique de l'économie chinoise : l'état déplorable du système financier. A plusieurs reprises, notamment au début de l'année 1998, Zhu Rongji et un certain nombre de dirigeants avaient fait état de leur inquiétude face à l'ampleur des mauvaises créances des banques. Celles-ci atteindraient 200 milliards de yuans, soit le quart du total, estimation sans doute en deçà de la réalité. Début 1998, les banques étaient dans une situation très difficile.

Parallèlement, la fuite des capitaux concernerait 10 milliards de yuans par an. Enfin, Pékin a dû dépenser des fonds très importants pour soutenir la Bourse et la monnaie de Hong Kong afin d'éviter une crise aux conséquences imprévisibles. La remise en ordre du système financier sera sans doute très longue et, en dehors de quelques règlements adoptés en 1997 – concernant notamment le marché des titres et des valeurs à terme des bourses chinoises –, les réformes de fond n'étaient pas d'actualité. En conduisant à une diminution du rythme de la croissance dans le pays, la récession asiatique risquait de compromettre les fragiles équilibres d'une économie fortement spéculative. Par ailleurs, en dessous de 8 % de croissance, la situation sociale deviendrait ingérable. Une autre inquiétude est liée aux exportations. La décision très politique de ne pas dévaluer le yuan pour l'ajuster aux autres devises de la région allait sans nul doute conduire à une situation très tendue pour le commerce extérieur. A l'inverse, une dévaluation, outre les conséquences financières néfastes qu'elle entraînerait, conduirait à un accroissement du déficit américain envers la Chine, lequel n'a par ailleurs pas cessé d'augmenter.

Sursaut nationaliste et normalisation

La crise asiatique est apparue inquiéter énormément Pékin. En privé, les dirigeants ont voulu y voir une arme destinée à mettre au pas les économies asiatiques et, en particulier, à limiter le développement du pays. Ils ont vu dans le maintien d'un certain protectionnisme économique la raison pour laquelle la Chine n'a pas dans un premier temps été directement touchée. Ils ont affirmé qu'il n'y aurait pas de recours à l'aide « impérialiste » en cas d'aggravation de la situation. Ce sursaut nationaliste risquait notamment de fortement retarder la libéralisation des capitaux étrangers à court terme. D'un autre point de vue, les nécessités du développement conduisent les autorités à s'intégrer peu à peu dans la communauté internationale. Ainsi Zhu Rongji a-t-il annoncé dès l'été 1997 et plusieurs fois réaffirmé la volonté de la Chine de ne pas dévaluer. A moyen terme, le coût économique pour le pays risque d'être important, mais c'est le prix à payer pour apparaître comme un partenaire sérieux et fiable. Nul doute que cette bonne volonté pèsera dorénavant dans la balance lors des négociations pour l'entrée de la Chine à l'OMC (Organisation mondiale du commerce). Un autre exemple de normalisation touche à la question des dissidents. Dorénavant, ce sont des pions dans la partie d'échecs entre la Chine et les États-Unis. Wei Jingsheng a été libéré puis expulsé le 16 novembre 1997, quelques jours après le retour de Jiang Zemin d'un voyage très « constructif » à Washington. De même, Wang Dan, autre dissident célèbre, a été contraint à l'exil le 19 avril 1998 afin d'assurer le succès de la visite en Chine de Bill Clinton (25 juin-3 juillet 1998). Quelques concessions de façade du côté chinois concernant la démocratisation du régime ont permis aux Américains de déguiser les objectifs très économiques du voyage.

La « neutralisation » de Hong Kong a été une sorte de succès pour la diplomatie chinoise. Depuis la rétrocession de l'ancienne colonie britannique le 1er juillet 1997, la liberté d'expression a été respectée. Certes, des pressions se sont exercées et, sur le plan politique, le territoire est apparu bien tenu, mais ceux qui craignaient une remise au pas totale ont été rassurés.

Enfin, la cordialité des relations avec la Russie s'est encore renforcée à l'occasion de plusieurs voyages officiels. - **Jean-Louis Rocca** ■

Corée du Nord

Le 8 octobre 1997, Kim Jong-il, fils et héritier du « grand Leader » Kim Il-sung, décédé en 1994, a été investi secrétaire général du Parti du travail de Corée, après l'expiration du deuil national de trois ans de son père. Il a ainsi accédé formellement au poste de « dirigeant suprême » d'un des derniers régimes communistes totalitaires de la planète. Cette intronisation a dissipé des suppositions, répandues à l'étranger, sur la fragilité de l'autorité de Kim Jong-il au sein de l'équipe dirigeante nord-coréenne. Cependant, ce n'est qu'à l'été 1998 que le nouveau maître du régime a hérité de la fonction de président de la République.

La « dynastie » de Kim fait l'objet d'un culte de la personnalité proprement extravagant. La naissance en 1912 de Kim Il-sung est traitée comme l'« année zéro » de l'histoire de la Corée du Nord : selon le nouveau calendrier, adopté par le régime, le pays est entré, en 1997, dans l'année 86, c'est-à-dire la « 86e année » de feu le maréchal.

La situation économique s'est encore aggravée après deux années d'inondations et la sécheresse de l'été 1997. En outre, les échecs du collectivisme agraire et une déforestation inconsidérée ont conduit le pays à la famine. Celle-ci a provoqué d'innombrables morts (les hypothèses les plus extrêmes ont été émises, allant de 500 000 à trois millions selon les sources). La récolte de céréales de l'automne 1997 aurait été de 3,5 millions de tonnes inférieure à celle de 1996. La banqueroute économique et la pénurie alimentaire ont enfin commencé à subvertir de l'intérieur le système collectiviste : une économie secondaire – parallèle à celle de l'État – s'est largement développée, les marchés libres alimentant une économie de subsistance prospérant un peu partout.

République populaire démocratique de Corée

Capitale : Pyongyang.
Superficie : 120 538 km^2.
Nature du régime : communiste, parti unique (Parti du travail de Corée).
Chef de l'État : depuis le 5.9.98, Kim Jong-il occupe le poste qui était officiellement vacant depuis la mort de son père Kim Il-sung le 8.7.94.
Secrétaire général du Parti du travail de Corée : Kim Jong-il (depuis le 8.10.97).
Premier ministre (par intérim) : Hong Song-nam (depuis le 21.2.97).
Ministre des Affaires étrangères : Kim Yong-nam.
Monnaie : won (au taux officiel, 1 won = 2,7 FF au 11.7.97).
Langue : coréen.
Carte : p. 299.

La crise alimentaire a conduit Pyongyang à négocier avec Séoul et Washington. Du 9 au 10 décembre 1997, les deux Corées, les États-Unis et la Chine ont tenu à Genève une première session de pourparlers historiques, lançant un processus de paix dans la péninsule coréenne, plus de quarante ans après la fin de la guerre de Corée. Dès l'ouverture des discussions, Pyongyang a demandé le retrait des 37 000 soldats américains stationnés en Corée du Sud, tandis que Washington insistait sur une réduction de la tension et l'établissement de la confiance militaire dans la péninsule. La deuxième session de conférence quadripartite s'est ouverte à Genève du 16 au 21 mars 1998, mais elle n'a engendré aucun résultat positif en raison de la position intransigeante du régime nord-coréen.

Alors que les relations de Pyongyang avec Washington et Tokyo n'ont connu que très peu d'évolution, le changement d'attitude des dirigeants nord-coréens à l'égard de Séoul est apparu remarquable. Le 4 août 1997, Kim Jong-il, qui était très hostile au président sud-coréen Kim Young-sam, a demandé au gouvernement du Sud de transformer la « politique de confrontation » en « politique de conciliation » avec le Nord. Ensuite, il a annoncé qu'il observerait très attentivement les suites que la Corée du Sud donnerait à cette proposition. Le régime de Pyongyang n'a, jusqu'au printemps 1998, pas réagi à l'accession au pouvoir de Kim Dae-jung, élu président du Sud en décembre 1997.

Du 11 au 17 avril 1998, les vice-ministres des deux Corées se sont réunis à Pékin pour discuter de l'aide du Sud au Nord et d'autres « questions d'intérêt mutuel ». Cette rencontre aura été le premier contact officiel à haut niveau entre les gouvernements sud et nord-coréens depuis la rupture des relations en juillet 1994. Ces pourparlers ont échoué du fait des divergences de vues concernant la question de retrouvailles entre les membres de familles séparées des deux Corées, mais cela n'a pas empêché qu'augmente le nombre de Sud-Coréens visitant la Corée du Nord.

Le régime nord-coréen est apparu rechercher désormais un compromis avec le gouvernement de Séoul pour sortir le pays de son isolement diplomatique et obtenir l'aide extérieure nécessaire à la reconstruction d'une économie en faillite. - **Cheong Seong-Chang** ■

Corée du Sud

Le grand ménage

Malgré une première aide internationale conséquente (plus de 57 milliards de dollars), la restructuration de l'économie coréenne, confrontée aux soubresauts monétaires et financiers qui ont frappé l'Asie orientale à partir de la mi-1997 s'est annoncée longue, socialement douloureuse et culturellement difficile. Ainsi, plus des deux tiers des hommes d'affaires coréens estimaient qu'il faudrait trois années au pays pour sortir des difficultés. Le pays s'est en effet vu confronté simultanément à trois crises : monétaire externe, bancaire interne et structurelle de son modèle de développement (« Korea Inc »). Au cours du premier trimestre 1998, en dépit d'une amélioration sur le front monétaire, la situation ne s'est guère améliorée : le PIB s'est légèrement contracté, passant de 6,8 % en 1996 à 6,2 % en 1997, tandis que les salaires diminuaient de 10,8 % en termes réels. Le taux de chômage, quant à lui, n'a cessé de progresser (6,7 % de la population active en avril 1998, contre 2,9 % en novembre 1997), certains économistes craignant de le voir franchir le seuil des 10 % – voire 13 % – d'ici la fin de l'année. Alors que 72 sociétés cotées en Bourse avaient déjà fait faillite en 1997, au cours des cinq premiers mois de 1998, les conflits sociaux se sont multipliés (+ 84 %).

Les facteurs de la crise

Cette récession « inattendue » aura été un véritable défi au mode d'organisation économique national. Depuis l'appel au FMI lancé en novembre 1997 pour éviter la banqueroute, elle a été vécue comme une nouvelle forme d'humiliation. Si le premier réflexe des Coréens a été de réduire leur consommation intérieure et leurs investissements à l'étranger (– 30 % en un an), les autorités publiques ont mis beaucoup de temps à reconnaître la gravité de la situation. Alors que le surendettement des *chaebols* (conglomérats) représentait en moyenne, pour les trente premiers d'entre eux, près de quatre fois leurs fonds propres, cette crise de surendettement privé à court terme a débouché sur une remise en cause globale de la solvabilité extérieure du pays – la dette extérieure serait de 160 milliards de dollars, en considérable augmentation, pour l'essentiel privée et contractée à hauteur de 60 % à court terme – et sur un manque de liquidités.

Si la crise monétaire a été un facteur aggravant (dépréciation du won par rapport au dollar de 54 % à la mi-décembre), les autres éléments de la crise étaient, eux, bien connus ou prévisibles. Ils avaient même fait l'objet d'un calendrier de réformes structurelles quand le pays a été admis au sein de l'OCDE (Organisation de coopération et de développement économiques) en 1996 : réforme de la comptabilité des chaebols dans le sens de la transparence, suppression des prêts croisés entre filiales, ouverture des marchés financiers et réforme de leurs institutions, adoption d'une législation plus souple sur les licenciements... Malgré les résultats de la croissance en 1997, en décembre, l'octroi de l'aide du FMI a été conditionnée à la fermeture des institutions financières les plus fragiles et à l'application des ratios prudentiels de la Banque des règlements internationaux (BRI). Ces décisions, tout comme les réformes favorables aux firmes étrangères (levée des restrictions pesant sur les opérations de fusion-acquisition conduites par des entreprises étrangères, libéralisation des achats fonciers, etc.), visaient à rétablir la confiance des investisseurs. C'est pourquoi, également, le gouvernement a encouragé les entreprises devant se restructurer à céder certains de leurs actifs aux opérateurs étrangers et s'est doté d'un ministère pour les PME (petites et moyennes entreprises). Cette stratégie a marqué une rupture avec les pratiques passées. Sur le plan politique, le ralliement du nouveau président Kim Dae-jung au programme d'ajustement du FMI n'a pas pour autant altéré sa popularité (93 % d'avis favorables).

Nouvel échiquier politique

Cette crise économique a pourtant eu raison, au cours de l'année 1997, du président Kim Young-sam. La banqueroute du groupe Hanbo (deuxième producteur national d'acier) a, en effet, mis en lumière, au printemps 1997, la collusion entre l'État, les milieux politiques – le fils du chef de l'État en l'occurrence –, les chaebols et le système financier.

L'élection, le 18 décembre 1997, de Kim Dae-jung (40,3 %), soutenu par le Congrès national pour une politique nouvelle (NCNP), face à Lee Hoi-chang (38,7 %), a symbolisé cette « révolution politique ». C'était, en effet, la première fois qu'un candidat de l'opposition, deux fois condamné à mort (1973, 1980), était élu président de la République. Cette alternance n'a été possible que par l'alliance de Kim Dae-jung avec les conservateurs de l'Union de la démocratie libérale (ULD) de Kim Jong-pil. Bien que celui-ci ait été choisi comme Premier ministre et que l'ULD ait obtenu six portefeuilles ministériels sur dix-sept, le nouveau gouvernement nommé par le président, le 3 février 1998, ne disposait pas de la majorité à l'Assemblée nationale (122 sièges, contre 157 au parti d'opposition Hannara). Pour gouverner, Kim Dae-jung se devait d'élargir sa base électorale vers les classes moyennes et au-delà de sa province de Cholla ; il aurait également à charge la recomposition de l'équilibre parlementaire. Ce « réalignement des forces politiques » était à l'œuvre comme en a témoigné le ralliement à la majorité présidentielle des trois derniers premiers ministres réformistes de Kim Young-sam. Ces alliances de circonstances ne modifiaient pas un corpus doctrinal présidentiel forgé dans l'opposition et se fondant sur des principes liant le développement économique à la démocratie et prend le contre-pied de tous ceux qui, dans la région, vantent le particularisme des valeurs asiatiques.

Si l'un des premiers gestes attendus du gouvernement a été d'amnistier une partie des prisonniers de conscience (17 mars 1998), tout autant attendu était l'énoncé de la politique vis-à-vis de Pyongyang, même si ce sujet n'a revêtu qu'assez peu d'importance lors du scrutin, à l'inverse des consultations passées. Tout en proclamant sa plus grande fermeté face aux actions militaires nordistes, dans son discours inaugural (25 février), Kim Dae-jung a déclaré que la réunification par la voie de l'absorption n'était pas l'un de ses objectifs politiques. Son souci prioritaire serait le rapprochement des familles séparées tout en facilitant une ouverture prudente.

République de Corée

Capitale : Séoul.
Superficie : 99 484 km².
Monnaie : won (100 wons = 0,43 FF au 30.5.98).
Langue : coréen.
Chef de l'État : Kim Dae-jung, président, qui a succédé le 25.2.98 à Kim Young-sam.
Premier ministre : Kim Jong-pil, qui a succédé le 3.3.98 à Koh Kun, lequel avait remplacé le 4.3.97 Lee Soo-sung.
Ministre des Affaires étrangères : Park Chung-soo.
Ministre de l'Intérieur, de la Fonction publique et de la Décentralisation : Kim Jung-kil.
Ministre de la Défense : Chun Yong-taek.
Nature de l'État : république.
Nature du régime : démocratique présidentiel.
Principaux partis politiques : *Gouvernement :* Congrès national pour une politique nouvelle (de Kim Dae-jung) ; Union de la démocratie libérale (de Kim Jong-pil). *Opposition :* Parti Hannara (de Cho-soon).
Carte : p. 299.

INDICATEUR*	UNITÉ	1975	1985	1996	1997
Démographie**					
Population	*million*	35,28	40,81	45,31	45,72
Densité	*hab./km²*	354,6	410,2	455,5	459,5
Croissance annuelle	%	1,5[a]	1,0[b]	0,9[c]	••
Indice de fécondité (ISF)		2,7[a]	1,7[b]	1,6[c]	••
Mortalité infantile	‰	26[a]	12[b]	9[c]	••
Espérance de vie	*année*	65,4[a]	70,3[b]	72,4[c]	••
Indicateurs socioculturels					
Nombre de médecins	*‰ hab.*	0,45	0,87	1,22[f]	••
Analphabétisme (hommes)	%	2,6[i]	1,0[m]	0,7[g]	••
Analphabétisme (femmes)	%	9,9[i]	4,8[m]	3,3[g]	••
Scolarisation 12-17 ans	%	59,2	83,7	80,4	••
Scolarisation 3e degré	%	10,3	31,6	50,2[g]	••
Téléviseurs	‰	70,9	189,2	326,5	••
Livres publiés	*titre*	10 921	35 837	35 864[g]	••
Économie					
PIB total[h]	*milliard $*	90,0[i]	158,7	595,7	667,0
Croissance annuelle	%	8,8[d]	8,7[e]	7,1	6,2
PIB par habitant[h]	$	2 360[i]	3 890	13 080	14 590
Investissement (FBCF)	*% PIB*	26,1[d]	32,5[e]	36,8	35,0
Recherche et Développement	*% PIB*	0,4	1,3	2,7[g]	••
Taux d'inflation	%	25,3	2,5	4,9	6,6[n]
Population active	*million*	13,05	16,79	21,19	21,60
Agriculture	% } 100 %	42,8	27,6	11,6	11,0
Industrie	% } 100 %	23,3	30,9	32,5	31,3
Services	% } 100 %	33,9	41,5	56,0	57,7
Dépense publique Éducation	*% PIB*	2,2	4,5	3,7[f]	••
Dépense publique Défense	*% PIB*	3,4	5,1	3,3	••
Énergie (taux de couverture)	%	37,8	30,5	15,7[g]	••
Dette extérieure totale	*milliard $*	8,41	47,13	157,5[k]	154,4[k]
Service de la dette/Export.	%	12,9	27,3	••	••
Échanges extérieurs		**1974**	**1986**	**1996**	**1997**
Importations de services	*milliard $*	0,8	4,63	29,59	29,5
Importations de biens	*milliard $*	6,5	29,71	144,93	141,8
Produits alimentaires	%	13,2	5,7	5,4[g]	••
Produits énergétiques	%	15,4	15,9	14,2[g]	••
Produits manufacturés	%	45,0	59,2	66,5[g]	••
Exportations de services	*milliard $*	0,7	6,88	23,41	26,3
Exportations de biens	*milliard $*	4,5	33,91	129,97	138,6
Produits agricoles	%	10,9	5,5	3,5[g]	••
Produits manufacturés	%	74,5	86,2	91,5[g]	••
dont machines et mat. de transport	%	15,1	31,3	52,5[g]	••
Solde transactions courantes	*% du PIB*	– 3,6[o]	– 0,2[e]	– 4,9	– 2,0

* Définition des indicateurs p. 25 et suiv. ** Dernier recensement utilisable : 1995. a. 1975-85 ; b. 1985-95 ; c. 1995-2000 ; d. 1970-80 ; e. 1980-96 ; f. 1994 ; g. 1995 ; h. A parité de pouvoir d'achat (PPA, voir définition p. 581) ; i. 1980 ; k. Nouvelle définition, source FMI, 19 juin 1998 ; m. 1990 ; n. Décembre à décembre ; o. 1976-80.

Corée du Sud/Bibliographie

É. Bidet, *La Corée : deux systèmes, un pays*, Le Monde/Marabout, Paris, 1998.

F. Caillaud, A. Queval (sous la dir. de), *République de Corée. Mutations et enjeux*, La Documentation française, Paris, 1997.

B. Cumings, *Korea's Place in the Sun : A Modern History*, W.W. Norton & Co, New York, 1997.

B. K. Gills, *Korea versus Korea. A Case of Contested Legitimacy*, Routledge, Londres/New York, 1996.

R. L. Janelli, *Making Capitalism*, Stanford University Press, Stanford (Calif.), 1993.

Korea Focus (bimestriel), Korea Foundation, Séoul.

D. Oberdorfer, *The Two Koreas : A Contemporary History*, Addison-Wesley, Reading, 1997.

Revue de Corée (semestriel), Commission nationale coréenne pour l'UNESCO.

B. N. Song, *The Rise of the Korean Economy*, Oxford University Press, Oxford/New York, 1997 (2e éd.).

W. K. Young, P. Hayes, *Peace and Security in Northeast Asia : The Nuclear Issue and the Korean Peninsula*, M.E. Sharpe, Armonk, 1997.

Voir aussi la bibliographie « Asie du Nord-Est », p. 306.

Pour renforcer la coopération économique, l'État s'engagerait à apporter un soutien accru aux initiatives privées. Preuves de cette reprise des relations bilatérales, le fondateur du groupe Hyundai, Chung Ju-yung, a été autorisé à livrer 500 têtes de bétail en transitant par la zone démilitarisée (16 juin), ou encore, le 3 mars et pour la première fois depuis la fin de la guerre, un aéronef sud-coréen a pu survoler la Corée du Nord.

Rétablir de bonnes relations avec les pays voisins

Cette volonté de renouer un dialogue direct avec Pyongyang devait préfigurer la tenue d'une rencontre au sommet. Pour y parvenir, Séoul a demandé aux États-Unis une levée progressive des sanctions économiques (visite présidentielle à Washington les 6-14 juin). Il s'agit de permettre une réunification à long terme en favorisant un redressement de la Corée du Nord (le pays devant faire face à une situation de famine) au moindre coût et des contacts plus nombreux avec les responsables nordistes. Toutefois, en Corée du Sud, on continuait de se méfier de la multiplication des échanges directs entre Pyongyang et Washington, sur des dossiers comme les questions nucléaire et balistique, la recherche des soldats disparus, l'aide alimentaire, de peur d'être marginalisé. Afin d'éviter cela, Séoul a participé à de nombreux sommets bilatéraux avec les pays proches (Chine, Russie, Japon) et les États-Unis. Toutefois, cette politique d'« embellie » du président Kim Dae-jung vis-à-vis du Nord a été mise à l'épreuve en juin puis juillet 1998 alors que des submersibles nord-coréens menaient vers le Sud des opérations d'infiltration. Quant aux pays voisins, ces sommets n'ont pas nécessairement suffi à désamorcer tous les contentieux comme en ont témoigné ceux qui s'accumulent avec le Japon : mécontentement des retraits de capitaux opérés à l'automne par les établissements financiers nippons, interrogation sur les nouvelles directives de sécurité nippo-américaines, dénonciation unilatérale de l'accord de pêche de 1965... - **Christian Lechervy** ■

INDICATEUR*	UNITÉ	CHINE	HONG KONG[1]
Démographie**			
Population	*millier*	1 243 738	6 249
Densité	*hab./km²*	129,6	5 979,9
Croissance annuelle[d]	%	0,9	0,8
Indice de fécondité (ISF)[d]		1,8	1,3
Mortalité infantile[d]	‰	38	5
Espérance de vie[d]	*année*	70,0	79,0
Population urbaine	%	31,9	95,3
Indicateurs socioculturels			
Développement humain (IDH)[c]		0,626	0,914
Nombre de médecins	*‰ hab.*	1,57[c]	1,32[b]
Analphabétisme (hommes)[b]	%	10,1	4,0
Analphabétisme (femmes)[b]	%	27,3	11,8
Scolarisation 12-17 ans	%	43,2[m]	83,8[n]
Scolarisation 3e degré	%	5,7[a]	21,9[g]
Adresses Internet	*‰ hab.*	0,21	74,8
Livres publiés	*titre*	100 951[c]	• •
Armées			
Armée de terre	*millier d'h.*	2 090	–
Marine	*millier d'h.*	280	–
Aviation	*millier d'h.*	470	–
Économie			
PIB total[e]	*milliard $*	4 047,3[a]	153,1[a]
Croissance annuelle 1986-96	%	10,1	5,9
Croissance 1997	%	8,8	5,3
PIB par habitant[e]	$	3 330[a]	24 260[a]
Investissement (FBCF)[f]	% PIB	35,7	30,3
Taux d'inflation	%	0,4	4,8
Énergie (taux de couverture)[b]	%	105,7	• •
Dépense publique Éducation	% PIB	2,3[b]	2,8[b]
Dépense publique Défense[a]	% PIB	5,7	• •
Dette extérieure totale[a]	*million $*	128 817	• •
Service de la dette/Export.[f]	%	10	• •
Échanges extérieurs			
Importations	*million $*	142 189	208 616
Principaux fournisseurs	%	E-U 11,7[a]	E-U 7,9[a]
	%	UE 14,3[a]	UE 11,1[a]
	%	Asie[k] 58,3[a]	Asie[k] 76,4[a]
Exportations	*million $*	182 877	188 063
Principaux clients	%	E-U 17,7[a]	E-U 21,3[a]
	%	UE 13,1[a]	UE 14,9[a]
	%	Asie[k] 59,8[a]	Asie[k] 55,2[a]
Solde transactions courantes	% PIB	3,68	– 1,5

1. Depuis le 1er juil. 1997, Hong Kong fait de nouveau partie de la Chine. * Définition des indicateurs p. 25 et suiv. Chiffres 1997 sauf notes. ** Derniers recensements utilisables : Chine, 1990 ; Hong Kong, 1991 ; Macao, 1991 ; Taïwan, 1991 ; Corée du Nord, 1993 ; Corée du Sud, 1995 ; Japon, 1995 ; Mongolie, 1989. a. 1996 ;

MACAO	TAÏWAN	CORÉE DU NORD	CORÉE DU SUD	JAPON	MONGOLIE
451	21 700	22 837	45 717	125 638	2 569
28 187,5	603,1	189,5	459,5	332,6	1,6
2,1	0,8	1,6	0,9	0,2	2,1
1,6	1,8	2,1	1,6	1,5	3,3
8	7	22	9	4	52
77,6	77	72,0	72,4	79,9	65,8
98,8	74,7[b]	61,8	83,3	78,4	61,9
••	••	0,765	0,890	0,940	0,661
0,85[n]	1,12[b]	2,70[n]	1,22[g]	1,80[c]	2,70[m]
••	7,0[r]	••	0,7	••	11,4
••	21,0[r]	••	3,3	••	22,8
••	86,2[o]	••	84,0[h]	••	85,5[h]
26,4[h]	29,1[h]	••	52,0[b]	40,3[c]	15,2[b]
••	••	–	28,8	75,8	0,07
••	••	••	35 864[b]	35 496[h]	285[h]
–	240	923	560	147,7	8,5
–	68	47	60	42,5	–
–	68	85	52	44,1	0,5
6,5[bp]	315,0[a]	86,3[c]	665,8	2 985,0	4,6[a]
5,4	6,6	– 1,5[q]	8,3	3,4	– 0,9
0,5	6,5	••	6,2	0,8	3,0
15 000[bp]	14 700[a]	3 965[c]	14 564	23 759	1 820[a]
30,0	22,3	••	36,4	28,0	24,5
3,5	0,9	••	6,6	1,8	36,9
••	••	91,4	15,7	20,8	74,2
2,8[h]	6,2[b]	••	3,7[c]	3,8[g]	6,2[bi]
••	4,9	27,2	3,3	1,0	1,7
••	••	••	160 000	••	524
••	••	••	••	••	10
2 058	113 015	1 617[a]	144 616	338 753	488
E-U 5,9[a]	E-U 20,0[a]	Ex-URSS 33,5[a]	UE 9,5	UE 13,3	Rus 37,9[a]
UE 13,8[a]	UE 15,3[a]	Asie[k] 51,0[a]	Can+E-U 16,0[a]	E-U 22,4	EU 19,3[a]
Asie[k] 77,6[a]	Asie[k] 53,4[a]	Chi 24,4[a]	Asie[k] 44,6[a]	Asie[k] 48,3	Asie[k] 33,1[a]
2 112	120 625	590[a]	136 164[a]	420 956	418
E-U 40,3[a]	E-U 24,3[a]	Ex-URSS 29,1[a]	UE 7,0[a]	UE 15,6	Chi 30,5[a]
UE 33,7[a]	UE 13,6[a]	Asie[k] 52,8[a]	Can+E-U 11,1[a]	E-U 28,1	Rus 20,2[a]
Asie[k] 22,8	Asie[k] 54,4	Jap 24,2[a]	Asie[k] 35,9[a]	Asie[k] 44,5	Jap 21,5[a]
••	2,30	••	– 2,00	2,25	4,07[b]

b. 1995 ; c. 1994 ; d. 1995-2000 ; e. A parité de pouvoir d'achat (PPA, voir définition p. 581) ; f. 1994-96 ; g. 1993 ; h. 1992 ; i. Dépenses courantes seulement ; k. Y compris Japon et Moyen-Orient ; m. 1991 ; n. 1990 ; o. 1989 ; p. Aux taux de change courants ; q. Estimations sud-coréennes ; r. 1980.

Japon

Un navire dans la tourmente

Le Japon navire est souvent comparé, thème à la mode, au *Titanic*. Il est vrai que le Premier ministre Hashimoto Ryutaro dans son rôle de commandant du navire a eu fort à faire à manœuvrer pour éviter les écueils, parer aux menaces de voies d'eau dans la coque de l'économie. Il devait d'autant plus s'activer que des élections sénatoriales prévues pour juillet 1998 pouvaient remettre en cause son poste de Premier ministre et de chef du Parti libéral démocrate (PLD).

La réalité était préoccupante, il est vrai. Entre octobre et décembre 1997, par exemple, le taux de croissance a été négatif (– 0,7 %). Pareille situation ne s'était pas produite depuis 1974, au moment du premier « choc pétrolier ». La consommation des ménages a baissé de 5,9 % sur l'année, et les ventes de logements et celles d'automobiles, qui ont chuté (– 20 % de mars 1997 à mars 1998), sont les plus significatives.

1997 aura enregistré un chiffre record de 71 299 faillites (soit 15 000 de plus qu'en 1996). Le plus frappant tient au fait qu'il s'est agi de grandes entreprises opérant à l'étranger et cotées en Bourse. La chaîne de supermarché Yaohan, avec ses 450 magasins dans quinze pays, qui prévoyait d'ouvrir 1 000 supermarchés en Chine d'ici 2005, a été déclarée en faillite le 18 septembre 1997. Jamais un réseau de distribution d'une telle taille n'avait été en faillite depuis la guerre. Le 3 novembre, la maison de titres Sanyo (septième du Japon) déposait son bilan. Ses dettes s'élevaient à 373,6 milliards de yens. Le 17 novembre, c'était au tour de la banque du Hokkaido Takushoku de déposer son bilan, puis, le 24 novembre, au tour de Yamaichi, la quatrième maison de titres fondée en 1897. Avec l'aide de la Banque du Japon, cette dernière a dû rembourser à ses clients plus de 470 milliards de yens. Trois des anciens présidents de Yamaichi ont été arrêtés pour avoir déclaré de faux bilans. On sait pourtant que le ministère des Finances, dès la fin 1991, avait autorisé de telles pratiques.

Le 26 novembre 1997, la banque commerciale régionale de Sendaï, Tokuyo, était à son tour en faillite. La liste est longue et les résultats de 1998 alourdiront vraisemblablement ce bilan : les banques Fuji (quatrième) et Sakura (sixième) sont apparues avoir de sérieux problèmes. Pour survivre, bien des banques allaient devoir rapidement fusionner. Comment en est-on arrivé là ? L'éclatement de la bulle financière au début des années quatre-vingt-dix n'en finit pas de secouer le pays de soubresauts, comme une longue maladie dont il n'arriverait pas à se relever. L'indice Nikkei cotait moins de 15 000 points en décembre 1997 (39 000 en 1989), soit une perte supérieure à 60 % de sa valeur par rapport aux années quatre-vingt-dix.

Perquisitions, dénonciations, arrestations, suicides...

Au-delà de la crise économique mondiale et qui rattrape peu à peu le Japon, on dénonce cependant aussi les pratiques japonaises de collusion entre le monde de la haute administration, celui des affaires, de la politique et de la pègre (*yakuzas*). Au premier trimestre 1998, le Premier ministre Hashimoto Ryutaro a fait voter par le Parlement un plan de relance de l'économie de 1 600 milliards de yens comprenant des commandes de grands travaux, d'importants budgets de recherche, des réductions d'impôt sur les ménages pour relancer la consommation (moins 72 500 yens pour une famille de quatre personnes), un soutien accru aux économies défaillantes d'Asie du Sud-Est. Par ailleurs, il a été prévu d'introduire en Bourse davantage de fonds de réserve provenant des épargnes déposées à la poste.

La crise financière qui s'est poursuivie tout au long de 1997 et jusqu'au printemps 1998 s'est faite sur fond de perquisitions,

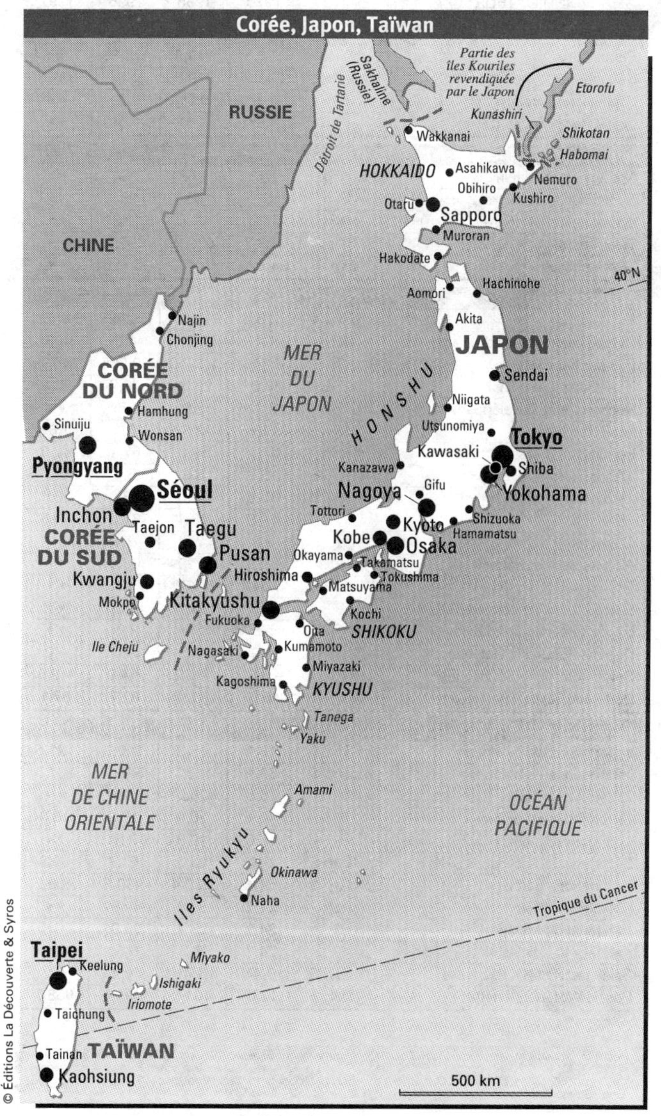
Corée, Japon, Taïwan
RUSSIE
CHINE
Sakhaline (Russie)
Détroit de Tartarie
Partie des îles Kouriles revendiquée par le Japon
Etorofu
Kunashiri
Shikotan
Habomai
Wakkanai
HOKKAIDO
Asahikawa
Nemuro
Obihiro
Kushiro
Otaru
Sapporo
Muroran
Hakodate
40°N
Aomori
Hachinohe
Akita
JAPON
Najin
Chonjing
MER DU JAPON
CORÉE DU NORD
HONSHU
Sendai
Niigata
Hamhung
Sinuiju
Wonsan
Utsunomiya
Tokyo
Pyongyang
Kawasaki
Kanazawa
Shiba
Séoul
Gifu
Yokohama
Nagoya
Inchon
Tottori
Shizuoka
Taejon
Taegu
Kyoto
Hamamatsu
CORÉE DU SUD
Kobe
Osaka
Pusan
Okayama
Takamatsu
Hiroshima
Tokushima
Kwangju
Matsuyama
Mokpo
Kitakyushu
Kochi
Fukuoka
Oita
SHIKOKU
Ile Cheju
Nagasaki
Kumamoto
Miyazaki
Kagoshima
KYUSHU
Tanega
Yaku
MER DE CHINE ORIENTALE
Amami
OCÉAN PACIFIQUE
Iles Ryukyu
Okinawa
Naha
Tropique du Cancer
Taipei
Miyako
Keelung
Ishigaki
Iriomote
Taichung
Tainan
TAÏWAN
Kaohsiung
500 km

INDICATEUR*	UNITÉ	1975	1985	1996	1997
Démographie**					
Population	*million*	111,5	120,8	125,35	125,64
Densité	*hab./km²*	295,2	319,8	331,8	332,6
Croissance annuelle	%	0,8[a]	0,3[b]	0,2[c]	• •
Indice de fécondité (ISF)		1,8[a]	1,6[b]	1,5[c]	• •
Indicateurs socioculturels					
Nombre de médecins	*‰ hab.*	1,13	1,48	1,80[f]	• •
Scolarisation 2e degré[k]	%	91	95	96[n]	• •
Scolarisation 3e degré	%	24,6	27,8	40,3[f]	• •
Téléviseurs	*‰*	358,7	579,7	699,7	• •
Livres publiés	*titre*	34 590	45 430	35 496[i]	• •
Économie					
PIB total[h]	*milliard $*	518,5	1 467,1	2 924,5	2 985,1
Croissance annuelle	%	4,4[d]	3,2[e]	3,6	0,8
PIB par habitant[h]	*$*	4 649	12 150	23 235	23 759
Investissement (FBCF)	*% PIB*	33,0[d]	29,3[e]	29,7	28,3
Recherche et Développement	*% PIB*	2,1[q]	2,6	2,8[g]	• •
Taux d'inflation	%	11,8	2,0	0,1	1,8[o]
Population active	*million*	53,2	59,6	67,1	67,9
Agriculture	% } *100 %*	12,7	8,8	5,5	5,3
Industrie	% } *100 %*	35,9	34,9	33,3	33,1
Services	% } *100 %*	51,5	56,4	61,2	61,6
Chômage	%	1,9	2,6	3,4	3,4[m]
Aide au développement	*% PIB*	0,23	0,29	0,20	• •
Énergie (consom./hab.)[b]	*kgec*	3 541	3 781	5 105[g]	• •
Énergie (taux de couverture)	%	9,2	10,7	20,8[g]	• •
Dépense publique Éducation	*% PIB*	5,5	5,0	3,8[n]	• •
Dépense publique Défense	*% PIB*	0,9	1,0	1,0	1,0
Solde administrat. publiques[r]	*% PIB*	– 5,6[s]	– 0,2	– 4,0	– 2,6
Dette administrat. publiques	*% PIB*	45,6[s]	67,0	82,7	87,1
Échanges extérieurs		**1974**	**1986**	**1996**	**1997**
Importations de services	*milliard $*	13,1	36,2	130,0	123,5
Importations de biens	*milliard $*	53,1	115,2	316,7	307,6
Produits agricoles	%	26,5	25,0	19,9	• •
Produits énergétiques	%	40,1	30,9	17,3	18,3
Minerais et métaux	%	13,6	10,3	6,5[g]	• •
Exportations de services	*milliard $*	8,4	23,3	67,7	69,3
Exportations de biens	*milliard $*	54,4	206,4	400,3	409,2
Machines	%	21,2	35,3	49,8[g]	• •
Matériel de transport	%	24,2	28,4	20,3[g]	• •
Métaux et articles métalliques	%	24,7	8,7	6,5g	• •
Solde transactions courantes	*% du PIB*	0,4[p]	1,4[e]	1,4	2,2
Position extérieure nette	*milliard $*	12,5[t]	181,0	891,0	958,7

* Définition des indicateurs p. 25 et suiv. ** Dernier recensement utilisable : 1995 ; a. 1975-85 ; b. 1985-95 ; c. 1995-2000 ; d. 1970-80 ; e. 1980-96 ; f. 1994 ; g. 1995 ; h. A parité de pouvoir d'achat (PPA, voir définition p. 581) ; i. 1992 ; k. 12-17 ans ; m. Décembre ; n. 1993 ; o. Décembre à décembre ; p. 1977-80 ; q. 1981 ; r. Corrigé des variations cycliques ; s. 1979 ; t. 1980.

de dénonciations, d'arrestations et de suicides. Le 18 janvier 1997, trois anciens hauts fonctionnaires devenus responsables de la société des autoroutes étaient arrêtés pour avoir communiqué des informations confidentielles à Nomura Securities au moment d'appels d'offres. Le 26 janvier 1997, Miyakawa Koichi et Taniuchi Toshimi, tous deux hauts fonctionnaires du ministère des Finances, étaient arrêtés pour avoir informé des banques d'une inspection imminente en échange de pots-de-vin et de « récompenses ». Cette tendance des administrations à abuser de l'argent des contribuables a été dénoncée également à la préfecture d'Osaka en décembre 1997, où 1,33 milliard de yens étaient partis en cadeaux et fausses factures de taxi. Le 28 janvier, deux hauts fonctionnaires du ministère des Finances étaient encore arrêtés pour avoir communiqué des informations confidentielles à des banques. Le ministre des Finances, Mitsuzuka Hiroshi, était obligé de démissionner. Le 20 février 1998, l'un des leaders du PLD, Araï Shoki, était retrouvé pendu dans une chambre d'hôtel. Ce proche du Premier ministre s'était vu accusé d'avoir reçu plus de 40 millions de yens en placements illicites à Nikko Securities. Araï, un ex-résident coréen au Japon, avait acquis la nationalité japonaise à l'âge de seize ans et avait fait une belle carrière politique.

Mais le plus grand scandale de l'année aura sans doute été celui causé par Koike Ryuichi dont le métier était d'extorquer des fonds (*sokaiya*) en menaçant les banques de divulguer des dispositions confidentielles et souvent illicites lors de l'assemblée des actionnaires. En échange de son silence, il recevait des sommes appréciables (ayant plaidé coupable, il a déclaré avoir reçu plus de 12 milliards de yens en cadeaux). Des banques comme la Dai-Ichi Kangyo ou des maisons de titres comme Nomura Securities ou la défunte Yamaichi Securities furent ses victimes. Le 29 juin 1997, le président de la Dai-Ichi Kangyo, Miyazaki Junichi, démissionnait et se suicidait.

La relance de l'économie nippone : le big bang

Pour Hashimoto Ruytaro, la préoccupation était de relancer la consommation, d'assainir le système financier et de crédibiliser à nouveau Tokyo comme grande place boursière auprès des investisseurs étrangers. Le gouvernement a lancé le

Japon (Nihon Koku)

Capitale : Tokyo.
Superficie : 377 750 km^2.
Monnaie : yen (100 yens = 4,21 FF ou 0,71 dollar au 29.7.98).
Langue : japonais.
Chef de l'État : Akihito, empereur (depuis le 7.1.89).
Chef du gouvernement : Obuchi Keizo, qui a succédé en juil. 98 à Hashimoto Ryutaro.
Ministre des Finances : Miyazawa Kiichi.
Ministre de l'Industrie et du Commerce extérieur (MITI) : Kaoru Nakasone.
Ministre des Affaires étrangères : Komura Masahiko.
Ministre de l'Éducation nationale : Arima Akito.
Échéances institutionnelles : élections à la Chambre des députés (2000).
Nature de l'État : monarchie (l'empereur n'a aucun pouvoir pour gouverner).
Nature du régime : parlementaire. L'empereur demeure constitutionnellement le symbole de l'État et le garant de l'unité de la nation. Le pouvoir exécutif est détenu par un gouvernement investi par la Diète.
Principaux partis politiques : Jiminto (Parti libéral-démocrate, PLD, conservateur) ; Shinshinto (Parti de la nouvelle Frontière, ex-Shinseito) ; Kyosanto (Parti communiste japonais) ; Shakaito (Parti socialiste) ; Minshutô (réformateur) ; indépendants.
Revendication territoriale : « Territoires du Nord », c'est-à-dire les quatre îles Kouriles nommées Kunashiri, Habomai, Shikotan et Eterofu (5 000 km^2 au total), annexés par l'URSS en 1945.
Carte : p. 299.

Japon/Bibliographie

A. Berque, *Du geste à la cité*, Gallimard, Paris, 1993.

A. Berque et P. Nys, *Logique du lieu et œuvre humaine*, Ousia, Bruxelles, 1997.

J.-M. Bouissou, G. Faure, É. Seizelet, *Japon, le déclin*, Complexe, coll. « Espace international », Bruxelles, 1996.

J.-M. Bouissou (sous la dir. de), *L'Envers du consensus. Les conflits et leur gestion dans le Japon contemporain*, Presses de Sciences-Po, Paris, 1997.

G. Faure, « L'expérience japonaise et les réformes de l'État en Asie », *La Revue française d'administration publique*, Paris, avr.-mai-juin 1998.

A. Gonon, *La Vie japonaise*, PUF, coll. « Que sais-je ? », Paris, 1996.

F. Hérail (sous la dir. de), *Histoire du Japon*, Horvath, Le Coteau, 1990.

T. Horio, *L'Éducation au Japon*, CNRS-Éditions, Paris, 1993.

« Japon et géopolitique », *Hérodote*, n° 78-79, La Découverte, Paris, févr. 1996.

M. Jolivet, *Un pays en mal d'enfants. Crise de la maternité au Japon*, La Découverte, Paris, 1993.

D. Kaplan, A. Marshall, *Aum, le culte de la fin du monde – l'incroyable histoire de la secte japonaise*, Albin Michel, Paris, 1996.

A. L'Hénoret, *Le clou qui dépasse, Récit du Japon d'en bas*, La Découverte, Paris, 1993 (éd. poche, 1997).

« Le Japon et le nouvel ordre international » (dossier constitué par É. Seizelet), *Problèmes politiques et sociaux*, n° 707, La Documentation française, Paris, juil. 1993.

« Le Japon face à un nouveau défi », *Le MOCI*, n° 1316-1317, Paris, nov. 1997.

K. Nakayama, *Le Japon au double visage*, Denoël, Paris, 1997.

OCDE, *Études économiques, Japon 1997*, Paris, nov. 1997.

V. Pelletier, *La Japonésie*, CNRS-Éditions, Paris, 1997.

K. Postel-Vinay, *La Révolution silencieuse du Japon*, Calmann-Lévy/Fondation Saint-Simon, Paris, 1994.

K. Postel-Vinay, *Le Japon et la Nouvelle Asie*, Presses de Sciences-Po, coll. « La bibliothèque du citoyen », Paris, 1997.

J.-F. Sabouret (sous la dir. de), *L'état du Japon*, La Découverte, coll. « L'état du monde », Paris, 1995 (nouv. éd.).

J.-F. Sabouret, *Radioscopie du Japon*, Picquier, Arles, 1997.

C. Sautter, *La France au miroir du Japon*, Odile Jacob, Paris, 1996.

Voir aussi la bibliographie sélective « Asie méridionale et orientale », p. 268, ainsi que la bibliographie « Asie du Nord-Est », p. 306.

1er avril 1998 une vaste dérégulation du système financier surnommée le « big bang ». Il est difficile de mesurer l'efficacité d'une telle politique mais l'un des développements politiques possibles poursuivis par Hashimoto pouvait être de dessiner les contours d'une zone économique yen en Asie. Il était encore moins sûr que les Chinois, ceux du Continent comme ceux de la diaspora, dont le poids économique est prépondérant dans de nombreux pays d'Asie, l'acceptent. Mais le Japon, dont les réserves sont importantes, peut conditionner ses prêts aux pays asiatiques en difficulté par l'obligation qu'une part croissante de leurs transactions s'effectue en yens. Un Fonds monétaire asiatique (FMA, une sorte de FMI local), piloté par le Japon, pourrait permettre de stabiliser les monnaies régionales qui reposeraient alors davantage sur le yen. Il n'est cependant pas non plus certain que les États-Unis, au moment de la création de l'euro, accepteraient sans sourciller l'émergence d'une troisième grande monnaie référentielle dans le monde.

Le pari risqué du Premier ministre Hashimoto

Dans la tornade des scandales dans lesquels on a retrouvé en difficulté des membres du parti du Premier ministre, le PLD, des hauts fonctionnaires, Hashimoto espérait que sa stratégie serait payante, faute de quoi son parti risquait fort de s'exposer à une défaite lors des élections sénatoriales de juillet 1998. Le Premier ministre n'ayant pas obtenu un nombre suffisant d'élus a été amené à démissionner et laisser la place, le 23 juillet 1998, à Obuchi Keizo, un autre leader du PLD, qui en est devenu leader et, *ipso facto*, Premier ministre au début d'août.

Le risque de voir l'opposition l'emporter avait diminué à court terme, à la suite de la dissolution en décembre 1997 du premier parti de l'opposition, le Shishinto, dirigé par Ozawa Ichiro. Ce dernier, très autoritaire, se sentait trop limité sans doute par la personnalité des autres leaders du parti. Ozawa a donc décidé de dissoudre ce parti et d'en former un autre, fort d'une centaine de partisans. Deux autres groupes politiques issus de l'ancien Shishinto ont été formés, l'un proche de la Soka Gakkai, une organisation bouddhiste, et un autre regroupant six petits partis. Ces derniers ont pris pour nom Minshuto, porté à sa tête le très populaire Kan Naoto et, en regroupant 137 députés, ils sont devenus la principale force d'opposition. Le Premier ministre a fait savoir qu'il était ouvert à la coopération. Il n'était pas inimaginable qu'à l'avenir le Minshuto, qui compte parmi ses leaders Hatoyama Yukio (petit-fils d'un ancien Premier ministre issu du PLD), s'allie avec le PLD fort de 376 membres. L'avenir politique d'Ozawa Ichiro, qui briguait le poste de Premier ministre, semblait assez compromis à moins que l'une ou plusieurs des quatre factions de la majorité en place ne décident de le rejoindre.

Le gouvernement nippon se trouve également dans une position très délicate au plan international. Le Japon avait signé à New York, en septembre 1997, avec les États-Unis, un accord de coopération militaire pour la région du Nord-Est asiatique. Si la fin de la « guerre froide » a diminué les risques d'engagement avec la Russie, s'est maintenue une double instabilité dans la zone : en Corée du Nord et entre Taïwan et la Chine. Mais la Chine, laquelle n'a pas été désignée clairement comme agresseur potentiel, est en même temps un marché d'autant plus important pour les Japonais que les États-Unis dénoncent plus fort le déséquilibre des échanges commerciaux qui a augmenté de 17 %, pour atteindre 113,7 milliards de dollars. Les Japonais, alliés militaires des États-Unis, ne peuvent qu'augmenter leurs échanges avec l'Asie en général et la Chine en particulier. Le Japon se rapproche donc de la Chine et a entrepris des échanges au plus haut niveau du personnel militaire. Ce grand écart a pu sembler inconfortable, mais il est apparu impératif pour le Japon, dans le contexte d'une grave crise économique, de multiplier les échanges avec les grandes puissances du continent asiatique : la Russie et la Chine. Lors du sommet nippo-russe de Krasnoiarsk en novembre 1997, et lors de la rencontre de Kawana au Japon en avril 1998, Hashimoto a proposé à Boris Eltsine de régler le problème des îles Kouriles du Sud (quatre îles que les Soviétiques ont refusé de restituer après 1945) d'ici l'an 2000. Lors du second sommet Europe-Asie (ASEM) à Londres, du 2 au 4 avril 1998, Hashimoto a proposé au Premier ministre chinois Zhu Rongji une visite officielle du président Jiang Zemin pour l'automne. Pour les entreprises japonaises, le marché chinois est une perspective de moyen terme avec celui des pays de l'ANSEA (Association des nations du Sud-Est asiatique). Une attention soutenue est également accordée au marché indien. Le dialogue avec les deux Corées s'est renforcé. Quinze Japonaises mariées à des Coréens du Nord depuis la guerre ont été autorisées pour la première fois à venir deux semaines dans leur famille au Japon. On a à nouveau envisagé des échanges diplomatiques au niveau des ambassadeurs. Le nouveau président élu de Corée du Sud, Kim Dae-jung, a rencontré à Londres en avril 1998 Hashimoto Ryutaro. Les deux leaders se sont promis un partenariat renforcé pour le XXIe siècle. Des points de désaccord certains subsistent, comme celui des compensations à verser aux Coréennes prostituées de force par l'armée japonaise pendant la guerre, mais Kim Daejung pourrait autoriser la diffusion de la culture japonaise en Corée du Sud. Les deux coorganisateurs de la Coupe du monde de football en 2002 sauront-ils montrer une unité retrouvée ?

On présente souvent le Japon, pris dans la tempête financière qui secoue l'Asie, comme un pays fragile. Le nombre des chômeurs a atteint pour la première fois depuis la guerre 2,8 millions (plus de 4 % de la population active). Les phénomènes de violence à l'école se multiplient. Le 28 juin, un collégien de quatorze ans a coupé la tête d'un enfant de onze ans et l'a déposée devant la porte de l'école. Au début de janvier 1998, un élève de treize ans a assassiné son professeur. Le Japon connaît les problèmes de société de bien des pays industrialisés, mais il n'en reste pas moins un pays puissant, actif. Il a organisé avec succès les jeux Olympiques d'hiver à Nagano en 1998 et accueilli la conférence sur le réchauffement de la Terre à Kyoto en décembre 1997. C'est un pays riche dont les réserves en dollars et en actifs sont parmi les plus importantes de la planète. Un tiers de l'épargne mondiale est japonaise. Plutôt que de comparer le Japon à un *Titanic*, il serait plus exact de le comparer à un alpiniste marchant en tête de cordée avec les Occidentaux. Si l'un tombe... - **Jean-François Sabouret** ■

Macao

Après la rétrocession de Hong Kong à la Chine populaire (1er juillet 1997), ce sera au tour de Macao de redevenir chinoise le 20 décembre 1999, selon l'entente conclue entre Pékin et Lisbonne. Après une présence de 422 ans, le Portugal retirera son administration locale, dirigée depuis 1991 par le gouverneur Vasco Rocha Vieira.

Stanley Ho, le richissime magnat des casinos, a publiquement endossé le nom d'Edmund Ho, comme candidat idéal au poste de futur premier chef de l'exécutif de la région sous administration de Macao. Formé au Canada, le banquier Edmund Ho a occupé les plus hautes fonctions politiques et provient d'une influente famille connue pour être très proche des intérêts politiques et économiques du gouvernement de Pékin.

La visite du Premier ministre portugais António Guterres à Macao et en Chine populaire, en avril 1998, a souligné le caractère harmonieux des rapports entre les deux pays. Formée de plusieurs ministres, ce fut la plus importante mission politique et économique envoyée par le Portugal en Asie depuis plusieurs années.

La période de transition a toutefois continué d'être profondément troublée par la criminalité reliée aux triades cherchant à contrôler les casinos. Des règlements de comptes entre bandes rivales se sont soldés par une série de meurtres. Un officiel portugais de la surveillance du jeu, Francisco Amaral, a été assassiné en pleine rue et deux autres fonctionnaires chinois ont subi le même sort. - **Jules Nadeau** ■

Mongolie

Dans ce pays dont l'économie est essentiellement pastorale et qui fut, en 1924, le deuxième au monde à se proclamer communiste avant de devenir un satellite de Moscou, les forces politiques de l'ancien régime ont vu leur candidat Natsagiin Babagandi, leader du Parti révolutionnaire du peuple mongol (PRPM, ex-communiste), l'emporter aux élections présidentielles de mai 1997, avec 61 % des suffrages exprimés. Il a succédé à Punsalmaagiin Orchibat qui avait été élu en 1993 contre le candidat du PRPM, lors du premier scrutin présidentiel. Cette élection a souligné la perte de crédibilité de l'Alliance démocratique, la coalition qui avait obtenu la majorité des sièges au Grand Khoural (Parlement) à l'occasion des élections générales de juin 1996. Ce scrutin avait enfin permis une alternance politique complète, le gouvernement étant jusqu'alors entre les mains du PRPM. Par la suite, les partenaires de cette coalition – le Parti national-démocrate et le Parti social-démocrate – ont connu tensions et dissensions.

La Constitution de 1992, à caractère présidentiel, conférait à N. Babagandi d'importants pouvoirs face à un gouvernement dirigé par ses adversaires politiques. Cela a engendré des blocages et des crises politiques multiples, aboutissant à la démission du gouvernement de Mendsaikhany Enkhsaikhan, le 24 juillet 1998.

Dans les semaines suivantes, quatre candidats au poste de Premier ministre successivement présentés par l'Alliance démocratique ont été refusés par le chef de l'État. Une nouvelle candidature était en préparation, celle de Sanjaasurejijn Zorig, ministre des Infrastructures et des Télécommunications dans le gouvernement démissionnaire et figure de proue, en 1990, du mouvement de contestation prodémocratique du régime communiste. Celui-ci a été assassiné à l'arme blanche le 2 octobre 1998.

La crise politique mongole s'est développée sur fond de marasme économique et financier, dans le contexte des thérapies de choc appliquées depuis plusieurs années. En 1997, on a assisté à une montée en flèche du chômage, au triplement de l'inflation (36,9 %) et à une croissance négative (– 0,9 %).

Les relations extérieures sont restées principalement orientées vers la Russie et la Chine. - **Kamal Kara Uglu** ■

République mongole

Capitale : Oulan-Bator.
Superficie : 1 565 000 km².
Nature du régime : ancien régime communiste devenu multipartite (Constitution de 1992).
Chef de l'État : Natsagiin Bagabandi, élu le 18.7.97 en remplacement de Punsalmaagiin Ochirbat.
Premier ministre : Mendsaikhany Enkhsaikan (depuis le 19.6.96, démissionnaire le 24.7.98).
Ministre de la Défense : Dambiin Dorligjav, démissionnaire le 24.7.98.
Ministre des Affaires extérieures : Shukheriin Altangerel, démissionnaire le 24.7.98.
Échéances institutionnelles : élections législatives et présidentielle (juin 2000).
Monnaie : tugrik (au taux officiel, 100 tugriks = 0,72 FF au 30.4.98).
Langue : mongol, dialecte kazakh.
Carte : p. 284-285.

Taïwan

Au milieu de la crise asiatique ouverte à la mi-1997, l'économie de Taïwan a fait très bonne figure. Le taux de croissance de 1997 a atteint 6,5 %, soit la meilleure performance en cinq ans. Le chômage est resté faible. Les exportations vers les pays occidentaux sont restées fortes. Le dollar de Taïwan a subi une dévaluation relativement contrôlée, en partie grâce à des réserves de devises étrangères de plus de 80 milliards de dollars.

Sur le plan politique, la rivalité entre le Kuomintang (parti traditionnellement dominant du président Lee Teng-hui) et le Parti progressiste pour la démocratie (DPP, formation prônant l'indépendance) s'est poursuivie avec âpreté. Les autorités de Chine

Asie du Nord-Est/Bibliographie

É. Bouteiller, M. Fouquin, *Le Développement économique de l'Asie orientale,* La Découverte, coll. « Repères », Paris, 1995.

F. E. Caillaud, A. Queval (sous la dir. de), *La République de Corée. Mutations et enjeux,* La Documentation française, Paris, 1997.

Cheong Seong Chang, *Idéologie et système en Corée du Nord. De Kim Il Sung à Kim Jong Il,* L'Harmattan, Paris 1997.

Cheong Seong Chang, « Un avenir commun pour les deux Corées », *Relations internationales et stratégiques,* n° 27, Paris, aut. 1998.

M. Chemillier-Gendreau, *La Souveraineté sur les archipels Paracels et Spratly,* L'Harmattan, Paris, 1996.

N. Eberstadt, « Hastening Korean Reunification », *Foreign Affairs,* n° 76-2, New York, mars-avr. 1997.

P. Gentelle, P. Pelletier, « Chine, Corée, Japon », *in* R. Brunet (sous la dir. de), *Géographie universelle,* vol. V, Belin/Reclus, Paris/Montpellier, 1994.

« La Corée », *Géopolitique,* n°s 96-97, Paris, hiv. 1996-1997.

« Mongolia », *Country Profile 1997-1998,* The Economist Intelligence Unit Limited, Londres, 1997.

Mongolie (dossier documentaire Cidic-Asie), La Documentation française, Paris, 1995-1996.

« South Korea. North Korea », *Country Report,* The Economist Intelligence Unit Limited, Londres, 1997-1998.

Voir aussi les bibliographies « Chine », « Corée du Sud » et « Japon », p. 288, 294, 302.

populaire ont réagi aux différents développements intérieurs de la façon habituelle : en appuyant ce qui est bon pour la réunification et en condamnant tout ce qui encourage le solide mouvement d'indépendance.

En septembre 1997, le remplacement de Lien Chian par Vincent Siew au poste de Premier ministre (le premier Taïwanais né dans l'île à accéder à ce rang) s'est effectué en pleine vague de criminalité, avec notamment une spectaculaire prise d'otages. A la même période, d'importantes réformes constitutionnelles ont grandement divisé les rangs du Kuomintang.

Aux élections législatives du 29 novembre 1997, le Kuomintang a subi l'un de ses pires revers. Quatre-vingts candidats de différents partis s'affrontaient pour combler 23 sièges au niveau local. Sous la direction de son chef Hsu Hsin-liang, le DPP a presque doublé le nombre de ses sièges, en emportant 12 circonscriptions sur 23. Les partisans du président Lee Teng-hui ont vu le nombre de leurs sièges diminuer de moitié, passant de 15 à 8. Ce jour-là, la Bourse a chuté de plusieurs points, mais les dirigeants du DPP ont multiplié les déclarations rassurantes au sujet de leurs intentions, notamment à l'endroit de la Chine populaire.

Au scrutin du 24 janvier 1998, aux divers échelons des municipalités, le Kuomintang a sauvé la face en conservant presque le même nombre de sièges.

Lin Yi-hsiung est devenu le nouveau chef du DPP lors d'une élection mouvementée tenue en juin 1998. Figure de proue du camp démocratique du début des années quatre-vingt, il s'est attiré, en février 1980, la sympathie populaire lorsque sa mère et ses deux fillettes ont été sauvagement assassinées au cours d'une affaire qui est longtemps restée non classée aux yeux de la police.

La popularité croissante de Chen Shui-bian (DPP), maire de Taipei depuis 1994, a inquiété le Kuomintang. Des élections étaient prévues pour le 5 décembre 1998 et la formation au pouvoir a finalement réussi à convaincre l'ex-ministre de la Justice, Ma Ying-jeou, lui aussi un poids lourd, d'engager la lutte. A la vérité, le Kuomintang craignait que Chen Shui-bian accumule trop d'influence et succède à terme au président Lee Teng-hui, qui devra abandonner son poste en l'an 2000 en vertu de la Constitution en vigueur.

Au chapitre des relations avec la Chine populaire, après la rétrocession de Hong Kong, le 1er juillet 1997, les dirigeants de Taïwan ont multiplié les déclarations contre le gouvernement communiste. Une délégation de la Straits Exchange Foundation (Fondation pour les échanges de part et d'autre du détroit de Taïwan) s'est toutefois rendue sur le continent en avril 1998 et a tenté en vain de relancer les pourparlers interchinois qui sont demeurés au point mort depuis 1995, à la suite de la visite fortement médiatisée du président Lee Teng-hui aux États-Unis. Au même moment, l'arrestation sur le continent d'une vingtaine d'hommes d'affaires de Taïwan, soupçonnés d'espionnage, a été un nouvel obstacle dans ces rapports. Malgré tout, les investissements taïwanais sur le continent s'élevaient déjà à 11,2 milliards de dollars, selon les estimations.

En octobre 1997, la visite du « numéro un » chinois Jiang Zemin aux États-Unis a soulevé l'inquiétude des autorités de Taïwan, redoutant toujours que le moindre rapprochement entre Washington et Pékin se fasse au détriment de leurs intérêts (statut, participation aux organisations internationales et sécurité). Plus tard, en juin-juillet 1998, la visite de neuf jours du président américain Bill Clinton en Chine populaire a de nouveau souligné que Taïwan représentait la principale pierre d'achoppement dans les rapports sino-américains. - **Jules Nadeau** ■

Taïwan « République de Chine »

Capitale : Taipei.
Superficie : 35 980 km².
Nature du régime : démocratie semi-présidentielle.
Chef de l'État : Lee Teng-hui (président depuis janv. 1988).
Chef du gouvernement : Lien Chan, vice-président et Premier ministre (depuis le 10.2.93, reconduit en 96).
Vice-premier ministre : Liu Shao-shiuan.
Ministre de l'Intérieur : Huang Chu-wen.
Ministre de la Défense : Chiang Chung-ling.
Ministre des Affaires étrangères : John Chang.
Monnaie : dollar de Taïwan (1 dollar = 0,17 FF au 3.8.98).
Langues : chinoises (mandarin, taïwanais).
Taïwan et la Chine : officiellement, Taïwan considère qu'elle incarne la continuité de la Chine après avoir perdu le continent à la suite de l'installation du régime communiste. La Chine populaire, quant à elle, considère que Taïwan à vocation à lui revenir, n'ayant jamais renoncé à l'unité du pays. L'ONU ne reconnaît qu'une seule Chine, celle de Pékin.
Souveraineté revendiquée : plusieurs archipels de la mer de Chine méridionale (Spratly, que Taïwan contrôle en partie), des Paracels, des Macclesfield et des Pratas. Ces archipels sont également revendiqués par la Chine et, pour certains, par divers autres États encore (Vietnam, Fédération de Malaisie, Philippines et Brunéi).

Péninsule indochinoise

Cambodge, Laos, Myanmar, Thaïlande, Vietnam

Cambodge

Affaibli par des revers militaires, des scissions et des défections, le mouvement khmer rouge se meurt, à l'image de son leader historique Pol Pot, décédé le 15 avril 1998. Après la chute, fin mars, de son bastion d'Along Veng sur la frontière thaïlandaise, Ta Mok et ses hommes ne contrôlaient plus aucun territoire d'importance. De là à voir juger les dirigeants khmers rouges par un tribunal pénal international pour génocide, comme l'a demandé le président Bill Clinton, il y avait encore bien des obstacles politiques et juridiques. Ta Mok, qui avait écarté Pol Pot le 27 juillet 1997 en le faisant condamner à la prison à vie, Nuon Chea, Khieu Samphan et bien d'autres ont cherché à négocier leur ralliement à Phnom Penh. La paix civile n'a pas été consolidée pour autant. Depuis le coup de force du second co-Premier ministre Hun Sen contre le prince Norodom Ranariddh, premier co-Premier ministre, le 5 juillet 1997, une centaine d'assassinats politiques ont été perpétrés, dont bon nombre contre les partisans du prince. Tenté par le recours à la lutte armée, ce dernier, en exil à Bangkok, n'a pu reconstituer une force militaire crédible. Défaits à Samrong à la mi-juillet, ses partisans se sont réfugiés dans la région de O'Smach. Ces affrontements ont entraîné le départ vers la Thaïlande de près de 60 000 civils. Pour restaurer un semblant de paix et tenir les élections législatives (26 juillet 1998) dans des conditions acceptables, la communauté internationale s'est ralliée à un plan de paix japonais. Celui-ci prévoit que le prince Ranariddh et ses partisans puissent concourir aux élections en échange d'un renoncement à la lutte armée et à une alliance militaire avec les Khmers rouges.

Ainsi, pour la première fois depuis trente ans, le Cambodge a pu organiser par lui-même des élections pluralistes. 93,74 % des électeurs se sont rendus aux urnes et ont jugé nécessaire de poursuivre l'expérience d'un gouvernement de coalition. Le PPC (Parti du peuple cambodgien, de Hun Sen) a obtenu 64 sièges, contre seulement 43 au parti du prince Ranariddh, le Funcinpec (Front uni national pour un Cambodge indépendant, neutre, pacifique et coopératif), et 15 pour le parti de Sam Rainsy (PSR – Parti de Sam Rainsy –, libéral nationaliste) ; 36 autres formations n'ont obtenu aucun siège.

Le 21 mars 1998, le roi Norodom Sihanouk a gracié son fils condamné par contumace à cinq ans d'emprisonnement pour trafic d'armes (5 mars) et à trente années supplémentaires pour avoir « tenté de renverser le gouvernement avec l'aide des Khmers rouges » (17 mars). De retour dans son pays pour de brefs séjours à partir du 30 mars, le prince a tenté de réorganiser ses forces militantes, le Funcinpec, affaibli, n'ayant plus rien à voir avec la formation victorieuse en 1993. Nombre de ministres ont quitté le Funcinpec. Celui-ci ne dispose plus de relais en province ni dans

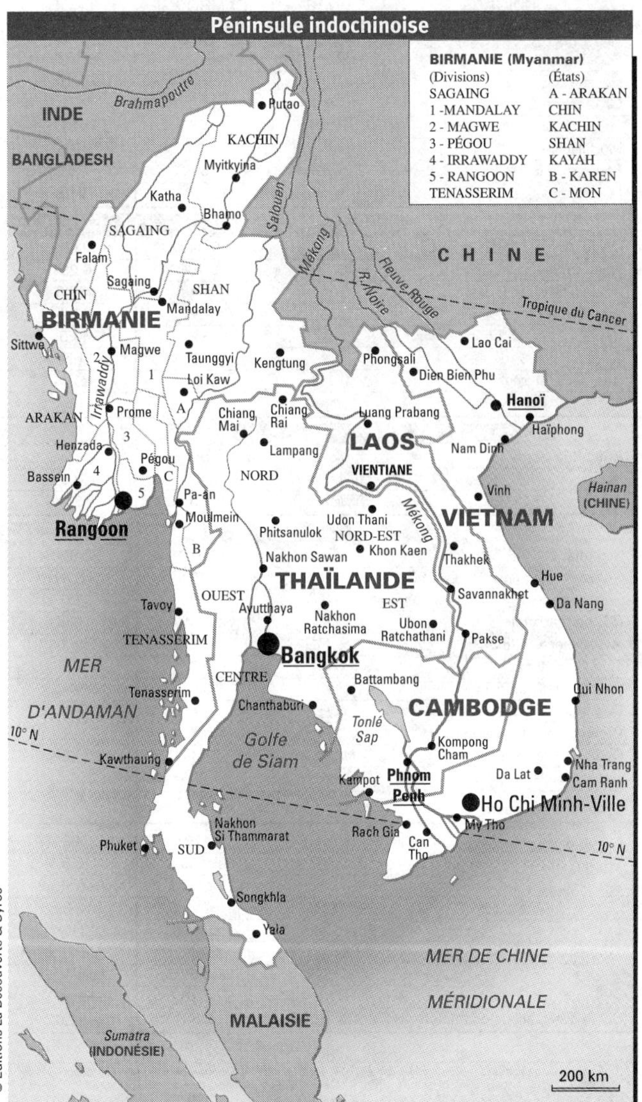
Péninsule indochinoise
BIRMANIE (Myanmar)
(Divisions)
SAGAING
1 -MANDALAY
2 - MAGWE
3 - PÉGOU
4 - IRRAWADDY
5 - RANGOON
TENASSERIM
(États)
A - ARAKAN
CHIN
KACHIN
SHAN
KAYAH
B - KAREN
C - MON
INDE
BANGLADESH
Brahmapoutre
Putao
KACHIN
Myitkyina
Katha
Bhamo
Salouen
SAGAING
Falam
Sagaing
CHIN
SHAN
Mandalay
BIRMANIE
Sittwe
Magwe
Irrawaddy
Taunggyi
Kengtung
Loi Kaw
ARAKAN
Prome
Henzada
Pégou
Bassein
Rangoon
Pa-an
Moulmein
Chiang Mai
Chiang Rai
Lampang
NORD
Mékong
CHINE
R. Noire
Fleuve Rouge
Tropique du Cancer
Lao Cai
Phongsali
Dien Bien Phu
Hanoï
Haïphong
Luang Prabang
LAOS
Nam Dinh
VIENTIANE
Vinh
Hainan (CHINE)
Udon Thani
NORD-EST
Khon Kaen
VIETNAM
Thakhek
Phitsanulok
Nakhon Sawan
THAÏLANDE
Hue
Savannakhet
Da Nang
OUEST
Tavoy
Ayutthaya
Nakhon Ratchasima
EST
Ubon Ratchathani
Pakse
TENASSERIM
Bangkok
MER D'ANDAMAN
CENTRE
Battambang
Tenasserim
Chanthaburi
CAMBODGE
Qui Nhon
10° N
Golfe de Siam
Tonlé Sap
Kompong Cham
Kawthaung
Phnom Penh
Kampot
Da Lat
Nha Trang
Cam Ranh
Ho Chi Minh-Ville
My Tho
Rach Gia
Can Tho
Nakhon Si Thammarat
Phuket
SUD
Songkhla
Yala
MER DE CHINE MÉRIDIONALE
MALAISIE
Sumatra (INDONÉSIE)
200 km

INDICATEUR*	UNITÉ	CAMBODGE	LAOS
Démographie**			
Population	*millier*	10 515	5 195
Densité	*hab./km²*	58,1	21,9
Croissance annuelle[d]	%	2,2	3,1
Indice de fécondité (ISF)[d]		4,5	6,7
Mortalité infantile[d]	‰	102	86
Espérance de vie[d]	*année*	54	53,5
Population urbaine	%	21,7	21,8
Indicateurs socioculturels			
Développement humain (IDH)[c]		0,348	0,459
Nombre de médecins	*‰ hab.*	0,10[c]	0,23[m]
Analphabétisme (hommes)[b]	%	••	30,6
Analphabétisme (femmes)[b]	%	••	55,6
Scolarisation 12-17 ans	%	••	47,8[k]
Scolarisation 3e degré	%	1,6[c]	1,5[g]
Adresses Internet	*‰ hab.*	0,01	–
Livres publiés	*titre*	••	88[b]
Armées			
Armée de terre	*millier d'h.*	84	25
Marine	*millier d'h.*	5	0,5
Aviation	*millier d'h.*	1,5	3,5
Économie			
PIB total[ae]	*million $*	10 678[c]	5 900
Croissance annuelle 1986-96	%	5,7	5,6
Croissance 1997	%	6,5	7,0
PIB par habitant[ae]	$	1 084[c]	1 250
Investissement (FBCF)[f]	% PIB	20,3	28,0
Taux d'inflation	%	9,2	4,5
Énergie (taux de couverture)[b]	%	3,6	59,4
Dépense publique Éducation	% PIB	••	2,4[h]
Dépense publique Défense[a]	% PIB	5,7	4,1
Dette extérieure totale[a]	*million $*	2 111	2 263
Service de la dette/Export.[f]	%	1	7
Échanges extérieurs			
Importations	*million $*	1 179[a]	506[a]
Principaux fournisseurs[a]	%	Asie[i] 89,3	UE 8,1
	%	Sing 32,4	Asie[i] 88,3
	%	Thaï 23,9	Thaï 62,6
Exportations	*million $*	644[a]	310[a]
Principaux clients[a]	%	UE 33,7	UE 21,6
	%	Asie[i] 57,5	Asie[i] 71,8
	%	Sing 13,0	Viet 40,8
Solde transactions courantes	% PIB	– 9,53[a]	– 17,02

* Définition des indicateurs p. 25 et suiv. Chiffres 1997 sauf notes. ** Derniers recensements utilisables : Cambodge, 1962 ; Laos, 1995 ; Myanmar, 1983 ; Thaïlande, 1990 ; Vietnam, 1989. a. 1996 ; b. 1995 ; c. 1994 ; d. 1995-2000 ; e. A parité de pouvoir d'achat (PPA, voir définition p. 581) ; f. 1994-96 ; g. 1993 ;

MYANMAR	THAÏLANDE	VIETNAM
46 765	59 159	76 545
69,1	115,1	232,3
1,8	0,8	1,7
3,3	1,7	3,0
78	30	37
60,2	69,3	67,3
26,6	20,6	19,5
0,475	0,833	0,557
0,08[m]	0,23[g]	0,44[g]
11,3	4,0	3,5
22,3	8,4	8,8
25,3[m]	37,0[m]	47,0[h]
5,4[c]	20,1[b]	4,1[b]
–	2,11	–
3 660[g]	7 626[h]	5 581[g]
400	150	420
20	73	42
9	43	15
44 588[c]	402 000	118 300
2,7	9,0	6,9
7,0	– 0,4	7,5
1 051[c]	6 700	1 570
11,5	41,2	26,8
29,3	7,6	3,1
73,2	40,5	159,0
1,3[c]	4,2[b]	2,7[g]
7,6	2,5	4,0
5 184	90 824	26 764
11	12	5
2 261	66 528	13 668[a]
UE 8,7	E-U 12,6	E-U 5,0
Asie[i] 87,4	UE 14,5	UE 13,0
Sing 32,0	Asie[i] 61,5	Asie[i] 68,8
866	56 941	6 933
E-U 8,3	E-U 18,0	UE 24,3
UE 7,8	UE 16,0	Asie[i] 52,4
Asie[i] 67,8	Asie[i] 57,3	Jap 26,4
• •	– 1,62	– 11,29[a]

h 1992 ; i. Y compris Japon et Moyen-Orient ; k. 1989 ; m. 1990.

les médias. Pour contrer un second Premier ministre plus fort que jamais, le prince Ranariddh a cherché à unir les oppositions. A cet effet, le 11 décembre 1997, a été créée l'Union des démocrates cambodgiens. Si Hun Sen a démontré son emprise lors de la confirmation de Ung Huot au poste de premier Premier ministre (6 août 1997), il n'a pu obtenir des députés, le 16 septembre, le remaniement du gouvernement qu'il souhaitait. Ces affrontements politiques auront représenté autant de difficultés supplémentaires au redressement économique du pays. Au ralentissement de la croissance (6,5 % contre 7,5 % en 1996), des investissements (750 millions de dollars en 1997 contre 1 milliard en 1996) s'est, en effet, ajoutée la suspension des aides américaines et multilatérales. Un handicap de plus pour un pays fortement endetté et dépendant de l'aide internationale (équivalente à 40 % des dépenses de l'État).

Royaume du Cambodge

Capitale : Phnom Penh.

Superficie : 181 035 km².

Nature du régime : monarchie parlementaire.

Chef de l'État : Norodom Sihanouk Varman (à nouveau proclamé roi le 24.9.93).

Chef du gouvernement (également ministre des Affaires étrangères) : le 5.7.97, Norodom Ranariddh (premier co-Premier ministre du gouvernement, Funcinpec) a été écarté de ses fonctions par Hun Sen (second co-Premier ministre du gouvernement, Parti du peuple cambodgien – PPC) et remplacé le 7.8.97 par Ung Huot.

Ministres de l'Intérieur et de la Sécurité nationale (au 20.8.98) : Sar Kheng (PPC) et You Hockry (Funcinpec).

Ministres de la Défense (au 20.8.98) : général Tea Banh (PPC) et Tea Chamrat (Funcinpec).

Monnaie : riel (au taux officiel, 100 riels = 0,15 FF au 30.4.98).

Langues : khmer, français, anglais, vietnamien.

Laos

Le 21 décembre 1997, 99,3 % des 2,3 millions d'électeurs ont officiellement élu 99 députés sur les 159 candidats autorisés par le Front de l'édification nationale. Si la nouvelle Assemblée nationale a été renouvelée aux deux tiers, un seul candidat « indépendant » (Oudone Keodouangdy) sur les quatre autorisés a été élu. Au sein d'une Assemblée rajeunie (50 ans en moyenne), féminisée (21 femmes contre 8 auparavant), les militaires représentent le quart des membres.

Toutefois, le Comité central du Parti (49 membres) est resté l'instance où se prennent les décisions d'importance, comme en a témoigné le retrait du président octogénaire Nouhak Phoumsavanh. En secret, il fut en effet décidé que le général Khamtay Siphandone cumulerait les plus hautes fonctions de l'État et du Parti, comme Kaysone Phomvihane avant lui, tandis que Sisavath Keobounphanh deviendrait Premier ministre. Au sein du gouvernement remanié le 26 février 1998, les ministres des Affaires étrangères et de la Défense ont été promus au rang de vice-premiers ministres. Cela a illustré à la fois l'emprise des militaires sur le pays (le président ayant été lui-même seize ans ministre de la Défense) et l'importance accordée à l'intégration à l'ANSEA (Association des nations du Sud-Est asiatique) en juillet 1997. Alors que le nombre des vice-premiers ministres a doublé, Kamphoui Keoboualapha a été nommé ministre des Finances, deux ans après avoir été écarté du Bureau politique et du Comité central du Parti. Ce choix d'un partisan de l'ouverture économique peut s'expliquer par les difficultés nées de la crise asiatique. Certes, le PIB a progressé de 6,5 % en 1997, mais la crise en Thaïlande, premier investisseur (42 %) et premier partenaire commercial, a entraîné une dépréciation de 65 % du kip en un an, une inflation croissante et une chute des investissements et du tourisme.

République démocratique populaire Lao

Capitale : Vientiane.
Superficie : 236 800 km².
Nature du régime : communiste.
Chef de l'État : Khamtay Siphandone, qui a succédé le 24.2.98 à Nouhak Phoumsavanh.
Chef du gouvernement : Sisavat Keobounphanh, qui a succédé le 26.2.98 à Khamtay Siphandone.
Vice-premiers ministres : Bougnang Vorachith, Choummally Saygnasone, Somsavath Lengsavath, Kamphoui Keoboualapha.
Ministre de l'Intérieur : général Asang Laoli.
Ministre de la Défense : Choummally Saygnasone.
Ministre des Affaires étrangères : Somsavath Lengsavath.
Monnaie : kip (au taux officiel, 100 kips = 0,23 FF au 30.5.98).
Langues : lao, dialectes (taï, phoutheung, hmong), français, anglais.

Myanmar (Birmanie)

Le 4 janvier 1998, le Myanmar (Birmanie) a fêté le cinquantième anniversaire de son indépendance. La junte a brisé son isolement, malgré les sanctions occidentales, en rejoignant l'ANSEA (Association des nations du Sud-Est asiatique) en juillet 1997 et en obtenant que le Japon reprenne ses aides. Le Comité d'État pour la restauration de la loi et de l'ordre (SLORC, gouvernement militaire au pouvoir) a été dissous le 15 novembre. Pour le remplacer, un Conseil pour la paix et le développement (SPDC) a été instauré. L'équipe dirigeante est demeurée inchangée. Néanmoins, une fonction de troisième secrétaire a été créée et confiée à Win Mwint. Le SPDC n'allait compter aucun membre du gouvernement, étant secondé par un groupe de quatorze conseillers, au sein duquel ministres et membres du SLORC écartés ont été rassemblés. Ce groupe des conseillers fut dissous un mois à peine après sa création. Cette recomposition institutionnelle s'est accompagnée d'un remaniement du gouvernement (40 membres dont 12 n'étant pas des militaires de carrière, 22 nouveaux) et de la création de deux départements ministériels, l'un chargé de l'électricité, l'autre des affaires militaires. Le 20 décembre 1997, le gouvernement a été à nouveau remanié, huit ministres changeant de portefeuille tandis qu'un autre entrait au cabinet.

Le véritable détenteur du pouvoir restait bien le SPDC. Celui-ci a prétendu vouloir consacrer son énergie au développement du pays et à l'édification d'un « système démocratique discipliné », mais n'entendait pas relâcher la pression sur l'opposition. Bien que la Ligue nationale pour la démocratie (NLD, opposition) ait été officiellement autorisée à tenir son congrès au domicile de son leader Aung San Suu Kyi (prix Nobel de la paix en 1991) le 27 septembre 1997, son action quotidienne restait entravée et ses militants incarcérés. Suu Kyi elle-même dut renoncer, à l'automne 1997, à quitter son domicile pour se rendre à un meeting. Le dialogue entre la junte et les oppositions demeurant au point mort, l'Union européenne (UE) a reconduit de six mois en six mois ses sanctions économiques et administratives contre Rangoon. Cette décision a abouti à la suspension du dialogue entre l'UE et l'ANSEA. Aung San Suu Kyi a continué de demander à la communauté internationale d'accroître ses pressions sur la junte, accusée d'être aussi répressive qu'incompétente.

Les autorités militaires de Rangoon ont d'ailleurs elles-mêmes fait l'aveu de leurs échecs. Ainsi, d'anciens responsables du SLORC et du gouvernement – Tun Kyi (ancien ministre du Commerce), Kyaw Ba (Tourisme), Myint Aung (Agriculture) – ont été mis en accusation pour corruption. De plus, les résultats économiques ont été médiocres. Non seulement l'année 1997 n'a drainé que la moitié des touristes attendus, mais l'inflation a progressé (29,3 %), les réserves en devises se sont épuisées (90 millions de dollars, soit moins d'un mois d'importation), tandis que le kyat a été emporté avec la dévaluation du baht thaïlandais, perdant, dès juillet 1997, 50 % de sa valeur. Si la crise asiatique a détourné l'attention internationale des problèmes intérieurs, Rangoon ne pouvait oublier que 46 % de ses investissements provenaient de l'ANSEA.

Les décideurs politiques sont restés tentés par l'autarcie, comme en ont témoigné les mesures visant à n'autoriser les importations de marchandises que si elles engendrent des exportations, ou l'interdiction d'exporter du riz. L'intégration à l'ANSEA à l'occasion de son trentième anniversaire fut en revanche un succès diplomatique, mais elle a plus répondu aux préoccupations symboliques et politiques de l'Association qu'à des attentes économiques et commerciales. Bien qu'elle se soit traduite par la signature de 23 accords régionaux, elle a aussi correspondu à d'autres calculs : d'un côté, on souhaitait s'affranchir des pressions occidentales, de l'autre, on entendait soustraire Rangoon à l'influence croissante

Union de Myanmar (ou Union de Birmanie)

Capitale : Rangoon.
Superficie : 676 552 km².
Nature du régime : dictature militaire.
Chef de l'État : général Than Shwe (au pouvoir depuis 1992), président du Comité d'État pour la paix et le développement (SPDC), depuis nov. 97. Également ministre de la Défense.
Vice-président : général Maung Aye.
Ministre de l'Intérieur : colonel Tin Hlaing.
Ministre des Affaires étrangères : U Ohn Gyaw.
Monnaie : kyat (au taux officiel, 1 kyat = 0,94 FF au 30.5.98).
Langues : birman, anglais, dialectes des diverses minorités ethniques.

Péninsule indochinoise/Bibliographie

M. Bruneau, C. Taillard, « Asie du Sud-Est », *in* R. Brunet (sous la dir. de), *Géographie universelle*, vol. VII, Belin/Reclus, Paris/Montpellier, 1985.

D.-P. Chandler, I. Mabbett, *The Khmers*, Blackwell, Oxford, 1995.

F. Christophe, *Birmanie, la dictature du pavot*, Picquier, Paris, 1998.

S. Crochet, *Le Cambodge*, Karthala, Paris, 1997.

P. Franchini, *Le Sacrifice et l'Espoir (1983-1995)*, Fayard, Paris, 1997.

V. Frings, *Le Socialisme et le Paysan cambodgien*, L'Harmattan, Paris, 1997.

X. Galland, *Histoire de la Thaïlande*, PUF, coll. « Que sais-je ? », Paris, 1998.

B. Hours, M. Selim, *Essai d'anthropologie politique sur le Laos contemporain : marché, socialisme et génies*, L'Harmattan, Paris, 1997.

B. Kiernan, *Le Génocide au Cambodge : race, idéologie et pouvoir*, Gallimard, Paris, 1998.

R. de Koninck, *L'Asie du Sud-Est*, Masson, Paris, 1994.

C. Lechervy, N. Régaud, *Les Guerres d'Indochine (xe-xxe siècle)*, PUF, coll. « Que sais-je ? », Paris, 1996.

A. de Sacy, *L'Économie de la Birmanie*, Vuibert, Paris, 1997.

C. Schauli, *Birmanie : mémoires de l'oubli*, Olizane, Genève, 1997.

S. Thierry, *Les Khmers*, Kailash, Paris, 1996.

C. Taillard, *Le Laos. Stratégie d'un État-tampon*, Reclus, Montpellier, 1989.

B. Victor, *La Dame de Rangoon : Aung San Suu Kyi*, Flammarion, Paris, 1997.

Voir aussi les bibliographies « Thaïlande » et « Vietnam », p. 307 et 320.

de la République populaire de Chine. L'insertion régionale s'est traduite par la visite de l'ancien dictateur Ne Win en Indonésie (septembre 1997, sa première apparition publique depuis 1989) et par les voyages à Rangoon du Premier ministre de Singapour Goh Chok Tong (mars 1997), du Dr Mahathir, Premier ministre malaisien (mars 1997) et du président des Philippines Fidel Ramos (octobre 1997). Les deux derniers ont fait en sorte que leur ministre des Affaires étrangères rencontre Suu Kyi.

Avec la Thaïlande, la normalisation est apparue plus difficile. Non seulement le gouvernement démocrate s'est montré plus rétif à développer ses relations avec la junte, mais Bangkok a continué à s'opposer aux incursions répétées des soldats de la DKBA (Armée démocratique bouddhiste karen), ralliée à Rangoon. La décision thaïlandaise, en janvier 1998, de rapatrier au premier semestre 300 000 travailleurs immigrés illégaux et la polémique sur les retards thaïlandais à la pose du gazoduc de Yadana n'ont pas amélioré les relations entre les deux pays. - **Christian Lechervy** ■

Thaïlande

Plan de sauvetage du FMI

Après avoir abandonné l'arrimage du baht au dollar et dévalué la monnaie le 2 juillet 1997, le royaume est entré en récession. Si la croissance du PIB est restée de peu positive en 1997 (+ 0,4 % contre + 6,7 % en 1996), les experts ont annoncé un recul de 3 % pour 1998. Le FMI a mis sur pied un véritable plan de sauvetage de 17,2 milliards de dollars. Prenant tardivement conscience de la gravité de la crise, le gouvernement n'a pu y remédier que partiellement. Pourtant, les réserves en devises avaient baissé de 2 milliards de dollars dès la seconde moitié du mois d'août 1997 et, à la mi-septembre, le baht avait vu sa valeur dépréciée de 45 %. Sur le plan social, le gouvernement a fait l'expérience d'un taux de chômage croissant qui risquait d'atteindre 5,6 %, soit 2,8 millions de personnes en 1998.

Même si les institutions internationales ont estimé que cette crise ne durerait pas plus de deux ans, l'État a réduit son buget (100 milliards de bahts pour 1998), en particulier celui de la défense (310 millions de dollars). Il a également augmenté la TVA (laquelle est passée de 7 % à 10 %) et les prélèvements indirects frappant les produits de luxe et l'essence. Pour la défense de l'emploi, le ministère du Travail a annoncé sa détermination à renvoyer dans leurs pays les travailleurs étrangers illégaux (300 000) et à promouvoir l'emploi des Thaïlandais à l'étranger (objectif : + 200 000 personnes en 1998). Les mesures prises pour remédier à la crise ont visé à rétablir la confiance publique dans les institutions financières, à retrouver rapidement l'équilibre budgétaire, à gérer efficacement les réserves en devises étrangères, à restaurer le secteur agroalimentaire et celui des services. Aux yeux du roi, cette crise a justifié de revenir aux principes de l'autosuffisance nationale.

La commission présidée par l'ancien Premier ministre Anand Panyarachun a, quant à elle, recommandé dans un rapport de développer le travail en province, d'encourager l'agriculture et d'accroître les budgets des collectivités locales. Le gouvernement a décidé de créer trois organismes, chargés l'un de la restructuration des institutions financières, un autre de gérer les biens des sociétés en difficulté, d'amender la loi sur les sociétés et les banqueroutes, et le dernier de garantir les dépôts des créanciers. Ces réformes allaient permettre aux capitaux étrangers de prendre le contrôle des sociétés financières en difficulté pour une durée de dix ans, ce qu'un nationalisme ombrageux a du mal à accepter. En outre, la situation économique a été aggravée par les effets conjoncturels du phénomène climatique El Niño qui a entraîné une hausse des prix agricoles (riz : + 41,9 %). Le pays a donc renoué avec l'inflation (7,6 % en 1997). Si l'opinion internationale a pris conscience de la crise économique avec la cessation définitive d'activité de cinquante-huit sociétés financières, le pays connaissait au même moment une crise politique.

Forte instabilité gouvernementale

Ainsi, la Thaïlande a connu huit ministres des Finances en moins de deux ans. Si les premières réactions du gouvernement de Chavalit Yongchaiyudh furent de nier la gravité des phénomènes économiques, son

Royaume de Thaïlande

Capitale : Bangkok.
Superficie : 514 000 km^2.
Monnaie : baht (1 baht = 0,15 FF au 30.5.98).
Langues : thaï (off.), chinois, anglais.
Chef de l'État : roi Bhumibol Adulyadej, Rama IX (depuis le 10.6.46).
Premier ministre et ministre de la Défense : Chuan Leekpai, qui a succédé le 10.11.97 à Chavalit Yongchaiyudh.
Ministre des Affaires étrangères : Surin Pitsuwan.
Ministre de l'Intérieur : Sanan Kachornprasart.
Nature de l'État : royaume.
Nature du régime : monarchie constitutionnelle.
Principaux partis politiques : Parti de la nation thaïe (Chart Thaï) ; Parti des aspirations nouvelles ; Parti de la force religieuse (Palang Dharma) ; Parti de l'action sociale (Kit Sang Khom) ; Parti des masses (Muan Chon) ; Parti du développement national (Chart Pattana) ; Parti démocrate ; Prachakorn Thaï Party.

INDICATEUR*	UNITÉ	1975	1985	1996	1997
Démographie**					
Population	*million*	41,4	51,1	58,70	59,16
Densité	*hab./km²*	80,5	99,4	114,2	115,1
Croissance annuelle	%	2,1[a]	1,3[b]	0,8[c]	••
Indice de fécondité (ISF)		3,6[a]	2,3[b]	1,7[c]	••
Mortalité infantile	‰	50[a]	40[b]	30[c]	••
Espérance de vie	*année*	63,1[a]	68,3[b]	69,3[c]	••
Indicateurs socioculturels					
Nombre de médecins	*‰ hab.*	0,12	0,17	0,23[i]	••
Analphabétisme (hommes)	%	7,7[o]	4,4[k]	4,0[g]	••
Analphabétisme (femmes)	%	16,0[o]	8,8[k]	8,4[g]	••
Scolarisation 12-17 ans	%	34,0	35,3	37,0[k]	••
Scolarisation 3e degré	%	3,4	19,0	20,1[g]	••
Téléviseurs	‰	16	81	166,7	••
Livres publiés	*titre*	2 419	7 289	7 626[m]	••
Économie					
PIB total[h]	*milliard $*	68,2[o]	105,3	402,0	••
Croissance annuelle	%	6,6[d]	8,0[e]	5,5	–0,4
PIB par habitant[h]	$	1 460[o]	2 060	6 700	••
Investissement (FBCF)	*% PIB*	24,2[d]	34,0[e]	41,1	35,6
Recherche et Développement	*% PIB*	••	0,4[o]	0,1[g]	••
Taux d'inflation	%	5,3	2,4	5,8	6,1[p]
Population active	*million*	20,5	27,8	34,7	••
Agriculture	% } *100 %*	75,3	67,4	59,6[g]	••
Industrie	% } *100 %*	8,1	12,1	18,0[g]	••
Services	% } *100 %*	16,5	20,5	22,4[g]	••
Dépense publique Éducation	*% PIB*	3,6	3,8	4,2[g]	••
Dépense publique Défense	*% PIB*	3,6	5,0	2,5	••
Énergie (taux de couverture)	%	5,2	43,2	40,5[g]	••
Dette extérieure totale	*milliard $*	1,87	17,55	90,82	••
Service de la dette/Export.	%	12,0	31,9	12,0[n]	••
Échanges extérieurs		**1974**	**1986**	**1996**	**1997**
Importations de services	*milliard $*	0,6	1,85	19,58	17,36
Importations de biens	*milliard $*	2,8	8,42	63,90	55,10
Produits agricoles	%	8,9	11,4	7,8[g]	••
Produits énergétiques	%	19,8	13,5	6,8[g]	••
Produits manufacturés	%	57,9	66,4	80,1[g]	••
Exportations de services	*milliard $*	0,6	2,30	17,01	16,00
Exportations de biens	*milliard $*	2,4	8,80	54,41	56,66
Produits agricoles	%	74,1	52,7	24,7[g]	••
Minerais et métaux	%	9,8	3,1	0,3[g]	••
Produits manufacturés	%	13,2	42,7	73,3[g]	••
Solde transactions courantes	*% du PIB*	– 5,2[q]	– 5,1[e]	– 7,9	– 1,6

* Définition des indicateurs p. 25 et suiv. ** Dernier recensement utilisable : 1990. a. 1975-85 ; b. 1985-95 ; c. 1995-2000 ; d. 1970-80 ; e. 1980-96 ; f. 1994 ; g. 1995 ; h. A parité de pouvoir d'achat (PPA, voir définition p. 581) ; i. 1993 ; k. 1990 ; m. 1992 ; n. 1994-96 ; o. 1980 ; p. En fin d'année ; q. 1975-80.

Thaïlande/Bibliographie

M. Briki, *Midnight Bangkok*, Anne Carrière, Paris, 1997.

X. Galland, *Histoire de la Thaïlande*, PUF, coll. « Que sais-je ? », Paris, 1998.

C. F. Keyes, *The Golden Peninsula*, University of Hawaii Press, Honolulu, 1995.

N. Mulder, *Inside Thai Society*, The Pepin Press, Amsterdam, 1996.

R. J. Muscat, *The Fifth Tiger : A Study of Thai Development Policy*, United Nations University Press, New York, 1994.

P. Phongpaichit, C. Baker, *Thailand : Economy and Politics*, Oxford University Press, Oxford/New York, 1995.

Voir aussi la bibliographie « Péninsule indochinoise », p. 314.

action était déjà minée par les rivalités entre les deux principaux partis de la coalition, le Parti des aspirations nouvelles et le Chart Pattana (Parti du développement national) dirigé par le général Chatichai Choonhavan (décédé en mai 1998). Après l'éviction, en juin 1997, de Amnuay Virawan, leader de la *Dream Team* économique de Chavalit, l'épreuve de la crise asiatique fut fatale au cabinet. Les remaniements ministériels du 18 août (nomination de Thaksin Shinawatra au poste de vice-premier ministre) puis du 25 octobre (10 nouveaux ministres sur 48) n'y changèrent rien. Le dernier entraîna même un fractionnement du parti du Premier ministre sous l'impulsion du ministre de l'Éducation, Chinchai Mongkoltham (Groupe du nouveau tournesol). S'il fut un temps envisagé de constituer un gouvernement d'union nationale, les rumeurs sur l'imminence d'un coup d'État militaire furent telles que le général Chettha Thanajaro, chef d'état-major de l'armée de terre, dut rappeler à plusieurs reprises la loyauté des forces armées. A l'annonce de la chute du gouvernement, le 6 novembre 1997, l'indice boursier a progressé de 6 %.

Après la démission du gouvernement Chavalit, une nouvelle coalition s'est forgée autour du Parti démocrate, du Chart Thaï (Parti de la nation thaïe), du Kit Sang Khom (Parti de l'action sociale), du Parti de la solidarité, du Seritham et de dissidents du Prachakorn Thaï Party. La nouvelle majorité allait compter 206 députés sur 393. Le gouvernement formé allait être d'autant plus populaire qu'il répondait à une attente de l'opinion publique favorable à une moralisation de la vie politique et à un plus grand professionnalisme. Le Premier ministre, Leekpai Chuan, était loué pour sa compétence, son sens des responsabilités et sa détermination à remédier à la crise. Il pouvait s'appuyer sur la probité reconnue de certains de ses ministres comme Tarrin Nimmanhaeminda (Finances) et Supachai Panichpakdi (Commerce) qui ont retrouvé leurs postes de 1992-1995. Le 18 mars 1998, le débat de censure s'est retourné contre l'opposition. Le rôle de cette dernière est apparu peu apprécié par l'opinion, ce qui pourrait permettre au gouvernement de mener à son terme la législature (novembre 2000) ; à moins qu'il n'envisage d'organiser des élections législatives anticipées visant à mettre en œuvre la nouvelle Constitution démocratique promulguée par le roi le 11 octobre 1997.

Cette seizième version de la Constitution depuis l'abolition de la monarchie absolue en 1932 visait selon ses promoteurs – le texte a été rédigé par un Comité constitutionnel de 99 membres (76 élus des provinces et 23 personnes choisies par le Parlement) présidé par Anand Panyarachun – à préciser les institutions démocratiques. La réforme adoptée est ambitieuse puisqu'elle impose que tous les élus déclarent leur patrimoine, que cent des cinq cents parlementaires soient élus à la proportionnelle d'un scrutin de liste, les autres dans le cadre de circonscriptions, que les membres du Sénat et les conseillers territoriaux soient élus et non plus nommés, qu'une Commission électorale soit constituée, ainsi qu'un Tribunal constitutionnel, et que les membres du gouvernement abandonnent leur siège parlementaire. Le Parlement allait dorénavant pouvoir choisir une personnalité non élue au poste de Premier ministre.

Ce train de réformes démocratiques n'a pas permis au gouvernement Chavalit de se relégitimer. Il est vrai que les plus farouches opposants à ce projet se comptaient dans les rangs du parti du Premier ministre, le Parti des aspirations nouvelles, à l'image de son secrétaire général, Sanoh Thienthong. Les scandales politiques ont continué de défrayer la chronique, tel celui sur le déboisement de la région de la Salween qui entraîna la mutation de quinze gouverneurs ou la mise en accusation pour corruption de personnalités gouvernementales (ministres des Transports et de l'Intérieur).

Une diplomatie ouverte, dirigée vers la communauté des affaires

La diplomatie économique du gouvernement se tourne autant vers les voisins asiatiques – comme en témoignent l'invitation faite aux Chinois d'accroître leurs investissements, l'obtention d'une aide de huit milliards de dollars du Japon, dont sept pour restructurer le secteur industriel – que vers les Occidentaux, au premier rang desquels les États-Unis, redevenus le premier marché à l'export. Cette recomposition géo-économique aura été d'autant plus importante que les exportations vers l'Asie ont stagné. En 1997, les exportations thaïlandaises ont progressé de 25,1 % en valeur nationale, mais seulement de 3,8 % en dollars.

Bangkok s'est engagé à respecter strictement les conditions imposées par le FMI, quitte à maintenir des taux d'intérêt élevés, à résoudre dès que possible les problèmes du secteur financier, le manque criant de liquidités, et à faire face à une dette de court terme de 37 milliards de dollars, tandis que les créances douteuses de la Banque centrale étaient supérieures à 20 milliards de dollars. - **Christian Lechervy** ■

Vietnam

Relativement épargné par la crise asiatique

Le Vietnam a été épargné par la tourmente financière qui a frappé la Corée du Sud, le Japon, la Thaïlande, l'Indonésie et la Malaisie. En revanche, le typhon *Linda* a très sévèrement frappé une partie du delta du Mékong, principale région productrice et exportatrice de riz, faisant 600 morts, 11 000 blessés et entraînant 2 051 disparitions. Par ailleurs, des révoltes ont éclaté en novembre 1997 dans deux provinces géographiquement et socialement éloignées l'une de l'autre. La province septentrionale de Thai binh, d'une densité démographique supérieure à 1 500 habitants au km^2, est très productive mais sa population reste pauvre : le revenu annuel moyen par habitant n'y atteint pas 150 dollars. Dans plusieurs districts, les manifestants ont destitué des cadres après les avoir passés à tabac et incendié deux de leurs maisons ; ils ont cerné des policiers qui étaient intervenus, les ont battus et emprisonnés. Dans la province méridionale du Dong nai, dans un district où les catholiques sont majoritaires, des manifestations analogues contre des cadres accusés de corruption ont provoqué des heurts avec la police. La fiscalité locale aurait été alourdie notamment pour financer des travaux d'intérêt public (routes, canaux, écoles, dispensaires). Dans le Dong nai, la construction d'un marché avait nécessité des expropriations et mis « le feu aux poudres ». Il a été reproché aux cadres de procéder aux expropriations de façon partisane et injuste, de toucher des pots-de-vin dans les adjudications et de détourner une partie des contributions qu'ils lèvent. Au-delà de Thai binh et du Dong nai, des protestations antifiscales, la dénonciation de cadres jugés « pourris » ont lieu en maints endroits. S'est-il agi d'une offensive politique contre le Parti communiste ou de dysfonctionnements inhérents à la modernisation du pays ?

Si le gouvernement a proclamé qu'il donnait une priorité à la lutte contre la corruption, il n'avait infligé jusqu'ici de lourdes condamnations que dans des procès pour cas de corruption majeure [*voir édition précédente*]. Les vigoureuses contestations de l'automne ont fourni des arguments à certains critiques du régime. L'intervention la plus marquante a été celle du général Tran Do, issu de la vieille garde communiste mais réformateur convaincu. Dans une lettre aux nouveaux dirigeants de l'État et du Parti (décembre 1997), Tran Do soulignait que les révoltés étaient des paysans parmi lesquels le Parti a recruté ses forces vives et sur lesquels il déclare s'appuyer. Il appelait à des réformes politiques sérieuses pour consolider les progrès économiques. Selon lui, en effet, plus de démocratie permettrait de contrôler les cadres en donnant de la transparence aux décisions, jusqu'alors prises dans la confidentialité de cercles restreints, fait aggravé par les restrictions de la liberté d'expression. D'autres personnalités telles que le mathématicien Phan Dinh Zieu et Hoang Nuu Nhân (membre du Comité central du Parti et ancien maire de Haïphong) se sont adressées au gouvernement dans le même sens.

Une nouvelle direction politique

Les élections législatives du 27 juillet 1997 sont restées contrôlées par le parti unique. Une nouvelle direction politique a été mise en place, plus jeune que la précédente, et « plus experte que rouge ». Le chef de l'État, Tran Duc Luong, a reçu une formation de géologue, le Premier ministre, Pham Van Khai, est économiste. Les nouveaux dirigeants ont réaffirmé leur volonté de poursuivre la rénovation économique dans l'ordre, autrement dit sans changer le régime. L'ouverture aux capitaux étrangers est maintenue mais l'État conserve la haute main sur les secteurs stratégiques comme l'énergie, les banques, les industries semi-lourdes. Le gouvernement envisage toutefois de mettre fin au monopole des compagnies d'État pour le commerce d'exportation. La nomination d'un nouveau secrétaire général du Parti communiste a donné lieu à spéculations, surtout lorsque le général Le Kha Phieu, chef de la direction politique de l'armée dont on sait peu de

République socialiste du Vietnam

Capitale : Hanoi.
Superficie : 333 000 km^2.
Monnaie : dong (au taux officiel, 1 000 dongs = 0,46 FF au 30.5.98).
Langues : vietnamien (langue nationale), langues des ethnies minoritaires (khmer, cham, thai, sedang, miao-yao, chinois).
Chef de l'État : Tran Duc Luong, président, qui a succédé le 24.9.97 au général Le Duc Anh.
Premier ministre : Pham Van Khai, qui a succédé le 29.9.97 à Vo Van Kiet.
Ministre des Affaires étrangères : Nguyen Manh Cam (depuis août 91).
Ministre de l'Intérieur : Le Minh Huong (depuis le 6.11.96).
Ministre de la Défense : Pham Van Tra (depuis le 29.9.97).
Secrétaire général du Parti : général Le Kha Phieu (depuis le 26.12.97).
Nature de l'État : socialiste, fondé le 2.7.76.
Nature du régime : communiste, parti unique (Parti communiste vietnamien, PCV).
Revendications territoriales : archipels des Spratly, Paracels, Macclesfield, Pratas (mer de Chine méridionale), revendiquées aussi par d'autres États (Chine, Taïwan...).

Vietnam/Bibliographie

C. Balaize, *Villages du Sud-Vietnam*, L'Harmattan, Paris, 1995.

P. Brocheux, « Le Vietnam, une sortie à petits pas », *in* J.-L. Domenach, F. Godement (sous la dir. de), *Communismes d'Asie : mort ou résurrection ?*, Complexe, coll. « Espace international », Bruxelles, 1994.

P. Brocheux, *The Mekong Delta. Ecology, Economy and Revolution, 1860, 1960*, Center for South-East Asian Studies, University of Wisconsin, Madison, 1995.

P. Brocheux, D. Hémery, *Indochine, la colonisation ambiguë, 1858-1954*, La Découverte, Paris, 1994.

P. Devillers, *Français et Annamites. Partenaires ou ennemis ? 1856-1902*, Denoël, Paris, 1998.

D. Hémery, *Ho Chi Minh. De l'Indochine au Vietnam*, Gallimard, coll. « Découvertes », Paris, 1991.

P. Le Failler, J.-M. Mancini (sous la dir. de), *Vietnam. Source et approches*, Publications de l'université de Provence, Aix-en-Provence, 1996.

J. Luguern, *Le Vietnam*, Karthala, Paris, 1997.

R. McNamara, *Avec le recul. La tragédie du Vietnam et ses leçons*, Seuil, Paris, 1996.

R. Parenteau (sous la dir. de), *Habitat et environnement au Vietnam. Hanoi et Ho Chi Minh-Ville*, Karthala/CRDI/ACCT, Paris, 1997.

J.-C. Pomonti, H. Tertrais, *Viêt-nam, communistes et dragons*, Le Monde-Éditions, Paris, 1994.

Saigon Eco, Ho Chi Minh-ville (bimensuel, en français).

Vietnam coopération investissement, Hanoi (bimensuel, en français).

Voir aussi la bibliographie « Péninsule indochinoise », p. 314.

chose, accéda au poste. Sitôt promu, il a affirmé qu'il approuvait l'orientation politique générale du gouvernement.

Les investissements étrangers ont connu un fort ralentissement en 1997 (–50 %). Le 2 janvier 1998, d'après les données du ministère du Plan et des Investissements, les projets approuvés s'élevaient à 4,4 milliards de dollars, contre 8,8 milliards de dollars en 1996. Soit les capitalistes coréens, japonais et thaïlandais, déjà en difficulté, ont cessé d'investir, soit le gouvernement a refusé davantage de projets, les jugeant trop spéculatifs et inadaptés aux besoins de l'économie (construction immobilière et montage automobile).

Les conséquences limitées de la crise asiatique

En 1997, la « crise asiatique » n'a fait qu'effleurer le pays. Le retard du développement et donc un certain archaïsme offrent moins de prises aux spéculations financières (contrairement à la Thaïlande, par exemple) ou à une surexpansion aventureuse (comme les *chaebols* – conglomérats – sud-coréens). Par ailleurs, l'État maintient son contrôle. Cette caractéristique, souvent déplorée par les investisseurs et par les experts des institutions internationales, a, en l'occurrence, fonctionné comme un garde-fou. De plus, le premier investisseur étranger, Taïwan, est sorti relativement indemne de cette crise. Le risque a cependant subsisté d'une baisse de valeur des monnaies des pays voisins qui sont aussi des concurrents sur les marchés d'exportation du riz, du caoutchouc, de l'agro-industrie, du prêt-à-porter et de la chaussure. Début 1998, cela posait la question d'une dévaluation sensible du dong (de 20 % à 30 % conseillaient certains). Le Vietnam, malgré un taux de 9 %, est apparu en ralentissement de croissance par rapport aux deux années précédentes. Début 1998, des accords commerciaux ont été signés avec la Chine, ce qui n'a pas empêché des incidents frontaliers d'éclater, comme en février, à la bordure de la province chinoise du Yunnan.

Sur un autre plan, le sommet de la Francophonie réuni en novembre 1997 fut un temps fort. En accueillant celui-ci, le gouvernement a rehaussé son statut international et marqué sa volonté de ne pas abandonner le pays à l'orbite anglophone. Enfin, en étant l'hôte du sommet et du président de la République française, Hanoi a voulu exprimer son souci d'une conception globale et équilibrée des relations avec l'extérieur, ne se limitant pas aux seuls échanges économiques. - **Pierre Brocheux** ■

Asie du Sud-Est insulaire

Brunéi, Indonésie, Fédération de Malaisie, Philippines, Singapour

Brunéi

Même si les économistes ont révisé à la baisse les objectifs du 7e plan quinquennal (1996-2000), le sultanat a été moins touché que d'autres par les turbulences monétaires et financières qui ont frappé la région à partir de la mi-1997. Le dollar de Brunéi a toutefois fléchi de 9,7 % de juin à novembre 1997, tandis que les prix à l'importation progressaient. La vie politique a connu une agitation inhabituelle : démission du ministre des Finances, mise en cause des forces de sécurité pour des actions criminelles, visite en Allemagne et en France à l'occasion de la « rencontre Asie-Europe » de Londres, établissement de relations avec la Libye... - **Christian Lechervy** ■

Sultanat de Brunéi
(Negara Brunei Darussalam)

Capitale : Bandar S. B.
Superficie : 5 770 km².
Nature du régime : monarchie absolue (les partis sont interdits depuis 1988).
Chef de l'État et du gouvernement : Paduka Seri Badinga Sultan Haji Hassanal Bolkiah Muizzaddin Waddaulah, également ministre de la Défense (sultan depuis 1968).
Ministre de l'Intérieur et conseiller spécial du sultan : Pehin Dato Haji Isa.
Ministre des Affaires étrangères : prince Haji Mohammed Bolkiah.
Monnaie : dollar de Brunéi (1 dollar = 3,45 FF au 3.8.98).
Langue : malais.

Indonésie

La fin de l'ère Suharto

La démission du président Suharto le 21 mai 1998, après trente-deux ans d'un pouvoir sans partage, a marqué un incon-

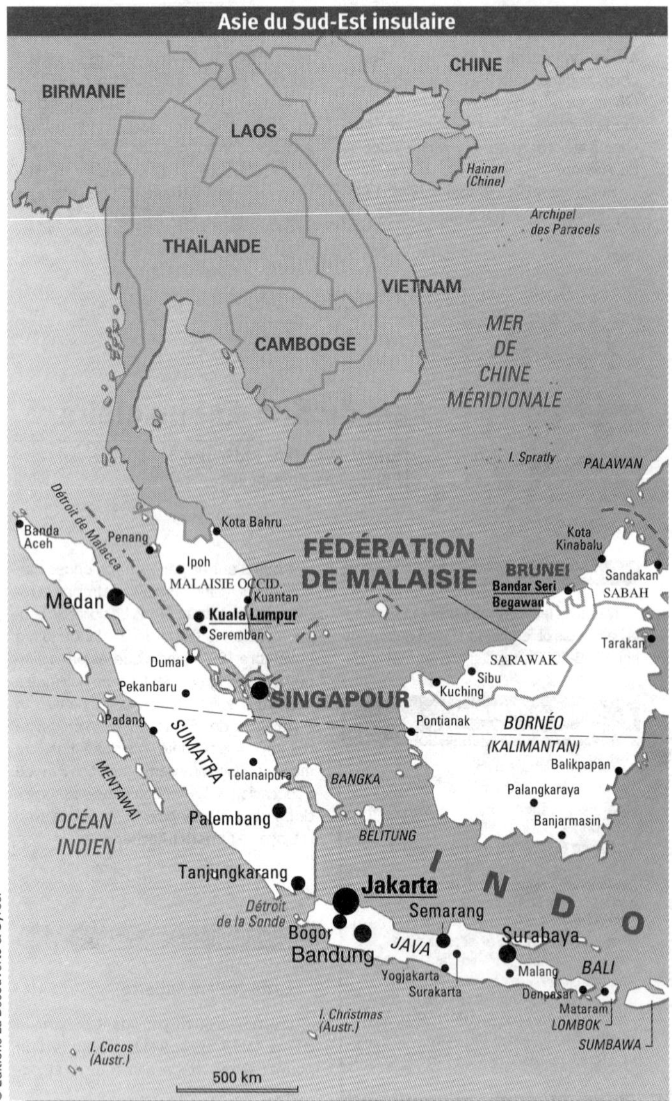
Asie du Sud-Est insulaire
CHINE
BIRMANIE
LAOS
Hainan (Chine)
Archipel des Paracels
THAÏLANDE
VIETNAM
MER DE CHINE MÉRIDIONALE
CAMBODGE
I. Spratly
PALAWAN
Détroit de Malacca
Banda Aceh
Penang
Kota Bahru
FÉDÉRATION DE MALAISIE
Kota Kinabalu
Ipoh
MALAISIE OCCID.
BRUNEI
Bandar Seri Begawan
Sandakan
SABAH
Medan
Kuantan
Kuala Lumpur
Seremban
Tarakan
SARAWAK
Dumai
Sibu
Pekanbaru
Kuching
SINGAPOUR
Padang
SUMATRA
Pontianak
BORNÉO (KALIMANTAN)
MENTAWAI
Telanaipura
BANGKA
Balikpapan
Palangkaraya
OCÉAN INDIEN
Palembang
Banjarmasin
BELITUNG
Tanjungkarang
Jakarta
INDO
Détroit de la Sonde
Semarang
Bogor
Bandung
JAVA
Surabaya
Yogjakarta
Surakarta
Malang
BALI
Denpasar
Mataram
LOMBOK
SUMBAWA
I. Christmas (Austr.)
I. Cocos (Austr.)
500 km

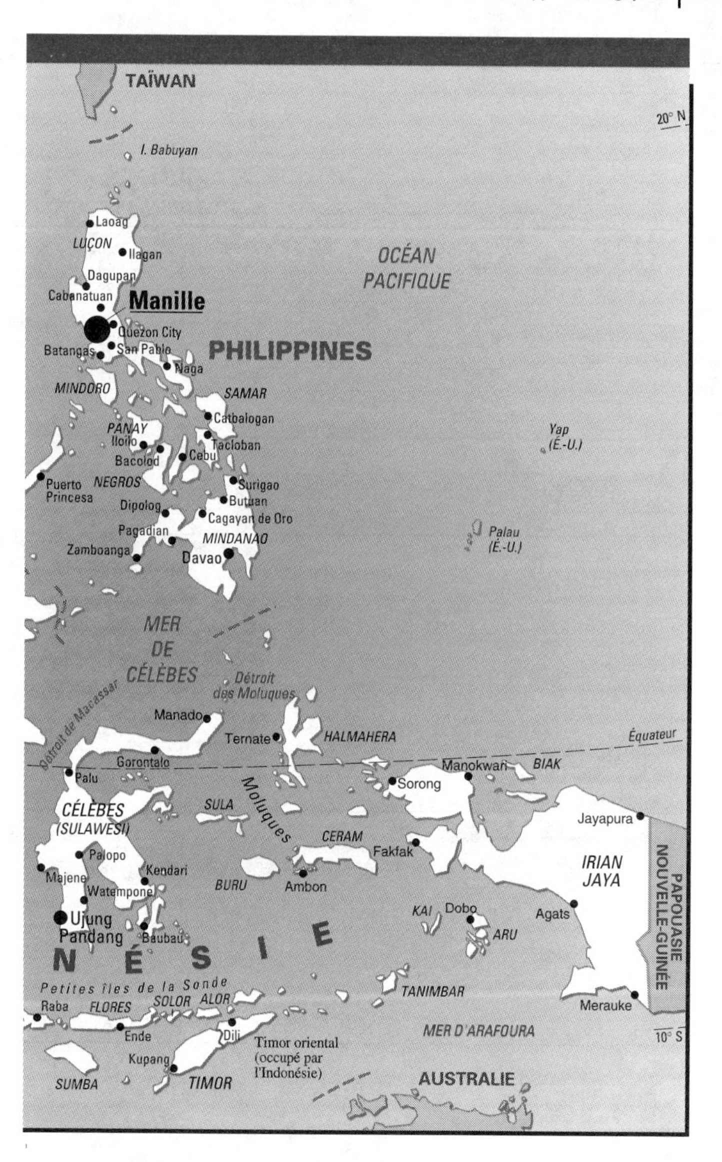
TAÏWAN
20° N
I. Babuyan
Laoag
LUÇON
Ilagan
Dagupan
Cabanatuan
Manille
Quezon City
Batangas
San Pablo
Naga
PHILIPPINES
OCÉAN
PACIFIQUE
MINDORO
SAMAR
Catbalogan
PANAY
Iloilo
Tacloban
Bacolod
Cebu
Yap
(É.-U.)
Puerto
Princesa
NEGROS
Surigao
Butuan
Dipolog
Cagayan de Oro
Pagadian
MINDANAO
Palau
(É.-U.)
Zamboanga
Davao
MER
DE
CÉLÈBES
Détroit
des Moluques
Détroit de Macassar
Manado
Ternate
HALMAHERA
Équateur
Gorontalo
Manokwari
BIAK
Palu
Sorong
Moluques
CÉLÈBES
(SULAWESI)
SULA
Jayapura
CERAM
Fakfak
Palopo
IRIAN
JAYA
Majene
Kendari
BURU
Ambon
PAPOUASIE
NOUVELLE-GUINÉE
Watempone
KAI
Dobo
Agats
Ujung
Pandang
Baubau
ARU
N É S I E
Petites îles de la Sonde
TANIMBAR
Raba
FLORES
SOLOR
ALOR
Merauke
Ende
Dili
MER D'ARAFOURA
10° S
Timor oriental
(occupé par
l'Indonésie)
Kupang
SUMBA
TIMOR
AUSTRALIE

INDICATEUR*	UNITÉ	BRUNÉI	INDONÉSIE
Démographie**			
Population	*millier*	307	203 500
Densité	*hab./km²*	53,2	106,4
Croissance annuelle[d]	%	2,1	1,5
Indice de fécondité (ISF)[d]		2,7	2,6
Mortalité infantile[d]	‰	9	48
Espérance de vie[d]	*année*	75,8	65,2
Population urbaine	%	70,4	37,3
Indicateurs socioculturels			
Développement humain (IDH)[c]		0,882	0,668
Nombre de médecins	*‰ hab.*	0,75[i]	0,17[c]
Analphabétisme (hommes)[b]	%	7,4	10,4
Analphabétisme (femmes)[b]	%	16,6	22,0
Scolarisation 12-17 ans	%	81,6[i]	60,1[k]
Scolarisation 3e degré	%	6,6[c]	11,1[c]
Adresses Internet	*‰ hab.*	• •	0,54
Livres publiés	*titre*	45[m]	6 303[m]
Armées			
Armée de terre	*millier d'h.*	3,9	220
Marine	*millier d'h.*	0,7	43
Aviation	*millier d'h.*	0,4	21
Économie			
PIB total[ae]	*million $*	• •	652 300
Croissance annuelle 1986-96	%	0,7	7,7
Croissance 1997	%	3,5	5,0
PIB par habitant[ae]	$	30 447[cn]	3 310
Investissement (FBCF)[f]	*% PIB*	• •	28,5
Taux d'inflation	%	3,0	11,6
Énergie (taux de couverture)[b]	%	522,4	243,3
Dépense publique Éducation	*% PIB*	3,1[g]	1,2[b]
Dépense publique Défense[a]	*% PIB*	6,5	2,1
Dette extérieure totale[a]	*million $*	• •	129 033
Service de la dette/Export.[f]	%	• •	41
Échanges extérieurs			
Importations	*million $*	4 689[a]	42 066
Principaux fournisseurs[a]	%	E-U 8,8	E-U 10,2
	%	UE 28,5	UE 22,2
	%	Sing 40,1	Asie[h] 52,3
Exportations	*million $*	2 329[a]	53 017
Principaux clients[a]	%	R-U 17,6	E-U 16,5
	%	Asie[h] 74,3	UE 16,8
	%	Jap 54,5	Asie[h] 57,3
Solde transactions courantes	*% PIB*	• •	– 2,23

* Définition des indicateurs p. 25 et suiv. Chiffres 1997 sauf notes. ** Derniers recensements utilisables : Brunéi, 1991 ; Indonésie, 1990 ; Fédération de Malaisie, 1991 ; Philippines, 1995 ; Singapour, 1990. a. 1996 ; b. 1995 ; c. 1994 ; d. 1995-2000 ; e. A parité de pouvoir d'achat (PPA, voir définition p. 581) ; f. 1994-96 ; g. 1993 ; h. Y

FÉDÉR. DE MALAISIE	PHILIPPINES	SINGAPOUR
21 018	70 724	3 439
63,7	235,7	5 564,7
2,0	2,0	1,5
3,2	3,6	1,8
11	35	5
72,1	68,4	77,3
55,1	55,9	100,0
0,832	0,672	0,900
0,45[c]	0,12[k]	1,41[c]
10,9	5,0	4,1
21,9	5,7	13,7
67,7[i]	71,9[i]	87,4[k]
10,6[c]	27,4[c]	33,7[b]
19,30	0,59	196,3
6 465[b]	1 229[b]	• •
85	70	55
14	24	9
12,5	16,5	6
213 700	255 200	81 900
8,5	4,5	8,5
7,8	5,1	7,8
10 390	3 550	26 910
40,1	23,0	34,5
2,9	6,1	2,0
180,5	31,3	• •
5,3[c]	2,2[b]	3,0[b]
4,2	2,0	5,5
39 777	41 214	• •
9	17	• •
80 592	38 036	132 447
E-U 15,6	E-U 19,7	E-U 16,4
UE 14,5	Asie[h] 60,0	UE 14,5
Asie[h] 60,3	Jap 21,8	Asie[h] 63,0
79 796	25 088	124 995
E-U 18,2	E-U 33,9	E-U 18,4
UE 13,7	UE 15,9	UE 13,0
Asie[h] 62,3	Asie[h] 44,8	Asie[h] 61,0
– 4,8	– 5,4	15,18

compris Japon et Moyen-Orient ; i. 1991 ; k. 1990 ; m. 1992 ; n. Aux taux de change courants.

testable changement politique. Suharto était parvenu au pouvoir en mars 1966, au terme du massacre de près de 600 000 militants et sympathisants présumés du Parti communiste indonésien, accusés sans preuves d'avoir fomenté une tentative de coup d'État. Au fil des années soixante-dix et quatre-vingt, il avait consolidé son emprise personnelle sur l'appareil d'État et l'économie du pays par corruption et népotisme. Son « retrait » de la vie publique a consacré la dislocation d'un système personnalisé de pouvoir autant que l'échec d'une stratégie de développement mariant libéralisation financière et monopoles publics, confondant intérêts privés et publics.

L'enlisement dans la crise économique

La démission forcée de Suharto a été précipitée par la crise économique qui a frappé le Sud-Est asiatique à compter de la mi-1997. L'« Ordre Nouveau » (*Orde Baru*, formule désignant le système politique, autoritaire et sous mainmise de l'armée) fondait en effet sa légitimité sur la promesse de croissance économique. Avec la fin des perspectives de prospérité, se sont érodées des loyautés qui n'étaient souvent que conditionnelles. Par répercussion de la crise du bath thaïlandais, le gouverneur de la banque centrale d'Indonésie, Soedradjat Djiwandono, dut choisir le 14 août de laisser flotter la monnaie nationale, la roupie, qui chutait du tiers de sa valeur. Le 8 octobre, le président Suharto se résignait à faire appel au FMI et confiait les négociations à l'économiste Widjojo Nitisastro, apôtre du nationalisme économique. Un accord pour un prêt-bail de 40 milliards de dollars était conclu le 31 contre la promesse du démantèlement des monopoles d'État sur l'importation de farine et de blé, et de la fermeture de seize organismes bancaires dont le taux de créances irrécouvrables était jugé excessif. En novembre, l'Indonésie se voyait contrainte d'importer du riz de Thaïlande, alors qu'elle était

INDICATEUR*	UNITÉ	1975	1985	1996	1997
Démographie**					
Population	*million*	135,7	167,3	200,5	203,5
Densité	*hab./km²*	70,9	87,5	104,8	106,8
Croissance annuelle	%	2,1[a]	1,7[b]	1,5[c]	• •
Indice de fécondité (ISF)		4,4[a]	3,1[b]	2,6[c]	• •
Mortalité infantile	‰	97[a]	66[b]	48[c]	• •
Espérance de vie	*année*	54,5[a]	61,5[b]	65,2[c]	• •
Indicateurs socioculturels					
Nombre de médecins	*‰ hab.*	0,04	0,12	0,17[f]	• •
Analphabétisme (hommes)	%	22,5[o]	11,7[k]	10,4[g]	• •
Analphabétisme (femmes)	%	42,3[o]	24,7[k]	22,0[g]	• •
Scolarisation 12-17 ans	%	36,3	58,9	60,1[k]	• •
Scolarisation 3e degré	%	2,4	3,6[o]	11,1[f]	• •
Téléviseurs	‰	9,6	39,3	232,2	• •
Livres publiés	*titre*	2 181	2 480	6 303[m]	• •
Économie					
PIB total[h]	*milliard $*	127,5[o]	198,9	652,3	• •
Croissance annuelle	%	7,1[d]	6,8[e]	8,0	5,0
PIB par habitant[h]	$	860[o]	1 220	3 310	• •
Investissement (FBCF)	*% PIB*	21,9[q]	25,9[e]	29,3	31,6
Recherche et Développement	*% PIB*	• •	0,3[o]	0,1[g]	• •
Taux d'inflation	%	19,0	4,7	6,6	11,6[p]
Population active	*million*	51,1	67,7	91,2	• •
Agriculture	% } *100 %*	61,8	56,5	44,0	• •
Industrie	% } *100 %*	11,7	12,8	18,1	• •
Services	% } *100 %*	26,5	30,7	37,9	• •
Dépense publique Éducation	*% PIB*	2,7	0,9[i]	1,2[g]	• •
Dépense publique Défense	*% PIB*	3,6	2,8	2,1	• •
Énergie (taux de couverture)	%	440,9	288,8	243,3[g]	• •
Dette extérieure totale	*milliard $*	11,51	36,71	129,03	• •
Service de la dette/Export.	%	15,1	28,8	41[n]	• •
Échanges extérieurs		**1974**	**1986**	**1996**	**1997**
Importations de services	*milliard $*	0,95	4,26	15,14	16,54
Importations de biens	*milliard $*	0,46	11,94	44,24	46,21
Produits alimentaires	%	15,0	7,2	8,8[g]	• •
Produits manufacturés	%	66,0	68,0	72,6[g]	• •
Minerais et métaux	%	11,6	10,0	4,6[g]	• •
Exportations de services	*milliard $*	0,07	0,84	6,60	6,93
Exportations de biens	*milliard $*	7,26	14,40	50,19	56,30
Produits agricoles	%	24,6	21,3	18,3[g]	• •
Produits énergétiques	%	70,2	54,8	25,3[g]	• •
Produits manufacturés	%	0,8	18,8	50,5[g]	• •
Solde transactions courantes	*% du PIB*	• •	– 2,8[e]	– 3,4	– 2,2

* Définition des indicateurs p. 25 et suiv. ** Dernier recensement utilisable : 1990. a. 1975-85 ; b. 1985-95 ; c. 1995-2000 ; d. 1970-80 ; e. 1980-96 ; f. 1994 ; g. 1995 ; h. A parité de pouvoir d'achat (PPA, voir définition p. 581) ; i. 1988 ; k. 1990 ; m. 1992 ; n. 1994-96 ; o. 1980 ; p. Décembre à décembre ; q. 1979-80.

devenue autosuffisante en denrées alimentaires depuis 1985.

Ce désastre économique s'est ajouté à une catastrophe écologique. En novembre et décembre 1997, de gigantesques incendies, vraisemblablement provoqués par l'incurie des compagnies minières exploitant des concessions en contrat avec l'État, avaient ravagé la jungle de Kalimantan, puis, par propagation, les forêts de Sumatra et de Java occidental. Les feux, aggravés par le retard des pluies de la mousson, avaient plongé les populations dayak de Kalimantan dans la famine.

La perte de confiance des investisseurs étrangers, attisée par les difficultés des négociations entre Jakarta et le FMI, provoqua une radicalisation de la contestation politique intérieure. Le 28 décembre, au cours d'une réunion organisée par l'hebdomadaire *Ummat* dans un hôtel jakartanais pour remettre son titre d'« homme de l'année » à Amien Raïs, secrétaire général de la Muhammadiyah, association réformiste d'action sociale se réclamant de l'islam (créée en 1912, elle revendique 28 millions de membres), un millier d'intellectuels musulmans se prononcèrent pour la candidature de ce dernier à la présidence de la République. Au sein de l'armée indonésienne, des voix se sont également élevées contre la volonté de Suharto de se succéder à lui-même. Le 10 janvier, Megawati Sukarnoputri, fille du défunt président Sukarno et leader déchu du Parti démocratique indonésien (PDI), se déclara elle-même candidate aux élections présidentielles, mais sa candidature fut jugée non valide par le gouvernement.

Le 13 janvier, la hausse des prix des denrées alimentaires provoqua ainsi des émeutes antichinoises (la population indonésienne comporte une composante chinoise) à Pasuruan, Jember et Banyuwangi (Java oriental). Des émeutes de ce type, souvent tolérées, voire même attisées par l'armée dans l'espoir de détourner la vindicte populaire des sommets de l'État, se produisirent aussi en janvier à Probolinggo et à Krawang, puis en février à Brebes, Kadipaten, Jatiwangi et Losari. Une immigration massive de paysans sumatranais engendra des frictions diplomatiques avec la Malaisie.

Après la signature, le 15 janvier, d'un accord en 50 points avec le FMI, Suharto annonçait le 20 janvier sa candidature à un septième mandat présidentiel. Le 12 février, il nommait le général Wiranto, l'un de ses fidèles présumés, commandant en chef des

République d'Indonésie

Capitale : Jakarta.
Superficie : 1 904 400 km².
Monnaie : roupie (au taux officiel), 1 000 roupies = 0,57 FF au 30.5.98.
Langues : bahasa Indonesia (off.) ; 200 langues et dialectes régionaux.
Chef de l'État : Bacharuddin Jusuf Habibie, président depuis le 21.5.98, assumant la fonction de président par intérim en tant que vice-président nommé le 10.5.98 par le général Suharto, qui s'est retiré.
Ministre des Affaires étrangères : Ali Alatas.
Ministre de l'Intérieur : général Syarwan Hamid.
Ministre de la Défense : général Wiranto.
Échéances institutionnelles : élections présidentielles annoncées (1er trim. 99).
Nature de l'État : république.
Nature du régime : présidentiel autoritaire. L'armée de terre tient un rôle important.
Principaux partis politiques : *Gouvernement :* Golkar (Golongan Karya, fédération de « groupes fonctionnels » où les militaires occupent une grande place). *Opposition légale :* Partai Persatuan Pembangunan (PPP, Parti unité développement, coalition musulmane) ; Parti démocratique indonésien (PDI, nationaliste chrétien).
Territoire contesté : l'ONU ne reconnaît pas la souveraineté indonésienne sur Timor oriental, ancienne possession portugaise occupée en 1975, puis annexée. Mouvements sécessionnistes papou (OPM, Organisi Papua Merdeka) et acehnais (Sumatra nord).

Indonésie/Bibliographie

R. Bertrand, « La politique du FMI et l'Indonésie de Suharto », *Esprit*, n° 242, Paris, mai 1998.

F. Cayrac-Blanchard, « Préparatifs de succession en Indonésie », *Les Études du CERI*, n° 24, FNSP, Paris, mars 1997.

G. Defert, *Timor-Est, le génocide oublié. Droit d'un peuple et raison d'État*, L'Harmattan, Paris, 1992.

J. Eldridge, *Non-Governmental Organizations and Democratic Participation in Indonesia*, Oxford University Press, Kuala Lumpur, 1995.

W. Hefner, « Islam, State and Civil Society : ICMI and the Struggle for Indonesian Middle Class », *Indonesia*, n° 56, oct. 1993.

R. Lowry, *The Armed Forces of Indonesia*, Allen & Unwin, St. Leonards, 1996.

A. Uhlin, *Indonesia and the Third Wave of Democratization. The Indonesian pro-Democracy Movement in a Changing World*, Curzon Press, Richmond, 1997.

C. Van Dijk, « The Partai Demokrasi Indonesia », *Bijdragen Tot de Taal, Land en Volkenkunde* (BKI), KITLV, n° 153, III, Leyde, 1997.

C. Van Dijk, *Political Development, Stability and Democracy : Indonesia in the Last Decade*, KITLV, Leyde, 1993.

Voir aussi la bibliographie « Asie du Sud-Est insulaire », p. 332.

Forces armées, et son gendre Prabowo Subianto commandant de la Réserve stratégique de l'armée (le Kostrad, unité d'élite de 27 000 hommes) – ce dernier sera renvoyé de l'armée le 24 août 1998. Le 10 mars, Suharto était officiellement investi par l'Assemblée du peuple et, deux jours plus tard, Bacharuddin Jusuf Habibie, ministre de la Technologie, président de l'Association des intellectuels musulmans (ICMI, créée en 1990 avec l'aval de Suharto) et fils adoptif du président, était nommé vice-président. Le nouveau gouvernement allait essentiellement comprendre des proches du Palais présidentiel.

Les étudiants en première ligne

N'ayant pas vécu le traumatisme de 1965, sensibilisés par leur mode de vie aux idéaux démocratiques occidentaux et disposant de peu de perspectives du fait de la crise de la fonction publique et du marché des diplômes, les étudiants allaient représenter le foyer endémique de la contestation. Marginalisés par le discours paternaliste du régime, ils avaient constitué, au fil des années quatre-vingt, des réseaux politiques clandestins, comme le PIJAR – groupuscule prodémocratique –, et étaient en contact permanent avec les ONG nationales, acteurs significatifs de la scène politique et sociale. Les 2 et 3 avril 1998, des affrontements entre forces de l'ordre et manifestants étudiants à Yogyakarta faisaient plusieurs dizaines de blessés. Le 12 mai, six étudiants de l'université privée jakartanaise de Trisakti – établissement pour l'élite sociale et politique –, étaient tués par balles lors d'une manifestation. Un point de non-retour semblait atteint.

Une nouvelle flambée des prix jeta alors Jakarta dans le chaos. Dans la nuit du 14 au 15 mai, 170 personnes trouvaient la mort dans l'incendie, allumé par des gangs de pillards, du grand magasin Yogya à Klender (Jakarta occidental), et 300 dans celui du centre commercial Ramayana, au sud de la capitale. Le quartier chinois de Glodok était dévasté par des foules en colère, avec la complicité de l'armée. Des blindés prenaient position dans les quartiers d'affaires de Jakarta. La pression internationale relaya les aspirations des manifestants. Le 15 mai, lors d'une réunion du G-8 à Birmingham, les États-Unis obtinrent la publication d'un communiqué invitant le président Suharto à « [...] répondre aux aspirations du peuple indonésien ». Amien Raïs, le leader de la Muhammadiyah, renonçait à une mobilisation de masse par crainte d'un bain de sang. Les étudiants occupaient le Parlement. Quatorze ministres du gouvernement menaçaient de démissionner.

Le 21 mai, Suharto annonçait publiquement son « retrait » de la fonction présidentielle et demandait pardon pour « les erreurs et les fautes » qu'il aurait commises. B. J. Habibie prononça alors le serment constitutionnel, devenant le nouveau président. Dans les jours qui suivirent, 7 000 étudiants continuèrent d'occuper les campus universitaires, demandant la démission de B. J. Habibie : ils furent évacués sans violence majeure par l'armée. Dans le nouveau gouvernement, appelé Cabinet de réforme et de développement, le général Wiranto conservait le ministère de la Défense, et G. Kartasasmita celui de l'Économie. Fait notable, de nombreuses personnalités proches des milieux modernistes musulmans – notamment issus de l'ICMI et du Parti du développement unitaire (PPP, le parti musulman légal) – faisaient leur entrée. B. J. Habibie tentait ainsi de contrôler la dissidence musulmane. La présence des militaires dans le nouveau gouvernement était également forte.

Reprise en main de l'armée

Dans le même temps, une reprise en main de l'armée s'amorçait sous la houlette du général Wiranto : Prabowo Subianto était démis de son commandement du Kostrad. Les proches du général Suharto allaient ainsi progressivement être évincés des postes de responsabilité politique et militaire, mais l'ouverture politique annoncée se borna à la cooptation de notables politiques islamiques. Amien Raïs a toutefois refusé tout portefeuille. Le Nahdatul Ulama (Renaissance des oulémas), mouvement conservateur traditionaliste fondé en 1926, n'aura en revanche pas joué un rôle de premier plan dans toute cette période, non plus que le PDI. La base de ce dernier (par ailleurs faible à Java) s'est érodée devant l'islamisation de la vie publique promue par Suharto dès 1990 pour se rallier des soutiens musulmans.

B. J. Habibie, en réponse aux exigences américaines, a par ailleurs annoncé que de nouvelles élections législatives auraient lieu dans un délai d'un an. Des mesures symboliques ont dès lors confirmé la volonté de rassurer les chancelleries étrangères. Le 25 mai, deux des plus célèbres prisonniers politiques, le parlementaire Sri Bintang Pamungkas et le syndicaliste ouvrier Muchtar Pakpahan, furent ainsi libérés. Le 1er juin, le procureur général Sudjono Atmonegoro annonçait l'ouverture d'une enquête publique sur les modalités d'enrichissement de l'ex-président Suharto et de sa famille. Mais ces gestes à usage externe se sont doublés d'une réaffirmation de l'exigence de restauration de la paix civile et de protection de l'unité nationale faisant écho aux mises en garde réitérées du général Wiranto. La question de l'indépendance de Timor oriental, ancienne colonie portugaise occupée en 1975, puis annexée par l'Indonésie, a refait surface, et des murmures autonomistes se sont fait entendre à Bali et, bien sûr, à Aceh – la province au nord-ouest de Sumatra. - **Romain Bertrand** ■

Fédération de Malaisie

Dans un contexte de crise économique régionale, Kuala Lumpur a voulu afficher sa sérénité et d'ambitieux objectifs : maintenir une croissance positive en 1998, contenir les pressions inflationnistes, consolider le secteur financier et dégager un excédent budgétaire pour réduire le déficit courant à 3 % du PIB. La tourmente monétaire qui a frappé l'Asie orientale à partir de la mi-1998 a suscité des critiques véhémentes à l'encontre du FMI, des activités prédatrices du financier George Soros, des spéculateurs étrangers, voire de la communauté juive. Le Premier ministre, Datuk Seri Mahathir bin Mohamad, a même évoqué la nécessité d'interdire les transactions sur les changes. En dénonçant un complot international, il a cherché à reconstituer l'unité politique autour de lui lors, notamment, d'un vote de confiance du Parlement (19 novembre 1997). En décembre, le gouvernement a adopté des mesures économiques d'urgence tout en apportant une aide d'un milliard de dollars à l'Indonésie. Pour freiner la hausse de l'endettement et faire face à la très forte chute des recettes, l'État a réduit ses dépenses de 18 %. La monnaie (le ringitt) a perdu 60 % de sa valeur en un an et a atteint son plus bas niveau en un quart de siècle. Anticipant les effets durables de la crise, les autorités ont dit vouloir licencier un million de travailleurs étrangers pour que ceux-ci laissent leurs emplois aux Malaisiens, tout en redéployant cette main-d'œuvre (10 % du total) vers des activités tournées vers l'exportation. Lors des premiers rapatriements forcés (10 000 vers l'Indonésie en avril 1998), des échauffourées ont eu lieu avec les forces de police, faisant une dizaine de morts et des dizaines de blessés. Ces événements eurent d'autant plus de retentissement que quelques migrants ont cherché refuge dans des enceintes diplomatiques occidentales. Mécontent de la manière dont la presse internationale traitait ces événements, le Premier ministre a refusé de recevoir le chancelier de l'Échiquier britannique venu préparer le sommet du G-7/P8. En politique intérieure, l'heure n'était pas davantage aux concessions. Le député d'opposition Lim Guan Eng, du Parti de l'action démocratique (DAP), a été condamné à dix-huit mois de prison pour avoir édité une brochure intitulée *Une histoire vraie*, relatant les relations sexuelles entre un responsable politique régional et une lycéenne. Ni ces événements, ni la chape de fumées toxiques qui s'est répandue sur le territoire de mai à décembre 1997 du fait des incendies de forêt sur l'île de Bornéo n'ont ralenti le ballet diplomatique des chefs d'État et de gouvernement en visite à Kuala Lumpur : reine Elizabeth II, Premiers ministres chinois, libanais, vice-président taiwanais, présidents vietnamien, égyptien, algérien et français (une première sous la Ve République). Cette rencontre, qui fut suivie d'un nouveau tête-à-tête lors de l'Asem (Asia Europe Meeting) de Londres, a traduit le renforcement des relations politiques bilatérales.

Fédération de Malaisie

Capitale : Kuala Lumpur.
Superficie : 329 750 km².
Nature de l'État : fédéral.
Nature du régime : monarchie constitutionnelle.
Chef de l'État : Tuanku Jaafar Ibni al-Marhum Tuanku Abdul (depuis le 26.4.94).
Chef du gouvernement : Datuk Seri Mahathir bin Mohamad, également ministre de l'Intérieur (depuis le 16.7.81).
Ministre de la Défense : Syed Hamid Albar.
Ministre des Affaires étrangères : Abdullah Ahmad Badawi.
Monnaie : ringgit (1 ringgit = 1,44 FF au 29.7.98).
Langues : malais, chinois, anglais, tamoul.

Philippines

Longtemps considérées comme le plus mauvais élève de l'ANSEA (Association des nations du Sud-Est asiatique), les Philippines sont sorties moins affaiblies que leurs voisins de la crise financière et monétaire asiatique ouverte à la mi-1997. La croissance du PIB n'a été que peu affectée : 5,1 % en 1997 contre 5,5 % en 1996 ; les exportations ont progressé de 22,8 % en valeur et l'inflation a été contenue à 6,1 %. Mars 1998 a d'ailleurs marqué la fin d'une tutelle de près de trente-cinq ans du FMI. La maîtrise de l'endettement extérieur contrastait avec la dérive enregistrée ailleurs. Le peso a suivi, bien qu'avec moins d'ampleur (– 52,3 % par rapport au dollar avant la crise), l'évolution des autres devises de la région, tandis que l'indice boursier s'est vu ramené à son niveau de 1993. Le budget de l'État a été réduit de 1,8 milliard de dollars pour 1998. Bien que les productions alimentaires (riz, sucre...) aient été malmenées par les aléas du phénomène climatique El Niño, l'économie a bénéficié de la confiance accordée par la communauté internationale à la politique et aux réformes menées par le président Fidel Ramos. Les investissements étrangers ont afflué (1,7 milliard de dollars en 1997, soit + 129,5 % par rapport à 1996), venant renforcer le stock des réserves en devises (10,8 milliards de dollars en avril 1998).

Dans ce contexte, la succession du président Ramos à l'échéance de son mandat présidentiel (30 juin 1998) non renouvelable pouvait susciter l'inquiétude. Durant ce mandat, non seulement l'économie s'est redressée, mais la paix civile a été peu à peu restaurée, comme en a encore témoigné l'accord provisoire, signé en juillet 1997, avec le Front moro islamique de libération (MILF). Le 11 mai 1998, ils n'étaient pas moins de dix candidats à se présenter à l'élection présidentielle. Le face-à-face électoral opposa surtout le vice-président de la République sortant, Joseph Estrada, au président de la Chambre des représentants, José de Venecia. Le premier bénéficia de la forte mobilisation des 34 millions d'électeurs (plus de 80 %), du peu de charisme de son adversaire et des tergiversations de F. Ramos : bienveillante neutralité à l'égard de la candidature de son ancien ministre de la Défense, le général Renato de Villa, et tergiversations jusqu'à l'automne sur sa propre candidature et les réformes constitutionnelles qu'elle aurait nécessitées. La controverse s'était transformée le 21 septembre en un véritable bras de fer avec l'opposition lors d'une imposante manifestation dans la capitale, organisée par Corazon Aquino et le cardinal Sin contre toute modification de la Constitution. Pour la deuxième fois depuis la chute de Ferdinand Marcos, à un président démocratiquement élu succédait un président démocratiquement élu. Certes, près d'une quarantaine de personnes ont trouvé la mort au cours de la campagne et le scrutin ne s'est pas tenu dans quelques districts du Sud du fait des autonomistes musulmans, mais le 11 mai les électeurs ont pu voter librement dans les 170 000 centres de vote. Au terme de celui-ci, J. Estrada a été élu président de la République, et Gloria Macapagal-Arroyo a été élue vice-présidente au détriment du candidat de J. Estrada, Edgardo Angara. Ce même scrutin a désigné douze sénateurs, les représentants à la Chambre basse, les gouverneurs et les vice-gouverneurs, les maires, vice-maires, les conseillers municipaux, soit au total 17 000 élus (sur 64 000 candidats). En plébiscitant J. Estrada (plus du tiers des votes), les Philippins ont choisi de porter au palais de Malacanang un homme du peuple,

République des Philippines

Capitale : Manille.
Superficie : 300 000 km^2.
Nature du régime : démocratie présidentielle.
Chef de l'État : Fidel Ramos, président (depuis le 30.6.92).
Vice-président : Joseph Estrada (depuis le 30.6.92).
Ministre de l'Intérieur et des gouvernements locaux : Robert Barbers.
Ministre de la Défense : Fortunato Abad.
Ministre des Affaires étrangères : Domingo Siazon.
Monnaie : peso (au taux officiel, 1 peso = 0,15 FF au 30.5.98).
Langues : tagalog, anglais.

Asie du Sud-Est insulaire/Bibliographie

R. Blanadet, *Les Philippines*, PUF, coll. « Que sais-je ? », Paris, 1997.

É. Bouteiller, M. Fouquin, *Le Développement économique de l'Asie orientale*, La Découverte, coll. « Repères », Paris, 1995.

M. Bruneau, C. Taillard, « Asie du Sud-Est », *in* R. Brunet (sous la dir. de), *Géographie universelle*, vol. VII, Belin/Reclus, Paris/Montpellier, 1995.

J. Giri, *Les Philippines : un dragon assoupi ?*, Karthala, Paris, 1997.

« Indonésie. L'Orient de l'Islam », *Hérodote*, n° 88, La Découverte, Paris, 1er trim. 1998.

M. Jan, G. Chaliand, J.-P. Rageau, *Atlas de l'Asie orientale*, Seuil, Paris, 1997.

F. Joyaux, *L'Association des nations du Sud-Est asiatique*, PUF, coll. « Que sais-je ? », Paris, 1997.

R. de Koninck, *L'Asie du Sud-Est*, Masson, Paris, 1994.

D. Lombard, *Le Carrefour javanais. Essai d'histoire globale*, EHESS, Paris, 1990.

L. Metzger, *Stratégie islamique en Malaisie (1975-1995)*, L'Harmattan, Paris, 1996.

P. Richer, *L'Asie du Sud-Est*, Flammarion, coll. « Dominos », Paris, 1996.

R. Robinson, D. Goodman, *The New Rich in Asia*, Routledge, Londres, 1996.

G. Saunders, *A History of Brunei*, Oxford University Press, Oxford, 1994.

South East Asian Affairs (annuel), Institute of South East Asian Studies, Singapour.

M. R. J. Vatikiotis, *Political Change in Southeast Asie*, Routledge, Londres, 1996.

Voir aussi la bibliographie « Indonésie », p. 328.

peu familier de la gestion économique et des dossiers internationaux. Malhabile en anglais, le nouveau président n'allait peut-être pas avoir le dynamisme de son prédécesseur sur la scène mondiale. Le « premier VRP des Philippines », selon la propre expression de Fidel Ramos, n'aura en effet pas ménagé ses efforts durant les derniers mois de son mandat, en visitant pas moins de vingt pays. Au plan régional, la diplomatie manilène pouvait se satisfaire d'avoir concouru à la conclusion d'un accord-cadre pour la promotion de la stabilité financière (18 novembre 1997) définissant la coopération des gouverneurs des banques centrales de la région Pacifique avec les quatre pays européens du G-7 (Allemagne, France, Royaume-Uni, Italie). Si l'Europe a été courtisée, c'est avec les États-Unis que les derniers succès ont été enregistrés. Pour la cinquième et dernière fois de sa présidence, F. Ramos s'est rendu en visite officielle aux États-Unis (8-10 avril 1998), premier partenaire économique et commercial, et il a normalisé les relations militaires en signant un accord sur le statut des forces armées de passage, préalable à la reprise des exercices interrompus en 1995. Pour renforcer le rayonnement international de son pays, le nouveau chef de l'État pourrait profiter de la présidence de l'ANSEA (depuis juillet 1997) et de l'élection de l'un de ses concitoyens au poste de secrétaire général de l'organisation régionale. - **Christian Lechervy** ■

Singapour

Singapour a été l'un des pays qui ont le mieux résisté à la crise financière et monétaire asiatique. La situation chez ses deux grands voisins (Malaisie et Indonésie), où sont présents ses intérêts, laissait présager le pire. Le taux de croissance de Singapour a été de 7,8 % en 1997. Les exportations se sont maintenues. La croissance a quand même chuté en 1998. Ce diagnostic négatif s'applique aux recettes touristiques et bancaires, au secteur immobilier et à l'emploi.

Sur le plan politique et diplomatique, l'attention a aussi porté sur la crise régionale. L'ancien « numéro un » Lee Kuan Yew, devenu *Senior Minister* (Ministre émérite), suivi d'autres dirigeants, a publiquement critiqué le président indonésien Suharto dès février 1998, soit trois mois avant son retrait. Dans un effort de concertation, le Premier ministre Goh Chok Tong s'est pour sa part rendu dans les capitales voisines à la recherche de solutions.

Concernant les deux grands procès politiques qui ont suivi les législatives du 2 janvier 1997, le Premier ministre a gagné contre le chef du Parti des travailleurs (WP), Joshua Benjamin Jeyaretnam, qu'il accusait d'avoir nui à son intégrité lors de la campagne électorale, mais le montant des dommages et intérêts réclamés à ce dernier (58 000 dollars) n'a été que la moitié de ce qu'exigeait Goh Chok Tong. Dans l'autre procès remporté par ce dernier, la Cour d'appel a réduit de plus de la moitié l'amende imposée à l'avocat Tang Liang Hong (Parti des travailleurs).

Dès février 1998, les nuages de fumée provenant des forêts indonésiennes ont à nouveau altéré la qualité de l'air et menacé d'éloigner les touristes. Le fait que le problème se soit posé plusieurs mois plus tôt que l'année précédente a gravement inquiété les Singapouriens. Des écologistes ont évalué les coûts de cette pollution à plus d'un milliard de dollars pour la région en 1997.

République de Singapour

Capitale : Singapour.
Superficie : 618 km^2.
Nature du régime : république parlementaire autoritaire, contrôlée par un parti dominant.
Chef de l'État : Ong Teng Cheong (depuis le 28.8.93).
Chef du gouvernement : Goh Chok Tong, Premier ministre (depuis le 27.11.90).
Ministre émérite : Lee Kuan Yew (qui fut Premier ministre pendant 31 ans, de 1959 à 1990).
Vice-premier ministre : Lee Hsien Loong.
Vice-premier ministre et ministre de la Défense : Tony Tan.
Ministre de l'Intérieur : Wong Kan Seng.
Ministre de la Justice et des Affaires étrangères : S. Jayakumar.
Monnaie : dollar de Singapour (1 dollar = 3,46 FF au 29.7.98).
Langues : anglais, chinois, malais, tamoul.

Dans la poursuite de son idéal de cité futuriste, le gouvernement a fait abonner 10 000 personnes à son programme Singapore One entre juin 1997 et juin 1998. Avec des investissements publics annuels de 400 millions de dollars, cet ambitieux « super corridor multimédia » a relié familles, écoles et services publics tout en offrant du divertissement. Le ministère de l'Information et des Arts espérait connecter la totalité des 900 000 foyers d'ici 1999. Les usagers de la route et des aéroports ont déjà recours au microprocesseur. Il en allait de même pour la surveillance des prisonniers et les agences de rencontres sociales (« mariages organisés »). - **Jules Nadeau** ■

Présentation par **Benoît Antheaume**
Géographe, OSTOM

Avant d'être une région, le Pacifique sud est d'abord un océan, pas n'importe lequel : l'Océan majeur de la planète, le « Grand Océan », comme l'ont surnommé les navigateurs. Pourtant, cet océan n'a rien de... pacifique et il compte autant, voire plus de tempêtes que les autres. Divers cataclysmes comme les secousses telluriques dont il est le siège, ou les cyclones et tsunamis qu'il engendre comptent parmi les plus violentes catastrophes naturelles au monde. L'océan Pacifique couvre environ 180 millions de km^2, soit le tiers de notre planète (510 millions de km^2). Il s'étire dans sa plus grande largeur – des Philippines à Panama – sur près de la moitié de la circonférence du globe (17 500 km). Il se répartit dans un rapport 40 / 60 entre les hémisphères Nord et Sud. Espace incommensurable, le Pacifique constitue aussi une gigantesque machine thermique stockant l'énergie solaire, dissolvant plus de la moitié du volume du gaz carbonique dont l'émission est consécutive à l'activité humaine. D'une certaine manière, il détient, dans son aptitude à réguler les changements perceptibles dans le climat mondial – malgré les phénomènes exceptionnels de type El Niño – la clé du devenir de l'humanité. Mais le Pacifique sud est aussi un espace fait d'îles et plus encore d'archipels comptant au total moins de six millions d'habitants, dont quatre pour la seule Papouasie-Nouvelle-Guinée, essaimés sur 550 000 km^2 de terres émergées prolongées en 1976 d'une zone de souveraineté maritime (dite Zone économique exclusive ou ZEE) de 30 millions de km^2.

Pacifique sud

Le Pacifique sud d'aujourd'hui résulte d'une histoire complexe, faite de la rencontre d'éléments culturels multiples et souvent très anciens. Les savants des siècles derniers l'ont découpé en trois grandes aires géographiques : la Mélanésie – « îles noires » –, Papouasie-Nouvelle-Guinée, îles Salomon, Vanuatu, Nouvelle-Calédonie, Fidji ; la Polynésie – « îles nombreuses » –, un vaste triangle qui va de Hawaii au nord à l'île de Pâques à l'est et jusqu'à la Nouvelle-Zélande à l'ouest et qui comprend les îles Cook, Niue, la Polynésie française, les Samoa américaines, le Samoa, Tokelau, Tonga, Tuvalu et Wallis et Futuna ; et la Micronésie – « îles petites » –, située sur ou au nord de l'équateur et incluant les îles Mariannes du Nord, Guam, Palau, les États fédérés de Micronésie, les îles Marshall, Nauru et Kiribati.

Premières peuplées, les îles de Mélanésie sont restées fidèles à une organisation sociale souple, faite de clans et de tribus de petites tailles, d'idéologie égalitaire, réunis les uns aux autres par des systèmes d'échange complexe. Les Polynésiens, venus plus tard, ont bâti des sociétés hiérarchiques quasi féodales, avec parfois de véritables royaumes transinsulaires, comme celui des Tonga dont l'organisation sociale et les symboles sont ceux des gens de pirogues, qui permirent la conquête du triangle polynésien. Alors que les Mélanésiens ont préféré des sociétés horizontales, les Polynésiens ont construit en général des sociétés verti-

LES SOCIÉTÉS DU PACIFIQUE SUD SE FONDENT SUR DES TRADITIONS MARITIMES, L'ÉCHANGE GÉNÉRALISÉ, ET PRATIQUENT TOUTES LA CULTURE DES TUBERCULES.

cales à chefferies fortes, où les classes ressemblaient presque à des castes. Plus au nord, les Micronésiens, s'ils présentent des liens culturels plus marqués avec leurs proches voisins de l'Asie du Sud-Est et des Philippines, n'ont pourtant pas été isolés du reste du monde polynésien ou mélanésien, ce dont témoignent les traditions orales, les faits linguistiques et les vestiges archéologiques. Mais, pour différentes et diverses qu'elles soient, toutes ces sociétés du Pacifique sud ont un air de parenté. Elles se fondent sur des traditions maritimes, l'échange généralisé, et pratiquent toutes la culture des tubercules.

Le facteur qui crée les plus forts contrastes est l'inégal niveau de développement économique. Son originalité dans le Pacifique sud tient à ce qu'il est fortement corrélé au statut politique des différentes entités d'une part, et à leur mode de participation aux échanges internationaux de l'autre.

Le Pacifique sud est aussi une perception subjective qui alimente les représentations mentales des uns et des autres : fort différentes selon qu'on soit Occidental ou ressortissant insulaire. Pour le premier, le Pacifique sud est fait de clichés (paradis, cocotiers, vahinés, etc.) et il véhicule des mythes. Aujourd'hui, le « mythe Pacifique » fascine toujours, par le biais de catalogues touristiques ou d'une médiatisation savamment orchestrée. A cette vision quelque peu idyllique, qui perdure, s'oppose la perception des insulaires, plutôt fondée sur la culture, la recherche du lien, la connexion, le réseau, la proximité et parfois aussi l'enfermement et l'isolement douloureusement ressentis, qu'exacerbe souvent le rôle considérable joué par les Églises, quelles que soient leurs obédiences. Comme en d'autres parties du globe, le facteur qui crée les plus forts contrastes est l'inégal niveau de développement économique. Son originalité dans le Pacifique sud tient à ce qu'il est fortement corrélé au statut politique des différentes entités d'une part, et à leur mode de participation aux échanges internationaux de l'autre.

Les États indépendants – une situation acquise tardivement entre 1962 et 1980 – sont en situation d'isolement et de marginalité et sont en général les plus pauvres. Leurs échanges avec l'extérieur sont d'un poids médiocre. Au contraire, les territoires qui sont sous la dépendance des États-Unis, de la France, voire de la Nouvelle-Zélande sont parmi les plus riches et les plus développés et largement ouverts sur l'extérieur, encore que des interprétations différentes en ressortent : si l'indépendance « appauvrit », elle conduit aussi à une meilleure maîtrise des besoins socio-économiques et à un meilleur équilibre de l'écologie insulaire alors que la « richesse » ne fait que masquer l'extraordinaire spirale d'exclusive dépendance que vivent certains territoires avec leur métropole. Deux États échappent cependant à toute classification : la Papouasie-Nouvelle-Guinée, véritable « colosse » dans la région, pourvue d'un grand territoire, d'une large population en accroissement rapide, de ressources minérales (or), d'une agriculture vivrière et de plantations, et Nauru, île corallienne soulevée, État phosphatier rentier, parmi les plus riches du monde par habitant, mais devenu à l'issue d'un siècle d'exploitation forcenée une coquille vide.

En tant que région, le Pacifique sud existe à travers deux institutions de co-

Présentation par **Benoît Antheaume**
Géographe, OSTOM

Pacifique sud/Bibliographie sélective

B. Antheaume, J. Bonnemaison, *Atlas des îles et États du Pacifique sud,* Reclus/Publisud, Paris, 1988.

B. Antheaume, J. Bonnemaison, « Une aire Pacifique ? », *La Documentation photographique,* n° 7030 (n° spécial), La Documentation française, Paris, 1996.

B. Antheaume, J. Bonnemaison, « Océanie », *in* R. Brunet (sous la dir. de), *Géographie universelle,* vol. VII, Belin/Reclus, Paris/Montpellier, 1995.

A. Bensa, *Nouvelle-Calédonie, un paradis dans la tourmente,* Gallimard, coll. « Découvertes », Paris, 1990.

J. Bonnemaison, *Les Fondements géographiques d'une identité, l'archipel du Vanuatu, essai de géographie culturelle* ; livre I, *Gens de pirogue et gens de la terre* ; livre II, *Les Gens des lieux,* ORSTOM, Paris, 1996-1997.

J. Bonnemaison, J. Freyss (sous la dir. de), « Le Pacifique insulaire, nations, aides, espaces », *Revue Tiers Monde,* n° 149, PUF, Paris, janv.-mars 1997.

H. C. Brookfield, D.Hardt, *Melanesia : a Geographical Interpretation of an Island World,* Methen, Londres, 1971.

J. Chesneaux, N. Maclellan, *La France dans le Pacifique. De Bougainville à Moruroa,* La Découverte, Paris, 1992.

P. Couteau-Bégarie, *Géostratégie du Pacifique,* Économica, Paris, 1987.

H. Godard (sous la dir. de), « Les Outre-mers », *in* T. Saint-Julien (sous la dir. de), *Atlas de France,* vol. XIII, Reclus/La Documentation française, Montpellier/Paris, 1998.

S. Hoadley, *The South Pacific Foreign Affairs Handbook,* Allen & Unwin, Sydney, 1992.

K. Howe *et alii, Tides of History : the Pacific Islands in the Twentieth Century,* University of Hawaii Press, Honolulu, 1994.

« Pacific Islands Yearbook », *Pacific Islands Monthly,* PO Box 1167 Suva, Fiji.

R. Thakur (sous la dir. de), *The South Pacific : Problems, Issues and Prospects,* MacMillan, Londres, 1991.

Voir aussi la bibliographie « Australie », p. 344.

opération. La plus ancienne est la CPS (Commission du Pacifique sud) dont le siège est à Nouméa et qui a été créée en 1947 par les six puissances extérieures qui administraient alors la région. Progressivement, toutes les entités – souveraines ou non – de la région y ont adhéré à égalité de droits et de devoirs, tandis que les Pays-Bas, le Royaume-Uni et les États-Unis s'en retiraient par étapes. L'action de la CPS en matière de développement, de santé, de protection de l'environnement et de réglementation des pêches est largement reconnue. En plus de l'Australie et de la Nouvelle-Zélande, l'accession à l'indépendance de nombreuses entités a toutefois conduit à créer en 1971 un Forum du Pacifique sud (siège Suva), où les problèmes politiques comme économiques pouvaient être débattus.

La meilleure définition de l'état présent du Pacifique sud, c'est un certain mélange de formes désuètes héritées du XIXe siècle et l'espoir concomitant de formes nouvelles qu'annoncent les enjeux du siècle futur. Mais l'aspect « hors du temps » qui fait toujours le charme de la région et qui, dans une certaine mesure, l'a jusqu'ici préservée et dont elle joue parfois, représente-t-il une chance ou au contraire une excessive fragilité pour le Pacifique sud ? ■

Pacifique sud

Par **François Féron**
Journaliste

1997

10 juillet. Bougainville. Signature à Honiara d'un traité frontalier entre la Papouasie-Nouvelle-Guinée et les îles Salomon. Ces dernières reconnaissent l'île de Bougainville comme partie intégrante de la Papouasie-Nouvelle-Guinée.
22 juillet. Papouasie-Nouvelle-Guinée. Le maire de Port Moresby, Bill Skate, est élu Premier ministre par le Parlement. Il remplace à ce poste Sir Julius Chan qui avait dû provoquer des élections législatives anticipées en juin. Son intention d'utiliser des mercenaires contre les sécessionnistes de l'Armée révolutionnaire de Bougainville avait en effet fait scandale.
18-20 septembre. Forum du Pacifique sud. 28e sommet annuel tenu dans les îles Cook. Les discussions portent principalement sur le réchauffement de la planète. Une majorité d'îles du Pacifique pourraient disparaître si le niveau de la mer continue à s'élever.
20-21 octobre. Commission du Pacifique sud. Réunis à Canberra (Australie), les délégués décident de changer le nom de l'organisation en Communauté du Pacifique pour tenir compte du rôle accru des États du Pacifique nord. Le Royaume-Uni annonce son intention de redevenir membre en 1998.
8 décembre. Nouvelle-Zélande. A la suite d'un renversement d'alliances au sein du parti majoritaire, le Parti national, Jenny Shipley devient la première femme néo-zélandaise Premier ministre.
17 décembre. Palau. Palau devient le 182e membre du Fonds monétaire international.

1998

12 janvier. Vanuatu. Déclaration de l'état d'urgence pour quatre semaines après une journée d'émeutes. A la suite d'un rapport faisant état de malversations de dirigeants politiques, les manifestants réclament de pouvoir retirer leurs économies du Fonds national de retraite.
23 janvier. Papouasie-Nouvelle-Guinée. Accord de cessez-le-feu signé à Christchurch (Nouvelle-Zélande) entre le gouvernement de Papouasie-Nouvelle-Guinée, les rebelles de Bougainville et le gouvernement intérimaire de Bougainville.
27 janvier. Nouvelle-Zélande. Les câbles l'alimentant ayant sauté, le centre-ville d'Auckland est paralysé (et le restera pendant deux mois).
1er février. Nouvelle-Calédonie. Accord entre le gouvernement français et le Front de libération nationale kanak et socialiste (FLNKS) sur l'exploitation du nickel de l'île. La compagnie Eramet cède une partie de ses sites.
13 février. Australie. Adoption par une Convention constitutionnelle (89 voix pour, 52 contre et 11 abstentions) d'un projet de République en 2001. La population se prononcera par référendum fin 1999.
6 mars. Vanuatu. Élections législatives au cours desquelles le parti francophone, au pouvoir depuis 7 ans, cède la place aux partis anglophones.
26 mars. Tuvalu. Élections législatives qui aboutissent à la reconduction du Premier ministre Bikenibeu Paeniu malgré de nombreuses affaires de mœurs et des allégations de corruption.
31 mars. Nouvelle-Zélande. Après six ans de négociations, la tribu maori Ngai Tahu obtient de récupérer 930 hectares d'une terre ancestrale, un dédommagement de 160 millions de dollars néo-zélandais, et les excuses officielles de la Couronne britannique.
7 avril. Australie. En accord avec le gouvernement, qui souhaite mettre fin au monopole syndical d'embauche chez les dockers, la compagnie de chargement Patrick licencie ses 1 400 employés pour les remplacer par des travailleurs non syndiqués. Les dockers licenciés paralyseront l'entreprise pendant un mois. Le conflit prendra fin le 25 juin après la signature d'un accord entre syndicat et direction.
30 avril. Papouasie-Nouvelle-Guinée. Signature d'un cessez-le-feu permanent et irrévocable entre le gouvernement intérimaire de Bougainville et le gouvernement de Papouasie-Nouvelle-Guinée.
4 mai. Nouvelle-Calédonie. Signature officielle des accords de Nouméa qui reportent le scrutin d'autodétermination à une date comprise entre 2013 et 2018. D'ici là, certaines compétences de l'État seront transférées aux autorités du territoire. Un centre culturel destiné à promouvoir la culture kanake est inauguré à cette occasion.

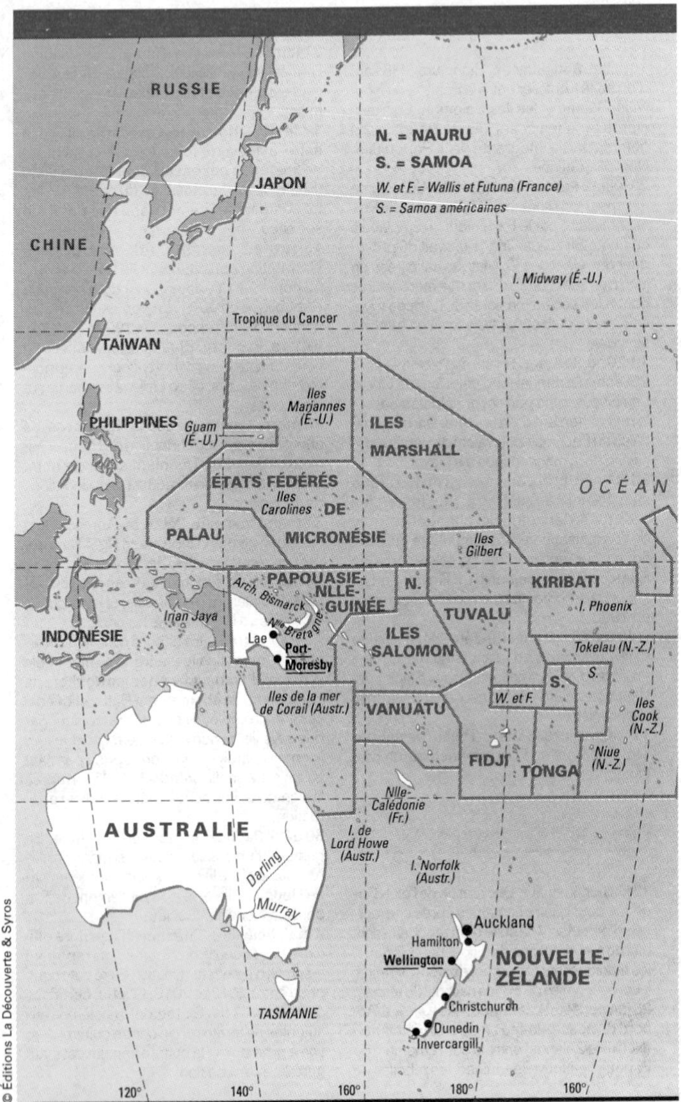

RUSSIE
JAPON
CHINE
N. = NAURU
S. = SAMOA
W. et F. = Wallis et Futuna (France)
S. = Samoa américaines
I. Midway (É.-U.)
Tropique du Cancer
TAÏWAN
Iles Marjannes (É.-U.)
ILES MARSHALL
PHILIPPINES
Guam (É.-U.)
ÉTATS FÉDÉRÉS DE MICRONÉSIE
Iles Carolines
OCÉAN
PALAU
Iles Gilbert
PAPOUASIE-NLLE-GUINÉE
Arch. Bismarck
N.
KIRIBATI
I. Phoenix
TUVALU
Irian Jaya
Nlle Bretagne
INDONÉSIE
Lae
Port-Moresby
ILES SALOMON
Tokelau (N.-Z.)
S.
S.
W. et F.
Iles de la mer de Corail (Austr.)
VANUATU
Iles Cook (N.-Z.)
Niue (N.-Z.)
FIDJI
TONGA
Nlle-Calédonie (Fr.)
I. de Lord Howe (Austr.)
AUSTRALIE
Darling
I. Norfolk (Austr.)
Murray
Auckland
Hamilton
Wellington
NOUVELLE-ZÉLANDE
Christchurch
Dunedin
Invercargill
TASMANIE
120°
140°
160°
180°
160°

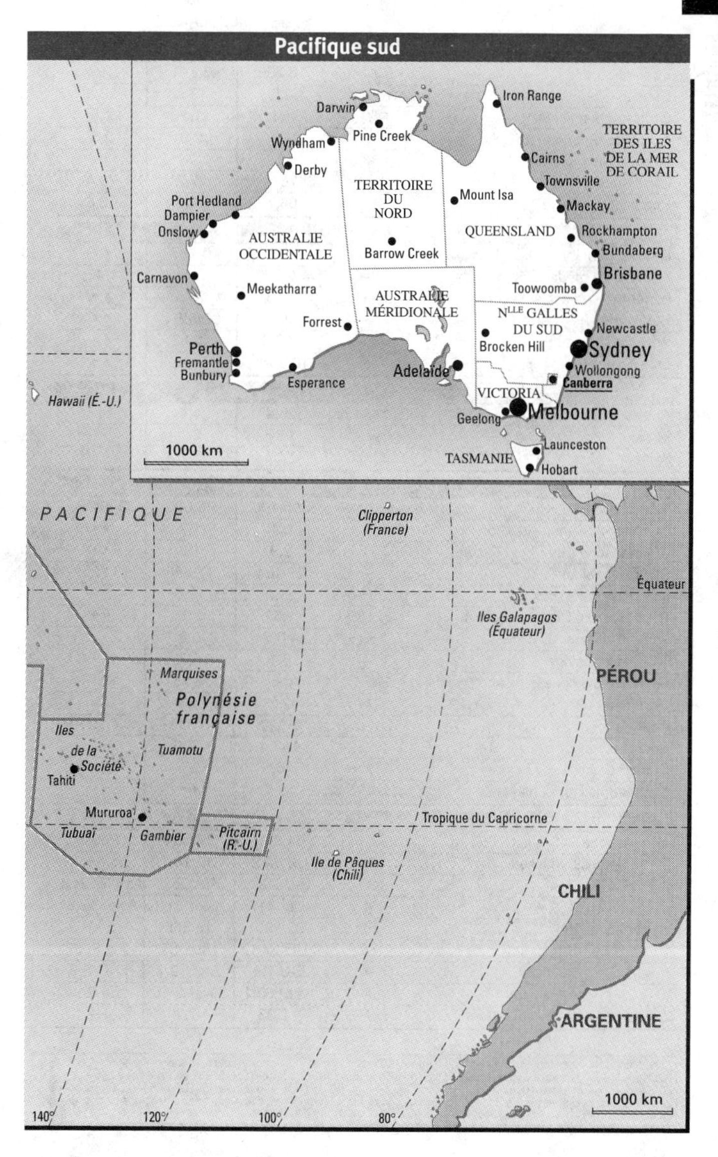
Pacifique sud
Darwin
Iron Range
Pine Creek
Wyndham
TERRITOIRE DES ILES DE LA MER DE CORAIL
Cairns
Derby
TERRITOIRE DU NORD
Townsville
Port Hedland
Dampier
Onslow
Mount Isa
Mackay
AUSTRALIE OCCIDENTALE
QUEENSLAND
Rockhampton
Barrow Creek
Bundaberg
Carnavon
Brisbane
Meekatharra
Toowoomba
AUSTRALIE MÉRIDIONALE
NLLE GALLES DU SUD
Forrest
Newcastle
Brocken Hill
Perth
Fremantle
Bunbury
Sydney
Esperance
Adelaïde
Wollongong
Canberra
VICTORIA
Hawaii (É.-U.)
Geelong
Melbourne
1000 km
Launceston
TASMANIE
Hobart
PACIFIQUE
Clipperton (France)
Équateur
Iles Galapagos (Équateur)
PÉROU
Marquises
Polynésie française
Iles de la Société
Tuamotu
Tahiti
Mururoa
Tropique du Capricorne
Tubuaï
Gambier
Pitcairn (R.-U.)
Ile de Pâques (Chili)
CHILI
ARGENTINE
1000 km
140°
120°
100°
80°

INDICATEUR*	UNITÉ	AUSTRALIE	Nlle-ZÉLANDE	Nlle-CALÉDONIE
Démographie**				
Population	*million*	18 250	3 641	197
Densité	*hab./km²*	2,5	13,6	10,3
Croissance annuelle[d]	*%*	1,1	1,1	1,5
Indice de fécondité (ISF)[d]		1,9	2,0	2,5
Mortalité infantile[d]	*‰*	6	7	18
Espérance de vie[d]	*année*	78,3	77,2	73,4
Population urbaine	*%*	84,7	86,3	62,8
Indicateurs socioculturels				
Développement humain (IDH)[c]		0,931	0,937	••
Nombre de médecins	*‰ hab.*	2,5[a]	2,1[a]	1,43[i]
Espérance de scolarisation	*année*	13,5	15,5	••
Scolarisation 3e degré[c]	*%*	71,7[b]	58,2[b]	••
Adresses Internet	*‰ hab.*	382,4	424,3	••
Livres publiés	*titre*	10 835[c]	••	••
Armées				
Armée de terre	*millier d'h.*	25,4	4,4	–
Marine	*millier d'h.*	14,3	2,1	–
Aviation	*millier d'h.*	17,7	3,1	–
Économie				
PIB total[e]	*million $*	385 100	65 000	3 629[bn]
Croissance annuelle 1986-96	*%*	3,1	1,7	••
Croissance 1997	*%*	2,9	1,9	••
PIB par habitant[e]	*$*	21 104	17 858	18 732[bn]
Investissement (FBCF)[g]	*% PIB*	21,3	19,6	
Recherche et Développement	*% PIB*	1,62	0,98	••
Taux d'inflation	*%*	– 0,2	0,8	
Taux de chômage[f]	*%*	8,1	6,7	18,6[a]
Dépense publique Éducation	*% PIB*	5,6[i]	6,7[c]	10,7[b]
Dépense publique Défense[a]	*% PIB*	2,2	1,3	••
Énergie (consom./hab.)[b]	*kgec*	7 879	5 839	4 320
Énergie (taux de couverture)[b]	*%*	185,4	83,0	5,4
Solde administr. publiques[h]	*% PIB*	– 0,3	2,0	••
Dette administr. publiques	*% PIB*	38,7	••	••
Échanges extérieurs				
Importations	*million $*	61 847	14 554	1 001[a]
Principaux fournisseurs	*%*	UE 24,3	UE 19,1	Fra 45,1[a]
	%	E-U 22,1	Aus 25,1	As & NZ 24,3[a]
	%	Asie[k] 41,9	Asie[k] 31,1	Asie[k] 13,5[a]
Exportations	*million $*	62 825	13 868	540[a]
Principaux clients	*%*	UE 10,4	UE 14,5	Jap 30,6
	%	E-U 7,6	Aus 19,1	Fra 28,9
	%	Asie[k] 65,1	Asie[k] 37,5	Taï 6,1
Solde transactions courantes	*% PIB*	– 3,33	– 7,70	••

* Définition des indicateurs p. 25 et suiv. Chiffres 1997 sauf notes. ** Derniers recensements utilisables : Australie, 1996 ; Nouvelle-Zélande, 1996 ; Nouvelle-Calédonie, 1989. a. 1996 ; b. 1995 ; c. 1994 ; d. 1995-2000 ; e. A parité de pouvoir d'achat (PPA, voir définition p. 581) ; f. En fin d'année ; g. 1994-96 ; h. Corrigé des variations cycliques ; i. 1993 ; k. Y compris Japon et Moyen-Orient ; m. Dépenses courantes ; n. Aux taux de change courants.

Australie

Parcours d'obstacles

Tout au long de 1996, le Premier ministre conservateur John Howard a surfé sur la vague de popularité qui, en mars de cette année-là, l'avait porté au pouvoir. Depuis, son gouvernement de coalition a dû affronter de sérieuses difficultés. Par ailleurs, nombre de réformes qu'il s'était engagé à mettre en place n'ont pu aboutir et J. Howard a décidé de procéder, le 3 octobre 1998, à des élections anticipées. Celles-ci ont été remportées par les partis soutenant J. Howard, malgré un sensible affaiblissement et une progression des travaillistes.

Le gouvernement s'était fixé pour principal objectif d'améliorer la situation économique du pays et a rencontré dans ce domaine un certain succès, avant que la crise financière asiatique apparue à la mi-1997 ne vienne compliquer la situation. Les effets de celle-ci ont toutefois été tempérés par l'accroissement des exportations australiennes en direction du Japon. Le déficit des comptes courants s'élevait à 5,5 milliards de dollars australiens en décembre 1997 et la dette extérieure atteignait 222 milliards. Si l'inflation apparaissait désormais négligeable (0,2 %), le chômage se maintenait au-dessus de 8 %.

Les autres résultats économiques reposent sur la réduction des dépenses publiques et sur certaines privatisations. Les candidats à l'immigration ont massivement fait les frais de la première, se voyant privés pendant deux ans de toute prestation sociale (assurance maladie, allocation chômage, etc.), et devant faire la preuve de ressources financières substantielles. La part du regroupement familial dans les flux migratoires a été nettement réduite, car ces immigrés sont officiellement considérés comme non productifs. Les mesures d'austérité frappant les Australiens eux-mêmes ont suscité l'hostilité : ce fut le cas de l'augmentation prévue des frais d'admission et de séjour en maison de retraite, point sur lequel le gouvernement a dû reculer devant le mécontentement des personnes âgées, ou de l'obligation faite aux jeunes chômeurs d'accepter des travaux d'intérêt général pour prétendre à des indemnités, dispositif qui n'a pas donné les résultats escomptés. De même, le désengagement sensible de l'État en matière de financement de l'enseignement supérieur a suscité beaucoup de mécontentement.

Les privatisations ont porté sur la compagnie téléphonique nationale Telstra, à hauteur d'un tiers de son capital, le gouvernement visant une privatisation totale, bien que l'opinion n'y soit pas favorable ; ou encore sur des services publics tels que l'agence nationale pour l'emploi (Commonwealth Employment Service), dont les activités ont été transférées à des entreprises privées.

Les effets de la crise asiatique

La crise financière asiatique a inquiété l'Australie par les risques de déstabilisation économique, et parfois politique, qu'elle a fait courir à toute la région Asie-Pacifique. Dès le début, l'Australie a offert son assistance aux pays les plus durement touchés (Thaïlande, Indonésie), afin de limiter les dégâts. L'économie australienne est en effet très liée à celles des différents pays asiatiques, vers lesquels elle exporte beaucoup, et l'appauvrissement de ses partenaires lui a porté un coup, déjà sensible dans le domaine du tourisme, où l'on estimait les pertes possibles à 800 millions de dollars en 1998. Il semblait donc difficile au pays de tenir le pari d'une bonne croissance (selon les prévisions, pas plus de 3 % en 1998, contre 2,9 % en 1997).

Les effets sociaux de la politique économique menée par le Premier ministre ont accentué les tendances déjà à l'œuvre. Le fossé entre les riches et les pauvres a continué de se creuser : en vingt ans, le taux de pauvreté s'est accru de 50 %, et près d'un tiers de la population vit dans des conditions

INDICATEUR*	UNITÉ	1975	1985	1996	1997
Démographie**					
Population	*million*	13,9	15,6	18,06	18,25
Densité	*hab./km²*	1,8	2,0	2,4	2,5
Croissance annuelle	%	1,2[a]	1,3[b]	1,1[c]	• •
Indice de fécondité (ISF)		2,0[a]	1,9[b]	1,9[c]	• •
Indicateurs socioculturels					
Nombre de médecins	*‰ hab.*	1,46	2,07	2,5[g]	• •
Scolarisation 2e degré[k]	%	79	78	89[g]	• •
Scolarisation 3e degré	%	24,0	27,7	71,7[f]	• •
Téléviseurs	‰	327,4	443,4	666,2	• •
Livres publiés	*titre*	5 563	2 603	10 835[f]	• •
Économie					
PIB total[h]	*milliard $*	74,7	194,8	372,7	385,1
Croissance annuelle	%	3,2[d]	2,9[e]	4,0	2,9
PIB par habitant[h]	$	5 373	12 338	20 376	21 104
Investissement (FBCF)	*% PIB*	24,4[d]	22,8[e]	20,1	20,4
Recherche et Développement	*% PIB*	1,0[p]	1,3	1,6[i]	• •
Taux d'inflation	%	15,1	6,7	2,6	– 0,2[o]
Population active	*million*	6,2	7,4	9,2	9,3
Agriculture	% } 100 %	6,9	6,1	5,1	5,2
Industrie	% } 100 %	33,7	27,6	22,5	22,2
Services	% } 100 %	59,4	66,2	72,4	72,6
Chômage	%	4,8	8,2	8,6	8,1[n]
Aide au développement	*% PIB*	0,65	0,47	0,30	• •
Énergie (consom./hab.)[b]	*kgec*	5 507	6 870	7 879[g]	• •
Énergie (taux de couverture)	%	125,4	155,2	185,4[g]	• •
Dépense publique Éducation	*% PIB*	7,4	5,6	5,6[i]	• •
Dépense publique Défense	*% PIB*	2,3	3,4	2,2	2,0
Solde administrat. publiques[q]	*% PIB*	– 2,6[m]	– 2,9	– 0,8	– 0,3
Dette administrat. publiques	*% PIB*	• •	31,0[r]	41,8	38,7
Échanges extérieurs		**1974**	**1986**	**1996**	**1997**
Importations de services	*milliard $*	3,75	7,52	18,6	18,5
Importations de biens	*milliard $*	10,69	24,46	61,0	63,0
Produits énergétiques	%	8,4	4,6	5,1[g]	• •
Produits manufacturés	%	74,4	80,8	85,6[g]	• •
dont machines et mat. de transport	%	34,4	42,9	46,9[g]	• •
Exportations de services	*milliard $*	1,89	4,75	18,5	18,5
Exportations de biens	*milliard $*	10,91	22,64	60,3	64,8
Produits agricoles	%	49,1	39,9	27,1[g]	• •
dont céréales	%	15,9	11,8	3,8[g]	• •
Produits miniers	%	33,1	42,8	18,6[g]	• •
Solde transactions courantes	*% du PIB*	– 1,8[d]	– 4,6	– 4,0	– 3,4
Position extérieure nette	*milliard $*	• •	– 72,8	– 242,0	• •

* Définition des indicateurs p. 25 et suiv. ** Dernier recensement utilisable : 1991 ; a. 1975-85 ; b. 1985-95 ; c. 1995-2000 ; d. 1970-80 ; e. 1980-96 ; f. 1994 ; g. 1995 ; h. A parité de pouvoir d'achat (PPA, voir définition p. 581) ; i. 1993 ; k. 12-17 ans ; m. 1979 ; n. Décembre ; o. En fin d'année ; p. 1981 ; q. Corrigé des variations cycliques ; r. 1987.

précaires. Les plus vulnérables sont les chômeurs et les familles monoparentales, dont la proportion est passée de 15 % à 19 % entre 1986 et 1996. Bien que les revenus moyens aient augmenté de près de 10 % en deux ans, les salariés les moins bien payés n'arriveraient pas à joindre les deux bouts sans l'aide de diverses prestations sociales. Un tiers des salariés travaille entre 50 et 59 heures par semaine, mais seuls 20 % perçoivent des heures supplémentaires, et 40 % des travailleurs pensent que leur emploi est menacé.

Le système d'assurance maladie est en crise car il coûte toujours plus cher à la nation (les dépenses de santé représentent près de 9 % du PIB), et le gouvernement n'arrive pas à convaincre la population de s'assurer auprès d'organismes privés. Au moins les Australiens sont-ils dans l'ensemble un peuple en bonne santé, sauf les Aborigènes, dont l'espérance de vie est de vingt ans inférieure à celle des Blancs.

En matière de politique intérieure, les principaux débats ont concerné l'avènement possible d'une république australienne et les droits fonciers des Aborigènes. Conformément à ses engagements, et en dépit de ses propres convictions monarchistes, J. Howard a procédé en février 1998 à la tenue d'une Convention constitutionnelle afin de choisir entre deux principaux modèles d'institutions républicaines : l'un préconisait que le président soit désigné par une majorité des deux tiers du Parlement, et l'autre qu'il soit élu au suffrage universel direct. Ce dernier avait le soutien de l'opinion publique, mais nombre d'hommes politiques craignaient qu'un président ainsi élu ne se contente pas du rôle de figuration qui lui était destiné et se pose en rival politique du Premier ministre. Au terme de débats houleux, un modèle de compromis a été adopté : tout citoyen pourra nommer le candidat de son choix, puis un comité effectuera une sélection. Après quoi le Premier ministre et le chef de l'opposition se mettront d'accord sur un seul nom, qui devra recueillir les deux tiers des suffrages du Parlement. Ce modèle devra d'abord être approuvé par voie de référendum en 1999, ce qui s'annonce difficile car historiquement l'Australie a rejeté la grande majorité des réformes constitutionnelles qui lui ont été proposées. Si l'obstacle du référendum est franchi, le pays pourrait devenir une république en l'an 2001.

Les droits des Aborigènes, question brûlante

En 1996, dans l'affaire de la tribu aborigène des Wik, la Haute Cour de justice avait jugé que l'octroi de baux aux éleveurs n'éteignait pas forcément les droits fonciers des Aborigènes. Soumis à une pression intense

Commonwealth d'Australie

Capitale : Canberra.
Superficie : 7 682 300 km^2.
Monnaie : dollar australien (1 dollar australien = 3,64 FF ou 0,61 dollar des É.-U. au 29.7.98).
Langue : anglais (off.).
Chef de l'État : William Patrick Deane, gouverneur général représentant la reine Elizabeth II (depuis le 16.2.96).
Chef du gouvernement : John Howard (depuis le 11.3.96).
Ministre des Affaires étrangères : Alexander Downer.
Ministre de la Défense : Ian MacLachlan.
Ministre des Finances : Peter Costello.
Nature de l'État : fédération de 6 États et 2 territoires.
Nature du régime : démocratie parlementaire de type britannique.
Principaux partis politiques : *Gouvernement (coalition) :* Parti libéral d'Australie ; Parti national d'Australie. *Opposition :* Parti travailliste australien (ALP) ; Parti des démocrates australiens ; Parti des Verts australiens.
Territoires externes et sous administration : île de Norfolk, Territoire de la mer de Corail, Lord Howe [Océanie] ; îles Cocos, îles Christmas [océan Indien] ; îles Heard et MacDonald ; île Macquarie [Antarctique].
Carte : p. 338-339.

Australie/Bibliographie

S. Bambrick (sous la dir. de), *The Cambridge Encyclopedia of Australia*, Cambridge University Press, Cambridge, 1996.

H. Goodall, *Invasion to Embassy*, Allen & Unwin, Sydney, 1996.

P. Grimshaw *et alii, Creating a Nation 1788-1990*, McPhee Gribble, Ringwood, 1994.

P. Kriesler (sous la dir. de), *The Australian Economy : The Essential Guide*, Angus & Robertson, Sydney, 1997.

G.-G. Le Cam, *L'Australie et la Nouvelle-Zélande*, Presses universitaires de Rennes, Rennes, 1996.

X. Pons, *Le Multiculturalisme en Australie*, L'Harmattan, Paris, 1996.

X. Pons, C. Smit (sous la dir. de), *Le Débat républicain en Australie*, Ellipses, Paris, 1997.

J.-C. Redonnet, *L'Australie*, PUF, coll. « Que sais-je ? », Paris, 1994.

D. Walmsley, A. Sorenson, *Contemporary Australia*, Longmar Cheshire, Melbourne, 1993.

Voir aussi la bibliographie « Pacifique sud », p. 336.

de la part des milieux agricoles pour qu'il limite très strictement ces droits, le Premier ministre a élaboré un plan qui n'a pas donné entière satisfaction aux éleveurs mais qui a profondément mécontenté les Aborigènes et tous ceux qui estimaient que ces derniers ont subi trop de spoliations.

Le Sénat ayant à deux reprises amendé ce plan en des termes jugés inacceptables par le gouvernement, J. Howard avait agité la menace d'une dissolution du Parlement suivie d'élections anticipées. Mais les élections qui ont eu lieu dans le Queensland en juin 1998 ont fait perdre le pouvoir à la coalition conservatrice qui dirigeait cet État. Si le Parti travailliste est ainsi revenu aux affaires, le grand vainqueur était le récent parti d'extrême droite de Pauline Hanson, One Nation, qui a obtenu 23 % des suffrages. Lors des législatives anticipées du 3 octobre 1998, ce parti ségrégationniste et raciste, anti-Aborigènes et anti-Asiatiques, n'a cependant obtenu aucun siège de député. Dans le domaine de la politique étrangère, le gouvernement australien a transmis aux États-Unis une offre d'assistance militaire à l'occasion de la crise américano-irakienne de février 1998, Canberra réaffirmant par là l'importance essentielle qu'elle attache à l'alliance avec Washington. L'autre principal volet de la politique étrangère australienne concerne le développement des relations économiques avec l'Asie, quoique la crise financière de celle-ci ait montré que le pays ne devait pas négliger ses échanges avec l'Europe. En offrant une aide économique à ses voisins, l'Australie entend consolider son identité de nation de la région Asie-Pacifique. - **Xavier Pons** ■

Nouvelle-Zélande

Le 8 décembre 1997, Jenny Shipley est devenue la première femme néo-zélandaise à conquérir le poste de Premier ministre. Ce changement à la tête du gouvernement fut la conséquence d'un renversement d'alliances au sein du parti majoritaire, le Parti national. Porte-parole de l'aile droite du parti, J. Shipley, alors ministre des Transports, a profité d'un long séjour à l'étranger du Premier ministre Jim Bolger pour affermir son autorité et l'obliger à démissionner.

Volontiers comparée à Margaret Thatcher, J. Shipley a lancé une enquête auprès des citoyens sur les valeurs familiales et l'État-providence, prélude à une série de coupes budgétaires dans les domaines de la Sécurité sociale, de l'éducation et de la santé. Winston Peters, vice-premier ministre et leader de New Zealand First, le deuxième pilier de la coalition gouvernementale, a par ailleurs insisté pour que les allocations versées aux chômeurs, aux familles monoparentales et aux veuves soient transformées en salaires liés à des emplois d'utilité locale.

Plus inattendue fut la coupure d'électricité qui paralysa Auckland entre la fin janvier et le 27 mars 1998. A cause d'une urbanisation non maîtrisée et d'un réseau vétuste, les quatre câbles électriques qui alimentaient le centre-ville ont sauté. Commerçants et industriels ont réclamé des compensations aux autorités locales. Au même moment, Wellington inaugurait le musée Te Papa (« Notre demeure »). Ouvert au public le 14 février, l'immeuble, contesté sur le plan architectural, abrite le plus riche inventaire de la culture maori.

Sur le plan diplomatique, la Nouvelle-Zélande a fait preuve d'habileté en amenant les sécessionnistes de l'île de Bougainville à signer le 23 janvier 1998 l'accord de Lincoln fixant au 30 avril la signature d'un cessez-le-feu permanent et irrévocable [*voir Papouasie-Nouvelle-Guinée*].

Nouvelle-Zélande

Capitale : Wellington.
Superficie : 268 676 km^2.
Nature du régime : parlementaire.
Chef de l'État (nominal) : reine Elizabeth II, représentée par un gouverneur, Sir Michael Hardie Boys (depuis le 23.3.96).
Chef du gouvernement : Jenny Shipley, qui a succédé le 8.12.97 à Jim Bolger.
Ministre des Affaires étrangères : Don McKinnon.
Ministre de la Défense : Max Bradford.
Échéances électorales : aut. 2001.
Monnaie : dollar néo-zélandais (1 dollar = 3,06 FF au 29.7.98).
Langues : anglais, maori.
Territoires : îles Cook et Niue (libre association), Tokelau (sous administration).

États indépendants de Mélanésie

♦ **Fidji**. Le 14 mai 1997, dix ans jour pour jour après son premier coup d'État, le Premier ministre Sitiveni Rabuka a édicté une série de changements constitutionnels destinés à réduire la discrimination raciale. Cette réforme accroît la représentation de la population d'origine indienne au Parlement et prévoit la possibilité pour un Fidjien d'origine non mélanésienne de devenir Premier ministre. Fidji est redevenu membre du Commonwealth le 1er octobre 1997, organisation dont il avait été exclu à la suite des deux coups d'État de 1987.

République des Fidji

Capitale : Suva.
Superficie : 18 274 km^2.
Nature du régime : démocratie parlementaire.
Chef de l'État : Ratu Sir Kamisese Mara (élu le 18.1.94).
Chef du gouvernement : Sitiveni Rabuka (depuis le 2.6.92).
Ministre des Affaires étrangères : Bernando Vunibobo.
Monnaie : dollar fidjien (au taux officiel, 1 dollar = 2,96 FF au 30.5.98).
Langues : fidjien, anglais, hindi.

♦ **Papouasie-Nouvelle-Guinée**. Le 30 avril 1998, un accord de cessez-le-feu, « permanent et irrévocable », a été signé entre le gouvernement intérimaire de l'île de Bougainville et le gouvernement de Papouasie-Nouvelle-Guinée. Celui-ci devrait

INDICATEUR*	UNITÉ	FIDJI	KIRIBATI	NAURU
Démographie**				
Population	*millier*	809	83	10,4
Densité	*hab./km²*	44,3	114,1	433,3
Croissance annuelle[d]	*%*	1,6	1,9	1,6
Indice de fécondité (ISF)[d]		2,8	3,8	2,5[m]
Mortalité infantile[d]	*‰*	20	60	26[c]
Espérance de vie[d]	*année*	72,8	60,4	66,5[m]
Population urbaine	*%*	41,3	36,3	100,0
Indicateurs socioculturels				
Développement humain (IDH)[c]		0,863	••	••
Nombre de médecins	*‰ hab.*	0,47[h]	0,20[h]	••
Analphabétisme (hommes)[b]	*%*	6,2	••	••
Analphabétisme (femmes)[b]	*%*	10,7	••	••
Scolarisation 12-17 ans	*%*	74,0[k]	••	••
Scolarisation 3e degré	*%*	11,9[g]	••	••
Adresses Internet	*‰ hab.*	••	••	••
Livres publiés	*titre*	401[c]	••	••
Armées				
Armée de terre	*millier d'h.*	3,3	••	–
Marine	*millier d'h.*	0,3	••	–
Aviation	*millier d'h.*	–	••	–
Économie				
PIB total[ae]	*million $*	3 268	62	100[p]
Croissance annuelle 1986-96	*%*	2,6	1,2	••
Croissance 1997	*%*	3,6	2,5	••
PIB par habitant[ae]	*$*	4 070	800	10 000[p]
Investissement (FBCF)[f]	*% PIB*	13,1	••	••
Taux d'inflation	*%*	2,9	4,0	••
Énergie (taux de couverture)[b]	*%*	13,9	••	••
Dépense publique Éducation	*% PIB*	5,4[h]	7,4[h]	••
Dépense publique Défense[a]	*% PIB*	2,6	••	••
Dette extérieure totale[a]	*million $*	217	17[m]	••
Service de la dette/Export.[f]	*%*	4	••	••
Échanges extérieurs				
Importations	*million $*	983	99[a]	26[a]
Principaux fournisseurs[a]	*%*	Aus 48,4	UE 48,5	Aus 76,2
	%	NZ 15,9	Asie[i] 10,4	NZ 16,9
	%	Asie[i] 25,9	Aus 18,9	Asie[i] 11,9
Exportations	*million $*	587	14[a]	34[a]
Principaux clients[a]	*%*	E-U 10,6	UE 14,3	NZ 48,1
	%	Aus 29,5	E-U 13,0	Aus 18,7
	%	R-U 17,8	Asie[i] 68,6	Asie[i] 13,8
Solde transactions courantes	*% PIB*	0,49[a]	3,57[c]	••

* Définition des indicateurs p. 25 et suiv. Chiffres 1997 sauf notes. ** Derniers recensements utilisables : Fidji, 1996 ; Kiribati, 1990 ; Nauru, 1992 ; Papouasie-Nlle-Guinée, 1989 ; Samoa, 1991 ; Iles Salomon, 1986 ; Tonga, 1986 ; Tuvalu, 1991 ; Vanuatu, 1989. a. 1996 ; b. 1995 ; c. 1994 ; d. 1995-2000 ; e. A parité de pouvoir

PAPOUASIE-N.-G.	SAMOA	ÎLES SALOMON	TONGA	TUVALU	VANUATU
4 500	168	404	98	10,3	178
9,7	59,1	14,2	140,4	65,2	14,6
2,2	1,1	3,2	0,4	1,5	2,5
4,6	3,8	5,0	4,0	3,1	4,4
61	58	23	3[c]	27	38
57,9	69,3	71,8	71,9	63,6	67,5
16,6	21,2	18,1	43,0	42,2[b]	19,3
0,525	0,684	0,556	••	••	0,547
0,08[m]	0,31[m]	0,16[h]	0,66[h]	0,44[m]	0,10[g]
19,0	••	••	0,0	••	43,0[n]
37,3	••	••	0,0	••	52,0[n]
19,9[m]	••	••	••	••	••
3,2[b]	••	6,0[a]	16,0[a]	••	13,0[a]
0,18	••	••	••	••	••
122[g]	••	••	••	••	••
3,8	••	••	••	••	0,3 (total des trois lignes)
0,4	••	••	••	••	
0,1	••	••	••	••	
12 400	415[b]	876	228	7,8[b]	525
4,0	0,9	5,1	1,0	3,7[o]	1,7
– 6,2	4,1	4,3	••	••	3,0
2 820	1 900[b]	2 250	2 140	800[b]	3 020
21,0	••	••	••	••	••
3,8	8,9	5,0	3,0	••	5,1
773,6	4,5	••	••	••	••
••	4,2[m]	3,8[g]	4,7[h]	••	4,9[b]
1,5	••	••	4,9[k]	••	••
2 359	167	145	70	••	47
13	5	4	6	••	1
1 697	96	161[a]	73[a]	5[a]	91
Aus 51,0	Aus 33,3	Aus 41,5	E-U 9,6	UE 20,0	Aus 23,2
Asie[i] 31,8	NZ 25,9	NZ 7,5	UE 9,6	Aus 44,0	Jap 47,1
UE 6,4	Asie[i] 28,2	Asie[i] 39,5	A & NZ 5,7	NZ 22,0	Sin 8,0
2 142	15	206[a]	21[a]	2[a]	35
Aus 36,3	Aus 81,5	UE 23,8	E-U 19,0	UE 50,0	UE 34,5
Asie[i] 42,1	NZ 6,2	Asie[i] 73,3	Can 14,3	PED 50,0	Jap 28,2
UE 16,3	Asie[i] 4,6	Jap 50,5	Jap 42,9	••	Aus 3,1
6,06[a]	7,01[a]	••	••	••	– 9,09[b]

d'achat (PPA, voir définition p. 581), f. 1994-96 ; g. 1991 ; h. 1992 ; i. Y compris Japon et Moyen-Orient ; k. 1989 ; m. 1990 ; n. 1979 ; o. 1985-92 ; p. 1993 ; q. 1970.

mettre fin à une guerre de plus de neuf ans qui aurait fait officieusement 20 000 morts (sur les 160 000 habitants que compte Bougainville) et provoqué la fermeture des écoles pendant près d'une décennie. La vie politique a continué d'être fortement agitée par différents scandales, notamment la révélation faite par le Premier ministre Bill Skate lui-même, lors d'un entretien filmé à son insu, qu'il avait versé des pots-de-vin et commandité le meurtre d'un homme.

Papouasie-Nouvelle-Guinée

Capitale : Port-Moresby.
Superficie : 461 691 km².
Nature du régime : parlementaire.
Chef de l'État (nominal) : reine Elizabeth II, représentée par un gouverneur, Silas Atopare (depuis le 14.11.97).
Chef du gouvernement : Bill Skate, qui a succédé, le 22.7.97, à Sir Julius Chan. Également ministre de la Défense.
Ministre des Affaires étrangères : Roy Yaki.
Monnaie : kina (au taux officiel, 1 kina = 3,03 FF au 30.3.98).
Langues : pidgin mélanésien, anglais, 700 langues locales.

A cause du phénomène climatique El Niño, la Papouasie-Nouvelle-Guinée a souffert d'une terrible sécheresse : plus de 500 victimes ont succombé à la famine sur les hauts plateaux. Mais le drame naturel le plus meurtrier est venu de la mer. Le 18 juillet 1998, un séisme sous-marin (tsunami), de force 7 sur l'échelle de Richter, a provoqué un raz de marée qui a ravagé sept villages côtiers de la province de Sepik (Ouest). Les premiers bilans faisaient état de 3 000 à 8 000 morts.

♦ **Îles Salomon**. Une coalition de petits partis et de députés indépendants, l'Alliance pour le changement, est sortie victorieuse des élections législatives du 6 août 1997.

Iles Salomon

Capitale : Honiara.
Superficie : 28 446 km².
Nature du régime : parlementaire.
Chef de l'État (nominal) : reine Elizabeth II, représentée par un gouverneur, Moses Pitakaka (depuis juil. 94).
Chef du gouvernement : Batholomew Ulufa'Alu, qui a succédé le 6.8.97 à Solomon Mamaloni.
Ministre des Affaires étrangères : Patterson Ot.
Ministre de l'Intérieur : Lester Huckle Saomasi.
Monnaie : dollar des Salomon (au taux officiel, 1 dollar = 1,25 FF au 30.12.97).
Langues : pidgin mélanésien, anglais.

Le nouveau Premier ministre, dirigeant du Parti libéral, a annoncé un programme de réduction des dépenses publiques et sollicité des aides internationales pour assainir les finances du pays, mises à mal par la chute des exportations de bois.

♦ **Vanuatu**. Après sept années au pouvoir, l'Union des partis modérés (UPM), parti francophone, a été battue aux élections législatives du 6 mars 1998. Cette défaite pouvait en grande partie s'expliquer par des af-

République de Vanuatu

Capitale : Port-Vila.
Superficie : 12 189 km².
Nature du régime : démocratie parlementaire.
Chef de l'État : Jean-Marie Leye (depuis le 2.3.94).
Chef du gouvernement : Donald Kalpokas, qui a succédé le 30.3.98 à Serge Vohor. Également ministre des Affaires étrangères.
Ministre des Affaires étrangères associé : Clement Leo.
Monnaie : vatu (au taux officiel, 100 vatus = 4,64 FF au 30.5.98).
Langues : bislamar, anglais, français.

faires de corruption révélées par le médiateur public, Marie-Noëlle Ferrieux-Patterson. La nouvelle coalition gouvernementale, composée de deux anciens frères ennemis, le Parti national unifié (NUP) et le Vanuaaku Pati (VP), allait devoir faire face à une dégradation des comptes publics mettant en péril les services de santé et d'éducation.

États indépendants de Micronésie

♦ **Kiribati**. Une convention de plus de deux cents délégués a proposé en mars 1998 de modifier la Constitution en nommant au Conseil d'État (chargé de gérer les affaires du pays en cas de dissolution) un représentant des Églises catholique et protestante et une femme.

République de Kiribati

Capitale : Bairiki.
Superficie : 728 km².
Nature du régime : démocratie parlementaire.
Chef de l'État et du gouvernement : Teburoro Tito, également ministre des Affaires étrangères (depuis le 30.9.94).
Monnaie : dollar australien (1 dollar = 3,64 FF au 29.7.98).
Langue : anglais.

♦ **Marshall**. L'enveloppe décidée par Washington en 1990 pour indemniser les habitants à la suite des soixante-sept essais nucléaires réalisés dans les années cinquante et soixante est apparue trop faible d'environ 15 millions de dollars. Les demandeurs les plus tardifs n'ont touché qu'un quart de leur dû.

République des îles Marshall

Capitale : Dalap-Uliga-Darrit.
Superficie : 180 km².
Nature du régime : démocratie parlementaire.
Chef de l'État : Imata Kabua (depuis le 22.12.90).
Monnaie : dollar des États-Unis (1 dollar = 5,94 FF au 29.7.98).
Langue : anglais.

♦ **États fédérés de Micronésie**. Touchés, comme de nombreuses îles du Pacifique sud, par une sécheresse particulièrement longue et sévère, les États fédérés de Micronésie ont bénéficié à partir d'avril 1998 d'une aide d'urgence américaine.

États fédérés de Micronésie

Capitale : Palikir.
Superficie : 700 km².
Nature du régime : démocratie parlementaire.
Chef de l'État : Jacob Nena, qui a remplacé, le 8.5.97, Bailey Olter, frappé d'incapacité à cause de graves problèmes de santé.
Vice-président : Jacob Nena.
Ministre des Affaires étrangères : Resio Moses.
Monnaie : dollar des États-Unis (1 dollar = 5,94 FF au 29.7.98).
Langue : anglais.

♦ **Palau**. Palau est devenue le 182e membre du FMI le 17 décembre 1997. Hôte des Jeux de Micronésie en août 1998, Pa-

République de Palau

Capitale : Koror.
Superficie : 490 km².
Nature du régime : démocratie parlementaire.
Chef de l'État : Kuniwo Nakamura, également ministre des Affaires étrangères (depuis le 1.10.94, réélu en nov. 96).
Monnaie : dollar des États-Unis (1 dollar = 5,94 FF au 29.7.98).
Langues : anglais, palauen.

lau a construit et modernisé de nombreuses installations sportives.

♦ **Nauru.** Le 31 janvier 1998, date du 30e anniversaire de l'indépendance, le président Kinza Clodumar a souhaité que Nauru devienne membre de l'Organisation des Nations unies. Deux semaines plus tard, il a émis le vœu que son pays soit membre à part entière du Commonwealth.

République de Nauru

Capitale : Yaren.
Superficie : 24 km².
Nature du régime : démocratie parlementaire.
Chef de l'État et du gouvernement : Kinza Clodumar (depuis le 8.2.97).
Monnaie : dollar australien (1 dollar = 3,64 FF au 29.7.98).
Langue : anglais.

États indépendants de Polynésie

♦ **Samoa.** Les « Samoa occidentales » ont choisi, le 2 juillet 1997, de s'appeler « Samoa », sans en avoir discuté au préalable avec les Samoa américaines. Cette absence de dialogue s'est vérifiée sur le plan intérieur. En mai 1997, le leader de l'opposition Tuiatua Tupua Tamasese a été interdit de parole à la télévision et à la radio d'État. Le Premier ministre a également refusé de rencontrer les manifestants qui ont protesté en 1997 et 1998 contre sa politique.

Samoa

Par un vote du Parlement (4.7.97), l'État indépendant des Samoa (ancien nom officiel), généralement appelé « Samoa occidentales » a pris le nom de « Samoa ».
Capitale : Apia.
Superficie : 2 842 km².
Nature du régime : démocratie parlementaire (formellement monarchie constitutionnelle).
Chef de l'État : Malietoa Tanumafili (roi depuis le 5.4.63).
Chef du gouvernement : Tofilau Eti Alesana, également ministre des Affaires étrangères (depuis avr. 88).
Monnaie : tala (au taux officiel, 1 tala = 2,01 FF au 30.5.98).
Langues : samoan, anglais.

♦ **Tonga.** Le prince héritier Tupouto'a a démissionné le 5 mai 1998 de ses fonctions de ministre des Affaires étrangères et de la Défense et a été remplacé par le baron Vaea. Il allait désormais se consacrer à sa compagnie opérant sur Internet et poursuivre son combat pour obtenir une part des très importants revenus dégagés par Tongasat, une société de gestion des liaisons satellite détenue majoritairement par sa sœur, la princesse Pilolevu Tuita.

Royaume de Tonga

Capitale : Nuku'Alofa.
Superficie : 699 km².
Nature du régime : monarchie constitutionnelle.
Chef de l'État : roi Taufa'ahau Tupou IV (depuis le 5.12.65).
Chef du gouvernement : baron Vaea of Houma (depuis août 91), également ministre des Affaires étrangères (depuis mai 98).
Monnaie : pa'anga (au taux officiel, 1 pa'anga = 4,16 FF au 30.4.98).
Langues : tongien, anglais.

♦ **Tuvalu.** Le 8 avril 1998, Bikenibeu Paeniu a été réélu Premier ministre par le nouveau Parlement avec une majorité historique de dix voix sur douze. Lors de la campagne électorale, dominée par des affaires de mœurs et des allégations de corruption,

Tuvalu

Capitale : Funafuti.
Superficie : 158 km².
Nature du régime : parlementaire.
Chef de l'État (nominal) : reine Elizabeth II, représentée par un gouverneur, Tulaga Manuella (depuis le 21.6.94).
Chef du gouvernement : Bikenibeu Paeniu (depuis le 8.4.98).
Monnaie : dollar australien (1 dollar = 3,64 FF au 29.7.98).
Langues : tuvalien, anglais.

le chef du gouvernement avait promis de nommer un médiateur public et d'introduire un code de bonne conduite pour les parlementaires.

Territoires sous contrôle de la France

♦ **Nouvelle-Calédonie.** En 1998, dix ans après les accords de Matignon, la Nouvelle-Calédonie devait décider de son indépendance par référendum. Ce scrutin d'autodétermination, finalement reporté, devrait avoir lieu entre 2013 et 2018. La négociation tripartite entre l'État, les représentants du Rassemblement pour la Calédonie dans la République (RPCR, anti-indépendantiste) et ceux du Front de libération nationale kanak et socialiste (FLNKS, pro-indépendantiste) s'est conclue le 21 avril par un nouvel accord devant être ratifié par les électeurs du territoire avant la fin 1998. Cet accord, qui reconnaît une « citoyenneté de la Nouvelle-Calédonie », prévoit une série d'engagements de l'État. Certaines compétences seront progressivement transférées à l'archipel. A partir de 1999, l'exécutif sera un gouvernement collégial élu à la proportionnelle par le Congrès et responsable devant lui. Le Conseil coutumier, devenu « Sénat coutumier », sera consulté sur les sujets ayant trait à l'identité kanake, tandis que l'enseignement des langues kanakes sera accru.

Sous la pression des indépendantistes et avec l'aval de Matignon, le groupe Eramet, contrôlé à 55 % par l'État, a accepté le 1er février 1998 que la Société minière du Sud-Pacifique (SMSP), associée au numéro deux mondial du nickel, Falconbridge, ait accès à un massif minier de la province Nord et construise une usine de nickel.

A l'occasion de la signature officielle du nouvel accord, le 4 mai 1998, le Premier ministre Lionel Jospin a inauguré le Centre culturel Jean-Marie-Tjibaou (CCT) destiné à promouvoir la culture kanake. L'architecte Renzo Piano a signé une réalisation qui devrait devenir un emblème architectural du Pacifique.

♦ **Wallis et Futuna.** Une mort mystérieuse a troublé le climat politique local. Le 5 avril 1998, le sénateur RPR (Rassemblement pour la République) Sosefo Makape Papilio a été trouvé noyé dans sa voiture à quelques mètres d'un quai de Futuna.

♦ **Polynésie française.** Justin Arapari (Tahoeraa Huiraatira, majorité) a été réélu président de l'Assemblée territoriale le 11 avril 1998. A cette occasion, le président du gouvernement, Gaston Flosse, a souhaité que l'autonomie de la Polynésie soit officiellement reconnue par la Constitution et s'est prononcé contre le projet de loi instituant une dose de proportionnelle pour les élections municipales. Par ailleurs, les élections partielles du 24 mai aux îles Marquises et aux îles Sous-le-Vent ont donné huit sièges sur onze à la majorité territoriale. Après ce scrutin, Tahoeraa Huiraatira comptait vingt-sept conseillers à l'Assemblée contre onze indépendantistes et deux autonomistes.

En 1997, les exportations de perles noires, coquillages et poissons ont progressé de 55 millions FF. En revanche, entre novembre 1997 et avril 1998, cinq dépressions ou tempêtes tropicales ont tué vingt-huit personnes, ravagé deux îles, Maupiti et Mataiva, et causé de très importants dégâts à Bora Bora, Huahiné, Raiatea et dans la presqu'île de Tahiti.

Territoires sous contrôle des États-Unis

Un avion de la Korean Airlines s'est écrasé le 6 août 1997 sur l'île de **Guam** (territoire non incorporé, 150 000 habitants), provoquant la mort de 227 personnes. En juillet 1997, l'administration américaine a exigé du Commonwealth des **Mariannes du Nord** (État associé autonome, 60 000 habitants) le respect des lois en matière d'immigration et de salaire minimum. Après le rejet, en mars 1998, d'une loi bannissant les citoyens de Samoa, les **Samoa américaines** (territoire non incorporé, 60 000 habitants) ont accepté le changement de nom des anciennes Samoa occidentales. Les États-Unis exercent également leur souveraineté sur **Hawaii** (cinquantième État de l'Union). Plusieurs groupes d'îlots sont administrés par l'armée : Midway, Wake et Johnston.

Territoires sous souveraineté néo-zélandaise

Iles Cook (État autonome associé, 20 000 habitants). Pa Ariki, la reine de la tribu Rarotonga, a demandé au gouvernement de faire des économies en réduisant le nombre des parlementaires (jusqu'alors 25, soit un député pour 720 habitants). **Niue** (État autonome associé, 2 500 habitants). Le gouvernement envisageait un accord avec un compagnie canadienne pour relayer à moindre coût des jeux d'argent sur Internet. **Tokelau** (territoire d'outre-mer, 1 700 habitants). L'île ne possède toujours pas d'hôtel pour accueillir les visiteurs.

Territoires sous souverainetés diverses

Les 30 habitants de **Pitcairn**, dernière colonie britannique, pourraient bénéficier du don d'un mécène australien pour financer la petite piste d'aviation refusée par Londres. L'île de **Lord Howe** et deux « territoires extérieurs », le **Territoire de la mer de Corail** et **Norfolk** (2 500 habitants) sont administrés par l'Australie. L'île de **Pâques** (Rapanui), chilienne, les îles **Galápagos**, équatoriennes, et les îles **Revillagigedo**, mexicaines, restent à l'écart des enjeux régionaux. - **François Féron** ■

Présentation par **Alain Noël**
Politologue, Université de Montréal

Le 19 avril 1998, à Santiago du Chili, le second Sommet des Amériques se terminait avec une déclaration commune, engageant les 34 pays participants à construire, pour l'an 2005, une zone de libre-échange couvrant l'ensemble des Amériques. Les probabilités d'une évolution rapide semblaient toutefois minées par l'incapacité du président américain Bill Clinton d'obtenir du Congrès pleine autorité pour négocier de nouvelles ententes commerciales. Le partenariat entre les trois grands pays de l'Amérique du Nord, dont les relations économiques étroites ont été renforcées par l'Accord de libre-échange nord-américain (ALENA), semblait par conséquent susceptible de demeurer, pour encore quelques années, relativement unique et exclusif.

Entré en vigueur le 1er janvier 1994, l'ALENA engage le Canada, les États-Unis et le Mexique à respecter un ensemble de règles économiques communes. En plus de libéraliser les échanges de biens et de services, il réglemente les investissements, la propriété intellectuelle, les barrières non tarifaires et les marchés publics. Dans la plupart des domaines, la discrimination en faveur des firmes nationales n'est plus possible. Il s'agit en quelque sorte d'une constitution économique, établissant les droits du capital sur tout le continent. L'ALENA est accompagné de deux accords de coopération dans les domaines de l'environnement et du travail.

Pour le Mexique, les premières années de l'ALENA ont été particulièrement houleuses. L'insurrection dans le Chiapas, des assassinats politiques non élucidés et de nombreux scandales associés au narcotrafic et impliquant l'entourage immédiat de l'ex-président Carlos Salinas de Gortari ont ébranlé le régime. En même temps, la crise économique de décembre 1994 a donné lieu à une dévaluation dramatique de la monnaie nationale (en quelques heures, le peso a perdu presque la moitié de sa valeur) et à une chute marquée de la production nationale et des salaires réels, qui ont diminué de 22 % en 1995. Dès 1996, les indicateurs étaient plus encourageants (forte croissance, réductiondu chômage et de l'inflation, ralentissement de la chute des salaires). Le chômage et le sous-emploi restaient cependant endémiques et les revenus de la population demeuraient généralement très bas. Dans ces circonstances et comme l'ALENA était le projet d'un président maintenant discrédité, l'appui à l'accord s'est effrité. D'un point de vue strictement commercial, le bilan a semblé positif pour le Mexique, mais les effets sur l'emploi et les revenus ont été au mieux minimes. Si elle ne remet pas en cause l'accord, une gauche mexicaine plus influente pourra chercher à en discuter le contenu et les implications sociales.

Au Canada, le Parti libéral s'est entièrement rallié à l'idée du libre-échange continental. Fortement opposé à l'idée de l'ALENA au départ, cette formation et son chef, le Premier ministre Jean Chrétien, en sont

UNE GRANDE ÉVOLUTION EST À SURVEILLER : L'ÉVENTUALITÉ D'UN ÉLARGISSEMENT DE L'ALENA À D'AUTRES PARTENAIRES.

Sans effacer entièrement une histoire faite de relations difficiles, l'intégration économique multiplie les points de contact et intensifie les rapports entre Canada, États-Unis et Mexique.

devenus des défenseurs inconditionnels, souhaitant l'étendre rapidement à d'autres pays de l'hémisphère. De 1989, année d'entrée en vigueur de l'Accord de libre-échange Canada-États-Unis (ALE), à 1996, le solde canadien des échanges commerciaux avec les États-Unis est passé, pour les produits libéralisés, d'un déficit d'environ 9 milliards de dollars canadiens à un excédent d'environ 15 milliards. Au cours de la même période, la situation n'a presque pas changé avec les autres partenaires commerciaux du pays et elle est également demeurée stable pour les produits non libéralisés.

Les opposants canadiens au libre-échange craignaient que celui-ci exerce une pression à la baisse sur les salaires et sur les programmes sociaux. La pression est apparue réelle, mais il était difficile de faire le partage entre ce qui relève de l'évolution commune à tous les pays industrialisés, des politiques d'austérité, et de l'accord lui-même. Une chose est certaine, la distribution des revenus est restée moins inégalitaire que celle des États-Unis et, dans la mesure où les inégalités augmentent, l'État corrige la tendance par la fiscalité et les programmes sociaux.

Aux États-Unis, en revanche, les inégalités et la pauvreté se sont aggravées en dépit d'une évolution très positive de l'emploi. En 1992, Bill Clinton promettait de donner la priorité aux personnes et d'investir dans l'Amérique. L'échec de presque toutes les réformes envisagées, et notamment de celle de l'assurance maladie, a laissé le président sans projet social précis. Très dure et très éloignée du projet démocrate initial, la réforme de l'assistance sociale entérinée par B. Clinton à la veille des élections présidentielles de novembre 1996 aboutira à terme à appauvrir 10 % des familles américaines et à laisser plus d'un million d'enfants dans le dénuement. Il s'agit de la seule coupe budgétaire majeure et durable effectuée par l'administration Clinton entre 1994 et 1996.

Sans protection syndicale ou sociale solide dans un marché du travail qui engendre d'importantes inégalités, les Américains se méfient beaucoup de l'ALENA. Cette attitude est relayée au Congrès par les démocrates plus progressistes, qui insistent sur les emplois détruits et sur la pression à la baisse exercée sur les salaires par l'accord. Pour d'autres raisons, et notamment parce qu'ils accusent l'ALENA de favoriser l'augmentation du trafic de drogue et de l'immigration illégale, plusieurs républicains se sont associés à cette résistance. En mars 1997, B. Clinton a dû faire pression pour que le Congrès ne retire pas au Mexique sa « certification » comme allié dans la lutte internationale contre le narcotrafic.

Des résultats économiques au mieux modestes et d'importantes tensions définissent donc l'Accord de libre-échange nord-américain. De plus en plus, celui-ci a tout de même pris l'allure d'un fait incontournable. Graduellement, il fait aussi avancer l'idée d'une certaine communauté de destin entre les trois pays. Sans effacer entièrement une histoire faite de relations difficiles, l'intégration économique multiplie les points de contact et intensifie les rapports.

Présentation par **Alain Noël**
Politologue, Université de Montréal

Amérique du Nord/Bibliographie sélective

« A Trinational Symposium : Canada/The United States/Mexico », *American Review of Canadian Studies*, vol. 26, n° 2, Washington, DC, été 1996.

A. S. Bailly, G. Dorel, J.-B. Racine *et alii*, « États-Unis, Canada », *in* R. Brunet (sous la dir. de), *Géographie universelle*, vol. IV, Belin/Reclus, Paris/Montpellier, 1994.

K. Banting, G. Hoberg, R. Simeon (sous la dir. de), *Degrees of Freedom : Canada and the United States in a Changing World*, McGill/Queen's University Press, Montréal, 1997.

R. Blank, *It Takes a Nation : A New Agenda for Fighting Poverty*, Princeton University Press, Princeton, 1997.

C. F. Doran, A. P. Drischler (sous la dir. de), *A New North America : Cooperation and Enhanced Interdependence*, Praeger, Westport, Conn. 1996.

R. M. Earle, D. Wirth, *Identities in North America. The Search for Community*, Stanford University Press, Stanford, 1995.

P. Edelman, « The Worst Thing Bill Clinton Has Done », *Atlantic Monthly*, Boston, mars 1997.

M. Levine, « Public Policies, Social Institutions, and Earnings Inequality : Canada and the United States, 1970-1995 », *American Review of Canadian Studies*, vol. 26, n° 3, Washington DC, aut. 1996.

G. Mace, J.-P. Thérien (sous la dir. de), *Foreign Policy and Regionalism in the Americas*, Lynne Rienner, Boulder, 1996.

D. Maschino, E. Griego, « L'Accord nord-américain de coopération dans le domaine du travail : bilan et perspectives », *Le Marché du travail*, Québec, avr. 1997.

J. Myles, « When Markets Fail : Social Welfare in Canada and the United States », *in* G. Esping-Andersen (sous la dir. de), *Welfare States in Transition*, Sage, Londres, 1996.

« Nafta Revisited : Expectations and Realities », *Annals of the American Academy of Political and Social Sciences*, n° 550, Thousand Oaks, mars 1997.

W. A. Orme, *Understanding NAFTA : Mexico, Free Trade and the New North America*, University of Texas Press, Austin, 1996.

C. Paraskevopoulos, R. Grinspun, G. E. Eaton (sous la dir. de), *Economic Integration in the Americas*, Edward Elgar, Cheltenham, UK, 1996.

« Vers un nouvel État-providence ? », *Politique et sociétés*, n° 30, Montréal, aut. 1996.

S. Weintraub, *NAFTA at Three : A Progress Report*, Center for Strategic and International Studies, Washington, DC, 1997.

M. Weir, *The Social Divide : Political Parties and the Future of Activist Government*, Brookings Institution Press, Washington, DC, 1998.

Voir aussi les bibliographies « Canada », « États-Unis » et « Mexique », p. 364, 370 et 376.

L'accord de coopération dans le domaine du travail, par exemple, aussi limité soit-il, a permis de tisser des liens institutionnels entre les syndicats des trois pays, qui discutent maintenant de questions d'intérêt commun sur une base continentale.

Une grande évolution est à surveiller : l'éventualité d'un élargissement de l'ALENA à d'autres partenaires, et d'abord au Chili. A cet égard, les négociations entre le président et le Congrès américains seraient déterminantes. ■

Par **Alain Noël**
Politologue, Université de Montréal

1997

6 juillet. Mexique. Le Parti révolutionnaire institutionnel (PRI), au pouvoir depuis 1929, subit une défaite historique lors des élections législatives. L'opposition, constituée du Parti de la révolution démocratique (PRD, centre gauche) et du Parti d'action nationale (PAN, droite conservatrice), devient majoritaire à la Chambre des députés (500 sièges), avec respectivement 125 et 122 députés, contre 239 pour le PRI. Par ailleurs, le chef du PRD Cuauhtémoc Cárdenas est élu maire de Mexico.

14 septembre. Canada. Les dirigeants des territoires et des provinces du Canada anglais s'entendent, avec l'appui discret du gouvernement fédéral, pour définir un nouveau cadre pour d'éventuelles discussions constitutionnelles. La « déclaration de Calgary », qui reconnaît le « caractère unique de la société québécoise au sein du Canada » mais insiste sur l'égalité de tous les Canadiens et de toutes les provinces, est mal reçue au Québec.

10 novembre. États-Unis. Incapables d'obtenir suffisamment d'appuis au Congrès, le président Bill Clinton et les leaders républicains à la Chambre des représentants renoncent à faire adopter une loi donnant au président pleine autorité pour négocier de nouveaux accords commerciaux.

11 décembre. Canada. Dans un jugement concernant les peuples Gitxsan et Wetsuweten de Colombie-Britannique, la Cour suprême amende les règles de preuve conventionnelles et accepte de considérer l'histoire orale des peuples autochtones sur le même pied que des documents écrits. La décision donne un poids considérable aux revendications des peuples n'ayant jamais signé de traité et rend inévitables de nouvelles négociations, surtout dans l'Ouest.

5 décembre. Mexique. Cuauhtémoc Cardenas prend ses fonctions de maire de Mexico.

22 décembre. Mexique. Quarante-cinq personnes non armées, dont plusieurs enfants, sont tuées lors d'une attaque dans le petit village d'Acteal, au Chiapas. Les témoins accusent un groupe paramilitaire local proche du Parti révolutionnaire institutionnel (PRI, au pouvoir).

1998

5 janvier. Canada/États-Unis. Début d'une « tempête de verglas » de cinq jours qui frappe le Québec, l'est de l'Ontario et le nord de la Nouvelle-Angleterre. Il s'agit du désastre naturel le plus coûteux de l'histoire du Canada.

7 janvier. Canada. Le gouvernement exprime ses « profonds regrets à tous les peuples autochtones du Canada à propos des gestes passés du gouvernement fédéral », en mentionnant notamment le système des écoles résidentielles qui séparait les enfants de leur famille pour les assimiler, ainsi que la mort de Louis Riel, pendu en 1885 pour avoir dirigé des mouvements de résistance de métis.

12 janvier. États-Unis/Mexique. Le département du Travail américain présente une étude faisant état de nombreuses violations des lois mexicaines du travail dans les usines situées près de la frontière, notamment envers les femmes enceintes.

21 janvier. États-Unis. Le conseiller indépendant dans l'affaire Whitewater, Kenneth W. Starr, entame une tenace enquête publique sur les relations entre le président Bill Clinton et une jeune stagiaire de la Maison-Blanche, Monica S. Lewinsky.

2 février. États-Unis. Le président Bill Clinton présente un budget équilibré pour l'année fiscale 1999, une première en près de trente ans.

16 février. Canada. Début des audiences de la Cour suprême sur les trois questions soumises par le gouvernement fédéral concernant la légalité d'une déclaration unilatérale d'indépendance par le gouvernement du Québec.

24 février. Canada. Pour la première fois depuis près de trente ans, le gouvernement canadien rend public un budget sans déficit.

1er avril. États-Unis. Un juge fédéral met fin à l'une des affaires de harcèlement sexuel concernant le président Bill Clinton, en concluant que la poursuite engagée par Paula Corbin Jones est sans fondement.

19 avril. ZLEA. Le deuxième sommet des Amériques se termine par une déclaration commune engageant les trente-quatre pays participant à construire, pour l'an 2005, une zone de libre-échange des Amériques (ZLEA).

19 avril. Mexique. Décès d'Octavio Paz, prix Nobel de littérature et pivot de la vie intellectuelle mexicaine.

26-27 avril. Canada/Cuba. Le Premier mi-

Par **Alain Noël**
Politologue, Université de Montréal

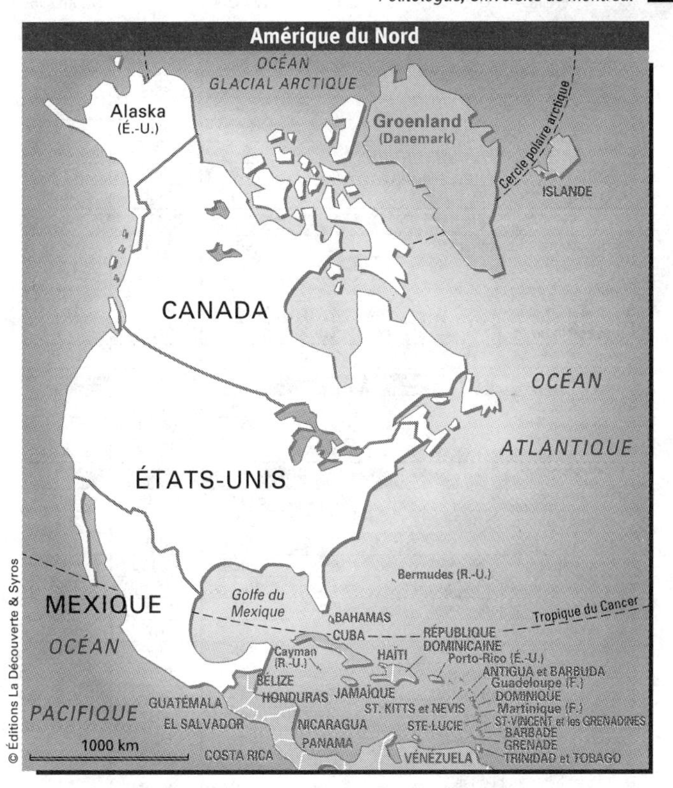

nistre Jean Chrétien se rend à Cuba. L'administration américaine, qui désapprouve cette visite, avait légèrement desserré l'embargo économique sur Cuba dans les semaines précédentes.

30 avril. Canada. Jean Charest, jusque-là chef du Parti progressiste conservateur canadien, remplace Daniel Johnson à la tête du Parti libéral du Québec. Les fédéralistes canadiens le considèrent comme l'un des rares politiciens capables de gagner une élection contre le Parti québécois de Lucien Bouchard.

18 mai. États-Unis. Le gouvernement fédéral et vingt États américains déposent deux poursuites majeures contre Microsoft, qu'ils accusent d'utiliser son monopole sur les logiciels système pour éliminer ses concurrents et tenter de contrôler Internet.

18 mai. États-Unis/Mexique. Le gouvernement américain annonce que trois grandes banques mexicaines et vingt-six banquiers seront poursuivis pour le blanchiment d'argent lié au trafic de drogue.

10 juin. Mexique. Lors d'une opération visant à démanteler une « communauté autonome », l'armée affronte des sympathisants de l'Armée zapatiste de libération nationale (EZLN) dans le Chiapas. Ces premiers combats depuis le cessez-le-feu du 12 janvier 1994 font 9 morts.

INDICATEUR*	UNITÉ	CANADA	ÉTATS-UNIS	MEXIQUE
Démographie**				
Population	*millier*	29 942	271 648	94 280
Densité	*hab./km²*	3,0	29,0	47,9
Croissance annuelle[d]	%	0,8	0,8	1,6
Indice de fécondité (ISF)[d]		1,6	2,0	2,7
Mortalité infantile[d]	‰	6	7	31
Espérance de vie[d]	*année*	78,9	76,7	72,5
Population urbaine	%	76,9	76,5	73,8
Indicateurs socioculturels				
Développement humain (IDH)[c]		0,960	0,942	0,853
Nombre de médecins	*‰ hab.*	2,1[a]	2,6[a]	1,6[b]
Espérance de scolarisation	*année*	17,5	16,0	••
Scolarisation 3[e] degré[c]	%	102,9[m]	81,1[c]	14,3
Adresses Internet	*‰ hab.*	228,1	442,1	3,7
Livres publiés	*titre*	17 931[b]	62 039[b]	2 608[i]
Armées				
Armée de terre	*millier d'h.*	21,9	495	130
Marine	*millier d'h.*	9,4	605,1	37
Aviation	*millier d'h.*	14,6	382,2	8
Économie				
PIB total[e]	*million $*	673,2	7 926,7	783,1
Croissance annuelle 1986-96	%	2,0	2,4	3,7
Croissance 1997	%	3,6	3,8	6,7
PIB par habitant[e]	*$*	22 484	29 180	8 306
Investissement (FBCF)[g]	*% PIB*	18,1	16,6	17,6
Recherche et Développement	*% PIB*	1,65	2,55	0,31
Taux d'inflation	%	0,7	1,7	15,7
Taux de chômage[f]	%	8,6	4,7	••
Dépense publique Éducation	*% PIB*	7,3[m]	5,3[m]	5,3[c]
Dépense publique Défense[a]	*% PIB*	1,5	3,6	0,8
Énergie (consom./hab.)[b]	*kgec*	10 913	11 312	2 049
Énergie (taux de couverture)[b]	%	154,6	80,9	151,4
Solde administr. publiques[h]	*% PIB*	1,7	– 0,3	••
Dette administr. publiques	*% PIB*	93,8	61,5	••
Échanges extérieurs				
Importations	*million $*	195 940	899 020	98 467
Principaux fournisseurs	%	UE 9,9	UE 18,1	UE 7,9
	%	E-U 67,6	Alena 29,2	E-U 70,2
	%	Asie[k] 12,7	Asie[k] 40,8	PED 10,2
Exportations	*million $*	214 326	688 697	65 268
Principaux clients	%	E-U 82,5	UE 20,4	UE 3,7
	%	UE 5,0	Alena 32,2	E-U 75,8
	%	Asie[k] 8,4	Asie[k] 31,1	PED 14,5
Solde transactions courantes	*% PIB*	– 2,00	– 2,10	– 1,84

* Définition des indicateurs p. 25 et suiv. Chiffres 1997 sauf notes. ** Derniers recensements utilisables : Canada, 1991 ; États-Unis, 1990 ; Mexique, 1990. a. 1996 ; b. 1995 ; c. 1994 ; d. 1995-2000 ; e. A parité de pouvoir d'achat (PPA, voir définition p. 581) ; f. En fin d'année ; g. 1994-96 ; h. Corrigé des variations cycliques ; i. 1990, k. Y compris Japon et Moyen-Orient ; m. 1993.

Canada

La fin des déficits

Le 24 février 1998, le gouvernement rendait public un budget sans déficit pour l'année fiscale 1997-1998, une première en près de trente ans. Le revirement était remarquable. Quatre ans plus tôt, le déficit des finances publiques fédérales atteignait un niveau sans précédent : 42 milliards de dollars. Avec un déficit équivalent à près de 6 % du PIB et une dette dépassant 70 % de celui-ci, le Canada affichait l'une des pires situations financières parmi les pays du G-7 (Groupe des sept pays les plus industrialisés). En quelques années, le Canada est devenu le premier pays du G-7 à afficher un surplus budgétaire. Au cours de la même période, les provinces connaissaient une évolution semblable. De 1992 à 1997, le déficit de l'ensemble des gouvernements provinciaux et territoriaux a en effet diminué de plus de 70 %. Cinq provinces sur dix et un des deux territoires prévoyaient soit un excédent, soit un budget équilibré pour 1997-1998. Avec l'Ontario et le Québec qui se trouvaient en position d'atteindre cet objectif en 1999, presque toutes les grandes administrations publiques du pays pourraient avoir des soldes budgétaires équilibrés ou excédentaires avant la fin du siècle. Par ailleurs, la croissance a été relativement forte (plus de 3,5 % en 1997), l'inflation à peu près nulle (moins de 1 %) et le chômage a diminué (8,6 % à la fin de 1997).

L'érosion de la protection sociale

Les différents gouvernements ont atteint l'équilibre budgétaire principalement en comprimant les dépenses. Dans le cas du gouvernement fédéral, les dépenses de programmes (l'ensemble des dépenses à l'exception du service de la dette publique) ont été limitées pour ne plus représenter en 1999-2000 que 11,5 % du PIB, ce qui serait le niveau le plus bas atteint au cours des cinquante dernières années. Trois grands secteurs ont fait l'objet de coupes sévères : les transferts aux provinces, les prestations d'assurance chômage (devenue l'assurance emploi en 1996) et les programmes fédéraux eux-mêmes. Comme les transferts aux provinces servent principalement à financer les services de santé, l'éducation et l'assistance sociale, et que les provinces se sont elles-mêmes attaquées à leur déficit en comprimant les dépenses pour ces programmes, l'impact a été significatif.

Dans le domaine de la santé, notamment, la qualité des services a semblé se détériorer. Relativement négligés par le gouvernement libéral de Jean Chrétien, qui jusque-là insistait davantage sur l'élimination du déficit, la reprise de l'emploi et l'éducation, les services de santé apparaissaient, dans les sondages menés à l'hiver 1998, comme l'une des priorités des Canadiens. Un régime d'assurance emploi plus strict a, pour sa part, réduit les revenus de nombreux travailleurs, notamment ceux ayant des emplois saisonniers, tout en poussant un grand nombre de chômeurs vers l'assistance sociale, au moment même où plusieurs provinces rendaient celle-ci moins généreuse. En conséquence, le taux de pauvreté s'est révélé plus élevé en 1996 que lors de la dernière récession, en 1991. Plus généralement, le revenu réel des ménages a diminué entre 1990 et 1995. La baisse du revenu – tout en affectant presque toutes les catégories de la population – a plus spécifiquement touché les jeunes, les familles monoparentales et les travailleurs les moins qualifiés. Ainsi la lutte contre le déficit a-t-elle annulé l'effet de la reprise économique sur les revenus.

La fin des déficits pourrait permettre de dépasser ces évolutions contrastées. Pour la première fois depuis de nombreuses années, les gouvernements du pays semblent en effet être en mesure de faire autre chose que de diminuer leurs dépenses. En ce sens, le budget fédéral de février 1998 a véritablement ouvert une nouvelle ère politique.

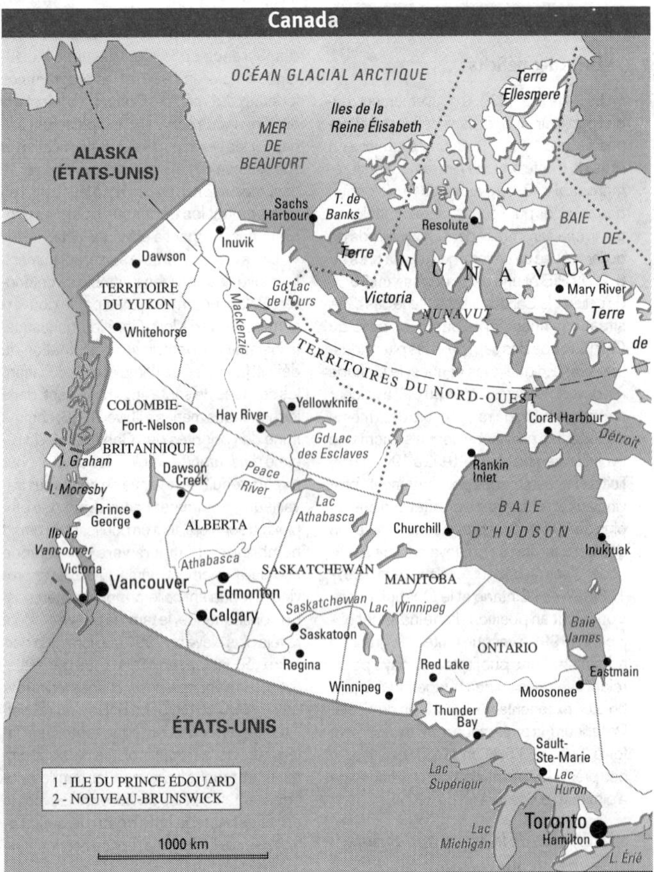

Une nouvelle marge de manœuvre

Les partis de droite ont insisté en 1997-1998 sur le remboursement de la dette et sur la réduction des impôts. Il s'agissait pour eux d'inscrire dans la durée des politiques publiques désormais moins interventionnistes. Au niveau fédéral, cependant, la droite était relativement faible et divisée. Le très conservateur Reform Party de Preston Manning constitue l'opposition officielle à la Chambre des communes mais n'est encore qu'un parti régional, qui n'est pas parvenu, jusqu'ici, à faire élire des députés à l'est du Manitoba. Quant au Parti progressiste conservateur, qui a été au pouvoir de 1984 à 1993, sa représentation est de-

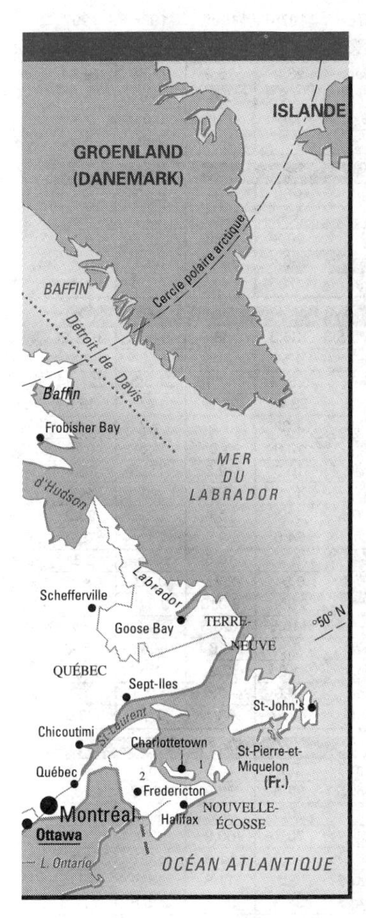

meurée marginale, avec 20 sièges sur un total de 295. Le départ de son jeune et populaire leader, Jean Charest, qui est devenu chef du Parti libéral du Québec en avril 1998, a laissé le parti encore plus fragile. Les options de la droite, au Canada, se jouaient donc surtout dans les provinces, où les conservateurs étaient capables de mettre en application des politiques plus agressives de remise en question de l'État-providence (en Alberta et en Ontario, notamment).

A gauche, la situation était semblable. Le Nouveau parti démocratique (social-démocrate) dirigé par Alexa McDonough n'avait pas d'élus dans plusieurs provinces et ne comptait que 21 députés à la Chambre des communes. Le Bloc québécois (parti souverainiste et plutôt social-démocrate) de

Canada

Capitale : Ottawa.

Superficie : 9 976 139 km^2.

Monnaie : dollar canadien (1 dollar canadien = 3,95 FF ou 0,66 dollar des États-Unis au 29.7.98).

Langues : anglais et français (off.).

Chef de l'État : reine Elizabeth II, représentée par un gouverneur général, Roméo LeBlanc (depuis le 8.2.95). Le pouvoir exécutif est assuré par le Premier ministre.

Premier ministre : Jean Chrétien (depuis le 5.11.93).

Vice-premier ministre : Herbert Eser Gray.

Ministre des Affaires étrangères : Lloyd Axworthy.

Ministre des Finances : Paul Martin.

Échéances électorales : législatives au Québec (aut. 99).

Nature de l'État : fédération (10 provinces et 2 territoires). Les deux provinces les plus importantes, l'Ontario et le Québec, regroupent 63 % de la population canadienne. En 1999 entre en fonction le gouvernement d'un nouveau territoire, le Nunavut (« Notre terre » en inuktitut).

Nature du régime : démocratie parlementaire.

Principaux partis politiques : *Au niveau fédéral et provincial :* Parti progressiste conservateur (conservateur) ; Parti libéral ; Nouveau parti démocratique (social-démocrate). *Au niveau fédéral seulement :* Reform Party (très conservateur) ; Bloc québécois, présent au Québec seulement (souverainiste). *Au niveau provincial seulement :* Parti québécois, Parti libéral du Québec et Parti action démocratique (Québec).

INDICATEUR*	UNITÉ	1975	1985	1996	1997
Démographie**					
Population	*million*	23,2	25,9	29,68	29,94
Densité	*hab./km²*	2,3	2,6	3,0	3,0
Croissance annuelle	%	1,1[a]	1,3[b]	0,8[c]	••
Indice de fécondité (ISF)		1,7[a]	1,7[b]	1,6[c]	••
Indicateurs socioculturels					
Nombre de médecins	*‰ hab.*	1,69	2,01	2,10	••
Scolarisation 2e degré[k]	%	••	88	92[f]	••
Scolarisation 3e degré	%	39,3	69,6	102,9[i]	••
Téléviseurs	‰	396,4	540,8	709,1[g]	••
Livres publiés	*titre*	6 735	••	17 931[g]	••
Économie					
PIB total[h]	*milliard $*	136,3	368,8	645,1	673,2
Croissance annuelle	%	4,5[d]	2,4[e]	1,5	3,6
PIB par habitant[h]	$	5 874	14 218	21 529	22 484
Investissement (FBCF)	*% PIB*	23,1[d]	20,2[e]	17,2	18,5
Recherche et Développement	*% PIB*	1,3[p]	1,5	1,7	1,65
Taux d'inflation	%	10,8	4,0	1,6	0,7[o]
Population active	*million*	10,0	12,6	15,2	15,4
Agriculture	% } *100 %*	6,1	5,1	4,1	3,9
Industrie	% } *100 %*	29,3	25,4	22,8	23,2
Services	% } *100 %*	64,6	69,5	73,1	73,0
Chômage	%	6,9	10,5	9,7	8,6[n]
Aide au développement	*% PIB*	0,54	0,49	0,32	••
Énergie (consom./hab.)[b]	*kgec*	9 856	9 918	10 913[g]	••
Énergie (taux de couverture)	%	116,8	128,8	154,6[g]	••
Dépense publique Éducation	*% PIB*	7,8	6,6	7,3[i]	••
Dépense publique Défense	*% PIB*	1,9	2,2	1,5	1,2
Solde administrat. publiques[q]	*% PIB*	– 3,0[r]	– 7,2	– 0,5	1,7
Dette administrat. publiques	*% PIB*	43,7[r]	63,1	97,5	93,8
Échanges extérieurs		**1974**	**1986**	**1996**	**1997**
Importations de services	*milliard $*	5,7	15,9	35,8	36,3
Importations de biens	*milliard $*	32,5	82,9	175,7	200,9
Produits énergétiques	%	10,5	4,7	4,4	4,5
Produits manufacturés	%	70,1	80,9	82,1	••
dont machines et mat. de transport	%	45,6	55,8	51,0	••
Exportations de services	*milliard $*	4,2	11,8	28,5	29,9
Exportations de biens	*milliard $*	34,3	90,1	205,8	217,8
Produits agricoles	%	24,4	18,4	16,0	••
Produits miniers[m]	%	33,6	20,2	12,6	••
Produits manufacturés	%	41,6	60,9	62,3	••
Solde transactions courantes	*% du PIB*	– 3,0[d]	– 2,4[e]	0,4	– 2,0
Position extérieure nette	*milliard $*	••	– 135,7	– 243,2	••

* Définition des indicateurs p. 25 et suiv. ** Dernier recensement utilisable : 1991 ; a. 1975-85 ; b. 1985-95 ; c. 1995-2000 ; d. 1970-80 ; e. 1980-96 ; f. 1994 ; g. 1995 ; h. A parité de pouvoir d'achat (PPA, voir définition p. 581) ; i. 1993 ; k. 12-17 ans ; m. Y compris produits énergétiques ; n. Décembre ; o. Décembre à décembre ; p. 1981 ; q. Corrigé des fluctuations conjoncturelles ; r. 1979.

Gilles Duceppe n'était nécessairement présent qu'au Québec et ne pouvait jouer à Ottawa qu'un rôle d'opposition. Dans les provinces où ils étaient au pouvoir (Colombie-Britannique, Saskatchewan, Québec), les partis sociaux-démocrates se sont attaqués au déficit en misant sur la concertation et en tentant de préserver les programmes sociaux.

A Ottawa, le gouvernement libéral de J. Chrétien a choisi le compromis en s'engageant à consacrer la moitié des surplus budgétaires à venir au développement économique et social, et l'autre moitié au remboursement de la dette et à des réductions d'impôt. Après plusieurs années d'austérité, cependant, les libéraux étaient enclins à restaurer le rôle de l'État central. Ils souhaitaient intervenir, en particulier, sur le plan social. En politique étrangère, le Parti libéral a également renoué avec ses traditions, en complétant la priorité accordée au commerce par le Premier ministre J. Chrétien d'une préoccupation accrue pour les droits humains, les questions sociales et le désarmement. Le ministre des Affaires étrangères Lloyd Axworthy a joué un rôle important dans les négociations qui ont mené à la signature, en décembre 1997, de la Convention sur l'interdiction des mines antipersonnel.

Union sociale et enjeux constitutionnels

Le nouvel interventionnisme d'Ottawa n'est pas sans conséquences pour le fédéralisme canadien. Après avoir sabré dans les transferts aux provinces, en promettant une plus grande décentralisation, le gouvernement fédéral a créé de nouveaux programmes lui permettant d'intervenir dans des domaines de juridiction provinciale, la santé et l'éducation notamment. Au nom de l'union sociale, le gouvernement de J. Chrétien a commencé à remettre en question l'équilibre qui s'était instauré au fil des années, alors que l'État central supportait des programmes pour l'essentiel définis et administrés par les provinces.

Cette dynamique centralisatrice se dessinait, alors même que le plus vaste contentieux constitutionnel demeurait largement irrésolu. En septembre 1997, les dirigeants des territoires et des provinces du Canada anglais se sont entendus, avec l'appui discret du gouvernement fédéral, pour définir un nouveau cadre pour d'éventuelles discussions constitutionnelles. La « déclaration de Calgary », qui reconnaît le « caractère unique de la société québécoise au sein du Canada », mais insiste aussi sur l'égalité de tous les Canadiens et de toutes les provinces, a été mal reçue au Québec, où elle semblait nier toute possibilité de renouvellement du fédéralisme allant dans le sens d'une reconnaissance formelle du Québec comme « société distincte » et d'un nouveau partage des pouvoirs.

En parallèle, le gouvernement central a poursuivi une stratégie dure, visant à contrer la possibilité d'un nouveau référendum québécois sur la souveraineté, après celui de 1995 où le « non » l'avait emporté de justesse. En février 1988, la Cour suprême amorçait ses travaux en vue de répondre à trois questions soumises par le gouvernement fédéral et mettant en cause la légalité d'une déclaration unilatérale d'indépendance par le gouvernement du Québec. Combinée à la remise en question annoncée de la règle de la majorité (50 % plus un) et des frontières actuelles dans le cas d'une victoire référendaire des souverainistes, cette démarche légale visait à rendre plus difficile un vote en faveur de la souveraineté.

Dans ces circonstances, l'appui à la souveraineté est demeuré assez élevé dans l'opinion québécoise, mais une majorité semblait préférer voir reporté à plus tard un référendum sur la question. Cette attitude, ainsi que le remplacement de Daniel Johnson par J. Charest à la tête du Parti libéral du Québec, qui a fait beaucoup progresser cette formation dans les sondages, a forcé le gouvernement du Parti québécois à la prudence. Au printemps 1998, le Premier ministre Lucien Bouchard a renouvelé son en-

Canada/Bibliographie

G. Bourque, J. Duchastel, *L'Identité fragmentée*, Fides, Montréal, 1996.

A. Burelle, *Le Mal canadien*, Fides, Montréal, 1995.

F. Dumont, *Genèse de la société québécoise*, Boréal, Montréal, 1993.

A.-G. Gagnon (sous la dir. de), *Québec : État et société*, Québec/Amérique, Montréal, 1994.

A.-G. Gagnon, A. Noël (sous la dir. de), *L'Espace québécois*, Québec/Amérique, Montréal, 1995.

E. Greenspon, A. Wilson-Smith, *Double Vision : The Inside Story of the Liberals in Power*, Seal Books/McClelland-Bantam, Toronto, 1997.

G. Laforest, R. Gibbins (sous la dir. de), *Sortir de l'impasse : les voies de la réconciliation*, Institut de recherche en politiques publiques, Montréal, 1998.

H. Lazar (sous la dir. de), *Canada : The State of the Federation 1997 - Non-constitutional Renewal*, Institute of Intergovernmental Relations, Kingston, 1998.

K. McRoberts, *Misconceiving Canada*, Oxford University Press, Toronto, 1997.

P. H. Russell, *Constitutional Odyssey*, University of Toronto Press, Toronto, 1993 (2e éd.).

G. Swimmer (sous la dir. de), *How Ottawa Spends 1997-1998*, Carleton University Press, Ottawa, 1997.

R. Young, *La Sécession du Québec et l'avenir du Canada*, Presses de l'université Laval, Sainte-Foy, 1995.

Voir aussi la bibliographie sélective « Amérique du Nord », p. 355.

gagement à tenir un référendum « gagnant » lors d'un prochain mandat, mais attendait, pour faire campagne, d'être plus près de l'échéance de l'automne 1999.

La question autochtone est également demeurée ouverte. Des négociations se sont poursuivies à plusieurs niveaux, et les tribunaux ont graduellement fait avancer l'idée d'un droit inhérent des premières nations à l'autonomie gouvernementale. Mais, comme pour la question du Québec, le dossier n'évolue que lentement. - **Alain Noël** ■

États-Unis

L'année Lewinsky

En janvier 1998, Bill Clinton se trouvait au sommet de sa popularité. Sa politique, reposant jusque-là sur son pragmatisme, sinon son opportunisme, semblait trouver une certaine cohérence, le « clintonisme » pouvant se définir par la rigueur budgétaire, la maîtrise de la mondialisation et sa mise au service des intérêts américains, et surtout par un conservatisme tempéré d'une dimension sociale.

Jamais, de mémoire récente, l'économie ne s'était si bien portée : un taux de croissance de 5 % pour le premier trimestre 1998 (3,8 % en 1997), un taux de chômage tombé à 4,7 %, son niveau le plus bas depuis 1970, une inflation toujours maîtrisée (1,7 %), des marchés boursiers volant de record en record. Et surtout, pour la première fois depuis trente ans, le budget était annoncé comme devant être excédentaire pour l'exercice 1999 (surplus cumulé de 135,9 milliards de dollars à l'horizon 2002).

Le président a précisé lors de son discours sur l'état de l'Union que cet excédent budgétaire serait « exclusivement » utilisé pour sauver le système de retraites de la Sécurité sociale, menacé de banqueroute avec la sortie prochaine du monde du travail de la génération des *baby-boomers*. Mais la bonne tenue de l'économie devrait permettre de consacrer également plus d'attention à des problèmes éducatifs et sociaux jusque-là négligés. D'où les initiatives les plus hardies prises depuis l'échec du programme de réforme du système de santé de 1993. Elles ont concerné le domaine de l'éducation (29 milliards de dollars pour la construction d'écoles et l'embauche de 100 000 enseignants supplémentaires), la protection de l'enfance (21,7 milliards pour l'aide aux familles et l'ouverture de crèches), la santé (25 milliards pour la recherche contre le cancer et l'extension du programme fédéral d'assurance médicale Medicare aux jeunes retraités), l'environnement (6 milliards de dollars pour les travaux sur l'effet de serre), le revenu des travailleurs (augmentation du salaire minimum) et l'immigration (restauration des bons de nourriture).

Posture délicate pour le président

C'est donc sur fond d'euphorie qu'a éclaté le plus grand scandale de l'administration Clinton : le 21 janvier 1998, la presse révélait que le procureur spécial Kenneth Starr s'intéressait à Monica Lewinsky, une ex-stagiaire de la Maison-Blanche, âgée de 24 ans, qui pendant un an et demi aurait eu une liaison avec le président. La possible inculpation de B. Clinton pour faux témoignage et subornation de témoin a bouleversé pendant plusieurs jours le monde politique américain, amenant éditorialistes et experts à spéculer sur la probabilité d'une procédure de destitution (*impeachment*) du président, voire même d'une démission.

Pendant le grand déballage médiatique qui a suivi les premières révélations, la Maison-Blanche avait des allures de bunker. Le président opposait un mur de silence aux questions sur l'« affaire » et ne cessait de rappeler les succès de sa présidence et l'importance de poursuivre sa mission « dans l'intérêt du peuple américain ».

Après la publication d'une série de sondages qui confirmaient le soutien de l'opinion publique à B. Clinton, la dynamique politique s'est inversée. Le dernier carré des fidèles rappelé pour organiser la contre-offensive, Clinton a alors « déclaré la guerre à Kenneth Starr », pour reprendre l'expression de James Carville, l'un des conseillers de B. Clinton. La « première dame des États-Unis » est apparue à la télévision pour déclarer que le président était « victime d'un vaste complot de droite ». Robert Bennett, l'avocat du président, a fustigé une « instruction incontrôlée qui est devenue une arme entre les mains de forces décidées à détruire la Présidence », et s'en

États-Unis d'Amérique

Capitale : Washington.
Superficie : 9 363 123 km^2.
Monnaie : dollar (1 dollar = 5,94 FF au 29.7.98).
Langue : anglais (off.).
Chef de l'État : Bill (William Jefferson) Clinton, président (élu le 3.11.92, réélu le 5.11.96), mandat expirant en janv. 2001.
Vice-président : Albert Gore Jr.
Secrétaire d'État : Madeleine Albright.
Secrétaire à la Défense : William Cohen.
Président de la Chambre des représentants : Newt Gingrich (républicain).
Chef de la majorité au Sénat : Trent Lott (républicain).
Nature de l'État : république fédérale (50 États et le District of Columbia).
Échéances électorales : législatives (3.11.98).
Nature du régime : démocratie présidentielle.
Principaux partis politiques : Parti républicain et Parti démocrate.
Possessions, États associés et territoires sous tutelle : Porto Rico, îles Vierges américaines [Caraïbes], zone du canal de Panama [Amérique centrale], îles Mariannes du Nord, Guam, Samoa américaines, Midway, Wake, Johnston [Pacifique].

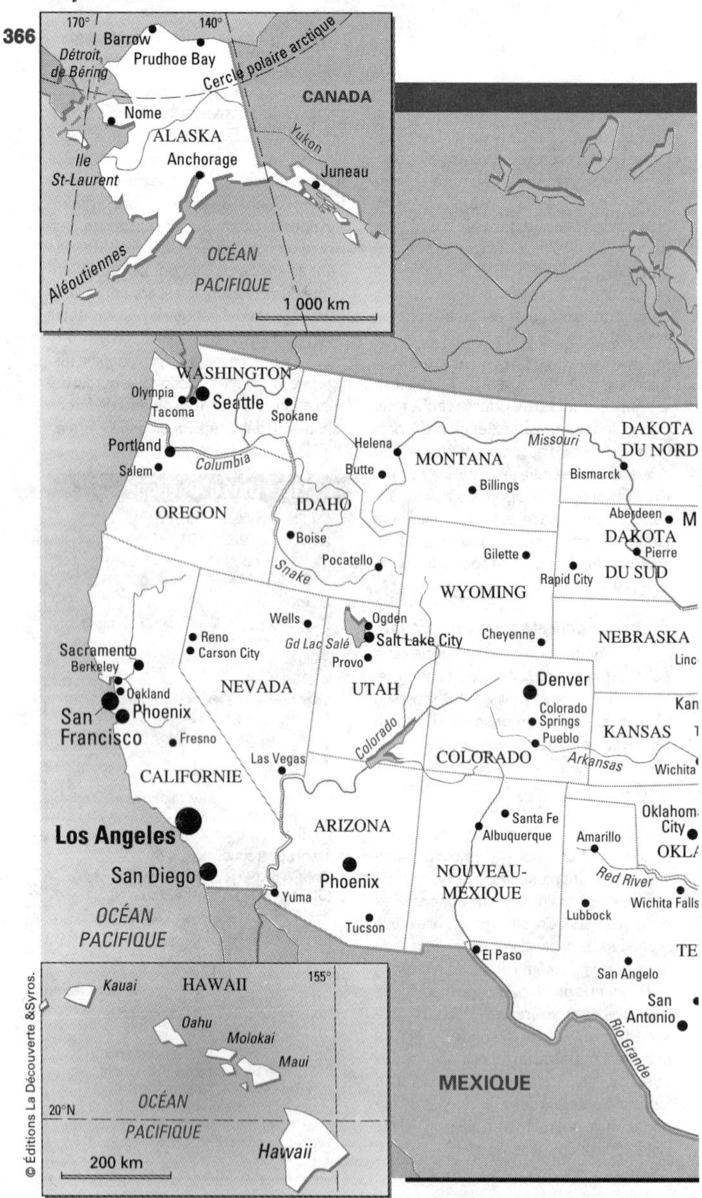
170°
140°
Barrow
Prudhoe Bay
Détroit de Béring
Cercle polaire arctique
CANADA
Nome
ALASKA
Yukon
Ile St-Laurent
Anchorage
Juneau
Aléoutiennes
OCÉAN PACIFIQUE
1 000 km
WASHINGTON
Olympia
Seattle
Tacoma
Spokane
Portland
Salem
Columbia
Helena
Butte
MONTANA
Missouri
Billings
DAKOTA DU NORD
Bismarck
OREGON
IDAHO
Boise
Aberdeen
DAKOTA DU SUD
Pierre
Gilette
Rapid City
Snake
Pocatello
WYOMING
Wells
Ogden
Reno
Carson City
Gd Lac Salé
Salt Lake City
Cheyenne
NEBRASKA
Sacramento
Berkeley
Provo
Oakland
NEVADA
UTAH
Denver
San Francisco
Phoenix
Colorado Springs
Pueblo
KANSAS
Fresno
Colorado
Las Vegas
COLORADO
Arkansas
Wichita
CALIFORNIE
Santa Fe
Albuquerque
ARIZONA
Amarillo
Oklahoma City
Los Angeles
San Diego
Phoenix
NOUVEAU-MEXIQUE
Red River
Yuma
Wichita Falls
Lubbock
OCÉAN PACIFIQUE
Tucson
El Paso
San Angelo
San Antonio
Rio Grande
MEXIQUE
Kauai
HAWAII
155°
Oahu
Molokai
Maui
20°N
OCÉAN PACIFIQUE
Hawaii
200 km

États-Unis

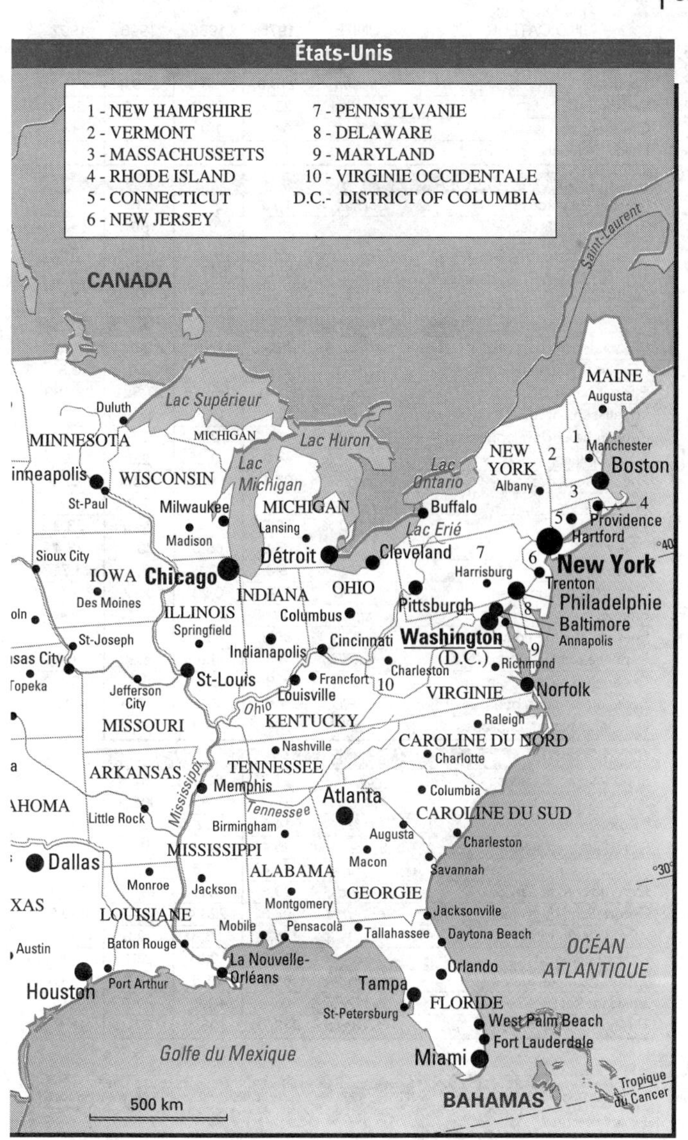
1 - NEW HAMPSHIRE
2 - VERMONT
3 - MASSACHUSSETTS
4 - RHODE ISLAND
5 - CONNECTICUT
6 - NEW JERSEY
7 - PENNSYLVANIE
8 - DELAWARE
9 - MARYLAND
10 - VIRGINIE OCCIDENTALE
D.C.- DISTRICT OF COLUMBIA
CANADA
Saint-Laurent
Lac Supérieur
Lac Huron
Lac Michigan
Lac Ontario
Lac Erié
MAINE
Augusta
Manchester
Boston
NEW YORK
Albany
Providence
Hartford
New York
Trenton
Philadelphie
Baltimore
Annapolis
Duluth
MINNESOTA
MICHIGAN
WISCONSIN
St-Paul
Milwaukee
Madison
Lansing
Buffalo
Détroit
Cleveland
Harrisburg
Sioux City
IOWA
Chicago
Des Moines
INDIANA
OHIO
Pittsburgh
ILLINOIS
Columbus
Springfield
St-Joseph
Indianapolis
Cincinnati
Washington
(D.C.)
Richmond
Charleston
St-Louis
Francfort
Louisville
Topeka
Jefferson City
Ohio
VIRGINIE
Norfolk
KENTUCKY
MISSOURI
Raleigh
CAROLINE DU NORD
Nashville
Charlotte
TENNESSEE
ARKANSAS
Memphis
Mississippi
Columbia
Atlanta
Tennessee
CAROLINE DU SUD
Little Rock
Birmingham
Augusta
Charleston
MISSISSIPPI
Dallas
Macon
ALABAMA
Savannah
Monroe
Jackson
GEORGIE
Montgomery
LOUISIANE
Jacksonville
Mobile
Pensacola
Tallahassee
Daytona Beach
Austin
Baton Rouge
OCÉAN ATLANTIQUE
La Nouvelle-Orléans
Orlando
Houston
Port Arthur
Tampa
FLORIDE
St-Petersburg
West Palm Beach
Fort Lauderdale
Golfe du Mexique
Miami
Tropique du Cancer
BAHAMAS
500 km

INDICATEUR*	UNITÉ	1975	1985	1996	1997
Démographie**					
Population	*million*	216,0	238,5	269,4	271,6
Densité	*hab./km²*	23,1	25,5	28,8	29,0
Croissance annuelle	%	0,9[a]	1,0[b]	0,8[c]	••
Indice de fécondité (ISF)		1,8[a]	2,0[b]	2,0[c]	••
Indicateurs socioculturels					
Nombre de médecins	*‰ hab.*	1,78	2,24	2,6[g]	••
Scolarisation 2e degré[k]	%	80[m]	91	89[i]	••
Scolarisation 3e degré	%	58,2	60,7	81,5[f]	••
Téléviseurs	‰	486,2	647,8	805,7[g]	••
Livres publiés	*titre*	85 287	••	62 039[g]	••
Économie					
PIB total[h]	*milliard $*	1 585,5	4 048,2	7 388,1	7 819,3
Croissance annuelle	%	2,8[d]	2,3[e]	2,4	3,8
PIB par habitant[h]	*$*	7 341	16 976	27 821	29 180
Investissement (FBCF)	*% PIB*	19,2[d]	17,7[e]	16,9	17,1
Recherche et Développement	*% PIB*	2,4	2,9	2,5	••
Taux d'inflation	%	9,1	3,6	2,9	1,7[o]
Population active	*million*	95,5	117,2	135,2	137,5
Agriculture	% } *100 %*	4,1	3,1	2,8	2,7
Industrie	% } *100 %*	30,6	28,0	23,9	23,9
Services	% } *100 %*	65,3	68,8	73,3	73,4
Chômage	%	8,3	7,1	5,4	4,7[n]
Aide au développement	*% PIB*	0,27	0,23	0,12	••
Énergie (consom./hab.)[b]	*kgec*	10 468	9 523	11 312[g]	••
Énergie (taux de couverture)	%	86,8	88,6	80,9[g]	••
Dépense publique Éducation	*% PIB*	6,5	4,9	5,3[i]	••
Dépense publique Défense	*% PIB*	5,8	6,5	3,6	3,4
Solde administrat. publiques[p]	*% PIB*	••	3,2	– 0,9	– 0,3
Dette administrat. publiques	*% PIB*	••	48,9	63,1	61,5
Échanges extérieurs		**1974**	**1986**	**1996**	**1997**
Importations de services	*milliard $*	21,7	80,1	152,8	163,7
Importations de biens	*milliard $*	103,8	368,4	803,2	877,3
Produits agricoles	%	14,7	9,2	6,8	••
Produits énergétiques	%	25,1	10,4	9,2	8,9
Produits manufacturés	%	46,4	72,6	78,1	••
Exportations de services	*milliard $*	20,8	87,1	234,7	251,1
Exportations de biens	*milliard $*	98,3	223,4	614,0	680,3
Produits agricoles	%	26,2	16,9	12,9	••
dont céréales	%	10,6	3,6	3,1[g]	••
Produits manufacturés	%	61,2	71,5	78,0	••
Solde transactions courantes	*% du PIB*	0,0[d]	– 1,8[e]	– 1,9	– 2,1
Position extérieure nette	*milliard $*	273,7[m]	136,4	– 831,3	••

* Définition des indicateurs p. 25 et suiv. ** Dernier recensement utilisable : 1990 ; a. 1975-85 ; b. 1985-95 ; c. 1995-2000 ; d. 1970-80 ; e. 1980-96 ; f. 1994 ; g. 1995 ; h. A parité de pouvoir d'achat (PPA, voir définition p. 581) ; i. 1993 ; k. 12-17 ans ; m. 1980 ; n. Décembre ; o. Décembre à décembre ; p. Corrigé des fluctuations conjoncturelles.

est pris aux médias qui « présent[aient] rumeurs, commérages et calomnies comme autant de faits pour condamner le président ». Les accusations contre le procureur n'ont alors cessé de pleuvoir : il était lié à des organisations ultra-conservatrices qui avaient toujours contesté la légitimité du président ; il avait continué d'être l'avocat de clients, y compris les grandes compagnies de cigarettes, en conflit ouvert avec B. Clinton ; il avait même un temps offert ses services à Paula Jones (ancienne employée de l'État de l'Arkansas dont la plainte contre le président pour harcèlement sexuel a été renvoyée en appel).

Par la suite, la politique intérieure américaine a vécu au rythme de cette guerre que se livraient, par médias interposés, la Maison-Blanche et le procureur indépendant. Si le président a dans un premier temps remporté la bataille de l'opinion publique – la majorité des Américains considérant que le procureur a poussé trop loin son investigation –, K. Starr a marqué des points sur le terrain judiciaire. Le procureur, qui a affirmé s'être heurté avec les Clinton à un « schéma récurrent de mensonges, d'esquives et d'obstruction de la justice » et à une « loi du silence » qui l'a empêché d'aboutir dans ses enquêtes sur ce qu'il estime être des « indices crédibles de crimes sérieux », disposait d'atouts considérables.

Le spectre de la destitution

Nommé en 1994 pour enquêter sur l'affaire Whitewater (l'imbroglio politico-financier lié aux investissements immobiliers du couple Clinton dans l'Arkansas du temps où B. Clinton en était le gouverneur), K. Starr avait considérablement étendu son investigation. Son statut « indépendant » confère à un tel procureur un pouvoir considérable. La définition de sa mission est en effet du ressort de trois juges fédéraux, sur recommandation de l'Attorney General (ministre de la Justice) ; doté de services et d'un budget propres, il peut recourir à l'assistance des services fédéraux tels que le Federal Bureau of Investigation (FBI) et demander aux juges l'autorisation de procéder à toutes les saisies de documents nécessaires à son enquête.

Fort de cette puissance, K. Starr avait déjà traîné des centaines de personnes – dont Hillary Clinton et plusieurs adjoints du président – devant sa chambre de mise en accusation (Grand Jury) et fait condamner cinq proches de B. Clinton. Disposant de moyens financiers et humains illimités, le temps ne pouvait que jouer en sa faveur. Une fois son enquête terminée, des accusations de « trahison, corruption ou autres crimes et actes délictueux » pouvaient théoriquement déclencher une procédure de destitution. L'acte d'accusation est préparé par la Chambre des représentants, et doit être approuvé par les deux tiers du Sénat. La procédure n'a été utilisée qu'une fois contre un président dans l'histoire des États-Unis (Andrew Johnson en 1867), et c'est la menace d'une telle procédure qui avait conduit Richard Nixon à la démission en août 1974, à la suite du scandale du Watergate.

Quelle qu'en soit l'issue, cette confrontation aura beaucoup affaibli B. Clinton. L'opposition républicaine qui contrôle le Congrès et qui, depuis les élections de 1996, avait gardé profil bas, est repassée à l'offensive. Ainsi, l'Administration a joué un rôle de premier plan lors de la crise financière asiatique, mais le Congrès refusait toujours d'accéder à sa demande de débloquer les 18 milliards de dollars réclamés par le FMI pour mener à bien le « sauvetage » de la Thaïlande, de l'Indonésie et de la Corée du Sud. De même, en refusant d'accorder à l'exécutif l'autorisation de négocier des accords commerciaux par la procédure dite « de la voie rapide » (*fast track*), le Congrès a empêché B. Clinton d'honorer la promesse faite en 1994 au Chili, le « bon élève » sud-américain, à savoir l'admettre dans l'Accord de libre-échange nord-américain (ALENA), aux côtés des États-Unis, du Canada et du Mexique.

États-Unis/Bibliographie

M.-A. Combesque, I. Warde, *Mythologies américaines*, Éd. du Félin, Paris, 1996.

E. Drew, *On the Edge : The Clinton Presidency*, Simon & Schuster, New York, 1995.

« États-Unis, le racisme contre la nation », *Hérodote*, n° 85, La Découverte, Paris, 2e trim. 1997.

S. Halimi, « Virage à droite aux États-Unis », *Le Monde diplomatique*, Paris, déc. 1994 ; « Les boîtes à idées de la droite américaine », *Le Monde diplomatique*, Paris, mai 1995 ; « Le populisme, voilà l'ennemi », *Le Monde diplomatique*, Paris, avr. 1996.

D. Lacorne, *La Crise de l'identité américaine. Du melting pot au multiculturalisme*, Fayard, Paris, 1997.

A. Lennkh, M.-F. Toinet (sous la dir. de), *L'état des États-Unis*, La Découverte, coll. « L'état du monde », Paris, 1990.

M. Lewis, *Trail Fever*, Knopf, New York, 1997.

S. M. Lipset, *American Exceptionalism : A Double-Edged Sword*, W.W. Norton, New York, 1996 ;

C. Moisy, *L'Amérique en marche arrière*, Hachette, Paris, 1996.

« Le nouveau modèle américain », *Manière de voir/Le Monde diplomatique*, Paris, 1996.

J. Portes, *Histoire des États-Unis depuis 1945*, La Découverte, coll. « Repères », Paris, 1991.

R. Reich, *Locked in the Cabinet*, Knopf, New York, 1997.

F. Subileau, M.-F. Toinet, *Les Chemins de l'abstention. Une comparaison franco-américaine*, La Découverte, Paris, 1992.

M.-F. Toinet, *La Présidence américaine*, Montchrestien, Paris, 1996 (nouv. éd.).

A. Valladão, *Le XXIe siècle sera américain*, La Découverte, Paris, 1993.

I. Warde, R. Farnetti, *Le Modèle anglo-saxon en question*, Économica, Paris, 1997.

B. Vincent, *Histoire des États-Unis*, Presses universitaires de Nancy, Nancy, 1994.

Voir aussi la bibliographie sélective « Amérique du Nord », p. 355.

Collusion avec la Chine

La diplomatie américaine a connu sa crise la plus grave lors des essais nucléaires indiens, en mai 1998. Non seulement la Central Intelligence Agency (CIA), centrale du renseignement aux ressources pourtant considérables, n'avait rien vu venir, mais en plus l'affaire a révélé les contradictions et l'impuissance de l'Administration. B. Clinton a qualifié ces essais d'« injustifiés », d'« irresponsables » et d'« erreur énorme », mais s'est montré incapable de convaincre le Premier ministre pakistanais Mian Nawaz Sharif de « résister à la tentation de réagir à un acte irresponsable de la même manière ». La rapidité avec laquelle l'Administration a imposé des sanctions aux deux pays n'a pas empêché l'affaire de dégénérer en nouveau scandale de politique intérieure.

La décision indienne n'aurait en effet pas été sans lien avec la décision du gouvernement américain de transférer des technologies de pointe – en particulier en matière de lancement de satellites – à la Chine, alliée du Pakistan. Or la presse a révélé que cette décision controversée n'était elle-même pas sans rapport avec d'importants financements électoraux émanant d'industriels américains (en particulier par Bernard Schwartz, premier bailleur de fonds du Parti démocrate, et patron de Loral, le fabricant et opérateur de satellites envoyés en orbite par des fusées chinoises, et donc principal bénéficiaire de ce transfert de technologie) et, plus grave, par des officiels chinois, soucieux d'« infiltrer » le système et d'infléchir les choix politiques du gouvernement. Une nouvelle enquête parlementaire a rapidement été ouverte : la Chine aurait-elle contribué à la réélection de B. Clinton ? Et, si oui, en échange de quoi ?

Face aux accusations de complaisance envers le gouvernement chinois, le président s'est donc trouvé sur la défensive et a dû défendre en termes d'intérêt supérieur de l'Amérique tant son voyage en Chine de juin-juillet 1998 (le premier d'un dirigeant américain depuis le massacre de Tian An Men en 1989) que sa décision de renouveler la clause commerciale dite de la nation la plus favorisée en faveur de Pékin.

La diplomatie américaine pouvait cependant se prévaloir de quelques succès. En Irlande du Nord, par exemple, les pourparlers de paix sous la direction de l'ex-sénateur démocrate George Mitchell ont finalement abouti le 10 avril 1998. Le président américain s'était directement impliqué dans les pourparlers, et ce sont ses appels de dernière minute aux récalcitrants qui ont permis de sceller l'accord. Mais sur d'autres dossiers, le leadership américain n'est plus ce qu'il était. En février 1998, lors de la préparation d'une offensive militaire contre l'Irak, après le refus de Bagdad d'ouvrir les « sites présidentiels » à la visite des inspecteurs de l'ONU, B. Clinton avait essayé de reconstituer l'alliance mise sur pied par son prédécesseur George Bush lors de la crise du Golfe de 1990, mais cette fois, seul le Royaume-Uni était prêt à suivre. Le recours à la force a été évité de justesse grâce à la médiation du secrétaire général des Nations unies, Kofi Annan.

Au Proche-Orient, les négociations ont continué de piétiner jusqu'à l'automne 1998. L'administration Clinton, pourtant très proche d'Israël, a attribué cet enlisement à l'intransigeance et aux atermoiements du Premier ministre Benyamin Netanyahou. Lorsque ce dernier a refusé de se rendre à Washington sous prétexte que Washington lui avait lancé un « ultimatum », 81 sénateurs (sur 100) ont pris parti contre leur président, lui demandant de cesser toute pression sur l'État hébreu.

Même les initiatives diplomatiques peu risquées ont à l'occasion embarrassé le président. Ainsi, lors d'une tournée africaine destinée à symboliser le grand retour de l'Amérique sur ce continent oublié, le président sud-africain Nelson Mandela a chapitré publiquement le président américain sur les rapports des États-Unis avec les pays « hors la loi » tels Cuba, la Libye et l'Iran. A ce sujet, si l'on exclut un léger relâchement de l'embargo contre Cuba (sans doute consécutif aux appels du pape, en visite dans l'île en janvier 1998), et des appels à la « réconciliation » avec l'Iran, les rapports entre les États-Unis et ces pays n'ont pas véritablement changé. - **Ibrahim A. Warde** ■

Mexique

Une transition démocratique lente et laborieuse

L'économie mexicaine a poursuivi son redressement en 1997, avec une croissance (+ 7 %) tirée par les exportations et, pour la première fois depuis la crise monétaire et financière de 1995, par une reprise de la consommation (+ 10 %). Les investissements ont augmenté de 20 %, l'inflation, encore forte, a été ramenée à 17,6 %, tandis que le chômage reculait. La reprise économique a cependant été affectée par la chute des cours du pétrole (50 % en un an) et par les effets indirects de la crise financière mexicaine. Le gouvernement a réagi par des coupes sombres dans le budget.

La crise bancaire a continué de mena-

INDICATEUR*	UNITÉ	1975	1985	1996	1997
Démographie**					
Population	*million*	58,9	75,5	92,71	94,28
Densité	*hab./km²*	29,9	38,4	47,1	47,9
Croissance annuelle	%	2,5[a]	1,9[b]	1,6[c]	••
Indice de fécondité (ISF)		4,8[a]	3,4[b]	2,7[c]	••
Mortalité infantile	‰	52[a]	37[b]	31[c]	••
Espérance de vie	*année*	66,5[a]	70,6[b]	72,5[c]	••
Indicateurs socioculturels					
Nombre de médecins	*‰ hab.*	0,70	••	1,6[f]	••
Analphabétisme (hommes)	%	13,8[m]	10,0[k]	8,2[g]	••
Analphabétisme (femmes)	%	20,1[m]	15,0[k]	12,6[g]	••
Scolarisation 12-17 ans	%	57,7	61,9	59,6[i]	••
Scolarisation 3e degré	%	10,5	15,4	14,3[f]	••
Téléviseurs	‰	45,9	113,7	193,1[g]	••
Livres publiés	*titre*	5 822	5 482	2 608[k]	••
Économie					
PIB total[h]	*milliard $*	296,9[m]	387,3	713,8	809,2
Croissance annuelle	%	6,3[d]	1,6[e]	5,9	6,7
PIB par habitant[h]	$	4 460[m]	5 180	7 660	8 246
Investissement (FBCF)	*% PIB*	20,7[d]	19,1[e]	17,2	18,8
Recherche et Développement	*% PIB*	0,2[o]	0,2[i]	0,3[g]	0,31
Taux d'inflation	%	15,2	57,8	34,4	15,7[n]
Population active	*million*	18,2	26,2	36,8	••
Agriculture	% } 100 %	40,3	32,1	22,4	••
Industrie	% } 100 %	26,6	26,4	22,5	••
Services	% } 100 %	33,1	41,5	55,1	••
Dépense publique Éducation	*% PIB*	3,8	3,9	5,3[f]	••
Dépense publique Défense	*% PIB*	0,7	0,7	0,8	0,7
Énergie (taux de couverture)	%	111,3	185,6	151,4[g]	••
Dette extérieure totale	*milliard $*	18,23	96,87	174,7	177,4
Service de la dette/Export.	%	41,1	49,0	32,5	31,3
Échanges extérieurs		**1974**	**1986**	**1996**	**1997**
Importations de services	*milliard $*	1,8	5,19	10,23	11,80
Importations de biens	*milliard $*	5,8	16,78	89,47	109,81
Produits alimentaires	%	16,5	13,0	8,8[g]	••
Produits manufacturés	%	62,1	73,8	65,1[g]	••
dont machines et mat. de transport	%	37,1	42,0	42,8[g]	••
Exportations de services	*milliard $*	3,1	4,59	10,78	11,27
Exportations de biens	*milliard $*	3,0	21,80	96,00	110,43
Produits agricoles	%	40,8	23,0	8,9[g]	••
Produits énergétiques	%	4,2	48,3	10,3[g]	••
Produits manufacturés	%	36,0	25,9	77,5	••
Solde transactions courantes	*% du PIB*	••	– 2,1[e]	– 0,6	– 1,8

* Définition des indicateurs p. 25 et suiv. ** Dernier recensement utilisable : 1990. a. 1975-85 ; b. 1985-95 ; c. 1995-2000 ; d. 1970-80 ; e. 1980-96 ; f. 1994 ; g. 1995 ; h. A parité de pouvoir d'achat (PPA, voir définition p. 581) ; i. 1993 ; k. 1990 ; m. 1980 ; n. Décembre à décembre ; o. 1970.

Mexique

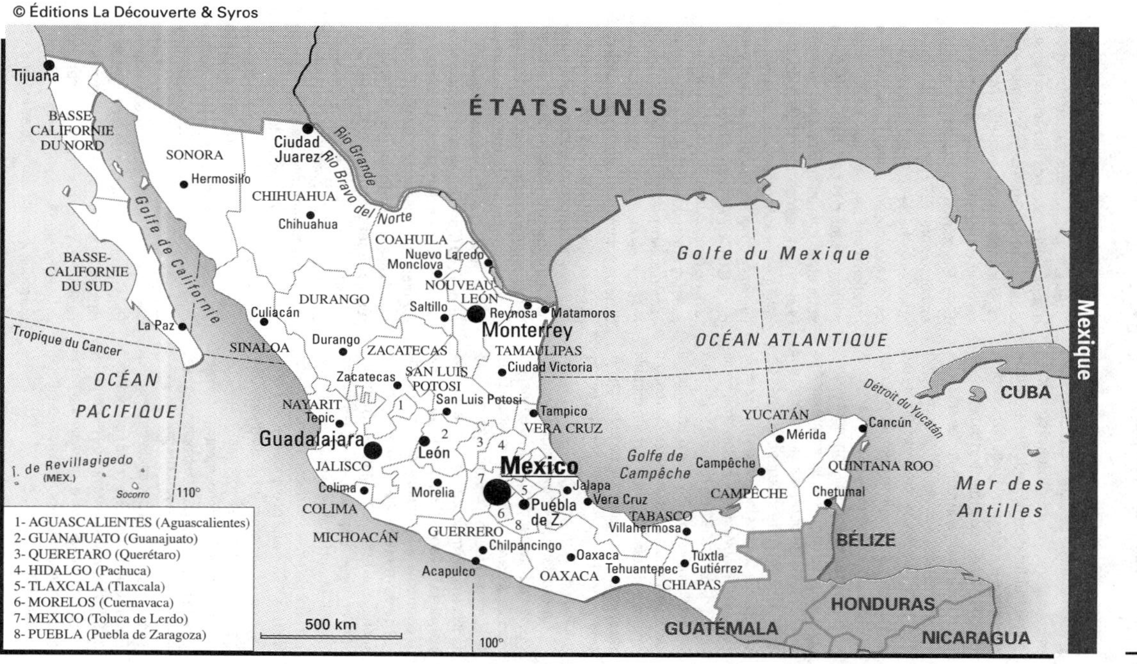
ÉTATS-UNIS
Tijuana
BASSE-CALIFORNIE DU NORD
SONORA
Hermosillo
Ciudad Juarez
Rio Grande
Rio Bravo del Norte
CHIHUAHUA
Chihuahua
COAHUILA
Nuevo Laredo
Monclova
NOUVEAU LEÓN
BASSE-CALIFORNIE DU SUD
Golfe de Californie
DURANGO
Culiacán
Saltillo
Reynosa
Matamoros
Monterrey
La Paz
Tropique du Cancer
SINALOA
Durango
ZACATECAS
TAMAULIPAS
Ciudad Victoria
OCÉAN PACIFIQUE
Zacatecas
SAN LUIS POTOSI
San Luis Potosi
NAYARIT
Tepic
Tampico
VERA CRUZ
Guadalajara
León
Golfe du Mexique
OCÉAN ATLANTIQUE
Détroit du Yucatán
CUBA
YUCATÁN
Mérida
Cancún
Î. de Revillagigedo (MEX.)
Socorro
110°
JALISCO
Mexico
Golfe de Campêche
Campêche
QUINTANA ROO
Mer des Antilles
Colima
Morelia
Jalapa
Vera Cruz
Puebla de Z.
CAMPÊCHE
Chetumal
COLIMA
MICHOACÁN
GUERRERO
TABASCO
Villahermosa
BÉLIZE
Chilpancingo
Oaxaca
Tuxtla Gutiérrez
Acapulco
OAXACA
Tehuantepec
CHIAPAS
HONDURAS
500 km
GUATÉMALA
NICARAGUA
100°
1- AGUASCALIENTES (Aguascalientes)
2- GUANAJUATO (Guanajuato)
3- QUERETARO (Querétaro)
4- HIDALGO (Pachuca)
5- TLAXCALA (Tlaxcala)
6- MOREL0S (Cuernavaca)
7- MEXICO (Toluca de Lerdo)
8- PUEBLA (Puebla de Zaragoza)

cer les équilibres péniblement rétablis. L'augmentation des créances douteuses et irrécupérables, malgré les programmes de restructuration de dettes et le plan de sauvetage engagé par le biais du Fobaproa (Fonds bancaire de protection de l'épargne, organisme chargé de racheter les créances douteuses des banques). Pour comble, en 1998 a éclaté un scandale concernant cet organisme qui avait accumulé près de 60 milliards de dollars de passif. La découverte de pratiques de blanchiment de l'argent sale des cartels de la drogue par des succursales de banques mexicaines aux États-Unis, et l'offensive juridique des débiteurs des classes moyennes rurales et urbaines du mouvement « El Barzon », continuant depuis 1993 de dénoncer les taux abusifs d'intérêt bancaire et d'organiser la défense contre les saisies bancaires, ont accentué le discrédit et la fragilité durable du système bancaire. De ce fait, la pénétration des banques étrangères s'est accentuée en 1997.

La croissance économique ne s'est guère traduite par des progrès en matière sociale et de répartition des revenus. Dans les campagnes, le revenu moyen par habitant est moitié moindre que le revenu national, et au Chiapas de quatre fois inférieur. L'économie informelle recouvre près de 40 % des emplois et les carences en logements, eau potable et égouts ont continué de s'aggraver. La politique sociale s'est progressivement focalisée sur les secteurs en extrême pauvreté, se décentralisant en passant le relais aux provinces et aux communes, et adoptant un profil d'aide d'urgence (programme Progresa).

La crise de l'environnement a par ailleurs pris des proportions catastrophiques avec le phénomène climatique El Niño, qui a provoqué des cyclones dévastateurs dans deux États (Oaxaca et Guerrero) en octobre 1997, faisant des centaines de morts et des milliers de sans-abri, et occasionnant une sécheresse exceptionnelle au premier semestre 1998.

L'imbroglio chiapanèque

Au Chiapas, le refus du gouvernement d'appliquer les accords de San Andrés sur la culture et les droits des Indigènes a paralysé les négociations avec l'EZLN (Armée zapatiste de libération nationale) à partir de 1996. Ce mouvement a marqué des points en septembre 1997, en organisant une grande marche de 1 111 Indiens zapatistes civils à Mexico, en prenant l'initiative de la création d'un Front zapatiste de libération nationale, sorte de « parti-mouvement » de soutien, et enfin en inspirant la 2e assemblée du Congrès national indigène, dont les délégués se sont prononcés en faveur de l'initiative de loi sur l'autonomie proposée par la COCOPA (Commission parlementaire de concorde et de pacification) et rejetée par le gouvernement. L'attentisme gouvernemental a poussé l'EZLN à multiplier la création *de facto* au Chiapas d'une trentaine de communes autonomes, et les caciques locaux du PRI (Parti révolutionnaire institutionnel, au pouvoir depuis 1929) à mener une « guerre de basse intensité » en armant et entraînant des milices indiennes, contre les organisations prozapatistes ou proches de l'Église de l'évêque Samuel Ruiz ou du PRD (Parti révolutionnaire démocratique, opposition de gauche). Le massacre d'Acteal du 22 décembre 1997 (45 morts, pour la plupart des femmes et des enfants) résulta de cette stratégie. Celle-ci a trouvé un terrain favorable dans les clivages extrêmes qui ont fait éclater les communautés sur des questions politiques, religieuses ou relatives à la distribution des terres et à l'aide officielle.

Le gouvernement a tenté une nouvelle stratégie : offre de dialogue et de paix, mais aussi rétablissement de l'État de droit au Chiapas. Face au silence de l'EZLN, le gouvernement a accentué la pression militaire, déployé une campagne de propagande et diplomatique intense, expulsé plusieurs observateurs, pasteurs et prêtres étrangers, et lancé sa propre initiative de loi le 15 mars, qui réduit le droit des peuples indiens aux communautés, leur octroyant une autonomie administrative limitée dans le cadre des communes. Fort de sa nouvelle « légitimité », le gouvernement a lancé en avril et mai une offensive policière et militaire contre quatre communes autonomes. L'imbroglio chiapanèque semblait à nouveau incliner vers la guerre.

Une nouvelle donne politique

Le triomphe des oppositions aux élections législatives du 6 juillet 1997 a été le signe d'une plus grande transparence électorale. Le rejet de la politique économique et des scandales éclaboussant la classe politique au pouvoir s'est traduit par l'érosion accélérée des bases politiques du PRI (239 sièges) et la poussée électorale du PRD (125 sièges), ainsi que par les progrès du Parti d'action nationale (PAN, 122 sièges). Les élections de juillet 1997 ont aussi permis à l'opposition de remporter des victoires aux gouvernorats de provinces importantes (le Mexique est un État fédéral). Ainsi le PAN a-t-il gagné celui du Nouveau Leon (où se trouve la troisième ville du pays, Monterrey) et du Queretaro. Le PRD l'a emporté dans la ville de Mexico et a progressé dans le Nord, consolidant ses positions dans le Centre-Sud et dans le Veracruz. Le leader du PRD Cuauhtemoc Cardenas, élu nouveau gouverneur de Mexico avec 47,1 % des suffrages exprimés, a dû faire face à une campagne hostile du PRI et des médias, et à une montée des problèmes chroniques de la capitale : délinquance, pollution, invasion de terrains par les colons d'origine rurale... La première année de son administration est apparue en demi-teinte.

A compter de 1995, le centre de gravité des rapports Mexique/États-Unis s'est peu à peu déplacé de la sphère économique vers la sphère financière et militaro-policière. Cela a accentué la « satellisation » du Mexique, les États-Unis cherchant à intégrer le Mexique à leur lutte contre les cartels de la drogue et à leur stratégie militaire continentale. En mai 1997, les présidents Zedillo et Clinton ont signé une « alliance de coopération dans la lutte contre les drogues, le blanchiment d'argent sale et le trafic d'armes ». Un pacte aussi étroit ne s'était pas vu depuis la Seconde Guerre mondiale. La coopération militaire a donc atteint des niveaux sans précédent en 1997, et 1 616 militaires mexicains ont été entraînés aux États-Unis, dont 305 à la fameuse École des Amériques, spécialisée en lutte anti-insurrectionnelle, ce qui a représenté un doublement des effectifs. Bien que cette aide soit officiellement apportée pour la seule lutte contre le narcotrafic, il est apparu très

États-Unis du Mexique

Capitale : Mexico.
Superficie : 1 967 183 km².
Monnaie : nouveau peso (au taux officiel, 1 peso = 0,67 FF au 30.5.98).
Langues : espagnol (off.), 56 langues indiennes (nahuatl, otomi, maya, zapotèque, mixtèque, etc.).
Chef de l'État et du gouvernement : Ernesto Zedillo, président de la République (depuis le 1.12.94, pour un mandat de six ans).
Ministre des Finances : José Angel Gurría (depuis le 4.1.98).
Ministre de l'Intérieur : Francisco Labastida (depuis le 4.1.98).
Ministre des Affaires étrangères : Rosario Green (depuis le 5.1.98).
Échéances électorales : législatives et présidentielle en 2002.
Nature de l'État : république fédérale (31 États et un district fédéral, la ville de Mexico).
Nature du régime : présidentiel.
Principaux partis politiques : *Gouvernement :* Parti révolutionnaire institutionnel (PRI, au pouvoir, sous différents noms, depuis 1929). *Opposition :* Parti d'action nationale (PAN, droite libérale) ; Parti de la révolution démocratique (PRD, gauche nationaliste) ; Parti des travailleurs (PT, social-démocrate) ; Parti vert (écologiste).
Territoires outre-mer : îles Revillagigedo [Pacifique].

Mexique/Bibliographie

C. Bataillon, L. Panabière, *Mexico aujourd'hui, la plus grande ville du monde*, Publisud, Paris, 1988.

G. Couffignal, « Mexique : le cheminement convulsif vers le pluralisme politique », *Problèmes d'Amérique latine*, n° 15, La Documentation française, Paris, 1994.

P. Gondard, J. Revel-Mouroz, *La Frontière États-Unis/Mexique. Mutations économiques, sociales et territoriales*, IHEAL, Paris, 1995.

S. Gruzinski, *Histoire de la ville de Mexico*, Fayard, Paris, 1996.

M. Humbert, *Le Mexique*, PUF, coll. « Que sais-je ? », Paris, 1994.

B. de La Grange, M. Rico, *Sous-commandant Marcos, la géniale imposture*, Plon, Paris, 1998.

Y. Le Bot, *Le Rêve zapatiste*, Seuil, Paris, 1997.

« Le Mexique en recomposition : société, économie, politique », *Problèmes d'Amérique latine*, n° 27, La Documentation française, Paris, oct.-déc. 1997.

« Mexique : le Chiapas et l'EZLN », *Problèmes d'Amérique latine*, n° 25, La Documentation française, Paris, avr.-juin 1997.

J. Monnet, *Le Mexique*, Nathan, Paris, 1994.

A. Musset, *Le Mexique*, Armand Colin, Paris, 1996.

F. Roubaud, *L'Économie informelle au Mexique. De la sphère domestique à la dynamique macroéconomique*, ORSTOM/Karthala, Paris, 1994.

J. Santiso, « Wall Street face à la crise mexicaine. Une analyse temporelle des marchés émergents », *Les Études du CERI*, n° 34, FNSP, Paris, 1997.

M.-F. Schapira, J. Revel-Mouroz (coord.), *Le Mexique à l'aube du 3e millénaire*, IHEAL, Paris, 1993.

Voir aussi les bibliographies sélectives « Amérique du Nord » et « Amérique centrale et du Sud », p. 355 et 385.

probable aux observateurs que les militaires mexicains l'utilisent aussi dans leur lutte contre les guérillas de l'EZLN et de l'EPR (Armée populaire révolutionnaire), non sans détérioration de la situation au plan des droits de l'homme dans les zones rurales sous tension (Chiapas, Oaxaca et Guerrero), provoquant l'exode des populations de certaines régions.

Défiances américaines

L'attitude des États-Unis a reflété la méfiance du Pentagone et de la DEA (Drug Enforcement Administration) vis-à-vis des responsables militaires mexicains. Cette méfiance – qui se nourrit des scandales, des règlements de comptes mafieux et des complicités de l'élite politique mexicaine avec les narco-cartels – s'étend aussi aux autorités politiques et judiciaires mexicaines, comme l'a montré l'opération *Casablanca*, menée par le gouvernement américain pour repérer et arrêter les blanchisseurs d'argent sale dans les banques mexicaines, sans en informer le gouvernement mexicain. En 1997, le Congrès américain n'a accordé au Mexique un certificat de bonne conduite antidrogues que sous conditions. Cette attitude peu amicale s'est aussi matérialisée lors de la promulgation de la loi antimigratoire en 1997 qui, pour la première fois depuis les grandes déportations de migrants mexicains de la crise de 1929, menace d'interdiction de séjour et de peines de prison les immigrants illégaux, leur supprime l'aide médicale d'urgence et l'accès à l'école, élimine les bénéfices de l'aide alimentaire et médicale même pour les immigrants légaux...

En matière commerciale, le Sénat mexicain a décidé une évaluation en l'an 2000 de l'application de l'ALENA (Accord de libre-échange nord-américain). A la différence des États-Unis, le Mexique avait déjà en 1997 démantelé pratiquement tout son système protectionniste, non sans graves répercussions pour son agriculture et ses industries légères de biens de consommation. Par ailleurs, le Mexique a signé des accords de libre-échange avec le Chili, la Bolivie, la Colombie, le Vénézuela, le Costa Rica et le Nicaragua, mais pas avec le Mercosur (Marché commun du sud de l'Amérique), qui regroupe les plus gros marchés. Loin de représenter une stratégie d'intégration latino-américaine de la part du Mexique, ces accords ont montré la volonté de celui-ci d'imposer les mêmes conditions à ces pays que celles qu'il a dû accepter de la part des États-Unis, et d'y promouvoir ses investissements. - **Francis Mestries** ■

Amérique centrale & du Sud

Présentation par **Alain Musset**
Géographe, Université Paris X-Nanterre

Dès le XVIe siècle, la conquête ibérique a donné une profonde unité culturelle et religieuse à des territoires marqués par l'extrême diversité des paysages et des populations. Deux langues latines (l'espagnol et le portugais) et une religion (le catholicisme) dominent un espace qui va du rio Grande à la Terre de Feu. Cependant, les guerres d'indépendance (1810-début des années 1820) n'ont pas réussi à forger une nation latino-américaine. En outre, le Brésil (42 % du territoire et 35 % de la population de l'Amérique latine) forme un monde à part, même s'il joue désormais un rôle moteur dans les organisations régionales comme le Mercosur (Marché commun du sud de l'Amérique).

Le métissage biologique ou culturel, conséquence directe de l'époque coloniale, touche très inégalement les différents pays de la région. Alors que les États du Cône sud (Argentine, Chili, Uruguay) se distinguent par une population majoritairement d'origine européenne, le Brésil et les Antilles révèlent d'importants apports africains (descendants d'esclaves). En revanche, en Amérique centrale et dans les pays andins (Bolivie, Colombie, Équateur, Pérou), les communautés indiennes sont restées importantes : en Bolivie ou au Guatémala, elles représentent la moitié de la population. Longtemps tenues à l'écart du pouvoir par les élites urbaines d'origine hispanique, elles commencent à s'organiser et à faire valoir leurs droits.

La question de la terre est toujours d'actualité dans des pays largement dominés par de grands propriétaires (*hacendados*) d'ascendance européenne ou par de grandes sociétés étrangères. Les richesses sont très inégalement réparties et les populations indiennes occupent systématiquement le bas de l'échelle sociale. Au cours des années quatre-vingt-dix, la disparition progressive des régimes militaires n'a pas atténué les tensions sociales. Ces tensions, économiques, culturelles et identitaires, se manifestent par la montée en puissance des Églises et des sectes protestantes (presque le tiers de la population guatémaltèque) et par une augmentation alarmante de la criminalité.

Les disparités socioéconomiques qui caractérisent le sous-continent s'inscrivent dans un contexte de forte pression démographique, malgré une baisse générale des taux de natalité. L'exode rural a fait gonfler les villes (plus de 70 % des Latino-Américains sont urbains) et accentué la métropolisation : parmi les cent premières villes du monde, douze sont situées en Amérique du Sud (dont six au Brésil). Les quartiers sous-intégrés et les bidonvilles se sont développés dans les périphéries urbaines et dans les centres historiques dégradés.

La faiblesse du tissu industriel, héritage de l'époque coloniale où les produits manufacturés étaient importés de la métropole, est particu-

LES GUERRES D'INDÉPENDANCE (1810-DÉBUT DES ANNÉES 1820) N'ONT PAS RÉUSSI À FORGER UNE NATION LATINO-AMÉRICAINE.

lièrement sensible dans le monde andin, en Amérique centrale et dans les Antilles. Elle n'a pas été compensée par les politiques économiques mises en œuvre au cours du XIXe et du XXe siècle pour développer les produits d'exportation : minerais bruts (cuivre et étain de Bolivie), pétrole du Vénézuela, café de Colombie, bananes du Honduras (en moyenne, 40 % de la valeur des exportations du pays). Les cultures de plantation continuent à peser dans les balances commerciales, notamment dans les anciennes « îles à sucre » des Antilles, même si de nouvelles productions agricoles ont été développées pour répondre à la demande occidentale (viande de bœuf, soja, agrumes).

En ville, le sous-emploi et le chômage ont favorisé la croissance d'un important secteur informel qui permet à une large part de la population de survivre, tandis que, dans les campagnes mal contrôlées par les militaires (notamment au Pérou et en Colombie), la culture du chanvre ou de la coca remplace souvent des produits moins rémunérateurs (maïs ou café).

Ces disparités socioéconomiques et culturelles se traduisent par de forts contrastes à l'intérieur des pays et entre les grands ensembles régionaux. Alors que le Brésil et les pays du Cône sud (particulièrement le Chili) ont réussi à diversifier leurs activités et à harmoniser leurs politiques économiques dans le cadre du Mercosur, l'Amérique centrale, les pays andins et les Antilles sont toujours confrontés à la misère et au sous-développement. Autour de la mer des Caraïbes, « Méditerranée américaine » devenue la chasse gardée des États-Unis, le relief tourmenté et l'exiguïté des territoires ont accentué les particularismes locaux et limité les processus d'intégration.

Les guerres civiles qui ont bouleversé la région centraméricaine des années soixante au milieu des années quatre-vingt-dix ont appauvri des nations déjà caractérisées par des revenus faibles et un fort endettement. Pourtant le retour à la paix a permis de réactiver divers projets de coopération (entre autres, le Marché commun centraméricain, MCCA).

Dans les Antilles, les disparités économiques sont fortes entre les États indépendants (Haïti est l'un des pays les plus pauvres du monde) et les territoires dépendant d'une métropole européenne. Dans cet ensemble, largement dominé par les États-Unis, Cuba joue un rôle à part depuis 1959, même si Washington a tout fait pour empêcher la révolution castriste de s'exporter. Pourtant, même dans les pays considérés comme des modèles par les experts du FMI (Fonds monétaire international), la question sociale hypothèque l'avenir des politiques économiques libérales menées par les gouvernements pour sortir l'Amérique centrale et du Sud du mal-développement. ■

MÊME DANS LES PAYS CONSIDÉRÉS COMME DES MODÈLES PAR LE FMI, LA QUESTION SOCIALE HYPOTHÈQUE L'AVENIR DES POLITIQUES ÉCONOMIQUES LIBÉRALES MENÉES PAR LES GOUVERNEMENTS POUR SORTIR L'AMÉRIQUE CENTRALE ET DU SUD DU MAL-DÉVELOPPEMENT.

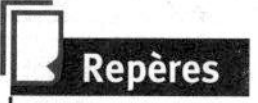

Par **Olivier Dabène**
Politologue, IEP Aix-en-Provence, CERI

La crise financière asiatique a pénalisé les exportations latino-américaines. S'ajoutant à la crise asiatique, la crise russe déclenchée à l'été 1998 a tendu à détourner les investissements qui étaient orientés vers les pays émergents.

Longtemps perçu comme le continent des désordres économiques et politiques, l'Amérique latine apparaît en cette fin des années quatre-vingt-dix comme une zone particulièrement prometteuse. Au plan économique, l'année 1997 a été la plus dynamique depuis vingt-cinq ans, et 1998 devait voir des progrès sensibles dans le domaine de l'intégration régionale. Au plan politique, la démocratie semble solidement stabilisée, comme en témoignent les nombreuses alternances de pouvoir.
Pourtant, les motifs de préoccupation demeurent nombreux. La conjoncture économique internationale est défavorable, un grand nombre de réformes restent à réaliser, et l'état de la démocratie ne satisfait guère les citoyens.
Avec une croissance de 5,3 % (contre 3,2 % en moyenne entre 1991 et 1996) et une inflation de l'ordre de 10,5 % (contre 882 % en 1993, 335 % en 1994, 26 % en 1995 et 18,4 % en 1996), l'Amérique latine a continué de progresser, et ce en dépit de turbulences financières importantes consécutives à la crise asiatique puis à la crise russe. Ces résultats ont eu pour origine une hausse de l'épargne intérieure et un spectaculaire dynamisme du commerce extérieur. Certains pays se singularisent, comme le Chili, qui a connu une croissance moyenne de 7 % entre 1991 et 1997. Toutefois, le Chili, comme les autres pays d'Amérique latine, doute que ces performances puissent être renouvelées. Les conséquences du phénomène climatique « El Niño » (réchauffement de l'océan Pacifique) ont été dévastatrices pour plusieurs pays, comme le Pérou ou l'Équateur, lesquels ont perdu en 1998 plusieurs points de croissance. Surtout, la crise financière asiatique, qui a été bien absorbée par les marchés financiers régionaux lorsqu'elle s'est déclenchée (juillet 1997), a pénalisé les exportations latino-américaines, contraignant par exemple le Brésil à prendre en novembre 1997 des mesures d'austérité qui ont freiné la croissance. La faiblesse de la demande intérieure brésilienne s'est répercutée sur les exportations de ses voisins, révélant l'interdépendance croissante des économies latino-américaines. S'ajoutant à la crise asiatique, la crise russe déclenchée à l'été 1998 a tendu à détourner les investissements qui étaient orientés vers les pays émergents.
Le commerce intrarégional a continué de progresser, grâce au dynamisme des accords d'intégration comme le Mercosur (Marché commun du sud de l'Amérique, associant depuis 1991 l'Argentine, le Brésil, le Paraguay et l'Uruguay) : la part du commerce intra-Mercosur rapporté au commerce extérieur des quatre États membres est passée de 8,9 % en 1990 à 22,7 % en 1996. Le succès du Mercosur le porte à s'élargir. En 1996-1997, le Chili et la Bolivie ont acquis le statut d'États associés. D'autres pays, comme le Vénezuela ou le Pérou, négociaient des conditions similaires.

Un grand nombre de réformes restent à réaliser, et l'état de la démocratie ne satisfait guère les citoyens.

Depuis le premier Sommet des Amé-

Par **Olivier Dabène**
Politologue, IEP Aix-en-Provence, CERI

Amérique centrale et du Sud

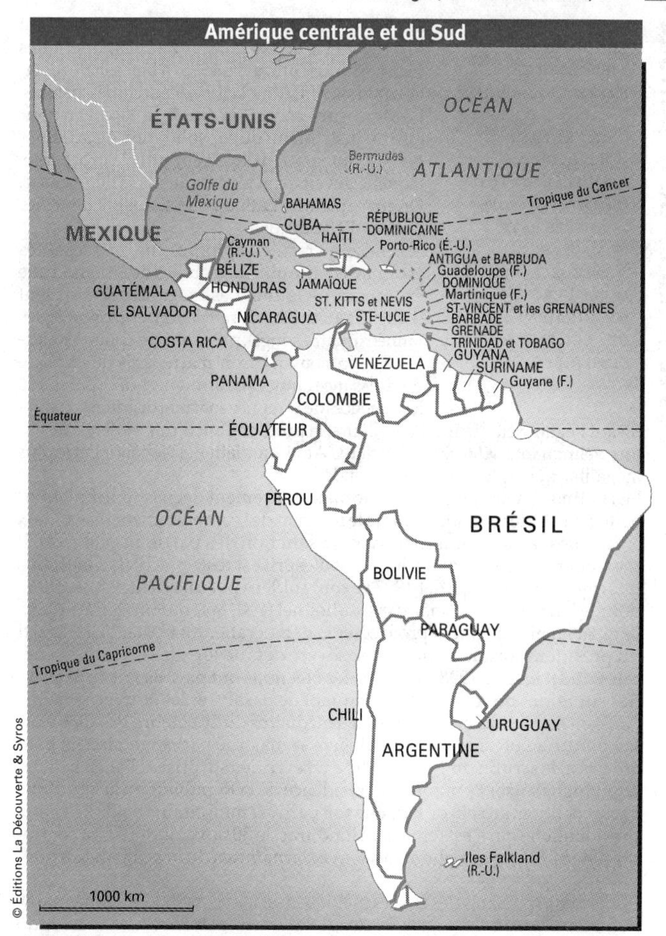

riques (Miami, décembre 1994), la perspective d'une Zone de libre-échange des Amériques (ZLEA), réunissant les 34 démocraties du continent (c'est-à-dire tous les pays à l'exception de Cuba), semblait porter tort aux progrès de l'intégration régionale en Amérique latine. Les États-Unis envisageaient de construire cette ZLEA à partir d'un élargissement progressif de l'Accord de libre-échange nord-américain (ALENA, réunissant Canada, États-Unis et Mexique). En octobre 1997, la visite du président américain Bill Clinton

Par **Olivier Dabène**
Politologue, IEP Aix-en-Provence, CERI

LE SUCCÈS DU MERCOSUR LE PORTE À S'ÉLARGIR. EN 1996-1997, LE CHILI ET LA BOLIVIE ONT ACQUIS LE STATUT D'ÉTATS ASSOCIÉS. D'AUTRES PAYS, COMME LE VÉNÉZUELA OU LE PÉROU, NÉGOCIAIENT DES CONDITIONS SIMILAIRES.

au Brésil et en Argentine a valu reconnaissance du Mercosur et le deuxième Sommet des Amériques (Santiago du Chili, avril 1998) a lancé la négociation pour la ZLEA sur la base des accords existants. Le Mercosur – comme la ZLEA – a été conçu pour être un instrument de consolidation de la démocratie. L'intégration devait apporter la prospérité, laquelle devait à son tour enraciner la démocratie. Or, sur ce plan, les Latino-Américains ont toutes les raisons d'être déçus.

Si la misère a reculé, la progression des inégalités et de l'insécurité minent les bases de la démocratie en Amérique latine. Les inégalités se creusent d'ailleurs aussi bien durant les crises économiques (années quatre-vingt), parce que les coûts des ajustements économiques sont mal répartis, qu'en phase de croissance (années quatre-vingt-dix), parce que les bénéfices de la reprise sont mal distribués, contredisant l'égalité citoyenne. Par ailleurs, la prolifération d'une violence de nature délinquante délite le tissu social. L'Amérique latine est le continent le plus inégalitaire et le plus violent du monde.

Les Latino-Américains sont donc majoritairement déçus par le fonctionnement de la démocratie, comme le révèlent des comportements électoraux erratiques (abstentions massives ou sanction des partis au pouvoir). Il n'y a guère qu'au Mexique que l'état d'esprit est resté positif. Les élections intermédiaires du 6 juillet 1997 se sont soldées par une défaite historique pour le Parti révolutionnaire institutionnel (PRI, au pouvoir depuis 1929), ce qui a fait notablement progresser la démocratie. Au Costa Rica, le parti du président sortant a connu une sévère défaite lors des élections générales du 1er février 1998. Ailleurs, les élections ont parfois fait apparaître des situations de cohabitation risquant de paralyser les gouvernements. Ainsi en Argentine les élections intermédiaires du 26 octobre 1997 ont-elles fait perdre au président Carlos Menem sa majorité parlementaire. En Bolivie aussi, le scrutin du 1er juin 1997 a réservé des surprises : l'ancien dictateur Hugo Banzer a emporté la présidence de la République à la tête d'une vaste coalition, au sein de laquelle son parti est minoritaire. Seule l'élection présidentielle qui s'est tenue au Honduras, le 30 novembre 1997, a contredit cette tendance aux alternances, avec le maintien du Parti libéral au pouvoir.

Le discrédit qui frappe les classes politiques est tel, en Amérique latine, que de nombreux *outsiders* émergent, à l'image de l'ex-miss Univers Irene Saez ou du militaire putschiste Hugo Chavez, tous deux parmi les favoris dans la course à la Présidence au Vénézuela, en décembre 1998. De façon générale, la faiblesse des exécutifs risque de rendre problématique la mise en œuvre des réformes. Or l'Amérique latine, après s'être courageusement engagée dans cette voie au début des années quatre-vingt-dix, semble paralysée, alors même qu'elle a devant elle un agenda chargé, concernant surtout la modernisation de ses appareils étatiques. ■

Amérique centrale et du Sud

Par **Olivier Dabène**
Politologue, IEP Aix-en-Provence, CERI

1997

5 août. Bolivie. Le général Hugo Banzer, âgé de 71 ans, remporte le second tour de l'élection présidentielle. Entre 1971 et 1978, il avait exercé sa dictature sur le pays.

26 août. Haïti. Les députés s'opposent à la nomination, par le président René Préval, d'Éricq Pierre comme Premier ministre. Haïti n'a pas de gouvernement depuis le 9 juin.

15 octobre. Brésil/États-Unis. A l'occasion d'une tournée sud-américaine, le président Bill Clinton fait à São Paulo l'éloge du Mercosur (Marché commun du sud de l'Amérique) et reconnaît sa compatibilité avec le projet de Zone de libre-échange continentale (ZLEA).

26 octobre. Argentine. Les Argentins, appelés à renouveler 127 de leurs 257 députés, font perdre au Parti justicialiste (PJ, péroniste) du président Carlos Menem sa majorité à la Chambre. Pour la première fois, l'opposition, constituée de l'Union civique radicale (UCR) et du Frepaso (gauche), se présentait unie.

26 octobre. Colombie. Dans un climat de terreur, la Colombie organise des élections locales (gouverneurs, maires et assemblées départementales) qui se soldent par une victoire du Parti libéral du président Ernesto Samper, et une très forte abstention. Des associations organisent un référendum pour la paix qui remporte un grand succès.

10 novembre. Brésil. Une série de dispositions (« paquet fiscal ») sont prises pour restaurer la confiance des marchés financiers. Le « paquet » comprend notamment des économies d'un montant de 18 milliards de dollars qui freinent la croissance et indisposent les partenaires du Brésil au sein du Mercosur.

19 novembre. Vénézuela. La Fedeunep, syndicat représentant un million de fonctionnaires, appelle à une grève de 24 heures, venant accentuer une très grande agitation sociale.

30 novembre. Honduras. Carlos Flores Facussé, du Parti libéral, remporte facilement l'élection présidentielle et succède à Carlos Reina, du même parti.

11 décembre. Chili. La Concertation démocratique (CD), coalition soutenant le président Eduardo Frei, connaît un léger recul lors des élections législatives. Avec 50,5 % des voix, contre 54 % en 1993, elle reste toutefois majoritaire. A l'intérieur de la coalition, la gauche progresse par rapport à la Démocratie chrétienne. Les élections sont par ailleurs marquées par les progrès du Parti communiste et par un taux élevé (18 %) de bulletins nuls.

21 décembre. Colombie. Quelque 300 guérilleros des Forces armées révolutionnaires de Colombie (FARC) attaquent une base de communication militaire proche de la frontière avec l'Équateur, tuent 10 soldats et en capturent 18 autres.

1998

13 janvier. Brésil. Le Sénat approuve la plus importante réforme au droit du travail depuis les années trente, notamment en légalisant les contrats à durée déterminée. L'objectif est de flexibiliser le marché du travail.

21-25 janvier. Cuba. La première visite du pape est une importante victoire diplomatique pour Fidel Castro, mais Jean-Paul II, qui déclare : « Cuba doit s'ouvrir au reste du monde et le monde doit se rapprocher de Cuba », obtient d'importantes concessions. Il critique l'embargo imposé par les États-Unis, mais exige la libération des prisonniers politiques.

1er février. Costa Rica. Le Parti de l'unité sociale-chrétienne (PUSC) remporte les élections générales (présidentielle, législatives, municipales). Miguel Angel Rodriguez, qui se présentait pour la troisième fois, est élu président jusqu'en 2002.

10 février. Pérou. La Cour suprême rend un arrêt stipulant que rien ne s'oppose à ce que le président Alberto Fujimori présente sa candidature à un troisième mandat en l'an 2000, alors que la Constitution n'autorise qu'une seule réélection.

17 février. Équateur/Pérou. Reprise des négociations de paix sur quatre thèmes clés : traité commercial et navigation dans la région amazonienne, consolidation de la confiance mutuelle, intégration frontalière et délimitation des frontières.

1er mars. Nicaragua. Les élections régionales sur la côte atlantique se traduisent par un taux d'abstention supérieur à 50 % et une victoire du parti au pouvoir, le Parti libéral constitutionnaliste (PLC). Le Front sandiniste

Par **Olivier Dabène**
Politologue, IEP Aix-en-Provence, CERI

de libération nationale (FSLN) échoue dans sa tentative de renversement du gouvernement.

2 mars. Colombie. Au moins 80 soldats périssent lors d'une attaque du Bloc sud des Forces armées révolutionnaires colombiennes (FARC), ce qui marque la plus grosse défaite de l'armée depuis cinquante ans.

8 mars. Colombie. Le Parti libéral au pouvoir remporte les élections législatives, conservant le contrôle des deux chambres. Les élections sont marquées par la montée des candidatures indépendantes et une abstention de l'ordre de 55 %, ce qui est peu par rapport aux scrutins précédents.

8 mars. Brésil. Le Parti du mouvement démocratique brésilien (PMDB), premier parti au Congrès, décide de soutenir la nouvelle candidature du président Fernando Henrique Cardoso aux élections d'octobre 1998.

11 mars. Chili. Le général Augusto Pinochet quitte ses fonctions de commandant en chef des forces armées pour occuper le siège qui lui a été réservé au Sénat, déclenchant une vague de protestation dans le pays. La gauche ironise sur le fait de voir siéger au Sénat celui qui l'avait fermé à la suite du coup d'État de 1973.

17 mars. Brésil. Quelque 10 000 militants du Mouvement des sans-terres (MST) occupent des bâtiments publics dans tout le pays en signe de révolte contre la lenteur de la réforme agraire.

14 avril. États-Unis - Cuba. L'Union européenne, après de longues négociations, obtient que la loi Helms-Burton qui devait sanctionner les entreprises commerçant avec Cuba soit suspendue. Le 3 janvier, Bill Clinton avait annoncé que la mise en œuvre complète de cette loi était ajournée de six mois.

18-19 avril. Sommet des Amériques. Le deuxième sommet réunissant les 34 pays démocratiques de la région se tient à Santiago du Chili. Il lance le processus de négociation de la Zone de libre-échange des Amériques (ZLEA) devant aboutir en l'an 2005. Ces négociations se feront sur la base des accords commerciaux existants. La déclaration de Santiago met l'accent sur l'éducation comme facteur déterminant pour le développement économique et social de la région.

26-27 avril. Cuba. Le Premier ministre canadien Jean Chrétien se rend à Cuba. L'administration américaine, qui désapprouve cette visite, avait légèrement desséré l'embargo économique sur Cuba dans les semaines précédentes.

10 mai. Paraguay. Le candidat du parti au pouvoir (Parti colorado, PC), Raul Cubas, remporte les élections présidentielles. R. Cubas est un partisan du général Lino Oviedo, emprisonné à la suite de sa tentative de coup d'État, le 22 avril 1996.

17 mai. République dominicaine. Le Parti réformiste social-chrétien (PRSC) du président Leonel Fernández est battu aux élections législatives et municipales par le Parti révolutionnaire démocratique (PRD).

31 mai. Colombie. Le Parti libéral (PL) et le Parti conservateur arrivent en tête lors du premier tour de l'élection présidentielle. Avec 27 % des voix, la candidate indépendante Noemi Sanin déstabilise cependant le bipartisme traditionnel.

31 mai. Équateur. Jamil Mahuad, du parti Démocratie populaire (DP), et Alvaro Noboa, du Parti rodolsiste équatorien (PRE), arrivent en tête du premier tour de l'élection présidentielle. Tous les ténors de la vie politique appellent à voter pour le premier au second tour, pour éviter l'arrivée au pouvoir d'un populiste, compagnon d'Abdalá Bucaram Ortiz, président déchu et exilé.

4 juin. Pérou. Lors d'un important remaniement ministériel, le président Alberto Fujimori, accusé de pratiques autoritaires, nomme au poste de Premier ministre le sénateur Javier Valle Riestra, du parti d'opposition Alliance populaire révolutionnaire américaine (APRA).

21 juin. Colombie. Le candidat conservateur Andrés Pastrana remporte le second tour des élections présidentielles et annonce qu'il est prêt à dialoguer avec les groupes armés. Début août, peu avant la passation du pouvoir au nouveau président élu, Andres Pastrana, des offensives des guérilleros des FARC (Forces armées révolutionnaires de Colombie) et de l'ELN (Armée de libération nationale) provoqueront des centaines de morts (forces armées, civils et guerilléros).

Les événements concernant le Mexique sont traités dans le Journal de l'année consacré à l'Amérique du Nord.

Par **Olivier Dabène**
Politologue, IEP Aix-en-Provence, CERI

Amérique centrale et du Sud/Bibliographie sélective

J.-P. Bastian, *Le Protestantisme en Amérique latine*, Labor et Fides, Genève, 1994.

C. Bataillon, J.-P. Deler, H. Théry, « Amérique latine », *in* R. Brunet (sous la dir. de), *Géographie universelle*, vol. III, Belin/Reclus, Paris/Montpellier, 1994.

C. Bataillon, J. Gilard (sous la dir. de), *La Grande Ville en Amérique latine*, CNRS-Éditions, Paris, 1988.

P. Bouin (sous la dir. de), *Las Fronteras del istmo*, CIESAS/CEMCA, Mexico, 1997.

Cahiers des Amériques latines (semestriel), CNRS-IHEAL, Paris.

Caravelle (semestriel), IPEALT, Université de Toulouse-Le Mirail.

J. Castañeda, *L'Utopie désarmée. L'Amérique latine après la guerre froide*, Grasset, Paris, 1996.

CEPAL (Commission des Nations unies pour l'Amérique latine), *Rapport annuel*, Santiago du Chili.

F. Chevallier, *L'Amérique latine de l'indépendance à nos jours*, PUF, Paris, 1993.

G. Couffignal (sous la dir. de), *Amérique latine. Tournant de siècle*, La Découverte, coll. « Les Dossiers de L'état du monde », Paris, 1997.

G. Couffignal (sous la dir. de), *Réinventer la démocratie : le défi latino-américain*, Presses de Sciences-Po, Paris, 1992.

O. Dabène, *Amérique latine, la démocratie dégradée*, Complexe, coll. « Espace international », Bruxelles, 1997.

O. Dabène, *L'Amérique latine au XXe siècle*, Armand Colin, Paris, 1994.

O. Dabène, *La Région Amérique latine. Interdépendance et changement politique*, Presses de Sciences-Po, Paris, 1997.

DIAL (Diffusion de l'information sur l'Amérique latine), bimensuel, Lyon.

D. Douzant-Rosenfeld, P. Grandjean, *Nourrir les métropoles d'Amérique latine*, L'Harmattan, Paris, 1995.

Espaces latinos (revue, 10 numéros par an), Lyon.

L'Ordinaire latino-américain, bimestriel, GRAL-CNRS/IPEALT, Université de Toulouse-Le-Mirail.

F. Laplantine, *Transatlantique, entre Europe et Amérique latine*, Payot, Paris, 1994.

Y. Le Bot, *Violence de la modernité en Amérique latine*, Karthala, Paris, 1994.

B. Marques Pereira, I. Bizberg, *La Citoyenneté sociale en Amérique latine*, L'Harmattan/CELA, Paris/Bruxelles, 1995.

A. Musset, *L'Amérique centrale et les Antilles*, Masson, Paris, 1994.

Problèmes de l'Amérique latine (trimestriel), La Documentation française, Paris.

A. Rouquié, *Amérique latine. Introduction à l'Extrême-Occident*, Seuil, Paris, 1987.

A. Touraine, *La Parole et le Sang : politique et sociétés en Amérique latine*, Odile Jacob, Paris, 1988.

P. Vaissière, *Les Révolutions d'Amérique latine*, Seuil, Paris, 1991.

A. Valladão, « Le retour du panaméricanisme. La stratégie des États-Unis en Amérique latine après la guerre froide », *Les Cahiers du CREST*, Paris, 1995.

D. van Eeuwen (coord. par), *Transformations de l'État en Amérique latine*, Karthala, Paris, 1994.

Voir aussi la bibliographie « Brésil », p. 435, ainsi que la bibliographie « Mexique », p. 376.

Amérique centrale

Bélize, Costa Rica, Guatémala, Honduras, Nicaragua, Panama, El Salvador

Bélize

Indépendant depuis 1981, et anglophone, le Bélize a poursuivi son intégration économique au reste de l'Amérique centrale, sans régler son différend frontalier avec le Guatémala. Par ailleurs, en 1997, l'État a procédé à des saisies de drogue d'un volume record : deux tonnes de cocaïne. Les États-Unis lui ont donc accordé en 1998 leur « pleine certification » en matière de lutte contre le narcotrafic. En 1997, le Bélize n'avait en revanche été « certifié » que pour raisons de sécurité.

Bélize

Capitale : Belmopan.
Superficie : 22 960 km^2.
Nature du régime : parlementaire.
Chef de l'État (nominal) : reine Elizabeth II, représentée par un gouverneur, Sir Colville Young (depuis le 17.11.93).
Premier ministre : Manuel Esquivel, également ministre de la Défense (depuis le 30.6.93).
Ministre de l'Intérieur : Hubert Elrington (depuis le 22.4.97).
Premier ministre adjoint, ministre de la Justice et ministre des Affaires étrangères : Dean O. Barrow (depuis le 30.6.93).
Monnaie : dollar bélizéen (au taux officiel, 1 dollar = 2,99 FF au 30.5.98).
Langues : anglais (off.), espagnol, langues indiennes (ketchi, mayamopan), garifuna.

Costa Rica

Les élections générales (présidentielle, législatives, municipales) du 1er février 1998 au Costa Rica se sont soldées par une alternance au pouvoir. La victoire de Miguel Angel Rodríguez, du Parti de l'unité sociale-chrétienne (PUSC), n'a surpris personne, tant fut chaotique l'administration du président José María Figueres (1994-1998), du Parti de libération nationale (PLN).

Ces élections se sont déroulées dans un climat très dégradé, révélateur d'une véritable crise politique. M. A. Rodríguez, qui en était à sa troisième tentative pour accéder à la Présidence, n'a jamais suscité un enthousiasme débordant. La défaite du PLN aux législatives a été, en revanche, spectaculaire, tout comme la montée des petits partis et, surtout, le taux d'abstention : avec 22 députés (sur un total de 57), le PLN a obtenu la plus petite représentation parlementaire de son histoire ; avec six députés, les partis « tiers » ont atteint leur meilleur score depuis 1953 et, avec 30 % à l'élection présidentielle, l'abstention n'avait pas été aussi élevée depuis quarante ans. Le mécontentement des électeurs pouvait aisément s'expliquer. D'une part, les Costariciens ont perdu, au cours des dernières années, du pouvoir d'achat. La croissance économique, qui était de 7,3 % en 1992, n'a cessé depuis de ralentir. En 1996, le pays a connu sa récession la plus sévère depuis le début des années quatre-vingt et la reprise amorcée en 1997, avec 3,2 % de

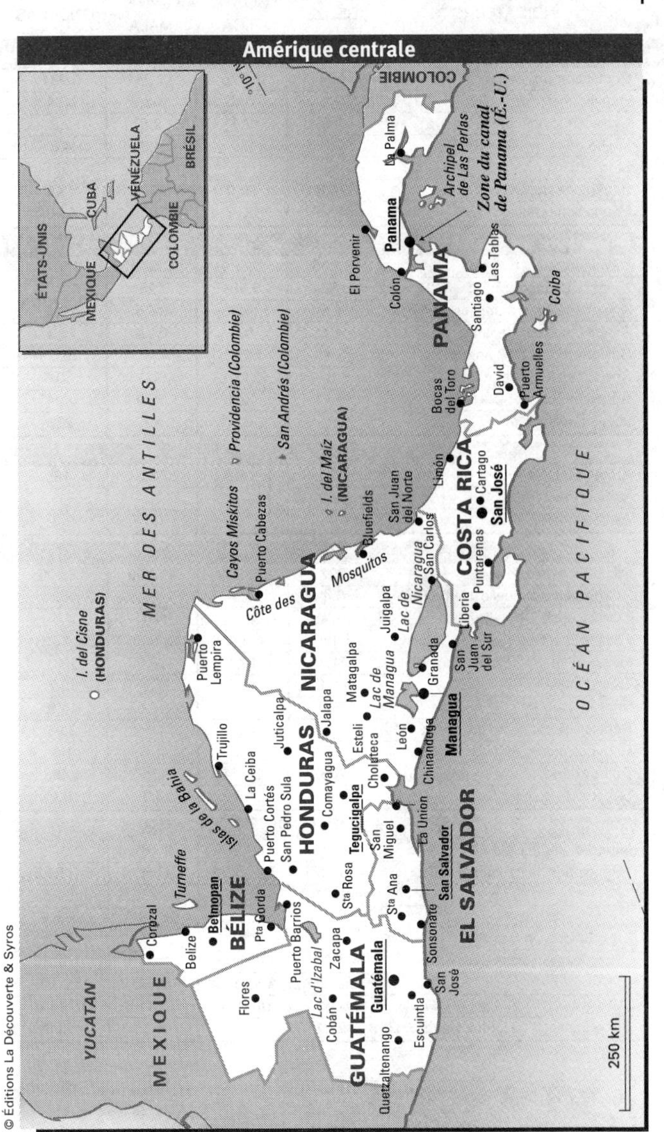

Amérique centrale
ÉTATS-UNIS
MEXIQUE
CUBA
VÉNÉZUELA
COLOMBIE
BRÉSIL
MER DES ANTILLES
OCÉAN PACIFIQUE
YUCATAN
MEXIQUE
GUATÉMALA
BÉLIZE
HONDURAS
EL SALVADOR
NICARAGUA
COSTA RICA
PANAMA
COLOMBIE
I. del Cisne (HONDURAS)
Cayos Miskitos
Providencia (Colombie)
San Andrés (Colombie)
I. del Maíz (NICARAGUA)
Islas de la Bahía
Turneffe
Côte des Mosquitos
Lac d'Izabal
Lac de Managua
Lac de Nicaragua
Archipel de Las Perlas
Zone du canal de Panama (É.-U.)
Coiba
Corozal
Belize
Belmopan
Pta Gorda
Flores
Puerto Barrios
Cobán
Zacapa
Guatémala
Quetzaltenango
Escuintla
San José
Sonsonate
Sta Ana
San Salvador
San Miguel
La Unión
Sta Rosa
Puerto Cortés
San Pedro Sula
La Ceiba
Trujillo
Comayagua
Tegucigalpa
Juticalpa
Puerto Lempira
Choluteca
Chinandega
León
Managua
Jalapa
Esteli
Matagalpa
Granada
Juigalpa
San Juan del Sur
Puerto Cabezas
Bluefields
San Carlos
San Juan del Norte
Liberia
Puntarenas
San José
Cartago
Limón
Bocas del Toro
David
Puerto Armuelles
Santiago
Las Tablas
Colón
El Porvenir
Panama
La Palma
250 km

INDICATEUR*	BÉLIZE	COSTA RICA	GUATÉMALA	HONDURAS
Démographie**				
Population *(millier)*	224	3 575	11 241	5 981
Densité *(hab./km²)*	9,8	70,5	103,2	53,4
Croissance annuelle[d] *(%)*	2,5	2,1	2,8	2,8
Indice de fécondité (ISF)[d]	3,7	2,9	4,9	4,3
Mortalité infantile[d] *(‰)*	30	12	40	35
Espérance de vie[d] *(année)*	74,8	76,9	67,3	69,9
Population urbaine *(%)*	46,5	50,3	39,5	45,0
Indicateurs socioculturels				
Développement humain (IDH)[c]	0,806	0,889	0,572	0,575
Nombre de médecins *(‰ hab.)*	0,53[g]	0,88[g]	0,25[g]	0,41[h]
Analphabétisme (hommes)[b] *(%)*	• •	5,3	37,5	27,4
Analphabétisme (femmes)[b] *(%)*	• •	5,0	51,4	27,3
Scolarisation 12-17 ans *(%)*	• •	52,6[h]	45,8[h]	49,5[h]
Scolarisation 3e degré *(%)*		31,9[c]	8,1[b]	10[c]
Adresses Internet *(‰ hab.)*	• •	12,1	0,79	0,94
Livres publiés *(titre)*	70[g]	1 034[b]	• •	22[g]
Armées				
Armée de terre *(millier d'h.)*	1	7 (total armée de terre, marine et aviation)	38,5	16
Marine *(millier d'h.)*	–		1,5	1
Aviation *(millier d'h.)*	–		0,7	1,8
Économie				
PIB total[ae] *(million $)*	927	22 300	41 700	13 000
Croissance annuelle 1986-96 *(%)*	6,4	4,3	4,9	3,3
Croissance 1997 *(%)*	2,9	3,2	4,1	4,5
PIB par habitant[ae] *($)*	4 170	6 470	3 820	2 130
Investissement (FBCF)[f] *(% PIB)*	21,4	19,1	14,0	26,0
Taux d'inflation *(%)*	– 0,6	11,2	7,1	12,7
Énergie (taux de couverture)[b] *(%)*	28,0	31,0	28,8	14,9
Dépense publique Éducation *(% PIB)*	6,1[c]	4,5[b]	1,7[b]	3,9[b]
Dépense publique Défense[a] *(% PIB)*	2,5	0,6	1,4	1,3
Dette extérieure totale[a] *(million $)*	288	3 454	3 785	4 453
Service de la dette/Export.[f] *(%)*	13	15	12	33
Échanges extérieurs				
Importations *(million $)*	286	4 088	3 467	2 048
Principaux fournisseurs[a] *(%)*	E-U 55,1	E-U 52,2	E-U 46,0	E-U 58,5
(%)	AmL 31,3	AmL 27,7	AmL 33,3	AmL 22,4
(%)	UE 7,8	UE 11,3	UE 10,4	UE 6,9
Exportations *(million $)*	159	3 281	2 149	1 443
Principaux clients[a] *(%)*	E-U 42,3	E-U 50,4	E-U 41,4	E-U 70,0
(%)	AmL 7,7	AmL 14,4	AmL 36,7	AmL 6,8
(%)	R-U 41,7	UE 25,3	UE 12,9	UE 14,0
Solde transactions courantes *(% PIB)*	– 2,91[b]	– 1,58[b]	– 2,85[a]	– 5,06[b]

* Définition des indicateurs p. 25 et suiv. Chiffres 1997 sauf notes. ** Derniers recensements utilisables : Bélize, 1991 ; Costa Rica, 1984 ; Guatémala, 1994 ; Honduras, 1988 ; Nicaragua, 1995 ; Panama, 1990 ; El Salvador, 1992. a. 1996 ; b. 1995 ; c. 1994 ; d. 1995-2000 ; e. À parité de pouvoir d'achat (PPA, voir

NICA-RAGUA	PANAMA	EL SALVADOR
4 351	2 722	5 927
33,5	35,3	281,7
2,6	1,6	2,2
3,8	2,6	3,1
44	21	39
68,2	74,1	69,5
63,1	56,4	45,6
0,530	0,864	0,592
0,66[i]	1,78[g]	0,66[g]
35,4	8,6	26,5
33,4	9,8	30,2
53,5[h]	63,5[i]	56,1[h]
9,4[g]	30,0[b]	17,7[b]
1,60	1,44	0,34
••	••	••
15	••	25,7
0,8	••	1,1
1,2	••	1,6
7 900	18 900	16 200
– 1,4	2,0	4,2
4,5	3,7	3,7
1 760	7 060	2 790
24,8	24,9	17,8
5,7	– 0,5	1,9
36,9	10,9	29,3
3,9[c]	5,2[c]	2,2[b]
1,5	1,4	1,5
5 929	6 990	2 894
35	11	10
1 211	2 760	2 671
E-U 24,1	Jap 34,8	E-U 40,0
AmL 48,7	Cor 18,8	AmL 39,9
UE 10,3	E-U 8,1	UE 9,6
629	716	1 359
E-U 53,8	Cor 16,7	E-U 19,3
AmL 16,6	AmL 23,0	AmL 50,9
UE 22,9	UE 27,1	UE 27,8
– 40,1	– 0,73[a]	– 3,39[b]

définition p. 581) ; f. 1994-96 ; g. 1993 ; h. 1991 ; i. 1990

croissance, était encore insuffisante. D'autre part, les Costariciens ont souffert d'une hausse sensible de la délinquance. Enfin, le président Figueres a semblé incapable de faire face à tous ces problèmes.

République du Costa Rica

Capitale : San José.
Superficie : 50 700 km².
Nature du régime : démocratie présidentielle.
Chef de l'État et du gouvernement : Miguel Angel Rodriguez, qui a succédé le 8.5.98 à José María Figueres.
Ministre de l'Intérieur : Roberto Tovar.
Ministre des Affaires étrangères : Roberto Rojas.
Échéances institutionnelles : élections générales (2002).
Monnaie : colón (au taux officiel, 100 colóns = 2,35 FF au 30.4.98).
Langues : espagnol, anglais, créole.

Le principal défi pour la mandature de M. A. Rodríguez (1998-2002) est de préparer son pays aux échéances en matière d'intégration. Le Costa Rica s'est montré, au cours des dernières années, très actif dans ce domaine, mais, avec ses modestes moyens, a opté pour une stratégie « à la chilienne » d'insertion compétitive aux marchés mondiaux. Ce pays ne croit en effet guère aux chances d'un approfondissement de l'intégration économique en Amérique centrale, dans le cadre d'une Union centraméricaine dont le projet a été lancé lors du sommet extraordinaire des présidents centraméricains, à Managua, le 2 septembre 1997.

Avec la création d'un ministère du Commerce extérieur, le Costa Rica s'est donné un instrument de négociation et entend bien se préparer pour la Zone de libre-échange des Amériques (ZLEA, ou AFTA – America Free Trade Area). Le Costa Rica a d'ailleurs présidé avec succès le processus de négociation continentale de la ZLEA entre mai 1997 et mars 1998.

Guatémala

Après la signature, le 29 décembre 1996, d'un Accord de paix ferme et durable entre le gouvernement (dirigé par Alvaro Arzu depuis 1996) et l'Union révolutionnaire nationale guatémaltèque (URNG), qui a mis un terme à une guerre civile de 36 ans, le Guatémala a vécu au rythme de la mise en œuvre des mesures prévues.

La très grande complexité des accords, qui prévoyaient une profonde réorganisation de la société, a engendré nécessairement des difficultés d'application. Le calendrier arrêté, très précis, a toutefois été en partie respecté. Une quinzaine de commissions ont notamment été formées, chargées de la réforme éducative, du statut de la femme ou de la participation des peuples indigènes. Par ailleurs, quelque 3 000 combattants de la guérilla et 15 000 militaires ont été démobilisés en 1997.

Toutefois, les dix-sept réformes constitutionnelles importantes ayant trait à la démocratisation de l'État n'ont pas été réalisées, parce que le Congrès a décidé de créer une instance multipartisane chargée de les examiner. Le problème de la réforme fiscale a notamment engendré des tensions, le patronat s'opposant à la réalisation de l'objectif des accords de paix d'élever la pression fiscale de 8 % du PIB (soit un des taux les plus bas d'Amérique latine) à un modeste 12 % pour financer les réformes. Enfin, la Commission de la vérité, chargée d'enquêter sur les violations des droits de l'homme pendant les années de guerre, a eu du mal à fonctionner et a prolongé son travail de six mois, jusqu'en juillet 1998.

La mise en œuvre des accords de paix a été par ailleurs gênée par des préoccupations électorales. Toute la classe politique s'est préparée pour les élections générales de 1999 où, pour la première fois, la guérilla allait participer en tant que parti politique. Dans cette logique, les élections municipales partielles du 7 juin 1998 ont pris l'allure d'un ballon d'essai.

La paix n'a pas apporté de bénéfices tangibles dans la vie quotidienne des Guatémaltèques, dans la mesure où la politique économique menée par le gouvernement a continué de creuser les inégalités. La croissance économique a toutefois atteint 4,1 % en 1997, ce qui est conforme à la moyenne annuelle depuis 1991. Aux difficultés économiques des couches populaires s'est ajoutée l'insécurité pour tous, la délinquance s'étant accrue. En janvier 1998, un groupe de touristes nord-américaines a été attaqué, provoquant un incident diplomatique. Le président Arzu a dû revoir à la hausse le budget militaire, alors que les accords de paix prévoyaient sa diminution.

République du Guatémala

Capitale : Guatémala.
Superficie : 108 890 km².
Nature de l'État : république.
Nature du régime : présidentiel.
Chef de l'État et du gouvernement : Alvaro Arzu Irigoyen (depuis le 14.1.96).
Ministre des Affaires étrangères : Eduardo Stein Barillas.
Ministre de l'Intérieur : Rodolfo Mendoza.
Ministre de la Défense : général Julio Balconi Turcios.
Monnaie : quetzal (1 quetzal = 0,95 FF au 30.5.98).
Langues : espagnol, 23 langues indiennes (quiché, cakchiquel, mam, etc.), garifuna.
Territoires contestés : le Guatémala n'a toujours pas reconnu la souveraineté du Bélize, ex-Honduras britannique, indépendant depuis 1981.

Honduras

L'agitation sociale qui a marqué une bonne partie de l'année 1997 (manifestations contre la violence, revendications des Indiens pour la terre...) n'a pas empêché le

Parti libéral (PL) du président Carlos Reina, au pouvoir depuis 1994, de remporter, le 30 novembre 1997, les élections générales (présidentielle, législatives et municipales). Le PL a ainsi gagné pour la quatrième fois les élections depuis le passage à la démocratie de 1981, son principal opposant, le Parti national, n'ayant gouverné qu'entre 1990 et 1994.

Le président élu, Carlos Flores Facussé, qui a succédé à C. Reina, homme d'affaires propriétaire du journal *La Tribuna*, a pris ses fonctions le 27 janvier 1998 fort d'un solide soutien parlementaire, le PL ayant emporté 67 des 128 sièges de l'Assemblée.

La domination du PL et du PN sur la vie politique hondurienne, qui dure depuis cent ans, se poursuit donc, mais les petits partis ont fait des progrès. Certes, ils n'ont obtenu que sept députés à l'Assemblée, mais le parti de gauche, Unification démocratique (UD), pour sa première participation à des élections, a gagné quelques mairies.

Le bilan de l'administration Reina n'était pourtant pas des plus flatteurs. La « révolution morale » qu'il avait promise, avec ses quatre volets (lutte contre la corruption, assainissement de l'économie, compensations sociales et démilitarisation), n'a guère abouti que sur le dernier aspect. De fait, C. Reina est parvenu à imposer l'autorité civile aux militaires. Pour le reste, le nouveau président C. Flores allait devoir faire face à des problèmes irrésolus. Ainsi, la Commission des droits de l'homme du Honduras (Codeh) a révélé dans un rapport, en décembre 1997, que le nombre d'assassinats attribués aux « escadrons de la mort » a augmenté pendant le mandat de C. Reina. Le 11 février 1998, le responsable de la Codeh pour la région ouest du pays était assassiné. Le débat sur la réalité de la dissolution des appareils répressifs et sur leur impunité était relancé.

Sur le plan économique, le Honduras a poursuivi en 1997 sa reprise, avec une croissance de 4,5 %, après – 1,7 % en 1994, 4,7 % en 1995 et 3,0 % en 1996. L'inflation, en revanche, est restée un motif de préoccupation, 12,7 % en 1997, même si elle a baissé par rapport à 1996 (25,4 %), et les finances publiques étaient gravement déséquilibrées.

République du Honduras

Capitale : Tegucigalpa.
Superficie : 112 090 km².
Nature du régime : présidentiel.
Chef de l'État et du gouvernement : Carlos Flores Facussé, qui a succédé le 27.1.98 à Carlos Roberto Reina.
Ministre de l'Intérieur : Gustavo Alfaro.
Ministre de la Défense : colonel Cristóbal Corrales Cálix.
Ministre des Affaires étrangères : Fernando Martinez.
Échéances institutionnelles : élections générales (2001).
Monnaie : lempira (au taux officiel, 1 lempira = 0,45 FF au 30.5.98).
Langues : espagnol, langues indiennes (miskito, sumu, paya, lenca, etc.), garifuna.

Du coup, C. Flores a annoncé en février 1998 le lancement d'un programme d'ajustement structurel devant permettre au Honduras de trouver un accord avec le FMI, l'objectif étant clairement de rétablir la balance des paiements, en réduisant certains impôts (sur le revenu) pour en augmenter d'autres (indirects).

Nicaragua

Entré en fonctions le 10 janvier 1997, le président Arnoldo Alemán (droite antisandiniste) n'a pas connu d'état de grâce. Sa volonté de solder le passé sandiniste du Nicaragua, en rendant les terres confisquées pendant la révolution (1979-1990) à leurs propriétaires, s'est heurtée à la très grande capacité de mobilisation du Front sandiniste de libération nationale (FSLN) dirigé par Daniel Ortega

Cette volonté de remettre en cause les lois de réforme agraire promulguées pendant la révolution sandiniste concernant 14 000 titres de propriété a d'emblée provoqué des tensions sociales. Une série de manifestations (14-18 avril 1997) a contraint le gouvernement à négocier avec les sandinistes. Le 21 avril, un accord a été conclu, aux termes duquel le président a renoncé à ses projets.

Comme il l'avait fait en 1991 avec la présidente Violeta Chamorro (1990-1997), Daniel Ortega, chef historique des sandinistes, a ainsi démontré que le Nicaragua n'était plus gouvernable dès lors que les acquis de la révolution étaient remis en question.

République du Nicaragua

Capitale : Managua.
Superficie : 130 000 km².
Nature du régime : présidentiel.
Chef de l'État et du gouvernement : Arnoldo Alemán, qui a succédé, le 10.1.97, à Violeta Barrios de Chamorro.
Ministre de l'Intérieur : José Antonio Alvarado.
Ministre de la Défense : Jaime Cuadra Somarriba.
Ministre des Affaires étrangères : Émilio Alvarez Montalván.
Monnaie : cordoba or (au taux officiel, 1 cordoba or = 0,57 FF au 30.4.98).
Langues : espagnol (off.), anglais, créole, langues indiennes (miskito, sumu, rama), garifuna.

En juin 1997, ce sont les augmentations des tarifs publics et des prix des denrées alimentaires qui suscitèrent une vague de mobilisation sociale. Le président Alemán a une nouvelle fois appelé au dialogue. De juillet à octobre 1997, ce « dialogue national » a débouché sur la signature de 112 accords concernant les domaines politique et économique. Par ailleurs, en septembre 1997, un accord a été annoncé sur le problème épineux de la répartition des propriétés, qui s'est traduit par le vote d'une loi de propriété urbaine et rurale par l'Assemblée, le 26 novembre 1997. Cette loi permet à la fois aux bénéficiaires des répartitions d'être confortés et aux anciens propriétaires d'envisager des suites judiciaires à leurs demandes.

Loin des débats nationaux, les élections régionales du 1er mars 1998 sur la côte atlantique du pays se sont traduites par un taux d'abstention supérieur à 50 %. Les sandinistes ne sont pas parvenus à infliger une défaite au parti du président, le Parti libéral constitutionnaliste (PLC). Le PLC a emporté 24 des 45 sièges au conseil régional de la région autonome de l'Atlantique nord (RAAN) et 20 des 45 sièges au conseil de la région Atlantique sud (RAAS), contre respectivement 13 et 12 pour les sandinistes.

Curieusement, l'agitation politique n'a pas eu de coût économique notable. La croissance a atteint 4,5 % en 1997 (elle avait été de 5,8 % en 1996). Toutefois, le PIB par habitant, après avoir chuté de 3,9 % en moyenne par an entre 1981 et 1990, a encore diminué en moyenne de 0,1 % par an entre 1991 et 1997.

Panama

Le 1er octobre 1997, le président Ernesto Pérez Balladares a officiellement reçu des États-Unis la base militaire Albrook, située à 5 kilomètres de la capitale. Le 8 janvier 1998, c'est l'ancien quartier général du commandement Sud des États-Unis, Quarry heights (27 hectares), qui a été rendu aux Panaméens.

De 1995 à 1998, les États-Unis ont ainsi abandonné cinq bases militaires, en application des accords Torrijos-Carter de 1977 prévoyant la restitution des installations et de la zone du canal de Panama avant l'an

2000 (les bases américaines rapportaient au Panama quelque 300 millions de dollars par an et représentaient près de 5 000 emplois). Si Albrook doit devenir une cité du savoir, et Quarry heights une résidence diplomatique, la question de la transformation de la base militaire Howard en un Centre multilatéral antidrogue (CMA) a suscité une controverse. Le refus des États-Unis de verser une compensation financière en échange de leur départ a contraint le président Pérez à envisager le prolongement de la présence nord-américaine sous une nouvelle forme. Mais le président panaméen est resté ambigu sur la forme que devait prendre le CMA, et notamment sur l'éventuelle présence de militaires nord-américains en son sein. Les États-Unis, de leur côté, souhaitaient clairement disposer d'une base d'écoute et de surveillance en Amérique centrale, dans leur combat contre le narcotrafic. Mais le caractère multilatéral du CMA ne leur convenait guère. Quant aux pays latino-américains invités à intégrer le CMA, ils souhaitaient que le Centre se préoccupe autant des pays producteurs que des pays consommateurs.

La question du prolongement de la présence militaire des États-Unis au Panama est apparue d'autant plus sensible que ce pays a supprimé son armée (le 21 avril 1997, l'Assemblée a voté une loi instaurant une police civile) et qu'il a dû faire face, à sa frontière avec la Colombie (province de Darién), à des incursions armées à l'origine mal connue. A ce sujet, un plan des États-Unis visant à justifier la poursuite de leur présence militaire a été évoqué.

La stratégie politique de E. Pérez Balladares n'a par ailleurs pas été de nature à rassurer la communauté internationale en cette période de restitution du canal. Celui-ci envisageait en effet clairement de se faire réélire lors des élections de 1999, alors que, à l'évidence, l'opinion publique lui était défavorable.

Sur le plan économique, le Panama a connu en 1997 une croissance économique de l'ordre de 3,7 %, mais la question de la dépendance vis-à-vis des revenus du canal est demeurée irrésolue.

République du Panama

Capitale : Panama.
Superficie : 77 080 km².
Nature du régime : présidentiel.
Chef de l'État et du gouvernement : Ernesto Pérez Balladares (depuis le 1.9.94).
Ministre de l'Intérieur et de la Justice : Raúl Montenegro.
Ministre des Affaires étrangères : Ricardo Alberto Arias.
Échéances institutionnelles : élection présidentielle (1999).
Monnaie : théoriquement le balboa (1 balboa = 5,94 FF au 29.7.98), de fait le dollar.
Langues : espagnol (off.), langues indiennes (guaymi, kuna, etc.).
Statut de la zone du canal : selon le traité Hay-Bunau-Varilla de 1903, le canal et une zone adjacente ont été concédés aux États-Unis. Le traité Torrijos-Carter du 7.9.77 a abrogé le traité de 1903, et prévu le passage sous souveraineté panaméenne au 31.12.99.

El Salvador

Le Salvador a vécu en 1997-1998 une année de transition. Le parti au pouvoir, l'Alliance républicaine nationaliste (Arena) ayant perdu la majorité à l'Assemblée lors des élections législatives de mars 1997, le président Armando Calderón s'est trouvé affaibli. L'Arena et le Front Farabundo Martí de libération nationale (FMLN), l'organisation de guérilla devenue la deuxième force politique du pays, se sont mis à préparer activement l'élection présidentielle de mars 1999. L'Arena a désigné son candidat, dès mars 1998 : Francisco Flores, un philosophe de 38 ans.

Amérique centrale/Bibliographie

Amnesty International, *Guatémala. Mettre fin à l'impunité*, « Rapport pays », Paris, 1997.

O. Dabène, « Invention et rémanence d'une crise : leçons d'Amérique centrale », *Revue française de science politique*, n° 42/4, Paris, août 1992.

Y. Le Bot, *La Guerre en terre maya. Communauté, violence et modernité au Guatémala*, Karthala, Paris, 1992.

A. Rouquié, *Guerres et paix en Amérique centrale*, Seuil, Paris, 1992.

A. Rouquié (sous la dir. de), *Les Forces politiques en Amérique centrale*, Karthala, Paris, 1991.

Voir aussi la bibliographie sélective « Amérique centrale et du Sud », p. 385.

Entrée en fonctions le 1er mai 1997, la nouvelle Assemblée infligea au président un camouflet dès le 29 mai, en rejetant le décret 900 qui prévoyait la privatisation de l'Administration nationale de télécommunications (Antel). Cela n'empêcha pas le gouvernement de poursuivre son programme de privatisation dès le début de l'année 1998, avec un certain succès. La vente de quatre compagnies de distribution d'électricité a rapporté par exemple quelque 586 millions de dollars, soit près d'un tiers du budget de la nation. Un certain nombre d'économistes se sont même inquiétés de cet afflux de capitaux, qui auraient pu relancer l'inflation et entraîner une appréciation de la monnaie nationale, et donc peser sur une balance commerciale déjà gravement déficitaire.

La présidence de A. Calderón a par ailleurs été ternie par des scandales financiers impliquant des proches de l'Arena et provoquant la ruine de milliers d'épargnants. Les pouvoirs publics ont semblé tout aussi impuissants face à l'insécurité. En septembre 1997, une enquête réalisée par l'Université centraméricaine a révélé que la capitale, San Salvador, était la ville la plus violente d'Amérique latine, avec plus de 20 % de sa population adulte victime d'agressions armées. La violence délinquante semble alimentée par la très importante circulation d'armes dans le pays. Elle résulte également d'une application incomplète des accords de paix, qui ont mis fin, en 1992, à douze ans de guerre civile. Ainsi, la distribution de terres aux combattants démobilisés les a laissés endettés, leur donnant un motif de mécontentement et de manifestations.

Toutefois, A. Calderón a pu se prévaloir d'une certaine réussite sur le plan économique. Avec une croissance de 3,7 % en 1997, le Salvador s'est situé dans la moyenne en Amérique centrale. L'inflation est restée contrôlée à 1,9 %, l'un des taux les plus bas de tout le continent américain.
- **Olivier Dabène** ■

République du Salvador

Capitale : San Salvador.
Superficie : 21 040 km².
Nature du régime : présidentiel.
Chef de l'État et du gouvernement : Armando Calderón Sol (depuis le 1.6.94).
Ministre de l'Intérieur : Mario Acosta Oertel.
Ministre de la Défense : général Jaime Guzmán Morales.
Ministre des Affaires étrangères : Ramón González Giner.
Échéances institutionnelles : élection présidentielle (avr. 99).
Monnaie : colón (au taux officiel, 1 colón = 0,67 FF au 30.4.98).
Langues : espagnol (off.), nahuatlpipil.

Grandes Antilles

Bahamas, Bermudes, Cayman, Cuba, Haïti, Jamaïque, Porto Rico, République dominicaine, Turks et Caicos

Bahamas

Dans ce pays aux 700 îles, le tourisme, qui est l'activité principale (40 % du PIB) avec le secteur financier, a poursuivi sa pleine expansion en 1997. Le PIB a progressé de 3,0 % et l'inflation est tombée à 0,8 %. Les compagnies publiques du téléphone et de l'électricité se sont préparées en 1998 à leur privatisation. Les saisies de cocaïne ont triplé en 1997 dans cet archipel se trouvant à nouveau sur la route principale empruntée par les trafiquants colombiens pour pénétrer les États-Unis. Les gardes-côtes ont également intercepté de plus en plus de « boat people » en provenance d'Haïti, de la République dominicaine et de Cuba. Un programme de renforcement de la marine a été annoncé en septembre 1997.

Commonwealth des Bahamas

Capitale : Nassau.
Superficie : 13 930 km².
Nature du régime : parlementaire.
Chef de l'État (nominal) : reine Elizabeth II, représentée par un gouverneur, Sir Orville Turnquest (depuis févr. 95).
Chef du gouvernement : Hubert Ingraham, Premier ministre (depuis le 19.8.92).
Vice-premier ministre et ministre de la Sécurité nationale : Frank Watson (respectivement depuis le 4.1.95 et depuis le 18.3.97).
Ministre des Affaires étrangères : Janet Bostwick (depuis le 4.1.95).
Monnaie : dollar bahaméen, aligné sur le dollar américain (1 dollar = 5,94 FF au 29.7.98).
Langue : anglais.

Bermudes

Le Premier ministre Pamela Gordon a protesté, en mars 1998, contre l'invitation qui a été faite par Londres à ses territoires et colonies, dont les Bermudes est le plus riche, d'abolir la peine de mort et de renforcer le contrôle du blanchiment de l'« argent sale ». Ce paradis fiscal est dépositaire de quelque 100 milliards de dollars. Le gouvernement a obligé le chef de la police, un Britannique, à démissionner en octobre 1997 pour avoir écarté la demande qui lui avait été faite de préparer des Bermudiens à prendre la tête de ce corps.

Cayman

L'économie, dominée par le tourisme et le secteur financier *offshore*, a progressé en 1997. Ce paradis fiscal accueille environ 3 500 sociétés financières et 42 000 sièges sociaux d'entreprises. Le ministre du Développement communautaire

INDICATEUR*	BAHAMAS	CAYMAN	CUBA	HAÏTI
Démographie**				
Population *(millier)*	289	36,2	11 068	7 395
Densité *(hab./km²)*	20,7	139,6	99,8	266,5
Croissance annuelle[d] *(%)*	1,6	4,2	0,4	1,9
Indice de fécondité (ISF)[d]	1,9	1,4	1,5	4,6
Mortalité infantile[d] *(‰)*	14	8,4	9	82
Espérance de vie[d] *(année)*	73,8	77,1	76,1	54,4
Population urbaine *(%)*	87,3	100,0	76,6	33,1
Indicateurs socioculturels				
Développement humain (IDH)[c]	0,894	• •	0,723	0,338
Nombre de médecins *(‰ hab.)*	1,45[m]	1,63[h]	3,64[i]	0,09[m]
Analphabétisme (hommes)[b] *(%)*	1,5	• •	3,8	52,0
Analphabétisme (femmes)[b] *(%)*	2,0	• •	4,7	57,0
Scolarisation 12-17 ans *(%)*	77,6[i]	• •	73,5[h]	43,9[i]
Scolarisation 3e degré *(%)*	• •	• •	12,7[b]	1,2[i]
Adresses Internet *(‰ hab.)*	• •	• •	• •	–
Livres publiés *(titre)*	15[h]	• •	698[b]	271[p]
Armées				
Armée de terre *(millier d'h.)*		–	38	–
Marine *(millier d'h.)*	0,86	–	5	–
Aviation *(millier d'h.)*		–	10	–
Économie				
PIB total[ae] *(million $)*	2 891	860	q	8 300
Croissance annuelle 1986-96 *(%)*	1,2	• •	– 2,8	– 2,7
Croissance 1997 *(%)*	3,0	5,0[a]	2,5	1,8
PIB par habitant[ae] *($)*	10 180	23 800	q	1 130
Investissement (FBCF)[f] *(% PIB)*	• •	• •	• •	6,4
Taux d'inflation *(%)*	0,8	1,9	2,9	15,6
Énergie (taux de couverture)[b] *(%)*	• •	• •	12,3	6,4
Dépense publique Éducation *(% PIB)*	4,0[h]	• •	6,6[i]	1,5[i]
Dépense publique Défense[a] *(% PIB)*	0,6	• •	5,4	3,5
Dette extérieure totale[a] *(million $)*	• •	• •	13 719	897
Service de la dette/Export.[f] *(%)*	• •	• •	12	18
Échanges extérieurs				
Importations *(million $)*	1 263	345[c]	4 589	648
Principaux fournisseurs[a] *(%)*	E-U 21,5	• •	UE 36,8	E-U 59,7
(%)	Jap 21,4	• •	Rus 16,9	UE 11,8
(%)	UE 29,5	• •	AmL 26,2	AmL 14,0
Exportations *(million $)*	252	2,2[c]	1 860	120
Principaux clients[a] *(%)*	E-U 26,0	E-U • •	UE 26,4	E-U 76,2
(%)	PED 19,1	T&T • •	Rus 20,2	UE 19,3
(%)	UE 43,3	R-U • •	Can 16,1	AmL 2,2
Solde transactions courantes *(% PIB)*	– 14,30	• •	• •	– 5,26[a]

* Définition des indicateurs p. 25 et suiv. Chiffres 1997 sauf notes. ** Derniers recensements utilisables : Bahamas, 1990 ; Cayman, 1989 ; Cuba, 1981 ; Haïti, 1982 ; Jamaïque, 1991 ; Porto Rico, 1990 ; République dominicaine, 1993. a. 1996 ; b. 1995 ; c. 1994 ; d. 1995-2000 ; e. À parité de pouvoir d'achat (PPA, voir définition p. 581) ; f. 1994-96 ; g. 1992 ; h. 1991 ; i. 1990 ; k. Pays non spécifiés ; m. 1993 ; n. 1983 ; o. 1981 ;

JAMAÏQUE	PORTO RICO	RÉP. DOMINICAINE
2 515	3 771	8 097
228,8	423,7	166,2
0,9	0,9	1,6
2,4	2,1	2,8
12	9	34
74,6	76,5	71,0
54,7	74,1	63,2
0,736	••	0,718
0,47[m]	2,18[n]	1,05[m]
19,2	••	18,0
10,9	••	17,8
75,8[i]	79,1[g]	73,5[i]
6,0[g]	48,1[o]	••
1,36	••	0,03
••	••	2 219[i]
3	–	15
0,15	–	4
0,17	–	5,5
8 800	32 030	35 000
3,8	2,7	4,9
– 2,0	3,1	8,2
3 450	8 570	4 390
26,1	15,0	23,3
9,8	6,0	9,6
0,4	0,4	4,4
8,2[b]	7,7[h]	1,9[b]
0,6	••	1,1
4 041	••	4 310
19	••	12
302,6	21 387	4 120
E-U 60,2	E-U 62,3	E-U 16,9
UE 11,4	RD 5,5	AmL 23,6
AmL 13,8	Jap 4,1	PNS[k] 55,3
1 353	23 946	882
E-U 42,4	E-U 88,5	E-U 47,1
UE 26,6	RD 3,0	UE 19,9
Can 9,2	Jap 1,0	AmL 14,6
– 5,91[b]	••	– 0,84[a]

p. 1989 ; q. Le PIB/hab. est estimé par la CIA à 1 480 dollars, par les Nations unies à 3 000 dollars ; r. Dette en monnaie convertible ; s. Entre 16 et 33 milliards de dollars.

McKeeva Bush a été limogé en octobre 1997, à la suite d'un scandale bancaire. Le gouvernement, qui a inauguré un système de sécurité sociale obligatoire en 1997, a refusé en janvier 1998 la visite d'un grand bateau de croisière gay, jugeant que le comportement des passagers n'était pas convenable. - **Greg Chamberlain** ■

Cuba

L'année 1998 aura permis à Fidel Castro d'engranger d'importantes victoires diplomatiques. L'embargo, jugé « éthiquement inacceptable » par le pape lors de sa visite en janvier, et la loi Helms-Burton ont été condamnés lors de la réunion du groupe de Rio et de l'Union européenne (UE) en février à Panama. L'intégration de Cuba parmi les pays de la Caraïbe progresse. Les quinze pays membres du Caricom (Communauté des Caraïbes) ont en effet recommandé son admission dans le groupe ACP (Afrique, Caraïbe, Pacifique) qui regroupe soixante et onze pays.

La visite historique du souverain pontife (21-26 janvier 1998) a marqué un tournant dans la reconnaissance de l'île. Après le rétablissement des relations diplomatiques avec le Guatémala puis avec la République dominicaine, Jean Chrétien, Premier ministre du Canada (partenaire des États-Unis dans l'ALENA – Accord de libre-échange nord-américain), s'est rendu en voyage officiel à Cuba en 1998. Juan Carlos devrait s'y rendre en 1999, à l'occasion du Sommet ibéro-américain devant se tenir à La Havane. Après plus d'un an de crise, le gouvernement conservateur de José María Aznar a nommé un nouvel ambassadeur, normalisant ainsi les relations entre l'Espagne et l'île. Enfin, pour la première fois, Cuba a échappé à la condamnation de la Commission des droits de l'homme de l'ONU. Depuis 1992, les États-Unis déposent un projet de résolution condamnant les violations des droits démocratiques et instituant un rapporteur spécial chargé d'enquêter sur l'île. Ce projet a été repoussé lors de la 54e session de la commission en avril 1998.

Le voyage d'une nouvelle délégation du CNPF (Conseil national du patronat français) et la visite officielle du ministre délégué à la Coopération, Charles Josselin, ont confirmé le dynamisme des relations franco-cubaines, illustré par la visite officielle que devait faire en France Carlos Lage, Premier ministre de fait, en septembre 1998. Le gouvernement français s'est montré favorable à l'adhésion de Cuba à la nouvelle convention de Lomé pour l'an 2000 à condition que le gouvernement castriste en accepte les clauses diplomatiques. Les gouvernements de l'UE avaient adopté une position commune en 1996, subordonnant l'approfondissement des relations avec La Havane à l'adoption de réformes démocratiques. Aucune réforme significative n'est pourtant intervenue sur le plan politique. Le Ve congrès du Parti communiste a consacré Raoul Castro, frère de Fidel et ministre des Forces armées, comme successeur officiel. La nouvelle Assemblée nationale du pouvoir populaire a réélu le Conseil d'État, dont le président reste F. Castro, qui a réaffirmé son refus de toute transition. Protégée par la visite papale, l'Église cubaine est désormais la seule institution non officielle reconnue. Les déclarations de ses évêques, ses nombreuses publications connaissent un écho certain.

Une nouvelle approche américaine est-elle envisageable ? Quelques assouplissements de l'embargo sont intervenus en avril 1998, mais de portée très limitée. Aux États-Unis, les milieux d'affaires ont fait pression dans ce sens. La publication, en avril 1998, d'un rapport du Pentagone reconnaissant que Cuba ne représente qu'« une menace négligeable sur le plan des forces conventionnelles pour les États-Unis et ses voisins » a contredit l'argumentation traditionnelle du département d'État. Enfin, la mort de Jorge Mas Canosa, dirigeant de la Fondation cubano-américaine, un lobby anti-castriste très puissant, a affaibli les courants les plus conservateurs des réfugiés cubains. Une certaine détente a semblé marquer les relations entre les deux pays. Cependant, si la composition politique du Congrès américain ne changeait pas lors des élections de novembre 1998, le président Bill Clinton n'aurait pas la possibilité d'abroger l'embargo. En tout état de cause, le département d'État a continué à mener une guerre d'usure et à miser sur les difficultés persistantes de l'économie cubaine pour déstabiliser le régime. La levée des sanctions, l'accès aux financements inter-

République de Cuba

Capitale : La Havane.
Superficie : 110 861 km².
Nature de l'État : communiste (« État socialiste des ouvriers et des paysans », selon la Constitution de 1976).
Nature du régime : socialiste à parti unique (Parti communiste cubain, PCC).
Chef de l'État : Fidel Castro Ruz, président du Conseil d'État, président du Conseil des ministres, premier secrétaire du Parti communiste cubain (PCC), commandant en chef des Forces armées (au pouvoir depuis 1959).
Premier vice-président du Conseil d'État et ministre des Forces armées : Raoul Castro.
Vice-président du Conseil des ministres et ministre de l'Économie : Carlos Lage Davila.
Président de l'Assemblée nationale : Ricardo Alarcon.
Échéances institutionnelles : l'Assemblée nationale populaire (589 membres) est élue au suffrage universel direct. Seul le PCC participe aux élections.
Monnaie : peso cubain (1 peso cubain = 5,98 FF au 29.7.98).
Langue : espagnol.
Litige territorial : la base de Guantanamo fait l'objet d'une concession illimitée aux États-Unis.

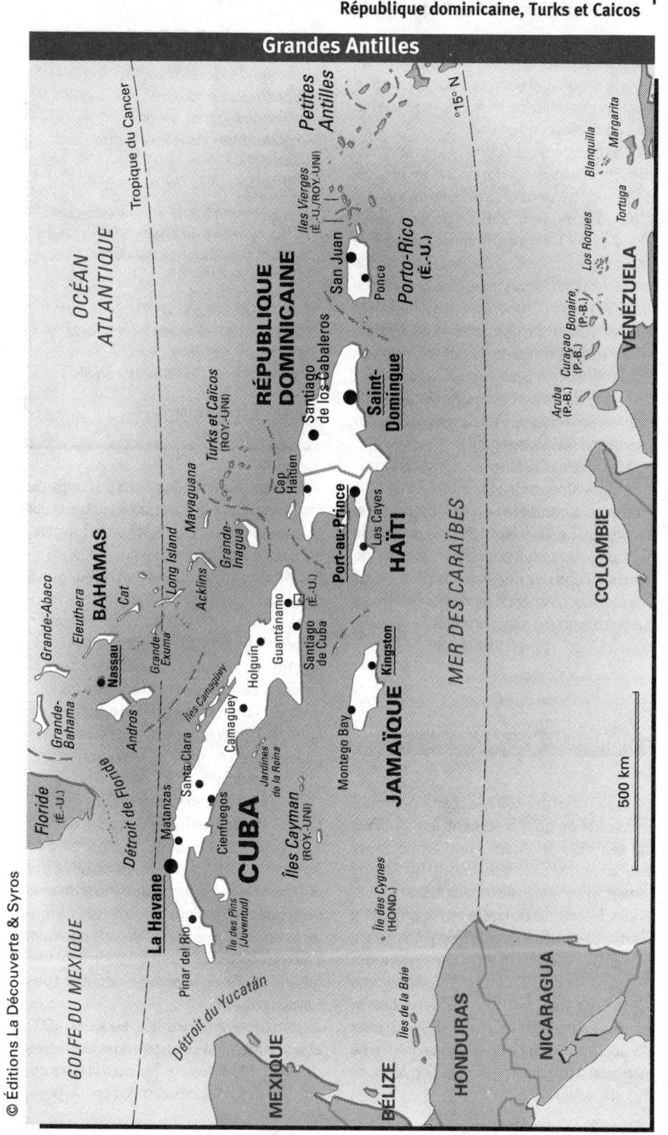
Grandes Antilles
OCÉAN ATLANTIQUE
Tropique du Cancer
15° N
Petites Antilles
Îles Vierges (É.-U./ROY.-UNI)
Porto-Rico (É.-U.)
San Juan
Ponce
RÉPUBLIQUE DOMINICAINE
Santiago de los Caballeros
Saint-Domingue
Turks et Caïcos (ROY.-UNI)
Cap Haïtien
Port-au-Prince
Les Cayes
HAÏTI
MER DES CARAÏBES
BAHAMAS
Grande-Abaco
Eleuthera
Cat
Long Island
Mayaguana
Acklins
Grande-Inagua
Grande-Exuma
Nassau
Andros
Grande-Bahama
Îles Camagüey
Floride (É.-U.)
Détroit de Floride
Matanzas
Santa Clara
Cienfuegos
Camagüey
Holguín
Guantánamo
Santiago de Cuba
(É.-U.)
La Havane
Pinar del Río
Île des Pins (Juventud)
CUBA
Jardines de la Reina
Îles Cayman (ROY.-UNI)
JAMAÏQUE
Montego Bay
Kingston
Île des Cygnes (HOND.)
GOLFE DU MEXIQUE
Détroit du Yucatán
MEXIQUE
BÉLIZE
Îles de la Baie
HONDURAS
NICARAGUA
COLOMBIE
VÉNÉZUELA
Aruba (P.-B.)
Curaçao (P.-B.)
Bonaire (P.-B.)
Los Roques
Tortuga
Blanquilla
Margarita
500 km

nationaux et au marché américain permettraient d'améliorer le sort de la population, dont la majorité vit dans des conditions matérielles très difficiles, surtout lorsqu'elle n'a pas de ressources en dollars.

Les perspectives économiques sont restées incertaines. La dégradation de la récolte sucrière (environ 3 millions de tonnes) s'est confirmée en 1998. Le général Ulises Rosales del Toro a été nommé ministre de l'Industrie sucrière, renforçant le poids des militaires dans l'économie. Si la croissance du tourisme a continué, sa rentabilité est restée insuffisante. La dette extérieure, évaluée en 1998 à 11 milliards de dollars, reste un obstacle majeur à la « récupération » économique du pays. La renégociation de la dette avec le club de Paris s'est heurtée aux pressions de Washington.

La loi Helms-Burton faisait l'objet d'un litige persistant entre les États-Unis et la France qui conteste son caractère extraterritorial. Le 16 juillet 1998, le président Clinton a reconduit pour six mois un moratoire sur l'une des dispositions de la loi, qui permet à des Américains de poursuivre en justice les entreprises étrangères investissant à Cuba. - **Janette Habel** ■

Haïti

A partir de l'été 1997, le pays s'est trouvé sans chef de gouvernement, les divisions au sein du Parlement ayant empêché la ratification d'un successeur de Rosny Smarth, Premier ministre démissionnaire le 9 juin. Nommé à ce poste par le président René Préval, l'économiste Éricq Pierre s'est vu refuser la confirmation dans ces fonctions, en août 1997, tout comme l'homme de théâtre et ancien ministre Hervé Denis, en décembre 1997 et en avril 1998. En juillet 1998, le président a présenté un troisième candidat, le ministre de l'Éducation Jacques Édouard Alexis.

République d'Haïti

Capitale : Port-au-Prince.
Superficie : 27 750 km^2.
Nature du régime : présidentiel.
Chef de l'État : René Préval, président (depuis le 7.2.96).
Chef du gouvernement : Jacques Édouard Alexis, Premier ministre, qui a été nommé le 15.7.98 en remplacement de Rosny Smarth (démissionnaire).
Ministre des Affaires étrangères : Fritz Longchamp (depuis le 7.11.95).
Ministre de l'Intérieur et de la Défense : Jean Molière (depuis le 6.3.96).
Ministre des Finances : Fred Joseph (depuis le 6.3.96).
Monnaie : gourde (1 gourde = 0,36 FF au 30.5.98).
Langues : créole, français.

La querelle entre les deux fractions du mouvement Lavalas au pouvoir était au cœur de cette impasse. L'une, la Fanmi Lavalas, est dirigée par l'ancien président Jean-Bertrand Aristide, qui attend son retour quasi certain à la tête du pays, au terme des élections de l'an 2000 ; l'autre, l'Organisation du peuple en lutte (OPL), est plus favorable à R. Préval. La paralysie politique a bloqué le déboursement des centaines de millions de dollars d'aide étrangère et a accru la misère des Haïtiens, l'une des populations les plus pauvres du monde. De nombreuses grèves ont éclaté.

La Mitnuh (Mission de transition des Nations unies en Haïti), qui comptait encore 1 200 « casques bleus », a quitté le pays en novembre 1997, pour être remplacée par 300 moniteurs qui ont poursuivi la formation de la nouvelle police, laquelle doit affronter la violence des gangs dans la capitale. Environ 500 militaires américains sont restés au titre d'« ingénieurs » s'occupant des travaux publics.

La réforme agraire a été étendue en 1997 et les rendements en riz se sont améliorés de 60 %. Mais des conflits pour la terre ont entraîné des violences dans le nord du pays, en mars 1998. Un grand projet d'infrastructure et de tourisme a été lancé dans le Sud-Est en décembre 1997. Le taux de rentrée des impôts a augmenté. Le trafic de cocaïne – qui, de la Colombie aux États-Unis, transite par Haïti – aurait triplé en 1997, commençant à gangrener l'économie et à corrompre la police. Deux grandes entreprises publiques (ciment et farines) ont été privatisées fin 1997 dans le cadre des réformes structurelles de l'État. Le PIB a progressé de seulement 1,8 % en 1997. Les industries légères *offshore* ont été à l'origine de 48 % des exportations en 1997.

Jamaïque

Le Parti national du peuple, dirigé par le Premier ministre P. J. Patterson, a obtenu un troisième mandat successif au terme des élections législatives du 18 décembre 1997. Le grand perdant aura été le Parti travailliste jamaïcain (JLP), de l'ancien Premier ministre Edward Seaga, qui n'a obtenu que 10 des 60 sièges au Parlement.

Jamaïque

Capitale : Kingston.
Superficie : 10 990 km².
Nature du régime : parlementaire.
Chef de l'État (nominal) : reine Elizabeth II, représentée par un gouverneur, Sir Howard Cooke (depuis août 91).
Chef du gouvernement : P. J. Patterson, Premier ministre et ministre de la Défense (depuis le 26.3.92).
Vice-premier ministre et ministre des Affaires étrangères : Seymour Mullings (respectivement depuis le 31.3.93 et depuis le 7.1.95).
Ministre des Finances et du Plan : Omar Davies (depuis le 3.12.93).
Monnaie : dollar jamaïcain (au taux officiel, 1 dollar = 0,16 FF au 30.5.98).
Langues : anglais.

A cause de la défaite de plusieurs de ses concurrents au sein du parti, E. Seaga a pu en garder la direction. Un nouveau parti, le Mouvement démocratique national (NDM), formé par des dissidents du JLP, n'a gagné aucun siège.

Face à une économie peu dynamique (le PIB a baissé de 2,0 % en 1997), P. J. Patterson s'est engagé à transformer en république ce pays dont la reine d'Angleterre est nominalement chef d'État et s'est fixé l'objectif d'un taux de croissance annuel de 6 % avant l'an 2000. Le gouvernement a proposé en avril 1998 des hausses d'impôts et la recherche de nouveaux prêts étrangers. Le tourisme et le secteur minier (la bauxite) ont progressé en 1997, mais l'agriculture (24 % des exportations), qui a été affectée par la pire sécheresse de l'histoire du pays, a marqué un recul (– 20 %), ainsi que les services financiers (– 22 %). Une aide de 100 millions de dollars É-U pour l'industrie sucrière a été annoncée fin 1997. A la mi-1998, le gouvernement avait déjà dépensé 2 milliards de dollars É-U pour des opérations de sauvetage et de consolidation dans le secteur financier.

Un accord controversé qui permettra aux États-Unis d'arrêter des trafiquants de drogue dans les eaux jamaïcaines a pris effet en mars 1998. Le gouvernement a annoncé en janvier 1998 qu'il allait reprendre l'exécution des criminels par pendaison, tout comme d'autres pays de la région, après une interruption de dix ans.

Porto Rico

Les 6 400 employés de la compagnie de téléphone se sont mis en grève en juin et juillet 1998 pour protester contre sa privatisation. Ce mouvement social, le plus important depuis des décennies, appuyé

Grandes Antilles/Bibliographie

G. Barthélémy, *L'Univers rural haïtien : le pays en dehors,* L'Harmattan, Paris, 1990.

Caribbean Insight (mensuel), 8 Northumberland St, London, WC2N 5RA.

J. Carranza, P. Monreal, L. Gutierrez, *Cuba : la restructuración de la economica,* Alerce Talleres Gràficos (Chili), 1996 (2e éd.).

G. Chamberlain, T. Gunson, A. Thompson, *Dictionary of Contemporary Politics : Central America and the Caribbean,* Routledge, Londres, 1991.

« Cuba a la luz de otras transiciones », *Encuentro de la cultura cubana,* n° 6/7, Madrid, 1997.

J. I. Dominguez, « US-Cuban relations : from the cold war to the colder war », *Journal of Interamerican Studies and World Affairs,* nov. 1997.

A. Dupuy, *Haiti in the New World Order : the Limits of the Democratic Revolution,* Westview Press, Boulder, 1997.

J. Habel, « Cuba : une année charnière », *in Universalia 98, Encyclopaedia Universalis,* Paris, 1998

J. Habel, « Miser sur l'Église pour sauver la révolution ? », *Le Monde diplomatique,* Paris, févr. 1997.

Haïti-hebdo, 29, rue Victor-Hugo, 93170 Bagnolet (France).

D.-C. Martin (avec F. Constant), *Les Démocraties antillaises en crise,* Karthala, Paris, 1996.

F. Moya-Pons, *The Dominican Republic : A National History,* Hispanista Books, New Rochelle, 1995.

D. Nicholls, *From Dessalines to Duvalier,* MacMillan, Londres, 1996.

« Puerto Rico, 1988-1992 », *Homines,* déc. 1992.

N. Sanchez (sous la dir. de), *The Military and Transition in Cuba,* The National Security Archive, Washington, mars 1995 / rapport commandé par le Pentagone.

M. Wucker, *Why the Cocks Fight : Dominicans, Haitians and the Struggle for Hispaniola,* Hill & Wang, New York, 1999 (à paraître).

par d'autres secteurs publics et marqué par la violence et le sabotage, a culminé dans une grève générale les 7 et 8 juillet, qui a paralysé cette île la plus riche de la région. Mais le gouvernement n'a pas cédé. Le principal acheteur de la compagnie (pour 2 milliards de dollars), la GTE (américaine), envisageait une réduction d'effectifs.

En mars 1998, la Chambre des représentants, à Washington, s'est prononcée en faveur de l'organisation d'un nouveau référendum sur le statut politique de l'île, actuellement État libre associé aux États-Unis. Le gouverneur Pedro Rosselló, qui prône son intégration comme État fédéré des États-Unis, a annoncé la tenue du scrutin pour décembre 1998.

L'opposition était pour maintenir le *statu quo*. La Cour suprême a toutefois déjà admis, en novembre 1997, l'existence de la citoyenneté portoricaine. En mars 1998, P. Rosselló a été accusé par une organisation régionale d'avoir entravé la liberté d'expression en coupant les recettes de la promotion publicitaire du gouvernement à un journal critique.

Des habitants de l'île dépendante de Vieques, centre d'entraînement militaire, se sont opposés, en mars 1998, à la construction d'un grand radar, dénonçant les risques accrus de cancer qui en découleraient.

République dominicaine

La scène politique dominicaine a été bouleversée, en mai 1998, par la mort de l'homme politique le plus populaire du pays, José Francisco Peña Gomez, chef du Parti révolutionnaire dominicain (PRD, social-démocrate). L'une des conséquences en a été, une semaine plus tard, la nette victoire de cette formation aux élections législatives : le PRD a remporté 83 des 149 sièges de députés et 24 des 30 sièges de sénateurs. Le Parti de la libération dominicaine (centriste, au pouvoir) a amélioré son score mais est resté minoritaire (avec seulement 53 des 179 sièges au Parlement), laissant au président Lionel Fernández peu de chances de gouverner librement. Bien qu'il ne soit plus l'« otage » de l'ancien président conservateur Joaquin Balaguer, dont la formation, le Parti réformiste social chrétien, a été le grand perdant du scrutin, son programme d'austérité et de réformes administratives et économiques (incluant des privatisations) a fait l'objet de l'opposition du PRD.

A plusieurs reprises, en 1997 et 1998, des révoltes ont éclaté contre les pénuries d'électricité, d'eau, les carences des transports et d'autres services publics, ainsi que pour protester contre la flambée des prix. Les forces de l'ordre ont riposté brutalement, faisant plusieurs morts. Le gouvernement a dû autoriser des importations alimentaires d'urgence.

Malgré une longue sécheresse, l'agriculture (sucre, café) a progressé en 1997. Le PIB s'est accru de 8,2 %. Le pays est resté la première destination touristique de la région, avec une hausse de recettes de 18 % en 1996. Un grand gisement d'or et d'argent a été découvert en 1998 dans la région frontalière avec Haïti. Le nombre d'emplois dans les 40 zones industrielles « franches » a progressé de 10 % en 1997.

Le président Fernández s'est rendu en Haïti, en juin 1998, dans le cadre de la première visite officielle d'un chef d'État dominicain à l'État voisin depuis soixante-deux ans.

République dominicaine

Capitale : Saint-Domingue.
Superficie : 48 730 km².
Nature du régime : présidentiel.
Chef de l'État et du gouvernement : Leonel Fernández, président (depuis le 16.8.96).
Vice-président : Jaime David Fernández Mirabal (depuis le 16.8.96).
Ministre des Affaires étrangères : Eduardo Latorre (depuis le 16.8.96).
Ministre des Forces armées : contre-amiral Rubén Paulins Alvarez (depuis le 1.11.96).
Monnaie : peso (au taux officiel, 1 peso = 0,39 FF au 30.5.98).
Langue : espagnol.

Turks et Caicos

Le trafic de la drogue pèse sur cet archipel, territoire dépendant du Royaume-Uni, qui vit aussi de la pêche, des activités financières *offshore* et du tourisme. En mars 1998, le gouvernement américain s'est dit « préoccupé » par la situation. Environ 2 600 clandestins haïtiens ont été rapatriés à partir de 1997. - **Greg Chamberlain** ■

Petites Antilles

Iles Vierges, Anguilla, St. Kitts et Nevis, Antigua et Barbuda, Montserrat, Guadeloupe, Dominique, Ste-Lucie, Martinique...

(Les îles sont présentées selon un ordre géographique en suivant l'arc qu'elles forment, du nord au sud, dans la mer des Caraïbes.)

Iles Vierges britanniques

Les autorités de ce grand paradis fiscal et centre touristique ont organisé, en mars 1998, une conférence internationale sur la lutte contre le blanchiment de l'argent sale. Le « ministre en chef » Ralph O'Neal, dont le gouvernement avait renforcé la législation en ce sens en septembre 1997, a félicité Londres pour son souci de prêter plus d'attention aux problèmes de ses dépendances. Le PIB a progressé de 4,5 % en 1997 et le nombre des compagnies étrangères enregistrées a augmenté de 25 %.

Iles Vierges américaines

A côté de l'industrie touristique toujours prospère dans ce territoire américain non incorporé, les deux grandes usines de l'île de Sainte-Croix vont revenir à la vie : il s'agit de la raffinerie d'aluminium, fermée depuis 1994, et de la raffinerie de pétrole Hess. Le chanteur Michael Jackson a déclaré envisager la construction d'un complexe-casino, également à Sainte-Croix. La police a par ailleurs démantelé, en octobre 1997, une grande organisation de trafic de drogue, d'armes et de blanchiment d'argent sale. Une grande enquête a été lancée en 1997 sur l'utilisation illicite de fonds fédéraux américains pour étayer des finances publiques erratiques.

Anguilla

Se plaignant de l'exercice maladroit de la tutelle britannique, Hubert Hughes, le « ministre en chef » de cette île semi-autonome, a exigé, en septembre 1997, le départ du gouverneur, Robert Harris, et a évoqué la corruption des fonctionnaires. Le PIB, reposant sur le tourisme et les services financiers, a progressé de 6,5 % en 1997. Selon l'opposition, ces propos pouvaient avoir pour conséquence de décourager les investisseurs. Des investisseurs américains vont construire une base de lancement de satellites sur l'îlet Sombrero.

St. Kitts et Nevis

La construction de plusieurs grands hôtels a commencé en 1998, preuve du dynamisme du secteur touristique qui, avec la

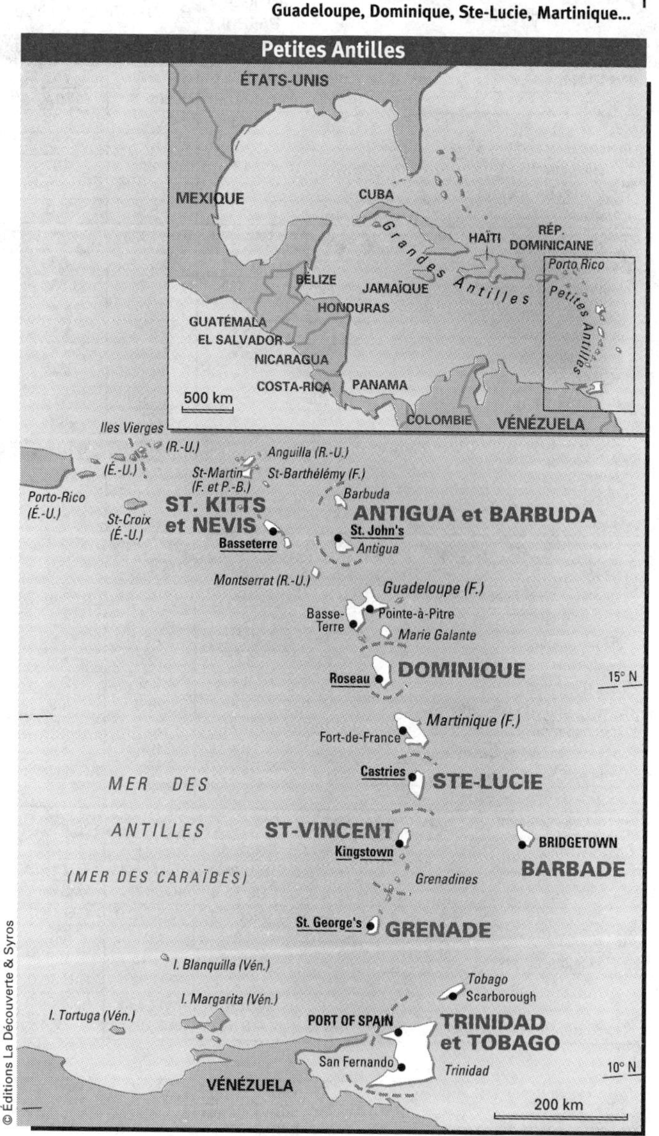
Petites Antilles
ÉTATS-UNIS
MEXIQUE
CUBA
Grandes Antilles
HAÏTI
RÉP. DOMINICAINE
Porto Rico
Petites Antilles
BÉLIZE
JAMAÏQUE
HONDURAS
GUATÉMALA
EL SALVADOR
NICARAGUA
COSTA-RICA
PANAMA
COLOMBIE
VÉNÉZUELA
500 km
Iles Vierges
(R.-U.)
(É.-U.)
Porto-Rico (É.-U.)
St-Croix (É.-U.)
Anguilla (R.-U.)
St-Martin (F. et P.-B.)
St-Barthélémy (F.)
Barbuda
ST. KITTS et NEVIS
Basseterre
ANTIGUA et BARBUDA
St. John's
Antigua
Montserrat (R.-U.)
Guadeloupe (F.)
Basse-Terre
Pointe-à-Pitre
Marie Galante
DOMINIQUE
Roseau
15° N
Martinique (F.)
Fort-de-France
Castries
STE-LUCIE
MER DES ANTILLES
(MER DES CARAÏBES)
ST-VINCENT
Kingstown
BRIDGETOWN
BARBADE
Grenadines
St. George's
GRENADE
I. Blanquilla (Vén.)
Tobago
Scarborough
I. Margarita (Vén.)
I. Tortuga (Vén.)
PORT OF SPAIN
TRINIDAD et TOBAGO
San Fernando
Trinidad
10° N
VÉNÉZUELA
200 km

INDICATEUR*	UNITÉ	ANTIGUA ET BARBUDA	BARBADE	DOMINIQUE
Démographie**				
Population	*millier*	77	262	75
Densité	*hab./km²*	174,2	609,3	170,7
Croissance annuelle[d]	%	0,6	0,3	0,1
Indice de fécondité (ISF)[d]		1,7	1,7	2,2
Mortalité infantile[d]	‰	17	9	16
Espérance de vie[d]	*année*	75,5	76,2	74,0
Population urbaine	%	36,2	48,4	70,0
Indicateurs socioculturels				
Développement humain (IDH)[c]		0,892	0,907	0,873
Nombre de médecins	*‰ hab.*	1,58[b]	1,14[p]	0,53[m]
Analphabétisme (hommes)[b]	%	••	2,0	••
Analphabétisme (femmes)[b]	%	••	3,2	••
Scolarisation 12-17 ans	%	••	74,3[m]	••
Scolarisation 3e degré	%	••	28,1[c]	••
Adresses Internet	*‰ hab.*	••	••	••
Livres publiés	*titre*	••	77[p]	20[p]
Armées				
Armée de terre	*millier d'h.*	0,125	0,5	••
Marine	*millier d'h.*	0,025	0,11	••
Aviation	*millier d'h.*	–	–	••
Économie				
PIB total[ae]	*million $*	569	2 778	323
Croissance annuelle 1986-96	%	3,5	0,9	3,4
Croissance 1997	%	3,3	4,3	2,5
PIB par habitant[ae]	*$*	8 660	10 510	4 390
Investissement (FBCF)[f]	*% PIB*	32,0	12,0	••
Taux d'inflation	%	1,2	3,6	2,2
Énergie (taux de couverture)[b]	%	••	28,0	4,9
Dépense publique Éducation	*% PIB*	••	7,2[c]	5,8[h]
Dépense publique Défense[a]	*% PIB*	0,8	0,7	••
Dette extérieure totale[a]	*million $*	••	581	111
Service de la dette/Export.[f]	%	••	8	6
Échanges extérieurs				
Importations	*million $*	321[a]	987	122
Principaux fournisseurs[a]	%	E-U 28,1	E-U 56,1	E-U 16,5
	%	UE 35,8	UE 17,0	AmL 43,7
	%	AmL 8,4	AmL 13,0	Chi 16,0
Exportations	*million $*	53[a]	281	53
Principaux clients[a]	%	E-U 15,4	E-U 16,7	E-U 8,9
	%	UE 22,6	R-U 39,1	R-U 30,0
	%	AmL 43,4	AmL 33,9	AmL 36,7
Solde transactions courantes	*% PIB*	– 8,48[a]	6,12[a]	– 12,4[a]

* Définition des indicateurs p. 25 et suiv. Chiffres 1997 sauf notes. ** Derniers recensements utilisables : Antigua et Barbuda, 1991 ; Barbade, 1990 ; Dominique, 1991 ; Grenade, 1981 ; Guadeloupe, 1990 ; Martinique, 1990 ; Sainte-Lucie, 1991 ; St-Vincent et les Grenad., 1991 ; Trinidad et Tob., 1990. a. 1996 ; b. 1995 ; c. 1994 ;

GRENADE	GUADE-LOUPE	MARTINIQUE	SAINTE-LUCIE	ST-VINCENT ET GREN.	TRINIDAD ET ET TOBAGO
96	437	388	158	113	1 308
279,4	245,5	352,7	254,6	290,0	255,0
0,59	1,5	1,0	0,59	0,69	0,8
3,0	2,1	2,0	3,8	3,9	2,1
24	8	7	16	16	12
71,7	75,5	77,0	70,4	72,9	72,8
36,6	99,5	93,9	37,4	50,8	72,7
0,843	••	••	0,838	0,836	0,880
0,57[g]	1,67[a]	1,85[a]	0,54[g]	0,38[g]	0,66[g]
••	••	••	••	••	1,2
••	••	••	••	••	3,0
••	••	••	••	••	65,3[m]
••	••	••	••	••	7,7[b]
••	••	••	••	••	3,24
••	••	••	63[c]	••	26[g]
••	–	–	••	} 0,05	1,4
••	–	–	••		0,7
••	–	–	••		–
430	3 557[cn]	4 414[cn]	777	465	7 900
3,7	5,2[o]	6,7[o]	4,7	4,6	– 0,1
3,6	••	••	3,5	5,0	4,1
4 348	8 736[cn]	11 689[cn]	4 920	4 160	6 100
36,0	••	••	20,8	29,4	15,5
0,5	••	••	3,0	0,8	3,9
••	••	••	••	4,8	181,5
4,7[gi]	14,6[g]	12,4[g]	5,2[q]	6,7[p]	4,5[c]
••	••	••	••	••	1,6[a]
120	••	••	142	213	2 242
6	••	••	3	9	17
124	1 957[a]	1 969[a]	221[a]	175	2 823
E-U 37,1	Fra 40,9	UE 81,1	E-U 41,8	E-U 28,1	E-U 40,5
UE 21,0	AmL 6,0	Fra 69,8	UE 23,1	UE 19,1	UE 23,1
AmL 24,8	PNS[k] 43,8	AmL 6,9	AmL 25,8	AmL 27,0	AmL 21,1
20	109[a]	212[a]	126[a]	46	2 612
E-U 11,8	Fra 59,6	UE 60,2	E-U 16,6	UE 43,4	E-U 40,2
Fra 32,4	AmL 27,5	Fra 39,4	UE 64,2	R-U 28,3	UE 9,8
AmL 29,4	Mart 22,0	Guad 30,3	AmL 17,5	AmL 32,1	AmL 45,9
– 20,33[a]	••	••	– 14,51[a]	– 13,34[a]	5,72[b]

d. 1995-2000 ; e. A parité de pouvoir d'achat (PPA, voir définition p. 581), f. 1994-96 ; g. 1993 ; h. 1989 ; i. Dépenses courantes seulement ; k. Pays non spécifiés ; m. 1991 ; n. Aux taux de change courants ; o. 1984-94 ; p. 1990 ; q. 1992.

canne à sucre (+ 53 % en 1997) et les services financiers, fait vivre le pays. Le gouvernement a lancé en juillet 1997 une longue enquête publique sur la corruption supposée de son prédécesseur, mais l'ancien Premier ministre Kennedy Simmonds a refusé de coopérer. Le PIB a progressé de 3 % en 1997. Les exécutions par pendaison des condamnés à mort ont repris en juillet 1998 ; cela n'avait plus eu lieu depuis dix-sept ans. Le Parlement de Nevis a voté en octobre 1997 en faveur de l'indépendance de l'île, première étape vers son éventuel départ de la fédération qui l'unit à St. Kitts.

Fédération de St. Kitts et Nevis (Saint-Christophe-et-Niévès)

Capitale : Basseterre.
Superficie : 267 km².
Nature du régime : parlementaire.
Chef de l'État (nominal) : reine Elizabeth II, représentée par un gouverneur, Dr. Cuthbert Montroville Sebastian (depuis janv. 96).
Chef du gouvernement : Denzil Douglas, Premier ministre, ministre des Affaires étrangères, des Finances et de la Sécurité nationale (depuis le 4.7.95).
Vice-premier ministre et ministre du Commerce et de l'Industrie : Sam Condor (depuis le 4.7.95).
Premier ministre de Nevis : Vance Amory (depuis le 1.6.92).
Monnaie : dollar des Caraïbes orientales (au taux officiel, 1 dollar EC = 2,21 FF au 30.5.98).
Langues : anglais, créole.

Antigua et Barbuda

Les opposants à la famille Bird (au pouvoir depuis presque cinquante ans) ont perdu en avril 1998 une bataille légale pour bloquer un vaste projet touristique (300 millions de dollars) qui, selon eux, nuirait à l'environnement et porterait atteinte à la souveraineté du pays. De nombreuses affaires de corruption et de drogue ont encore terni l'image du gouvernement. Les États-Unis ont déploré l'absence de contrôle face au blanchiment de l'argent sale. Le PIB a augmenté de 3,3 % en 1997.

Antigua et Barbuda

Capitale : St. John's.
Superficie : 442 km².
Nature du régime : parlementaire.
Chef de l'État (nominal) : reine Elizabeth II, représentée par un gouverneur, Sir James Carlisle (depuis juin 93).
Chef du gouvernement : Lester Bird, Premier ministre et ministre des Affaires étrangères (depuis le 9.2.94).
Ministre des Finances : John St. Luce (depuis le 22.9.96).
Ministre de l'Intérieur : Adolphus Freeland (depuis le 14.5.96).
Monnaie : dollar des Caraïbes orientales (au taux officiel, 1 dollar EC = 2,21 FF au 30.5.98).
Langue : anglais.

Montserrat

Après les dernières éruptions du volcan Soufrière Hills, qui ont dévasté, à l'été 1997, une partie de l'île, les 3 200 habitants qui n'ont pas fui se sont retranchés dans le tiers septentrional de ce territoire britannique autonome. Plusieurs villages ont été ensevelis en juin 1997, faisant dix-neuf morts, l'aéroport a été partiellement détruit et la capitale, Plymouth, dévastée (août 1997). Des protestations contre la lenteur des aides britanniques (97 millions de dollars depuis le début des éruptions en 1995) et la politique confuse du gouvernement local et de Londres ont provoqué la chute du « ministre en chef » Bertrand Osborne, remplacé le

21 août 1997 par David Brandt. Ce dernier a prôné la reconstruction de l'économie à partir du Nord.

Guadeloupe

Malgré les suspicions de corruption et de fraude qui pesaient sur elle, la sénateur Lucette Michaux-Chevry (RPR – Rassemblement pour la République) a été réélue présidente du conseil régional de ce département français d'outre-mer (DOM), dans le sillage du renforcement de la droite aux élections de mars 1998. Elle était menacée, début 1998, d'une levée de son immunité parlementaire pour avoir refusé de répondre aux convocations de la justice.

Des grèves autour des questions salariales ont sérieusement perturbé l'important secteur de la banane à partir de décembre 1997. En avril 1998, les petits planteurs ont empêché pendant une semaine toute exportation de bananes à partir du port de Pointe-à-Pitre. Ils ont exigé et obtenu que les grands planteurs de l'île, qui contrôlent le commerce extérieur, suppriment de multiples taxes abusives et leur paient des indemnités. Le 150e anniversaire de l'abolition de l'esclavage en Guadeloupe et en Martinique, départements français depuis 1945, a été célébré le 27 avril 1998.

Dominique

Le gouvernement a renforcé, en 1997, le secteur financier *offshore*, qui comprend déjà des casinos sur Internet, « domiciliés » dans l'île, et la vente de passeports aux étrangers qui s'engagent à y investir (« citoyenneté économique »). Il veut faire de l'île le premier « centre mondial » du genre. La production des bananes a chuté de 13 % en 1997, tandis que le tourisme progressait. Certains craignaient toutefois que la profusion des bateaux de croisière ne menace l'« écotourisme ».

Commonwealth de la Dominique

Capitale : Roseau.
Superficie : 750 km^2.
Nature du régime : parlementaire.
Chef de l'État : Crispin Sorhaindo (président, depuis oct. 93).
Chef du gouvernement : Edison James, Premier ministre et ministre des Affaires étrangères (depuis le 14.6.95).
Ministre des Finances : Julius Timothy (depuis le 16.6.95).
Monnaie : dollar des Caraïbes orientales (au taux officiel, 1 dollar EC = 2,21 FF au 30.5.98).
Langues : anglais, créole.

Martinique

Profitant des difficultés économiques de ce département français d'outre-mer (DOM), où le taux de chômage était de 29 % en 1997, le Mouvement indépendantiste martiniquais (MIM) a été le grand gagnant des élections régionales de mars 1998, passant de 9 à 13 sièges (sur les 41 disponibles). Son leader, le charismatique député Alfred Marie-Jeanne (siégeant déjà à l'Assemblée nationale depuis juin 1997), a été élu président du conseil régional. Aux élections pour le conseil général, qui se tenaient aux mêmes dates, la gauche a progressé. Au Lamentin, le maire Pierre Samot et ses partisans, en dissidence avec le Parti communiste (PCM), ont réussi un coup de force, en mai 1998 : après avoir démissionné pour provoquer de nouvelles élections, ils ont remporté celles-ci haut la main, tandis que le PCM s'abstenait.

En février 1998, un conflit entre deux entreprises de transports en commun a dégénéré en violences et pillages à Fort-de-France. La première récolte au monde de bananes clonées a eu lieu en février 1998, ce qui pourrait faire baisser le coût de la production.

Sainte-Lucie

Le Premier ministre Kenny Anthony a entamé fin 1997 la réforme de l'importante industrie bananière, dont la production était tombée d'un tiers au cours de l'année. Il s'est prononcé également contre de nouveaux grands hôtels « intégrés » (qui isolent leurs clients des autochtones), au motif qu'ils profitent trop peu à l'économie locale. Les activités du secteur touristique ont progressé de 5 % en 1997. L'ancien Premier ministre John Compton a repris, en juin 1998, la tête de la principale formation d'opposition, le Parti uni des ouvriers (UWP).

Sainte-Lucie

Capitale : Castries.
Superficie : 620 km².
Nature du régime : parlementaire.
Chef de l'État (nominal) : reine Elizabeth II, représentée par un gouverneur, Perlette Louisy, qui a succédé le 17.9.97 à Sir George Mallet.
Chef du gouvernement : Kenny Anthony, Premier ministre et ministre des Finances, qui a succédé le 24.5.97 à Vaughan Lewis.
Premier ministre adjoint et ministre de l'Éducation : Mario Michel (depuis le 24.5.97).
Ministre des Affaires étrangères : George Odlum (depuis le 24.5.97).
Monnaie : dollar des Caraïbes orientales (au taux officiel, 1 dollar EC = 2,21 FF au 30.5.98).
Langues : anglais, créole.

Saint-Vincent et les Grenadines

Le Premier ministre Sir James Mitchell (au pouvoir depuis 1984) a remporté de justesse sa quatrième victoire électorale successive, le 15 juin 1998. Le Parti travailliste unifié (ULP, opposition), profitant des scandales qui ont entaché le gouvernement, a gagné 9,3 % de suffrages de plus que le parti de J. Mitchell. Mais, en vertu du système électoral en vigueur, cela ne lui a valu que sept sièges au Parlement contre huit à la formation du Premier ministre. Le PIB – essentiellement la banane, le tourisme et des services financiers – a progressé de 5 % en 1997, malgré une chute de 23 % de la production bananière.

Saint Vincent et les Grenadines

Capitale : Kingstown.
Superficie : 388 km².
Nature du régime : parlementaire.
Chef de l'État (nominal) : reine Elizabeth II, représentée par un gouverneur, Sir David Jack (depuis sept. 89).
Chef du gouvernement : Sir James Mitchell, Premier ministre (depuis le 26.7.84).
Ministre des Finances : Arnhim Eustace (depuis le 18.6.98).
Ministre des Affaires étrangères et du tourisme : Allen Cruickshank (depuis le 5.1.98).
Monnaie : dollar des Caraïbes orientales (au taux officiel, 1 dollar EC = 2,21 FF au 30.5.98).
Langue : anglais.

Barbade

Le tourisme, premier secteur de l'économie, a progressé de 5,6 % en 1997 pour atteindre un niveau record, avec des recettes s'élevant à 700 millions de dollars É-U. La baisse d'un tiers du nombre des visiteurs américains a été compensée par la hausse de ceux venant de l'Europe. Le PIB s'est accru de 4,3 % en 1997 (production de la canne à sucre en hausse de 9,3 %).

Barbade

Capitale : Bridgetown.
Superficie : 430 km².
Nature du régime : parlementaire.
Chef de l'État (nominal) : reine Elizabeth II, représentée par un gouverneur, Sir Clifford Husbands (depuis juin 96).
Chef du gouvernement : Owen Arthur, Premier ministre et ministre des Finances (depuis le 7.9.94).
Vice-premier ministre, ministre des Affaires étrangères et du Tourisme : Billie Miller (depuis le 7.9.94 et depuis le 5.6.95 pour le Tourisme).
Monnaie : dollar de la Barbade (au taux officiel, 1 dollar = 2,99 FF au 30.5.98).
Langue : anglais.

Le Premier ministre Owen Arthur a lancé une initiative, début 1998, pour fédérer son pays aux autres petites îles de la région.

Grenade

Le gouvernement a presque doublé, en 1998, le budget de promotion pour le tourisme, activité la plus importante de l'île mais plongée dans le marasme depuis 1995. L'agriculture (notamment le cacao, la noix de muscade et la banane) a accusé une baisse, mais le secteur de la construction a fait preuve de dynamisme. Le PIB a progressé de plus de 3,6 % en 1997. L'ancien Premier ministre Sir Eric Gairy, qui a dominé la vie politique de l'archipel pendant quarante ans, est mort en août 1997. Un tiers de l'électorat, des paysans, était fidèle à sa personne.

Grenade

Capitale : St.George's.
Superficie : 344 km².
Nature du régime : parlementaire.
Chef de l'État (nominal) : reine Elizabeth II, représentée par un gouverneur, Daniel Williams (depuis août 96).
Chef du gouvernement : Keith Mitchell, Premier ministre, ministre des Finances et de la Sécurité nationale (depuis le 22.6.95).
Ministre des Affaires étrangères et des Affaires légales : Raphael Fletcher (depuis le 5.1.98).
Monnaie : dollar des Caraïbes orientales (au taux officiel, 1 dollar EC = 2,21 FF au 30.5.98).
Langue : anglais.

Trinidad et Tobago

La compagnie pétrolière Amoco a annoncé, fin 1997, la découverte de réserves de gaz *offshore* sans précédent (85 milliards de mètres cubes). En janvier 1998, elle a trouvé son plus grand champ de pétrole (jusqu'à 70 millions de barils) depuis vingt-cinq ans. Mais le cours mondial du pétrole s'est effondré début 1998, et le gouvernement a dû réviser à la baisse son budget calculé sur la base d'un prix trop optimiste. Le PIB, auquel le secteur de l'énergie contribue à hauteur de 25 %, a progressé de 4,1 % en 1997, mais l'industrie sucrière, peu pro-

Trinidad et Tobago

Capitale : Port of Spain.
Superficie : 5 130 km².
Nature du régime : parlementaire.
Chef de l'État (nominal) : A. N. R. Robinson, président, qui a succédé, le 18.3.97, à Noor Mohammed Hassanali.
Chef du gouvernement : Basdeo Panday, Premier ministre (depuis le 9.11.95).
Ministre des Affaires étrangères : Ralph Maraj (depuis le 9.11.95).
Ministre des Finances : Brian Kuei Tung (depuis le 9.11.95).
Monnaie : dollar de Trinidad et Tobago (au taux officiel, 1 dollar = 0,95 FF au 30.5.98).
Langues : anglais, hindi.

Petites Antilles/Bibliographie

N. Armand, *Histoire de la Martinique*, L'Harmattan, Paris, 1996.

G. Belorgey, G. Bertrand, *Les DOM-TOM*, La Découverte, coll. « Repères », Paris, 1994.

Caribbean Insight (mensuel), 8 Northumberland St, London WC2N 5RA.

Caribbean Islands Handbook, Trade and Travel Publications, Bath (R-U), 1996.

G. Drower, *Britain's Dependent Territories*, Dartmouth Publishing Co, Aldershot (R-U), 1992.

J.-C. Giacottino, « Guyane, Guadeloupe, Martinique », *in L'état de la France 98-99*, La Découverte, coll. « L'état du monde », Paris, 1998.

H. Godard, *Les Outre-Mers, in* T. Saint-Julien (sous la dir. de), *Atlas de France*, vol. XIII, Reclus/La Documentation française, Montpellier/Paris, 1998.

D.-C. Martin (avec F. Constant), *Les Démocraties antillaises en crise*, Karthala, Paris, 1996.

G. Oostindie, « The Dutch Caribbean in the 1990s : decolonization, recolonization », *Annales des pays d'Amérique latine et des Caraïbes*, n° 11-12, IEP/CREALC, Aix-en-Provence, 1993.

J. H. Parry, P. Sherlock, A. Maingot, *A Short History of the West Indies*, Macmillan, Londres, 1987.

P. Pattullo, *Last Resorts : the Cost of Tourism in the Caribbean*, Cassell/Latin America Bureau, Londres, 1996.

F. Taglione, *Géopolitique des Petites Antilles*, Karthala, Paris, 1995.

ductive, reste en déclin. La construction de deux raffineries d'aluminium a commencé en 1998. Un salaire minimum de 1,15 dollar É-U par heure a été introduit en avril 1998.

Le Premier ministre Basdeo Panday a continué de faire pression sur les médias. Pour recommencer à exécuter par pendaison des condamnés à mort, le pays s'est retiré en mai 1998 de deux conventions internationales des droits humains.

Antilles néerlandaises et Aruba

Suzy Camelia-Römer (Parti national du peuple) est devenue Premier ministre à la tête d'un gouvernement de coalition, après l'échec, aux élections du 30 janvier, du Premier ministre sortant Miguel Pourier. Ce scrutin a été caractérisé par une poussée des partis de gauche. M. Pourier avait mené quatre ans durant une politique d'austérité qui a abouti en 1997 à une baisse de 2 % du PIB. L'économie repose sur le secteur financier (250 milliards de dollars É-U), le raffinage du pétrole et le tourisme.

Le gouvernement de l'île autonome d'Aruba s'est divisé en septembre 1997 à cause des scandales relatifs à la corruption et au trafic de drogue centrés sur les Mansur, la famille la plus riche du pays, dont plusieurs membres ont été extradés aux États-Unis en mai 1998. Mais les élections du 12 décembre ont abouti à un Parlement identique et, après de longues négociations, la coalition menée par le Premier ministre Henny Eman a été reconduite au pouvoir le 17 juin 1998. - **Greg Chamberlain** ■

Vénézuela, Guyanes

Guyana, Guyane française, Suriname, Vénézuela

Guyana

Il a fallu l'intervention des médiateurs régionaux pour éviter le déchirement du pays selon ses vieilles divisions raciales à la suite de l'élection à la Présidence, le 15 décembre 1997, de Janet Jagan, leader du Parti progressiste du peuple (PPP) depuis la mort de son mari Cheddi (président de 1992 à 1997). Cette formation est un bastion de la communauté majoritaire indienne. Un accord avait été conclu entre le PPP et le Congrès national du peuple (PNC, parti « afro-guyanais ») – selon lequel le scrutin avait été l'objet de fraudes –, prévoyant le contrôle des résultats de l'élection, une réforme constitutionnelle et un nouveau scrutin dans trois ans. Il a tourné court et de nouvelles émeutes ont éclaté en juin 1998. La Caricom (Communauté des Caraïbes), qui venait de certifier la validité de l'élection, a contraint le PNC à céder et à cesser son boycottage du nouveau Parlement, où il détient 25 des 65 sièges.

La forte sécheresse qui a commencé en septembre 1997 a gravement perturbé l'agriculture (25 % du PIB), entraînant des pertes de bétail et de grands incendies. Le repiquage du riz a été réduit d'un tiers et une baisse de 7 % de la production de sucre était prévue pour 1998. Le PIB a quand même progressé de 6,1 % en 1997, reflétant les bons résultats obtenus dans les secteurs forestier, de la pêche et des mines, malgré la forte baisse du prix de l'or, principale exportation du pays. En décembre 1997, les bailleurs de fonds étrangers ont accepté de réduire la dette nationale d'environ 500 millions de dollars É-U.

République de Guyana

Capitale : Georgetown.
Superficie : 214 970 km².
Nature du régime : présidentiel.
Chef de l'État : Janet Jagan, présidente, qui a succédé le 19.12.97 à Samuel Hinds.
Vice-président et ministre des Finances : Bharrat Jagdes (respectivement depuis le 22.12.97 et le 18.5.95).
Chef du gouvernement : Samuel Hinds, Premier ministre et ministre de l'Intérieur, qui a succédé, le 22.12.97 à Janet Jagan.
Ministre des Affaires étrangères : Clement Rohee (depuis nov. 92).
Monnaie : dollar de Guyana (au taux officiel, 100 dollars = 3,92 FF au 30.3.98).
Langue : anglais.

Guyane française

Une députée de ce département français d'outre-mer (DOM), Christiane Taubira-Delannon, a dénoncé, en avril 1998, la politique « scandaleuse » de la France en matière de peuplement, dont le « déséquili-

INDICATEUR*	GUYANA	GUYANE FRANÇAISE	SURINAME	VÉNÉZUELA
Démographie**				
Population *(millier)*	847	164	437	22 777
Densité *(hab./km²)*	3,9	1,8	2,7	25,0
Croissance annuelle[d] *(%)*	1,0	4,6[m]	1,2	2,0
Indice de fécondité (ISF)[d]	2,3	3,5[k]	2,4	3,0
Mortalité infantile[d] *(‰)*	58	17,2[b]	24	21
Espérance de vie[d] *(année)*	64,5	72,5[k]	71,5	72,9
Population urbaine *(%)*	36,5	76,5[b]	50,3	86,4
Indicateurs socioculturels				
Développement humain (IDH)[c]	0,649	••	0,792	0,861
Nombre de médecins *(‰ hab.)*	0,11[h]	1,35[a]	0,76[h]	1,94[h]
Analphabétisme (hommes)[b] *(%)*	1,4	••	4,9	8,2
Analphabétisme (femmes)[b] *(%)*	2,5	••	9,0	9,7
Scolarisation 12-17 ans *(%)*	70,5[k]	••	77,1[k]	59,8[g]
Scolarisation 3e degré *(%)*	8,8[c]	••	9,2[k]	28,5[g]
Adresses Internet *(‰ hab.)*	••	••	••	2,06
Livres publiés *(titre)*	33[c]	••	••	3 660[c]
Armées				
Armée de terre *(millier d'h.)*	1,4	–	1,4	34
Marine *(millier d'h.)*	0,02	–	0,24	15
Aviation *(millier d'h.)*	0,1	–	0,16	7
Économie				
PIB total[ae] *(million $)*	1 912	1 483[cn]	1 136	181 400
Croissance annuelle 1986-96 *(%)*	2,7	14,9[o]	2,5	1,6
Croissance 1997 *(%)*	6,1	••	5,6	5,1
PIB par habitant[ae] *($)*	2 280	10 140[cn]	2 630	8 130
Investissement (FBCF)[f] *(% PIB)*	28,1	••	••	15,1
Taux d'inflation *(%)*	3,6	••	18,5	37,6
Énergie (taux de couverture)[b] *(%)*	0,2	••	65,6	291,5
Dépense publique Éducation *(% PIB)*	4,1[b]	10,7[h]	3,5[h]	5,2[c]
Dépense publique Défense[a] *(% PIB)*	1,0	••	3,5	1,2
Dette extérieure totale[a] *(million $)*	1 631	••	60[k]	35 344
Service de la dette/Export.[f] *(%)*	16	••	••	20
Échanges extérieurs				
Importations *(million $)*	605	1 137[i]	546	10 909
Principaux fournisseurs[a] *(%)*	E-U 21,8	E-U 29,1	E-U 42,6	E-U 43,8
(%)	UE 53,4	UE 54,4	UE 24,5	UE 20,2
(%)	AmL 16,0	AmL 6,4	AmL 22,3	AmL 23,3
Exportations *(million $)*	596	101[i]	519	23 070
Principaux clients[a] *(%)*	E-U 20,6	E-U 4,0[i]	E-U 18,8	E-U 53,9
(%)	Can 26,2	UE 69,3[i]	UE 29,9	UE 7,6
(%)	UE 35,7	AmL 25,7[i]	Nor 24,1	AmL 32,1
Solde transactions courantes *(% PIB)*	– 21,72[b]	••	21,78[b]	9,12

* Définition des indicateurs p. 25 et suiv. Chiffres 1997 sauf notes. ** Derniers recensements utilisables : Guyana, 1980 ; Guyane française, 1990 ; Suriname, 1980 ; Vénézuela, 1990. a. 1996 ; b. 1995 ; c. 1994 ; d. 1995-2000 ; e. A parité de pouvoir d'achat (PPA, voir définition p. 581) ; f. 1994-96 ; g. 1991 ; h. 1993 ; i. Commerce avec la France métropolitaine non compris ; k. 1990 ; m. 1990-96 ; n. Aux taux de change courants ; o. 1984-94.

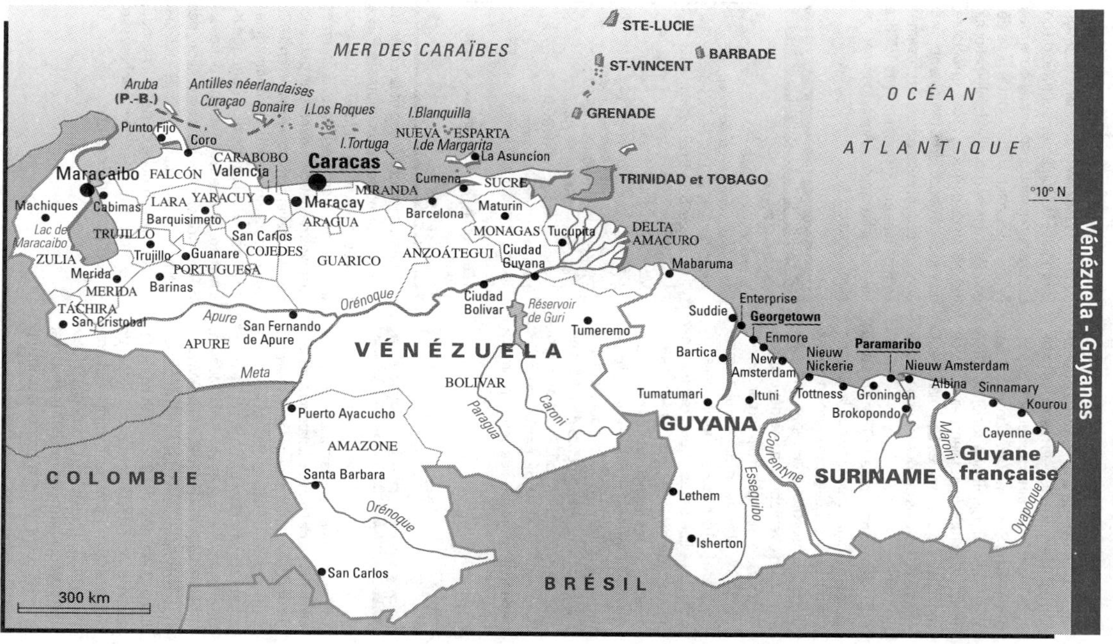

Vénézuela - Guyanes
MER DES CARAÏBES
OCÉAN
ATLANTIQUE
10° N
STE-LUCIE
BARBADE
ST-VINCENT
GRENADE
TRINIDAD et TOBAGO
Aruba
(P.-B.)
Antilles néerlandaises
Curaçao
Bonaire
I.Los Roques
I.Blanquilla
I.Tortuga
NUEVA ESPARTA
I.de Margarita
La Asuncion
Punto Fijo
Coro
CARABOBO
Valencia
Caracas
Maracaibo
FALCÓN
MIRANDA
Cumena
SUCRE
Machiques
Cabimas
LARA
YARACUY
Maracay
Barcelona
Maturin
Lac de Maracaibo
Barquisimeto
ARAGUA
MONAGAS
Tucupita
DELTA AMACURO
TRUJILLO
San Carlos
ZULIA
Trujillo
Guanare
COJEDES
GUARICO
ANZOÁTEGUI
Ciudad Guyana
Merida
PORTUGUESA
MERIDA
Barinas
Mabaruma
Orénoque
Ciudad Bolivar
Réservoir de Guri
TÁCHIRA
San Cristobal
Apure
San Fernando de Apure
Tumeremo
Suddie
Enterprise
Georgetown
APURE
Enmore
VÉNÉZUELA
Bartica
New Amsterdam
Nieuw Nickerie
Paramaribo
Nieuw Amsterdam
Meta
BOLIVAR
Albina
Sinnamary
Tumatumari
Ituni
Tottness
Groningen
Kourou
Puerto Ayacucho
Paragua
Caroni
Brokopondo
GUYANA
Maroni
Cayenne
AMAZONE
Guyane française
COLOMBIE
Courentyne
SURINAME
Santa Barbara
Lethem
Esséquibo
Orénoque
Oyapoque
Isherton
San Carlos
BRÉSIL
300 km

bre » s'apparenterait en Guyane à un « génocide ». Moins de la moitié de la population est née guyanaise, le reste des habitants étant originaires surtout du Brésil, d'Haïti et du Suriname (avec un tiers d'illégaux). Elle craignait une répétition des émeutes de 1996 (qui étaient parties d'une contestation lycéenne), les Guyanais étant, selon elle, « exclus de tous les espaces de pouvoir ».

En visite en novembre 1997, le président Jacques Chirac a reconnu que la Guyane « souffr[ait] » et que la colonisation n'avait jamais vraiment profité au département. Il a promis un « véritable plan de développement ». Selon un rapport officiel paru en octobre 1997, il existe en Guyane une « crise identitaire [...] culturelle [...] et de confiance politique » liée à des structures économiques déformées. En février 1998, presque toutes les communes rurales ont été déclarées « territoires de développement prioritaire ». Le budget pour les infrastructures a été augmenté d'un tiers en 1998. Aux élections pour le conseil régional en mars 1998, trois partisans de l'indépendance ont été élus pour la première fois.

Suriname

Le gouvernement de coalition dirigé par les partisans de l'ancien dictateur Desi Bouterse a dû se battre pour garder sa majorité parlementaire. Celle-ci était devenue très étroite après la destitution, en août 1997, du ministre des Finances Motilal Mungra, qui avait accusé le président Jules Wijdenbosch de dilapidation des fonds publics. Il l'a perdue en février 1998, à la suite de défections, pour la regagner en mars (pour un seul siège), le Parlement restant toutefois paralysé. D'importantes grèves dans la fonction publique, en octobre 1997 et en avril et mai 1998, ont reflété le marasme ambiant.

Le lancement, à la mi-1997, d'un mandat d'arrêt international à l'initiative des Pays-Bas contre D. Bouterse pour trafic de cocaïne a de nouveau crispé les relations avec l'ancien pouvoir colonial, dont le pays dépend lourdement pour l'aide internationale (65 millions de dollars en 1997). En octobre, un supposé coup d'État militaire qui avait échoué, et dont quinze auteurs présumés sont passés en jugement en avril 1998, a été mis sur le compte d'Amsterdam par l'ancien dictateur.

République du Suriname

Capitale : Paramaribo.
Superficie : 163 270 km^2.
Nature du régime : présidentiel.
Chef de l'État et du gouvernement : Jules Wijdenbosch, président (depuis le 14.9.96).
Vice-président : Pretaap Radhakishun (depuis le 14.9.96).
Ministre des Affaires étrangères : Errol Snijders (depuis le 11.9.97).
Ministre de l'Intérieur : Sonny Kertowidjodjo (depuis le 20.9.96).
Monnaie : florin du Suriname (au cours officiel, 100 florins = 1,49 FF au 30.5.98).
Langues : néerlandais, anglais, sranan tongo.

Malgré la sécheresse et la chute du prix de l'or et de l'aluminium, le PIB a progressé de 5,6 % en 1997 (16 % pour le seul secteur minier). Avec d'énormes réserves de pétrole *offshore* en perspective, le gouvernement a entamé en 1998 des négociations avec des compagnies étrangères. A la suite du limogeage du « numéro un » de la compagnie pétrolière d'État, opposé à cette privatisation, des grèves ont éclaté dans différents secteurs. Un tiers de la récolte de riz était perdue, début 1998, à cause de la sécheresse.
- **Greg Chamberlain** ■

Vénézuela

La chute des prix du baril de pétrole, à la fin de l'hiver 1998, a considérablement affaibli l'économie, soumise à un traitement de choc néolibéral à partir de la mi-1996, au moment de la mise en place de l'Agenda Vénézuela élaboré par les collaborateurs du président Rafael Caldera et les experts du FMI. Caracas a bien tenté, en mars 1998, d'allumer des contre-feux en prenant l'initiative d'un sommet extraordinaire de l'OPEP (Organisation des pays exportateurs de pétrole) ; le Vénézuela, numéro deux du cartel derrière l'Arabie saoudite, était déjà prêt à réduire sa production à 3 100 000 barils/jour. Mais les cours du brut n'ont pas connu la remontée espérée et le budget du pays a dû être revu à la baisse (– 11 %), démontrant une fois de plus l'étroite subordination des finances locales aux ressources engendrées par l'or noir.

La poursuite de l'ouverture pétrolière en apportait une nouvelle preuve : en juillet 1997, PDVSA (Compagnie nationale des pétroles vénézuéliens), l'État donc, a encaissé quelque 2,5 milliards de dollars en échange de la concession de plusieurs dizaines de champs pétrolifères à des sociétés étrangères. Ce retour en force des majors américaines et européennes a été au demeurant diversement apprécié par la classe politique, qui a dénoncé, dans cette vente d'une partie des « bijoux de famille », un maquillage du fiasco économique.

De fait, les résultats macroéconomiques faisaient assez pâle figure face aux mirobolantes prévisions annoncées par le ministre du Plan, l'ex-guérillero Teodoro Petkoff, et le nouveau titulaire du portefeuille des Finances, Freddy Rojas Parra, un ancien président du syndicat patronal (lequel devait démissionner en juillet 1998 pour être remplacé par Maritza Izaguirre, jusque-là haut fonctionnaire international). C'est ainsi que l'inflation, pour l'année 1997, aura tourné autour de 40 %, demeurant parmi les plus fortes d'Amérique latine ; le PIB s'est péniblement élevé (5,1 %), loin du niveau de croissance record envisagé ; le bolivar a continué de se déprécier (– 25 % entre mars 1997 et mars 1998), cependant que les réserves de la Banque centrale étaient écornées (moins de 15 milliards de dollars au printemps 1998), conséquence directe d'une spéculation galopante. Et ce malgré l'encaissement entre la fin 1997 et avril 1998 d'un nouveau bonus de 1,5 milliard de dollars, fruit des privatisations : celles d'une partie de l'industrie hôtelière, de 40 % de la CANTV (compagnie du téléphone) et d'usines sidérurgiques. Ces privatisations, qui constituaient l'une des clefs de voûte de l'Agenda Vénézuela, n'avaient d'ailleurs pas toutes pu être menées à bien ; c'était le cas notamment de la CVG (Compagnie vénézuélienne de Guyana), le plus grand complexe industriel d'État d'Amérique latine, les acheteurs potentiels demeurant inquiets face à la désorganisation et le personnel pléthorique des entreprises mises en vente.

Le président Caldera, arrivé presque au terme de son second mandat, pouvait en revanche se féliciter d'avoir su préserver

République du Vénézuela

Capitale : Caracas.
Superficie : 912 050 km².
Nature de l'État : fédéral.
Nature du régime : démocratie présidentielle.
Chef de l'État et du gouvernement : Rafaël Caldera (depuis le 2.2.94).
Ministre du Plan : Teodoro Petkoff (depuis avr. 95).
Ministre des Finances : Maritza Izaguirre.
Ministre des Affaires étrangères : Miguel-Angel Burelli Rivas (depuis le 5.2.94)
Monnaie : bolivar (au cours officiel, 100 bolivars = 1,11 FF au 30.5.98).
Langue : espagnol.
Territoires contestés : Essequibo (région guyanaise ; différend avec le Guyana) et golfe du Vénézuela (frontière maritime avec la Colombie).

Vénézuela, Guyanes/Bibliographie

O. Barry (coord. par), « Dossier Vénézuela », *Espaces latino-américains*, n° 101-110, Villeurbanne, mars-avr. 1994.

G. Belorgey, G. Bertrand, *Les DOM-TOM*, La Découverte, coll. « Repères », Paris, 1994.

E. M. Dew, *The Trouble in Suriname 1975-95*, Praeger, Westpoint (CT)/Londres, 1994.

H. Godard, *Les Outre-Mers, in* T. Saint-Julien (sous la dir. de), *Atlas de France*, vol. XIII, Reclus/La Documentation française, Montpellier/Paris, 1998.

A. de Janvry, A. Graham, E. Sadoulet, *La Faisabilité politique de l'ajustement en Équateur et au Vénézuela*, OCDE, Paris, 1994.

S. Mam-Lam-Fouck, *Histoire générale de la Guyane française*, Ibis rouge éditions, Cayenne, 1996.

J. D. Martz, D. J. Myers, « Technological Elites and Political Parties. The Venezuelan Professional Community », *Latin American Research Review*, vol. 29, n° 1, 1994.

J. Molina, C. Perez, « Vénézuela : les élections de 1993. Vers un nouveau système des partis ? », *Problèmes d'Amérique latine*, n° 15, La Documentation française, Paris, oct.-déc. 1994.

E. Thomas-Hope, « Guyana », *South America, Central America + the Caribbean*, Europa Publications, Londres, 1995.

« Vénézuela, la crise des partis politiques », *Problèmes d'Amérique latine*, n° 29, La Documentation française, Paris, avr.-juin 1998.

« Venezuela rethinking capitalist democracy », *NACLA's Report on the Americas*, vol. 27, n° 5, mars-avr. 1994.

une relative paix sociale, au prix d'une substantielle augmentation du SMIC (passé le 1er mai 1998 de 75 000 à 100 000 bolivars) et sous la menace, il est vrai, d'une grève générale brandie par la CTV, la puissante Confédération des travailleurs vénézuéliens. Dès lors, l'octogénaire chef de l'État a pu se consacrer, un peu, à la politique étrangère qu'il avait passablement négligée au cours de ses trois premières années de présidence. Il a reçu le chef de l'État américain Bill Clinton, en octobre 1997, accueilli quelques mois plus tard le 3e sommet ibéro-américain sur l'île de Margarita et tenté de redonner un rôle à la diplomatie vénézuélienne en plaidant, lors de la rencontre des chefs d'État d'Amérique du Nord et d'Amérique du Sud, en avril 1998 à Santiago du Chili, pour le retour de Cuba dans les forums internationaux. Mais ce sont surtout les grandes manœuvres préélectorales pour le scrutin présidentiel du 6 décembre 1998 qui auront encore aiguisé ses appétits de fin manœuvrier. Et le fondateur de la démocratie chrétienne au Vénézuela se disait prêt à jeter ses dernières forces dans la bataille pour contrer la candidature de l'ex-colonel putschiste Hugo Chavez. Celui-ci, qui avait tenté de renverser, en février 1992, l'autre *caudillo* vénézuélien, le social-démocrate Carlos Andres Perez, arrivait en tête des sondages, fin août 1998, avec plus de 40 % des intentions de vote. Il précédait ainsi Enrique Salas Römer, un dissident de la démocratie chrétienne (19 %), et Irene Saez, l'ex-miss Univers et maire de Chacao, le quartier chic de Caracas, qui ne recueillait plus que 18 % des préférences alors qu'elle avait caracolé en tête des enquêtes d'opinion pendant deux ans. - **Claude Pereira** ■

Amérique andine

Bolivie, Colombie, Équateur, Pérou

Bolivie

Le 6 août 1997, l'ancien dictateur Hugo Banzer (1971-1978) assumait la présidence de la République. A peine revenu au pouvoir, il a dû faire face à des dissensions au sein de la coalition qui l'avait soutenu pour l'élection, ainsi qu'à d'importants conflits sociaux. Pour affronter cette situation et reprendre la main, Banzer a appelé à un vaste dialogue national. Cette initiative a été dénoncée par l'opposition comme une tentative de l'ancien dictateur de se refaire une virginité politique et d'élaborer le programme qui lui faisait défaut. Rapidement, les représentants de la société civile se sont désolidarisés de cette opération qui s'est cantonnée dans des généralités. Le 6 décembre, en prenant la décision d'augmenter fortement les prix des carburants deux jours après une grève lancée par la COB (Centrale ouvrière bolivienne), le chef de l'État rompait toute possibilité de dialogue.

Par ailleurs, le gouvernement a annoncé sa décision de totalement éradiquer les plantations de coca, évaluées à 38 000 hectares, d'ici 2002. Le coût de ce programme serait de 952 millions de dollars, dont 85 % proviendraient de l'aide internationale. Les producteurs de la région du Chapare ont continué à s'opposer à la destruction des cultures. En avril 1998, les affrontements entre forces de l'ordre et petits producteurs ont fait au moins huit morts et plus d'une centaine de blessés. Les paysans protestaient contre la décision gouvernementale de réduire de 40 % la valeur du titre d'indemnisation (2 500 dollars) donné en échange de la destruction d'un hectare de plantation de coca.

A la même date, la COB a lancé une grève générale pour protester contre la faiblesse de l'augmentation du salaire minimum. Face à l'importance de la mobilisation, le gouvernement a dû entamer des négociations. Il a cependant indiqué que sa marge de manœuvre était réduite du fait du déficit budgétaire d'environ 4,1 % du PIB. Toujours en avril, le gouvernement a signé un accord avec le Club de Paris, portant sur une enveloppe de crédits de 941 millions de dollars, destinée à financer son programme de réformes économiques. L'administration Banzer s'est engagée à obtenir un taux de croissance plus soutenu (4,3 % en 1997) et à réduire la pauvreté. En 1998, la Bolivie allait probablement bénéficier d'un allégement d'environ 100 millions de dollars du service annuel de sa dette ex-

République de Bolivie

Capitale : Sucre (La Paz est siège du gouvernement).
Superficie : 1 098 581 km^2.
Nature du régime : démocratie présidentielle.
Chef de l'État et du gouvernement : Hugo Banzer, qui a succédé, le 6.8.97, à Gonzalo Sanchez de Lozada.
Monnaie : boliviano (au taux officiel, 1 boliviano = 1,09 FF au 30.5.98).
Langues : espagnol, quechua, aymara (off.), guarani.

INDICATEUR*	BOLIVIE	COLOMBIE	ÉQUATEUR	PÉROU
Démographie**				
Population *(millier)*	7 774	37 067	11 938	24 367
Densité *(hab./km²)*	7,1	32,5	42,1	19,0
Croissance annuelle[d] *(%)*	2,3	1,7	2,0	1,7
Indice de fécondité (ISF)[d]	4,4	2,7	3,1	3,0
Mortalité infantile[d] *(‰)*	66	24	46	45
Espérance de vie[d] *(année)*	61,5	71,0	69,9	68,4
Population urbaine *(%)*	62,2	73,5	60,3	71,7
Indicateurs socioculturels				
Développement humain (IDH)[c]	0,589	0,848	0,775	0,717
Nombre de médecins *(‰ hab.)*	0,43[i]	0,91[i]	1,53[g]	1,03[k]
Analphabétisme (hommes)[b] *(%)*	9,5	8,8	8,0	5,5
Analphabétisme (femmes)[b] *(%)*	24,0	8,6	11,8	17,0
Scolarisation 12-17 ans *(%)*	43,4[g]	65,7[h]	73,4[g]	74,6[g]
Scolarisation 3e degré *(%)*	22,2[g]	17,2[b]	20,0[g]	31,1[c]
Adresses Internet *(‰ hab.)*	0,69	1,81	0,90	2,63
Livres publiés *(titre)*	447[m]	1 481[h]	12[b]	1 294[b]
Armées				
Armée de terre *(millier d'h.)*	25	121	50	85
Marine *(millier d'h.)*	4,5	18	4,1	25
Aviation *(millier d'h.)*	4	7,3	3	15
Économie				
PIB total[ae] *(million $)*	21 700	251 700	55 300	107 100
Croissance annuelle 1986-96 *(%)*	4,6	3,9	2,9	0,7
Croissance 1997 *(%)*	4,3	3,2	3,3	7,5
PIB par habitant[ae] *($)*	2 860	6 720	4 730	4 410
Investissement (FBCF)[f] *(% PIB)*	14,8	19,0	18,3	22,5
Taux d'inflation *(%)*	6,7	18,4	30,7	6,5
Énergie (taux de couverture)[b] *(%)*	171,9	238,3	336,8	86,2
Dépense publique Éducation *(% PIB)*	6,6[b]	3,5[c]	3,4[b]	3,8[c]
Dépense publique Défense[a] *(% PIB)*	2,1	2,6	3,4	1,9
Dette extérieure totale[a] *(million $)*	5 174	28 859	14 491	29 176
Service de la dette/Export.[f] *(%)*	33	37	25	39
Échanges extérieurs				
Importations *(million $)*	1 810	15 378	4 945	10 282
Principaux fournisseurs[a] *(%)*	E-U 26,3	E-U 36,2	E-U 31,3	E-U 30,7
(%)	UE 15,0	UE 20,5	UE 16,9	UE 19,5
(%)	AmL 37,2	AmL 23,4	AmL 35,2	AmL 34,4
Exportations *(million $)*	1 128	11 522	5 214	6 754
Principaux clients[a] *(%)*	E-U 24,1	E-U 40,5	E-U 36,8	E-U 19,9
(%)	UE 20,6	UE 22,5	UE 18,6	UE 26,8
(%)	AmL 38,1	AmL 28,5	AmL 23,2	AmL 17,1
Solde transactions courantes *(% PIB)*	– 4,63[a]	– 5,58[a]	– 4,21	– 5,92[a]

* Définition des indicateurs p. 25 et suiv. Chiffres 1997 sauf notes. ** Derniers recensements utilisables : Bolivie, 1992 ; Colombie, 1993 ; Équateur, 1990 ; Pérou, 1993. a. 1996 ; b. 1995 ; c. 1994 ; d. 1995-2000 ; e. À parité de pouvoir d'achat (PPA, voir définition p. 581) ; f. 1994-96 ; g. 1990 ; h. 1991 ; i. 1993 ; k. 1992 ; m. 1988.

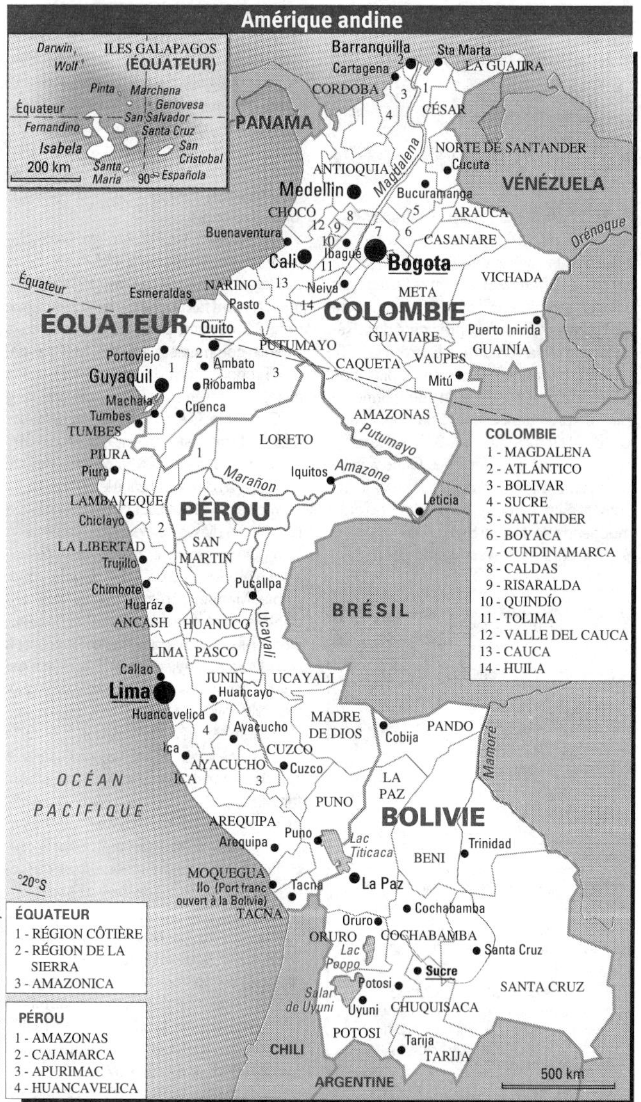
Amérique andine
ILES GALAPAGOS (ÉQUATEUR)
Darwin
Wolf
Pinta
Marchena
Genovesa
Équateur
San Salvador
Fernandino
Santa Cruz
Isabela
San Cristobal
200 km
Santa Maria
90°
Española
Barranquilla
Sta Marta
LA GUAJIRA
Cartagena
CORDOBA
CÉSAR
PANAMA
Magdalena
NORTE DE SANTANDER
Cucuta
ANTIOQUIA
Medellín
Bucuramanga
VÉNÉZUELA
CHOCÓ
ARAUCA
Buenaventura
Orénoque
CASANARE
Ibagué
Cali
Bogota
Équateur
NARINO
Neiva
VICHADA
Esmeraldas
META
Pasto
COLOMBIE
ÉQUATEUR
Quito
Puerto Inirida
GUAVIARE
PUTUMAYO
GUAINÍA
Portoviejo
Ambato
CAQUETA
VAUPES
Guyaquil
Riobamba
Mitú
Machala
Cuenca
Tumbes
AMAZONAS
TUMBES
LORETO
Putumayo
PIURA
Piura
Iquitos
Amazone
Marañon
Leticia
LAMBAYEQUE
PÉROU
Chiclayo
SAN MARTIN
LA LIBERTAD
Trujillo
Chimbote
Pucallpa
Huaráz
BRÉSIL
ANCASH
HUANUCO
Ucayali
LIMA
PASCO
Callao
JUNIN
UCAYALI
Lima
Huancayo
Huancavelica
MADRE DE DIOS
PANDO
Ayacucho
Cobija
Ica
CUZCO
Mamoré
AYACUCHO
Cuzco
OCÉAN PACIFIQUE
ICA
LA PAZ
PUNO
BOLIVIE
AREQUIPA
Puno
Lac Titicaca
Arequipa
Trinidad
BENI
MOQUEGUA
Ilo (Port franc ouvert à la Bolivie)
Tacna
La Paz
20°S
TACNA
Cochabamba
Oruro
ORURO
COCHABAMBA
Santa Cruz
Lac Poopo
Sucre
Potosi
SANTA CRUZ
Salar de Uyuni
Uyuni
CHUQUISACA
POTOSI
Tarija
CHILI
TARIJA
500 km
ARGENTINE
COLOMBIE
1 - MAGDALENA
2 - ATLÁNTICO
3 - BOLIVAR
4 - SUCRE
5 - SANTANDER
6 - BOYACA
7 - CUNDINAMARCA
8 - CALDAS
9 - RISARALDA
10 - QUINDÍO
11 - TOLIMA
12 - VALLE DEL CAUCA
13 - CAUCA
14 - HUILA
ÉQUATEUR
1 - RÉGION CÔTIÈRE
2 - RÉGION DE LA SIERRA
3 - AMAZONICA
PÉROU
1 - AMAZONAS
2 - CAJAMARCA
3 - APURIMAC
4 - HUANCAVELICA
© Éditions La Découverte & Syros

térieure. Par ailleurs, les travaux du gazoduc qui acheminera le gaz bolivien vers le Brésil se sont poursuivis.

Colombie

Le 21 juin 1998, Andrés Pastrana (Parti conservateur) a remporté à quarante-trois ans l'élection présidentielle, avec 51 % des suffrages. Cette victoire a mis fin à douze ans de règne du Parti libéral. L'ancien maire de Bogota et fils de l'ex-président de la République Misael Pastrana Borrero (1970-1974) a bénéficié de la forte mobilisation d'un électorat désireux de sanctionner le parti du président Ernesto Samper et son candidat Horacio Serpa (46,7 % des voix), l'ancien ministre de l'Intérieur. Cette victoire a également été rendue possible par le ralliement entre les deux tours de la candidate indépendante, Noemi Sanín. Cette dernière a été la véritable révélation du scrutin. Au premier tour, le 31 mai, elle a brisé le traditionnel face-à-face entre libéraux et conservateurs, en obtenant 27 % des suffrages. Par ailleurs, l'élection présidentielle a été marquée par une forte augmentation de la participation, avec seulement 41,4 % d'abstentions. A. Pastrana allait devoir compter avec le Parti libéral qui, lors des élections législatives du 8 mars 1998, a conservé la majorité au Congrès.

De leur côté, les Forces armées révolutionnaires colombiennes (FARC, proche du Parti communiste, environ 12 000 hommes) avaient fait connaître leur préférence pour A. Pastrana. Le chef historique de la guérilla communiste, Manuel Marulanda, dit « Tirofijo », a même rencontré A. Pastrana avant son entrée en fonction, une première en Colombie. L'Armée de libération nationale (ELN marxiste-léniniste, environ 6 000 hommes), l'autre grand mouvement de lutte armée, a fait de même dans les jours qui ont suivi le second tour. L'ELN avait déjà ouvert la porte au dialogue avec l'administration Samper courant avril, avant la mort de son chef historique, le prêtre d'origine espagnole, Manuel Pérez. En juillet, des rencontres entre des représentants de la société civile et des dirigeants de l'ELN ont eu lieu à Mayence (Allemagne). L'armée n'est pas parvenue à réduire l'influence de la guérilla qui contrôle 600 des 1 050 municipalités colombiennes. Début août, la guérilla a lancé une vaste offensive pour saluer le départ d'Ernesto Samper : les combats ont fait plus de 200 morts. En 1997, le conflit armé a fait 6 000 morts. Les groupes paramilitaires – 7 000 hommes environ, regroupés au sein des Autodéfenses de Colombie (Auc) –, responsables de nombreux massacres, comme celui de vingt-cinq militants du Syndicat des pétroles (USO) le 4 juin 1998, souhaitaient également participer au processus de paix. Leur objectif était de bénéficier d'une amnistie, au même titre que la guérilla. La Colombie est restée l'un des pays les plus violents au monde avec 31 806 morts en 1997.

République de Colombie

Capitale : Bogota.
Superficie : 1 138 914 km².
Nature du régime : démocratie présidentielle.
Chef de l'État : Andrés Pastrana, qui a succédé le 7.8.98 à Ernesto Samper Lozano.
Ministre de l'Économie : Juan Camilo Restrepo.
Ministre des Relations extérieures : Guillermo Fernandez de Soto.
Ministre de l'Intérieur : Nestor Umberto Martinez Neira.
Ministre de la Défense : Rodrigo Lloreda.
Monnaie : peso (au taux officiel, 1 000 pesos = 4,31 FF au 29.7.98).
Langue : espagnol.
Territoires contestés : îles de San Andrés, Providencia et Quita Sueño, revendiquées par le Nicaragua. Différend frontalier maritime avec le Vénézuela sur le golfe du même nom.

L'incarcération ou la disparition des chefs des cartels de Cali et de Medellín n'ont pas mis fin au narco-trafic, 80 % de la drogue commercialisée aux États-Unis provenant toujours de Colombie, en transitant par les Caraïbes, l'Amérique centrale et le Mexique. En mai 1998, l'opération *Casablanca*, qui a permis le démantèlement d'un réseau de blanchiment d'argent sale aux États-Unis et au Mexique, a mis en lumière les liens financiers étroits existant entre les cartels de Cali et de Juarez (Mexique).

L'incertitude politique et la violence ont fortement pesé sur la situation économique. En 1997, le pays a enregistré un taux de croissance de 3,2 %, comme l'année précédente. Cette faible activité et la perte de confiance des investisseurs locaux ont entraîné une forte hausse du chômage : il atteignait 13 % de la population active, son plus haut niveau depuis dix ans. Parallèlement, le gouvernement n'est pas parvenu à enrayer la chute du peso face au dollar. La monnaie colombienne a perdu 28,7 % face à la devise américaine. Dans le même temps, les recettes provenant des exportations de café et de pétrole ont chuté. Enfin, le programme des privatisations a connu quelques ratés dans le secteur ferroviaire. Mi-mai 1998, Fepaz, l'entreprise sélectionnée pour l'exploitation de la liaison Bogota-Santa Marta, n'avait toujours pas honoré ses engagements.

Équateur

Plongé dans une crise économique et politique profonde, l'Équateur a également dû faire face aux conséquences du phénomène climatique El Niño. Les inondations et les glissements de terrain ont fait 20 000 victimes, dont plusieurs centaines de morts. D'octobre 1997 à mai 1998, les dégâts matériels ont été évalués à trois milliards de dollars.

Les frais engagés pour la reconstruction des infrastructures, la chute des prix du pétrole – première source de revenus de l'État – et une politique de dépenses immodérées ont creusé le déficit des finances publiques. L'État a dû recourir aux crédits internationaux et à la vente anticipée de pétrole pour payer ses fonctionnaires. La croissance a atteint 3,3 % en 1997 et l'inflation s'élevait à 30,7 %. Par ailleurs, la privatisation d'Emetel – l'entreprise publique des télécommunications – et l'ouverture du secteur électrique à l'investissement privé ont été un échec. Aucun investisseur ne s'est finalement montré intéressé.

Fabián Alarcón, le président intérimaire désigné après la destitution en février 1997 du populiste Abdalá Bucarám Ortiz, s'est illustré par une absence totale d'initiative politique. Aucune réforme n'a été entreprise et plusieurs affaires de corruption ont touché son entourage. L'Assemblée constituante, élue en novembre 1997, a décidé de prolonger unilatéralement son mandat du 30 avril au 5 juin 1998. Cette décision a été rejetée par le président de la République et le Congrès. Les nouvelles dispositions constitutionnelles, en particulier la reconnaissance des droits des populations indiennes et d'origine africaine, devaient entrer en vigueur le 10 août 1998, avec l'arrivée au pouvoir du nouveau président de la République.

République de l'Équateur

Capitale : Quito.
Superficie : 283 561 km².
Nature du régime : démocratie présidentielle.
Chef de l'État et du gouvernement : Jamil Mahuad (depuis le 10.8.98).
Ministre des Relations extérieures : José Ayala Lasso.
Ministre des Finances : Fidel Jaramillo.
Ministre de la Défense : José Gallardo.
Monnaie : sucre (au taux officiel, 1 000 sucres = 1,16 FF au 30.4.98).
Langues : espagnol (off.), quechua.
Territoires contestés : 78 km de frontière avec le Pérou.

Amérique andine/Bibliographie

J.-M. Blanquer, C. Gros, *La Colombie à l'aube du troisième millénaire*, IHEAL, Paris, 1996.

P. Burin des Rosiers, *Cultures mafieuses, l'exemple colombien*, Stock, Paris, 1995.

A. Collin-Delavaud, *Le Guide de l'Équateur et des îles Galapagos*, La Manufacture, Lyon, 1993.

« Colombie », *Problèmes d'Amérique latine*, n° 16, La Documentation française, Paris, janv.-mars 1995.

P. Condori, *Nous, les oubliés de l'Altiplano*, L'Harmattan, Paris, 1996.

« Équateur : l'aventure Bucaram », *Problèmes d'Amérique latine*, n° 26, La Documentation française, Paris, juil.-sept. 1997.

« La Bolivie à l'heure de la réforme », *Problèmes d'Amérique latine*, n° 28, La Documentation française, Paris, janv.-mars 1998.

« Le Pérou à l'heure du néolibéralisme », *Problèmes d'Amérique latine*, n° 25, La Documentation française, Paris, avr.-juin 1997.

J.-P. Minaudier, *Histoire de la Colombie : de la conquête à nos jours*, L'Harmattan, Paris, 1997.

G. Rivière, « Bolivie : le pentecôtisme dans la société aymara des hauts plateaux », *Problèmes d'Amérique latine*, n° 24, La Documentation française, Paris, janv.-mars 1997.

C. Rudel, *L'Équateur*, Karthala, Paris, 1994.

R. Santana, *Les Indiens d'Équateur, citoyens de l'ethnicité*, CNRS-Éditions, Paris, 1992.

« Socio-économie de la drogue dans les pays andins », *Problèmes d'Amérique latine*, n° 18, La Documentation française, Paris, juil.-sept. 1995.

Voir aussi la bibliographie sélective « Amérique centrale et du Sud », p. 385.

Le 12 juillet 1998, le second tour de l'élection présidentielle a vu la victoire du démocrate chrétien et ancien maire de Quito Jamil Mahuad (53,3 %) sur le populiste Alvaro Noboa, l'un des hommes les plus riches du pays (46,5 %). A. Noboa bénéficiait du soutien du parti du président destitué A. Bucaram. La faible différence de voix (102 208) a encouragé A. Noboa à crier à la fraude, contribuant ainsi à la confusion.

Pérou

Le Pérou a souffert des conséquences du phénomène climatique El Niño. Environ 300 000 personnes ont été fortement affectées par les pluies, les inondations et les glissements de terrain. Les autorités ont estimé à deux milliards de dollars les pertes liées à El Niño.

De son côté, le président Alberto Fujimori a poursuivi ses manœuvres pour être réélu en 2000, ayant déjà obtenu du Parlement une interprétation de la Constitution de 1993 qui lui permettrait de se présenter pour la troisième fois à la présidence de la République, en dépit de sa réélection en 1995. La majorité parlementaire présidentielle a également modifié la composition du Tribunal constitutionnel et de la Commission électorale nationale, ce qui a rendu toute tentative de contestation juridique vaine. L'opposition, rassemblée au sein du Forum démocratique, a cependant réuni les 1,2 million de signatures nécessaires à l'organisation d'un référendum sur la réélection du président Fujimori.

Cette volonté de réélection s'est accompagnée d'un durcissement du régime. Les cas de violation des droits de l'homme ont été nombreux. Ainsi, fin 1997, un officier des services secrets de l'armée, Leonor la Rosa, a révélé qu'elle avait été torturée par ses propres collègues qui la soupçonnaient d'avoir fourni des informations au quotidien *La República*. Des défenseurs des droits de l'homme, comme le député de gauche Javier Diez Canseco, ont été victimes d'agressions. Le régime s'en est aussi pris à la presse en retirant la nationalité péruvienne au propriétaire de la chaîne de télévision *Canal 2*, jugée trop critique.

Pour assurer sa réélection, A. Fujimori s'est attaqué au chômage en proposant, en juin, la création de 150 000 emplois. Malgré la forte croissance économique intervenue entre 1993 et 1998 (42,3 %), le chômage a en effet continué à progresser. Selon les chiffres officiels, il serait passé de 5,9 % de la population active en 1993 à 9,1 % en 1997. Par ailleurs, la nomination au poste de président du Conseil, le 4 juin, de Javier Valle Riestra, un opposant ancien membre de l'Apra (Alliance populaire révolutionnaire), s'est accompagnée d'un changement de ministre de l'Économie et des Finances. Jorge Camet a été remplacé par le directeur de la Banque centrale, Jorge Baca Campodénico qui devrait relâcher la discipline budgétaire. En 1997, le Pérou a enregistré une croissance de 7,5 %, mais 1998 devait être marquée par un ralentissement significatif de l'activité. Le gouvernement comptait sur les revenus provenant de l'exploitation du gisement de gaz de Camisea (département de Cusco), le plus important d'Amérique latine, pour dégager de l'argent frais. Shell et Mobil devaient investir trois milliards de dollars sur le site.

République du Pérou

Capitale : Lima.
Superficie : 1 285 216 km².
Nature du régime : démocratie présidentielle.
Chef de l'État et du gouvernement : Alberto Fujimori, président depuis 1990 (réélu le 9.4.95 pour un mandat s'achevant le 28.7.2000).
Président du Conseil : Javier Valle Riestra, qui a succédé le 4.6.98 à Adolfo Pandolfi.
Ministre de l'Économie et des Finances : Jorge Baca Campodónico.
Monnaie : nuevo sol (au taux officiel, 1 000 nuevos soles = 2,09 FF au 30.5.98).
Langues : espagnol (off.), quechua, aymara.
Territoire contesté : 78 km de frontière avec l'Équateur.

Les négociations d'un accord de paix avec l'Équateur, mettant fin au différend frontalier qui avait conduit à la guerre en 1995, se sont révélées plus longues que prévu. La signature qui devait avoir lieu en mai 1998 a été reportée. - **Monica Almeida, Jean-Christophe Rampal** ■

Sud de l'Amérique

Argentine, Brésil, Chili, Paraguay, Uruguay

Argentine

L'hégémonie péroniste en question

L'année 1997 a été celle du coup d'arrêt à l'hégémonie politique du péronisme. L'Alliance pour le travail, la justice et l'éducation, créée le 3 août 1997 par l'Union civique radicale (UCR) et le Frepaso (Front pour un pays solidaire, centre gauche) à l'occasion des élections du 26 octobre à la Chambre des députés (renouvellement pour moitié), a obtenu 105 sièges sur 257, privant le Parti justicialiste (PJ, péroniste) de la majorité absolue. La victoire de Graciela Fernández Meijide, tête de liste de l'Alliance dans la province de Buenos Aires, de très loin la plus peuplée du pays et bastion péroniste, a sérieusement affaibli le gouverneur Eduardo Duhalde, vice-président lors du premier mandat du chef de l'État Carlos Menem.

La rivalité des deux hommes pour la candidature à la présidentielle de 1999 s'est accentuée en 1998. Réélu le 14 mai 1995 grâce à la réforme constitutionnelle de 1994, C. Menem entendait briguer un nouveau mandat. Son projet de « ré-réélection » exigeait le soutien unanime du PJ et des acrobaties de la part de la Cour suprême, non sans risque pour les institutions. Après l'échec du congrès national du PJ, le président a préféré renoncer, le 21 juillet 1998, à se représenter pour éviter la scission des péronistes. Cette volte-face n'a pas manqué de relancer la course à la primaire du 11 avril 1999 entre opposants déclarés dauphins autoproclamés et outsiders hésitants.

De son côté, l'Alliance prévoyait une primaire le 29 novembre 1998 entre le radical Fernando de la Rúa, chef du gouvernement de la capitale fédérale, et G. Fernández Meijide, député du Frepaso pour la province de Buenos Aires. Les assurances données quant au maintien du « modèle » visaient à tranquilliser des milieux économiques assez sceptiques et à attirer les suffrages de la classe moyenne favorable aux réformes structurelles engagées depuis 1991.

Inquiétudes économiques

En 1997, la croissance est repartie, s'établissant à 8,4 % dans un contexte de stabilité des prix. Les effets de la crise asiatique sur le marché boursier, sensibles fin 1997 et accentués par les difficultés du Brésil, premier partenaire commercial, étaient liés à la baisse du prix des matières premières exportées. Le déficit commercial (5,3 milliards de dollars) a été creusé par les importations de biens d'équipement, tirées par la forte croissance de la production industrielle (9 %), notamment automobile. Le chômage est tombé à 15 %, mais les emplois créés correspondaient à des contrats à durée déterminée.

L'objectif de déficit public fixé avec le FMI (1,3 % du PIB) a pu être atteint, mais le déficit de la balance courante n'était plus couvert qu'à 63 % par les capitaux correspondant aux investissements directs des sociétés étrangères, et la dette extérieure

Cône sud

PÉROU
BOLIVIE
PARAGUAY
BRÉSIL
CHILI
ARGENTINE
URUGUAY
OCÉAN PACIFIQUE
OCÉAN ATLANTIQUE
Tr. du Capricorne
Arica
TARAPACÁ
Iquique
ANTOFAGASTA
Antofagasta
ATACAMA
Copiapó
La Serena
COQUIMBO
VALPARAISO
Vina del Mar
Valparaiso
Santiago
Rancagua
Talca
MAULE
Talcahuano
Concepción
Temuco
ARAUCANIE
Valdivia
LOS LAGOS
Puerto Montt
I. de Chiloé
Puerto Aisen
Cohaique
AISÉN
Punta Arenas
MAGELLAN ET ANTARCTIQUE CHILIENNE
Pilcomayo
Capitan Pablo Lagerenza
Fuerte Olimpo
Doctor Pedro P. Peña
Paraña
Concepción
S. Pedro
Asunción
Ciudad del Este
Villarrica
Encarnación
Posadas
FORMOSA
Bermejo
JUJUY
S. Salvador
Salta
SALTA
S. Miguel
Santiago del E.
CHACO
Resistencia
Corrientes
CATAMARCA
Catamarca
SANTIAGO DEL ESTERO
SANTA FE
CORRIENTES
Uruguay
La Rioja
LA RIOJA
SAN JUAN
CÓRDOBA
Córdoba
Santa Fe
Salado
Parana
Salto
Rivera
Paysandú
San Juan
Rosario
Paraña
Fray Bentos
Mendoza
San Luis
SAN LUIS
MENDOZA
Buenos Aires
Colonia
Minas
Montevideo
La Plata
Rio de la Plata
Santa Rosa
BUENOS AIRES
Azul
Olavarria
LA PAMPA
NEUQUÉN
Neuquén
Mar del Plata
Bahia Blanca
Colorado
Rio Negro
San Antonio Oeste
Viedma
RIO NEGRO
Puerto Madryn
Chubut
Rawson
CHUBUT
Sarmiento
Comodoro Rivadavia
Deseado
Deseado
SANTA CRUZ
Tres Lagos
Santa Cruz
50° S
Iles Falkland (Malouines) (R.-U.)
Stanley
Rio Gallegos
Détroit de Magellan
TERRE DE FEU
Ushuaia
Ile des États
Cap Horn
500 km
ARGENTINE
1 - MISIONES
2 - TUCUMAN
3 - ENTRE RIOS
CHILI
1 - RÉGION MÉTROPOLITAINE DE SANTIAGO
2 - LIBERTADOR GENERAL B. O'HIGGINS
3 - BIOBÍO

INDICATEUR*	UNITÉ	ARGENTINE	BRÉSIL
Démographie**			
Population	*millier*	35 671	163 132
Densité	*hab./km²*	13,0	19,2
Croissance annuelle[d]	%	1,3	1,2
Indice de fécondité (ISF)[d]		2,6	2,1
Mortalité infantile[d]	‰	22	42
Espérance de vie[d]	*année*	73,2	67,3
Population urbaine	%	88,6	79,5
Indicateurs socioculturels			
Développement humain (IDH)[c]		0,884	0,783
Nombre de médecins	*‰ hab.*	2,68[n]	1,36[n]
Analphabétisme (hommes)[b]	%	3,8	16,7
Analphabétisme (femmes)[b]	%	3,8	16,8
Scolarisation 12-17 ans	%	79,1[g]	74,3[g]
Scolarisation 3e degré	%	38,1[g]	11,3[c]
Adresses Internet	*‰ hab.*	5,32	4,20
Livres publiés	*titre*	9 113[b]	21 574[b]
Armées			
Armée de terre	*millier d'h.*	41	200
Marine	*millier d'h.*	20	64,7
Aviation	*millier d'h.*	12	50
Économie			
PIB total[ae]	*million $*	335 600	1 023 100
Croissance annuelle 1986-96	%	3,5	2,2
Croissance 1997	%	8,4	3,0
PIB par habitant[ae]	*$*	9 530	6 340
Investissement (FBCF)[f]	*% PIB*	18,9	20,7
Taux d'inflation	%	0,3	5,2
Énergie (taux de couverture)[b]	%	124,0	65,5
Dépense publique Éducation	*% PIB*	4,5[b]	4,6[i]
Dépense publique Défense[a]	*% PIB*	1,5	2,1
Dette extérieure totale[a]	*million $*	93 841	179 047
Service de la dette/Export.[f]	%	51	43
Échanges extérieurs			
Importations	*million $*	29 936	65 007
Principaux fournisseurs[a]	%	E-U 20,0	E-U 22,1
	%	UE 29,0	UE 26,3
	%	Bré 22,4	AmL 22,1
Exportations	*million $*	24 658	52 987
Principaux clients[a]	%	UE 19,2	E-U 19,5
	%	AmL 48,1	UE 27,5
	%	Bré 27,8	AmL 24,5
Solde transactions courantes	*% PIB*	– 3,48	– 4,2

* Définition des indicateurs p. 25 et suiv. Chiffres 1997 sauf notes. ** Derniers recensements utilisables : Argentine 1991 ; Brésil, 1991 ; Chili, 1992 ; Paraguay, 1992 ; Uruguay, 1996. a. 1996 ; b. 1995 ; c. 1994 ; d. 1995-2000 ; e. A parité de pouvoir d'achat (PPA, voir définition p. 581), f. 1994-96 ; g. 1991 ; h. 1993 ;

CHILI	PARAGUAY	URUGUAY
14 624	5 088	3 222
19,3	12,5	18,3
1,4	2,6	0,6
2,4	4,2	2,3
13	39	17
75,3	69,8	72,9
84,2	53,8	90,7
0,891	0,706	0,883
1,24[b]	0,81[g]	3,23[m]
4,6	6,5	3,1
5,0	9,4	2,3
86,6[g]	46,6[g]	84,4[m]
30,3[a]	10,3[h]	27,3[c]
13,12	0,47	3,18
2 469[b]	152[h]	1 143[g]
51	14,9	17,6
29,8	3,6	5
13,5	1,7	3
168 700	17 200	24 900
8,2	3,5	4,7
6,6	3,5	6,0
11 700	3 480	7 760
26,4	21,0	12,2
6,0	6,2	15,2
31,2	236,9	29,4
2,9[b]	2,9[c]	2,8[b]
3,5	1,3	2,3
27 411	2 141	5 899
35	6	17
19 860	4 631	3 716
E-U 23,7	E-U 16,9	Bré 22,4
UE 20,4	UE 9,4	Arg 20,8
AmL 27,8	AmL 48,5	UE 19,4
16 875	2 796	2 730
Asie[k] 34,4	UE 19,0	Bré 34,7
AmL 19,8	Bré 44,2	Arg 11,3
UE 23,9	Arg 11,0	UE 19,5
– 5,61	– 6,90[a]	– 1,63[a]

i. 1989 ; k. Y compris Japon et Moyen-Orient ; m. 1992 ; n. 1990.

s'est alourdie (110 milliards de dollars fin 1997). Au premier semestre 1998, le dynamisme des investissements et de la production n'a pas amené de baisse sensible du chômage (13,7 %) ni de meilleures rentrées fiscales, étant donné la persistance d'une fraude massive. Aux inquiétudes liées à la baisse des exportations vers le Mercosur (Marché commun du sud de l'Amérique), s'est ajoutée la crainte du dérapage des dépenses publiques en année préélectorale, qui a conduit Carlos Rodríguez, vice-ministre de l'Économie, à démissionner le 15 juillet 1998. C. Menem a déclaré vouloir consacrer la fin de son mandat à la réforme de la fiscalité et à la flexibilisation du marché du travail, entreprise difficile face aux syndicats et à un Congrès rétif.

République d'Argentine

Capitale : Buenos Aires.
Superficie : 2 766 889 km².
Monnaie : peso (au taux officiel, 1 peso = 5,94 FF au 29.7.98).
Langue : espagnol.
Chef de l'État et du gouvernement : Carlos Saúl Menem (depuis le 8.7.89, réélu le 8.7.95).
Chef du cabinet des ministres : Jorge Rodríguez (depuis 1995).
Ministre de l'Intérieur : Carlos Corach.
Ministre des Relations extérieures et du Culte : Guido Di Tella.
Ministre de l'Économie, des Travaux et des Services publics : Roque Fernández.
Échéances institutionnelles : élection présidentielle et à la Chambre des députés (1999).
Nature de l'État : fédéral.
Nature du régime : démocratie présidentielle.
Principaux partis politiques : Union civique radicale (UCR, présidée par Fernando de la Rúa) ; Parti justicialiste (PJ, péroniste de Carlos Menem) ; Frepaso (Front pour un pays solidaire, de Carlos « Chacho » Alvarez).
Revendication territoriale : îles Falkland (Malouines, R-U).

Avec le chômage et l'accroissement des inégalités, le malaise social, sans cesse alimenté par de nouveaux scandales, prédominait, allant jusqu'à des affrontements violents dans certaines provinces en mai 1997. L'affaire de l'assassinat du journaliste José Luis Cabezas en janvier 1997 a abouti au « suicide » en juin 1998 du commanditaire présumé, le puissant homme d'affaires Alfredo Yabran, accusé publiquement par Domingo Cavallo, l'auteur du plan de stabilisation de 1991, de pratiques mafieuses lors de privatisations d'entreprises publiques.

L'insécurité croissante et l'importance de la corruption ont encore miné la confiance dans la classe politique au pouvoir, tandis qu'étaient lancées de nouvelles procédures judiciaires contre les dirigeants de la junte au pouvoir de 1976 à 1983. Le général Jorge Videla – qui l'a dirigée de 1976 à 1978 et qui fut condamné en 1985 puis gracié par C. Menem en 1990 – a été inculpé le 9 juin 1998 pour sa responsabilité dans les adoptions illégales d'enfants de disparus.

Une politique étrangère dynamique

La politique extérieure a en revanche apporté des succès. En 1997, le rapprochement historique avec les États-Unis s'est traduit par l'octroi du statut d'« allié principal hors-OTAN » par Washington, officialisé lors de la visite du président américain Bill Clinton en Argentine en octobre. Il a récompensé la participation des forces armées argentines à la guerre du Golfe (1991) et aux opérations de maintien de la paix de l'ONU ainsi que l'appui inconditionnel apporté par le président Menem aux États-Unis contre Cuba. Cet alignement a cependant coûté cher : les auteurs de l'attentat, non élucidé, contre un immeuble de la communauté juive à Buenos Aires en juillet 1994 pouvaient être liés à des groupes islamistes installés au Paraguay. Quant aux relations avec le Royaume-Uni, elles étaient en voie d'apaisement.

A l'augmentation des flux d'échanges et d'investissements avec le Chili s'est ajoutée depuis 1997 une série de mesures pour surmonter les méfiances réciproques. C. Menem s'est engagé à trouver avant 1999 une solution définitive au dernier différend limitrophe, à la suite du rejet, le 24 juin 1998, par les députés argentins, du traité de 1991.

Le Mercosur s'est confirmé comme priorité de la politique étrangère, avec l'extension de la coopération dans les domaines indispensables au développement des échanges, et la définition d'une position commune dans les futures négociations commerciales internationales avec les États-Unis et l'Union européenne.
- **Sophie Jouineau** ■

Brésil

Une année électorale

L'année 1998 s'annonçait comme essentiellement électorale. Le 4 octobre, 102 millions d'inscrits, soit le troisième collège de la planète, étaient appelés à désigner le chef de l'État (scrutin majoritaire à deux tours), auquel la Constitution accorde de larges pouvoirs. Le même jour, ils avaient à choisir leur gouverneur (même mode de scrutin), à renouveler un tiers des sénateurs (scrutin majoritaire simple), les députés fédéraux et les membres des assemblées législatives (proportionnelle de liste) de leur État. Au total 1 613 postes étaient mis en jeu. Mais, à la différence des élections de 1994, et pour la première fois dans l'histoire républicaine de ce pays, les titulaires des postes exécutifs avaient la possibilité de briguer un second mandat consécutif. Ce droit leur a été accordé en 1997, *via* une révision de la Constitution au terme d'un savoureux marchandage politique. Le président Fernando Henrique Cardoso (élu en 1994 dès le premier tour) était désireux de rester au pouvoir. Le

Congrès n'était pas opposé à lui accorder ce dont les présidents argentin et péruvien disposaient déjà, mais à condition que cette prérogative puisse aussi bénéficier aux gouverneurs et aux maires en place, c'est-à-dire aux leaders dont nombre de congressistes étaient les affidés. L'accord ayant été conclu, les sortants étaient souvent donnés favoris.

Les atouts de F. H. Cardoso

Pour remporter à nouveau la course à la Présidence, F. H. Cardoso, sociologue de renommée mondiale et dont le programme se résumait à la poursuite de la politique de rigueur budgétaire et de déréglementation, disposait de deux atouts majeurs. En premier lieu, la large coalition l'ayant porté au pouvoir en 1994 est devenue idéologiquement plus homogène et électoralement plus efficace. De fait, la gestion quotidienne du pays et les défis de la mondialisation ont conduit les notables de sa formation, le Parti de la social-démocratie brésilienne (PSDB), à se convertir officieusement et peu à peu aux thèses néolibérales de ses alliés de la droite modérée, le Parti du front libéral (PFL) et le Parti travailliste brésilien (PTB). En outre, à l'issue des municipales de 1996, le PSDB détenait 921 mairies (principalement dans la région Sud-Est) ; le PFL en avait obtenu 934 (surtout dans le Nordeste) et le PTB 382 (essentiellement dans le Nord) ; soit en tout 41 % des communes du pays et une complémentarité d'implantation électorale. A ces maires, experts – surtout en zone rurale – dans l'art d'encadrer les inscrits des couches populaires, s'ajoutaient sept maisons de gouverneurs, notamment celles des quatre États les plus peuplés du pays : São Paulo (21,8 %), Rio de Janeiro (9,5 %), Minas Gerais (11,1 %) et Bahia (7,5 %), soit au total un inscrit sur deux.

Le second atout de F. H. Cardoso résidait dans le considérable volume (2,4 milliards de dollars) et la judicieuse ventilation des subventions qu'il a accordées entre mai et août 1998 aux États et aux communes pour que d'innombrables chantiers d'immeubles sociaux, d'assainissement des eaux et de ponts et chaussées soient ouverts à l'approche du scrutin et puissent amener les populations à le soutenir. A la part de budget réservée par le ministère de la Planification pour l'exercice 1998 s'ajoutaient 910 millions de dollars qui avaient été bloqués à dessein depuis deux ans par ce même ministère.

Dans le camp conservateur, la victoire de F. H. Cardoso paraissait si probable que beaucoup d'élus ont préféré se ranger à titre personnel derrière le président sortant. De la sorte, à la mi-mars, la direction du Parti du mouvement démocratique brésilien (PMDB, centre droit), formation la plus importante du pays quant au nombre d'élus, a renoncé à présenter un candidat de son cru, malgré l'insistance d'Itamar Franco (personnage fantasque ayant, de 1992 à 1994, assuré l'intérim suite à l'*impeachment* de Fernando Collor impliqué dans des affaires de corruption). En échange, le PMDB a obtenu du président sortant qu'il n'entrave point la réélection de ses neuf gouverneurs. D'autres formations

République fédérative du Brésil

Capitale : Brasília.
Superficie : 8 511 965 km².
Monnaie : real (1 real = 5,11 FF au 29.7.98).
Langue : portugais du Brésil.
Chef de l'État : Fernando Henrique Cardoso, président de la République (depuis le 1.1.95, réélu le 4.10.98).
Nature de l'État : république fédérale (26 États et le district fédéral de Brasília).
Nature du régime : démocratie présidentielle.
Échéances institutionnelles : élections municipales (2000).
Principaux partis politiques : Parti du mouvement démocratique brésilien (PMDB) ; Parti du front libéral (PFL) ; Parti de la social-démocratie brésilienne (PSDB) ; Parti progressiste rénovateur (PPR) ; Parti des travailleurs (PT).

conservatrices s'étant rangées à cette position, F. H. Cardoso n'a pas rencontré de rivaux solides sur sa droite, hormis le très médiatique et ultranationaliste Eanes Carneiro, arrivé troisième lors des précédentes présidentielles.

Sur sa gauche, en revanche, F. H. Cardoso a retrouvé son principal adversaire de 1994, l'ex-métallurgiste et syndicaliste Luis Inácio da Silva, dit Lula, défendant les couleurs du Parti des travailleurs (PT) et un programme daté (refus des privatisations et de la concurrence). Comme en 1994, les surenchères résultant des vives luttes entre les tendances composant cette formation de gauche radicale ont empêché Lula de recevoir rapidement le soutien clair de formations importantes, comme le Parti démocratique travailliste (populiste) de Leonel Brizola. A la mi-juillet, il était certes crédité de 28 % d'intentions de vote pour le premier tour (grâce notamment à sa notoriété et à son image de sincérité et de probité), mais son retard sur F. H. Cardoso était de 12 points. Le scrutin paraissant joué d'avance pour beaucoup de Brésiliens, l'intérêt et la mobilisation piétinaient. Chacun devinait plus ou moins qu'il n'y avait guère d'alternative possible aux réformes entreprises par le gouvernement sortant.

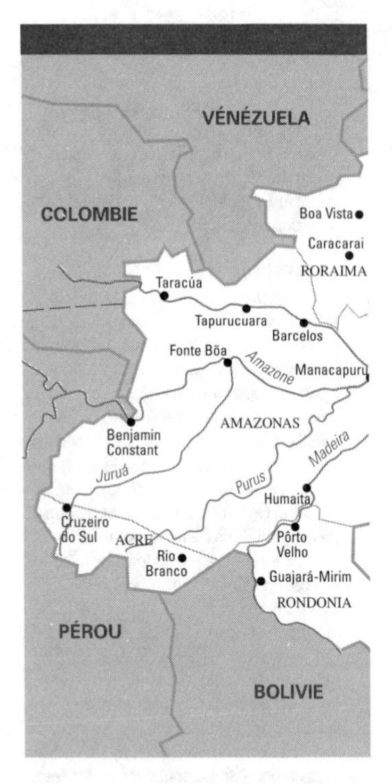

La montée des mécontentements

Si, en quatre ans de mandat, F. H. Cardoso a vaincu l'inflation (5,2 % en 1997), il a moins bien maîtrisé les déficits publics. Malgré la poursuite et l'importance des privatisations (50 milliards de recettes prévues pour 1997 et 1998), ceux-ci devaient pour 1998 avoisiner les 5 % du PIB. Les principales causes en étaient le remboursement de la dette publique (46 milliards de dollars payés en 1997 au seul titre des intérêts) et la lenteur des réformes constitutionnelles permettant de désengager l'État et de contracter ses dépenses de fonctionnement. Ainsi n'est-ce qu'au printemps 1998, avec deux ans de retard sur le calendrier gouvernemental, que la stabilité de l'emploi dans la fonction publique (connue pour être aussi pléthorique que peu efficace) a été supprimée. C'est avec le même retard que le système de retraite des fonctionnaires a été rendu moins avantageux (jusque-là le Brésil était le seul pays au monde où les fonctionnaires touchaient davantage une fois qu'ils étaient à la retraite qu'avant).

Compte tenu de l'ampleur du déficit public, le gouvernement a été forcé, sous peine de voir tomber sa monnaie (la décote du real s'opérait en 1997 et 1998 au rythme annuel de 6,5 %), de maintenir élevé son taux bancaire de base. Certes il est passé

Brésil

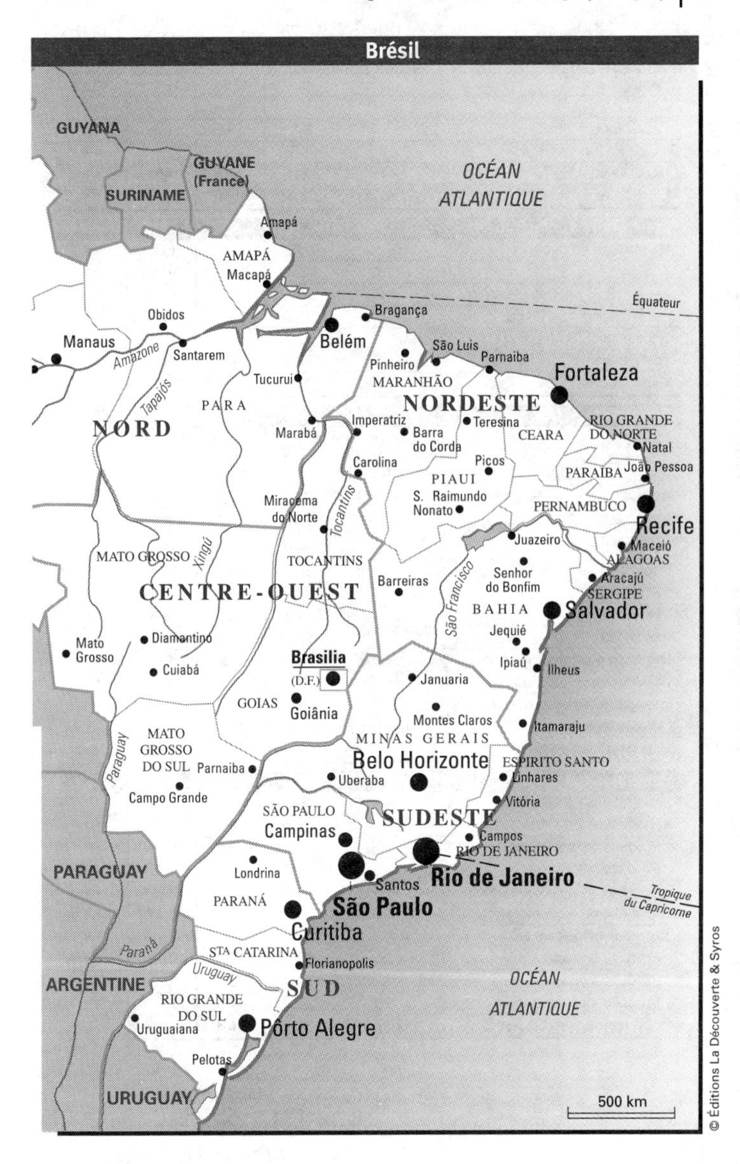
GUYANA
GUYANE (France)
SURINAME
OCÉAN ATLANTIQUE
Amapá
AMAPÁ
Macapá
Équateur
Obidos
Bragança
Manaus
Amazone
Santarem
Belém
São Luis
Parnaiba
Pinheiro
Tapajós
Tucurui
MARANHÃO
Fortaleza
PARA
NORDESTE
NORD
Marabá
Imperatriz
Teresina
Barra do Corda
CEARA
RIO GRANDE DO NORTE
Natal
Carolina
Picos
PIAUI
PARAIBA
João Pessoa
S. Raimundo Nonato
PERNAMBUCO
Miracema do Norte
Tocantins
Recife
Juazeiro
Maceió
ALAGOAS
MATO GROSSO
Xingú
TOCANTINS
Senhor do Bonfim
Barreiras
Aracajú
SERGIPE
CENTRE-OUEST
São Francisco
BAHIA
Salvador
Jequié
Mato Grosso
Diamantino
Ipiaú
Ilheus
Brasilia
(D.F.)
Cuiabá
Januaria
GOIAS
Goiânia
Montes Claros
Itamaraju
MATO GROSSO DO SUL
MINAS GERAIS
Paraguay
Belo Horizonte
ESPIRITO SANTO
Parnaiba
Linhares
Uberaba
Campo Grande
Vitória
SÃO PAULO
SUDESTE
Campinas
Campos
RIO DE JANEIRO
PARAGUAY
Londrina
Santos
Rio de Janeiro
PARANÁ
São Paulo
Tropique du Capricorne
Curitiba
Paraná
STA CATARINA
Florianopolis
Uruguay
ARGENTINE
SUD
OCÉAN ATLANTIQUE
RIO GRANDE DO SUL
Uruguaiana
Pôrto Alegre
Pelotas
URUGUAY
500 km

INDICATEUR*	UNITÉ	1975	1985	1996	1997
Démographie**					
Population	*million*	108,0	135,0	161,1	163,1
Densité	*hab./km²*	12,7	15,9	18,9	19,2
Croissance annuelle	*%*	2,3[a]	1,6[b]	1,2[c]	••
Indice de fécondité (ISF)		4,0[a]	2,7[b]	2,1[c]	••
Mortalité infantile	*‰*	71[a]	51[b]	42[c]	••
Espérance de vie	*année*	62,5[a]	65,4[b]	67,3[c]	••
Indicateurs socioculturels					
Nombre de médecins	*‰ hab.*	0,63	1,47	1,36[i]	••
Analphabétisme (hommes)	*%*	23,7[m]	18,5[i]	16,7[g]	••
Analphabétisme (femmes)	*%*	27,2[m]	19,9[i]	16,8[g]	••
Scolarisation 12-17 ans	*%*	58,9	69,1	74,3[k]	••
Scolarisation 3e degré	*%*	11,0	11,2	11,3[f]	••
Téléviseurs	*‰*	77,8	185,1	289,1	••
Livres publiés	*titre*	12 296	17 648	21 574[g]	••
Économie					
PIB total[h]	*milliard $*	422,1[m]	526,1	1 023,1	••
Croissance annuelle	*%*	8,3[d]	1,6[e]	2,8	3,0
PIB par habitant[h]	*$*	3 480[m]	3 890	6 340	••
Investissement (FBCF)	*% PIB*	21,8[d]	20,5[e]	19,5	••
Recherche et Développement	*% PIB*	0,3	0,4	0,6[g]	••
Taux d'inflation	*%*	29,0	326,9	15,8	0,4[n]
Population active	*million*	38,9	56,0	72,5	••
Agriculture	*% (100 %)*	37,9	30,0	26,1[g]	••
Industrie	*% (100 %)*	24,3	23,5	19,6[g]	••
Services	*% (100 %)*	37,8	46,5	54,3[g]	••
Dépense publique Éducation	*% PIB*	3,0	3,8	4,6[k]	••
Dépense publique Défense	*% PIB*	1,2	0,8	2,1	••
Énergie (taux de couverture)	*%*	34,4	74,2	65,5[g]	••
Dette extérieure totale	*milliard $*	27,03	106,1	174,1	183,3
Service de la dette/Export.	*%*	43,2	38,6	45,4	55,0
Échanges extérieurs		**1974**	**1986**	**1996**	**1997**
Importations de services	*milliard $*	2,4	4,39	13,6[g]	••
Importations de biens	*milliard $*	12,6	14,04	49,7[g]	••
Produits énergétiques	*%*	23,8	26,8	14,9[g]	••
Produits manufacturés	*%*	48,2	49,1	67,5[g]	••
dont machines et mat. de transport	*%*	24,2	24,7	38,1[g]	••
Exportations de services	*milliard $*	0,8	1,82	6,1[g]	••
Exportations de biens	*milliard $*	7,8	22,35	46,5[g]	••
Produits agricoles	*%*	63,9	37,2	33,6[g]	••
Produits miniers[p]	*%*	12,0	10,9	10,3[g]	••
Produits manufacturés	*%*	22,3	47,9	33,1[g]	••
Solde transactions courantes	*% du PIB*	– 4,4[o]	– 1,3[e]	– 3,2	– 4,2

* Définition des indicateurs p. 25 et suiv. ** Dernier recensement utilisable : 1991. a. 1975-85 ; b. 1985-95 ; c. 1995-2000 ; d. 1970-80 ; e. 1980-96 ; f. 1994 ; g. 1995 ; h. A parité de pouvoir d'achat (PPA, voir définition p. 581) ; i. 1990 ; k. 1991 ; m. 1980 ; n. Décembre à décembre ; o. 1975-80 ; p. Y compris produits énergétiques.

Brésil/Bibliographie

B. Bret, H. Théry, « Le Brésil. De la croissance au développement ? », *Documentation photographique*, n° 7036, La Documentation française, Paris, 1996.

M. Droulers, « Les dynamiques territoriales au Brésil », *Cahiers des Amériques latines* (dossier), n° 24, CNRS/IHEAL, Paris, 1997.

B. Hersant Leoni, *Fernando Henrique Cardoso : le Brésil du possible*, L'Harmattan, Paris, 1997.

« L'oppression paternaliste au Brésil », *Lusotopie*, vol. 1996, Karthala/Maison des pays ibériques/CEAN.

C. A. Leite Barbosa, *L'Intégration latino-américaine et le Mercosur*, Adb, Paris, 1995.

« Le Brésil entre réformes et blocages », *Problèmes d'Amérique latine*, n° 23, La Documentation française, Paris, oct.-déc. 1996. (Voir notamment l'article de I. Sachs, « Une transition qui se prolonge ».)

S. Monclaire, « Comprendre les élections brésiliennes », *Infos-Brésil*, n°s 137 à 140, Paris, juin à oct. 1998.

S. Monclaire, « L'État frein au développement », *Cahiers des Amériques latines*, n° 25, CNRS/IHEAL, Paris, 1998.

D. Rolland, *Le Brésil et le monde*, L'Harmattan, Paris, 1998.

H. Théry, *Le Brésil*, Masson, Paris, 1989 (2e éd.).

H. Théry, *Pouvoir et territoire au Brésil*, Éditions de la MSH, Paris, 1995.

Voir aussi la bibliographie « Cône sud », p. 438.

de 43 % en novembre 1997 (c'était alors le plus haut du monde) à 23 % en avril 1998 ; baisse qui n'a pas entravé l'entrée massive de capitaux étrangers ; les réserves en devises s'établissaient à 75 milliards de dollars fin mai 1998. Mais la défense d'un real fort a lourdement pénalisé les exportations et entraîné un surendettement des entreprises et des ménages. Au premier trimestre, les banques n'avaient perçu que 52 % des sommes dues au cours de cette période, au titre du remboursement des crédits accordés. L'investissement et la consommation ayant chuté, la croissance a baissé à son tour : 1,5 % prévu pour 1998, contre 3,0 % en 1997 malgré le bol d'oxygène apporté par le développement des échanges au sein du Mercosur (Marché commun du sud de l'Amérique).

Ce ralentissement de l'activité, combiné aux licenciements opérés par des entreprises soucieuses de gagner en productivité, a fait bondir le chômage. Selon les syndicats (leur définition du chômeur est plus réaliste que celle proposée par les organismes officiels), les cinq principales régions métropolitaines du pays comptaient, en avril 1998, plus de 2,5 millions de personnes sans emploi. Le chômage y a progressé, de janvier 1997 à avril 1998, au rythme mensuel de 0,9 %. Dans l'État de São Paulo, le plus industrialisé du pays, il représentait 16,5 % de la population active. Cette forte dégradation de l'emploi a engendré une recrudescence de la violence urbaine (2 129 assassinats à São Paulo pour le seul premier trimestre). Quant à la sécheresse, qui a frappé durement les 5 millions de personnes vivant dans le polygone semi-aride du Nordeste, elle a justifié la multiplication des occupations de grandes propriétés par les paysans sans terre.

Réélu le 4 octobre 1998, F. H. Cardoso annoncera aussitôt un nouveau plan d'austérité s'accompagnant de « sacrifices nécessaires ». - **Stéphane Monclaire** ■

Chili

La transition chilienne devait s'achever en 1997 en même temps que le mandat des neuf sénateurs désignés fin 1989 et le départ du général Augusto Pinochet (au pouvoir de 1973 à 1990), qui était resté commandant en chef de l'armée de Terre. Les 120 députés et la moitié du Sénat (38 élus) étaient aussi à renouveler le 11 décembre 1997. Deux ans avant la présidentielle de 1999, ces élections avaient valeur de test pour le choix du candidat de chaque coalition de partis. Face au refus opposé par la droite, à laquelle le système électoral assure une minorité de blocage, aux réformes institutionnelles, le gouvernement du démocrate-chrétien Eduardo Frei a abordé ce scrutin fort d'un bilan économique positif (croissance de 6,0 %, chômage à 5,5 % fin 1997).

La Concertation des partis pour la démocratie est restée majoritaire (avec un peu plus de 50 % des suffrages) et a conservé 70 députés. Les 5 % de voix qu'elle a perdus par rapport à la législative de 1993 venaient du score plus faible recueilli par le Parti démocrate-chrétien. Bien que premier parti du pays (23 %), il a été légèrement devancé par le bloc progressiste du Parti socialiste (PS) et le Parti pour la démocratie (PPD) (presque 24 %), faisant également partie de la Concertation. Le favori des sondages, Ricardo Lagos, ministre des Travaux publics du gouvernement Frei jusqu'au remaniement ministériel du 1er août 1998 et depuis longtemps précandidat de la gauche, a régulièrement amélioré sa position au premier semestre 1998. Le Parti démocrate-chrétien, déchiré en 1997 par le renouvellement de sa direction, n'a choisi le sien, Andrés Zaldivar (président du Sénat), qu'en mai 1998. La campagne présidentielle, dont la première étape consistait à choisir le candidat unique de la Concertation, s'annonçait donc longue.

A droite, l'Union pour le Chili (UPC) a perdu deux députés et gagné 2 % de suffrages, grâce au meilleur score de sa composante pinochetiste, l'Union démocrate indépendante (UDI). Tout en maintenant une performance égale à l'échelle nationale, l'aile « libérale », Rénovation nationale (RN), a perdu des députés, ainsi que sa position de second parti au Sénat au profit de l'UDI. La nomination des sénateurs désignés au titre des forces armées le 23 décembre 1997 et l'entrée dans l'assemblée de A. Pinochet comme sénateur à vie le 11 mars 1998 ne pouvaient qu'accentuer le malaise manifesté par le taux d'abstention le plus élevé depuis 1989 (29 % des inscrits). L'UDI semblait ainsi pouvoir imposer Joaquín Lavín comme candidat de la droite en 1999.

Le désenchantement face à la démocratisation sans cesse repoussée du régime, sensible jusque dans le « discours à la nation » du président Frei le 21 mai 1998, a divisé son parti dont une aile était favorable à l'accusation constitutionnelle lancée contre le général Pinochet en mars 1998 pour avoir « compromis l'honneur et la sécurité de la Nation [...], menacé l'application de l'État de droit [...], offensé la mémoire des victimes des atteintes aux droits de l'homme

République du Chili

Capitale : Santiago du Chili.
Superficie : 756 945 km2.
Nature de l'État : république.
Nature du régime : démocratie présidentielle.
Chef de l'État et du gouvernement : Eduardo Frei Ruiz-Tagle (depuis le 11.3.94).
Ministre de l'Intérieur : Raúl Troncoso (depuis le 1.8.98).
Ministre des Relations extérieures : José Miguel Insulza (depuis le 20.9.94).
Ministre de la Défense : José Florencio Guzmán (depuis le 1.8.98).
Échéances institutionnelles : élections présidentielle (1999), parlementaires (2001).
Monnaie : peso (au cours officiel, 100 pesos = 1,30 FF au 30.4.98).
Langue : espagnol.

[...] ». Les effets de la crise financière et monétaire asiatique ouverte à la mi-1997, qui s'est traduite par la baisse des ventes sur ces marchés (un tiers du commerce extérieur) et la chute des cours du cuivre, exportation vitale pour les finances publiques, ont conduit à des coupes budgétaires en juin 1998. Après être parvenu à gérer la fermeture des mines de charbon en 1997, le gouvernement a été confronté, en 1998, à des mouvements sociaux dans le secteur public de la santé et de l'éducation. Les dégâts causés par le phénomène climatique El Niño en 1997 ont par ailleurs durement touché les secteurs les plus précarisés de la population (les 20 % de Chiliens les plus pauvres ne perçoivent que 3,3 % du revenu national, contre 60,4 % pour les 20 % les plus riches). Les effets positifs de la mise en œuvre de la réforme de l'enseignement secondaire ou la modernisation du système judiciaire lancée en 1997 seront pour leur part longs à se manifester.

En politique étrangère, la déception née du refus du Congrès américain fin 1997 d'autoriser Bill Clinton à utiliser la procédure de *fast track* (négociation directe et en bloc) pour les négociations d'adhésion à l'ALENA (Accord de libre-échange nord-américain) a été relativisée. Hôte du 2e sommet des Amériques en avril 1998, le Chili était en effet devenu « associé privilégié » du Mercosur, participant depuis décembre 1997 aux débats sur l'intégration politique, économique et sociale et sur les relations avec l'Union européenne. José Miguel Insulza, ministre des Relations extérieures, a proposé diverses mesures pour gérer les questions de sécurité affectant les échanges et s'est employé à résoudre les différends historiques avec l'Argentine et le Pérou. Par la modernisation de la Défense, avec la publication en août 1997 du *Livre de la Défense nationale* et en octobre 1997 la nomination du général Ricardo Izurieta à la tête de l'armée de terre, le gouvernement a poursuivi la lente normalisation des relations avec les forces armées. - **Sophie Jouineau** ■

Paraguay

La vie politique du pays a été marquée par les scrutins de 1997 et 1998. En septembre 1997 ont eu lieu les élections internes des principaux partis, le Parti colorado (PC, au pouvoir) et le PLRA (Parti libéral radical authentique), pour choisir leur candidat aux présidentielles.

Étaient en lice pour représenter le PC Carlos Facetti, appuyé par le président Juan Carlos Wasmosy, Luis María Argaña, lié à l'ancien dictateur Alfredo Stroessner (1954-1989), et le général Lino César Oviedo, ex-commandant en chef de l'armée, responsable de la tentative de coup d'État d'avril 1996. Le résultat, favorable au général Oviedo, a provoqué tout de suite le malaise, aussi bien chez ses opposants à l'intérieur même du PC, que chez les commandants de l'armée et de la marine de guerre ; ces derniers, qui avaient résisté à la tentative de coup d'État du général, craignaient ses représailles, et ont annoncé dans les médias qu'ils n'accepteraient pas sa candidature à la Présidence.

Dans l'opposition, le PLRA et Rencontre nationale (EN) se sont coalisés contre le Parti colorado dans la formule électorale Alliance démocratique, le PLRA devant désigner le candidat à la Présidence et l'EN le candidat à la vice-présidence. L'élection interne au PLRA a eu lieu le 28 septembre, entre Domingo Laíno, à la carrière politique

République du Paraguay

Capitale : Asunción.
Superficie : 406 752 km².
Nature du régime : démocratie présidentielle.
Chef de l'État et du gouvernement : Raúl Cubas Grau, qui a succédé le 15.8.98 à Juan Carlos Wasmosy.
Échéance institutionnelle : élection présidentielle (2003).
Monnaie : guarani (au taux officiel, 1 000 guaranis = 2,19 FF au 30.5.98).
Langues : espagnol, guarani.

Cône sud/Bibliographie

« L'Argentine de Menem à Menem. Les nouveaux défis économiques et politiques », *Problèmes d'Amérique latine*, n° 20 (spécial), La Documentation française, Paris, 1er trim. 1996.

O. Bottinelli *et alii*, *Reforma política*, FCU, Montevideo, 1993.

L. Costa Bonino, *Las Crises del sistema político uruguayo. Partidos políticos y democracia hasta 1973*, FCU, Montevideo, 1995.

C. Gabetta, « Coup de semonce pour le président argentin », *Le Monde diplomatique*, n° 525, Paris, déc. 1997.

C. Gillespie, *Negociando la Democracia. Políticos y generales en Uruguay*, FCU, Montevideo, 1995.

S. Jouineau, « Au Chili, une transition qui n'en finit pas », *Le Monde diplomatique*, n° 529, Paris, avr. 1998.

T. Moulian, *Chile actual, Anatomia de un mito*, LOM Ediciones, Santiago, 1997.

C. Rudel, *Le Paraguay*, Karthala, Paris, 1990.

R. Sidicaro, J. Mayer (sous la dir. de), *Politica y sociedad en los años del menemismo*, Universidad de Buenos Aires, Buenos Aires, 1995.

M.-A. Veganzones, C. Winograd, *L'Argentine au XXe siècle, chronique d'une croissance annoncée*, OCDE, Paris, 1997.

M. Weinstein, *Uruguay, the Politics of Failure*, Greenwood Press, Westport (Conn.), 1975.

Voir aussi la bibliographie « Brésil », p. 435.

déjà longue, qui contrôlait la structure et l'appareil partisan libéral, et Miguel Saguier, président du Sénat, qui bénéficiait du consensus de l'opposition interne libérale. D. Laíno élu, il a complété la formule d'opposition avec Carlos Filizzola, dirigeant de l'EN et ancien maire de la ville d'Asunción.

Les élections présidentielles ont eu lieu le 10 mai 1998, dans un contexte de crise politique. Par une disposition du tribunal militaire, confirmée ensuite par la Haute Cour de justice, L. Oviedo avait été écarté de la course électorale et condamné à dix ans de prison pour sa tentative de coup d'État de 1996. Son remplaçant, Raúl Cubas Grau, a remporté les élections à la majorité absolue, récupérant de surcroît pour le PC la majorité des sièges au Congrès.

Dans le domaine économique et financier, une série de crises bancaires, débutant par la fermeture de la très importante banque Unión, a ébranlé le pays en juin 1997 et juin-juillet 1998, et a déterminé dans les faits la fin des banques paraguayennes, la confiance de la société se limitant désormais aux seules banques étrangères.

Uruguay

Le pays s'est engagé dans une période d'effervescence politique. Selon la nouvelle Constitution datant du 14 janvier 1997, quatre élections devraient avoir lieu entre 1999 et 2000 (notamment des présidentielles et des législatives fin 1999).

Les cas de corruption, réelle ou supposée, qui se seraient produits pendant la mandature de Luis Alberto Lacalle (1990-1994) ont donné lieu à de vifs débats et des accusations réciproques ont été portées, entre partis mais aussi à l'intérieur du Parti national (Blanco) de l'ancien chef d'État. La sécurité publique, considérée comme la défaillance principale du gouvernement du président Julio M. Sanguinetti, a provoqué début février 1998 le remplacement à la tête du ministère de l'Intérieur de Didier Opertti par Luis Hierro López. Le nouveau ministre, par une gestion de style plus vigoureux, a obtenu le soutien de l'opinion publique.

Le grand débat sur les détenus-disparus de la dictature militaire (1973-1984) s'est poursuivi. Une solution a semblé s'ébaucher dans la volonté de dialogue exprimée par les anciens protagonistes des deux camps, respectivement les ex-guérilleros tupamaros et les militaires, qui se sont rapprochés d'une formule acceptable pour tous : l'éclaircissement, sans sanctions pénales, des circonstances de la mort de ces personnes et la détermination éventuelle des lieux d'inhumation.

Le jeu politique a pris en compte la possibilité que le Front élargi (gauche) remporte les élections présidentielles, malgré l'échec de l'initiative activement soutenue par le candidat de la gauche, Tabaré Vásquez, de soumettre à référendum une loi régulant la production et la distribution de l'énergie électrique, restées monopoles d'État.

La politique économique du gouvernement Sanguinetti a été efficace en 1997 : croissance réelle de l'investissement de 12,8 %, augmentation de la consommation de 4,4 %, diminution sensible de l'inflation qui s'est établie à 15,2 %, croissance du PIB de 6,0 %.

République orientale de l'Uruguay

Capitale : Montevideo.
Superficie : 176 215 km².
Nature du régime : démocratie présidentielle.
Chef de l'État et du gouvernement : Julio María Sanguinetti (depuis le 1.3.95).
Échéances institutionnelles : élection présidentielle (1999).
Monnaie : peso (au taux officiel, 1 peso = 0,57 FF au 30.4.98).
Langue : espagnol.

Les données économiques et le climat social n'étaient toutefois pas en harmonie : les luttes syndicales se sont accrues en 1998, avec la revendication de meilleurs salaires, en particulier dans les secteurs de l'enseignement, de la santé et de la justice. Les inondations n'ont par ailleurs guère amélioré la situation. - **Luis Costa Bonino** ■

Présentation par **Michel Foucher** *et* **Catherine Baulamon**
OEG Lyon

L'Europe, province d'un monde relationnel, est ce continent où le doute et la critique structurent le discours que les Européens tiennent sur eux-mêmes. Cette posture philosophique décrit un aspect original de l'esprit de ceux-ci, attachés au primat de l'individu et de la liberté d'agir, de croire et de juger. Mais elle dessine aussi une géographie aux contours flous et une pratique qui allie la diversité sans cesse revendiquée – paysages, langues, nations et peuples, trajectoires historiques, cultures et visions – à une rhétorique de rassemblement – recherche d'unité des États nationaux et, parfois, des peuples dissociés, convergence accrue de la gestion économique, extension des procédures démocratiques.

Il y a place pour le doute, en effet, sur les frontières de cet espace aux marges incertaines, car voici un ensemble fragmenté en plus de 45 États, avec au moins 50 nations ou entités ethno-linguistiques à vocation nationale. Début 1998, il comptait 729 millions d'habitants, Russes inclus ; quant à l'Union européenne, elle regroupait déjà un peu plus de la moitié des Européens (375 millions). La construction européenne brouille les représentations de l'Europe en dissociant les quinze États membres des non-membres aspirant à s'y agréger. La difficulté s'accroît avec l'emploi du mot « Europe » dans le sens d'association volontaire et durable de quinze États liés par des traités d'union (Maastricht, 1992 ; Amsterdam, 1997). Il constitue aussi un critère d'adhésion : « tout État européen peut en devenir membre », selon le traité de Rome (1957), sans que le terme « européen » y soit officiellement défini. Si l'Union s'élargissait à 27 États, avec les douze candidats actuels, sa superficie augmenterait d'un tiers, sa population de 30 % mais son PIB de 8 % seulement.

L'Union est le pôle de prospérité et de réorganisation, mais les contraintes d'une convergence accrue en matière de politique économique et d'une extension impérative renforcent son intraversion au moment où il conviendrait de s'ouvrir aux nouvelles réalités géopolitiques. De là viennent les critiques, multiples et incessantes dans les parlements et les chroniques, portant tour à tour sur l'absence de visions communes du devenir de l'Europe, la quête d'un modèle conciliant justice sociale et efficacité économique, la lenteur des processus d'élargissement à l'Est, l'impuissance diplomatique supposée de l'Union en matière d'intervention dans les crises et les guerres civiles de son « arrière-cour », l'incapacité à construire un système de sécurité crédible sans la présence du « grand frère » américain, l'illusion, enfin, de maintenir un projet géopolitique autonome dans un monde globalisé.

L'Europe, comme discours géopolitique, sert de mythe organisateur de la complexité du continent. Pour la Commission européenne, celui-ci combine des élé-

SOUS L'EUROPE DES ÉTATS SE DESSINE DÉJÀ UNE EUROPE DES RÉSEAUX ET DES ALLIANCES ENTRE DES RÉGIONS, DES CITÉS, DES FIRMES ET AUTRES ACTEURS.

ments géographiques, historiques et culturels qui, ensemble, contribuent à l'identité européenne. L'expérience partagée ne peut être condensée en une formule simple et reste sujette à révision à chaque génération. Il n'est ni possible ni opportun d'établir maintenant les frontières de l'Union, dont les contours se construiront au fil du temps. Il s'agit bien d'un processus de convergence des États, où la diversité n'est pas niée, la poursuite des intérêts nationaux se faisant au nom de l'Europe. Les « petits » États disposent d'un poids décisionnel supérieur à leur taille économique ou démographique ; le maintien de la diversité sauvegarde des équilibres. Les États plus peuplés se ménagent des marchés élargis et trouvent dans le projet européen les relais d'une puissance accrue, mais acceptable par les autres.

L'EXPÉRIENCE EUROPÉENNE PARTAGÉE NE PEUT ÊTRE CONDENSÉE EN UNE FORMULE SIMPLE. IL N'EST NI POSSIBLE NI OPPORTUN D'ÉTABLIR MAINTENANT LES FRONTIÈRES DE L'UNION, DONT LES CONTOURS SE CONSTRUIRONT AU FIL DU TEMPS. IL S'AGIT BIEN D'UN PROCESSUS DE CONVERGENCE DES ÉTATS, OÙ LA DIVERSITÉ N'EST PAS NIÉE, LA POURSUITE DES INTÉRÊTS NATIONAUX SE FAISANT AU NOM DE L'EUROPE.

Si l'État national demeure le trait géographique le plus structurant du continent – l'Union n'est encore que la somme de quinze États –, il n'est pas unique. En Suisse, par exemple, l'équilibre tient au fait que les limites linguistiques ne coïncident pas avec les limites religieuses ; ce pays illustre ainsi la mosaïque européenne. Le contraste entre l'Europe occidentale des sociétés formées dans la matrice du catholicisme et du protestantisme, et celle, orientale, de l'orthodoxie, demeure d'actualité ; l'Union s'élargira d'abord vers cette Europe centrale. L'Europe orientale, de la Russie à la Serbie, se débat avec son identité et ses frontières, dont l'un des aspects est justement la nature du rapport à l'Europe.

Relevons aussi en Europe des différences plus géo-économiques, selon le degré de l'intervention de l'État ou d'intimité entre banques et entreprises. L'Europe gagnante insérée dans l'économie-monde voit ses métropoles du Nord-Ouest, de Londres à Paris, Amsterdam et Francfort, s'affirmer ; les façades de la mer du Nord s'imposer sur les routes Rotterdam-New York-Singapour ; les régions situées au nord et au sud de l'arc alpin prospérer autour de villes historiques dynamiques et de régions *high tech*, de Munich à Milan. Les surplus commerciaux des grands États européens sont partiellement transférés, par les fonds communautaires, vers les régions périphériques : arc atlantique de l'Irlande au sud du Portugal, arc méditerranéen de l'Andalousie aux îles grecques, à leur tour affectés par une modernisation accélérée.

Quant au champ politique, qui dans certains pays subit les effets de la fin de la guerre froide – crise du gaullisme en France, de la démocratie-chrétienne en Italie –, il est marqué depuis un quart de siècle par l'avancée démocratique : Espagne, Portugal, Grèce, puis Europe centrale et plus lentement Europe du Sud-Est et Europe orientale. L'espace public européen reste dominé par les alternances et les compromis entre les deux grands courants social-démocrate et conservateur (libéral ou chrétien-démocrate selon les cas). Mais

Présentation par **Michel Foucher** *et* **Catherine Baulamon**
OEG Lyon

les aléas de la croissance, les lacunes de la gestion des régions et villes, attirant les populations plus que les emplois, et les doutes sur l'identité nationale dans des sociétés où partis, syndicats, entreprises et parfois écoles ne sont plus d'efficaces laboratoires d'intégration civique affectent celles-ci à des degrés divers. Les discours xénophobes et les réflexes de repli ne sont pas rares. Les frontières extérieures de l'Union se ferment. Des ruptures de solidarité entre régions prospères et régions plus dépendantes de l'action publique s'énoncent comme projet politique (Italie du Nord, Allemagne du Sud, Espagne du Nord, Belgique de l'Ouest...).

Sous l'Europe des États se dessine déjà une Europe des réseaux et des alliances entre des régions, des cités, des firmes et autres acteurs. L'esprit de liberté traverse le continent européen depuis 1989 : ce faisant, il l'unifie mais son souffle fait ployer identités et certitudes. Dans les vents de l'histoire, l'Europe figure un bien commun. ■

Par **Michel Foucher**
Géographe, OEG Lyon

Bien qu'une large majorité d'États de l'Union européenne soit dirigée par des gouvernements sociaux-démocrates et de centre gauche, il n'y a pas de réelle doctrine européenne commune pour corriger les inégalités engendrées par le marché et assurer la maîtrise collective de l'économie.

Le Conseil européen extraordinaire réuni à Bruxelles du 1er au 3 mai 1998 a lancé la monnaie unique, l'euro, avec onze des quinze pays membres (Allemagne, Autriche, Belgique, Espagne, Finlande, France, Irlande, Italie, Luxembourg, Pays-Bas, Portugal), le Royaume-Uni, la Suède, le Danemark et la Grèce devant attendre soit une amélioration de leurs finances publiques, soit une évolution plus favorable de leurs opinions publiques. C'est au 1er janvier 1999 que les parités entre monnaies nationales devaient être définitivement fixées et le cours de l'euro vis-à-vis de celles-ci établi, en substitution à l'écu. Allait alors s'ouvrir une période de transition jusqu'en 2002 où l'euro remplacera les monnaies nationales pour les transactions courantes.

Les tensions nées de la désignation du premier président (et de la durée de son mandat) de la Banque centrale européenne (BCE), sise à Francfort dans un immeuble qui abritait naguère encore des bureaucrates de l'armée américaine en Allemagne, le Néerlandais Wim Duisenberg, ont résulté d'une divergence d'interprétation entre la France et les autres pays membres sur le principe de fonctionnement des institutions européennes : Paris refusait d'accepter sans négocier un candidat coopté par les gouverneurs des banques centrales et non désigné par le Conseil européen, instance politique suprême. Le différend franco-allemand a été accentué par la perspective d'élections allemandes difficiles pour la coalition chrétienne-démocrate CDU-CSU (laquelle a été défaite lors de ce scrutin), alors que l'Allemagne découvrait désormais, non sans réticence, la réalité du passage du *Deutsche Mark* à l'euro. Au-delà des péripéties, l'adoption de la monnaie unique exprime la convergence économique amorcée avec le traité de Rome (1957). On en attend un effet de puissance dès lors que l'euro est appelé à devenir la deuxième monnaie de réserve du monde mais aussi un choc fédérateur au sens où il s'agit d'une délégation d'un des attributs majeurs de souveraineté, qui ne peut plus être exercée par les nations individuelles [*voir article p. 40 et suivantes*].

La BCE est dirigée par un conseil des gouverneurs – six membres du directoire plus onze gouverneurs des banques centrales nationales ; son unique mission est d'assurer la stabilité des prix intérieurs. C'est d'ailleurs cette conception restrictive de son rôle – conforme à la fonction historique de la Bundesbank de protection de la monnaie d'interférences politiques – qui ne manque pas de susciter un débat durable ; des voix nombreuses s'élèvent, en Europe et aux États-Unis, pour marquer qu'une banque centrale devrait essayer d'atteindre simultanément des objectifs en matière de chômage et de stabilité monétaire. De même, beaucoup estiment qu'un euro trop évalué par rapport au dollar serait un facteur de réduction de la compétitivité des économies européennes, et donc de chômage.

Parmi les quatre conditions posées par le Premier ministre français, Lionel Jos-

Par **Michel Foucher**
Géographe, OEG Lyon

pin, à la mise en place de l'euro, deux ont été intégralement remplies (inclusion de l'Italie, de l'Espagne et du Portugal, pour éviter une hégémonie de l'Europe du Nord-Ouest ; refus d'une monnaie surévaluée par rapport au dollar). Les deux autres sont un objectif de plus longue haleine : la formation d'un Conseil de l'euro, qui doit veiller à ce que les budgets nationaux aient une orientation commune, un « label » européen. On discerne donc que le maintien de la stabilité monétaire a des effets plus amples, impliquant une coordination budgétaire et, à terme, comme l'indiquait Yves-Thibault de Silguy, commissaire européen chargé des Affaires économiques et monétaires, une convergence en matière fiscale. L'autre condition est la mise en œuvre effective d'un pacte de stabilité et de croissance, thème abordé au Conseil européen de Cardiff (15-16 juin 1998), consacré à l'emploi et à l'Europe sociale.

Or, en la matière, et bien qu'une large majorité d'États de l'Union européenne soit dirigée par des gouvernements sociaux-démocrates et de centre gauche, la diversité des options politiques l'emporte. Il n'y a pas de réelle doctrine européenne commune pour corriger les inégalités engendrées par le marché et assurer la maîtrise collective de l'économie : les uns s'en tiennent aux effets du marché, tandis que d'autres recherchent une légitimité différente, exprimant le rôle de la citoyenneté dans les affaires économiques.

La proposition française d'un comité parlementaire de l'euro, capable de dialoguer avec la BCE, irait dans ce sens. Elle marque en tout cas que la poursuite de la construction européenne suppose une implication plus nette des élus nationaux et européens. Le réformisme prudent du « New Labour » diffère d'une stratégie visant à la pérennité de l'intervention de l'État dans une politique volontariste de l'emploi et le maintien du service public. On peut même estimer qu'en dépit de l'apparente convergence des majorités politiques en Europe, les gouvernements respectifs pourraient privilégier leurs intérêts nationaux pour améliorer la situation de l'emploi, objectif pour lequel ils sont élus. C'est clairement la ligne que défendait en Allemagne le Parti social-démocrate (SPD) de Gerhardt Schröder avant que celui-ci ne devienne chancelier à l'automne 1998.

Par ailleurs, il devient urgent de reprendre le chantier institutionnel, pour éviter une paralysie des processus de décision dans l'Union : modification de la pondération des voix pour prendre en compte le poids démographique des pays membres, redéfinition du nombre et donc du rôle des commissaires, adaptation des modes de décision entre les sujets relevant de l'unanimité (élargissement aux pays d'Europe centrale, par exemple) et ceux où la majorité des votes serait suffisante. Selon Jacques Santer, président de la Commission, l'intégration européenne a atteint un tel niveau que tout nouveau progrès touche à des domaines de plus en plus sensibles et rend désormais extrêmement difficile une négociation sur les institutions.

Il est significatif que l'argument des intérêts nationaux soit souvent employé par plusieurs États, notamment ceux qui assurent près de 72 % du budget communautaire (Allemagne, 30 %; France, 18 %; Italie, 12,4 %; Royaume-Uni, 12,4 %).

Ces réformes de fond sont posées comme préalable à la décision définitive de l'élargissement.

Les négociations d'élargissement ont com-

L'ADOPTION DE LA MONNAIE UNIQUE EXPRIME LA CONVERGENCE ÉCONOMIQUE AMORCÉE AVEC LE TRAITÉ DE ROME (1957).

Par **Michel Foucher**
Géographe, OEG Lyon

mencé le 30 mars 1998 avec cinq États – Pologne, République tchèque, Hongrie, Estonie et Slovénie – plus Chypre. Si le choix des trois premiers est logique (l'exclusion de la Slovaquie étant liée au déficit démocratique du régime en place), celui de l'Estonie souligne à la fois la réussite de la transition économique et fait office de signal positif aux trois pays baltes, écartés de l'extension de l'OTAN (Organisation du traité de l'Atlantique nord) en première phase. De même la Slovénie est-elle en passe de tenir ses objectifs géopolitiques d'ancrage à l'Europe centrale.

Dans le cas de Chypre, la Commission espère que cette perspective contribue à la solution du différend intercommunautaire dans une île divisée depuis 1974. Dans l'immédiat, c'est l'effet inverse qui s'est produit, sur un fond de tensions croissantes entre l'EU et la Turquie, qui a vu sa candidature déjà ancienne reléguée à un terme indéfini. D'où le refus du gouvernement d'Ankara de participer à la conférence de Londres de mars 1998, qui regroupait pour la première fois les Quinze et les Onze candidats, en une formation appelée à la permanence et préfigurant l'organisation d'une Europe élargie.

En 1999, trois États d'Europe centrale intégreront les structures politico-militaires de l'Alliance atlantique (Pologne, République tchèque et Hongrie) et se tiendront les élections au Parlement européen. Les développements critiques au sud de la Serbie (Monténégro et surtout Kosovo) sont un nouveau défi pour la PESC (Politique étrangère et de sécurité communes). L'OTAN a mis à l'étude, en liaison avec le groupe de contact sur l'ex-Yougoslavie (États-Unis, Russie, France, Allemagne, Royaume-Uni et Italie), plusieurs scénarios d'intervention indirecte ou directe, au-delà des sanctions économiques : renforcement de la présence militaire en Macédoine, sécurisation des frontières de l'Albanie, scénario d'exclusion aérienne sur la Serbie.

L'ANNÉE 1998 A RAPPELÉ QU'EN DÉPIT DE L'ÉTAPE HISTORIQUE QUE REPRÉSENTE LA CONVERGENCE MONÉTAIRE, LES FORCES NON DÉMOCRATIQUES CONTINUAIENT, POUR PERPÉTUER LEUR EMPRISE, DE SOUFFLER SUR LES BRASIERS MAL ÉTEINTS DE L'ESPACE BALKANIQUE.
IL EST PROBABLE QUE LA DÉMOCRATISATION DES RÉGIMES DE L'EUROPE DU SUD-EST PASSE D'ABORD PAR LA RÉSOLUTION NÉGOCIÉE DES CONFLITS NATIONAUX.

L'année 1998 a rappelé qu'en dépit du progrès historique que représente la convergence monétaire, les forces non démocratiques continuaient, pour perpétuer leur emprise, de souffler sur les brasiers mal éteints de l'espace balkanique. Il est probable que la démocratisation des régimes de l'Europe du Sud-Est passe d'abord par la résolution négociée des conflits nationaux. Il y a là pour l'Europe un défi géopolitique majeur.

Voir également l'article consacré aux enjeux intraeuropéens et internationaux de l'euro, p. 40 et suivantes.

1997

8-9 juillet. OTAN. Le sommet de Madrid s'accorde sur le principe de l'élargissement de l'OTAN à la Hongrie, la Pologne et la République tchèque. Un accord de partenariat avec l'Ukraine est signé le 9 juillet.
14 juillet. Bosnie-Herzégovine. Condamnation par le Tribunal pénal international (TPI) du Serbe de Bosnie Dusan Tadic pour crime contre l'humanité.
23 juillet. Albanie. Le chef de l'État Sali Berisha démissionne, son parti, avec 25 % des suffrages, ayant été largement battu lors des élections législatives du 29 juin par le Parti socialiste (ex-communiste) de Fatos Nano (53,3 %). Ces élections anticipées faisaient suite à des mois d'émeutes.
12 août. Espagne. L'exécution par l'ETA d'un conseiller municipal enlevé provoque une manifestation de masse à Bilbao, contre la violence du groupe séparatiste basque.
6 septembre. Royaume-Uni. Les funérailles de la princesse Diana, décédée dans un accident automobile, sont un immense événement médiatique.
11 septembre. Écosse. Le référendum sur l'autonomie est largement approuvé. Une semaine plus tard, le 18, le référendum organisé au pays de Galles à propos de la création d'un parlement autonome aboutit de justesse (50,3 % de « oui »).
15 septembre. Norvège. Lors des élections législatives, le Parti travailliste (au pouvoir) n'obtient que 35,2 % des voix, en recul de 1,8 point. Le Premier ministre Thorbjørn Jagland démissionne et laisse la place à une coalition de centre droit ultraminoritaire (26,1 % au total).
15 septembre. Irlande du Nord. Ouverture des négociations sur l'avenir de l'Ulster à Belfast. C'est la première rencontre entre les républicains (catholiques) du Sinn Féin (aile politique de l'IRA – Armée républicaine irlandaise) et les unionistes protestants.
21 septembre. Pologne. Aux élections législatives, la coalition Action électorale « Solidarité » (AWS) l'emporte sur le Parti social-démocrate (ex-communiste) du président Aleksander Kwasniewski (33,8 % des voix et 201 sièges sur 460 contre 27,13 % et 164 sièges). Le 16 octobre, Jerzy Buzek sera nommé Premier ministre.
8 octobre. Histoire de France. Ouverture à Bordeaux, plus de 50 ans après les faits, du procès en assises de Maurice Papon, ancien secrétaire général de la préfecture de Gironde (1942-1944), accusé de complicité de crime contre l'humanité pour avoir apporté son concours actif à l'arrestation et à la déportation de plus de 1 500 Juifs vers les camps nazis sous le régime de Vichy. Le 2 avril suivant, il est condamné à 10 ans de réclusion criminelle pour complicité de crimes contre l'humanité. Il se pourvoit en cassation et reste libre.
10 octobre. France. Lors de la réunion d'une Conférence nationale pour l'emploi, le Premier ministre socialiste Lionel Jospin annonce la prochaine présentation au Parlement d'un projet de loi fixant la durée légale du travail à 35 heures au 1er janvier 2000 pour les entreprises de plus de 10 salariés.
10-11 octobre. Conseil de l'Europe. Le 2e sommet de l'organisation réunit à Strasbourg les quarante États membres (dix-sept ont adhéré au cours des huit dernières années). Adoption d'un plan d'action de dix-huit mesures en faveur de la démocratie en Europe.
13 octobre. Espagne. Ouverture du procès de 23 responsables de la direction de Herri Batasuna, bras politique des séparatistes basques de l'ETA. Ils seront chacun condamnés à sept ans de prison.
28 octobre. Crise boursière. A la suite de la crise financière et monétaire asiatique commencée à l'été, les Bourses de Paris, Londres et Francfort plongent à la suite de Wall Street et de la Bourse de Hong Kong [*sur la crise asiatique, voir p. 33*].
30 octobre. Ariane 5. Succès du vol inaugural, à partir de la base de Kourou (Guyane), du lanceur lourd européen Ariane 5 (le 4 juin précédent une première tentative avait échoué).
30 octobre. Irlande. A l'élection présidentielle, Mary McAleese, candidate soutenue par le Fianna Fail, l'emporte contre Mary Banotti (Fine Gael) avec respectivement 59 % et 41 % des suffrages exprimés.
3-4 novembre. Balkans. A Héraklion (Grèce), l'Albanie, la Bosnie, la Bulgarie, la Grèce, la Macédoine, la Roumanie, la Turquie et la Yougoslavie s'engagent à renforcer la stabilité et la sécurité de la région, sans parvenir à résoudre les nombreux contentieux existants.
21 novembre. UE. Sommet à Luxembourg

sur l'emploi, à la demande de la France. Le jour précédent a eu lieu une manifestation de syndicalistes européens.
30 novembre. République tchèque. Démission du Premier ministre Vaclav Klaus, mêlé à un scandale financier.
8 décembre. Banque. L'Union des banques suisses (UBS) et la Société de banque suisse (SBS) fusionnent, créant la United Bank of Switzerland, deuxième groupe au monde par le bilan et premier par les fonds propres.
12-13 décembre. UE. Le Conseil européen, réuni à Luxembourg, lance officiellement le processus d'élargissement avec l'Estonie, la Hongrie, la Pologne, la République tchèque, la Slovénie et Chypre (mais non avec la Turquie). La création d'un Conseil de l'euro (informel et non décisionnel) est décidée.
15 décembre. Chômage. En France, manifestations de chômeurs réclamant notamment une hausse des minima sociaux. Ce mouvement se poursuivra jusqu'en janvier. Le 5 février, des manifestations de chômeurs auront aussi lieu en Allemagne.
21 décembre. Serbie. L'élection présidentielle voit la victoire du socialiste (ex-communiste) Milan Milutinovic sur l'ultranationaliste Vojislav Seselj (59,7 % contre 37,24 %).

1998

15 février. Chypre. Glafcos Cléridès est réélu à la Présidence, avec 50,8 % des voix au second tour.
22 février. Turquie. Le parti Refah (islamiste) est interdit et l'armée épurée. Un nouveau parti, le Fazilet (« Parti de la vertu ») accueille les députés du Refah et devient le premier parti du pays.
14 mars. SME. La drachme grecque, dévaluée de 13,8 %, entre dans le Système monétaire européen (SME) et la livre irlandaise est réévaluée de 3 %, afin de préparer le passage à l'euro.
10 avril. Irlande du Nord. Signature d'un accord historique entre les principaux partis unionistes et républicains, le Royaume-Uni et la République d'Irlande. Les négociations ont été placées sous l'égide des Premiers ministres de ces deux pays et du médiateur américain George Mitchell. Cet accord relatif à un statut futur de l'Ulster intervient trente ans après la reprise des violences.
14 avril. États-Unis-Cuba. L'Union européenne, après de longues négociations, obtient que la loi Helms-Burton qui devait sanctionner les entreprises commerçant avec Cuba soit suspendue. Le 3 janvier, Bill Clinton avait annoncé que la mise en œuvre complète de cette loi était ajournée de six mois.
23 avril. Belgique. Marc Dutroux, accusé de crimes de pédophilie et d'assassinat, s'évade du Palais de justice de Neufchâteau. Il est repris après trois heures et demie de cavale. Les ministres de la Justice et de l'Intérieur démissionnent. Le chef d'état-major fera de même le 28.
26 avril. Allemagne. Aux élections du *Land* de Saxe-Anhalt, l'Union démocrate-chrétienne du chancelier Kohl recule de 12 points. Le 27 septembre suivant, lors des élections pour le Bundestag, ce dernier sera battu par son challenger Gerhard Schröder (35,2 % contre 50,9 %). Il sera resté chancelier pendant 16 ans.
28 avril. AMI. La signature de l'Accord multilatéral sur l'investissement, négocié depuis trois ans dans le cadre de l'OCDE et visant à établir l'ouverture totale des marchés à tous les investissements, est reportée.
1er-3 mai. UE. Lors du Conseil européen extraordinaire de Bruxelles, la liste des pays qui adopteront l'euro dès le 1er janvier 1999 est officiellement arrêtée. Ils sont au nombre de onze : Allemagne, Autriche, Belgique, Espagne, Finlande, France, Irlande, Italie, Luxembourg, Pays-Bas et Portugal. Le Royaume-Uni, le Danemark et la Suède, bien que souscrivant aux conditions de convergence, ont fait le choix politique de ne pas s'associer, tandis que la Grèce ne réunissait pas les conditions requises. Le Néerlandais Wim Duisenberg est désigné pour présider la Banque centrale européenne (BCE). La France avait tenté d'imposer la candidature de Jean-Claude Trichet [*sur les enjeux de l'euro, voir article p. 40*].
4 mai. Nouvelle-Calédonie. Signature officielle des accords de Nouméa entre indépendantistes du FLNKS, anti-indépendantistes du RPCR, et le représentant de l'État français. Ces accords reportent le scrutin d'autodétermination de ce territoire français d'outre-mer à une date comprise entre 2013 et 2018. D'ici là, certaines compétences de l'État seront transférées aux autorités du territoire.
7 mai. Automobile. Les constructeurs alle-

Europe occidentale et médiane/Bibliographie sélective

R. Brunet (sous la dir. de), *Géographie universelle*, Belin/Reclus, Paris/Montpellier : voir **D. Pumain, T. Saint-Julien, R. Ferras,** « France, Europe du Sud » (vol. II, 1994) ; **J.-P. Marchand, P. Riquet** (sous la dir. de), « Europe médiane, Europe du Nord » (vol. IX, 1996) ; **V. Rey,** « Europes orientales » (*in* vol. X, 1996).

F. Féron, A. Thoraval (sous la dir. de), *L'état de l'Europe*, La Découverte, coll. « L'état du monde », Paris, 1992.

M. Foucher, *Fronts et frontières, un tour du monde géopolitique* (2e éd. rev. et augm.), Fayard, Paris, 1991.

M. Foucher (sous la dir. de), *Fragments d'Europe, atlas de l'Europe médiane et orientale*, Fayard, Paris, 1994 (3e éd.).

T. Garton Ash, *Au nom de l'Europe*, Gallimard, Paris, 1995.

F. de La Serre, C. Lequesne (sous la dir. de), *Quelle Union pour quelle Europe ? L'après-traité d'Amsterdam*, Complexe, coll. « Espace international », Bruxelles, 1997.

J. Léonard, C. Hen, *L'Europe*, La Découverte, coll. « Repères », Paris, 1995 (nouv. éd.).

C. Lequesne, P. Le Galles, *Les Paradoxes des régions en Europe*, La Découverte, coll. « Recherches », Paris, 1997.

« Les enjeux de l'élargissement de l'Union européenne », *Le Courrier des pays de l'Est*, n° 425, La Documentation française, Paris, déc. 1997.

A. et J. Sellier, *Atlas des peuples d'Europe centrale*, La Découverte, Paris, 1998 (nouv. éd.).

J. et A. Sellier, *Atlas des peuples d'Europe occidentale*, La Découverte, Paris, 1995.

K. Wilson, J. Van der Dussen, *The History of Europe*, Routledge, Londres, 1993.

mand Daimler-Benz et américain Chrysler annoncent leur fusion.

10 mai. Hongrie. Aux législatives, le Parti socialiste (ex-communiste) arrive en tête au premier tour, mais il sera devancé au second par la FIDESz-MPP (38,6 % contre 34,4 %). Viktor Orban succédera à Gyula Horn au poste de Premier ministre.

18-20 mai. OMC. Lors de la 2e conférence ministérielle à Genève des 132 pays membres de l'Organisation mondiale du commerce, désaccord entre les États-Unis, partisans de négociations sectorielles, et les Européens qui veulent des négociations globales. Un accord provisoire sur le commerce électronique est signé, continuant à l'exonérer de droits de douane.

25 mai. Suisse. Le rapport de la commission dirigée par le professeur Jean-François Bergier confirme le rôle de plaque tournante joué par la Suisse dans le commerce de l'or en provenance des territoires occupés par les nazis.

1er juin. UE. La Banque centrale européenne (BCE) devient opérationnelle. Son siège est à Francfort. Le Système européen de banques centrales (SEBC), constitué de la BCE et des quinze banques centrales, sera inauguré le 30 juin.

15 juin. Yougoslavie. L'OTAN procède à des exercices aériens au-dessus de l'Albanie et de la Macédoine pour faire pression sur le président Slobodan Milosevic engagé dans une stratégie de répression militaire face aux indépendantistes armés du Kosovo.

19-20 juin. République tchèque. Les élections législatives anticipées sont remportées par le Parti social-démocrate (CSSD) avec 32,3 % des suffrages et 74 sièges sur 200. Milos Zeman formera un gouvernement de coalition.

20 juin. Allemagne. Cinquantenaire du *Deutsche Mark*, symbole identitaire fort pour la population. Cet anniversaire intervient quelques mois avant la mise en œuvre de l'euro.

21 juin. Portugal. Inauguration de l'Exposition universelle de Lisbonne. Une semaine plus tard, le 28, le référendum sur la libéralisation de l'avortement est rejeté par 50,9 % de « non » (68 % d'abstentions).

Europe germanique

Allemagne, Autriche, Liechtenstein, Suisse

Allemagne

La fin de l'ère Kohl

L'année 1997-1998 a été marquée, en Allemagne, par le sentiment qu'une époque finissait. D'une part, le chancelier Helmut Kohl (au pouvoir depuis 1982) paraissait plus affaibli que jamais, alors que les élections législatives de l'automne 1998 approchaient. D'autre part, l'Union monétaire européenne devant entrer en vigueur au 1er janvier 1999 évoquait avant tout pour de nombreux Allemands la disparition prochaine du mark, ce symbole du succès de la République fédérale dans l'après-guerre.

Pour le chancelier et son gouvernement, la conjoncture paraissait pourtant plutôt favorable, après la forte dégradation de 1995-1996. L'inflation a atteint, avec 1 % au début de 1998, son niveau le plus bas depuis dix ans. Les entreprises sont sorties renforcées de la crise. Leurs exportations ont augmenté de 13 % en 1997, provoquant une véritable flambée des profits (de 70 % pour le leader industriel Daimler-Benz, de 20 % pour Siemens). Le Dax, principal baromètre de la Bourse, a progressé de 75 % entre janvier 1997 et mai 1998, contribuant à une véritable ruée des petits épargnants vers les actions. Les grandes entreprises se sont, dès lors, fortement engagées à l'étranger. Dans l'automobile, l'achat du prestigieux constructeur britannique Rolls-Royce par Volkswagen a fait fureur, en juin 1998 (la marque devait être cédée à terme à BMW). Début mai, Daimler avait annoncé sa « méga-fusion » avec l'américain Chrysler, la nouvelle entité devenant le cinquième constructeur automobile du monde.

La difficile sortie de crise

Le retour de la croissance n'a pourtant guère ramené la confiance de la population. L'activité globale (+ 2,4 % en 1997) s'est trouvée ralentie par la crise du bâtiment et par la politique de rigueur. Le déficit public est tombé en 1997, passant sous la barre des 3 % maximum requis pour l'entrée dans l'Union monétaire. La consommation a stagné et les salaires réels bruts ont diminué, pour la première fois depuis des décennies. Enfin, la crise financière en Asie a provoqué, dès la fin de 1997, une chute des exportations vers la région.

Le climat de morosité qui régnait dans le pays depuis la dernière récession s'est trouvé encore accentué avec l'abandon, en septembre 1997, du projet de réforme fiscale envisagé par le gouvernement. L'opposition social-démocrate avait certes une part de responsabilité dans cet échec. Disposant d'une majorité à la Chambre basse (Bundesrat), le SPD y avait rejeté les propositions de la coalition chrétienne-libérale au pouvoir. Or, cet abandon a surtout été considéré comme une faiblesse de H. Kohl. *Reformstau* (« embouteillage des réformes ») a même été consacré mot de l'année par l'Association pour la langue allemande en décembre 1997.

Point noir pour le chancelier, le chômage

INDICATEUR*	UNITÉ	1975	1985	1996	1997
Démographie**					
Population	*million*	78,7	77,7	81,92	82,19
Densité	*hab./km²*	220,2	217,4	229,4	230,2
Croissance annuelle	*%*	– 0,1[a]	0,5[b]	0,3[c]	••
Indice de fécondité (ISF)		1,5[a]	1,4[b]	1,3[c]	••
Indicateurs socioculturels					
Nombre de médecins	*‰ hab.*	1,80	2,54	3,4[g]	••
Scolarisation 2e degré[m]	*%*	••	86[n]	88[f]	••
Scolarisation 3e degré	*%*	24,5[n]	29,2[n]	42,7[f]	••
Téléviseurs	*‰*	404,3	483,4	493,2	••
Livres publiés	*titre*	46 416	60 660	74 174[g]	••
Économie					
PIB total[h]	*milliard $*	376,0	918,5	1 736,1	1 846,2
Croissance annuelle	*%*	2,7[d]	2,1[e]	1,4	2,4
PIB par habitant[h]	*$*	4 779	11 826	21 200	22 462
Investissement (FBCF)	*% PIB*	23,6[d]	22,8[e]	20,9	20,1
Recherche et Développement	*% PIB*	2,4[i]	2,7	2,3	••
Taux d'inflation	*%*	5,9	2,2	1,5	1,8[k]
Population active	*million*	36,3	38,8	39,7	39,6
Agriculture	*%* } *100 %*	6,8[n]	4,6[n]	3,3	3,3
Industrie	*%* } *100 %*	45,4[n]	41,0[n]	37,5	37,5
Services	*%* } *100 %*	47,8[n]	54,4[n]	59,1	59,1
Chômage	*%*	3,6[n]	7,1[n]	8,9	10,3[p]
Aide au développement	*% PIB*	0,40[n]	0,45	0,33	••
Énergie (consom./hab.)[b]	*kgec*	5 570	6 138	4 650[g]	••
Énergie (taux de couverture)	*%*	56,3	54,5	43,4[g]	••
Dépense publique Éducation	*% PIB*	4,0[n]	4,6[n]	4,7[f]	••
Dépense publique Défense	*% PIB*	3,7[n]	3,2[n]	1,7	1,3
Solde administrat. publiques[q]	*% PIB*	– 4,4[rn]	– 0,3[n]	– 2,7	– 2,3
Dette administrat. publiques	*% PIB*	24,8[n]	41,5[n]	60,4	61,7
Échanges extérieurs		**1974[n]**	**1986[n]**	**1996**	**1997**
Importations de services	*milliard $*	13,6	43,8	128,5	121,5
Importations de biens	*milliard $*	70,5	186,8	451,4	435,6
Produits agricoles	*%*	21,2	16,2	11,5	10,6
Produits énergétiques	*%*	19,3	11,5	7,6	7,6
Produits manufacturés	*%*	44,3	61,1	71,5	69,5
Exportations de services	*milliard $*	10,1	39,3	85,0	80,5
Exportations de biens	*milliard $*	89,1	241,5	522,6	510,3
Produits manufacturés	*%*	76,3	83,5	86,1	85,5
dont machines et mat. de transport	*%*	42,6	48,9	49,3	49,6
Produits miniers[o]	*%*	16,5	8,3	1,9	1,8
Solde transactions courantes	*% du PIB*	0,5[d]	1,1[e]	– 0,6	0,0
Position extérieure nette	*milliard $*	33,4[s]	96,3	187,4[g]	••

* Définition des indicateurs p. 25 et suiv. ** Dernier recensement utilisable : 1987 pour l'ancienne RFA, 1981 pour l'ancienne RDA ; a. 1975-85 ; b. 1985-95 ; c. 1995-2000 ; d. 1970-80 ; e. 1980-96 ; f. 1994 ; g. 1995 ; h. A parité de pouvoir d'achat (PPA, voir définition p. 581) ; i. 1981 ; k. Décembre à décembre ; m. 10-18 ans ; n. Ex-RFA seulement ; o. Y compris produits énergétiques ; p. Décembre ; q. Corrigé des variations cycliques ; r. 1979 ; s. 1980.

Europe germanique
DANEMARK
MER DU NORD
MER BALTIQUE
SCHLESWIG-HOLSTEIN
Kiel
Lübeck
Hambourg
MECKLEMBOURG POMÉRANIE OCC.
Schwerin
Neubrandenburg
Oldenbourg
Brême
BASSE-SAXE
PAYS-BAS
ALLEMAGNE
BRANDEBOURG
Berlin
Hanovre
Brunswick
Francfort-sur-l'Oder
Postdam
Oder
POLOGNE
Bielefeld
Essen
Duisbourg
Dortmund
Düsseldorf
Cologne
Bonn
Cassel
Magdebourg
SAXE-ANHALT
Halle
Leipzig
Cottbus
Elbe
Neisse
THURINGE
Erfurt
Gera
Suhl
Dresde
SAXE
Chemnitz
HESSE
BELG.
Coblence
Francfort-sur-le-Main
Wurtzbourg
RHÉNANIE-PALATINAT
LUX.
SARRE
Sarrebruck
Mannheim
Nuremberg
BAVIÈRE
RÉP. TCHÈQUE
Karlsruhe
Stuttgart
Danube
BADE-WURTEMBERG
FRANCE
Fribourg
Munich
Linz
Vienne
BASSE-AUTRICHE
Eisenstadt
Salzbourg
Rhin
St-Gall
Bregenz
Zurich
Bienne
Neuchâtel
Berne
Lucerne
Innsbruck
AUTRICHE
Graz
HONGRIE
Lausanne
SUISSE
Genève
Rhône
ITALIE
Klagenfurt
100 km
SLOVÉNIE
CROATIE
ALLEMAGNE (Länder)
1 - BERLIN
2 - RHÉNANIE DU NORD-WESTPHALIE
AUTRICHE (Länder)
1 - VORARLBERG
2 - TYROL
3 - CARINTHIE
4 - SALZBOURG
5 - STYRIE
6 - HAUTE-AUTRICHE
7 - BURGENLAND
SUISSE (Cantons)
1 - BÂLE-VILLE
2 - BÂLE-CAMPAGNE
3 - SOLEURE
5 - FRIBOURG
7 - OBWALD
8 - NIDWALD
9 - SCHWYZ
10 - ZOUG
11 - SCHAFFHOUSE
12 - APPENZEL (Rhodes ext.)
13 - APPENZEL (Rhodes int.)
14 - ST-GALL
15 - GLARIS
Suisse
ARGOVIE
THURGOVIE
JURA
ZURICH
FRANCE
NEUCHÂTEL
LUCERNE
LIECHTENSTEIN
VAUD
BERNE
URI
GRISONS
GENÈVE
VALAIS
TESSIN
50 km
ITALIE
1. Lac Léman
2. Lac de Constance
3. Lac de Neuchâtel
4. Lac des Quatre Cantons
5. Lac Majeur

atteignait un nouveau niveau record en janvier 1998 avec 4 823 000 sans-emploi (hors corrections saisonnières). Un certain nombre de suppressions d'emplois ont découlé de la poursuite des restructurations des entreprises. Dans le secteur bancaire, la Bayerische Vereinsbank et la Hypo-Bank ont annoncé leur fusion en juillet 1997. Les deux anciennes entreprises phares de la métallurgie, Krupp et Thyssen, ont fait de même durant la même période. Ce n'est qu'au cours des derniers mois avant les élections législatives de 1998 que le nombre des sans-emploi a commencé à réculer, dans la partie ouest du pays. Pour accentuer l'évolution dans ce sens, le gouvernement s'est engagé dans une politique d'aide à l'emploi, durant la campagne électorale.

Le processus de rattrapage des nouveaux *Länder*, commencé après l'unification d'octobre 1990, s'est interrompu en 1997-1998. L'écart de richesse s'est même à nouveau creusé, le chômage touchant 20 % de la population active, contre 10 % à l'Ouest. La profonde déception des Allemands de l'Est a eu de lourdes conséquences pour le chancelier. Lors des élections régionales en Saxe-Anhalt, le 26 avril 1998, son parti, l'Union démocrate chrétienne (CDU), a reculé de 12 points, n'obtenant que 22 % des suffrages. En revanche, le DVU (Union du peuple allemand, extrême droite) a enregistré une brusque montée, atteignant 13 %.

Ces résultats ont montré combien le pays reste divisé sur les plans politique et mental. Certes, l'extrémisme de droite fait rage aussi à l'Ouest. Ainsi, l'invitation d'un de ses représentants comme intervenant dans un séminaire de l'académie de la Bundeswehr (l'armée allemande) a, en automne 1997, mis dans l'embarras le ministre fédéral de la Défense, Lothar Rühe. Mais la situation est apparue plus préoccupante à l'Est, où la pensée xénophobe est répandue, notamment parmi les jeunes. Autre signe de division, les Verts, après leur échec en Saxe-Anhalt, se sont trouvés dépourvus de représentation parlementaire à l'Est, tout comme le Parti libéral (FDP), partenaire de la coalition gouvernementale. En revanche, l'ex-parti communiste, le PDS (Parti du socialisme démocratique), a confirmé son implantation solide, mais exclusive à l'Est, obtenant 20 % des suffrages.

Les ambitions de G. Schröder

A plusieurs reprises, le chancelier Kohl s'était pourtant montré confiant de pouvoir remonter dans l'estime de son peuple. En avril 1997, il annonçait sa nouvelle candidature pour les élections. En octobre, il déclarait que le chef de la CDU au Bundestag, Wolfgang Schaüble, serait, un jour, un bon successeur à son poste. Or, les deux personnages ont été contestés au sein de leur propre camp. En septembre 1997, SPD et Verts l'ont emporté sur la CDU lors des élections régionales à Hambourg. En mars 1998, le SPD a gagné les élections en Basse-Saxe avec une écrasante majorité (48 % des voix). Après ce succès, le très populaire ministre-président de la région, Gerhard Schröder, était désigné par son parti comme candidat du SPD à la succession de H. Kohl. Homme pragmatique, G. Schröder l'emportait ainsi sur son principal concurrent de gauche, Oskar Lafontaine (alors chef du SPD). Après sa nomination officielle en avril 1998, le candidat social-démocrate devançait largement le chancelier dans les sondages.

Pendant la première partie de l'année 1998, le SPD a largement profité de l'impopularité du chancelier. Selon la plupart des observateurs, la fin de l'ère Kohl était proche. Pour ce dernier, il ne restait alors qu'à compter sur son image d'homme d'État. Et, dans ce domaine, l'Union monétaire, grand projet du chancelier, dominait les débats.

L'Union monétaire, entre espoirs et craintes

Le processus de décision a avancé à grands pas en 1997-1998. Très tôt, industriels et banquiers ont soutenu le projet. En août 1997, l'appel en faveur de l'euro d'une soixantaine de professeurs d'économie mettait fin aux rumeurs concernant l'hostilité présumée des universitaires. Fin mars 1998, la Bundesbank, elle aussi, se prononçait en faveur de la nouvelle monnaie, émettant toutefois des réserves quant à la participation de la Belgique et de l'Italie. Le 2 avril, la Cour constitutionnelle fédérale rejetait en bloc plusieurs plaintes contre l'abandon du mark. Au Bundestag, l'euro n'était contesté que par le PDS, le 23 avril 1998. Au Bundesrat, seul le ministre-président de Saxe Kurt Biedenkopf (CDU) rejetait une Union monétaire à onze pays. Le projet était enfin adopté par les chefs d'État et de gouvernement européens réunis à Bruxelles, le 2 mai.

Pour le chancelier, ce succès apparent s'est pourtant révélé difficile à faire valoir dans la campagne électorale. L'introduction de l'euro a pendant longtemps été contestée par une bonne partie de la presse, ainsi que par certains théoriciens de l'économie. Selon les sondages, les adeptes de l'euro ne représentaient que 30 % à 45 % de la population. Une majorité se déclarait en revanche convaincue que l'euro ne pourrait être aussi fort que le mark, lequel fêtait ses cinquante ans de succès le 20 juin 1998.

Dans ce contexte, la dispute franco-allemande sur la présidence de la Banque centrale européenne (BCE, en activité dès juin 1998) a été interprétée par les sceptiques comme augurant mal de l'avenir de l'euro. L'opposition, en campagne électorale, y a vu surtout la preuve d'une perte d'autorité du chancelier sur la scène internationale. Malgré les apparences, la perspective de l'euro a pourtant provoqué, chez la plupart des Allemands, davantage un vague sentiment d'inquiétude qu'une hostilité ouverte. Toute tentative de mobiliser les eurosceptiques à grande échelle a échoué. En septembre 1997, le « parti du *Deutsche Mark* » (Bund Freier Bürger), ouvertement europhobe, a même encaissé un cuisant échec aux élections de Hambourg, où il n'a obtenu que 1,6 % des suffrages.

Dans toute cette période, le scepticisme envers l'euro semblait faire partie d'un « ras-le-bol » plus général vis-à-vis de la classe politique en Allemagne. Or, si la volonté de changement politique apparaissait pressante, elle était moins évidente dans la pratique. Ainsi l'annonce par les Verts, en mars 1998, d'une éventuelle hausse du prix de

République fédérale d'Allemagne

Capitale : Berlin (Bonn étant le siège du gouvernement fédéral et du Parlement jusqu'en 1999).

Superficie : 357 050 km².

Monnaie : mark (1 mark = 0,51 écu ou 0,57 dollar des États-Unis ou 3,35 FF au 30.8.98).

Langue : allemand.

Chef de l'État : Roman Herzog (président depuis le 1.7.94 pour un mandat de 5 ans).

Chef du gouvernement : Helmut Kohl, chancelier fédéral (d'oct. 92 à oct. 97), puis Gerhard Schröder (SPD), élu le 27.10.98.

Ministre des Finances : Theo Waigel, remplacé par Oskar Lafontaine le 27.10.98.

Ministre des Affaires étrangères : Klaus Kinkel, remplacé par Joschka Fischer le 27.10.98.

Nature de l'État : république fédérale (16 *Länder*). Les deux États issus de la Seconde Guerre mondiale ont été réunifiés politiquement le 3.10.90.

Nature du régime : démocratie parlementaire.

Échéances électorales : régionales, européennes et présidentielle (1999).

Principaux partis politiques : *Gouvernement fédéral* (à la date du 5.8.98) : Union démocrate chrétienne (CDU) ; Union sociale chrétienne (CSU) ; Parti libéral (FDP). *Opposition* (à la date du 5.8.98) : Parti social-démocrate (SPD) ; Die Grünen / Bündnis 90 (Verts / Alliance 90) ; Parti du socialisme démocratique (PDS, ex-parti communiste en RDA) ; Deutsche Volksunion (Union du peuple allemand – DVU –, extrême droite, non représentée au Bundestag).

Allemagne/Bibliographie

J.-P. Gougeon, *Où va l'Allemagne ?*, Flammarion, Paris, 1997.

M. Korinman (sous la dir. de), *L'Allemagne vue d'ailleurs*, Balland, Paris, 1992.

« L'Allemagne de nos incertitudes », *Esprit*, Paris, mai 1996.

« L'évolution des forces politiques en Allemagne » (dossier constitué par F. Guérard), *Problèmes politiques et sociaux*, n° 762, La Documentation française, Paris, févr. 1996.

A.-M. Le Gloannec (sous la dir. de), *L'Allemagne après la guerre froide, Le vainqueur entravé*, Complexe, coll. « Espace international », Bruxelles, 1993.

A.-M. Le Gloannec (sous la dir. de), *L'état de l'Allemagne*, La Découverte, coll. « L'état du monde », Paris, 1995.

D. Marsh, *Germany and Europe, the Crisis of Unity*, Heinemann, Londres, 1994.

H. Ménudier (sous la dir. de), *Le Couple franco-allemand en Europe*, Publications de l'Institut allemand d'Asnières, 1993.

J. Rovan, *Histoire de l'Allemagne, des origines à nos jours*, Seuil, Paris, 1994.

Sachverständigenrat zur Begutachtung der gesamtwirtschaftlichen Entwicklung Reformen voranbringen, Rapport annuel 1997/98, Metzler-Poeschel, Wiesbaden, 1997.

D. Vernet, *La Renaissance allemande*, Flammarion, Paris, 1992.

l'essence à cinq marks – à terme et dans le cadre d'une réforme écologique – a-t-elle provoqué un véritable tollé. En quelques semaines, le parti avait perdu, selon les sondages, la moitié de ses électeurs potentiels.

Néanmoins, le scrutin du 27 septembre 1998 allait donner un résultat plus net que ne le prévoyaient les sondeurs d'opinion, lesquels avaient annoncé un score finalement serré. Les sociaux-démocrates de G. Schröder ont obtenu 41 % des suffrages contre seulement 35,2 % pour les partisans de H. Kohl. SPD et Verts allaient disposer de la majorité absolue au Bundestag. - **Thomas Fricke** ■

Autriche

En 1997-1998, la vie politique et économique autrichienne aura été placée sous le signe de la stabilité. Si un tel contexte a permis de garder le cap, l'insistance à suivre la même voie entraîne cependant un certain immobilisme.

L'économie s'est très bien portée – même comparée à celle des États membres de l'Union européenne – avec un PIB par habitant(près de 23 000 dollars) classant le pays parmi les plus riches du monde. L'internationalisation de l'économie s'est poursuivie : 210 milliards de schillings d'investissements directs en Autriche émanant de capitaux étrangers et 143 milliards de schillings d'investissements directs à l'étranger. Cette évolution sera encore renforcée à l'avenir par une orientation plus nette en faveur des exportations. Les exportations pour l'année (avec une balance commerciale négative en 1997 : 1,8 % du PIB, et peu de chances d'amélioration en 1998) révélaient surtout l'augmentation des échanges avec l'Europe de l'Est (38 % environ de janvier-septembre 1996 à janvier-septembre 1997). De même, l'essor de l'économie européenne semble largement profiter à l'Autriche, qui, avec un taux de croissance de 2,5 % en 1997, s'est placée juste au-dessous de la moyenne européenne (2,6 %). De plus, la politique économique menée en 1997 et 1998 placée sous le signe de « mesures de restriction » (*Sparpaket*) a permis au pays de souscrire aux critères du traité de Maastricht pour l'Union monétaire et ainsi d'adopter l'euro dès le 1er janvier 1999.

Le nouveau gouvernement de coalition formé en janvier 1997 et dirigé par le chancelier Viktor Klima (SPÖ, Parti social-démocrate d'Autriche) et le vice-chancelier Wolfgang Schüssel (Parti populaire d'Autriche, ÖVP, conservateur), entraînant dans certains *Länder* importants la formation de ministères de coalition, a adopté des mesures budgétaires conduisant à un fort ralentissement de la croissance de la consommation privée en 1997 et 1998 (elle a plafonné à 0,7 % en 1996-1997 et ne devait pas excéder 1,5 % en 1997-1998 selon les estimations). La politique d'austérité de la « grande coalition » a réduit les recrutements dans la fonction publique et elle a entraîné des privatisations d'entreprises publiques (dans l'industrie, le secteur bancaire, certaines branches des télécommunications), une réforme du régime des retraites et de la Sécurité sociale et des coupes budgétaires pour la recherche scientifique et la culture.

Les mesures politico-économiques adoptées par le gouvernement pour réduire les dépenses budgétaires ont montré que l'État misait de façon accrue sur la libéralisation et l'encouragement des initiatives privées, réduisant son contrôle sur la vie économique (déréglementations concernant les heures de fermeture des magasins et la législation du travail, programmes de créations de postes d'apprentis dans les entreprises, privatisations de services publics comme dans les télécommunications). Dans certains domaines d'avenir comme la recherche scientifique, le refus du gouvernement d'assumer ses responsabilités a pu être jugé comme lourd de conséquences futures. Les universités se sont vu accorder un statut autonome assorti d'un budget très restrictif, sans que des objectifs nouveaux ou que de nouvelles propositions de réformes en matière d'éducation et de formation aient été définis.

Les grands partis de la coalition, SPÖ et ÖVP, ont continué de dominer la politique fédérale et celles des *Länder*, malgré leur érosion constatée à chaque scrutin. Toutefois, la montée du Parti libéral d'Autriche (FPÖ, populiste d'extrême droite) de Jörg Haider a été freinée à partir de 1997. Le référendum initié par ce parti en novembre 1997 sur l'adhésion à l'euro (dont il est un farouche opposant) s'est révélé un échec, malgré l'engagement personnel de J. Haider, qui escomptait bien plus de signatures que les 254 000 obtenues. La raison de cet échec n'a pas seulement tenu au fait – largement perçu par l'opinion – qu'il était de toute manière trop tard soit pour choisir l'euro ou au contraire arrêter l'Union monétaire, mais surtout au fait que, après le retrait du chancelier Franz Vranitzky remplacé par Viktor Klima en janvier 1997, il manquait à J. Haider un adversaire bien identifiable pour se faire valoir politiquement. Ses ef-

République d'Autriche

Capitale : Vienne.
Superficie : 83 850 km².
Nature de l'État : fédéral.
Nature du régime : démocratie parlementaire avec instruments de démocratie directe.
Chef de l'État : Thomas Klestil, président de la République (depuis le 8.7.92).
Chef du gouvernement : Viktor Klima, chancelier fédéral, qui a succédé, le 28.1.97 à Franz Vranitzky.
Vice-chancelier et ministre des Affaires étrangères : Wolfgang Schüssel (depuis le 4.5.95).
Ministre de l'Intérieur : Karl Schlögl (depuis le 28.1.97).
Ministre de la Défense : Werner Fasslabend (depuis le 17.12.90).
Échéances électorales : élections parlementaires fédérales (1999) et présidentielle (2003).
Monnaie : schilling (100 schillings = 7,19 écus ou 47,6 FF au 29.7.98).
Langues : allemand (off.), serbo-croate, hongrois, tchèque, slovène.

INDICATEUR*	ALLEMAGNE	AUTRICHE	LIECHTENSTEIN	SUISSE
Démographie**				
Population *(millier)*	82 190	8 161	31,3	7 277
Densité *(hab./km²)*	230,2	97,3	199,4	176,2
Croissance annuelle[d] *(%)*	0,3	0,6	1,0	0,7
Indice de fécondité (ISF)[d]	1,3	1,4	1,6	1,5
Mortalité infantile[d] *(‰)*	6	6	5	5
Espérance de vie[d] *(année)*	76,7	76,9	77,8	78,6
Population urbaine *(%)*	86,9	64,5	21,4[c]	61,6
Indicateurs socioculturels				
Développement humain (IDH)[c]	0,924	0,932	••	0,930
Nombre de médecins *(‰ hab.)*	3,4[a]	2,8[a]	••	3,1[c]
Espérance de scolarisation *(année)*	14,5	14,5	••	14,5
Scolarisation 3e degré[c] *(%)*	42,7	44,8	••	31,8
Adresses Internet *(‰ hab.)*	106,7	108,3	••	208,0
Livres publiés[b] *(titre)*	74 174	8 222	••	15 771
Armées				
Armée de terre *(millier d'h.)*	239,9	45,5	–	357,5[k]
Marine *(millier d'h.)*	27,8	–	–	–
Aviation *(millier d'h.)*	76,9	4,25	–	32,6
Économie				
PIB total[e] *(milliard $)*	1 846,2	186,5	0,713[a]	182,9
Croissance annuelle 1986-96 *(%)*	2,2	2,5	3,5[n]	0,9
Croissance 1997 *(%)*	2,4	2,1	••	0,5
PIB par habitant[e] *($)*	22 462	22 854	23 000[a]	25 130
Investissement (FBCF)[i] *(% PIB)*	21,8	23,3	••	21,6
Recherche et Développement *(% PIB)*	2,30	1,54	••	2,66
Taux d'inflation *(%)*	1,8	1,0	••	0,4
Taux de chômage[o] *(%)*	10,3	4,3	1,1[a]	3,9
Dépense publique Éducation *(% PIB)*	4,7[c]	5,5[b]	3,2[m]	5,5[c]
Dépense publique Défense[a] *(% PIB)*	1,7	0,9	–	1,6
Énergie (consom./hab.)[b] *(kgec)*	5 650	4 283	••	4 401
Énergie (taux de couverture)[b] *(%)*	43,4	25,2	••	43,1
Solde administr. publiques[gh] *(% PIB)*	– 2,1	– 2,0	••	••
Dette administr. publiques[g] *(% PIB)*	61,3	66,1	••	••
Échanges extérieurs				
Importations *(million $)*	436 109	64 800	852[c]	75 854
Principaux fournisseurs *(%)*	UE 54,3	UE 74,8[a]	••	UE 77,1
(%)	E-U 7,7	RFA 46,1[a]	••	E-U 8,4
(%)	PED 19,6	PED 15,7[a]	••	PED 9,6
Exportations *(million $)*	511 290	58 680	2 140[c]	76 081
Principaux clients *(%)*	UE 55,5	UE 59,7	UE 41,6[m]	UE 59,7
(%)	E-U 8,6	RFA 32,6	AELE 20,0[m]	E-U 10,5
(%)	PED 19,1	PED 25,5	Sui 13,8[m]	PED 20,2
Solde transactions courantes *(% PIB)*	0,05	– 1,87	••	8,38

* Définition des indicateurs p. 25 et suiv. Chiffres 1997 sauf notes. ** Derniers recensements utilisables : RFA, 1987 ; RDA, 1981 ; Autriche, 1991 ; Liechtenstein, 1980 ; Suisse, 1990. a. 1996 ; b. 1995 ; c. 1994 ; d. 1995-2000 ; e. A parité de pouvoir d'achat (PPA, voir définition p. 581) ; g. Définitions du traité de Maastricht ; h. Corrigé des variations cycliques ; i. 1994-96 ; k. Sur mobilisation ; m. 1993 ; n. 1985-92 ; o. 1993, en fin d'année.

forts pour se muer en homme d'État appelé à jouer un rôle décisif dans la vie politique du pays ne cadrent plus avec son ancienne propension pour l'affrontement. Ce changement d'orientation au sein de son parti a entraîné une importante résistance de la part de certains de ses élus locaux contre sa direction autocratique.

L'Église catholique autrichienne s'est également trouvée en situation de crise à partir du printemps 1998. Son soutien maladroit au cardinal Hans Hermann Groer, accusé d'abus sexuels, a entraîné un sentiment de désaffection lié à une forte perte de crédibilité.

La fin du sentiment de terreur suscité par la vague d'attentats à la lettre piégée qui, à partir de décembre 1993, avaient fait de nombreuses victimes (des morts, parfois) a quant à elle provoqué un grand soulagement. En octobre 1997, l'artificier présumé à l'origine des bombes, Franz Fuchs, a été arrêté.

La neutralité autrichienne est restée sujet de controverses au sein de la coalition, qui n'a pu se mettre d'accord sur une ligne commune concernant la question de l'avenir de la politique de sécurité du pays. A l'inverse de l'ÖVP, qui prône l'adhésion à l'OTAN (Organisation du traité de l'Atlantique nord), le SPÖ estime qu'une politique de sécurité nationale dans le cadre de l'Union européenne (soutenir l'intégration de l'Union de l'Europe occidentale – UEO –, au sein de laquelle l'Autriche a le statut d'observateur, à l'Union européenne, participer au « partenariat pour la paix » lancé par l'OTAN et conserver une neutralité réduite) serait préférable.

L'élection présidentielle d'avril 1998 a clairement confirmé dans ses fonctions Thomas Klestil (63,5 % des suffrages). La campagne électorale du président sortant, qui possédait un avantage certain sur les quatre autres candidats, a tout de même suscité un débat public sur le rôle du président et sur la conception qu'a celui-ci de ses fonctions. Malgré sa victoire écrasante, ce débat a semblé inciter T. Klestil à opter pour une participation plus active du président à la vie politique. - **Helmut Szpott** ■

Liechtenstein

La nomination de Mgr Wolfgang Haas, évêque contesté du diocèse suisse de Coire, conservateur, ayant défrayé la chronique pendant ses dix ans de règne en Suisse, a seule troublé la quiétude de ce petit pays caractérisé par ses finances publiques excédentaires. Des manifestants ont protesté lors de l'intronisation du nouvel archevêque, le 21 décembre 1997. La fin du système de coalition gouvernementale qui a réglé la vie politique du pays pendant soixante ans a en revanche été bien assimilée. A compter du 5 avril 1997, cinq membres de l'Union patriotique se sont partagé les sièges du gouvernement.

Principauté du Liechtenstein

Capitale : Vaduz.
Superficie : 157 km².
Nature du régime : monarchie constitutionnelle.
Chef de l'État : prince Hans-Adam II (depuis le 13.11.89).
Chef du gouvernement : Mario Frick (depuis le 25.10.93).
Vice-premier ministre, ministre de l'Intérieur, de l'Économie, de la Santé et des Affaires sociales : Michael Ritter.
Monnaie : franc suisse (1 franc suisse = 4,08 FF au 30.8.98).
Langue : allemand.

Suisse

Les années 1997 et 1998 resteront celles des remises en cause et des « bouleversements » pour une Suisse qui peine parfois

Autriche-Liechtenstein-Suisse/Bibliographie

A. Bergmann, *Le « Swiss Way of management »*, Eska, Paris, 1994.

CH 95, Journal suisse de l'année, Eiselé SA, CH-Prilly.

H. Dachs *et alii*, *Handbuch des Politischen Systems Österreichs. Die Zweite Republik*, 3 vol., Manz, Vienne, 1997.

F. Heer, *Der Kampf um die Österreighe Identidät*, Böhlau, Vienne, 1996.

H. Kriesi, *Le Système politique suisse*, Économica, Paris, 1995.

V. Lauber (sous la dir. de), *Contemporary Austrian Politics*, Westview, Boulder, 1996.

Österreichisches Jahrbuch für Politik, Vienne.

A. Pichard, *La Suisse dans tous ses États*, Éd. « 24 heures », Lausanne, 1987.

R. Seider, H. Steinert, E. Talos, *Österreich 1945-1995*, Verlag für Gesellschaftskritik, Vienne, 1995.

R. Steininger, M. Gehler, *Österreich im 20. Jahrhundert. Vom Zweiten Weltkrieg bis zur Gegenwart*, Böhlau, Vienne, 1997.

E. Talos, G. Falner, *EU-Mitglied Österreich*, Manz, Vienne, 1996.

Voir aussi la bibliographie « Allemagne », p. 454.

à trouver ses marques comme le montre sa politique hésitante envers l'intégration européenne. Maintes fois pronostiquée, la démission de Jean-Pascal Delamuraz a eu lieu le 14 janvier 1998. Malade, le ministre de l'Économie a été contraint de jeter l'éponge à soixante et un ans, le 14 janvier 1998, après quatorze années passées au gouvernement à la tête du ministère de la Défense, de 1984 à 1986, puis à l'Économie publique. Il restera dans l'histoire comme un infatigable combattant de la cause européenne, même s'il n'est pas parvenu à convaincre ses concitoyens d'adhérer à l'Espace économique européen (EEE). Son bilan a suscité une controverse entre ceux qui prétendent qu'il a mal géré la crise et ceux qui soulignent qu'il a contribué à libéraliser l'économie tout en rappelant à cette dernière ses responsabilités sociales. Pour lui succéder, les parlementaires ont choisi un radical valaisan, Pascal Couchepin, élu le 11 mars.

L'année 1997 aura été celle des fusions d'entreprises. La plus spectaculaire a été celle de la Société de banque suisse (SBS) et de l'Union de banques suisses (UBS) pour créer la nouvelle United Bank of Switzerland, devenue au printemps 1998 le deuxième groupe bancaire mondial. En Suisse romande, le prestigieux *Journal de Genève et la Gazette de Lausanne* s'est éteint le 28 février 1998. La veille, son jeune concurrent sur le marché, le *Nouveau Quotidien*, avait connu le même sort. La relève est assurée depuis le 18 mars par *Le Temps*, né de la fusion des deux précédents.

Les nombreuses suppressions d'emplois qui ont découlé de ces concentrations ont contribué à radicaliser le climat politique. Le pays reste malgré tout attaché au consensus social, comme l'ont démontré les résultats d'une table ronde début 1998. Convoquée par le ministre des Finances, Kaspar Villiger, elle réunissait les principaux partis politiques et partenaires sociaux du pays. Ils sont convenus d'un programme destiné à assainir les finances publiques.

Sur le front de l'emploi, la Suisse, à l'instar d'autres pays européens, a vu poindre une éclaircie. Après avoir franchi, début 1997, la barre des 200 000 chômeurs, la courbe a fléchi. En novembre 1997, le pays comptait encore 176 000 chômeurs. Fin mai 1998, on enregistrait quelque 142 000 chômeurs, soit 3,9 % de la population active, record inégalé depuis cinq ans. Toutefois, le nombre des chômeurs en fin de droits a augmenté.

Alors que les préparatifs pour l'introduction de l'euro allaient bon train, la Suisse, qui a fêté en 1998 le 150e anniversaire de l'État fédéral, a poursuivi ses négociations avec l'Union européenne (UE) pour obtenir une série d'accords sectoriels. La principale pierre d'achoppement était la question des transports. Certains pays de l'UE ont refusé d'agréer une taxe que les Suisses souhaitent faire payer aux camions en transit sur leur territoire, politique destinée à encourager le transport ferroviaire des marchandises. Si le gouvernement souhaite toujours adhérer à terme à l'UE, il se refuse encore à dégeler la demande d'adhésion aux Quinze.

Les Suisses ont par ailleurs poursuivi la relecture de leur passé, travail parfois douloureux, l'attitude des banques et du gouvernement n'ayant pas toujours été irréprochable pendant les années noires de la Seconde Guerre mondiale. Sous la pression des organisations juives américaines, le gouvernement a répondu par la transparence en nommant notamment une commission d'historiens indépendante chargée de faire la lumière sur le passé. Un premier rapport de la commission dirigée par le professeur Jean-François Bergier a été publié le 25 mai 1998. Il a confirmé le rôle de plaque tournante joué par la Suisse, notamment par le biais de la Banque nationale suisse, dans le commerce de l'or en provenance des territoires occupés par les nazis.

Confédération helvétique

Capitale : Berne.
Superficie : 41 288 km^2.
Nature de l'État : confédéral.
Nature du régime : parlementaire, avec des instruments de démocratie directe.
Chef de l'État et du gouvernement : (pour un an) : Flavio Cotti, qui a succédé le 1.1.98 à Arnold Koller.
Chef du département fédéral de l'Intérieur : Ruth Dreifuss (depuis le 1.4.93).
Chef du département fédéral de la Défense, de la Protection de la population et des Sports : Adolf Ogi (depuis le 1.11.95)
Monnaie : franc suisse (1 franc suisse = 4,08 FF au 30.8.98).
Langues : allemand, français, italien, romanche.

Dans la rubrique faits divers, les Suisses ont été ébranlés par le massacre de Louxor (17 novembre 1997), 36 touristes suisses faisant partie des 58 victimes d'un attentat perpétré par des islamistes égyptiens. - **Jean-Marc Crevoisier** ■

Benelux

Belgique, Luxembourg, Pays-Bas

Belgique

Tandis que l'avenir des institutions fédérales ne semblait pas encore vraiment consolidé (la Belgique est depuis 1994 un État fédéral associant Flandre, Wallonie et Bruxelles), les « affaires » qui se sont multipliées à compter de 1996 ont souligné à quel point l'État était en crise, ses forces de sécurité intérieure et son appareil judiciaire étant mis en cause, tandis que des personnalités politiques apparaissaient impliquées dans des scandales de corruption ou de financement illicite.

A partir de l'été 1996, l'affaire « Dutroux » a ébranlé une opinion publique traumatisée par l'enlèvement et l'assassinat de plusieurs fillettes liés à des réseaux pédophiles. Au nombre des ravisseurs figurait un récidiviste, Marc Dutroux. Pétitions et manifestations se sont succédé, culminant avec la « marche blanche » organisée par les familles des victimes, qui a rassemblé jusqu'à 300 000 personnes le 20 octobre 1996 à Bruxelles.

Le fonctionnement des institutions belges, jugé pour le moins inefficace, a été vivement mis en cause. Cette perception n'a pu qu'être renforcée lorsqu'on a appris, le 23 avril 1998, que M. Dutroux avait pu s'échapper du palais de Justice de Neufchâteau avant d'être repris quelques heures plus tard.

Sur le plan économique, il a été annoncé en mai 1998 que la Générale de Belgique serait absorbée par la multinationale française Suez-Lyonnaise, accentuant ainsi l'internationalisation de l'économie du pays. En 1997, la banque Bruxelles-Lambert avait déjà été rachetée par le néerlandais ING, tandis qu'Almanij et Boerenbon se sont rapprochés en 1998 en vue de créer la plus grande banque du pays. Ces restructurations du capitalisme belge ont dans l'ensemble accru la dépendance vis-à-vis de centres de décision situés à l'étranger. Cette évolution est mal ressentie par l'opinion, comme l'ont montré les réactions à la fermeture de l'usine Renault de Vilvorde prononcée en février 1997 et effective en septembre.

Royaume de Belgique

Capitale : Bruxelles.

Superficie : 30 500 km^2.

Nature de l'État : fédéral (3 régions).

Nature du régime : monarchie parlementaire.

Chef de l'État : roi Albert II (depuis le 9.8.93).

Chef du gouvernement : Jean-Luc Dehaene (depuis mars 92).

Vice-premier ministre et ministre de l'Intérieur : Luc Van den Bossche, qui a remplacé en sept. 98 Louis Tobback, lequel avait lui-même remplacé six mois plus tôt Johan Van de Lamotte.

Ministre des Finances : Jean-Jacques Viseur.

Ministre des Affaires étrangères : Erik Derycke.

Monnaie : franc belge (100 francs belges = 2,45 écus ou 16,27 FF au 30.8.98).

Langues : français, néerlandais (flamand), allemand.

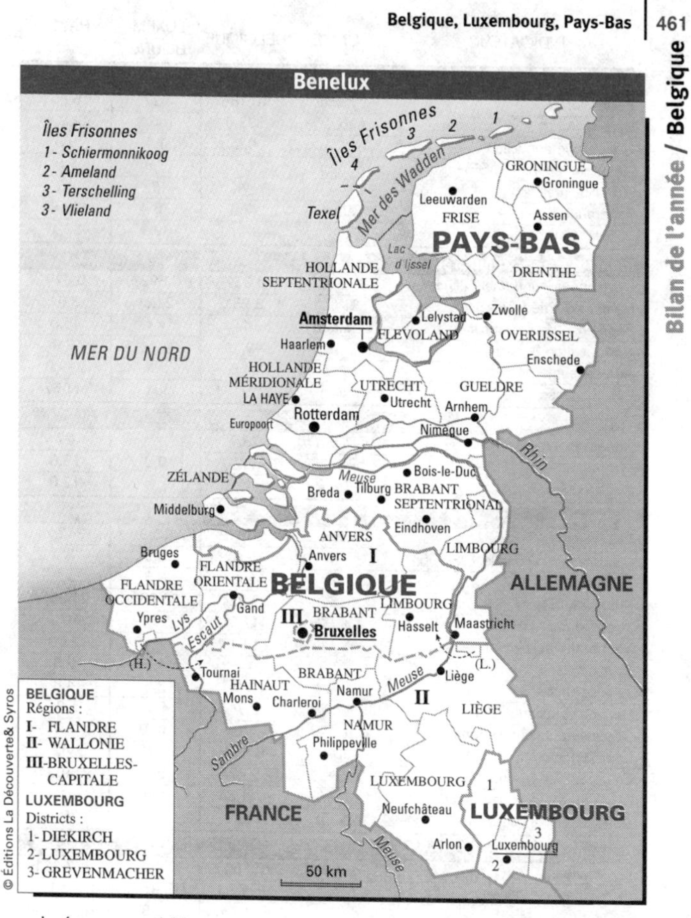

Jugée comme satisfaisant aux conditions de convergence édictés par le traité de Maastricht, la Belgique a pu faire partie des pays adoptant la monnaie unique européenne dès le 1er janvier 1999. Avec un taux de croissance de 2,3 % en 1997 (contre 1,3 % l'année précédente), la conjoncture s'est améliorée mais le chômage, malgré un léger tassement, est resté à un niveau élevé (9 % contre 9,5 % un an plus tôt), surtout comparé à celui du voisin néerlandais (4,6 %). L'inflation a, quant à elle, continué de diminuer (1,2 %).

Les affaires politico-financières ont continué de défrayer la chronique. Ainsi s'est ouvert, le 2 septembre 1998, le procès relatif aux conditions d'obtention d'un contrat datant de 1988-1989 pour la modernisation d'avions de chasse F-16 de l'armée belge. L'avionneur français Serge Dassault et le

INDICATEUR*	UNITÉ	BELGIQUE	LUXEMBOURG	PAYS-BAS
Démographie**				
Population	*millier*	10 188	417	15 661
Densité	*hab./km²*	333,9	163,3	383,4
Croissance annuelle[d]	%	0,2	1,1	0,5
Indice de fécondité (ISF)[d]		1,6	1,8	1,5
Mortalité infantile[d]	‰	7	6	10
Espérance de vie[d]	*année*	77,3	76,4	76,4
Population urbaine	%	97,1	89,9	89,1
Indicateurs socioculturels				
Développement humain (IDH)[c]		0,932	0,899[m]	0,940
Nombre de médecins	*‰ hab.*	3,78[a]	2,28[c]	3,0[p]
Espérance de scolarisation	*année*	14,0	• •	15,5
Scolarisation 3[e] degré	%	49,1[k]	[m]	48,9[k]
Adresses Internet	*‰ hab.*	84,6	• •	219,0
Livres publiés	*titre*	13 913[p]	681[c]	34 067[k]
Armées				
Armée de terre	*millier d'h.*	28,7	} 0,8	27
Marine	*millier d'h.*	2,7		13,8
Aviation	*millier d'h.*	12		12,0
Économie				
PIB total[e]	*milliard $*	233,5	13,8	342,7
Croissance annuelle 1986-96	%	2,3	5,5	2,9
Croissance 1997	%	2,4	3,6	3,2
PIB par habitant[e]	*$*	22 921	33 051	21 885
Investissement (FBCF)[i]	*% PIB*	17,6	21,7	19,1
Recherche et Développement	*% PIB*	1,61	• •	2,09
Taux d'inflation	%	1,2	1,5	2,3
Taux de chômage[o]	%	9,0	3,6	4,6
Dépense publique Éducation	*% PIB*	5,7[c]	4,4[b]	5,3[c]
Dépense publique Défense[a]	*% PIB*	1,6	0,7	2,1
Énergie (consom./hab.)[b]	*kgec*	6 857	12 214	7 421
Énergie (taux de couverture)[b]	%	22,7	2,1	89,3
Solde administr. publiques[gh]	*% PIB*	– 1,5	1,8	– 1,1
Dette administr. publiques[g]	*% PIB*	122,2	6,7	72,1
Échanges extérieurs				
Importations	*million $*	150 806	9 403[a]	177 331
Principaux fournisseurs	%	UE 72,1	UE 91,1[b]	UE 56,8[a]
	%	E-U 7,7	Bel 38,1[b]	RFA 19,4[a]
	%	Asie[n] 8,7	RFA 29,8[b]	PED 21,4[a]
Exportations	*million $*	165 104	7 096[a]	193 958
Principaux clients	%	UE 73,3	UE 85,5[b]	UE 74,8[a]
	%	E-U 5,2	RFA 28,3[b]	RFA 26,7[a]
	%	Asie[n] 9,9	Fra 19,7[b]	PED 12,2[a]
Solde transactions courantes	*% PIB*	5,64	• •	5,20[a]

* Définition des indicateurs p. 25 et suiv. Chiffres 1997 sauf notes. ** Derniers recensements utilisables : Belgique, 1991 ; Luxembourg, 1991 ; Pays-Bas, 1971. a. 1996 ; b. 1995 ; c. 1994 ; d. 1995-2000 ; e. A parité de pouvoir d'achat (PPA, voir définition p. 581) ; g. Définitions du traité de Maastricht ; h. Corrigé des variations cycliques ; i. 1994-96 ; k. 1993 ; m. En raison du grand nombre de jeunes Luxembourgeois étudiant à l'étranger, le taux de scolarisation « apparent », tous niveaux confondus, n'est que de 52 %, ce qui fausse le sens de cet indicateur ; n. Y compris Japon et Moyen-Orient ; o. En fin d'année ; p. 1991.

constructeur italien d'hélicoptères Agusta étaient accusés de corruption, les partis socialistes belges (francophone et flamand) d'avoir touché d'importants pots-de-vin. Trois anciens ministres, Guy Spitaels, Guy Coëme et Willy Claes étaient plus particulièrement mis en cause.

A l'automne 1998, une affaire d'un autre type a provoqué la consternation, la colère, et accentué la crise de confiance dans l'État. Le 22 septembre, une jeune Nigériane demandeuse d'asile et sans papiers, Semira Adamu, est morte étouffée, un coussin plaqué sur la bouche, alors que des gendarmes tentaient de la rapatrier de force en avion. Le ministre de l'Intérieur, Louis Tobback, a démissionné.

Luxembourg

Se classant au premier rang mondial, loin devant les États-Unis, Singapour et la Suisse, par le PIB par habitant à parité de pouvoir d'achat, le Luxembourg s'est bien sûr qualifié sans grande peine pour l'Union monétaire européenne. Il a non seulement souscrit aux critères du traité de Maastricht, mais ses performances à cet égard l'ont distingué comme le meilleur élève de l'Union européenne. Avec une croissance de 3,6 % en 1997 (2,4 % en 1996) et un taux de chômage de seulement 3,6 %, ce petit pays a connu une année favorable. Ses atouts demeurent les activités financières, banque et assurance. Les perspectives de l'Union monétaire devraient cependant avoir de fortes conséquences sur ce secteur, car nombre de filiales d'institutions étrangères n'auront plus de raison de maintenir dans le grand-duché des activités qui étaient motivées notamment par un statut fiscal accommodant et un contrôle monétaire plus virtuel que réel.
- **Désiré Gilsoul** ■

Grand-duché de Luxembourg

Capitale : Luxembourg.
Superficie : 2 586 km².
Nature du régime : monarchie constitutionnelle.
Chef de l'État : grand-duc Jean (depuis 1964).
Chef du gouvernement : Jean-Claude Juncker, également ministre des Finances (depuis le 26.1.95).
Ministre des Affaires étrangères : Jacques Poos.
[illegible]aie : franc luxembourgeois, La[illegible] luxe[illegible] (100 francs = 2,45 écus [illegible] 30.8.98).
[illegible]llemand, dialecte

Pays-Bas

Décidément, le modèle « néerlandais » continue d'intriguer, tant ses performances contrastent avec celles de ses voisins. L'année 1997 est apparue dans le prolongement de la précédente avec une croissance de 3,2 %, d'un demi-point supérieure à celle de 1996, et surtout un taux de chômage de seulement 4,6 % fin 1997 (contre 6,4 % fin 1996), inférieur de plus de moitié aux taux

Royaume des Pays-Bas

Capitale : Amsterdam.
Superficie : 40 844 km².
Nature du régime : monarchie constitutionnelle.
Chef de l'État : reine Beatrix Ire (depuis 80).
Chef du gouvernement : Wim Kok (depuis le 22.8.94).
Ministre des Affaires étrangères : Jozias van Aartsen (depuis le 3.8.98).
Ministre des Finances : Gerrit Zalm (depuis le 22.8.94).
Monnaie : florin (1 florin = 0,45 écu ou 2,97 FF au 30.8.98).
Langue : néerlandais.
Territoires outre-mer : Aruba-Antilles néerlandaises [Caraïbes].

Benelux/Bibliographie

J.-C. Boyer, *Pays-Bas, Belgique, Luxembourg*, Masson, Paris, 1994.

P. Dayez-Burgeon, *Belgique, Nederland, Luxembourg*, Belin, Paris, 1994.

J. de La Guérivière, *Belgique : la revanche des langues*, Seuil, Paris, 1994.

A. Dieckhoff (sous la dir. de), *Belgique : la force de la désunion*, Complexe, coll. « Espace international », Bruxelles, 1996.

belge et allemand et de près des deux tiers au taux français. Le pays s'est bien sûr vu qualifier pour faire partie dès le 1er janvier 1999 de l'Union monétaire.

Le « modèle » néerlandais repose sur une régulation économique fondée sur un pacte entre partenaires sociaux. En échange d'une certaine modération salariale, ou du moins d'une « évolution responsable des montants salariaux », les employeurs s'engagent à porter une grande attention à la création d'emplois, à favoriser des plans de formation permanente et à aménager le temps de travail sur une longue période, notamment par le recours à l'année sabbatique.

Dotés de structures productives dans l'ensemble performantes – le pays compte notamment plusieurs multinationales très dynamiques –, les Pays-Bas, avec leur traditionnelle ouverture à l'international, tirent parti de la globalisation de l'économie. L'éditeur Reed Elsevier a racheté plusieurs groupes à l'étranger (États-Unis), tandis que ING a acquis la banque Bruxelles-Lambert. Les comptes de Philips sont par ailleurs redevenus bénéficiaires.

Fort de la confiance que peut conférer une évolution économique plus favorable que chez ses voisins, le pays entend jouer un rôle actif dans les processus européens futurs. La géographie néerlandaise restera associée à la construction de l'Union monétaire, de Maastricht à Amsterdam où furent conclus les deux traités du même nom en passant par Noorddwik où se sont ouvertes le 6 avril 1997 les négociations sur la réforme des institutions de l'Union européenne (qui a été ajournée) et sur son élargissement (la présidence de l'Union était assurée depuis le 1er janvier par les Pays-Bas). Souvent agacés du peu de considération des « grands » États membres (France, Allemagne, notamment) à l'égard des petits pays lors des négociations communautaires, La Haye aura eu la satisfaction de voir, le 3 mai 1998, son candidat Wim Duisenberg désigné pour être le premier président de la Banque centrale européenne (BCE)... non sans que la France ne tente d'imposer jusqu'au bout son propre candidat, Jean-Claude Trichet.

- **Oscar Remacle** ■

Europe du Nord

Danemark, Finlande, Groenland, Islande, Norvège, Suède

Danemark

Aux élections législatives du 11 mars 1998, la défaite annoncée du Premier ministre sortant, le social-démocrate Poul Nyrup Rasmussen, n'a pas eu lieu : le Parti social-démocrate a obtenu 36 % des voix (et 63 sièges), un score légèrement supérieur à celui de 1994 (+ 1,4 %), et un nouveau gouvernement de coalition avec les radicaux libéraux (7 sièges) devait bénéficier du soutien, au Folketing (Parlement), des deux formations situées à l'extrême gauche, le Parti socialiste populaire et la Liste unique (20 sièges au total). Le scrutin a consacré le Parti libéral premier parti d'opposition devant le Parti conservateur en net recul (respectivement 24 % et 8,9 % des voix) et a confirmé la percée remarquée, aux élections locales du 18 novembre 1997, du Parti populaire danois (7,4 %), issu d'une scission (en 1996) au sein du Parti du progrès : au total le score de l'extrême droite populiste s'est élevé à 9,8 %.

La question des réfugiés somaliens (le Danemark en compte 10 000) a été au centre de la campagne électorale. Elle a provoqué le changement du ministre de l'Intérieur le 20 octobre 1997 : Thorkild Simonsen a remplacé Mme Birte Weiss, et un durcissement de la politique du gouvernement (deux projets de loi restreignant le droit d'asile et insistant sur la nécessité d'intégration des immigrés ont été présentés en décembre 1997). Les résultats économiques, plutôt satisfaisants, ont favorisé la victoire électorale des sociaux-démocrates. Supérieur à 12 % en 1994, le taux de chômage a été de 5,7 % en 1997, la croissance du PIB s'est poursuivie (3,4 %), et l'inflation s'est maintenue à 2,1 %. Selon les prévisions, l'excédent budgétaire, égal à 0,5 % du PIB en 1997, pouvait atteindre 1,5 % en 1998 ; quant à la dette publique, elle ne devait pas dépasser 57 % du PIB (contre 70 % en 1996 et 65 % en 1997). Le 7 octobre 1997, les risques de « surchauffe économique » ont amené le gouvernement à prendre des mesures de restriction de la consommation publique (– 2 milliards de

Royaume du Danemark

Capitale : Copenhague.
Superficie : 43 070 km^2.
Nature du régime : monarchie parlementaire.
Chef de l'État : reine Margrethe II (depuis le 15.1.72).
Chef du gouvernement : Poul Nyrup Rasmussen (depuis le 25.1.93).
Ministre de l'Intérieur : Thorkild Simonsen (depuis le 20.10.97).
Ministre des Affaires étrangères : Niels Helveg Petersen (depuis le 27.9.94).
Ministre de la Défense : Hans Haekkerup (depuis le 27.9.94).
Monnaie : couronne danoise (100 couronnes = 13,3 écus ou 88,07 FF au 30.8.98).
Langue : danois.
Territoires autonomes : Groenland ; îles Féroé (communautés autonomes au sein du royaume).

couronnes en 1998) et privée (par le placement obligatoire de 1 % du salaire brut dans les fonds de retraite). Après dix jours d'une grève massive dans le secteur privé (un demi-million de grévistes dans l'industrie, les transports et les autres services), le Premier ministre a imposé aux partenaires syndicaux et patronaux un règlement du conflit avec obligation de reprendre le travail, en faisant adopter le 7 mai 1998 une loi accordant à tous les salariés deux jours de congés supplémentaires (au lieu de la sixième semaine réclamée), auxquels s'ajoutent trois jours (dont deux dès 1998) pour les familles avec enfant(s) de moins de 14 ans.

Les sociaux-démocrates avaient pour la première fois souscrit en majorité à la ligne pro-européenne de Poul Nyrup Rasmussen au congrès de leur parti en septembre 1997 : le 28 mai 1998, ils ont convaincu la population d'entériner par 55,1 % des voix le traité d'Amsterdam relatif à l'Union européenne, malgré la rude campage des partisans du « non ». Mais le Danemark est resté divisé sur la question européenne en dépit du régime spécial dont il devait continuer à bénéficier et qui avait permis l'adoption « en seconde lecture » du traité de Maastricht (56,8 % de « oui », le 18 mai 1993). Bien que souscrivant aux critères de convergence requis pour le passage à la monnaie unique, le Danemark n'a cependant pas adopté l'euro, restant fidèle à la dérogation qu'il avait obtenue en 1993.

Finlande

La croissance économique finlandaise a atteint en 1997 son niveau le plus élevé depuis la fin des années soixante-dix (4,6 %). Elle a favorisé une amélioration de l'emploi (dans le bâtiment et les services) et contribué à une légère baisse du chômage, qui atteignait 12,6 %. Mais le chômage structurel et de longue durée est resté élevé, alors même que la pénurie de main-d'œuvre qualifiée menaçait de constituer un nouveau goulet d'étranglement pour l'industrie. A la fin mars 1998, la confiance des industriels restait forte, malgré la crise des économies asiatiques qui absorbaient jusque-là 12 % des exportations finlandaises. L'excédent des comptes courants (33 milliards de marks finlandais, 5 % du PIB) a continué à croître en 1997. Les négociations salariales de l'automne se sont achevées, le 12 décembre 1997, par un accord garantissant une hausse des salaires modérée jusqu'en janvier 2000 (2,6 % en 1998 et 1,7 % en 1999), et un allégement de la pression fiscale sur les particuliers (3 milliards de marks dans le budget 1998) : compte tenu de la faiblesse du taux d'inflation (1,9 %) et de la stabilité du mark finlandais, les revenus réels devaient croître d'environ 2 % au cours de la période 1998-2000. L'entrée dans l'Union économique et monétaire (UEM) dès 1999 a été confirmée par le Conseil européen du 2 mai 1998 (le Parlement finlandais en avait approuvé le principe le 17 avril 1998). Les critères de convergence édictés par le traité de Maastricht ont été respectés dès 1997 : l'inflation s'est accélérée en fin d'année

République de Finlande

Capitale : Helsinki.
Superficie : 337 010 km^2.
Nature du régime : parlementaire.
Chef de l'État : Martti Ahtisaari (depuis le 6.2.94).
Chef du gouvernement : Paavo Lipponen (depuis le 13.4.95).
Ministre de l'Intérieur : Jouni Backman (depuis le 13.4.95).
Ministre des Affaires étrangères : Mme Tarja Halonen (depuis le 13.4.95).
Ministre de la Défense : Mme Anneli Taina (depuis le 13.4.95).
Monnaie : mark finlandais (1 mark = 0,17 écu ou 1,10 FF au 30.8.98).
Langues : finnois, suédois.

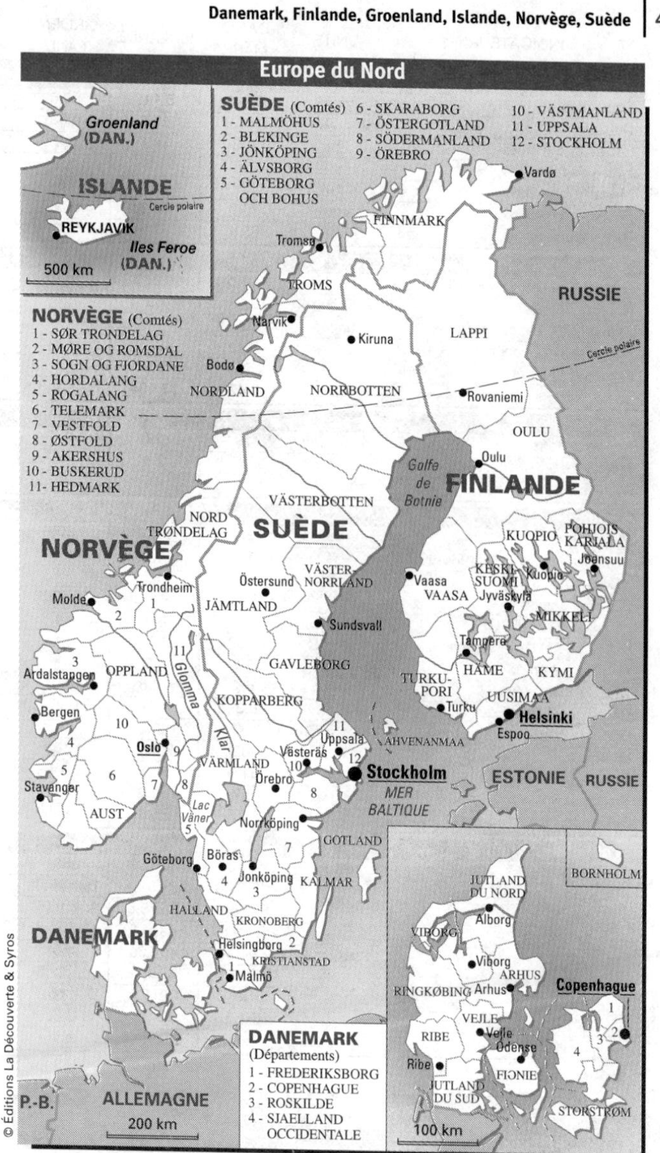
Europe du Nord
SUÈDE (Comtés)
1 - MALMÖHUS
2 - BLEKINGE
3 - JÖNKÖPING
4 - ÄLVSBORG
5 - GÖTEBORG OCH BOHUS
6 - SKARABORG
7 - ÖSTERGOTLAND
8 - SÖDERMANLAND
9 - ÖREBRO
10 - VÄSTMANLAND
11 - UPPSALA
12 - STOCKHOLM
NORVÈGE (Comtés)
1 - SØR TRONDELAG
2 - MØRE OG ROMSDAL
3 - SOGN OG FJORDANE
4 - HORDALANG
5 - ROGALANG
6 - TELEMARK
7 - VESTFOLD
8 - ØSTFOLD
9 - AKERSHUS
10 - BUSKERUD
11- HEDMARK
DANEMARK (Départements)
1 - FREDERIKSBORG
2 - COPENHAGUE
3 - ROSKILDE
4 - SJAELLAND OCCIDENTALE
Groenland (DAN.)
ISLANDE
REYKJAVIK
Iles Feroe (DAN.)
Cercle polaire
500 km
NORVÈGE
SUÈDE
FINLANDE
RUSSIE
ESTONIE
DANEMARK
ALLEMAGNE
P.-B.
Golfe de Botnie
MER BALTIQUE
Stockholm
Helsinki
Oslo
Copenhague
200 km
100 km

INDICATEUR*	UNITÉ	DANEMARK	FINLANDE	GROENLAND
Démographie**				
Population	*millier*	5 248	5 142	58,8
Densité	*hab./km²*	121,8	15,3	0,03
Croissance annuelle[d]	%	0,2	0,3	0,9
Indice de fécondité (ISF)[d]		1,8	1,8	2,2
Mortalité infantile[d]	‰	7	5	23
Espérance de vie[d]	*année*	75,7	76,6	68,8
Population urbaine	%	85,4	63,9	79,8[b]
Indicateurs socioculturels				
Développement humain (IDH)[c]		0,927	0,940	••
Nombre de médecins	*‰ hab.*	2,9[c]	2,9[a]	1,3[p]
Espérance de scolarisation	*année*	15,0	••	••
Scolarisation 3e degré	%	45,0[c]	66,9[c]	••
Adresses Internet	*‰ hab.*	259,7	653,6	••
Livres publiés[b]	*titre*	12 478	13 494	••
Armées				
Armée de terre	*millier d'h.*	19	27	–
Marine	*millier d'h.*	6	2,1	–
Aviation	*millier d'h.*	7,9	1,9	–
Économie				
PIB total[e]	*milliard $*	122,0	102,0	0,892[b]
Croissance annuelle 1986-96	%	1,7	1,2	– 1,5[q]
Croissance 1997	%	3,4	4,6	••
PIB par habitant[e]	$	23 251	19 829	15 500[b]
Investissement (FBCF)[i]	*% PIB*	15,6	14,8	••
Recherche et Développement	*% PIB*	1,92	2,37	••
Taux d'inflation	%	2,1	1,9	••
Taux de chômage[o]	%	5,7	12,6	10,5[b]
Dépense publique Éducation	*% PIB*	8,3[b]	7,6[c]	14,0[r]
Dépense publique Défense[a]	*% PIB*	1,7	2,0	••
Énergie (consom./hab.)[b]	*kgec*	4 820	7 203	4 103
Énergie (taux de couverture)[b]	%	81,0	31,6	–
Solde administr. publiques[gh]	*% PIB*	0,7	– 1,2	••
Dette administr. publiques[g]	*% PIB*	65,1	55,8	••
Échanges extérieurs				
Importations	*million $*	44 507	30 663	353[a]
Principaux fournisseurs	%	UE 71,0	UE 57,4	Dnk 78,5[a]
	%	E-U 5,1	CEI 8,5	Nor 10,5[a]
	%	PED 11,7	Asie[n] 11,2	E-U[b] & Can 3,1
Exportations	*million $*	48 799	40 765	458[a]
Principaux clients	%	UE 65,6	UE 52,6	Jap 22,5[a]
	%	E-U 4,6	CEI 7,9	Dnk 65,1[a]
	%	Asie[n] 9,9	Asie[n] 13,8	R-U 3,1[a]
Solde transactions courantes	*% PIB*	0,64	5,12	••

* Définition des indicateurs p. 25 et suiv. Chiffres 1997 sauf notes. ** Derniers recensements utilisables : Danemark, 1991 ; Findlande, 1990 ; Groenland, 1976 ; Islande, 1970 ; Norvège, 1990 ; Suède 1990.
a. 1996 ; b. 1995 ; c. 1994 ; d. 1995-2000 ; e. À parité de pouvoir d'achat (PPA, voir définition p. 581) ;
g. Définitions du traité de Maastricht ; h. Corrigé des variations cycliques ; i. 1994-96 ; k. Forces paramilitaires ;

ISLANDE	NORVÈGE	SUÈDE
274	4 364	8 844
2,7	13,5	19,7
1,0	0,3	0,2
2,2	1,9	1,8
5	5	5
79,3	77,7	78,5
91,8	73,6	83,2
0,942	0,943	0,936
3,0[c]	2,8[a]	3,1[a]
••	15,5	14,0
35,2[c]	54,5[c]	42,5[c]
••	474,6	321,5
1 522	7 265	12 700
0,12[k]	15,8	35,1
	9	9,5
	7,9	8,75
6,7	113,0	179,9
1,8	2,8	0,7
4,9	4,0	1,8
24 600	25 885	20 344
15,8	20,6	14,4
1,54	1,71	3,60
1,5	2,3	1,6
3,0	3,8	9,1
5,0[b]	8,3[c]	8,0[c]
••	2,4	2,9
6 491	7 131	6 736
53,3	836,0	58,4
••	– 0,7[m]	0,0
52,7[m]	40,6[m]	76,6
2 083	35 413	63 295
UE 58,0	UE 69,7	UE 68,1
E-U 9,9	E-U 6,8	RFA 19,2
Nor 11,6	PED 13,1	PED 10,3
1 856	47 547	81 724
UE 61,1	UE 76,3	UE 54,8
E-U 15,0	E-U 6,3	E-U 8,5
PED 8,0	PVD 8,0	Asie[n] 12,2
0,20	5,40	2,73

m. Définition OCDE ; n. Y compris Japon et Moyen-Orient ; o. En fin d'année ; p. 1991 ; q. 1990-94 ; r. 1993.

mais ne devait pas dépasser 2 % en 1998, le déficit budgétaire ramené à 1,4 % du PIB devait atteindre 0,2 % en 1998, la réduction de la dette publique s'est poursuivie (59 % du PIB en 1997, 57,3 % prévu en 1998).

La volonté politique de la Finlande d'intégrer l'UEM s'est trouvée renforcée par l'adhésion progressive à ce projet de tous les partis formant la coalition gouvernementale droite-gauche dirigée par le social-démocrate Paavo Lipponen. Si le petit Parti suédois (qui défend la minorité suédophone) et le Parti de la coalition nationale (conservateur) étaient de longue date proeuropéens, les réticences au sein du Parti social-démocrate du Premier ministre n'ont été surmontées qu'à l'automne 1997, l'accord de l'Alliance de gauche (ex-communiste) a été obtenu en décembre et celui des Verts en janvier 1998. Adversaire de la monnaie unique, le Parti du centre (ex-agrarien, opposition) a réclamé en vain un référendum sur la question, demeurant le porte-parole du faible enthousiasme de la population finlandaise (en janvier 1998, seulement 36 % de l'opinion étaient véritablement convaincus de la nécessité du passage à l'euro dès 1999).

Groenland

Jonathan Motzfeldt du parti Siumut (social-démocrate) a succédé à Lars Emil Johansen (démissionnaire) à la tête de l'exécutif en septembre 1997 et s'est proposé de négocier une nouvelle répartition des responsabilités entre l'État danois et le territoire groenlandais, communauté autonome du précédent. Le 8 janvier 1998, un accord était signé, accordant au Groenland la gestion directe des matières premières minérales. La politique de compression des dépenses menée de-

Groenland

Capitale : Godthab.
Superficie : 2 186 000 km².
Statut : territoire autonome rattaché à la couronne danoise.
Chef de l'État : reine Margrethe II.
Chef de l'exécutif : Jonathan Motzfeldt, qui a succédé en sept. 97 à Lars Emil Johansen.
Monnaie : couronne danoise (100 couronnes = 88,07 FF au 30.8.98).
Langues : groenlandais, danois.

puis 1988 s'est traduite par un excédent du budget (5 millions de couronnes en 1997).

Islande

Restée à l'écart de l'Union européenne, l'Islande a connu en 1997 une nouvelle année de prospérité économique après une période de croissance ralentie (1992-1995). L'augmentation du PIB (4,9 %) a reposé sur une forte expansion de la demande intérieure, la consommation privée (5 %) ayant été stimulée, dès 1997, par une élévation notable des salaires résultant des accords conclus en mars 1997 pour deux ans (+ 5 % en 1997 et + 6,5 % en 1998). L'inflation s'est maintenue à 1,5 % en 1997, tandis que s'accentuaient le déficit de la balance commerciale (5,6 milliards de couronnes) et celui des comptes courants (17,5 milliards).

Les prises de poisson ont atteint un niveau record et rapporté 95 milliards de couronnes, malgré la réduction des quotas de morue et le ralentissement de l'industrie de la pêche qui s'est ensuivi. En grève du 2 février au 15 mars 1998, les marins-pêcheurs ont dû accepter l'intervention du gouvernement et le vote d'une loi provisoire.

En dépit de dissensions internes, la coalition gouvernementale – indépendants (conservateurs) et progressistes (centristes libéraux) – dirigée par David Oddson s'est vue renforcée par la baisse continue du chômage (3,0 % en 1997, contre 4,3 % en 1996) et le rétablissement de l'équilibre budgétaire.

République d'Islande

Capitale : Reykjavik.
Superficie : 103 000 km².
Nature du régime : parlementaire.
Chef de l'État : Olafur Ragnar Grimsson (depuis le 29.6.96).
Chef du gouvernement : David Oddsson (depuis le 24.4.91).
Ministre des Affaires étrangères : Halldor Asgrimsson (depuis le 10.4.95).
Monnaie : couronne islandaise (100 couronnes = 8,41 FF au 30.8.98).
Langue : islandais.

Norvège

Les élections législatives du 15 septembre 1997 se sont soldées par la formation d'un gouvernement de centre droit, le 17 octobre 1997, dirigé par le chrétien-populaire Kjell Magne Bondevik, non sans paradoxe. Le Premier ministre Thorbjørn Jagland s'était imposé un score minimum de 36,9 % (égal à celui de 1993) pour se maintenir au pouvoir. Or, après avoir recueilli 35,1 % des voix, les travaillistes ont dû céder la place à une coalition ultra-minoritaire (26,1 % au total, soit 13,7 % pour les chrétiens-populaires, 4,5 % pour les libéraux – en progrès de 17 sièges – et 7,9 % pour le Centre ex-agrarien – en recul de 21 sièges). Le Parti du progrès (extrême droite) a recueilli 15,3 % des suffrages (contre 6,3 % en 1993), devenant la deuxième plus importante formation du pays. Le Parti conservateur a, en revanche, enregistré son score le plus bas depuis 1984 (14,3 %). Assuré du soutien de 42 députés seulement sur 165 au Storting (Parlement), le gouvernement de Kjell M. Bondevik, le plus « eurosceptique » depuis 1973, a tout de même exprimé sa volonté d'imprimer sa marque à la vie politique norvégienne en favorisant le développement régional, la protection de l'environnement, les retraités et la famille.

En politique étrangère, les difficultés n'ont pas manqué. Oslo a cherché à accentuer la coopération économique nordique pour éviter la marginalisation induite par l'élargissement de l'Union européenne (à laquelle la Norvège a pour la deuxième fois refusé d'adhérer en 1994, à la suite d'un référendum défavorable). Une sérieuse affaire d'espionnage (deux diplomates russes ont été expulsés, le 12 mars 1998) devait retarder le règlement du contentieux sur le partage des eaux territoriales de la mer de Barents avec la Russie. L'Association européenne de libre-échange (AELE), dont la Norvège est membre, a menacé de la sanctionner pour sa politique agricole, perçue comme trop interventionniste. Présenté par le précédent gouvernement, le 14 octobre 1997, le budget 1998, en excédent de 68,9 milliards de couronnes, a été adopté le 28 novembre 1997 après augmentation des dépenses d'aide aux familles monoparentales, aux personnes âgées et aux hôpitaux.

L'année est restée faste pour l'économie et la menace d'une « surchauffe » a conduit la coalition au pouvoir à prévoir un ralentissement des investissements pétroliers, en progression de 27,1 % en 1997 (– 16 milliards de couronnes prévus pour 1998-1999), et à souhaiter pour 1998 une hausse modérée des salaires (3,5 %, contre 4,6 % en 1997). La croissance de la production a été particulièrement forte (3,9 %) dans le secteur continental (hors *offshore*) : elle y a dépassé, pour la première fois en douze ans, celle de la production pétrolière (+ 3,2 %). La baisse du taux de chômage s'est poursuivie (3,8 % contre 4,9 % en 1996). L'inflation (2,3 %) et l'appréciation de la couronne par rapport à l'écu (2,2 %) ont conduit à une légère réduction de l'excédent des comptes courants (58,5 milliards de couronnes, soit 5,4 % du PIB, contre 7,1 % en 1996).

Royaume de Norvège

Capitale : Oslo.
Superficie : 324 220 km².
Nature du régime : monarchie parlementaire.
Chef de l'État : Harald V (depuis le 21.1.91).
Chef du gouvernement : Kjell Magne Bondevik, qui a succédé le 17.10.97 à Thorbjørn Jagland.
Ministre de la Justice : Mme Aud-Inger Aure (depuis le 17.10.97).
Ministre des Affaires étrangères : Knut Volleboek (depuis le 17.10.97).
Ministre de la Défense : Dag Jostein Fjoervoll (depuis le 17.10.97).
Monnaie : couronne norvégienne (100 couronnes = 79,23 FF au 29.7.98).
Langue : norvégien.

Suède

Après un début d'année encore difficile, l'économie de la Suède a entamé un redressement durant l'été et l'automne 1997. Prévoyant un excédent budgétaire en 1998, le chef du gouvernement social-démocrate Göran Persson a rejeté, dès le 19 septembre 1997, l'éventualité d'allégements fiscaux et proposé une augmentation des dépenses en faveur de la protection sociale, de la santé et de l'éducation (8 milliards de couronnes) et une allocation annuelle égale à 2 % du surplus en faveur de l'emploi. La reprise économique s'est traduite par une explosion en volume des importations (+ 11,7 %) et des exportations (+ 12,8 %) qui ont contribué à hauteur de 50 % à la

Europe du Nord/Bibliographie

J.-F. Battail, R. Boyer, *Les Sociétés scandinaves de la Réforme à nos jours,* PUF, Paris, 1992.

J. Chardonnet, « L'originalité de l'économie islandaise », *Géographie et recherche,* n° 97, Dijon, n° spécial, 1996.

B. Drees, C. Pazarbasioglu, *The Nordic Banking Crisis : Pitfalls in Financial Liberalization ?,* International Monetary Fund, Washington DC, 1998.

J.-P. Durand (sous la dir. de), *La Fin du modèle suédois,* Syros éditeur, coll. « Alternatives économiques », Paris, 1994.

P. Giniewski, « L'élargissement de l'Union européenne et le "retour" de la Finlande », *Défense nationale,* vol. 51-1, Paris, janv. 1995.

J. Goetschy, *Les Modèles sociaux nordiques à l'épreuve de l'Europe,* La Documentation française, Paris, 1994.

A. Helle, *Histoire du Danemark,* Hatier, Paris, 1992.

C. Ingebritsen, « Norwegian Political Economy and European Integration : Agricultural Power, Policy Legacies and EU Membership », *Cooperation and Conflict,* vol. 30, n° 4, Londres, 1995.

A. Isaksen, « Regional Clusters and Competitiveness : the Norwegian Case », *European Planning Studies,* vol. 5, n° 1, Abingdon, févr. 1997.

A.-M. Klausen, *Le Savoir-Être norvégien,* L'Harmattan, Paris, 1991.

J. Mer, *L'Islande. Une ouverture obligée, mais prudente,* Les Études de La Documentation française, Paris, 1994.

J. Mer, *La Norvège. Entre tradition et ouverture,* Les Études de La Documentation française, Paris, 1997.

A. Michalski, « Le Danemark et sa politique européenne », *Les Études du CERI,* FNSP, Paris, juin 1996.

J.-P. Mousson-Lestang, *La Scandinavie et l'Europe de 1945 à nos jours,* PUF, Paris, 1990.

M. Nuttall, *Arctic Homeland : Kinship, Community and Development in Northwest Greenland,* Belhaven Press, Londres, 1992.

OCDE, *Études économiques,* Paris [*Danemark* : 1997 ; *Finlande* : 1997 ; *Islande* : 1998 ; *Norvège* : 1998 ; *Suède* : 1998].

H. Valen, « La Norvège et l'Europe : la pérennité du clivage centre-périphérie », *Revue internationale de politique comparée,* vol. 2, n° 1, Bruxelles, avril 1995.

croissance du PIB (1,8 %). La balance commerciale et les comptes courants sont restés excédentaires (respectivement 138,8 et 48 milliards de couronnes). En dépit d'une hausse des salaires (3,4 %) largement supérieure à l'inflation (1,6 %), la forte productivité et la stabilisation de la couronne ont permis une amélioration de la compétitivité suédoise en 1997.

Cependant, dès le mois de janvier 1998, la crise asiatique laissait présager des conséquences dommageables pour les exportations et l'activité des multinationales, parmi lesquelles Ericsson, Electrolux et Volvo. La fragilité de la relance s'est matérialisée par la chute des investissements industriels (– 6,9 %), le maintien du taux de chômage à 9,1 % en 1997 (12,3 % si l'on inclut les personnes en formation et les emplois aidés) et les milliers de licenciements à Ericsson ou dans l'industrie de la défense (déficit budgétaire estimé de 10,3 milliards de couronnes pour 1998-2001).

Une augmentation annuelle des salaires

supérieure à la fourchette 1,5 %-2,5 % a été jugée dangereuse pour l'emploi par le patronat et le ministre des Finances Erik Åsbrink, lesquels ont adressé une mise en garde aux syndicats lors des négociations salariales de mars 1998. La confédération syndicale nationale (LO, Lands Organisasjonen) et le Parti de gauche (ex-communiste) ont exigé des efforts supplémentaires dans la lutte pour l'emploi, mais le gouvernement devait annoncer lors de la présentation du budget 1999, le 14 avril 1998, l'abandon de deux programmes de formation et de soutien à l'emploi (couvrant 80 000 salariés).

La campagne pour les élections législatives devant avoir lieu en septembre 1998 avait commencé *de facto* à l'été 1997. Le Parti social-démocrate a renforcé son image dans l'opinion (+ 9 points dans les sondages en mars 1998 par rapport à mars 1997), mais le gouvernement de G. Persson s'est souvent heurté à ses adversaires politiques. Le leader du Parti conservateur Carl Bildt s'est efforcé de rassembler le centre droit (libéraux et démocrates-chrétiens seulement, le Centre – ex-agrarien – ayant soutenu le gouvernement), et a relancé l'offensive en février 1998 en présentant un programme de réduction des impôts, au moment même où de grands groupes suédois envisageaient de délocaliser leurs sièges sociaux à l'étranger.

Le gouvernement devait mettre en œuvre la fermeture du premier des douze réacteurs nucléaires du pays en juillet 1998, non sans rencontrer certainement l'opposition des industriels (Sydkraft), des partis « bourgeois » (à l'exception du Centre) et des syndicats.

Les élections du 20 septembre ont vu le Parti social-démocrate enregistrer son plus mauvais score depuis 75 ans, tout en arrivant en tête avec 36,5 % des suffrages (en chute de près d'un cinquième).

Au nom de la neutralité historique de la Suède, les sociaux-démocrates ont continué à refuser l'entrée de leur pays dans l'OTAN (Organisation du traité de l'Atlantique nord), comme du reste la majorité des Suédois (47 % contre et 21 % d'indécis, selon un sondage de janvier 1998) ; à l'inverse, conservateurs et libéraux en étaient partisans et ont appelé à un débat public. La visite du président Boris Eltsine en décembre 1997 – la première d'un dirigeant russe depuis 1909 – a permis d'entamer les discussions sur la construction d'un pipeline destiné au transport du gaz ; la coopération en matière commerciale et de lutte contre la pollution entre les pays de la Baltique (Russie, Suède, Finlande et Norvège) a été réaffirmée à la conférence de Luleå (24 février-1er mars 1998). Mais C. Bildt et Mme Lena Hjelm-Wallen, ministre des Affaires étrangères, se sont trouvés en désaccord sur la question de l'élargissement de l'Union européenne aux républiques baltes, que le leader conservateur souhaitait voir limitée à la seule Estonie. Alors que l'opinion et le gouvernement sont restés sceptiques à l'égard d'une participation suédoise à l'Union économique et monétaire – UEM – (l'adoption de l'euro au 1er janvier 1999 avait été écartée le 3 juin 1997) – alors même que le pays a souscrit aux critères de convergence requis pour le pas-

Royaume de Suède

Capitale : Stockholm.
Superficie : 449 960 km².
Nature du régime : monarchie parlementaire.
Chef de l'État : roi Carl XVI Gustaf (depuis le 15.9.73).
Chef du gouvernement : Göran Persson (depuis le 22.3.96).
Ministre de l'Intérieur : Jørgen Andersson (depuis le 22.3.96).
Ministre des Affaires étrangères : Mme Lena Hjelm-Wallen (depuis le 22.3.96).
Ministre de la Défense : Bjørn von Sydow (depuis le 1.2.97).
Monnaie : couronne suédoise (100 couronnes = 11,1 écus ou 73,32 FF au 30.8.98).
Langue : suédois.

sage à la monnaie unique –, conservateurs et libéraux ont promis, en cas de victoire électorale, l'organisation d'une consultation dès 1999.

Après la révélation de scandales qui ont quelque peu terni son image (stérilisation forcée de 60 000 Suédois entre 1930 et 1976, révélée en septembre 1997 par le quotidien *Dagens Nyheter*, enquête officielle sur l'or ou les fonds bancaires appartenant aux victimes du génocide juif, arrestation de néonazis lors d'un concert en janvier 1998), la Suède attendait beaucoup du choix de Stockholm comme capitale culturelle de l'Europe en 1998. - **Martine Barthélémy**

Iles Britanniques

Irlande, Royaume-Uni

Irlande

Une évolution politique favorable au retour à la paix en Irlande du Nord et de bons résultats économiques en République d'Irlande, dirigée par une coalition gouvernementale stable, ont été les points forts de la période. L'économie du « tigre celtique » devrait rester l'une des plus performantes des pays occidentaux en 1999, avec une croissance du PIB de 8,2 % en 1998 et de 6,8 % en 1999 selon les prévisions officielles (la croissance enregistrée en 1997 a été de 7,5 %). Mais on redoutait une surchauffe économique dans la dernière ligne droite avant l'introduction de l'euro. Le 30 octobre 1997, Mary McAleese (candidate soutenue par le Fianna Fail) a remporté l'élection présidentielle devant Mary Banotti (Fine Gael) ; elles ont obtenu respectivement 59 % et 41 % des suffrages.

En dépit du vote majoritairement favorable à la ratification du traité d'Amsterdam qui a sanctionné le référendum du 22 mai 1998 (le pays avait été qualifié, le 2 mai 1998, pour faire partie de la zone euro dès le 1er janvier 1999), 38 % des votants ont choisi le « non ». En 1972, 17 % seulement avaient rejeté l'entrée dans la Communauté européenne.

Ce référendum sur le traité d'Amsterdam a été quelque peu éclipsé par la consultation organisée parallèlement sur la réforme de la Constitution. 94 % des électeurs s'étant rendus aux urnes ont approuvé le changement des articles 2 et 3 de la Constitution, renonçant ainsi aux prétentions territoriales sur le nord de l'île. Cette consultation faisait partie de l'Accord sur l'Irlande du Nord entériné le 10 avril à Belfast.

Les négociations qui ont abouti à cet accord ont réuni le gouvernement britannique et irlandais, les partis nationaliste et républicain d'Irlande du Nord – le SDLP (Parti social-démocrate et travailliste de John Hume) et le Sinn Fein de Gerry Adams (aile politique de l'IRA, Armée républicaine irlandaise) –; l'Alliance (parti libéral unioniste) ; le plus important groupe protestant, le Parti unioniste d'Ulster (UUP de David Trimble) ;

Iles Britanniques
Écosse
(Régions)
1 - CENTRE
2 - FIFE
3 - LOTHIAN
4 - STRATHCLYDE
5 - BORDERS
6 - DUMFRIES ET GALLOWAY
SHETLAND
ORCADES
Thurso
HÉBRIDES
Ullapool
Inverness
HIGHLAND
GRAMPIAN
Aberdeen
ÉCOSSE
TAYSIDE
Oban
Perth
Dundee
ROYAUME-UNI
OCÉAN ATLANTIQUE
Glasgow
Edimbourg
Hawick
ULSTER
Londonderry
IRLANDE DU NORD
Belfast
Dumfries
Carlisle
Newcastle
MER DU NORD
NORD
CONNAUGHT
ULSTER
Kendal
Ile de Man
MER D'IRLANDE
NORD-OUEST
YORKSHIRE ET HUMBERSIDE
IRLANDE
Dublin
York
Bradford
Leeds
Beverley
Liverpool
Sheffield
LEINSTER
Limerick
Caernarvon
Manchester
MIDDLAND DE L'EST
MUNSTER
Waterford
PAYS-DE-GALLES
MIDDLAND DE L'OUEST
Nottingham
Cork
Canal Saint-Georges
Birmingham
Leicester
Norwich
Coventry
EST-ANGLIE
ANGLETERRE
Cambridge
Cardiff
Oxford
SUD-EST
Bristol
Londres
SUD-OUEST
Southampton
Douvres
Brighton
Pas de Calais
Plymouth
Ile de Wight
MANCHE
Iles Anglo-Normandes
Guernesey
Jersey
FRANCE
100 km

INDICATEUR*	UNITÉ	IRLANDE	ROYAUME-UNI
Démographie**			
Population	*millier*	3 559	58 201
Densité	*hab./km²*	50,6	238,5
Croissance annuelle[d]	%	0,2	0,1
Indice de fécondité (ISF)[d]		1,8	1,7
Mortalité infantile[d]	‰	6	6
Espérance de vie[d]	*année*	76,7	77,2
Population urbaine	%	57,9	89,3
Indicateurs socioculturels			
Développement humain (IDH)[c]		0,929	0,931
Nombre de médecins	*‰ hab.*	2,11[a]	3,22[a]
Espérance de scolarisation	*année*	13,0	15,0
Scolarisation 3e degré[c]	%	37,0	48,3
Adresses Internet	*‰ hab.*	90,9	149,1
Livres publiés	*titre*	2 679[m]	101 764[b]
Armées			
Armée de terre	*millier d'h.*	10,5	112,2
Marine	*millier d'h.*	1,1	44,9
Aviation	*millier d'h.*	1,1	56,7
Économie			
PIB total[e]	*milliard $*	71,2	1 172,4
Croissance annuelle 1986-96	%	5,7	2,0
Croissance 1997	%	7,5	3,4
PIB par habitant[e]	$	20 006	20 144
Investissement (FBCF)[i]	*% PIB*	14,6	15,0
Recherche et Développement	*% PIB*	1,40	2,05
Taux d'inflation	%	1,6	3,6
Taux de chômage[k]	%	9,8	6,6
Dépense publique Éducation	*% PIB*	6,3[b]	5,5[b]
Dépense publique Défense[a]	*% PIB*	1,7	3,0
Énergie (consom./hab.)[b]	*kgec*	4 250	5 315
Énergie (taux de couverture)[b]	%	35,3	117,5
Solde administr. publiques[gh]	*% PIB*	– 0,1	– 2,2
Dette administr. publiques[g]	*% PIB*	66,3	53,4
Échanges extérieurs			
Importations	*million $*	39 398	307 337
Principaux fournisseurs	%	UE 54,7	UE 53,1
	%	R-U 33,7	E-U 13,4
	%	E-U & Can 15,8	PED 18,2
Exportations	*million $*	53 051	280 927
Principaux clients	%	UE 66,4	UE 55,1
	%	R-U 24,3	E-U 12,5
	%	E-U & Can 12,1	PED 20,9
Solde transactions courantes	*% PIB*	3,23	0,57

* Définition des indicateurs p. 25 et suiv. Chiffres 1997 sauf notes. ** Derniers recensements utilisables : Irlande, 1996 ; Royaume-Uni, 1991. a. 1996 ; b. 1995 ; c. 1994 ; d. 1995-2000 ; e. A parité de pouvoir d'achat (PPA, voir définition p. 581) ; g. Définitions du traité de Maastricht ; h. Corrigé des variations cycliques ; i. 1994-96 ; k. En fin d'année ; m. 1985.

deux petits partis, le Parti unioniste progressiste (PUP) et le Parti démocratique d'Ulster (UDP), tous deux liés à des groupes loyalistes armés, et, enfin, la Coalition des femmes (formation intercommunautaire). La formation protestante d'extrême droite, le Parti unioniste démocratique (DUP de Ian Paisley) et le Parti unioniste (radical, implanté au Royaume-Uni), de moindre importance, ont refusé de prendre part aux pourparlers. En Irlande du Nord, leurs partisans ont constitué le plus gros des 28 % de votants qui ont rejeté l'accord de paix, dans le cadre du référendum qui se tenait le même jour que celui organisé en République d'Irlande. Selon les estimations, 3 % des suffrages défavorables à l'accord ont émané de républicains dissidents, ce qui a permis à l'UUP de prétendre qu'une majorité d'unionistes avaient rejeté l'accord. Les protestants représentent 52 % de l'électorat de l'Irlande du Nord.

En enlevant plus de 70 % des suffrages, les formations favorables à l'accord l'ont emporté, mais avec un score de 28 % les unionistes « durs » menaçaient d'entraver la bonne marche de la nouvelle Assemblée autonome d'Irlande du Nord. Pour qu'elle fonctionne, les deux camps, nationaliste et unioniste, devaient obtenir en parallèle une majorité de 60 % aux élections du 25 juin 1998.

Le DUP n'a pas eu les 50 % de votes protestants qu'il se vantait de pouvoir recueillir, lui permettant de paralyser l'action des nouvelles institutions nord/sud-irlandaises au niveau de l'exécutif, celui-là même si désiré par les nationalistes et les républicains pour renforcer les liens entre les deux parties de l'île divisée. L'issue de la réforme de la police, la Royal Ulster Constabulary (RUC), constituée à 95 % de protestants et détestée par les catholiques, était un autre problème majeur pour les unionistes.

Plus importante était la question du « désarmement » des communautés. Après le référendum, le gouvernement britannique a annoncé que la remise des armes par les différents groupes appartenant aux deux camps – l'IRA d'un côté, l'Association de défense de l'Ulster et les Forces volontaires de l'Ulster de l'autre – n'était pas une condition préalable pour que leurs « ailes politiques » – Sinn Feín d'un côté, PUP et UDP de l'autre – puissent siéger dans l'Assemblée de l'Irlande du Nord, issue des élections du 25 juin. Cela a été source de désarroi pour beaucoup de protestants, tout comme l'accord de libération de la plupart des prisonniers politiques dans les deux ans.

La « saison des marches » (juillet), avec pour point d'orgue le défilé à Dumcree, quartier nationaliste de Portadown, est globalement apparue comme une défaite pour les unionistes de tendance dure. L'Irlande du Nord a été très choquée par l'attaque isolée d'une maison de Ballymoney, le 11 juillet 1998, au cours de laquelle trois enfants catholiques ont brûlé vifs.

Cette émotion n'avait rien à voir avec le sentiment d'outrage ressenti par la population de l'ensemble de l'île après l'attentat de Omagh (15 août 1998). Cet acte terroriste, reconnu par un groupe républicain dissident, l'IRA-véritable, a causé la mort de 28 personnes et fait plus de 200 bles-

République d'Irlande

Capitale : Dublin.
Superficie : 70 280 km^2.
Nature du régime : parlementaire.
Chef de l'État : Mary McAleese, qui a succédé le 30.10.97 à Mary Robinson.
Chef du gouvernement : Bertie Ahern, qui a succédé, le 6.6.97, à John Bruton.
Vice-premier ministre, ministre des Entreprises, du Commerce et de l'Emploi : Mary Harney.
Ministre des Finances : Charlie McCreevy.
Ministre des Affaires étrangères : David Andrews.
Monnaie : livre irlandaise – *punt* (1 livre = 1,27 écu ou 8,41 FF au 30.8.98).
Langues : anglais, irlandais.

Irlande/Bibliographie

P. Brennan, *La Civilisation irlandaise*, Hachette, Paris, 1994.
P. Brennan, *The Conflict in Northern Ireland*, Longman, Londres, 1992.
P. Brennan, R. Deutsch, *L'Irlande du Nord : chronologie, 1968-1991*, Presses de la Sorbonne nouvelle, Paris, 1993.
R. Faligot, *La Résistance irlandaise, 1916-1992*, Terre de Brume, Rennes, 1993.
M. Goldring, *Gens de Belfast*, L'Harmattan, Paris, 1994.
« L'État en Irlande », *Études irlandaises*, PUL, Lille, print. 1995.

sés. Il n'a pas semblé remettre en cause le processus de paix. Pour la première fois, le Sinn Feín a condamné sans réserve cet attentat, le plus meurtrier en Irlande du Nord en trente ans de conflit. Le gouvernement de Dublin a réagi immédiatement en promulguant des lois d'exception contre le terrorisme. - **John Maguire** ■

Royaume-Uni

La dynamique du succès

Porté au pouvoir, le 1er mai 1997, par un raz de marée électoral qui avait déclenché un enthousiasme aussi improbable qu'inattendu, Tony Blair a fêté le premier anniversaire de son entrée en fonctions avec un crédit politique et une popularité largement intacts. Si les critiques venues de la gauche sont progressivement devenues plus insistantes, elles n'avaient pas de point de fixation politique. Quant à l'opposition conservatrice, encore traumatisée par sa déroute électorale, elle est restée généralement à la périphérie.

En politique intérieure, la dynamique du succès a notamment reflété l'habileté d'engagements électoraux très prudents, et qui ont donc pu être tenus, voire dépassés. Sur les grands sujets de société en particulier, toute urgence législative a été écartée. Réformes de la Sécurité sociale, de la justice, de l'école, création d'un salaire minimum ont été autant de domaines où les thèmes blairistes présentaient à la fois une réelle originalité – par rapport à la gauche traditionnelle comme par rapport à la politique des conservateurs – et des risques politiques élevés. En privilégiant une très large consultation préalable et en multipliant les projets pilotes, le gouvernement a usé de sa méthode caractéristique – un populisme qui se veut éclairé plutôt que démagogique –, tout en remettant à plus tard sa véritable mise à l'épreuve.

Non-participation à la première phase de l'Union monétaire

La même prudence a été de mise en politique économique, une fois passé le coup d'éclat inattendu, dès mai 1997, de l'indépendance accordée à la Banque d'Angleterre en matière de détermination des taux d'intérêt. Après s'être engagé à respecter les plafonds de dépenses publiques fixés par le gouvernement précédent et à maintenir le taux de l'impôt sur le revenu, le cabinet travailliste n'a œuvré fiscalement qu'à la marge.

Sur le plan macroéconomique, cette passivité n'a cependant pas été sans conséquences : la montée des taux d'intérêt et surtout de la parité de la livre (stimulée par les incertitudes politiques pesant sur l'Union économique et monétaire – UEM) a eu un impact déflationniste alors même qu'apparaissaient, au printemps 1998, les premiers indices d'un ralentissement économique, voire d'une récession (le PIB avait augmenté de 3,4 % en 1997). Dans une perspective à moyen terme, le choix économique le plus significatif a sans doute été, en octobre 1997, l'annonce de la non-participation britannique à la première phase de l'UEM. Cette décision controversée, puisque le ministre des Finances Gordon Brown a semblé l'avoir acceptée à contrecœur, répondait à une logique à la fois politique et économique. Devoir le cas échéant faire ratifier l'adhésion par référendum a été jugé par le gouvernement comme une éventualité risquée, au vu d'une opinion publique où les partisans de l'Union, peut-être majoritaires, paraissaient tièdes alors que nombre de ses adversaires – le Parti conservateur l'avait appris à ses dépens – étaient virulents. En outre, le cycle économique britannique semblait décalé par rapport à celui de ses voisins européens (trajectoires de croissance, taux d'intérêt, évolution de la monnaie).

Enfin, point sans doute plus fondamental, les travaillistes partageaient le « malaise européen » des conservateurs s'agissant de toute logique d'union politique européenne. Pour T. Blair, adhérer ou non à l'Union monétaire était une question *économique*, à laquelle il fallait répondre en fonction des bénéfices *économiques* attendus. Que l'incertitude radicale et incontournable sur les conséquences de l'Union puisse être comblée par la volonté politique – voilà ce que le gouvernement britannique se refusait à envisager.

Réforme constitutionnelle

Le domaine où l'activité gouvernementale a été la plus forte et la plus significative a été la réforme constitutionnelle. Le programme électoral travailliste avait promis des référendums en Écosse et au pays de Galles, destinés à approuver le principe de la « dévolution » – c'est-à-dire l'exercice de différentes attributions décentralisées (beaucoup plus étendues en Écosse qu'au pays de Galles) par un exécutif responsable devant une assemblée élue. Un premier projet dans ce sens avait échoué en 1979. En septembre 1997, les deux votes ont été positifs, mais de manière inégale. 74,3 % des électeurs écossais ont voté pour la création d'un Parlement à Édimbourg (63,5 % approuvant par ailleurs le principe que ce Parlement puisse modifier dans une certaine mesure le taux de l'impôt sur le revenu). En

Royaume-Uni de Grande-Bretagne et d'Irlande du Nord

Capitale : Londres.
Superficie : 244 046 km².
Monnaie : livre sterling (1 livre = 1,49 écu ou 9,89 FF au 30.8.98).
Langues : anglais (off.) ; gallois.
Chef de l'État : reine Elizabeth II (depuis le 6.2.52).
Premier ministre : Tony Blair, qui a succédé, le 2.5.97, à John Major.
Premier ministre adjoint : John Prescott.
Chancelier de l'Échiquier (ministre des Finances) : Gordon Brown.
Ministre des Affaires étrangères : Robin Cook.
Ministre de l'Intérieur : Jack Straw.
Nature de l'État : royaume.
Nature du régime : démocratie parlementaire.
Principaux partis politiques : *Gouvernement :* Parti travailliste. *Opposition :* Parti conservateur ; Parti libéral démocrate ; Parti unioniste d'Ulster (UUP, Irlande du Nord) ; Parti unioniste démocratique (DUP, Irlande du Nord) ; Parti social-démocrate et travailliste (SDLP, Irlande du Nord) ; Sinn Féin (Irlande du Nord) ; Plaid Cymru (nationaliste gallois) ; Parti nationaliste écossais ; British National Party (extrême droite) ; les Verts.
Possessions, territoires, et États associés : Gibraltar [Europe], îles Anglo-Normandes [Europe], îles Bermudes [Atlantique nord], îles Falkland, Sainte-Hélène [Atlantique sud], Anguilla, Cayman, Montserrat, Turks et Caïcos, îles Vierges britanniques [Caraïbes], Pitcairn [Océanie].

INDICATEUR*	UNITÉ	1975	1985	1996	1997
Démographie**					
Population	*million*	56,2	56,6	58,14	58,20
Densité	*hab./km²*	230,3	231,9	238,2	238,5
Croissance annuelle	%	0,1[a]	0,3[b]	0,1[c]	• •
Indice de fécondité (ISF)		1,8[a]	1,8[b]	1,7[c]	• •
Indicateurs socioculturels					
Nombre de médecins	*‰ hab.*	1,30	1,60	3,22	• •
Scolarisation 2e degré[m]	%	78	80	92[f]	• •
Scolarisation 3e degré	%	18,9	21,7	48,3[f]	• •
Téléviseurs	‰	359,3	432,7	611,6[g]	• •
Livres publiés	*titre*	35 526	52 861	101 764[g]	• •
Économie					
PIB total[h]	*milliard $*	277,7	647,0	1 095,5	1 172,4
Croissance annuelle	%	1,9[d]	2,1[e]	2,2	3,4
PIB par habitant[h]	$	4 939	11 413	18 636	20 144
Investissement (FBCF)	*% PIB*	19,1[d]	16,9[e]	15,4	15,4
Recherche et Développement	*% PIB*	2,4[o]	2,2	2,1[g]	• •
Taux d'inflation	%	24,2	6,1	2,4	3,6[k]
Population active	*million*	25,9	27,7	28,8	29,0
Agriculture	% } *100 %*	2,8	2,5	1,9	1,8
Industrie	% } *100 %*	40,4	31,6	27,4	27,0
Services	% } *100 %*	56,8	65,8	70,7	71,2
Chômage	%	4,3	11,2	8,2	6,4[n]
Aide au développement	*% PIB*	0,39	0,32	0,27	• •
Énergie (consom./hab.)[b]	*kgec*	4 820	4 842	5 315[g]	• •
Énergie (taux de couverture)	%	59,6	117,7	117,5[g]	• •
Dépense publique Éducation	*% PIB*	6,7	4,9	5,5[i]	• •
Dépense publique Défense	*% PIB*	5,2	5,2	3,0	2,8
Solde administrat. publiques[p]	*% PIB*	– 4,8[r]	– 1,7	– 4,5	– 2,2
Dette administrat. publiques	*% PIB*	62,7	53,8	54,4	52,9
Échanges extérieurs		**1974**	**1986**	**1996**	**1997**
Importations de services	*milliard $*	13,2	28,0	67,4	72,0
Importations de biens	*milliard $*	50,3	120,5	281,5	299,8
Produits alimentaires	%	17,9	12,5	9,8	9,4
Produits énergétiques	%	20,0	7,4	3,8	3,5
Produits manufacturés	%	44,1	69,1	77,7	79,8
Exportations de services	*milliard $*	15,4	37,1	78,4	87,2
Exportations de biens	*milliard $*	38,1	106,4	261,9	279,3
Produits énergétiques	%	4,6	11,9	6,3	6,1
Produits agricoles	%	9,0	9,3	6,9	7,0
Produits manufacturés	%	75,4	70,2	82,1	82,3
Solde transactions courantes	*% du PIB*	– 0,3[d]	– 0,7[e]	– 0,3	0,6
Position extérieure nette	*milliard $*	43,2[s]	147,0	– 65,1	– 110,5

* Définition des indicateurs p. 25 et suiv. ** Dernier recensement utilisable : 1991 ; a. 1975-85 ; b. 1985-95 ; c. 1995-2000 ; d. 1970-80 ; e. 1980-96 ; f. 1994 ; g. 1995 ; h. A parité de pouvoir d'achat (PPA, voir définition p. 581) ; i. 1993 ; k. Décembre à décembre ; m. 11-17 ans ; n. Décembre ; o. 1981 ; p. Corrigé des fluctuations conjoncturelles ; r. 1979 ; s. 1980.

revanche, 50,3 % seulement des électeurs gallois ont approuvé le projet gouvernemental. Les premières élections aux assemblées « dévolues » devraient avoir lieu en mai 1999.

L'idée d'une régionalisation parallèle du gouvernement en Angleterre a seulement été évoquée. En revanche, le référendum sur l'organisation politique de Londres, qui constituait un engagement électoral, a été organisé avec un succès prévisible (mais une participation très réduite), en mai 1998. Plusieurs autres chantiers ont été engagés dans ce domaine : réforme du mode de scrutin pour les élections européennes, et peut-être aussi pour les scrutins nationaux ; réforme de la composition et des attributions de la Chambre des lords ; réflexion sur une garantie constitutionnelle des droits des citoyens.

Le contexte de ces réflexions a d'ailleurs été modifié par l'évolution de l'image de la monarchie. Le contraste entre le comportement de la famille royale et celui du Premier ministre au moment de la mort accidentelle de la princesse Diana, en août 1997, a en effet transformé le fait divers en événement politique. Si T. Blair lui-même a continué à se positionner en fervent défenseur de la monarchie, le républicanisme publiquement affiché a acquis une nouvelle respectabilité et, par ricochet, l'ensemble de l'édifice constitutionnel a été remis en question.

L'accord du Vendredi saint sur l'Irlande du Nord

A ce contexte de réforme constitutionnelle se rattache plus ou moins indirectement l'évolution politique de l'Irlande du Nord, qui a apporté au gouvernement Blair son succès le plus marquant, tout en l'exposant à des risques importants. Après avoir connu un nouvel élan au lendemain de l'élection de mai 1997, le processus de paix lancé par le gouvernement Major s'était enlisé. Les négociations présidées par le médiateur américain George Mitchell butaient sur l'obstruction des unionistes (protestants – majoritaires en Irlande du Nord, fidèles au Royaume-Uni) et, surtout, sur l'émiettement des groupes paramilitaires dans les deux camps, responsable d'une violence sporadique qui paraissait échapper au contrôle des instances politiques – notamment du Sinn Féin (aile politique de l'Armée républicaine irlandaise – IRA). Quand T. Blair avait reçu le président du Sinn Féin Gerry Adams à Downing Street, pour la première fois, en mars 1998, provoquant une réaction furieuse des unionistes, les chances de respecter le calendrier officiel – un accord suivi d'un référendum en mai 1998 – semblaient maigres. Pourtant, en prenant lui-même la tête des négociations dans leur dernière phase et en mobilisant fortement Washington et Dublin, T. Blair a réussi, après trois jours d'âpres discussions à Belfast, à faire entériner un accord, le 10 avril 1998.

Équilibré, et donc doublement controversé, l'accord reposait sur deux principes essentiels : la reconnaissance par les républicains (nationalistes) du droit à l'autodétermination de l'*actuelle* Irlande du Nord, et la reconnaissance par les unionistes d'un rôle institutionnel pour la république d'Irlande dans les affaires nord-irlandaises.

L'accord du Vendredi saint a été approuvé le 21 mai 1998 par 72 % de l'électorat nord-irlandais (avec une participation supérieure à 80 %), le soutien étant massif chez les catholiques, plus mitigé mais majoritaire chez les protestants. Les élections à la nouvelle assemblée régionale prévue par l'accord ont eu lieu le 25 juin 1998. Tout en confirmant le « oui » au référendum, elles ont imposé une coalition malaisée entre les principaux partis modérés et renforcé la position intransigeante des protestants hostiles à l'accord. Ceux-ci ont saisi l'occasion des traditionnels défilés orangistes de juin-juillet pour déclencher une campagne de violences conçue pour éprouver la solidité du nouveau dispositif institutionnel.

Au-delà des enjeux immédiats, le pro-

Royaume-Uni/Bibliographie

M. Azuelos, « Le Royaume-Uni », *La Documentation photographique*, n° 7043, La Documentation française, Paris, oct. 1997.

T. Blair, *La Nouvelle Grande-Bretagne : vers une société de partenaires*, Éditions de l'Aube, La Tour-d'Aigues, 1996.

M. Charlot, *Institutions et forces politiques du Royaume-Uni*, Masson/Armand Colin, Paris, 1995.

M. Charlot (sous la dir. de), « Les élections générales de 1997 en Grande-Bretagne », *Revue française de civilisation britannique*, n° 9-3, nov. 1997

P. Chassaigne, *Histoire de l'Angleterre*, Aubier, Paris, 1996.

J. Leruez, « Le Royaume-Uni après les élections de mai 1997. Changement de gouvernement ou changement de régime ? », *Les Études du CERI*, FNSP, n° 38, Paris, janv. 1998.

J. Leruez, *Le Système politique britannique depuis 1945*, Armand Colin, coll. « Cursus », Paris, 1994.

P. Lurbe, *Le Royaume-Uni aujourd'hui*, Hachette, Paris, 1996.

V. Riches, *L'Économie britannique depuis 1945*, La Découverte, coll. « Repères », Paris, 1992.

P. Vaiss, *Le Royaume-Uni : économie et société*, Le Monde Éditions/Marabout, Paris, 1996.

cessus de paix en Irlande du Nord avait une portée symbolique pour un Premier ministre attaché à replacer le Royaume-Uni au centre de la scène internationale. De fait, l'année 1997-1998 a vu de multiples initiatives, aidées par le hasard du calendrier, contrastant avec le relatif effacement du gouvernement Major. L'Europe y a tenu une place centrale, à cause des échéances (traité d'Amsterdam et UEM) et de l'exercice britannique de la présidence européenne au premier semestre 1998.

L'aspiration, maintes fois affirmée, au *leadership* ne s'est toutefois guère concrétisée. Les Britanniques ont souvent paru isolés, comme au sommet sur l'emploi de Luxembourg (novembre 1997) ou à celui de Bruxelles sur l'Union monétaire (mai 1998), qu'ils ont dû présider sans véritablement y participer. Dans le domaine de la politique extérieure commune, qui était avec l'accélération de l'élargissement l'un des objectifs explicites de la présidence britannique, l'événement le plus important – la crise irakienne de janvier-février 1998 – a paru montrer, surtout vu de Paris, que T. Blair était plus attaché à suivre les États-Unis qu'à mener l'Europe.

Hors d'Europe, les trois importants sommets internationaux – celui du Commonwealth à Édimbourg (octobre 1997), celui du G-8 à Birmingham (mai 1998) et celui des chefs de gouvernement européens à Cardiff (juin 1998) – ont tendu à renforcer cette impression : si le Premier ministre, par son art de la rhétorique et de la mise en scène, y a joué un rôle prééminent en termes de communication, l'influence britannique sur le fond n'en est pas forcément sortie accrue. - **John Crowley** ■

Europe latine

Andorre, Espagne, France, Italie, Monaco, Portugal, Saint-Marin, Vatican

Andorre

Célèbre dans la région pour son rôle de *duty free shop* attirant consommateurs frontaliers et touristes, la principauté andorrane est officiellement devenue indépendante en 1993. Elle s'est en effet dotée d'une Constitution qui devrait faire évoluer les institutions jusqu'alors féodales de ce mini-territoire. Formellement, la suzeraineté exercée depuis sept siècles par les deux coprinces – le président de la République française et l'évêque d'Urgel – a été abolie et la principauté a été admise à l'ONU en 1993. En septembre 1997, le chef de l'État français, Jacques Chirac, y a rencontré son coprince lors d'un voyage officiel.

Cette principauté majoritairement peuplée d'étrangers est un paradis fiscal. C'est ainsi par exemple que le groupe horloger Festina, qui sponsorise l'équipe cycliste exclue du Tour de France 1998 sous l'accusation de dopage, a son siège social en Andorre - **Nicolas Bessarabski** ■

Principauté d'Andorre

Capitale : Andorre-la-Vieille.
Superficie : 468 km^2.
Statut : seigneurie « parrainée » par deux coprinces : le président de la République française et l'évêque d'Urgel, devenue État constitutionnel le 14.3.93.
Président du Conseil général : Francesc Areny Casal (syndic), qui a remplacé Josep Dallares le 16.2.97.
Chef du gouvernement : Marc Forné Molné (depuis le 6.12.94).
Monnaie : franc français, peseta espagnole.
Langues : catalan, français, espagnol.

Espagne

Les enjeux de la droite

Le 2 mai 1998, le Conseil européen a confirmé que l'Espagne ferait partie, avec dix autres pays, de la zone euro dès le 1er janvier 1999. Cette date est historique pour ce pays qui s'est si longtemps trouvé en retard par rapport à la construction européenne. Les résultats économiques de 1997 incitaient d'ailleurs à l'optimisme : une inflation de 2 %, un déficit public représentant 2,1 % du PIB, un taux d'intérêt de 5,6 % et un taux de croissance de 3,2 %. Le Parti populaire (PP) a donc récolté les fruits de ses efforts et de ceux de ses prédécesseurs socialistes. Les deux principales difficultés politiques auxquelles cette formation s'est trouvée confrontée depuis l'arrivée de José María Aznar à la tête du gouvernement (mai 1996) sont cependant apparues directement liées aux restrictions imposées par les échéances européennes. Les efforts de rigueur budgétaire ont provoqué un mécontentement social susceptible d'être exploité par son adversaire, le Parti socialiste ouvrier espagnol (PSOE), et ont limité sa marge de ma-

INDICATEUR*	UNITÉ	1975	1985	1996	1997
Démographie**					
Population	*million*	35,6	38,5	39,67	39,72
Densité	*hab./km²*	70,5	76,3	78,6	78,7
Croissance annuelle	*%*	0,8[a]	0,3[b]	0,1[c]	••
Indice de fécondité (ISF)		2,2[a]	1,4[b]	1,2[c]	••
Indicateurs socioculturels					
Nombre de médecins	*‰ hab.*	1,53	3,30	4,22[g]	••
Scolarisation 2e degré[m]	*%*	73	••	94[f]	••
Scolarisation 3e degré	*%*	20,4	28,5	46,1[f]	••
Téléviseurs	*‰*	187,0	270,1	509,3	••
Livres publiés	*titre*	23 527	34 684	48 467[g]	••
Économie					
PIB total[h]	*milliard $*	134,7	309,7	587,2	633,2
Croissance annuelle	*%*	3,5[d]	2,4[e]	2,2	3,2
PIB par habitant[h]	*$*	3 792	8 061	14 954	15 941
Investissement (FBCF)	*% PIB*	24,6[d]	21,2[e]	20,2	20,4
Recherche et Développement	*% PIB*	0,4[i]	0,6	0,8	••
Taux d'inflation	*%*	17,7	8,8	3,6	2,0[k]
Population active	*million*	13,5	14,0	16,2	16,3
Agriculture	*%* } *100 %*	22,1	18,3	8,7	8,4
Industrie	*%* } *100 %*	38,4	31,7	29,7	30,0
Services	*%* } *100 %*	39,6	49,9	61,6	61,7
Chômage	*%*	3,6	21,1	22,2	20,0[n]
Aide au développement	*% PIB*	••	0,09	0,22	••
Énergie (consom./hab.)[b]	*kgec*	2 148	2 218	3 157[g]	••
Énergie (taux de couverture)	*%*	24,2	37,0	31,2[g]	••
Dépense publique Éducation	*% PIB*	1,8	3,3	5,0[f]	••
Dépense publique Défense	*% PIB*	2,1	2,4	1,5	1,1
Solde administrat. publiques[p]	*% PIB*	– 1,8[i]	– 5,6	– 3,5	– 2,1
Dette administrat. publiques	*% PIB*	12,7	43,7	70,1	68,1
Échanges extérieurs		**1974**	**1986**	**1996**	**1997**
Importations de services	*milliard $*	2,2	6,0	24,5	24,7
Importations de biens	*milliard $*	14,3	35,0	118,8	117,8
Produits agricoles	*%*	22,1	17,8	13,5	13,8
Produits énergétiques	*%*	25,4	18,9	9,0	9,2
Produits manufacturés	*%*	41,0	54,7	72,2	71,7
Exportations de services	*milliard $*	5,0	17,8	44,3	43,9
Exportations de biens	*milliard $*	7,2	27,8	102,7	104,5
Produits agricoles	*%*	26,1	18,6	14,1	14,2
Produits manufacturés	*%*	60,3	64,9	77,2	75,8
dont machines et mat. de transport	*%*	22,3	30,9	41,8	41,1
Solde transactions courantes	*% du PIB*	– 1,9[o]	– 1,3[e]	0,3	0,5
Position extérieure nette	*milliard $*	– 16,5[i]	– 15,3	– 105,1	••

* Définition des indicateurs p. 25 et suiv. ** Dernier recensement utilisable : 1991 ; a. 1975-85 ; b. 1985-95 ; c. 1995-2000 ; d. 1970-80 ; e. 1980-96 ; f. 1994 ; g. 1995 ; h. A parité de pouvoir d'achat (PPA, voir définition p. 581) ; i. 1981 ; k. Décembre à décembre ; m. 11-17 ans ; n. Décembre ; o. 1975-80 ; p. Corrigé des fluctuations conjoncturelles.

nœuvre dans la négociation financière permanente avec ses incontournables alliés nationalistes.

Le coût social des mesures de rigueur budgétaire est élevé, particulièrement dans un pays où le taux de chômage reste le plus élevé d'Europe occidentale (20,8 % en 1997, d'après les chiffres officiels, 19,8 % début 1998 d'après la Commission de l'Union européenne). En 1998, s'appuyant sur la croissance économique et la relance de la consommation, le gouvernement a fait voter un budget moins austère que celui de 1997. Il s'est toutefois exposé au mécontentement populaire par ses mesures destinées à renflouer la Sécurité sociale (liste de médicaments dont le remboursement n'est plus assuré), ainsi que par son projet de réforme fiscale. Ces mesures ont semblé commencer à confirmer ce que développait le PSOE durant la campagne, à savoir que le PP allait mettre fin à l'État-providence.

Le PSOE et l'ouverture à gauche

La gauche espagnole, influencée notamment par l'exemple français, a adopté une nouvelle stratégie. Au cours du 34e congrès du PSOE de juin 1997, l'ancien Premier ministre Felipe González a annoncé qu'il ne se représentait pas au poste de secrétaire général qu'il occupait depuis 1974. Il a été remplacé par l'un de ses proches, Joaquín Almunia. Celui-ci a engagé, en rupture avec les errements du « félipisme », une réforme du parti allant dans deux directions : démocratisation interne et union avec d'autres mouvements de gauche – partis et syndicats notamment – en faveur d'une « cause commune ». Mais au terme des élections primaires du 24 avril 1998 devant désigner le candidat du parti au poste de Premier ministre, lors des législatives de l'an 2000, José Borell – un homme plus charismatique et moins lié au précédent secrétaire général – l'a emporté sur J. Almunia. La tactique d'ouverture vers la gauche, qui semblait d'autant plus appropriée que les divisions internes au groupe Izquierda Unida (« Gauche unie », IU) de Julio Anguita ont permis l'apparition de courants favorables à un rapprochement, a cependant échoué lors des élections en Galice, le 19 octobre 1997, où la coalition réunissant le PSOE, des formations de gauche régionales, des dissidents d'IU et des Verts a

Royaume d'Espagne

Capitale : Madrid.
Superficie : 504 782 km².
Monnaie : peseta (100 pesetas = 0,60 écu ou 3,94 FF au 30.8.98).
Langues : officielle nationale : espagnol (ou castillan) ; officielles régionales : basque (euskera) ; catalan ; galicien ; valencien.
Chef de l'État : roi Juan Carlos Ier de Bourbon (depuis le 22.11.75).
Chef du gouvernement : José María Aznar (depuis le 4.5.96).
Ministre des Affaires étrangères : Abel Matutes.
Ministre de la Défense : Eduardo Serra.
Ministre de l'Intérieur : Jaime Mayor Oreja.
Échéances électorales : catalanes (1999), municipales (1999), législatives (2000).
Nature de l'État : royaume. 17 communautés autonomes dans une Espagne « unie et indissoluble ».
Nature du régime : monarchie constitutionnelle.
Principaux partis politiques : *Audience nationale :* Parti populaire (PP, droite, au pouvoir) ; Parti socialiste ouvrier espagnol (PSOE, gauche) ; Gauche unie (IU, coalition à majorité communiste).
Audience régionale : Convergence et Union (CiU, droite, au pouvoir en Catalogne) ; Parti nationaliste basque (PNV, droite) ; Coalition canarienne (CC) ; Bloque Nacionalista Galego (BNG, gauche galicienne) ; Herri Batasuna (HB, coalition séparatiste basque, bras politique de l'ETA) ; Esquerra Republicana de Catalunya (ERC, séparatistes catalans).
Territoires outre-mer : Ceuta, Melilla [Afrique du Nord].
Territoire contesté : Gibraltar, dépendant du Royaume-Uni.

Espagne/Bibliographie

A. Angoustures, *Histoire de l'Espagne au XXe siècle*, Complexe, Bruxelles, 1993.

G. Couffignal, *Le Régime politique de l'Espagne*, Montchrestien, Paris, 1993.

« Espagne : la deuxième alternance démocratique » (dossier constitué par J.-J. Kourlianky), *Problèmes politiques et sociaux*, n° 792, La Documentation française, Paris, oct. 1997.

W. Genieys, *Les Élites espagnoles face à l'État, changements de régimes politiques et dynamiques centre-périphérie*, L'Harmattan, Paris, 1997.

J. Juaristi, *El Bucle melancólico, historias de nacionalistas vascos*, Espasa Calpe, 1997.

B. Loyer, *Géopolitique du Pays basque : nations et nationalismes en Espagne*, L'Harmattan, Paris, 1997.

J. Perez, *Histoire de l'Espagne*, Fayard, Paris, 1997.

V. Pérez-Diaz, *La Démocratie espagnole vingt ans après*, Complexe, Bruxelles, 1996.

« La question de l'Espagne », *Hérodote*, n° 91, La Découverte, Paris (à paraître).

J. Sevilla, *La economía española ante la moneda úneca*, editorial Debate, 1997.

M. et M.-C. Zimmermann, *La Catalogne*, PUF, coll. « Que sais-je ? », Paris, 1998.

perdu, le PP, emmené par Manuel Fraga, l'emportant à la majorité absolue. L'enjeu de l'emploi demeure toutefois l'élément central de la lutte politique entre la gauche et la droite. En réponse à la demande européenne, le gouvernement a ainsi présenté à la mi-avril 1998 un plan pour l'emploi ambitieux. Les syndicats ont vivement critiqué le projet et ont centré leurs revendications sur la semaine de 35 heures.

Concernant les autonomies, le gouvernement a avancé dans la direction qu'il s'était assignée, à savoir l'égalité des compétences transférées aux autonomies en matière d'éducation, de santé et de services sociaux, les différences restant limitées à celles qui découlent de la langue, de l'insularité et du droit foral (lié aux privilèges collectifs reconnus à certaines provinces). Cependant, la rivalité entre autonomies est demeurée incessante. Arguant que leur spécificité était gommée par un rattrapage permanent des autres autonomies, les Catalans ont demandé de nouvelles compétences, ainsi qu'un système foral identique à celui du Pays basque et de la Navarre, leur permettant de lever l'impôt. Ces demandes ont à leur tour suscité des requêtes identiques de la part d'autres communautés, et le gouvernement y a répondu par la négative. Mais le refus de renégocier le modèle de financement pourrait être difficile à tenir étant donné la dépendance politique du gouvernement à l'égard, notamment, de Convergence et Union (CiU, droite), le parti de Jordi Pujol au pouvoir en Catalogne. Dans le même temps, les communautés autonomes qui contrôlent 22 % des dépenses publiques restent des partenaires obligés pour le gouvernement dans ses efforts de rigueur budgétaire.

L'alliance du PP et de CiU a connu des difficultés en 1997 et si le parti catalan a pris à contre-pied le gouvernement en diverses occasions, à la fin de l'année, le PP a voté contre la loi linguistique adoptée le 30 décembre 1997 par le Parlement catalan. Si, à l'inverse, l'alliance avec le Parti nationaliste basque (PNV) et notamment l'entente personnelle des dirigeants J. M. Aznar et Xabier Arzallus ont semblé meilleures, le problème du terrorisme basque, qui a été au centre de l'actualité de l'année, les a éloignés, comme il divise la classe politique.

Un tournant face au terrorisme

L'assassinat par l'ETA (Euskadi ta Askatasuna, « Le Pays basque et sa liberté »), le 12 juillet 1997, du jeune conseiller muni-

Europe latine

ITALIE
Régions :
1- FRIOUL-VÉNÉTIE JULIENNE
2- VÉNÉTIE
3- TRENTIN-HAUT-ADIGE
4- LOMBARDIE
5- VAL D'AOSTE
6- PIÉMONT
7- LIGURIE
8- ÉMILIE-ROMAGNE
9- TOSCANE
10- OMBRIE
11- MARCHES
12- LATIUM
13- ABRUZZES
14- MOLISE
15- CAMPANIE
16- POUILLES
17- BASILICATE
18- CALABRE

ROY.-UNI
BELG.
LUX.
ALLEMAGNE
SUISSE
AUTRICHE
SLOV.
CROATIE
BOSNIE-HERZÉGOVINE
SERBIE
ALB.
MANCHE
FRANCE
Lille
Amiens
Rouen
Le Havre
Caen
Paris
Seine
Rennes
Le Mans
Nantes
Tours
Loire
Orléans
Châlons-en-Champagne
Metz
Nancy
Strasbourg
Rhin
Dijon
Besançon
Poitiers
Limoges
Clermont-Ferrand
St-Étienne
Lyon
Grenoble
Rhône
Bordeaux
Garonne
Toulouse
Montpellier
Marseille
Golfe du Lion
Toulon
Nice
MONACO
Bastia
Ajaccio
Turin
Milan
Pô
Gênes
Trente
Vérone
Venise
Parme
Bologne
Florence
Pise
Elbe
SAINT-MARIN
Pérouse
Ancône
L'Aquila
VATICAN
Rome
Naples
ITALIE
Bari
Potenza
Tarente
Catanzaro
Messine
Palerme
Catane
SICILE
MALTE
Malte
Gozo
MER ADRIATIQUE
MER TYRRHÉNIENNE
MER IONIENNE
SARDAIGNE
Sassari
Cagliari
MER MÉDITERRANÉE
200 km
OCÉAN ATLANTIQUE
Golfe de Gascogne
GALICE
St-Jacques-de-C.
Vigo
Oviedo
Santander
Bilbao
Pampelune
Ebre
Saragosse
ARAGON
ANDORRE
CATALOGNE
Barcelone
Minorque
Majorque
Palma
Ibiza
BALÉARES
CASTILLE ET-LEÓN
Valladolid
Douro
Salamanque
Madrid
Tolède
CASTILLE LA MANCHE
VALENCE
Valence
ESPAGNE
Murcie
Carthagène
MURCIE
Tage
Mérida
Guadiana
Cordoue
Guadalquivir
ANDALOUSIE
Séville
Grenade
Malaga
Gibraltar (R.-U.)
PORTUGAL
NORD
Porto
CENTRE
Coïmbre
Santarem
Évora
LISBONNE-VALLÉE DU TAGE
Lisbonne
ALENTEJO
Faro
ALGARVE

FRANCE
Régions :
1- NORD-PAS-DE-CALAIS
2- PICARDIE
3- HAUTE-NORMANDIE
4- BASSE-NORMANDIE
5- BRETAGNE
6- PAYS DE LA LOIRE
7- CENTRE
8- ÎLE-DE-FRANCE
9- BOURGOGNE
10- CHAMPAGNE-ARDENNE
11- LORRAINE
12- ALSACE
13- FRANCHE-COMTÉ
14- RHÔNE-ALPES
15- AUVERGNE
16- LIMOUSIN
17- POITOU-CHARENTES
18- AQUITAINE
19- MIDI-PYRÉNÉES
20- LANGUEDOC-ROUSSILLON
21- PROVENCE-ALPES-CÔTE D'AZUR
22- CORSE

ESPAGNE
Communautés autonomes
1- ASTURIES
2- CANTABRIE
3- PAYS-BASQUE
4- NAVARRE
5- RIOJA
6- ESTRAMADURE

cipal du PP Miguel Angel Blanco Garrido a été un tournant dans la mobilisation de la société civile contre la violence du groupe terroriste. L'« esprit d'Ermua » (nom de la ville dont le jeune homme était l'élu) a conduit à décider d'isoler tous ceux qui soutiennent la violence politique, de renverser la logique de la peur créée par l'ETA et ses alliés, d'exiger du monde politique une union totale contre le terrorisme. Cette mobilisation accrue a indiqué, avec la baisse enregistrée en 1997 des actions violentes dans la rue au cours des fins de semaine au Pays basque, que la période de soutien relatif – ou de passivité – de la société et notamment de la jeunesse basque à l'égard de l'ETA était révolue. En témoigne aussi l'absence de mobilisation à la nouvelle, en décembre 1997, des condamnations de 23 dirigeants d'Herri Batasuna (HB, façade politique légale de l'ETA) à sept ans de prison, pour avoir diffusé une vidéo de la bande armée.

L'ETA, cependant, avant qu'elle proclame une trêve unilatérale le 17 septembre 1998, a continué à tuer. Sa cible principale semblait être désormais le PP : de nombreux élus de ce parti ont été la cible d'attentats, certains manqués, quatre d'entre eux réussis de l'été 1997 à la mi-juillet 1998, notamment l'assassinat par balles du principal collaborateur du maire de Séville et de son épouse, dans la nuit du 29 au 30 janvier 1998, survenu, fait sans précédent, hors du Pays basque (à Séville). Cependant, si la politique du ministre de l'Intérieur, Jaime Mayor Oreja, a permis de démanteler de nombreuses structures de l'ETA et d'arrêter, le 20 mars 1998, le commando auteur de l'attentat de Séville, l'absence d'union entre les partis sur ce sujet a continué de montrer les carences du monde politique face aux demandes de la société civile. Le refus de la part d'IU et du PNV d'isoler HB a ainsi trahi l'« esprit d'Ermua », tandis que la politique de J. Mayor Oreja restait un sujet de discorde entre le PP, accusé d'utiliser à l'excès ces attentats pour son bénéfice électoral, et le PNV, soupçonné par certains spécialistes d'entretenir une attitude ambiguë à l'égard du terrorisme.

Les scandales ont continué d'alimenter une presse friande : ainsi de la publication d'un ouvrage sur la « conspiration » dont aurait été victime F. González.

Le premier procès des GAL (groupes antiterroristes de libération), mouvement clandestin de contre-terrorisme responsable de nombreux assassinats de membres de la mouvance de l'ETA dans les années quatre-vingt, s'est ouvert en mai 1998. Les deux inculpés socialistes ayant le plus haut niveau de responsabilité, José Barrionuevo, ancien ministre de l'Intérieur, et Rafael Vera, ancien directeur général de la Sécurité, ont été condamnés à dix ans de prison. - **Aline Angoustures** ■

France

La mode au tricolore

En 1998 ont été célébrés les quarante ans de la Ve République et de ses institutions. Le général de Gaulle (1890-1970), pour lequel ces institutions avaient été « taillées sur mesure », avait voulu qu'elles réservent au chef de l'État de très larges prérogatives. De fait, ce régime, qui a pu être défini comme « semi-présidentiel », accorde au président, lorsqu'il dispose d'une majorité parlementaire, un pouvoir qui peut être sans partage, réduisant ses partisans au rôle de « parti-godillot ». Cependant, à partir de 1986, le jeu politique a été profondément transformé puisque, à trois reprises (1986-1988, 1993-1995, 1997-   ), le pays a connu une période de « cohabitation », avec une coalition au gouvernement opposée à celle soutenant le chef de l'État.

En 1997, le président de la République Jacques Chirac (Rassemblement pour la République- RPR), constatant la très forte impopularité du gouvernement d'Alain

Juppé (RPR lui aussi), avait tenté de retrouver une nouvelle légitimité en recourant à des élections législatives anticipées. C'est en fait à une véritable autodissolution de la droite que cette tentative aura mené : la majorité est devenue minoritaire. La droite n'a en effet obtenu que 36,6 % des suffrages exprimés au premier tour, tandis que l'alliance des gauches – Parti socialiste (PS), Parti communiste (PCF), Mouvement des citoyens (MDC), Parti radical de gauche (PRG) – et des écologistes (Les Verts) obtenait 44,3 %. Au second tour, cette alliance emportait 319 sièges sur 577 et la droite s'effondrait à 257 (contre 484 dans la précédente assemblée). A lui seul, le PS obtenait la majorité relative avec 245 sièges. Le Front national (FN, extrême droite), avec 14,9 % au premier tour, n'obtenait finalement qu'un seul siège du fait du mode de scrutin majoritaire.

« La droite ne fait même plus rire »

Ces élections, aggravant les divisions de la droite, ont précipité ses différentes composantes dans la crise. Alain Juppé, président du RPR, a dû démissionner. Il a été remplacé par Philippe Séguin, lequel a montré qu'il nourrissait des ambitions pouvant contrarier l'avenir politique de J. Chirac. Courants et clubs se sont davantage affirmés, illustrant de fortes tendances centrifuges, notamment quant aux questions européennes (traité d'Amsterdam, monnaie unique...). L'autre composante de la droite parlementaire, théoriquement confédérée dans l'UDF (Union pour la démocratie française, fondée en 1978 par l'ancien président Valéry Giscard d'Estaing), s'est proprement scindée. L'une de ses principales forces, Démocratie libérale – DL, dirigée par Alain Madelin et héritière du Parti républicain (PR) –, a choisi de mener sa propre stratégie. Une tentative de liaison entre RPR, UDF et DL, baptisée « Alliance », n'est pas parvenue à se rendre crédible, incapable qu'elle était de formuler des perspectives politiques. Les rivalités entre courants conservateurs n'ont fait que redoubler, comme l'a illustré la conquête de la présidence du Sénat par un parlementaire RPR, Christian Poncelet, au détriment de René

République française

Capitale : Paris.
Superficie : 547 026 km^2.
Monnaie : franc (1 écu = 6,62 FF et 1 dollar des États-Unis = 5,93 FF au 30.8.98).
Langues : français (off.), breton, catalan, corse, occitan, basque, alsacien, flamand.
Chef de l'État : Jacques Chirac, président de la République (depuis le 17.5.95, pour un mandat de 7 ans).
Premier ministre : Lionel Jospin, qui a succédé, le 2.6.97 à Alain Juppé.
Ministre de l'Économie, des Finances et de l'Industrie : Dominique Strauss-Kahn (depuis le 4.6.97).
Ministre de l'Emploi et de la Solidarité : Martine Aubry (depuis le 4.6.97).
Ministre des Affaires étrangères : Hubert Védrine (depuis le 4.6.97).
Ministre de l'Intérieur : Jean-Pierre Chevènement (depuis le 4.6.97).
Échéances électorales : législatives et présidentielle en 2002.
Nature du régime : démocratie parlementaire combinée à un pouvoir présidentiel.
Principaux partis politiques : *Gouvernement :* Parti socialiste (PS, social-démocrate) ; Parti communiste français (PCF) ; Parti radical-socialiste (PRS), Mouvement des citoyens (MDC), Les Verts. *Oppositions :* Rassemblement pour la République (RPR, droite) ; Union pour la démocratie française (UDF, droite), comprenant notamment Force démocrate (FD) ; Démocratie libérale (DL) ; Front national (FN, extrême droite).
DOM-TOM et CT : *Départements d'outre-mer* (DOM) : Guadeloupe, Martinique, Guyane [Amérique], Réunion [océan Indien]. *Territoires d'outre-mer* (TOM) : Nouvelle-Calédonie, Wallis et Futuna, Polynésie française [Océanie], Terres australes et antarctiques françaises (TAAF). *Collectivités territoriales* (CT) : Saint-Pierre-et-Miquelon [Amérique], Mayotte [océan Indien].

INDICATEUR*	UNITÉ	1975	1985	1996	1997
Démographie**					
Population	*million*	52,7	55,2	58,33	58,54
Densité	*hab./km²*	96,3	100,9	106,6	107,0
Croissance annuelle	%	0,5[a]	0,5[a]	0,3[c]	• •
Indice de fécondité (ISF)		1,9[a]	1,8[b]	1,6[c]	• •
Indicateurs socioculturels					
Nombre de médecins	*‰ hab.*	1,54	2,32	2,95	• •
Scolarisation 2e degré[m]	%	76	82	93[f]	• •
Scolarisation 3e degré	%	24,4	29,8	49,6	• •
Téléviseurs	‰	284,6	433,9	598,0[g]	• •
Livres publiés	*titre*	29 371[n]	37 860	34 766[g]	• •
Économie					
PIB total[h]	*milliard $*	294,9	708,3	1 198,6	1 239,2
Croissance annuelle	%	3,3[d]	1,9[e]	1,3	2,3
PIB par habitant[h]	$	5 595	12 811	20 533	21 169
Investissement (FBCF)	*% PIB*	24,0[d]	19,9[e]	17,4	17,1
Recherche et Développement	*% PIB*	2,0[q]	2,3	2,3	• •
Taux d'inflation	%	11,8	5,8	2,0	1,1[k]
Population active	*million*	22,4	23,9	25,6	25,7
Agriculture	% } *100 %*	10,3	7,6	4,6	4,5
Industrie	% } *100 %*	38,6	33,6	26,0	25,6
Services	% } *100 %*	51,1	60,4	69,4	70,0
Chômage	%	4,0	10,2	12,4	12,2[o]
Aide au développement	*% PIB*	0,43	0,58	0,48	• •
Énergie (consom./hab.)[b]	*kgec*	3 749	4 020	5 309[g]	• •
Énergie (taux de couverture)	%	24,2	28,8	53,8[g]	• •
Dépense publique Éducation	*% PIB*	5,2	5,8	5,9[f]	• •
Dépense publique Défense	*% PIB*	3,8	4,0	3,1	2,7
Solde administrat. publiques[r]	*% PIB*	1,7[s]	– 1,8	– 3,3	– 2,4
Dette administrat. publiques	*% PIB*	20,5[t]	31,0	55,7	57,3
Échanges extérieurs		**1974**	**1986**	**1996**	**1997**
Importations de services	*milliard $*	11,5	33,0	67,3	63,8
Importations de biens	*milliard $*	48,8	121,9	266,9	254,4
Produits énergétiques	%	23,0	12,6	7,6	7,6
Produits manufacturés	%	48,2	65,3	77,4	77,9
Produits alimentaires	%	10,9	11,7	9,8	9,3
Exportations de services	*milliard $*	14,2	43,1	83,5	81,5
Exportations de biens	*milliard $*	44,0	120,5	281,8	283,4
Produits agricoles	%	20,5	18,7	14,2	13,6
Produits manufacturés	%	62,8	70,4	80,7	81,5
dont machines et mat. de transport	%	30,2	35,2	43,4	45,1
Solde transactions courantes	*% du PIB*	0,2[p]	– 0,2[e]	1,3	2,9
Position extérieure nette	*milliard $*	• •	26,0[u]	– 6,0	84,3

* Définition des indicateurs p. 25 et suiv. ** Dernier recensement utilisable : 1990 ; a. 1975-85 ; b. 1985-95 ; c. 1995-2000 ; d. 1970-80 ; e. 1980-96 ; f. 1994 ; g. 1995 ; h. A parité de pouvoir d'achat (PPA, voir définition p. 581) ; i. 1993 ; k. Décembre à décembre ; m. 11-17 ans ; n. 1976 ; o. Décembre ; p. 1975-80 ; q. 1981 ; r. Corrigé des fluctuations conjoncturelles ; s. 1979 ; t. 1977 ; u. 1989.

Monory (UDF), qui détenait ce poste. La grave crise qu'a connue le Conseil de Paris, où les élus de droite se sont entre-déchirés publiquement, a elle aussi contribué à étaler les querelles d'ambitions personnelles et les règlements de comptes. Début octobre, l'éditorialiste du *Journal du dimanche* dressait un constat clinique sans appel : « [De la droite], de ce qui lui arrive, de ce qu'elle fait, de la manière dont elle continue à se défaire... on se moque. La droite n'intéresse plus. Elle ne fait même plus rire. Or, en politique, l'indifférence [...] est le dernier symptôme avant la mort clinique. »

Les manœuvres de l'extrême droite

C'est dans un contexte de crise de la représentation politique que se sont déroulées les élections pour le renouvellement des conseils régionaux, le 15 mars 1998. Sur fond d'abstention (42 %), la « majorité plurielle » de gauche et écologiste a obtenu 38,8 % des suffrages exprimés, la droite traditionnelle 35,8 %, et l'extrême droite (FN) 15,3 %. Pour sa part, l'extrême gauche a effectué une percée, avec 4,4 % des suffrages. A la suite de ces élections, le Front national a proposé à la droite un « soutien sans participation » pour éviter l'élection de présidents de gauche dans les régions où ses scores rendaient le calcul envisageable. Cette tentative de « baiser de la mort », intervenant dans une période de désorganisation et de doute de la droite, est apparue comme une tactique très efficace pour accroître les divisions de celle-ci. Finalement, quatre membres de l'UDF, Charles Baur, Jacques Blanc, Jean-Pierre Soisson et Charles Millon – ministre de la Défense de 1995 à 1997 – auront été élus présidents de région grâce à des alliances avec le FN, respectivement en Picardie, Languedoc-Roussillon, Bourgogne et Rhône-Alpes. Cette question des alliances n'allait pas finir d'empoisonner les partis conservateurs.

En tout état de cause, l'ancrage accru du Front national dans le paysage politique a encore renforcé sa prétention à s'approprier les symboles de la nation, à commencer par le bleu-blanc-rouge du drapeau tricolore. En réaction contre cette appropriation et contre la persistance du vote FN, les positionnements « patriotiques » (à droite comme à gauche), pour lesquels « la République » semble seule tenir lieu de projet politique, ont depuis quelques années recueilli un écho élargi. D'autres postures politico-intellectuelles sont apparues à partir de 1995-1996, notamment dans le sillage du sociologue Pierre Bourdieu, figure souvent associée à la mouvance qui se définit comme « la gauche de la gauche ». Celle-ci dénonce volontiers la « soumission aux marchés financiers » comme fauteuse d'exclusion sociale. D'une manière générale, les cloisonnements entre sensibilités intellectuelles se sont accentués, de même que certaines dérives sectaires.

« Rose, rouge, vert »

La « majorité plurielle », comme s'autodésigne l'alliance « rose-rouge-vert » victorieuse aux élections de juin 1997, a immédiatement lancé plusieurs chantiers de réforme dans un contexte économique très favorable de croissance plus soutenue (2,3 % en moyenne annuelle pour 1997, contre 1,3 % en 1996). L'une des premières initiatives a été le lancement d'un plan contre le chômage des jeunes visant à financer des centaines de milliers d'emplois d'utilité sociale – 150 000 avant fin 1998. Le financement public a correspondu à 80 % du montant du salaire minimum, le solde étant à assurer par les employeurs (associations, établissements publics et collectivités locales). La réforme la plus ambitieuse a sans aucun doute été celle visant à réduire la durée légale du temps de travail à 35 heures par semaine au 1er janvier 2000 pour les entreprises de plus de 10 salariés. Le gouvernement a présenté ce projet comme une réponse à la crise de l'emploi. Il est cependant vite apparu qu'une partie

France/Bibliographie

J.-C. Bouvier, P. Jacquin, A. Vogelweith, *Les Affaires ou comment s'en débarrasser*, La Découverte, Paris, 1997.

R. Castel, *Les Métamorphoses de la question sociale*, Fayard, Paris, 1995.

L'état de la France 98-99, La Découverte, Paris, 1998 (annuel).

« La pauvreté », *Économie et statistique*, INSEE, Paris, 1998.

Les Outre-Mer, La Documentation française/Reclus, coll. « Atlas de France », vol. XIII, Paris/Montpellier, 1998.

A. Lipietz, *La Société en sablier. Le partage du travail contre la déchirure sociale*, La Découverte/Poche, Paris, 1998 (nouv. éd.).

N. Mayer, P. Perrineau (sous la dir. de), *Le Front national à découvert*, Presses de Sciences-Po, Paris, 1996.

OFCE, *L'Économie française 1998*, La Découverte, coll. « Repères », Paris, 1998.

P. Perrineau, C. Ysmal (sous la dir. de), *Le Vote de crise : l'élection présidentielle de 1995*, Presses de Sciences-Po, Paris, 1995.

P. Perrineau, C. Ysmal, *Le Vote surprise*, Presses de Sciences-Po, Paris, 1998.

Rapports du Conseil d'analyse économique, (notamment n° 1, « La réduction du temps de travail » ; n° 2, « Le partage de la valeur ajoutée » ; n° 5, « Coordination européenne des politiques économiques »), La Documentation française, Paris, 1997-1998.

D. Robert, *Pendant les « Affaires », les affaires continuent…*, Stock, Paris, 1996.

J. Sellier, *Atlas historique des provinces et régions de France. Genèse d'un peuple*, La Découverte, Paris, 1997.

du patronat entendait plutôt obtenir en contrepartie des conditions de flexibilisation accrue du travail.

Si la conjoncture économique favorable a permis d'enregistrer un léger tassement du taux de chômage (12,2 % en 1997 contre 12,4 % l'année précédente), il était à craindre que les perspectives de reprise n'atteignent pas les niveaux annoncés par le gouvernement. Quoi qu'il en soit, le pays, souscrivant aux critères du traité de Maastricht, allait adopter l'euro dès janvier 1999.

Sur un autre plan, celui des couples non mariés, notamment concubins et homosexuels, un projet gouvernemental celui d'un « pacte civil de solidarité » (PACS) a rencontré plus de difficultés, les députés de la majorité ayant été dans un premier temps peu présents à l'Assemblée pour s'opposer à l'obstruction des parlementaires de droite (relayés sur le terrain par un efficace lobby de l'« ordre moral »).

Par ailleurs, l'année 1997-1998 a vu se prolonger certaines mobilisations apparues depuis 1995-1996, notamment en faveur de la régularisation de tous les étrangers « sans papiers » qui en avaient fait la demande. La loi Chevènement relative à l'immigration, si elle a mis fin à certaines dispositions très critiquées des lois Debré-Pasqua précédentes, n'a pas vraiment rompu avec la logique qui les sous-tendait et les critères de régularisation appliqués l'ont souvent été de manière très restrictive, notamment en ce qui concerne les célibataires. Au total, en août 1998, 60 000 candidats à la régularisation avaient été déboutés.

« Black-blanc-beur »

Une nouvelle circulaire devait permettre à certains d'entre eux d'être « repêchés », mais le gouvernement est resté crispé sur son refus d'une régularisation générale, alors que Charles Pasqua lui-même, ancien ministre de l'Intérieur de droite (RPR), préconisait la régularisation de tous les « sans-papiers ». Cela n'a pas manqué d'étonner au moment où la France fêtait dans la liesse son équipe de football qui venait de remporter la Coupe du monde, organisée précisément dans l'Hexagone. Or cette équipe, fière de son drapeau tricolore bleu-blanc-rouge et chantant l'hymne national à pleins poumons, a été célébrée par les plus hautes autorités de l'État pour son caractère « multicolore », c'est-à-dire multiracial. Mêlant notamment les origines maghrébines, africaines et antillaises, elle a on ne peut mieux illustré le slogan « black-blanc-beur » scandé dans les manifestations de défense des immigrés.

Pendant l'hiver 1997-1998, de nouveaux acteurs se sont par ailleurs manifestés sur le front de la lutte anti-exclusion. Différents mouvements de chômeurs et de précaires ont en effet multiplié les manifestations pour réclamer notamment un relèvement des minima sociaux et être reconnus comme interlocuteurs sur les dossiers concernant les intérêts des chômeurs. Des avancées ont eu lieu en ce dernier domaine.

Concernant deux territoires de la République, l'année écoulée a été marquée par des événements d'importance. En Corse tout d'abord, où à partir des années soixante-dix des mouvements nationalistes ont mené une action politique et/ou clandestine (multiples attentats), un seuil a été franchi avec l'assassinat, le 5 février 1998, du préfet de région Claude Érignac. Ce crime a suscité une vigoureuse réaction de l'État et la mise au jour d'innombrables pratiques de détournement de la loi et de financements selon des logiques relevant à la fois du clanisme et du banditisme. Aux antipodes, en Nouvelle-Calédonie, où un mouvement indépendantiste est très actif et reconnu comme interlocuteur incontournable, le protocole d'accord de Nouméa, conclu le 21 avril 1998, a aménagé une transition vers une possible indépendance sous quinze ou vingt ans. Le protocole prévoit d'importants transferts de compétence au bénéfice de ce territoire d'outre-mer dont le statut et les institutions sont appelés à être modifiés.

Sur le plan international, outre les enjeux européens (élargissement de l'UE, euro, etc.), la période aura été notamment marquée par une sensible évolution dans la politique africaine de la France, avec un désengagement militaire partiel et une réforme institutionnelle de sa Coopération. L'audition, au printemps 1998, par une mission d'information parlementaire sur le Rwanda, d'hommes politiques et d'experts aura par ailleurs représenté une innovation politique d'importance, permettant d'éclairer quelque peu la collusion de la France de l'ancien président François Mitterrand avec le régime de l'ancien chef de l'État Juvénal Habyarimana, régime responsable du génocide de 1994. - **Serge Cordellier** ■

Italie

Le bilan « Prodi »

Avec l'entrée confirmée dans la zone euro le 1er janvier 1999, l'Italie a obtenu un succès sur lequel peu de gens auraient parié deux ans plus tôt. La détermination du gouvernement de centre gauche de Romano Prodi à ramener les déficits publics en dessous de 3 % du PIB a été la plus forte. Le chef du gouvernement a joué son prestige (il avait promis de démissionner en cas d'échec) et l'a emporté, malgré l'hostilité de certains pays, comme l'Allemagne et les Pays-Bas, peu confiants dans la capacité de l'Italie à se donner durablement une discipline budgétaire.

L'adoption de la monnaie unique a représenté un triple succès : politique, économique et social. Politique, d'abord, parce que la coalition de centre gauche a démontré qu'elle pouvait tenir ses engagements et jouir d'un vrai consensus. Cela n'a pas été facile, car il fallait compter avec le scepti-

INDICATEUR*	UNITÉ	1975	1985	1996	1997
Démographie**					
Population	*million*	55,4	56,8	57,23	57,24
Densité	*hab./km²*	183,9	188,6	190,0	190,0
Croissance annuelle	%	0,2[a]	0,1[b]	0,0	• •
Indice de fécondité (ISF)		1,7[a]	1,3[b]	1,2[c]	• •
Indicateurs socioculturels					
Nombre de médecins	*‰ hab.*	• •	• •	5,70[g]	• •
Scolarisation 2e degré[m]	%	66	73	88[f]	• •
Scolarisation 3e degré	%	25,1	25,5	40,6[f]	• •
Téléviseurs	‰	270,6	413,1	436,0[g]	• •
Livres publiés	*titre*	9 187	15 545	34 470[g]	• •
Économie					
PIB total[h]	*milliard $*	256,9	665,7	1 148,0	1 150,1
Croissance annuelle	%	3,6[d]	1,7[e]	0,8	1,3
PIB par habitant[h]	$	4 633	11 746	19 974	20 093
Investissement (FBCF)	*% PIB*	24,1[d]	19,8[e]	16,9	16,7
Recherche et Développement	*% PIB*	0,9[i]	1,1	1,1	• •
Taux d'inflation	%	16,9	9,2	4,0	1,9[k]
Population active	*million*	20,7	22,9	23,4	23,4
Agriculture	% } *100 %*	16,7	11,2	7,0	6,8
Industrie	% } *100 %*	39,2	33,6	32,1	32,0
Services	% } *100 %*	44,1	55,2	60,9	61,2
Chômage	%	5,8	9,6	12,0	12,0[n]
Aide au développement	*% PIB*	0,11	0,34	0,20	• •
Énergie (consom./hab.)[b]	*kgec*	2 925	3 431	4 118[g]	• •
Énergie (taux de couverture)	%	16,7	14,6	18,2[g]	• •
Dépense publique Éducation	*% PIB*	4,5	5,0	4,9[f]	• •
Dépense publique Défense	*% PIB*	2,5	2,3	2,2	1,6
Solde administrat. publiques[o]	*% PIB*	– 10,9[p]	– 11,9	– 6,2	– 2,3
Dette administrat. publiques	*% PIB*	57,6	82,3	123,8	123,2
Échanges extérieurs		**1974**	**1986**	**1996**	**1997**
Importations de services	*milliard $*	6,7	20,2	67,5	70,7
Importations de biens	*milliard $*	38,6	92,2	191,2	191,3
Produits agricoles	%	25,0	21,3	14,6	13,7
Produits énergétiques	%	26,6	17,4	8,4	7,9
Produits manufacturés	%	34,2	51,6	66,3	67,4
Exportations de services	*milliard $*	6,9	23,6	69,9	72,6
Exportations de biens	*milliard $*	30,5	97,2	252,0	238,2
Produits énergétiques	%	7,8	2,8	1,5	1,7
Produits manufacturés	%	75,1	83,2	89,0	88,9
Produits agricoles	%	9,4	8,3	6,2	6,2
Solde transactions courantes	*% du PIB*	– 0,3[d]	– 0,4[e]	3,4	3,2
Position extérieure nette	*milliard $*	– 3,6	– 9,6	– 39,6	– 7,9

* Définition des indicateurs p. 25 et suiv. ** Dernier recensement utilisable : 1991 ; a. 1975-85 ; b. 1985-95 ; c. 1995-2000 ; d. 1970-80 ; e. 1980-96 ; f. 1994 ; g. 1995 ; h. A parité de pouvoir d'achat (PPA, voir définition p. 581) ; i. 1981 ; k. Décembre à décembre ; m. Taux brut, 11-18 ans ; n. Décembre ; o. Corrigé des fluctuations conjoncturelles ; p. 1979.

cisme de certains partenaires européens et avec les réticences du Parti de la Refondation communiste (PRC) dont l'appui était indispensable à la Chambre des députés. Sur le front extérieur, R. Prodi et son ministre du Trésor, Carlo Azeglio Ciampi, ont réussi à donner confiance aux milieux financiers et politiques internationaux. Ils ont redonné à la classe politique italienne une crédibilité perdue depuis bien longtemps. Sur le front intérieur, R. Prodi a su ménager ses alliés du PRC, qui avaient menacé de retirer leur confiance au gouvernement au mois d'octobre 1997. Le prix à payer en a été la présentation d'un projet de loi sur les trente-cinq heures, qui n'était ni du goût des partis composant la coalition de l'Olivier, ni réclamé par les syndicats. L'entrée dans la zone euro aura également été un succès économique. De 1993 à 1998, les lois de finances ont demandé au pays un effort sans précédent : entre l'augmentation des recettes et la diminution des dépenses, les Italiens auront payé 364 000 milliards de lires, dont 118 500 milliards dans les deux dernières années. Malgré cette énorme ponction sur les revenus, l'économie italienne s'est maintenue. Certes, la politique budgétaire a réduit la croissance (1,3 % en 1997 et 2,1 % prévus en 1998, selon l'OCDE), mais sans provoquer de véritable crise. Cela a démontré à la fois la richesse du pays (très probablement supérieure aux données statistiques) et la capacité d'adaptation des entreprises.

Enfin, l'entrée dans la zone euro aura marqué un succès social. La rigueur a été acceptée sans véritable opposition. Les syndicats ont joué le jeu ; les patrons, malgré leur fureur contre les trente-cinq heures, ont fait de même. Le dialogue à trois (gouvernement, syndicats, patronat) s'est encore une fois révélé essentiel pour la bonne marche du pays.

Le difficile chantier de la réforme institutionnelle

Si le succès sur le front européen est apparu indéniable, l'échec a été retentissant dans le cas du deuxième grand chantier des années quatre-vingt-dix : la réforme institutionnelle. Toute modification de la Constitution exigeant une majorité des deux tiers, aucune réforme ne peut naître sans un accord entre le centre gauche et l'opposition de centre droit. La Commission bicamérale avait élaboré un compromis, qui prévoyait notamment l'élection au suffrage universel d'un président de la République aux pouvoirs réduits, une différenciation du rôle de la Chambre des députés et de celui du Sénat et la naissance d'une structure fédérale. Le centre droit a finalement décidé de ne

République italienne

Capitale : Rome.
Superficie : 301 225 km².
Monnaie : lire (1 000 lires = 0,51 écu ou 3,39 FF au 30.8.98).
Langues : italien (off.) ; allemand, slovène, ladin, français, albanais, occitan.
Chef de l'État : Oscar Luigi Scalfaro (depuis le 25.5.92).
Chef du gouvernement : Romano Prodi (du 17.5.96 au 9.10.98), puis Massimo D'Alema à compter du 21.10.98.
Ministre de l'Intérieur : Giorgio Napolitano (jusqu'au 9.10.98).
Ministre des Affaires étrangères : Lamberto Dini (jusqu'au 9.10.98).
Ministre de la Défense : Beniamino Andreatta (jusqu'au 9.10.98).
Ministre du Trésor : Carlo Azeglio Ciampi (jusqu'au 9.10.98).
Échéances électorales : législatives en 2001.
Nature de l'État : république, accordant une certaine autonomie aux régions.
Nature du régime : démocratie parlementaire.
Principaux partis politiques :
Majorité : Démocrates de gauche (DS) ; Parti populaire italien (PPI) ; Verts ; Refondation communiste ; Parti sarde d'action ; Südtiroler Volkspartei (SVP).
Opposition : Forza Italia ; Alliance nationale (AN) ; Centre des chrétiens démocrates (CCD) ; Chrétiens démocrates unis (CDU) ; Ligue Nord.

Italie/Bibliographie

G. Balcet, *L'Économie de l'Italie,* La Découverte, coll. « Repères », Paris, 1995.

I. Diamanti, M. Lazar, *Politique à l'italienne,* PUF, Paris, 1997.

B. Gaudillère (sous la dir. de), *Les Institutions de l'Italie,* La Documentation française, coll. « Documents d'études », Paris, 1994.

J. Georgel, *L'Italie au XXe siècle, 1919-1995,* Les Études de la Documentation française, Paris, 1995.

P. Ginsborg, *L'Italia del tempo presente. Famiglia, società civile, Stato, 1980-1996,* Einaudi, Turin, 1998.

P. Ginsborg, *Storia d'Italia dal dopoguerra a oggi. Società e politica 1943-1988,* Einaudi, Turin, 1989.

« Italie, la question nationale », *Hérodote,* n° 89, La Découverte, Paris, 2e trim. 1998.

« Italie : les changements politiques des années 1990 » (dossier constitué par J.-L. Briquet), *Problèmes politiques et sociaux,* n° 788, La Documentation française, Paris, août 1997.

M. Korinman, L. Caracciolo, *A quoi sert l'Italie ?,* La Découverte/LiMes, Paris-Rome, 1995.

P. Raffone, *L'Italie en marche. Chronique et témoignages,* Marabout/Le Monde Éditions, Paris, 1998.

Statto del'Italia, Il Saggiatore/Bruno Mondadori, Milan, 1994.

B. Teissier, *Géopolitique de l'Italie,* Complexe, Bruxelles, 1996.

pas approuver ce texte, faisant capoter la réforme institutionnelle et infligeant un camouflet à Massimo d'Alema, leader de la gauche et président de la Commission bicamérale.

Pourtant, cette réforme est indispensable. L'exemple des grandes villes est, de ce point de vue, très instructif : l'introduction d'une nouvelle loi électorale et surtout l'élection du maire au suffrage universel ont donné une nouvelle impulsion aux administrations locales. Les maires, forts du consensus populaire et de la stabilité politique, ont finalement les moyens de gérer leurs villes, de faire des choix et de les appliquer. Lors des élections municipales de novembre 1997, les maires de certaines grandes villes (Turin, Venise, Rome, Naples) ont été réélus avec une majorité écrasante, tandis que le maire de Milan, Luigi Formentini (Ligue Nord), a été remercié par ses concitoyens. Le vote idéologique – qui a toujours prévalu dans l'Italie de l'après-guerre, même au cours des consultations locales – a fait place à un vote plus pragmatique, surtout déterminé par la plus ou moins bonne gestion. Les changements institutionnels ont donc des effets immédiats, sur la classe dirigeante et sur les citoyens. Les élections locales sont ainsi devenues moins lisibles sur le plan national : si en novembre 1997 le centre gauche l'a emporté, en mai 1998, dans une autre série d'élections importantes, c'est le centre droit qui est sorti vainqueur.

Si le gouvernement Prodi a redonné une crédibilité, à l'intérieur comme à l'extérieur, aux dirigeants du pays, le vrai défi allait être de démontrer qu'il ne s'agit pas d'une exception, mais que le sens des responsabilités est partagé par l'ensemble du monde politique. C'est un passage fondamental : s'il réussit, l'Italie pourra devenir un pays « comme les autres », avec une alternance droite/gauche. Ce n'est pas un hasard si les congrès des grandes forces politiques ont eu, au-delà des contingences, cet objectif. Le 9 octobre 1998, le gouvernement

Prodi allait cependant tomber du fait du retrait de confiance d'une partie des députés de Refondation communiste, formation qui jusqu'alors apportait un soutien sans participation. Ce parti a aussitôt éclaté. Le leader de la gauche Massimo D'Alema allait former le prochain gouvernement.

Des partis en mue

Le Parti démocratique de la gauche (PDS, ancien PCI) a entamé une nouvelle phase de changement : en se donnant un nouvel emblème (sans faucille ni marteau) et le nouveau nom de « Démocrates de gauche » (DS), il s'est posé comme le grand rassembleur de la gauche, même si cela a pu risquer de rendre moins clair le rôle de l'Olivier, qui a réuni avec DS d'autres composantes de la majorité, comme le Parti populaire italien (PPI), duquel était issu R. Prodi.

Un même effort de changement est notable à droite, notamment au sein de l'Alliance nationale (AN), qui cherche à se positionner comme force principale de l'opposition. Son leader, Gianfranco Fini, a achevé sa mue idéologique ; son adhésion aux valeurs démocratiques n'est pas mise en doute dans le pays. G. Fini n'est cependant pas perçu comme un leader parmi d'autres au-delà des frontières, où subsiste une certaine méfiance à l'égard d'un parti qui, il y a quelques années, était encore l'héritier direct du fascisme. C'est aussi pour cette raison que G. Fini a multiplié les gages de bonne conduite, jusqu'à admettre la nécessité d'ouvrir les frontières pour contrer la chute démographique. Cette prise de position marque bien sa différence avec tous les mouvements d'extrême droite en Europe.

Plus complexe est apparu en revanche le travail de Forza Italia, le parti fondé par Silvio Berlusconi. Son premier congrès (avril 1998) a montré toutes les faiblesses d'un mouvement né d'une entreprise (Mediaset) qui, jusqu'à présent, n'a pas su se donner, malgré son poids électoral, la structure d'une vraie force politique. Le problème fondamental est resté S. Berlusconi lui-même et le conflit d'intérêts entre l'homme politique et le magnat de la télévision. Ce problème resurgit continuellement, d'autant plus que la magistrature a continué à s'intéresser au principal actionnaire de Mediaset : en juin 1998, S. Berlusconi a été condamné dans deux procès différents à deux ans et neuf mois et deux ans et quatre mois de prison pour concussion. Il a fait appel contre les deux verdicts.

Le leader de Forza Italia avait crié au complot et donné l'impression de vouloir monnayer son soutien à la réforme institutionnelle contre une certaine forme d'amnistie dans les affaires liées, de près ou de loin, aux enquêtes « Mains propres » (*Mani Pulite*). C'est donc aussi (et surtout) pour cette raison qu'il a décidé de bloquer ces réformes.

La place du président Scalfaro

Au printemps 1999 viendra à échéance le mandat du président de la République, Oscar Luigi Scalfaro. Le Parlement devra alors soit le confirmer à son poste, soit lui choisir un successeur, tout en sachant que l'élu n'aura qu'un mandat raccourci qui devrait prendre fin avec la révision constitutionnelle. Le centre gauche a semblé favorable à la réélection de O. L. Scalfaro, tandis que le centre droit hésitait. Si le président de la République n'a pas beaucoup de pouvoir, son rôle est important dans les crises politiques. Le septennat de O. L. Scalfaro l'a montré : élu en 1992, au début de l'opération « Mains propres », le président a su donner une impulsion décisive dans les moments les plus difficiles. Vieil habitué de la politique (ancien démocrate chrétien, il a été élu député pour la première fois à l'Assemblée constituante en 1946), il a su trouver les bonnes solutions dans les moments délicats. C'est à lui que revient le mérite d'avoir nommé président du Conseil, en 1993, C. A. Ciampi, alors gouverneur de la Banque d'Italie, et d'avoir soutenu sans faille le gouvernement de Lamberto Dini (1995-

1996), qui n'avait pas une majorité préconstituée au Parlement. Si l'Italie a su surmonter les difficultés de ces sept années, c'est en partie grâce au président. C'est pour cette raison que sa réélection ou son remplacement sera un passage délicat dans cette tumultueuse décennie. - **Giampiero Martinotti** ■

Monaco

Le « Rocher » (181 hectares situés au sud de la France) a célébré en janvier 1997 les sept cents ans de sa monarchie. La principauté a en effet été fondée à la fin du XIIIe siècle par le Génois François Grimaldi. Cet anniversaire est intervenu en une période où le dynamisme de ce micro-État paraissait quelque peu grippé. Soucieuses de l'avenir, les autorités ont entrepris de se doter d'une réglementation susceptible de permettre à la principauté de rivaliser avec d'autres places financières pour attirer les placements européens.

Principauté de Monaco

Capitale : Monaco.
Superficie : 1,81 km^2.
Statut : État constitutionnel.
Chef de l'État : prince Rainier III (depuis le 9.5.49).
Ministre d'État (chef du gouvernement) : Michel Lévêque, qui a remplacé Paul Dijoud en févr. 1997.
Monnaie : franc français.
Langues : français, monégasque.

Michel Lévêque a par ailleurs succédé à Paul Dijoud au poste de ministre d'État, c'est-à-dire de chef du gouvernement. Traditionnellement, le titulaire est français et choisi parmi trois noms proposés par Paris. Si Monaco est souverain (et dispose d'un siège à l'ONU), ses relations n'en sont pas moins étroites avec la France, réglées par une convention datant de 1963. - **Nicolas Bessarabski** ■

Portugal

Un climat d'euphorie économique a régné au Portugal en 1998, occultant quelque peu les trois rendez-vous politiques majeurs de l'année : un référendum sur la légalisation de l'interruption volontaire de grossesse (IVG), organisé le 28 juin, et deux autres consultations référendaires devant se tenir simultanément à l'automne et portant sur la ratification du traité d'Amsterdam (le pays a été le 2 mai 1998 qualifié pour faire partie de la zone euro dès le 1er janvier 1999) et sur le projet de loi de régionalisation.

50,9 % des votants ont répondu « non » à la légalisation de l'IVG, alors que tous les sondages avaient prévu la victoire du « oui ». Ce résultat était cependant à rapprocher d'un taux d'abstention de 68 %. Cette indifférence massive des électeurs a inquiété le gouvernement quant à la participation aux deux autres consultations.

La troisième était la plus polémique. Le projet prévoyait la création de huit régions dotées d'une autonomie limitée. Des intellectuels et des personnalités politiques de tous bords ont surtout critiqué les modalités du transfert de compétences, le projet du gouvernement socialiste d'António Guterres s'étant largement inspiré du modèle français de décentralisation.

Le débat politique restait cependant en arrière-plan de l'euphorie provoquée par les performances de l'économie : baisse du chômage, qualification du pays pour l'entrée dans la zone euro, retombées de l'Exposition universelle de Lisbonne – Expo 98 – avec huit millions de visiteurs attendus, et hausse record de la Bourse.

Avec une croissance prévue de 3,7 % en 1998, contre 3,5 % en 1997, le pays allait pouvoir augmenter les dépenses publiques dans le secteur social, tout en réduisant le déficit budgétaire à 2,3 % (contre 2,7 % en 1997). Une vigoureuse campagne de lutte contre la fraude fiscale explique aussi la hausse des recettes. La décrue de la dette publique observée en 1997 (65,3 % du PIB) devait se confirmer en 1998 (63,4 %, selon les prévisions).

L'inflation devait être de 2,7 % et la baisse du chômage devait s'accentuer, passant de 6,7 % en 1997 à 6,3 % en 1998. Le besoin en main-d'œuvre suscité par le chantier d'Expo 98 a conduit le gouvernement à régulariser environ 30 000 immigrés clandestins en 1997 ; les régularisations se sont poursuivies en 1998.

Le Parti socialiste (PS) est sorti vainqueur des élections municipales du 14 décembre 1997 avec 38 % des voix, mais la principale force d'opposition, le Parti social-démocrate (PSD), le suivait de près avec 33 %. Malgré son nom, le PSD est un parti de droite d'inspiration libérale. Son président, Marcelo Rebelo de Sousa, a cependant accusé la majorité socialiste de se « droitiser » en matière économique « sous la pression des lobbies » industriels et financiers. Les privatisations « à outrance léseraient, à la longue, les intérêts de l'État ».

M. R. de Sousa a été réélu président du PSD lors du congrès du 18 avril 1998. Sa motion demandait aux militants d'accepter une proposition d'alliance électorale que lui avait adressée un mouvement populiste de droite, le Parti populaire (PP). Ce parti, bâti en 1995 sur les décombres du Parti démocrate-chrétien (CDS) et dirigé depuis le 21 mars 1998 par Paul Portas, avait accusé un recul lors des municipales de 1997 (6 % des voix). L'éventuelle alliance PSD-PP visait la victoire lors des législatives de 1999, mais impliquait surtout une recomposition de la droite portugaise dans un sens que nul ne saurait deviner. - **Ana Navarro Pedro** ■

République du Portugal

Capitale : Lisbonne.
Superficie : 92 080 km².
Nature du régime : parlementaire.
Chef de l'État : Jorge Sampaio, président de la République (depuis le 9.3.96).
Chef du gouvernement : António Guterres (depuis le 1.10.95).
Monnaie : escudo (100 escudos = 0,49 écu ou 3,27 FF au 30.8.98).
Langue : portugais.
Territoire outre-mer : Macao [Asie].

Saint-Marin

Traditionnellement présentée comme la plus ancienne république libre du monde, Saint-Marin est enclavée, au nord-est de l'Italie, entre l'Émilie-Romagne et les Marches. Dotée d'une Constitution dès le XVIIe siècle, le suffrage universel y est appliqué depuis 1906 pour désigner le Grand Conseil général (Parlement, dont le renouvellement a lieu tous les cinq ans). Deux capitaines-régents sont élus tous les six mois par ce Grand Conseil et président le Conseil d'État (exécutif de dix membres). Les trois principales forces politiques sont la démocratie chrétienne (PDCS), les socialistes, et les ex-communistes du Parti progressiste démocratique saint-marinais.

Pleinement souveraine en matière administrative et diplomatique, la république est liée à l'Italie par une union douanière.

République de Saint-Marin

Capitale : Saint-Marin.
Superficie : 61 km².
Nature du régime : parlementaire.
Chef de l'État : deux capitaines-régents élus tous les six mois président le Conseil d'État (10 membres), qui assure le gouvernement.
Monnaie : lire italienne (1 000 lires = 3,40 FF au 29.7.98).
Langue : italien.

INDICATEUR*	ANDORRE	FRANCE	ESPAGNE	ITALIE
Démographie**				
Population *(millier)*	64	58 543	39 718	57 240
Densité *(hab./km²)*	136,8	107,0	78,7	190,0
Croissance annuelle[d] *(%)*	0,7	0,3	0,1	0,0
Indice de fécondité (ISF)[d]	1,2	1,6	1,2	1,2
Mortalité infantile[d] *(‰)*	4	7	7	7
Espérance de vie[d] *(année)*	83,5	78,8	78,0	78,3
Population urbaine *(%)*	62,5[b]	75,1	76,9	66,8
Indicateurs socioculturels				
Développement humain (IDH)[c]	••	0,946	0,934	0,921
Nombre de médecins *(‰ hab.)*	1,99[n]	3,00[a]	4,22[a]	5,70[a]
Espérance de scolarisation *(année)*	••	14,5	14,5	••
Scolarisation 3e degré[c] *(%)*	••	49,6[k]	46,1[c]	40,6[c]
Adresses Internet *(‰ hab.)*	••	49,9	31,0	36,9
Livres publiés *(titre)*	57[c]	34 766[b]	48 467[b]	34 470[b]
Armées				
Armée de terre *(millier d'h.)*	–	219,9	128,5	188,3
Marine *(millier d'h.)*	–	63,3	39,0	44
Aviation *(millier d'h.)*	–	83,4	30,0	63,6
Économie				
PIB total[e] *(milliard $)*	1,2[b]	1 239,3	633,1	1 150,0
Croissance annuelle 1986-96 *(%)*	2,3	1,9	2,6	1,6
Croissance 1997 *(%)*	••	2,3	3,2	1,3
PIB par habitant[e] *($)*	18 000[b]	21 169	15 941	20 093
Investissement (FBCF)[i] *(% PIB)*	••	18,2	20,1	16,8
Recherche et Développement *(% PIB)*	••	2,33	0,85	1,14
Taux d'inflation *(%)*	••	1,1	2,0	1,9
Taux de chômage[o] *(%)*	–	12,2	20,4	12,0
Dépense publique Éducation *(% PIB)*	2,8[a]	5,9[c]	5,0[c]	4,9[c]
Dépense publique Défense[a] *(% PIB)*	–	3,1	1,5	2,2
Énergie (consom./hab.)[b] *(kgec)*	••	5 309	3 157	4 118
Énergie (taux de couverture)[b] *(%)*	••	53,8	31,2	18,2
Solde administr. publiques[gh] *(% PIB)*	••	– 2,3	– 1,7	– 2,0
Dette administr. publiques[g] *(% PIB)*	••	58,0	68,8	121,6
Échanges extérieurs				
Importations *(million $)*	1 000[b]	266 584	122 710	208 282
Principaux fournisseurs *(%)*	UE 85,6[b]	UE 61,0	UE 65,2	UE 60,6
(%)	Esp 39,5[b]	RFA 16,6	E-U 6,3	E-U 5,0
(%)	Fra 31,1[b]	PED 18,2	PED 20,6	PED 23,1
Exportations *(million $)*	47[b]	283 364	104 277	238 332
Principaux clients *(%)*	Fra 49,0[b]	UE 62,9	UE 58,9	UE 57,6
(%)	Esp 47,0[b]	RFA 15,9	E-U 3,8	E-U 8,4
(%)	Autres 4,0[b]	PED 20,2	PED 16,0	PED 24,5
Solde transactions courantes *(% PIB)*	••	2,90	0,46	3,21

* Définition des indicateurs p. 25 et suiv. Chiffres 1997 sauf notes. ** Derniers recensements utilisables : Andorre, 1954 ; France, 1990 ; Espagne, 1991 ; Italie, 1991 ; Monaco, 1982 ; Portugal, 1991 ; Saint-Marin, 1976. a. 1996 ; b. 1995 ; c. 1994 ; d. 1995-2000 ; e. À parité de pouvoir d'achat (PPA, voir définition p. 581) ;

MONACO	PORTUGAL	SAINT-MARIN
32	9 803	26
17 620	106,5	421,2
0,5	– 0,1	1,4
1,7	1,5	1,5
7	8	6
78,2	75,4	81,4
100,0	36,6	89,8[b]
••	0,890	••
2,65[n]	1,70[b]	2,67[p]
••	••	••
••	34,0[k]	••
••	18,3	••
41[n]	6 667[c]	••
–	32,1	–
–	14,8	–
–	7,7	–
0,800[a]	139,3	0,408[c]
2,6[m]	3,2	4,7[o]
••	3,4	••
25 000[a]	14 205	16 900[c]
••	23,3	••
••	0,61	••
••	2,4	••
3,1[c]	6,6	3,6[a]
6,0[b]	5,4[c]	••
••	2,8	1,0[b]
••	2 348	••
••	4,7	••
••	– 1,9	••
••	62,0	••
••	33 521	••
••	UE 75,3	••
••	E-U 3,3	••
••	PVD 14,8	••
••	23 136	••
••	UE 80,1	••
••	E-U 4,8	••
••	PVD 9,6	••
••	– 2,02	••

g. Définitions du traité de Maastricht ; h. Corrigé des variations cycliques ; i. 1994-96 ; k. 1993 ; m. 1985-92 ; n. 1990 ; o. En fin d'année ; p. 1987.

Vatican

En vingt ans de souveraineté, Jean-Paul II aura, selon les statistiques officielles de l'administration vaticane, effectué 84 voyages hors d'Italie, reçu près de 14 millions de pèlerins à Rome, publié 13 encycliques, proclamé 805 bienheureux et 280 saints, réuni 7 consistoires et nommé 157 cardinaux.

L'année 1997-1998 restera marquée par deux événements sortant de l'ordinaire. Le premier d'entre eux a eu des retombées géopolitiques d'une très grande portée. Faisant suite à une audience accordée à Fidel Castro en novembre 1996 au Vatican, le pape s'est en effet rendu à Cuba en janvier 1998. Les deux hommes, spécialistes reconnus de l'exercice du pouvoir pyramidal et adeptes aguerris de l'ordre doctrinal, ont su habilement tirer profit mutuel de cette rencontre. Le pape a exhorté Cuba à « s'ouvrir au monde » et à élargir les libertés, souhaitant aussi que « le monde s'ouvre à Cuba ». Dans le contexte de l'embargo imposé à l'île par les États-Unis, un tel vœu valait contrepartie pour les concessions faites par F. Castro à la liberté d'exercice de la religion catholique dans l'île. Une autre initiative a été remarquée : la publication d'un document de repentance exprimant les regrets de l'Église romaine pour l'attitude des catholiques envers les Juifs pendant l'hitlérisme. Le document s'intitule : « Souvenons-nous, une réflexion sur la Shoah ». Les limites de ce docu-

État de la cité du Vatican

Superficie : 0,44 km².
Statut : État souverain.
Chef de l'État : Karol Wojtyla (Jean-Paul II, pape depuis oct. 78).
Monnaie : lire italienne (1 000 lires = 3,40 FF au 29.7.98).
Langue : italien (off.), latin (pour les actes off.).

Europe latine/Bibliographie

« Andorre », *Revue géographique des Pyrénées et du Sud-Ouest*, 62/2, Universités de Toulouse-Le Mirail, Bordeaux, Pau, Perpignan, avr.-juin 1991.

C. Auscher, *Portugal*, Seuil, Paris, 1992.

J.-L. Bianchini, *Mafia, argent et politique. Enquête sur des liaisons dangereuses dans le Midi*, Seuil, Paris, 1995.

J.-L. Bianchini, *Monaco : une affaire qui tourne*, Seuil, Paris, 1992.

M. Drain, *L'Économie du Portugal*, PUF, coll. « Que sais-je ? », Paris, 1994.

J.-F. Labourdette, *Histoire du Portugal*, PUF, coll. « Que sais-je ? », Paris, 1995.

P. M. Lamet, *Jean-Paul II, le pape aux deux visages*, Éd. Golias, Lyon, 1998.

Y. Léonard, *Le Portugal. Vingt ans après la révolution des œillets*, Les Études de la Documentation française, Paris, 1994.

P. Levillain (sous la dir. de), *Dictionnaire historique de la papauté*, Fayard, Paris, 1994.

M. J. Lluelles, *La Transformació economica d'Andorra*, L'Avenç, Barcelone, 1991.

OCDE, *Études économiques : Portugal*, Paris, 1997.

A. Vircondelet, *Jean-Paul II*, Julliard, Paris, 1994.

Voir aussi les bibliographies « Espagne », « France » et « Italie », p. 488, 494, 498.

ment ont été déplorées par nombre de chrétiens.

Enfin, dans le registre du fait divers tragique, le chef des gardes suisses du Saint-Siège, le colonel Aloïs Estermann, a été assassiné avec son épouse par un vice-caporal qui se serait ensuite suicidé. - **Nicolas Bessarabski** ■

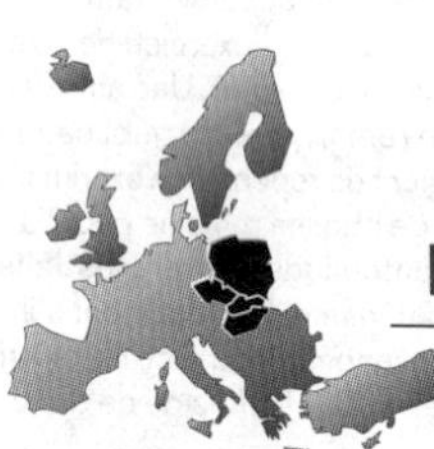

Europe centrale

Hongrie, Pologne, République tchèque, Slovaquie

Hongrie

En avril 1998, le bilan économique de la coalition de gauche était positif. La croissance annoncée en 1996 était confirmée par une augmentation de 3,0 % du PIB au premier semestre 1997, une amélioration de la balance commerciale et une baisse considérable de la dette extérieure nette (10,5 milliards de dollars en juillet 1997). Ces indices étaient cependant nuancés par une inflation (18,5 %) et un chômage (10,4 %) encore élevés, malgré une baisse par rapport à 1996 (respectivement 24 % et 10,9 %). L'augmentation des salaires réels de 5 % entre janvier et septembre

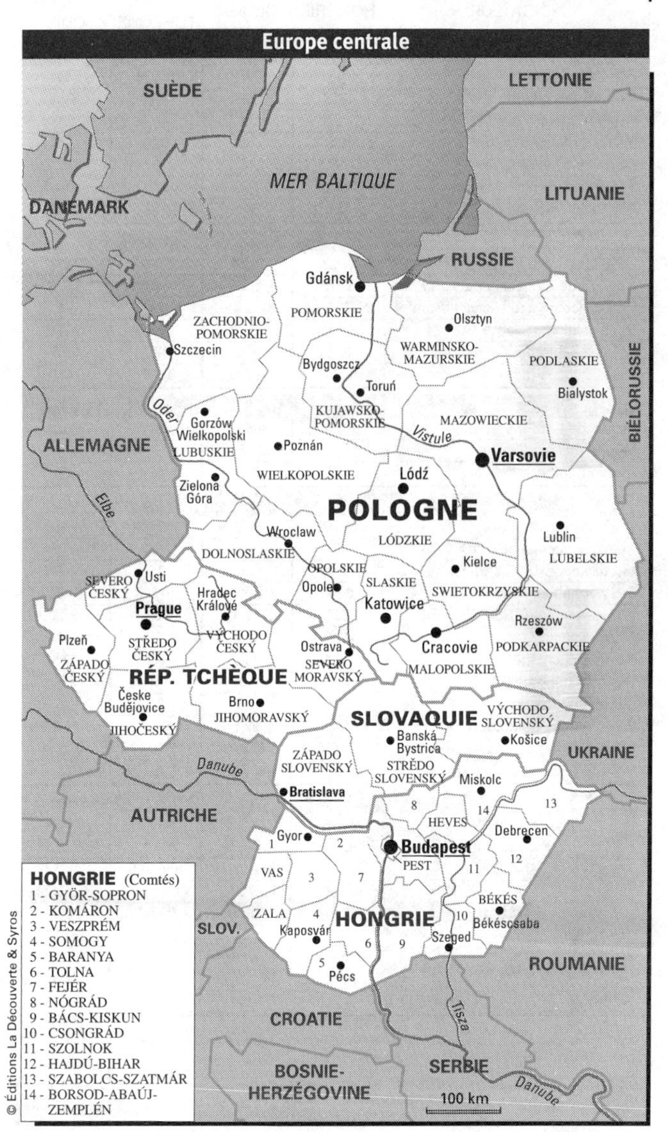

Europe centrale
SUÈDE
LETTONIE
MER BALTIQUE
DANEMARK
LITUANIE
RUSSIE
Gdánsk
POMORSKIE
ZACHODNIO-POMORSKIE
Olsztyn
Szczecin
WARMINSKO-MAZURSKIE
Bydgoszcz
PODLASKIE
Toruń
Bialystok
BIÉLORUSSIE
Oder
KUJAWSKO-POMORSKIE
MAZOWIECKIE
Gorzów Wielkopolski
Vistule
ALLEMAGNE
LUBUSKIE
Poznán
Varsovie
WIELKOPOLSKIE
Lódź
Zielona Góra
Elbe
POLOGNE
Lublin
Wroclaw
LÓDZKIE
DOLNOSLASKIE
LUBELSKIE
Kielce
Usti
OPOLSKIE
SEVERO ČESKÝ
Opole
SLASKIE
Hradec Králové
SWIETOKRZYSKIE
Prague
Katowice
Rzeszów
Plzeň
STŘEDO ČESKÝ
VÝCHODO ČESKÝ
Ostrava
Cracovie
PODKARPACKIE
ZÁPADO ČESKÝ
SEVERO MORAVSKÝ
MALOPOLSKIE
RÉP. TCHÈQUE
České Budějovice
Brno
JIHOMORAVSKÝ
SLOVAQUIE
VÝCHODO SLOVENSKÝ
JIHOČESKÝ
Banská Bystrica
Košice
ZÁPADO SLOVENSKÝ
UKRAINE
Danube
STŘEDO SLOVENSKÝ
Miskolc
Bratislava
13
8
AUTRICHE
14
HEVES
Debrecen
Gyor
1
2
Budapest
12
PEST
11
VAS
3
7
BÉKÉS
ZALA
4
HONGRIE
10
Békéscsaba
SLOV.
Kaposvár
6
9
Szeged
5
ROUMANIE
Pécs
CROATIE
Tisza
BOSNIE-HERZÉGOVINE
SERBIE
Danube
100 km
HONGRIE (Comtés)
1 - GYÖR-SOPRON
2 - KOMÁRON
3 - VESZPRÉM
4 - SOMOGY
5 - BARANYA
6 - TOLNA
7 - FEJÉR
8 - NÓGRÁD
9 - BÁCS-KISKUN
10 - CSONGRÁD
11 - SZOLNOK
12 - HAJDÚ-BIHAR
13 - SZABOLCS-SZATMÁR
14 - BORSOD-ABAÚJ-ZEMPLÉN
© Éditions La Découverte & Syros

INDICATEUR*	HONGRIE	POLOGNE	RÉP. TCHÈQUE	SLOVAQUIE
Démographie**				
Population *(millier)*	9 989	38 636	10 238	5 354
Densité *(hab./km²)*	107,4	123,6	129,8	109,2
Croissance annuelle[d] *(%)*	– 0,6	0,1	– 0,1	0,1
Indice de fécondité (ISF)[d]	1,4	1,6	1,4	1,5
Mortalité infantile[d] *(‰)*	14	13	9	12
Espérance de vie[d] *(année)*	69,2	71,2	72,9	71,4
Population urbaine *(%)*	65,5	64,5	65,8	59,7
Indicateurs socioculturels				
Développement humain (IDH)[c]	0,857	0,834	0,882	0,873
Nombre de médecins *(‰ hab.)*	3,66[b]	2,35[a]	2,93[a]	3,05[b]
Espérance de scolarisation *(année)*	12,0	12,0	••	••
Scolarisation 3[e] degré *(%)*	19,1[c]	27,4[g]	20,8[c]	20,2[b]
Adresses Internet *(‰ hab.)*	33,3	11,2	47,7	20,5
Livres publiés *(titre)*	9 314[b]	11 925[b]	8 994[b]	3 481[c]
Armées				
Armée de terre *(millier d'h.)*	31,6	168,6	27	23,8
Marine *(millier d'h.)*	–	17	–	–
Aviation *(millier d'h.)*	17,5	56,1	17	12
Économie				
PIB total[ae] *(million $)*	68 600	231 700	112 100	39 900
Croissance annuelle 1989-96 *(%)*	– 2,0	0,6	– 0,5	– 1,5
Croissance 1997 *(%)*	3,0	5,6	0,9	5,7
PIB par habitant[ae] *($)*	6 730	6 000	10 870	7 460
Investissement (FBCF)[f] *(% PIB)*	20,6	17,3	30,5	31,8
Taux d'inflation *(%)*	18,5	13,2	10,0	6,5
Taux de chômage[h] *(%)*	10,4	10,5	5,2	12,5
Dépense publique Éducation *(% PIB)*	6,6[c]	4,6[c]	6,1[b]	5,1[b]
Dépense publique Défense[a] *(% PIB)*	1,7	2,8	2,4	2,6
Énergie (taux de couverture)[b] *(%)*	54,3	99,1	81,0	29,1
Dette extérieure totale[a] *(million $)*	26 958	40 895	20 094	7 704
Service de la dette/Export.[f] *(%)*	50	7	9	13
Échanges extérieurs				
Importations *(million $)*	19 930	42 308	26 987	8 770[a]
Principaux fournisseurs *(%)*	UE 62,3[a]	UE 51,9[a]	UE 61,4	UE 36,9[a]
(%)	RFA 26,9[a]	RFA 26,7[a]	RFA 31,9	Ex-CAEM 47,5[a]
(%)	Ex-CAEM 21,4[a]	PED 33,5[a]	Ex-CAEM 21,9	RTc 24,5[a]
Exportations *(million $)*	17 914	25 751	22 503	8 793[a]
Principaux clients *(%)*	UE 69,7[a]	UE 60,2[a]	UE 59,9	UE 64,6[a]
(%)	RFA 33,8[a]	RFA 36,0[a]	RFA 35,8	RFA 30,6[a]
(%)	Ex-CAEM 20,5[a]	PED 26,6[a]	Ex-CAEM 29,3	Ex-CAEM 27,3[a]
Solde transactions courantes *(% PIB)*	– 2,20	– 3,2	– 17,98	– 7,18

* Définition des indicateurs p. 25 et suiv. Chiffres 1997 sauf notes. ** Derniers recensements utilisables : Hongrie, 1990 ; Pologne, 1988 ; Rép. tchèque, 1991 ; Slovaquie, 1991. a. 1996 ; b. 1995 ; c. 1994 ; d. 1995-2000 ; e. À parité de pouvoir d'achat (PPA, voir définition p. 581) ; f. 1994-96 ; g. 1993 ; h. En fin d'année.

1997 (le salaire moyen était de 180,2 dollars nets par mois) concernait surtout le secteur privé. Le déficit des finances publiques s'était creusé de 4,9 % du PIB à la mi-1997 et ne devait pas s'améliorer en 1998 malgré l'augmentation continue des investissements étrangers, qui totalisent 40 % de ceux de la région.

Avec 105 500 naissances en 1996, la natalité était la plus basse du siècle. Selon les estimations de l'Organisation internationale du travail (OIT), plus d'une personne sur trois vivait en dessous ou au niveau du seuil de pauvreté.

Les jeunes libéraux de centre-droit (FIDESz/MPP – Fédération des jeunes démocrates/Parti bourgeois) ont remporté avec une courte avance les législatives de mai 1998. Ils ont formé une coalition avec les populistes-agrariens (FKgP – Parti indépendant des petits propriétaires) qui se sont ainsi érigés en arbitres de la majorité, laquelle, sans eux, n'aurait pas pu être obtenue. Quant aux accords avec les grandes institutions internationales, la nouvelle majorité comptait poursuivre la politique menée jusque-là par le MSzP (Parti socialiste hongrois, ex-communistes). Le protocole d'adhésion de la Hongrie à l'OTAN (Organisation du traité de l'Atlantique nord), signé fin 1997, prévoyant qu'elle deviendrait membre de plein droit en 1999, a été précédé d'un référendum. Si la grande majorité des votants a approuvé cet accord (85 % des suffrages), malgré le coût de la restructuration et de la modernisation de l'armée, le taux d'abstention a été très élevé (51 %).

La Hongrie a entretenu de bonnes relations avec ses voisins, sauf avec la Slovaquie où la minorité hongroise est restée victime d'une politique d'assimilation forcée. La Hongrie, quant à elle, possède un système de protection des minorités des plus performants en Europe. Les pourparlers sur l'adhésion à l'UE (Union européenne) ont débuté le 31 mars 1998 pour une intégration prévue en 2002. Les Hongrois y seraient plutôt favorables malgré leur scepticisme et leur ignorance du sujet. Dans le domaine des institutions juridiques, fiscales et bancaires, les réformes en vue de l'harmonisation ont été accomplies de façon satisfaisante. De même, 60 % des échanges sont réalisés avec l'UE et la majeure partie de l'industrie est viable pour un système libéral. En revanche, la criminalité (corruption, économie noire, délinquance...) est apparue en forte augmentation. Par ailleurs, les disparités régionales se sont aggravées. Le pays se débat dans une crise agricole sans précédent. Il allait devoir s'ouvrir au problème de l'aménagement du territoire pour ne pas voir la majorité de la population exclue des bénéfices de la modernisation.
- **Élisabeth Robert** ■

République de Hongrie

Capitale : Budapest.
Superficie : 93 030 km².
Nature du régime : démocratie parlementaire depuis 1990. Le chef de l'État désigne un Premier ministre chargé de former le gouvernement.
Chef de l'État : Arpád Göncz, président de la République (élu par le Parlement le 3.8.90, réélu le 19.6.95).
Premier ministre : Viktor Orbán, qui a succédé le 9.7.98 à Gyula Horn.
Ministre des Finances : Zsigmond Járai.
Ministre des Affaires étrangères : János Mártonyi.
Ministre de l'Intérieur : Sándor Pintér.
Ministre de la Défense : János Szabó.
Échéances électorales : législatives (mai 2002).
Monnaie : forint (au cours officiel, 100 forints = 2,77 FF au 30.5.98).
Langue : hongrois.

Pologne

La Pologne a vécu une nouvelle alternance politique à la suite du scrutin législatif du 21 septembre 1997. Le conglomérat des partis de droite et de centre-droite AWS (Action électorale « Solidarité ») l'a emporté avec 33,83 % des voix, soit 201 sièges sur 460 à la Diète. Grâce aux résultats de l'Union pour la liberté (UW, 13,37 % des voix, soit 60 sièges), une coalition de droite a pu former un gouvernement avec pour trait d'union la référence aux racines historiques du syndicat Solidarité et à la lutte contre le pouvoir communiste. La scène politique s'est ainsi stabilisée : la bipolarisation gauche-droite – SLD (Alliance des formations de gauche issues de l'ancien régime) et AWS – étant atténuée par une forte composante centriste ayant une fonction modératrice. Ces élections ont rééquilibré au plan législatif la droite et la gauche, la victoire de l'AWS réintégrant les différentes formations de droite qui représentaient déjà aux élections de 1993 plus de 30 % d'électeurs et presque pas d'élus à la Diète.

Par ailleurs, la véritable débâcle du seul parti « de classe », le PSL, parti agrarien, ex-satellite du POUP, l'ancien parti communiste, qui n'a obtenu que 7,31 % des voix contre 15,04 % en 1993, devrait permettre au gouvernement de ne pas être l'otage du lobby paysan au moment de l'ouverture des négociations en vue de l'adhésion à l'Union européenne. Enfin, le SDRP (issu de l'ex-parti communiste) et la coalition qu'il anime, le SLD, se sont enracinés dans le nouveau paysage politique (27,13 % des voix, soit 164 sièges). A défaut d'une alternative social-démocrate classique, après la décomposition de l'Union du travail (UP), parti social-démocrate sans lien avec l'ancien régime qui n'a pas atteint le seuil de 5 % des voix, il est resté le seul occupant de la partie gauche de l'échiquier politique. Le sens de son évolution est demeuré ambivalent, intégrant les héritages de l'ancien régime, d'une part, et les velléités de rupture avec le passé, d'autre part.

Sur le plan institutionnel, le pays a connu la cohabitation entre le président Aleksander Kwasniewski (SLD) et le gouvernement de Jerzy Buzek. Malgré une certaine nervosité due au fait que les deux légitimités étaient inégalement dotées en moyens institutionnels (nette prépondérance du régime parlementaire sur le président), le respect des institutions a prévalu. Une « petite cohabitation » allait également mettre à l'épreuve les formations de la majorité qui, notamment dans le domaine de la vie civile et morale – l'avortement, l'enseignement de la religion à l'école, la décommunisation – sont parfois en désaccord. Toutefois, les partenaires occidentaux du pays ont été rassurés par le choix des ministres des Finances (Leszek Balcerowicz), des Affaires étrangères (Bronislaw Geremek) et de la Défense (Janusz Onyszkiewicz).

Le dispositif institutionnel lié à l'adhésion à l'UE est apparu tributaire de l'hétérogénéité de la coalition. Jan Kulakowski, chef des négociateurs, sous-secrétaire d'État, allait certes dépendre directement du Premier ministre, mais ce dernier disposerait d'un groupe d'experts en politique étrangère ne voulant pas se contenter d'instruire les dossiers protocolaires. Par ailleurs, le ministre en charge de l'Office de l'intégration européenne, Ryszard Czamecki, a été démis de ses fonctions le 26 juillet 1998 pour incompatibilité avec l'orientation pro-européenne du gouvernement ; il a été remplacé par Maria Karasinska-Fengler. Or, le mythe du soutien massif de l'opinion publique à l'objectif de l'intégration a paru s'effriter : faible taux d'information des citoyens sur les enjeux réels (34 % se déclaraient informés en février 1998) ; décalage entre les bases électorales, beaucoup plus timorées, et les partis politiques ; existence d'une bien courte majorité parlementaire en faveur d'une intégration rapide (51 % en février 1998). Selon une enquête menée en janvier 1998 auprès de six cents prêtres, 84 % des membres du clergé se déclaraient favorables à l'adhésion à l'UE. Cette étude est intervenue après la visite à Bruxelles des représentants de l'épiscopat polonais (novembre 1997), avec à leur tête le primat Jozef Glemp. Cependant, 80 % des prêtres interrogés ont déclaré voir cette Europe comme une « Europe des patries ».

République de Pologne

Capitale : Varsovie.
Superficie : 312 677 km².
Nature du régime : démocratie pluraliste.
Chef de l'État : Aleksander Kwasniewski, président de la République (élu le 19.11.95).
Premier ministre : Jerzy Buzek, qui a succédé le 17.10.97 à Wlodzimierz Cimoszewicz.
Ministre des Affaires étrangères : Bronislaw Geremek.
Ministre des Finances : Leszek Balcerowicz.
Ministre de l'Intérieur et de l'Administration territoriale : Jerzy Tomaszewski.
Ministre de la Défense : Janusz Onyszkiewicz.
Monnaie : zloty (au taux officiel, 1 zloty = 1,68 FF au 30.5.98).
Langue : polonais.

La réforme territoriale consistant à découper la Pologne en seize régions a été entérinée par le président le 27 juillet 1998.

Sur le plan économique, les indicateurs sont restés positifs. Selon les estimations officielles, l'inflation devait se situer entre 10 % et 11 % en 1998 et la croissance à 6,7 %. Le chômage a continué à baisser, atteignant 9,8 % en juillet 1998 (10,5 % fin 1997). - **Georges Mink** ■

République tchèque

Lorsque les historiens procéderont à la périodisation de l'évolution de cette république postcommuniste, la seconde moitié de 1997 et la première de 1998 marqueront une étape.

Cette période a d'abord été celle d'une grande désillusion pour nombre de citoyens. Le « meilleur élève », le « tigre économique » de la transformation postcommuniste, si vantée par les hommes au pouvoir, s'est révélé un cancre en comparaison avec ses voisins les plus proches, la Hongrie et la Pologne. En 1997, la croissance du PIB a représenté moins de 1 % et devait selon les prévisions stagner en 1998. En janvier 1998, la progression annuelle de l'indice des prix à la consommation a atteint 13,2 %. Le taux de chômage est passé en un an de 3,2 % à 5,2 % ; ce fléau devant bientôt toucher 6 % de la population active. Au premier trimestre 1998, les investisseurs étrangers ne semblaient plus s'intéresser au pays. La découverte douloureuse du « faux miracle » économique, des « privatisations formelles », où l'État restait toujours propriétaire par le biais des banques, accompagnées de détournements de fonds, de nombreuses faillites frauduleuses, la prise de conscience de l'étendue de la corruption et d'une « politique des escrocs » selon le terme du lea-

République tchèque

Capitale : Prague.
Superficie : 78 864 km².
Nature du régime : démocratie parlementaire.
Chef de l'État : Václav Havel (depuis le 2.2.93).
Chef du gouvernement : Miloš Zeman, qui a succédé le 22.7.98 à Josef Tošovský, lequel avait remplacé fin 97 Václav Klaus (démissionnaire).
Vice-premier ministre : Pavel Rychetský.
Ministre des Affaires étrangères : Jan Kavan.
Ministre de l'Intérieur : Václav Grulich.
Ministre des Finances : Ivo Svoboda.
Monnaie : couronne tchèque (au cours officiel, 100 couronnes tchèques = 17,93 FF au 30.5.98).
Langues : tchèque, slovaque, allemand, rom.

Europe centrale/Bibliographie

BERD, *Transition Report 1997. Enterprise and Growth. Economic Transition in Eastern Europe and the Former Soviet Union,* La Documentation française, Paris, 1998.

C. Delsol, M. Maslowski, *Histoire des idées politiques en Europe centrale,* PUF, Paris, 1998.

P. Gradvohl, I. Szabo, « Les ruptures dans l'histoire de la Hongrie au XXe siècle : la révolution de la continuité » *in Actes du colloque 1988-1998 : dix années de transition en Hongrie* (janv. 1998), CIEH, Paris (à paraître).

P. Kende, « Bilan de la transition politique en Hongrie », *La Nouvelle Alternative,* n° 49, Paris, mars 1988.

La Nouvelle Alternative (trimestriel), Paris. Voir notamment les dossiers : « Les minorités nationales en Europe centrale », n° 43, sept. 1996 ; « Universités et étudiants du post-communisme », n° 46, juin 1997 ; « Les Tchèques et les Slovaques cinq ans après le divorce », n° 48, déc. 1997 ; « L'Union européenne vue d'Europe centrale et orientale », n° 49, mars 1998.

Le Courrier des pays de l'Est (périodique, 10 numéros par an), La Documentation française, Paris. Voir notamment « L'Europe centrale et orientale 1996-1997 : croissance économique et éléments de niveau de vie », n° 419, mai-juin 1997 ; « Les enjeux de l'élargissement de l'Union européenne », n° 425, déc. 1997 ; « L'évolution de la politique économique de l'Union européenne envers les PECO et l'ex-URSS », n° 421, août 1997 ; « Europe centrale et orientale, CEI en 1997 : acquis et disparités économiques », n° 428-429, mars-avr.-mai 1998.

É. Lhomel, T. Schreiber (sous la dir. de), *L'Europe centrale, orientale et balte. Édition 1998,* Les Études de La Documentation française, Paris, 1998.

L. Lipták, *Petite histoire de la Slovaquie,* Institut d'études slaves, coll. « IRENISE », Paris, 1996.

A. Mares, *Histoire des pays tchèques et slovaques,* Hatier, Paris, 1995.

A. Mares (sous la dir. de), *Histoire et pouvoir en Europe médiane,* L'Harmattan, Paris, 1996.

G. Mink, *Vie et Mort du bloc soviétique,* Casterman, Paris, 1997.

G. Mink, J.-C. Szurek, « L'ancienne élite communiste en Europe centrale : stratégies, ressources et reconstructions identitaires », *Revue française de science politique,* vol. 48/1, Presses de Science-Po, Paris, 1998.

M. Molnar, *Histoire de la Hongrie,* Hatier, Paris, 1996.

V. Rey (sous la dir. de), *Les Territoires centre-européens. Dilemmes et défis. L'Europe médiane en question,* La Découverte, coll. « Lectio », Paris, 1998.

O. Urban, *Petite histoire des pays tchèques,* Institut d'études slaves, coll. « IRENISE », Paris, 1996.

der syndical Richard Falbr, ont mis au plus bas le moral des habitants. Selon les sondages, le nombre de personnes regrettant le régime d'avant 1990 a augmenté entre octobre 1997 et février 1998, passant de 18,1 % à 28,7 %; parmi les moins de 30 ans, le taux avait augmenté de presque 12 points de pourcentage et de 15 pour les diplômés de l'enseignement supérieur.

L'année écoulée a également vu l'éclatement des partis au pouvoir. Après la démission, le 30 novembre 1997, de Václav Klaus, Premier ministre depuis 1992, causée entre autres par un scandale lié au financement occulte de son parti, le Parti démocratique civique (ODS), ce dernier s'est scindé et une nouvelle formation est apparue, l'Union de la liberté (US), dirigée par l'ancien ministre de l'Intérieur de V. Klaus, Jan Ruml. Quelques dirigeants de l'Alliance démocratique civique (ODA), parti de la coalition au pouvoir, l'ont rejointe, réduisant ainsi l'ODA à un parti marginal.

Cette période qui fera date a été aussi marquée par l'alternance politique au pouvoir, que le pays n'avait pas encore connue. Sous le gouvernement de Josef Tošovský, ancien gouverneur « sans parti » de la Banque nationale, assurant l'intérim, des législatives anticipées ont eu lieu les 18 et 19 juin 1998. Leur vainqueur, avec 32,31 % des suffrages exprimés, le Parti social-démocrate tchèque (CSSD), dirigé par Miloš Zeman, a recherché des partenaires pour une coalition gouvernementale pouvant assurer la stabilité politique de ce pays qui a été retenu parmi les candidats à l'adhésion à l'Union européenne et dont le Parlement a ratifié en avril 1998 l'adhésion à l'OTAN (Organisation du traité de l'Atlantique nord).

Enfin, l'année 1998 fera date avec l'état de santé du président de la République, Václav Havel, figure symbole mondialement connue et qui ne pouvait plus assurer sa charge que partiellement.

Elle ne fera pas date toutefois pour la commémoration, plutôt tiède, des événements de 1968 marqués par l'invasion du pays par les chars de l'URSS et ses alliés. **- Karel Bartošek** ■

Slovaquie

En 1997, le PIB a approché pour la première fois le niveau d'avant le tournant de 1989. Toutefois la restructuration de l'économie s'est ralentie en raison surtout de l'insuffisance des investissements étrangers. C'est l'instabilité politique qui explique avant tout le désintérêt des investisseurs pour la Slovaquie. Le désaccord existant de longue date entre le président de la République, Michal Kovác, et le Premier ministre, Vladimir Mečiar, s'est terminé avec la fin du mandat du premier en mars 1998. Au titre de la Constitution, une partie des pouvoirs du président de la République a cependant été transférée au Premier ministre V. Mečiar – ce qu'il a immédiatement mis à profit en amnistiant les coupables du sabotage du référendum de mai 1997 et de l'affaire du kidnapping en Autriche du fils du président, ainsi qu'en révoquant vingt-neuf ambassadeurs. Un certain nombre de tentatives en faveur d'une nouvelle élection présidentielle ont échoué en mars-avril 1998. Ni la coalition au pouvoir ni l'opposition ne disposaient en effet de la majorité des deux tiers nécessaire. Par ailleurs, le parti le plus fort de la coalition – le Mouvement pour la Slovaquie démocratique, HZDS – n'avait pas intérêt à élire un président. La double fonction de Premier ministre et de président de la République ne pouvait que convenir à V. Mečiar pour préparer les élections de septembre 1998, où pourtant l'opposition coalisée l'a emporté (58 % des voix contre 38 % aux partis au gouvernement).

République slovaque

Capitale : Bratislava.

Superficie : 49 016 km^2.

Nature du régime : démocratie parlementaire.

Chef de l'État : (au 20.9.98) Vladimir Mečiar, président par intérim, depuis la fin du mandat de Michal Kovac, en mars 98.

Chef du gouvernement : Mikulas Dzurinda, qui a remplacé Vladimir Mečiar le 30.10.98.

Ministre de l'Intérieur : (au 20.9.98) Gustav Krajčí.

Ministre de la Défense : (au 20.9.98) Jan Sitek.

Ministre des Affaires étrangères : (au 20.9.98) Mme Zdenka Kramplová.

Monnaie : couronne slovaque (au cours officiel, 100 couronnes slovaques = 17,10 FF au 30.4.98).

Langues : slovaque, hongrois, tchèque, ukrainien, ruthène, rom.

La façon de gouverner de V. Mečiar et le non-respect des conditions politiques ont conduit en avril 1997 à l'exclusion de la Slovaquie du premier groupe des candidats à l'entrée dans l'OTAN (Organisation du traité de l'Atlantique nord) et, en décembre 1997, à son exclusion du premier groupe des candidats à l'élargissement de l'Union européenne (UE) vers l'Est. Pourtant l'adhésion à l'UE jouit d'un grand crédit dans la population et elle est d'une importance vitale pour l'industrie slovaque, fortement orientée vers les exportations. La décision du tribunal international de La Haye relative au barrage de Gabcíkovo entre la Slovaquie et la Hongrie a représenté un point positif pour la politique étrangère slovaque. La Slovaquie a défendu le projet avec succès et il s'est ainsi ouvert un espace à la discussion.

Les pressions exercées par la coalition gouvernementale pour s'assurer du monopole de l'espace politique, surtout par ses tentatives pour ruiner les médias indépendants et d'opposition, et ses efforts visant à modifier la loi électorale et à contrôler les élections par l'appareil d'État, ont abouti à l'unification d'une opposition éclatée. Dès avril 1998, à partir de la Coalition de l'arc-en-ciel, la coalition démocratique slovaque s'est constituée en tant que parti éligible, composé des chrétiens-démocrates, de l'Union libérale démocratique et du Parti démocratique ainsi que de la petite formation des Verts et des sociaux-démocrates. Un processus comparable s'est produit pour les partis de la minorité hongroise. L'importante polarisation de la vie politique a paru donner ses chances au Parti de la compréhension civique, au programme pragmatique, fondé en avril 1998, avec à sa tête le maire de Kosice, Rudolf Schuster. - **Lubomír Lipták** ■

Balkans

Albanie, Bosnie-Herzégovine, Bulgarie, Croatie, Macédoine, Roumanie, Slovénie, Yougoslavie

Albanie

A peine sortie d'une crise financière et politique qui, de janvier à juillet 1997, avait placé son économie au bord de la faillite, l'Albanie a de nouveau été confrontée à partir de juin 1998 à de nouveaux périls à la suite de l'intervention de forces armées et de milices serbes au Kosovo, région voisine incluse dans la Serbie et peuplée de quelque trois millions d'Albanais, qui réclame son autonomie et où un mouvement indépendantiste insurrectionnel s'est développé. L'arrivée de plusieurs dizaines de milliers de réfugiés kosovars, dont un grand nombre se sont installés dans le port albanais de Durrës ou encore dans les régions du Nord, elles-mêmes très déshéritées, risquait de compromettre les quelques signes d'amélioration économique.

L'Albanie se remettait en effet difficilement du crash financier intervenu en février 1997, causé par l'effondrement de plusieurs « pyramides financières » et qui a entraîné

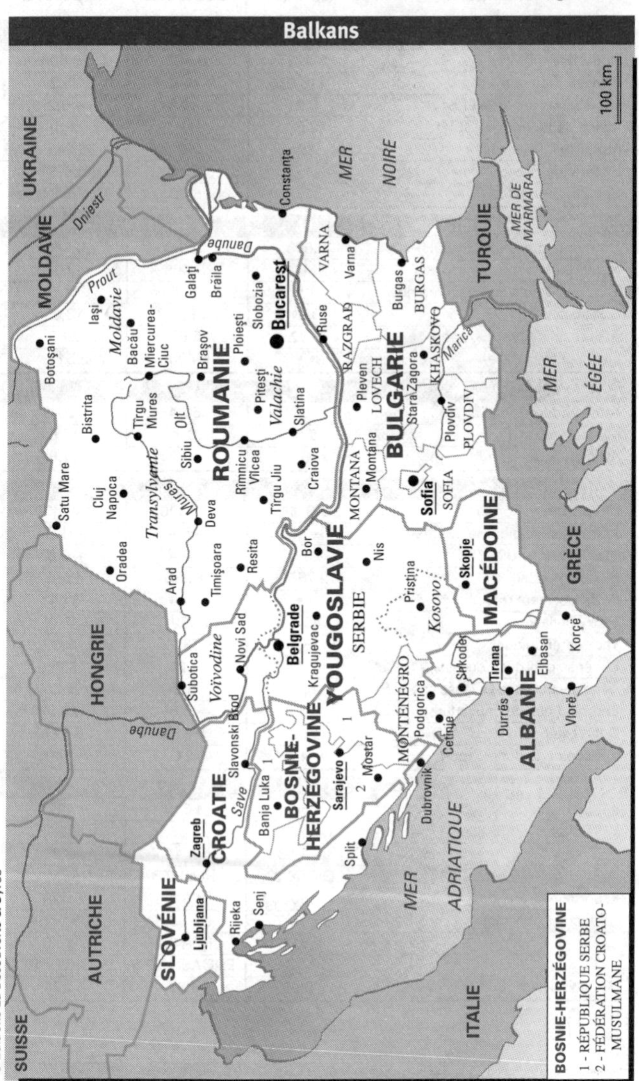
Balkans
UKRAINE
MOLDAVIE
Dniestr
Prout
HONGRIE
AUTRICHE
SUISSE
ITALIE
TURQUIE
GRÈCE
MER NOIRE
MER DE MARMARA
MER ÉGÉE
MER ADRIATIQUE
ROUMANIE
BULGARIE
YOUGOSLAVIE
MACÉDOINE
ALBANIE
CROATIE
SLOVÉNIE
BOSNIE-HERZÉGOVINE
Moldavie
Transylvanie
Valachie
Voïvodine
Kosovo
SERBIE
MONTÉNÉGRO
Danube
Save
Olt
Mureş
Marica
Botoşani
Iaşi
Bacău
Miercurea-Ciuc
Bistrita
Tîrgu Mures
Satu Mare
Cluj Napoca
Oradea
Arad
Timişoara
Deva
Sibiu
Braşov
Ploieşti
Piteşti
Rîmnicu Vîlcea
Tîrgu Jiu
Craiova
Slatina
Resita
Galaţi
Brăila
Slobozia
Bucarest
Constanţa
Varna
VARNA
Ruse
RAZGRAD
Burgas
BURGAS
Pleven
LOVECH
Stara Zagora
KHASKOVO
Plovdiv
PLOVDIV
Montana
MONTANA
Sofia
SOFIA
Bor
Nis
Priştina
Skopje
Subotica
Novi Sad
Belgrade
Kragujevac
Podgorica
Cetinje
Shkoder
Tirana
Durrës
Elbasan
Korçë
Vlorë
Slavonski Brod
Banja Luka
Sarajevo
Mostar
Dubrovnik
Split
Zagreb
Ljubljana
Rijeka
Senj
100 km
BOSNIE-HERZÉGOVINE
1 - RÉPUBLIQUE SERBE
2 - FÉDÉRATION CROATO-MUSULMANE

INDICATEUR*	ALBANIE	BULGARIE	ROUMANIE
Démographie**			
Population *(millier)*	3 422	8 428	22 606
Densité *(hab./km²)*	119,0	76,0	95,2
Croissance annuelle[d] *(%)*	0,6	– 0,5	– 0,2
Indice de fécondité (ISF)[d]	2,6	1,4	1,4
Mortalité infantile[d] *(‰)*	32	16	24
Espérance de vie[d] *(année)*	71,0	71,4	69,6
Population urbaine *(%)*	38,0	69,0	56,8
Indicateurs socioculturels			
Développement humain (IDH)[c]	0,655	0,780	0,748
Nombre de médecins *(‰ hab.)*	1,41[b]	3,46[b]	1,81[a]
Espérance de scolarisation *(année)*	• •	11,5	11,0
Scolarisation 3e degré *(%)*	9,6[g]	39,4[b]	18,3[b]
Adresses Internet *(‰ hab.)*	0,32	6,65	2,66
Livres publiés *(titre)*	• •	5 400[b]	5 517[b]
Armées			
Armée de terre *(millier d'h.)*	[h]	50,4	129,3
Marine *(millier d'h.)*	2,5	6,1	17,5
Aviation *(millier d'h.)*	6	19,3	47,6
Économie			
PIB total[ae] *(million $)*	9 371[c]	35 800	103 500
Croissance annuelle 1989-96 *(%)*	– 1,6	– 5,4	– 1,8
Croissance 1997 *(%)*	– 7,0	– 7,4	– 6,6
PIB par habitant[ae] *($)*	2 788[c]	4 280	4 580
Investissement (FBCF)[f] *(% PIB)*	• •	14,4	21,1
Taux d'inflation *(%)*	42,1	1 089,4	151,4
Taux de chômage[m]	13,4	13,7	8,8
Dépense publique Éducation *(% PIB)*	3,4[c]	4,2[b]	3,0[c]
Dépense publique Défense[a] *(% PIB)*	6,7	3,3	2,3
Énergie (taux de couverture)[b] *(%)*	125,9	46,6	71,5
Dette extérieure totale[a] *(million $)*	781	9 819	8 291
Service de la dette/Export.[f] *(%)*	4	21	14
Échanges extérieurs			
Importations *(million $)*	660	4 518	11 275
Principaux fournisseurs[a] *(%)*	UE 79,2	UE 38,9	UE 52,2
(%)	Ita 38,3	RFA 12,4	Asie[i] 11,0
(%)	Grè 26,3	Rus 32,5	Ex-CAEM 21,6
Exportations *(million $)*	160	4 913	8 428
Principaux clients[a] *(%)*	UE 79,7	UE 39,8	UE 55,9
(%)	Ita 51,6	RFA 9,2	Asie[i] 13,2
(%)	Grè 13,5	Ex-CAEM 29,6	Ex-CAEM 10,3
Solde transactions courantes *(% PIB)*	– 9,90	4,87	– 7,24[a]

* Définition des indicateurs p. 25 et suiv. Chiffres 1997 sauf notes. ** Derniers recensements utilisables : Albanie, 1989 ; Bulgarie, 1992 ; Roumanie, 1992 ; Slovénie, 1991 ; Croatie, 1991 ; Bosnie-Herz., 1991 ; Yougoslavie, 1991 ; Macédoine, 1994. a. 1996 ; b. 1995 ; c. 1994 ; d. 1995-2000 ; e. A parité de pouvoir

SLOVÉNIE	CROATIE	BOSNIE-HERZÉGOVINE	YOUGO-SLAVIE	MACÉDOINE
1 922	4 497	3 784	10 350	2 189
94,9	79,5	74,0	101,3	85,1
– 0,1	– 0,1	3,9[k]	0,5	0,7
1,3	1,6	1,4	1,8	1,9
7	10	13	19	52
73,5	72,3	71,4	72,1	72,4
51,8	56,6	41,9	57,9	60,7
0,886	0,760	••	••	0,748
2,12[b]	2,01[c]	1,58[n]	2,02[b]	2,30[b]
••	11,0	••	••	••
31,9[b]	28,3[b]	••	21,1[b]	17,5[b]
85,66	14,08	0,13	2,72	2,15
3 195[b]	2 671[c]	1 008[o]	3 531[b]	885[c]
9,5	50	40	90	15,4
–	3	–	7,5	–
–	5	–	16,7	–
24 100	20 500	••	••	8 500
– 1,2	– 4,7	••	– 10,3[p]	– 5,3
3,7	6,3	••	7,5[p]	1,5
12 110	4 290	••	••	3 965[c]
21,0	14,2	••	••	15,9
9,4	5,0	11,8	23,2	1,3
14,8	17,6	••	25,6	42,4
5,8[b]	5,3[b]	••	••	5,5[b]
1,8	6,8	6,3	8,7	9,2
42,5	40,9	49,1	85,9	69,5
4 031	4 634	••	13 439	1 659
9	6	••	••	4
9 357	9 123	1 879[a]	4 512[a]	1 946[a]
UE 67,6	RFA 20,6	RFA 13,3	••	RFA 15,1
RFA 21,7	Ita 18,2	Ita 12,5	••	Ita 13,7
PEst 17,0	PEst 22,1	PEst 58,1	••	PEst 40,5
8 372	4 341	171[a]	1 842[a]	1 158[a]
UE 64,6	RFA 18,6	RFA 16,4	••	E-U 10,3
RFA 30,6	Ita 21,0	Ita 26,3	••	UE 46,9
PEst 27,3	PEst 36,5	Croa 33,9	••	PEst 33,2
0,20	– 11,99	••	••	– 14,38[a]

d'achat (PPA, voir définition p. 581), f. 1994-96 ; g. 1993 ; h. En voie de reconstitution ; i. Y compris Japon et Moyen-Orient ; k. Comprend certains flux de retour de réfugiés ; m. En fin d'année ; n. 1990 ; o. 1989 ; p. Produit matériel brut.

la ruine de centaines de milliers de petits épargnants floués sans doute à jamais. Victime d'une récession évaluée à – 7 % en 1997, d'une chute de moitié environ de sa production industrielle et d'un déficit budgétaire équivalent à 17 % du PIB, l'Albanie est parvenue à restaurer un minimum de stabilité monétaire à compter du deuxième trimestre 1997 ; l'inflation a ainsi pu être contenue aux alentours de 40 % sur l'ensemble de l'année.

Un relatif retour au calme, mais surtout la situation désastreuse des conditions de vie d'une population dont le niveau de vie par habitant déjà misérable s'est effondré ont décidé les principaux bailleurs de fonds internationaux réunis à Bruxelles le 22 octobre 1997 à accorder une aide d'urgence de plusieurs dizaines de millions de dollars, destinée aux secteurs les plus sinistrés (santé, éducation, approvisionnement alimentaire). Ils se sont également entendus sur l'octroi d'un soutien financier de 300 millions de dollars sur trois ans en appui aux réformes structurelles (privatisations, dont celle du secteur bancaire), moyennant une sévère austérité budgétaire et la lutte contre la corruption.

République d'Albanie

Capitale : Tirana.
Superficie : 28 748 km².
Nature du régime : parlementaire à tendance présidentielle.
Chef de l'État : Rexhep Mejdani, investi le 24.7.97, qui a succédé à Sali Berisha (démission le 23.7.97).
Chef du gouvernement : Fatos Nano, investi Premier ministre le 24.7.97.
Vice-président du Conseil des ministres : Bashkim Fino (depuis le 25.7.97).
Ministre de l'Intérieur : Neritan Ceka (depuis le 25.7.97).
Ministre des Affaires étrangères : Paskal Milo (depuis le 25.7.97).
Monnaie : nouveau lek (au cours officiel, 100 nouveaux leks = 3,88 FF au 30.5.98).
Langues : albanais, grec.

Douze mois après la situation de crise aiguë proche du chaos qui avait prévalu dans le pays et le pillage de plusieurs dizaines de dépôts militaires d'armes, le Parti socialiste albanais (PSA), vainqueur aux élections anticipées de juin 1997, tenait à grand-peine le pays en main, tandis que l'opposition, conduite par le Parti démocrate de l'ex-président Sali Berisha, menait un travail d'obstruction parlementaire le plus souvent sous forme de boycottage. Le 7 juillet 1998, le Parti démocrate quittait le Parlement. En septembre, de violentes émeutes éclataient, S. Berisha tentant de reprendre le pouvoir par la rue. Essentiellement implanté dans le Nord, à l'inverse du PSA dont la majorité des cadres sont issus du Sud, S. Berisha reprochait notamment au gouvernement de Fatos Nano sa trop grande réserve à l'égard de la tragédie du Kosovo, ayant lui-même pris fait et cause pour l'Armée de libération du Kosovo (UCK), pour laquelle la zone frontalière du nord de l'Albanie a pu, au plus fort des combats, servir de zone de repli. Le 17 avril 1998, le Parlement prenait position en faveur d'un redéploiement des troupes de l'OTAN (Organisation du traité de l'Atlantique nord) en Albanie même, étant alors le seul à préconiser pour le Kosovo l'instauration d'un « protectorat international ». Mais la dégradation quotidienne de la situation militaire et humanitaire dans le territoire en quête d'autonomie a conduit l'Albanie à une attitude plus radicale, et F. Nano a déclaré en juin que l'éviction du président yougoslave Slobodan Milosevic était un préalable indispensable à toute chance de résolution du conflit.

Quant aux efforts de l'Allemagne, de la Grèce ou encore de l'Italie, principaux partenaires commerciaux de l'Albanie, pour rétablir des courants d'échanges normaux, ils risquaient d'être à nouveau ruinés par les menaces d'extension du conflit à l'Albanie.

Dans un tel contexte où l'intransigeance serbe rendait la situation sans issue pour les autonomistes kosovars, soupçonner Tirana de fomenter le projet d'une « Grande Albanie » ne visait qu'à détourner l'opinion publique internationale et à faire oublier qui étaient les véritables responsables de cette nouvelle tragédie. - **Édith Lhomel** ■

Bosnie-Herzégovine

Comme l'année précédente, 1997 a été une année électorale. Les élections municipales, reportées à plusieurs reprises, se sont tenues les 13 et 14 septembre. Contrairement aux élections générales du 15 septembre 1996, qui avaient confirmé l'hégémonie des trois partis nationalistes, musulman (Parti de l'action démocratique – SDA), serbe (Parti démocratique serbe – SDS) et croate (Communauté démocratique croate – HDZ), elles ont signalé leur essoufflement. Dans la Fédération croato-musulmane, Selim Beslagic, président de l'Union bosniaque des sociaux-démocrates (UBSD) et maire de Tuzla, a été réélu triomphalement et le Parti social-démocrate (SDP, ex-communiste) a enregistré une nette progression. En République serbe, le SDS a été battu dans plusieurs villes, à commencer par Banja Luka, l'agglomération la plus importante.

La défaite électorale du SDS s'est inscrite dans la crise qui a ébranlé la République serbe, et qui a été l'événement politique majeur de l'année. Les dissensions entre partisans du respect des accords de Dayton (signés le 14 décembre 1995), conduits par la présidente de la République serbe Biljana Plavsic, et partisans de leur contournement, rassemblés autour du représentant serbe à la présidence collégiale bosniaque Momcilo Krajisnik, se sont en effet soldées durant l'été par une crise ouverte menaçant de diviser la République serbe en deux parties, l'une favorable à B. Plavsic (Banja Luka), et l'autre favorable à M. Krajisnik (Pale).

Les pressions du haut représentant de l'ONU Carlos Westendorp et la médiation du président yougoslave Slobodan Milosevic ont permis la tenue d'élections législatives anticipées les 22 et 23 novembre 1997. Celles-ci ont mis fin à l'hégémonie du SDS favorable à M. Krajisnik, ce parti recueillant 32 % des voix contre 22 % à l'Alliance populaire serbe (SNS) fondée par B. Plavsic, 20 % au SDA et 17 % au Parti radical serbe (SRS). La tentative du SDS et du SRS de bloquer les travaux du nouveau Parlement a échoué et, le 17 janvier 1998, les autres partis coalisés ont désigné comme Premier ministre le social-démocrate indépendant Milorad Dodik.

République de Bosnie-Herzégovine

Capitale : Sarajevo.

Superficie : 51 129 km^2.

Nature de l'État : ancienne république fédérée de la Yougoslavie, reconnue indépendante le 5.4.92 et partagée en deux entités confédérées : la Fédération croato-musulmane et la République serbe, par les accords de Dayton signés le 14.12.95.

Chefs de l'État : Alija Izetbegovic, président de la Présidence collégiale de la République (depuis l'indépendance proclamée, le 3.3.92, réélu en oct. 96), Vladimir Soljic étant président de la Fédération croato-musulmane depuis mars 97 et Biljana Plavsic de la République serbe depuis sept. 96.

Premiers ministres : Boro Bosic et Haris Silajdzic (depuis déc. 96) et, respectivement pour la Fédération croato-musulmane et pour la République serbe, Edhem Bicakcic (depuis oct. 96) et Milorad Dodik (depuis janv. 98).

Monnaie : Deutsche Mark convertible (au cours officiel, 1 Deutsche Mark = 3,35 FF au 29.7.98).

Langue : bosniaque, serbe et croate (une même langue).

Contestations territoriales : le tracé de la frontière entre République serbe et Fédération croato-musulmane autour de la commune de Brcko devait faire l'objet d'un arbitrage international.

Cette désignation a été saluée par les partis d'opposition de la Fédération croato-musulmane, qui y ont vu le signe d'un épuisement des logiques nationalistes et la promesse d'une réintégration politique de la Bosnie-Herzégovine. Pourtant, malgré les changements politiques intervenus, les institutions communes sont restées paralysées par les conflits entre partis nationalistes, les conseils municipaux ont tardé à se mettre en place dans les municipalités contestées telles que Srebrenica ou Drvar, et le retour des victimes du nettoyage ethnique est resté marginal. L'arbitrage sur le statut définitif de la ville de Brcko, prévu en mars 1998 et reporté pour la deuxième fois, a illustré les difficultés du processus de paix dans un pays encore marqué par trois ans et demi de conflit (avril 1992-décembre 1995), au cours desquels plus de la moitié de la population a été déplacée.

La communauté internationale a accentué ses pressions en organisant l'arrestation ou en obtenant la reddition de plusieurs criminels de guerre recherchés par le Tribunal pénal international de La Haye, en décidant de maintenir sa présence militaire après juin 1998, date de l'expiration du mandat de la Sfor (Force de stabilisation), et en accordant au haut représentant de l'ONU de nouveaux pouvoirs qui l'ont transformé en véritable gouverneur d'une Bosnie-Herzégovine sous tutelle. Elle s'est aussi efforcée de faire de l'aide économique (1,1 milliard de dollars en 1997) une arme politique, comme l'ont montré l'attribution d'importants crédits au gouvernement de M. Dodik et différentes mesures visant à démanteler les circuits de financement parallèles des trois partis nationalistes. Il restait à savoir si, dans un pays où plus de deux millions de personnes ont été déplacées pendant la guerre et où plus de 50 % de la population restait sans emploi en 1997, une telle politique allait suffire pour contenir les tensions sociales accumulées, et pour assurer la défaite des partis nationalistes lors des élections générales prévues pour septembre 1998. - **Xavier Bougarel** ■

Bulgarie

L'année 1997 a marqué un lent retour à la normale après la victoire aux élections législatives d'avril de l'Union des forces démocratiques (UFD). Après l'hyperinflation de l'hiver 1996-1997, les résultats de l'année sont demeurés négatifs (production en chute de 7,4 %, hausse des prix de plus de 1 000 %). L'introduction d'un directoire monétaire sous l'égide du FMI, en juillet, a néanmoins permis un assainissement des finances publiques et un timide redémarrage de la production. Avec une inflation mensuelle inférieure à 2 % et un chômage contenu autour de 15 %-16 % (estimations officielles), l'économie semblait entrer en 1998 sur la voie de la stabilisation.

La réforme structurelle n'a pas pleinement profité de ce retour aux grands équilibres, les autorités s'étant montrées réticentes à affronter un large mécontentement social en cas de fermeture des entreprises déficitaires. Début 1998, seuls 17 % de l'industrie avaient été privatisés et 65 % des terres restitués à leurs anciens propriétaires. Plusieurs mouvements sociaux ont éclaté dans les transports et les mines en mars-avril 1998. La nouvelle politique d'encouragement aux investissements étrangers a toutefois permis d'attirer près de 500 millions de dollars en 1997 (contre 303 millions en 1996), essentiellement dans l'industrie, les transports et le tourisme.

La gauche a continué à se chercher une identité. Alors que l'Euro-gauche devenait un parti uni en mars 1998, le Parti socialiste bulgare (PSB), divisé entre tendances dure et réformatrice, échouait à surmonter la crise ouverte par la chute du gouvernement de Jan Videnov (décembre 1996) lors du 43e congrès (1er-4 mai 1998), qui a confirmé Georgi Pervanov au poste dirigeant. En octobre 1997, l'ouverture partielle des dossiers des anciens agents de la Sécurité d'État (police politique) n'a pas entraîné la conflagration politique attendue. Bien que quatre de ses membres aient été incriminés, le Mouvement des droits et libertés (MDL, parti de la minorité turque) n'a pas remanié sa direction. Enfin, Mustafa Alich Hadj a été élu mufti général en octobre 1997, mettant un terme à la division de la hiérarchie religieuse musulmane.

République de Bulgarie

Capitale : Sofia.
Superficie : 110 912 km².
Nature de l'État : république.
Nature du régime : parlementaire.
Chef de l'État : Petar Stoïanov, président de la République, qui a succédé, le 22.1.97, à Jelio Jelev.
Chef du gouvernement : Ivan Kostov, qui a succédé, le 22.5.97, à Stefan Sofianski, Premier ministre du gouvernement de service (13 février-21 mai), constitué après la démission de Jan Videnov.
Ministre des Affaires étrangères : Nadejda Mihaïlova (depuis le 22.5.97).
Ministre de la Défense : Georgui Ananiev (depuis le 12.2.97).
Ministre de l'Intérieur : Bogomil Bonev (depuis le 12.2.97).
Échéances institutionnelles : élections locales (aut. 99).
Monnaie : lev (au cours officiel, 1 000 levs = 3,35 FF au 30.5.98).
Langues : bulgare (off.), turc.

La priorité accordée à l'intégration aux structures euro-atlantiques s'est traduite par l'adoption d'un plan de restructuration de l'armée (16 février 1998) et d'une stratégie nationale (24 mars 1998) prévoyant que le pays remplisse les critères d'adhésion à l'Union européenne d'ici à 2001. La visite du président Petar Stoïanov aux États-Unis (6-14 février 1998) a confirmé le soutien de Washington aux réformes en cours, tandis qu'après d'âpres négociations un accord gazier était conclu avec la Russie en avril. Sur la scène balkanique, l'accent a été mis sur la coopération multilatérale. En mars, Sofia s'est prononcé contre un nouvel embargo envers la Yougoslavie et pour la création de forces d'intervention rapide balkaniques. - **Nadège Ragaru** ■

Croatie

La réintégration de la Slavonie orientale, le 15 janvier 1998, dans le cadre de la souveraineté croate, y compris Vukovar, a mis fin à l'application des accords de Dayton (14 décembre 1995) pour le territoire croate. Cent quatre-vingts observateurs de l'OSCE (Organisation pour la sécurité et la coopération en Europe) sont restés sur place, mais les problèmes de délimitation qui subsistent (péninsule de Prevlaka avec le Monténégro, frontières terrestres et eaux territoriales avec la Slovénie) ne devraient pas déboucher sur un conflit armé. Par ailleurs, avec la mort, le 3 mai 1998, du ministre de la Défense Gojko Šušak (remplacé par l'ancien ministre de la Santé Andrija Hebrang) a disparu l'un des derniers symboles de l'après-guerre.

L'introduction de la TVA (Taxe sur la valeur ajoutée), le 1er janvier, ne s'est pas faite sans débat. Le principe en avait été voté par le Parlement en 1995, mais son application avait été retardée. Le ministre des Finances, Borislav Skegro, a défendu le taux unique de 22 %. La mission du FMI a approuvé les projets gouvernementaux, soutenant qu'après quelques mois de turbulences le niveau général des prix devait diminuer de 0,7 %. La contestation la plus vive de cette réforme fut celle des syndicats de salariés. Après un mois, le bilan n'était pas rassurant : le niveau général des prix avait augmenté de 6 %. Le gouvernement a réuni un comité de suivi (administration, syndicats, médias), mais de nombreuses manifestations ont éclaté.

Le HSLS (social-libéral), principal parti d'opposition en 1992-1995, s'est scindé fin janvier 1998 en un HSLS maintenu et un Parti « libéral ». Un conflit a opposé Drazen

Budisa (candidat à la présidence en 1992) et Vlado Gotovac (candidat aux présidentielles de 1997). Ce dernier, mis en minorité, a préféré fonder ce parti « libéral », tandis que D. Budisa n'excluait pas une forme d'alliance avec le HDZ (Communauté démocratique croate, au pouvoir). Ivic Pasalic, conseiller politique du président Franjo Tudjman, a proposé à plusieurs reprises une alliance à D. Budisa et à Zlatko Tomcič, président du Parti paysan croate (HSS), n'excluant pas les alliances locales avec d'autres partis.

Le ministre de la Construction, Marko Sirac, a annoncé en janvier 1998 le lancement d'un programme de 1 814 kilomètres d'autoroutes de 1998 à 2000. Ce vaste projet (concrétisé notamment par un contrat avec la société américaine Bechtel pour l'autoroute Zagreb-Dubrovnik, en avril 1998), parallèlement à une nouvelle vague de privatisations qui devait notamment toucher dès 1998 la presse et la télévision, s'est inscrit dans le cadre d'une redéfinition des objectifs visant à montrer que le pays a une économie ouverte aux investissements étrangers. Parallèlement, le gouvernement cherchait à prouver qu'il ne voulait plus contrôler les médias. De fait, l'économie croate – la croissance du PIB a été de 5 % en 1996, de 3,7 % en 1997, et allait peut-être approcher ce chiffre en 1998 – connaît une période favorable.

La Croatie s'est rapprochée début 1998 de l'Union européenne (UE) et de l'OTAN (Organisation du traité de l'Atlantique nord) sans pouvoir rejoindre ces organisations. En juillet 1998, le sentiment national croate s'est trouvé conforté par les succès de l'équipe de football. Celle-ci est en effet parvenue jusqu'aux demi-finales de la Coupe du monde organisée par la France, terminant troisième derrière celle-ci et le Brésil. - **Joseph Krulic** ■

République de Croatie

Capitale : Zagreb.
Superficie : 56 538 km².
Nature du régime : présidentiel.
Chef de l'État : Franjo Tudjman, président de la République (depuis la proclamation de l'indépendance le 25.6.91, réélu le 15.6.97).
Premier ministre : Zlatko Matesa (depuis le 30.11.95).
Ministre de la Défense : Andrija Hebrang (depuis mai 98).
Ministre des Affaires étrangères : Mate Granič (depuis mai 90).
Monnaie : kuna (au cours officiel, 1 kuna = 0,92 FF au 30.5.98).
Langues : croate (off.), serbe, italien, hongrois.

Macédoine

En 1997 les tensions de l'année précédente se sont prolongées. Fort de ses succès aux élections municipales (fin 1996), le VMRO-DPMNE (Organisation révolutionnaire intérieure macédonienne – Parti démocratique pour l'unité nationale macédonienne), principal parti d'opposition (nationaliste macédonien), a dénoncé la corruption du gouvernement et réclamé sa démission, provoquant dans ce but, le 15 mai 1997, une importante manifestation à Skopje. La faible croissance économique n'a pas pu empêcher la progression du chômage, accrue par des privatisations. En mars, une « pyramide financière » s'est effondrée à Bitola, lésant des milliers d'épargnants. Surtout, les tensions se sont accentuées dans l'Ouest, où plusieurs municipalités sont contrôlées par le Parti démocratique des Albanais (PDA) issu d'une radicalisation et d'une recomposition des forces politiques albanaises locales. Un différend sur l'usage en public du drapeau albanais a servi de prétexte à une intervention policière très brutale, le 10 juillet, à Gostivar. Dès lors, la position du Parti de la prospérité démocratique (PPD), parti albanais membre du gouvernement, est devenue intenable.

République de Macédoine

Capitale : Skopje.
Superficie : 25 713 km².
Nature du régime : multipartite.
Chef de l'État : Kiro Gligorov, président de la République (depuis la proclamation de l'indépendance, le 17.9.91, réélu le 14.10.94).
Premier ministre : Branko Crvenkovski (depuis sept. 92).
Ministre des Affaires étrangères : Blagoj Handziski.
Ministre de l'Intérieur : Tomislav Cokrevski.
Ministre de la Défense : Lazar Kitanovski.
Monnaie : denar (au cours officiel, 1 denar = 0,11 FF au 30.5.98).
Langues : macédonien (off.), albanais, serbe, turc, valaque, rom.

Alors que la Macédoine souffrait auparavant du refus grec de la reconnaître et du blocus de l'ONU contre la République fédérale de Yougoslavie, les problèmes se sont déplacés vers l'Albanie et le Kosovo. Le collapsus de l'État en Albanie, au printemps 1997, a facilité des trafics d'armes et de drogue à l'origine de nombreux incidents de frontière. La rencontre du président Kiro Gligorov et du Premier ministre d'Albanie, Fatos Nano, à la réunion des chefs d'État et de gouvernement des Balkans (Héraclion, Grèce, 3-4 novembre) a toutefois permis d'améliorer les relations bilatérales. Cependant, au printemps 1998, le déchaînement de la violence au Kosovo est apparu menacer toute la région de déstabilisation et pousser au renforcement de la présence des forces de l'ONU, voire à l'implication de l'OTAN. - **Michel Roux** ■

Roumanie

Ainsi qu'on pouvait s'y attendre dès 1997, la coalition gouvernementale conduite par le Parti national paysan chrétien démocrate (PNT-cd) a connu quelques vicissitudes, moins d'un an après sa formation en décembre 1996. La défiance manifestée à l'égard du chef du gouvernement Victor Ciorbea par l'une de ses principales composantes, l'Union social-démocrate (USD) dirigée par le président du Sénat Petre Roman, les divergences au sein du PNT-cd partagé entre une aile historique, surtout revancharde, et une aile plus jeune, enfin les difficultés à mener plus avant un programme de privatisations aux conséquences sociales redoutées ont conduit le Premier ministre à la démission. Réputé placé à la tête d'un gouvernement de sacrifices, dépourvu de l'envergure politique nécessaire pour se placer au-dessus des querelles internes à la coalition, il a donc jeté l'éponge le 30 mars 1998.

Le bilan de celui qui, en février 1996, avait été élu maire de Bucarest mais a préféré ne pas reprendre son mandat, a suscité des avis très partagés. Sur le plan économique, son gouvernement a eu la rude tâche de mettre en œuvre un plan de stabilisation draconien qui a plongé le pays dans une nouvelle récession évaluée au terme de l'année 1997 à –6,6 %. L'hypothèse d'une relance pour 1998 semblait largement compromise, même si, par exemple, la courbe ascendante des investissements, déjà sensible en 1997 (soit 1,6 milliard de dollars, avec, en tête, l'entreprise française des ciments Lafarge), semblait devoir se confirmer en 1998 grâce à une accélération des grandes privatisations. Le nouveau Premier ministre, Radu Vasile (nommé le 2 avril), a par ailleurs hérité d'une situation financière et monétaire relativement saine, obtenue au prix d'une rigueur budgétaire indispensable (le déficit atteignait cependant encore 4,5 % du PIB en 1997), d'une sévère libéralisation des prix et du marché des changes, enfin, d'une dépréciation de la monnaie nationale, le tout ayant abouti au terme de l'exercice à une inflation de 151 %. Ce programme a été mis en œuvre sous l'étroit contrôle du FMI qui,

Albanie, Bosnie-Herzégovine, Bulgarie, Croatie, Macédoine, Roumanie, Slovénie, Yougoslavie

Balkans/Bibliographie

J. Ancel, *Peuples et nations des Balkans*, CTHS, Paris, 1992 (rééd.).

Balkanologie (périodique, 2 numéros par an), Paris.

BERD, *Transition Report 1997. Enterprise and Growth. Economic Transition in Eastern Europe and the Former Soviet Union*, La Documentation française, Paris, 1998.

A. Bernard, *Petite histoire de la Slovénie*, Institut d'études slaves, coll. « IRENISE », Paris, 1996.

X. Bougarel, *Bosnie. Anatomie d'un conflit*, La Découverte, coll. « Les Dossiers de L'état du monde », Paris, 1995.

J. Bristow, *The Bulgarian Economy in Transition*, Elgar, Cheltenham, 1996.

M. J. Calic, *Krieg und Frieden in Bosnien-Herzegowina*, Suhrkamp, Francfort-sur-le-Main, 1996.

A. Civici, F. Lerin, « Albanie, une agriculture en transition », *Options méditerranéennes*, série B, n° 15, CIHEAM, Montpellier, 1997.

Diagonales Est-Ouest (périodique), Lyon.

C. Durandin, *Histoire des Roumains*, Fayard, Paris, 1995.

V. Ganev, « Bulgaria : Symphony of Hope », *Journal of Democracy*, n° 8-4, Londres, 1997.

J. Krulic, *Histoire de la Yougoslavie. De 1945 à nos jours*, Complexe, Bruxelles, 1993.

Le Courrier des pays de l'Est (périodique, 10 n° par an), La Documentation française, Paris. Voir notamment « L'Europe centrale et orientale 1996-1997 : croissance économique et éléments de niveau de vie », n° 419, mai-juin 1997 ; « Europe centrale et orientale, CEI en 1997 : acquis et disparités économiques », n° 428-429, mars-avr.-mai 1998.

La Nouvelle Alternative (trimestriel), Paris. Voir notamment les dossiers « Roumanie : tourner la page », n° 44, déc. 1996 ; « Albanie, Bulgarie et Serbie en ébullition », n° 45, mars 1997 ; « Universités et étudiants du post-communisme », n° 46, juin 1997 ; « L'Union européenne vue d'Europe centrale et orientale », n° 49, mars 1998.

« Les Balkans deux ans après les accords de Dayton », *Relations internationales et stratégiques*, n° 28, IRIS, Paris, hiv. 1997.

É. Lhomel, T. Schreiber (sous la dir. de), *L'Europe centrale, orientale et balte. Édition 1998*, Les Études de La Documentation française, Paris, 1998.

B. Lory, *L'Europe balkanique de 1945 à nos jours*, Ellipses, Paris, 1996.

N. Ragaru, « Démocratie et représentation politique en Bulgarie », *Les Cahiers du CERI*, n° 18, FNSP, Paris, 1998.

V. Ratchev, « Searching for the Right Solution : Bulgarian Security Policy Was Confronted with a Difficult Choice », *European Security*, n° 6-2, Londres, 1997.

V. Rey (sous la dir. de), *Les Territoires centre-européens. Dilemmes et défis. L'Europe médiane en question*, La Découverte, coll. « Lectio », Paris, 1998.

M. Vickers, J. Pettifer, *Albania : From Anarchy to a Balkan Identity*, University Press, New York, 1997.

B. von Hirschhausen, *Les Nouvelles Campagnes roumaines. Paradoxes d'un « retour paysan »*, Belin, Paris, 1997.

S. Woodward, *Balkan Tragedy : Chaos and Dissolution after the Cold War*, The Brookings Institution, Washington DC, 1995.

I. Zloch-Christy (sous la dir. de), *Bulgaria. A Time of Change*, Avebury, Aldershot, 1996.

Voir aussi la bibliographie « Yougoslavie », p. 526.

après avoir accordé les deux tiers d'un crédit *stand-by* de 430 millions de dollars, s'interrogeait, à l'été 1998, sur les chances de poursuite des réformes, face aux aléas de la scène politique.

Pour l'heure, le gouvernement n'avait pourtant comme adversaire qu'une opposition peu dangereuse bien que fort virulente – notamment lorsqu'il a été question de permettre aux citoyens d'accéder aux archives de la Securitate (ex-police politique). Mais il devait en priorité tenter d'améliorer le sort d'une population dont de nombreuses franges endurent depuis deux ans une nouvelle dégradation de leur pouvoir d'achat. La hantise d'une hausse réputée inévitable du chômage (contenu, selon les chiffres officiels, à 9,3 % en date du 1er avril 1998) était omniprésente et les disparités régionales déjà importantes en la matière pouvaient encore s'aggraver. A l'opposé, le dynamisme du secteur privé pourtant handicapé par le relèvement des taux d'intérêt, la prise de conscience croissante par les investisseurs étrangers du potentiel local comme de l'intéressante situation géostratégique du pays, la compétence de certains ministres arrivés en décembre 1997 à l'issue d'un remaniement partiel du gouvernement (Daniel Daianu aux Finances, Andrei Plesu aux Affaires étrangères), la relative popularité du président Emil Constantinescu, en dépit de la découverte dans son proche entourage d'un important trafic de cigarettes en mai 1998, plaidaient en faveur d'une amélioration de la situation. L'entrée dans l'OTAN (Organisation du traité de l'Atlantique nord) et le rapprochement avec l'Union européenne grâce à l'accès aux instruments de préadhésion dont la Roumanie devrait bénéficier à compter de l'an 2000 sont demeurés les leitmotive de la politique extérieure de Bucarest. - **Édith Lhomel** ■

République de Roumanie

Capitale : Bucarest.
Superficie : 237 500 km^2.
Nature du régime : parlementaire à tendance présidentielle.
Chef de l'État : Emil Constantinescu (depuis le 17.11.96).
Chef du gouvernement : Radu Vasile, qui a succédé le 2.4.98 à Victor Ciorbea.
Ministre des Affaires étrangères : Andreï Plesu (depuis le 29.12.97).
Ministre de la Défense : Constantin-Dudu Ionescu (depuis le 6.2.98).
Président du Sénat : Petre Roman (depuis le 18.11.96).
Monnaie : leu, pluriel lei (au cours officiel, 1000 lei = 0,7 FF au 30.5.98).
Langues : roumain ; les différentes minorités parlent également le hongrois, l'allemand et le rom.

Slovénie

Le 6 janvier 1998, deux agents des services secrets slovènes ont été surpris en Croatie, alors qu'ils utilisaient un matériel d'écoutes ultramoderne, ayant permis un suivi précis de la guerre de 1992-1995 en Bosnie et en Krajina. Le ministre de la Défense, Jelko Kacin, a dû démissionner. Ces événements, qui ne sont pas sans précédents, ont laissé affleurer, entre l'ombre du passé communiste et l'imitation involontaire de l'Italie des années 1969-1978, un visage inquiétant ou ridicule de la jeune démocratie slovène, tout en révélant des relations relativement conflictuelles avec la Croatie.

Parallèlement, le Parti du peuple (Ljudska stranka), nouvelle appellation des démocrates-chrétiens depuis leur défaite électorale du 10 novembre 1996, a été accusé par la presse d'avoir bénéficié d'un financement illégal. Son président, Marjan Podobnik, a réfuté ces accusations, soutenant qu'elles avaient été suscitées par les lobbies économiques et politiques (libéraux-démocrates, principal parti de la coalition gouvernementale).

L'actualité a aussi été marquée par l'effort de préparation à l'intégration à l'Union européenne (UE) – depuis juin 1997 le pays fait partie des pays éligibles, tandis qu'il a été éconduit par l'OTAN (Organisation du traité de l'Atlantique nord). Le Premier ministre Janez Drnovsek s'est rendu dans les principales capitales européennes, pour préparer la réunion du 12 mars 1998 à Londres, qui a marqué les débuts solennels des négociations entre les Quinze (chefs d'État et de gouvernement) et les candidats à l'adhésion. La plus controversée des réformes engagées s'est révélée être celle du système de retraites. Le ministre du Travail, Tone Rop, a annoncé le 27 mars 1998 un recul de l'âge de la retraite à soixante-cinq ans. Une série de manifestations, le « printemps des syndicats », débutait. La retraite à soixante ans était un héritage titiste que l'évolution, notamment démographique, du pays (la Slovénie est, avec la Grèce, le pays de la région où la fécondité est la plus basse) ne permettait plus d'assumer.

République de Slovénie

Capitale : Ljubljana.
Superficie : 20 251 km².
Nature du régime : parlementaire.
Chef de l'État : Milan Kucan, président de la République depuis la proclamation de l'indépendance (25.6.91).
Premier ministre : Janez Drnovsek (depuis le 22.4.92).
Monnaie : tolar (au cours officiel, 100 tolar = 3,59 FF au 30.5.98).
Langue : slovène (off.), italien, hongrois.

La Slovénie apparaît ainsi hésiter entre la volonté d'être le meilleur élève de la nouvelle classe européenne et la crainte de voir la maîtrise de son destin lui échapper, ce qui peut nourrir un nationalisme identitaire. - **Joseph Krulic** ■

Yougoslavie

Violences au Kosovo

Les imposantes manifestations de contestation ayant regroupé des centaines de milliers de citoyens serbes de novembre 1996 à février 1997, consécutives au vol électoral orchestré par les autorités au lendemain de la victoire de l'opposition démocratique aux élections municipales du 16 novembre 1996, avaient laissé croire à une chute possible du régime autoritaire de Slobodan Milosevic. Ces espoirs ont été déçus en 1997. En 1998, la République fédérale de Yougoslavie (RFY, regroupant Serbie et Monténégro) – reconnue de fait par la communauté internationale depuis les accords de Dayton (signés le 14 décembre 1995) – et plus particulièrement la Serbie se sont enfermées dans un réflexe autoritaire et isolationniste.

En février 1997, le pouvoir socialiste avait fini par reconnaître la victoire électorale de la coalition Ensemble (Zajedno) en adoptant une loi spéciale. La dynamique d'union de l'opposition démocratique pouvait laisser présager de nouvelles victoires en 1997, lors des élections législatives et présidentielles. Néanmoins, au lieu d'élargir le rassemblement des forces démocratiques et de la société civile, Zajedno a fini par se déchirer : les divergences entre le chef du Mouvement serbe du renouveau (SPO), Vuk Draskovic, et le président du Parti démocrate (DS) devenu maire de Belgrade, Zoran Djindjic, ont mis à mal la coalition. Tandis que le SPO se prononçait pour la participation aux élections législatives, le DS, appuyé par l'Alliance civique de Serbie (GSS), refusait de légitimer un jeu électoral dont les règles étaient fixées en fonction des intérêts du parti gouvernemental, le Parti socialiste de Serbie (SPS). Douze partis politiques ont réclamé une table ronde pour discuter des conditions électorales : le pouvoir ayant augmenté le nombre de circonscriptions (de neuf à vingt-neuf) en juillet 1997, ces organisations ont décidé de boycotter les élections législatives, jugées inéquitables. Affaiblie et peu représentée au Parlement fédéral, l'opposition n'était pas parvenue à entraver l'élection de S. Milosevic au poste de président de la République fédérale de Yougoslavie le 23 juillet 1997, ce dernier ayant utilisé les deux mandats de président de la Serbie que lui offrait la Constitution de cette république.

Socialistes et extrémistes de droite au gouvernement de la Serbie

Le boycottage n'a finalement pas été suffisamment important pour invalider les élections législatives du 21 septembre 1997. Toutefois, aucun parti n'a obtenu la majorité absolue : sur 250 sièges, le SPS et sa coalition ont obtenu 110 sièges (34,25 % des voix), le Parti radical serbe (SRS) 82 (28,07 %) et le SPO 45 (19,20 %). L'élection présidentielle se déroulant le même jour était invalidée, la participation étant inférieure à 50 % du corps électoral (48,97 %), Vojislav Seselj, chef du SRS, formation d'extrême droite, était arrivé en tête devant le candidat du SPS, l'ancien président de la Fédération yougoslave, Zoran Lilic. Lors d'une nouvelle consultation électorale le 21 décembre 1997, le candidat du SPS, Milan Milutinovic, a obtenu 59,23 % des suffrages contre 37,57 % à son rival Vojislav Seselj, la participation ayant de peu dépassé 50 %. De fait, la Serbie connaissait une crise politique : l'Assemblée de Serbie n'a été constituée que le 3 décembre 1997 et le nouveau gouvernement, reflétant la consultation électorale de septembre 1997, a été formé le 23 mars 1998. Alors que l'on pressentait le SPO comme partenaire gouvernemental du SPS, le Premier ministre, Mirko Marjanovic, a constitué une équipe avec la deuxième formation du Parlement de Serbie, le SRS.

La RFY, constituée en avril 1992, n'est pas un État consolidé. Sa cohésion a sérieusement été remise en cause en 1997-1998, en premier lieu par l'affirmation au

République fédérale de Yougoslavie

Depuis la signature des accords de Dayton, le 14.12.95, la République fédérale de Yougoslavie (RFY) a été reconnue de fait par la communauté internationale. Cette fédération réunit la République de Serbie et celle du Monténégro.

Capitale : Belgrade.

Superficie : 102 200 km².

Monnaie : nouveau dinar (au cours officiel, 100 nouveaux dinars = 55,8 FF au 24.08.98).

Chef de l'État : Slobodan Milosevic, qui a succédé, le 24.7.97, à Zoran Lilic.

Chef du gouvernement : Radoje Kontic (depuis le 9.2.93).

Ministre de l'Intérieur : Zoran Sokolovic.

Ministre de la Défense : Pavle Bulatovic.

Nature du régime : parlementaire.

RÉPUBLIQUE DE SERBIE

Chef de l'État : Milan Milutinovic, qui a succédé le 21.12.97 à Slobodan Milosevic.

Chef du gouvernement : Mirko Marjanovic (depuis févr. 94).

Nature du régime : officiellement démocratique, en fait dominé par le Parti socialiste (ex-communiste).

Principaux partis politiques : Parti socialiste de Serbie (SPS) ; Parti démocrate (DS) ; Mouvement du renouveau serbe (SPO) ; Alliance civique de Serbie (GSS) ; Parti radical serbe (SRS) ; Ligue démocratique du Kosovo.

Langues : serbe (off.), auparavant appelé « serbo-croate », albanais, hongrois, rom.

RÉPUBLIQUE DU MONTÉNÉGRO

Chef de l'État : Milo Djukanovic, qui a succédé le 20.10.97 à Momir Bulatovic.

Chef du gouvernement : Filip Vujanovic, qui a succédé le 8.2.98 à Milo Djukanovic.

Nature du régime : officiellement démocratique, en fait dominé par le Parti démocratique socialiste (ex-communiste).

Principaux partis politiques : Parti démocratique des socialistes du Monténégro (DPSCG) ; Parti populaire (NS) ; Alliance libérale (LS).

Langues : serbe (off., auparavant appelé « serbo-croate »), albanais.

INDICATEUR*	UNITÉ	1985	1990	1996	1997
Démographie**					
Population	*million*	9,85	10,16	10,29	10,35
Densité	*hab./km²*	96,4	99,4	100,7	101,3
Croissance annuelle	%	0,62[a]	0,19[b]	0,48[c]	••
Indice de fécondité (ISF)		2,23[a]	1,93[b]	1,80[c]	••
Mortalité infantile	‰	30[a]	21[b]	19[c]	••
Espérance de vie	*année*	70,0[a]	71,7[b]	72,5[c]	••
Indicateurs socioculturels					
Nombre de médecins	*‰ hab.*	4,12	2,02	2,02[d]	••
Scolarisation 2e degré[e]	%	••	63	65[d]	••
Scolarisation 3e degré	%	••	18,2	21,1[d]	••
Téléviseurs	‰	••	174,9[f]	185,1[d]	••
Livres publiés	*titre*	••	••	2 799[g]	••
Économie					
PIB total	*milliard $*	••	••	19,45[m]	••
Croissance annuelle[h]	%	0,3[a]	– 13,7	5,9	7,4
PIB par habitant	$	••	••	1 900[m]	••
Investissement (FBCF)	*% PIB*	••	••	••	••
Recherche et Développement	*% PIB*	••	••	••	••
Taux d'inflation	%	••	580,0	59,9[k]	10,3[k]
Chômage	%	••	22,5	26,1[i]	25,6[i]
Population active	*million*	4,64	4,89	4,99	••
Agriculture	% } 100 %	34,2	29,7	26,5[d]	••
Industrie	% } 100 %	••	••	••	••
Services	% } 100 %	••	••	••	••
Dépense publique Éducation	*% PIB*	••	••	••	••
Dépense publique Défense	*% PIB*	3,7	4,0	8,7	••
Énergie (taux de couverture)	%	48,7	67,0	95,2[d]	••
Dette extérieure totale	*milliard $*	22,25	17,84	13,44	••
Service de la dette/Export.	%	31,6	33,3	••	••
Échanges extérieurs[o]		**1985**	**1990**	**1996**	**1997**
Importations de services	*milliard $*	••	••	••	••
Importations de biens	*milliard $*	4,66	6,70	4,10	4,80
Produits alimentaires	%	4,7	12,0	14,2	••
Produits énergétiques	%	27,2	17,0	14,0	••
Produits manufacturés	%	54,4	62,7	59,8	••
Exportations de services	*milliard $*	••	••	••	••
Exportations de biens	*milliard $*	3,81	4,65	1,84	2,37
Produits alimentaires	%	9,3	7,3	28,2	••
Minerais et métaux	%	5,6	7,2	14,8	••
Produits manufacturés	%	78,9	78,8	48,9	••
Solde transactions courantes	*% du PIB*	••	••	••	••

* Définition des indicateurs p. 25 et suiv. ** Dernier recensement utilisable : 1991. Tous les chiffres concernant la population sont à prendre avec beaucoup de précautions du fait des guerres qui ont déchiré l'espace de l'ancienne Yougoslavie jusqu'en 1995 et des mouvements de population qu'elles ont provoqués. a. 1985-90 ; b. 1990-95 ; c. 1995-2000 ; d. 1995 ; e. Taux brut, 11-18 ans ; f. 1991 ; g. 1994 ; h. Les chiffres se réfèrent au Produit matériel brut (indicateur utilisé dans les économies des ex-pays communistes, ne correspondant pas au PIB) ; i. En fin de période ; k. Décembre à décembre ; m. Estimation de la CIA, à parité de pouvoir d'achat (PPA, voir définition p. 581), pour 1995 ; o. Les données du commerce extérieur doivent être considérées avec circonspection du fait des mesures d'embargo qui ont touché le pays.

Monténégro d'une équipe dirigeante libérale autour de Milo Djukanovic et en second lieu, après huit ans de *statu quo*, par le retour de la violence au Kosovo (région de Serbie peuplée très majoritairement d'Albanais).

Au Monténégro, le parti dominant, le Parti démocratique des socialistes (DSPCG), a fini par se scinder au cours de l'été 1997 en deux fractions, dominées respectivement par le président et le chef du gouvernement de cette république : Momir Bulatovic, représentant une ligne conservatrice fidèle aux liens avec le régime de Belgrade, et M. Djukanovic, défendant une politique d'égalité du Monténégro au sein de la RFY, des réformes politiques et économiques, la réintégration de la Yougoslavie dans les institutions internationales, ainsi qu'un État monténégrin multiethnique et multiculturel. Le conflit a été partiellement tranché lors des élections présidentielles du 20 octobre 1997, M. Djukanovic, soutenu par l'opposition démocratique, ayant devancé son rival (50,22 % des suffrages contre 48,72 %). Le nouveau président du Monténégro n'a pas été reconnu par les autorités de Belgrade, ni par les partisans de M. Bulatovic qui, le 15 janvier 1998, ont organisé un rassemblement à Podgorica visant à entraver son investiture. M. Bulatovic ayant renoncé à l'emploi de la violence, la passation de pouvoirs a pu se réaliser. M. Djukanovic a formé le 8 février 1998 un gouvernement de coalition comprenant le Parti démocratique des socialistes, le Parti populaire, le Parti social-démocrate et le Parti de l'action démocratique. Tandis que M. Djukanovic bénéficiait du soutien de l'Occident, l'issue du conflit entre réformateurs et conservateurs devait être connue lors des élections législatives du 31 mai 1998. M. Djukanovic, bénéficiant du soutien de l'Occident, est parvenu à renforcer ses assises lors de ce scrutin : sa coalition (Pour une vie meilleure), regroupant le DPSCG, le NS et le SDP, a obtenu 42 sièges sur 78, tandis que le nouveau parti de M. Bulatovic, nommé Premier ministre fédéral, le Parti populaire socialiste (SNP), en gagnait 29.

Engrenage de la violence

En 1989-1990, le pouvoir communiste de Belgrade avait diminué drastiquement les prérogatives des provinces autonomes du Kosovo et de Voïvodine. Les Albanais avaient refusé de se plier au nouvel ordre constitutionnel et ils allaient bientôt revendiquer l'indépendance de la « république du Kosovo », autoproclamée le 2 juillet 1990. La Ligue démocratique d'Ibrahim Rugova a proposé une ligne politique de résistance passive, mais cette orientation n'ayant pas porté ses fruits, la contestation a fini par monter parmi les Albanais (Parti parlementaire, jeunesse estudiantine). A l'automne 1997, les étudiants albanais ont manifesté pour la réouverture de l'université de Pristina. Un an auparavant, un accord sur l'enseignement avait été signé entre Slobodan Milosevic et Ibrahim Rugova mais n'avait pas été appliqué. Une Armée de libération du Kosovo (UCK) a été constituée : alors que ses rangs ne comptaient que quelques centaines d'hommes au début de 1998, elle s'est développée rapidement et rassemblait environ 15 000 soldats en juillet 1998. Depuis 1996, elle multipliait les attaques contre les forces de l'ordre serbes et les Albanais demeurés fidèles au régime de Belgrade. Fin février 1998, alors que les provocations de l'UCK redoublaient, les forces de police serbes ont entrepris de « nettoyer » la région de la Drenica, lieu où les Albanais en armes sont fortement implantés. La répression a été très violente, faisant de nombreuses victimes parmi les civils (femmes et enfants). La violence de la police a suscité l'intervention des grandes puissances qui ont exigé de la Serbie le retrait de ses forces spéciales de police du Kosovo, ainsi que l'ouverture de négociations avec les représentants des Albanais.

A la mi-mai 1998, la diplomatie américaine avait obtenu le début d'un dialogue entre Slobodan Milosevic et Ibrahim Ru-

Yougoslavie/Bibliographie

L. Gervereau, Y. Tomic (sous la dir. de), *De l'unification à l'éclatement : l'espace yougoslave, un siècle d'histoire*, BDIC, Nanterre, 1998.

V. Goati (sous la dir. de), *Challenges of Parliamentarism : The Case of Serbia in the Early Nineties*, Institute of Social Science, Belgrade, 1995.

D. Janic (sous la dir. de), *Serbia. Between the Past and the Future*, Institute of Social Science, Forum of Ethnic Relations, Belgrade, 1995.

D. Masson, « A propos de l'opposition serbe. W. Zimmerman », *La Nouvelle Alternative*, n° 45, Paris, mars, 1997.

J. Minic, *EU Enlargement : Yougoslavia and the Balkans*, Institut ekonomskih nauk, Belgrade, 1997.

T. Popovic, *The Basis of Transition and Privatisation (The Yugoslav Case)*, Institut ekonomskih nauk, Belgrade, 1996.

S. P. Ramet, *Balkan Babel, The Disintegration of Yugoslavia from the Death of Tito to Ethnic War*, Westview Press, Boulder, 1996.

M. Roux, *Les Albanais en Yougoslavie. Minorité nationale, territoire et développement*, Éd. de la MSH, Paris, 1992.

W. Zimmerman, *Origins of a Catastrophe. Yugoslavia and its Destroyers. America's last Ambassador tells what happened and why*, Times books, New York, 1996.

Voir aussi la bibliographie « Balkans » p. 520.

gova. Néanmoins, la poursuite des combats sur le terrain, la volonté des autorités yougoslaves d'écraser l'insurrection albanaise et l'affirmation politique de l'UCK, contestant la légitimité d'I. Rugova et revendiquant l'union des Albanais du Kosovo, de Macédoine, du Monténégro et d'Albanie dans un même État, rendaient difficiles les négociations. Tandis que l'UCK contrôlait un tiers du Kosovo depuis mars 1998, les forces de police serbes et l'armée yougoslave parvenaient à conquérir, début août 1998, ses principaux bastions, provoquant ainsi le retrait des troupes de l'UCK, ainsi que l'exode d'environ 200 000 civils albanais. - **Yves Tomić** ■

Méditerranée orientale

Chypre, Grèce, Malte, Turquie

Chypre

Le principe d'une fédération bizonale et bicommunautaire, accepté comme cadre de la réunification de l'État chypriote, divisé depuis l'occupation du nord de l'île par l'armée turque en 1974, ne peut résoudre un problème qui implique les Nations unies depuis 1964 et, désormais, l'Union européenne. La reconnaissance de la « République turque du nord de Chypre » est, pour les Turcs, le préalable à la reprise de pourparlers et la Turquie répond aux négociations pour l'adhésion de Chypre à l'Union européenne, dédaignées par les Chypriotes turcs, en poussant l'intégration économique et diplomatique du nord de l'île dans l'espace turc. Au sud, où le président grec sortant, Glafkos Cléridès, n'a été réélu qu'avec 50,82 % des voix face à une coalition de la droite, Parti démocrate – DIKO – jusque-là allié au Rassemblement démocratique – DISY – du président, et des communistes, l'économie souffre du tassement du tourisme, des exportations agricoles après des hivers froids et secs et du coût de l'achat de chars de combat et de missiles antiaériens pour protéger les avions qui doivent les couvrir.

République de Chypre

Capitale : Nicosie.
Superficie : 9 521 km².
Nature du régime : démocratie présidentielle. Un quota de sièges est réservé aux Chypriotes turcs au Parlement (il n'est pas pourvu).
Chef de l'État et du gouvernement : Glafkos Cléridès (depuis le 14.2.93, réélu le 15.2.98).
Ministre des Affaires étrangères : Ioannis Kasoulidès.
Ministre de l'Intérieur : Dinos Michaélidès.
Ministre de la Défense : Yannakis Omirou.
Délégué aux pourparlers pour l'adhésion à l'Union européenne : George Vassiliou (ancien chef de l'État, 89-93).
Échéances institutionnelles : élection présidentielle (2002).
Monnaie : livre chypriote (1 livre = 11,26 FF au 30.4.98).
Territoires contestés : le tiers nord de l'île et la partie nord de Nicosie (capitale) sont occupés depuis août 1974 par la Turquie, qui y soutient une administration locale présentée depuis 1983 comme le gouvernement d'une « république turque du nord de Chypre », non reconnue, sauf par la Turquie.
Langues : grec, turc, anglais (officielles).

Grèce

L'intégration de la drachme dans le Système monétaire européen (SME) en 2001 et les rapports avec la Turquie, qui impliquent le problème de Chypre, ont dominé l'actualité politique et diplomatique grecque.

INDICATEUR*	CHYPRE	GRÈCE	MALTE	TURQUIE
Démographie**				
Population *(millier)*	767	10 522	371	62 774
Densité *(hab./km²)*	80,6	79,7	1 174,1	80,4
Croissance annuelle[d] *(%)*	1,2	0,3	0,6	1,5
Indice de fécondité (ISF)[d]	2,3	1,4	2,1	2,5
Mortalité infantile[d] *(‰)*	7	8	8	44
Espérance de vie[d] *(année)*	77,6	78,1	76,9	69,1
Population urbaine *(%)*	55,2	59,6	89,8	71,7
Indicateurs socioculturels				
Développement humain (IDH)[c]	0,907	0,923	0,887	0,772
Nombre de médecins *(‰ hab.)*	1,76[k]	3,9[c]	2,50[n]	1,2[b]
Analphabétisme (hommes)[b] *(%)*	••	••	••	8,3
Analphabétisme (femmes)[b] *(%)*	••	••	••	27,6
Scolarisation 2e degré *(%)*	93[bg]	95[gk]	84[ci]	50[ch]
Scolarisation 3e degré *(%)*	20[b]	38,1[c]	21,8[c]	18,2[c]
Adresses Internet *(‰ hab.)*	••	18,8	••	3,6
Livres publiés[b] *(titre)*	1 128	4 134	404	6 274
Armées				
Armée de terre *(millier d'h.)*	10	116	1,95	525
Marine *(millier d'h.)*		19,5		51
Aviation *(millier d'h.)*		26,8		63
Économie				
PIB total[e] *(million $)*	15 163[a]	145 800	4 740[c]	409 300
Croissance annuelle 1986-96 *(%)*	5,6	1,6	5,4	4,3
Croissance 1997 *(%)*	3,5	3,4	3,7	6,3
PIB par habitant[e] *($)*	20 490[a]	13 856	13 009[c]	6 521
Investissement (FBCF)[f] *(% PIB)*	22,8	20,3	28,9	24,5
Taux d'inflation *(%)*	3,9	4,8	5,2	99,1
Énergie (taux de couverture)[b] *(%)*	••	34,7	••	37,0
Dépense publique Éducation *(% PIB)*	4,4[b]	3,7[b]	5,5[c]	3,3[c]
Dépense publique Défense[a] *(% PIB)*	5,2	4,8	1,1	3,9
Dette extérieure totale[a] *(million $)*	••	••	••	79 789
Service de la dette/Export.[f] *(%)*	••	••	••	26
Échanges extérieurs				
Importations *(million $)*	3 698	26 040	2 556	48 585
Principaux fournisseurs[a] *(%)*	UE 48,6	UE 69,5	UE 68,5	UE 54,6
(%)	E-U 16,8	Ita 19,4	Asie[m] 18,6	Asie[m] 19,5
(%)	Asie[m] 18,0	PED 20,9	E-U 6,9	E-U 7,8
Exportations *(million $)*	1 010	11 760	1 642	26 245
Principaux clients[a] *(%)*	UE 28,1	UE 56,4	UE 57,1	UE 51,4
(%)	M-O 18,6	RFA 18,5	Asie[m] 20,6	RFA 23,6
(%)	Ex-CAEM 36,5	PED 34,6	E-U 13,4	PED 34,7
Solde transactions courantes *(% PIB)*	– 2,93[b]	– 4,00	– 11,13[a]	– 1,42

Note : pour Chypre, le chiffre 10 couvre ensemble Armée de terre, Marine et Aviation (accolade).

* Définition des indicateurs p. 25 et suiv. Chiffres 1997 sauf notes. ** Derniers recensements utilisables : Chypre, 1992 ; Grèce, 1991 ; Malte, 1985 ; Turquie, 1997. a. 1996 ; b. 1995 ; c. 1994 ; d. 1995-2000 ; e. A parité de pouvoir d'achat (PPA, voir définition p. 581) ; f. 1994-96 ; g. 12-17 ans ; h. 11-16 ans ; i. 11-17 ans ; k. 1990 ; m. Y compris Japon et Moyen-Orient ; n. 1993.

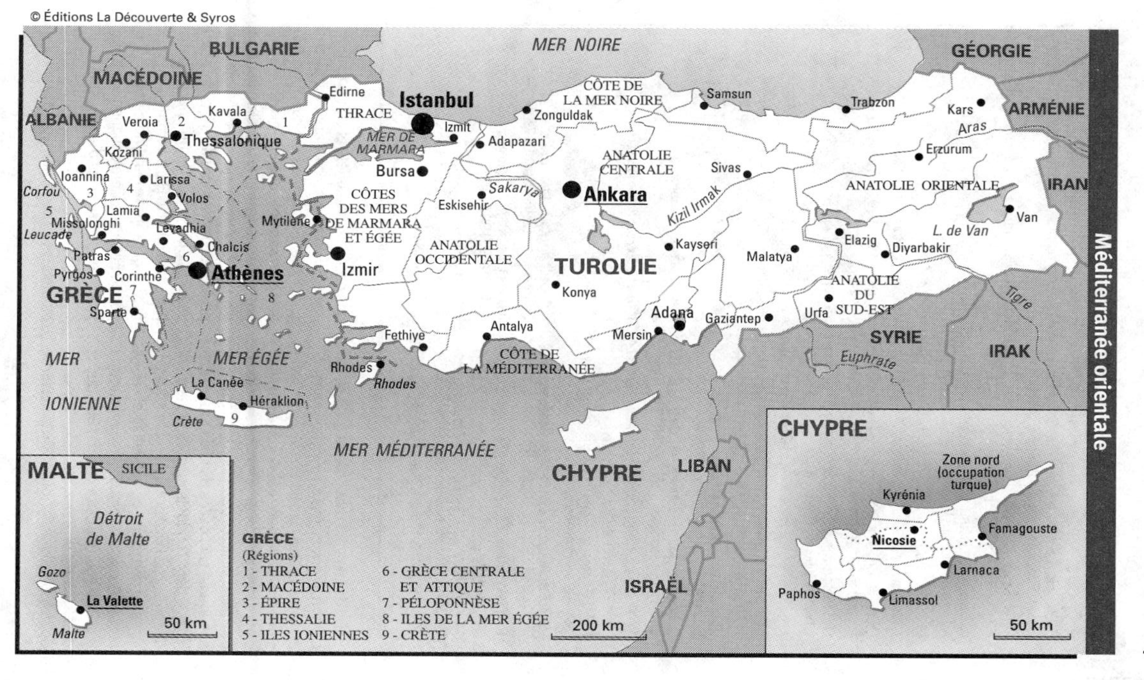
Méditerranée orientale
BULGARIE
MACÉDOINE
ALBANIE
GRÈCE
GÉORGIE
ARMÉNIE
IRAN
IRAK
SYRIE
LIBAN
ISRAËL
CHYPRE
TURQUIE
MER NOIRE
MER DE MARMARA
MER ÉGÉE
MER IONIENNE
MER MÉDITERRANÉE
Edirne
THRACE
Istanbul
Izmit
Zonguldak
Adapazari
CÔTE DE LA MER NOIRE
Samsun
Trabzon
Kars
Aras
Erzurum
ANATOLIE CENTRALE
Sivas
Ankara
Sakarya
Kizil Irmak
Eskisehir
Bursa
CÔTES DES MERS DE MARMARA ET ÉGÉE
ANATOLIE OCCIDENTALE
ANATOLIE ORIENTALE
Van
L. de Van
Elazig
Diyarbakir
Malatya
Kayseri
Konya
ANATOLIE DU SUD-EST
Tigre
Urfa
Gaziantep
Adana
Mersin
Euphrate
Antalya
CÔTE DE LA MÉDITERRANÉE
Fethiye
Rhodes
Mytilène
Izmir
Kavala
Veroia
Thessalonique
Kozani
Ioannina
Larissa
Volos
Corfou
Lamia
Missolonghi
Leucade
Levadhia
Chalcis
Patras
Pyrgos
Corinthe
Athènes
Sparte
La Canée
Héraklion
Crète
MALTE
SICILE
Détroit de Malte
Gozo
La Valette
Malte
50 km
GRÈCE
(Régions)
1 - THRACE
2 - MACÉDOINE
3 - ÉPIRE
4 - THESSALIE
5 - ILES IONIENNES
6 - GRÈCE CENTRALE ET ATTIQUE
7 - PÉLOPONNÈSE
8 - ILES DE LA MER ÉGÉE
9 - CRÈTE
200 km
CHYPRE
Zone nord (occupation turque)
Kyrénia
Nicosie
Famagouste
Larnaca
Limassol
Paphos
50 km

Méditerranée orientale/Bibliographie

S. Basch, *Le Mirage grec. La Grèce moderne devant l'opinion française (1846-1946),* Hatier/Ekdoseis, Paris/Athènes, 1995.

M.-N. Bourguet *et alii, L'Invention scientifique de la Méditerranée. Égypte, Morée, Algérie,* Éd. de l'EHESS, Paris, 1998.

L. Briguglio, *Island Economics – Plans, Strategies and Performance : Malta,* RSPS, Australian National University, Canberra, 1992.

G. Contogeorgis, *Histoire de la Grèce,* Hatier, Paris, 1992.

J. Dalègre, *La Thrace grecque. Populations et territoires,* L'Harmattan, Paris, 1997.

O. Deslondes, « L'évolution de la population grecque (1981-1991) : vers un modèle européen », *Méditerranée,* n° 81, 1-2, Aix-en-Provence, 1994.

O. Deslondes, *Les Fourreurs de Kastoria : entre la Macédoine et l'Occident,* CNRS-Éditions, Paris, 1997.

J.-F. Drevet, *Chypre, île extrême,* Syros Alternatives, Paris, 1991.

« Grèce. Identités, territoires, voisinages, modernisations », *Cahiers d'études sur la Méditerranée orientale et le monde turco-iranien (CEMOTI),* n° 17, Paris, 1994.

« Le carrefour maltais », *Revue du monde musulman et de la Méditerranée,* n° 71, Edisud, Aix-en-Provence, 1994.

F. Lerin, L. Mizzi (sous la dir. de), *Malta : Food, Agriculture, Fisheries and the Environment,* IAM-CIHEAM, Montpellier, 1993.

M.-P. Masson-Vincourt, *Paul Calligas (1814-1896) et la fondation de l'État grec,* L'Harmattan, Paris, 1997.

P.-Y. Péchoux, « Les populations de Chypre à la fin de 1994 », *Méditerranée,* n° 81, 1-2, Aix-en-Provence, 1994.

P.-Y. Péchoux, « Les rôles de Chypre en Méditerranée, carrefour ou verrou », *in Méditerranée, mer ouverte,* International Foundation Malta, La Valette, 1997.

P.-Y. Péchoux, *Quelle identité chypriote ?, in* « Kyprios Character. Quelle identité chypriote ? », *Sources. Travaux historiques,* n° 43-44, Paris, 1995.

M. Sivignon, « La Grèce », *La Documentation photographique,* n° 7044, La Documentation française, Paris, déc. 1997.

Voir aussi la bibliographie « Turquie », p. 535.

En dévaluant la drachme de 13,8 % par rapport à l'écu en mars 1998, le gouvernement de Kostas Simitis (PASOK, Mouvement socialiste panhellénique) a persisté dans sa ligne d'austérité et dans sa volonté de limiter l'inflation, de réduire les dépenses publiques, sauf celles de la défense, d'alléger le déficit budgétaire, de diminuer l'endettement de l'État pour approcher des critères de convergence de Maastricht. Ces buts ont pourtant semblé lointains puisque le déficit commercial a crû en 1997 du fait du tassement du tourisme, de la stagnation des exportations agricoles, de la mévente des produits industriels et de l'enchérissement des importations. Le pouvoir d'achat des classes moyennes a diminué, effet d'autant plus sensible que la législation sur la protection sociale et le travail doit être assouplie. Cette politique mécontente l'opposition conservatrice (ND, Parti de la nouvelle république, dirigé par Kostas Karamanlis) et le Parti communiste grec (KKE), qui appelle les syndicats à s'y opposer. Elle a aussi été critiquée par la majorité de la presse et par d'anciens caciques du PASOK qui usent périodiquement de leur influence et de l'inquiétude des agriculteurs quant à la réforme de la Politique agricole commune pour laisser monter d'énormes manifestations sur les routes desservant les préfectures, voire Athènes. Parallèlement, le fait de relancer la privatisation d'une douzaine d'entreprises et banques publiques a rompu avec une tradition qui faisait de l'État, depuis la fin de la guerre civile (1950), le principal investisseur dans les secteurs d'intérêt général. Les dépenses de défense entraînées par les choix de politique étrangère pèsent sur la politique économique du pays.

La politique étrangère a d'abord pour but de ne rien céder de la souveraineté en mer Égée, en dépit d'incidents nés de ce qui est qualifié d'« expansionnisme turc ». Elle vise une étroite coopération avec la république de Chypre en matière de défense et d'élargissement de l'Union européenne : « Nous tiendrons pour irrecevable la candidature de certains États si Chypre n'est pas du nombre », déclarait fin février 1998 le secrétaire d'État aux Affaires étrangères, Yannos Kranidiotis. Il s'agit enfin d'exercer dans le sud des Balkans – malgré la concurrence d'Istanbul et en délaissant tant les revendications remâchées après 1990 à propos de minorités grecques irrédentes que les slogans de solidarité orthodoxe face à l'islam que Mgr Seraphim, primat de Grèce, prêcha jusqu'à sa mort (avril 1998) – tous les rôles que l'effacement de la Yougoslavie a rendus accessibles à la Grèce du fait de sa position géographique, de son appartenance à l'Europe et de son expérience des marchés. Des organisations charitables et des entrepreneurs ont déjà montré la voie vers la Macédoine, la Bulgarie, l'Albanie, ce qui peut assurer l'avenir régional de Thessalonique et aider la société grecque à échapper à une xénophobie menaçante depuis que le pays est devenu terre d'immigration.

République de Grèce

Capitale : Athènes.
Superficie : 131 944 km^2.
Nature du régime : parlementaire monocaméral.
Chef de l'État : Costis Stéphanopoulos, président de la République (depuis le 8.3.95).
Chef du gouvernement : Kostas Simitis, Premier ministre (depuis 96).
Ministre des Affaires étrangères : Théodoros Pangalos.
Ministre de l'Intérieur : Alécos Papadopoulos.
Ministre de la Défense : Akis Tsohatzopoulos.
Ministre de l'Économie et des Finances : Yannos Papantoniou.
Monnaie : drachme (100 drachmes = 0,29 écu = 1,94 FF au 30.8.98).
Langues : grec moderne (off.), turc (langue reconnue de la minorité musulmane), albanais, valaque, bulgare.
Territoires contestés : différends avec la Turquie à propos de l'usage de l'espace aérien et maritime en mer Égée et de la possession de quelques îlots et récifs.

Malte

La population de Malte continue de croître. Elle approche désormais 375 000 habitants (1 200 habitants au km^2), accentuant la pression sur des ressources en eau si limitées – bien que complétées par des usines de dessalement – que les surfaces agricoles diminuent. Le gouvernement travailliste d'Alfred Sant a rompu à l'automne 1996, malgré les milieux d'affaires, le processus d'intégration à l'Europe entamé dès 1970. Il n'a par ailleurs pas pu obtenir de Bruxelles un statut spécial pour les échanges commerciaux, en majorité orientés vers l'Italie et la France. Les droits de douane et les taxes à l'importation ont donc été relevés en juillet 1997. Il reste à établir si ce repli isolationniste menace le tourisme et les nombreuses industries de transformation établies dans l'île et s'il explique à lui

République de Malte

Capitale : La Valette.
Superficie : 316 km^2.
Nature du régime : parlementaire.
Chef de l'État : Ugo Mifsud Bonnici, président de la République (depuis le 4.4.94).
Chef du gouvernement : Eddie Fenech Adami, Premier ministre, qui a succédé le 6.9.98 à Alfred Sant.
Monnaie : livre maltaise (au cours officiel, 1 livre = 15,23 FF au 29.7.98).
Langues : maltais, anglais (officielles), italien.

seul l'augmentation du déficit budgétaire (près de 10 % en 1997), la croissance du chômage (plus de 4,5 %) et le repli du taux de croissance du PIB. - **Pierre-Yves Péchoux** ■

Turquie

Reprise en main par l'armée

Les législatives de décembre 1995 avaient fait du Refah (Parti de la prospérité, islamiste) la première force politique du pays (21 %), suivie de près par le Parti de la mère patrie (ANAP, centre droit, 19,7 %) et le Parti de la juste voie (DYP, centre droit, 19,6 %). De juin 1996 à juillet 1997, une coalition menée par les islamistes a dirigé le pays, Necmettin Erbakan (Refah) étant Premier ministre et Tansu Çiller (DYP) vice-premier ministre et ministre des Affaires étrangères.

N. Erbakan avait tenté de réorienter le pays vers le monde musulman ; à partir du 28 février 1997, la vie politique a cependant été soumise aux pressions du Conseil national de sécurité (MGK), par lequel l'armée contrôle l'État. A partir de mai 1997, en raison de la défection de députés du DYP, la coalition n'avait plus la majorité absolue. La Cour suprême lançait une procédure visant à l'interdiction du Refah, accusé de contrevenir au principe de laïcité. N. Erbakan a été contraint de démissionner le 18 juin 1997. Une nouvelle coalition, dirigée par Mesut Yilmaz (ANAP), comprenant l'ANAP, le DSP (Parti de la gauche démocratique, dirigé par Bülent Ecevit) et le DTP (Parti démocratique de Turquie, dirigé par Hüsamettin Cindoruk), obtenait, le 12 juillet 1997, le vote de confiance du Parlement.

L'adoption, le 16 août, d'une loi visant, en prolongeant la scolarité obligatoire à huit ans, à gêner l'enseignement religieux a provoqué une vague de manifestations islamistes. L'armée a été épurée (décembre) et le parti Refah interdit le 22 février 1998. Des personnalités dont N. Erbakan ont été condamnées à cinq ans d'interdiction d'activités politiques. Toutefois, un nouveau parti islamiste, le Fazilet (Parti de la vertu), a accueilli les députés du Refah et est devenu, en mars 1998, le premier parti du pays. Dès lors, la menace d'un coup d'État était une nouvelle fois évoquée, le MGK ayant fait savoir que les mesures contre la « réaction religieuse » étaient insuffisantes. En avril, des coups étaient portés contre les milieux d'affaires islamistes et contre le maire d'Istanbul, Recep Tayyip Erdogan. La réaction contre le gouvernement précédent s'est aussi manifestée par une mise en accusation pour corruption de T. Çiller.

Depuis juin 1997, la question de la tenue d'élections législatives anticipées avait agité le monde politique ; finalement, le 31 juillet 1998, le gouvernement, approuvé par le Parlement, a décidé de les organiser le 18 avril 1999.

La Constitution fait obstacle à la démocratisation

En novembre 1996, le pays avait été secoué par l'affaire dite « de Susurluk », révélant les liens entre l'État, la mafia et l'extrême droite, confirmés par une enquête parlementaire en avril 1997. Sans être au pouvoir, l'extrême droite a continué de tenir le haut du pavé. L'État a maintenu un contrôle sévère sur les universités et les médias. Arrestations et condamnations pour délit d'opinion se sont poursuivies. La justice a couvert les exactions policières. En revanche, la Cour de sûreté de l'État (DGM) a infligé des peines disproportionnées (jusqu'à vingt ans de prison) à de simples manifestants. La violence politique aurait fait près de 4 000 victimes de 1991 à 1995. En janvier 1998, les services de la présidence de la République admettaient que la Constitution de 1982 était un obstacle important à la démocratisation.

Le conflit opposant depuis 1984, dans le Sud-Est, l'armée aux insurgés du Parti des travailleurs du Kurdistan (PKK), séparatiste, s'est poursuivi. Les rebelles auraient compté plus de 20 000 morts entre 1984 et 1997. A partir de mars 1995, les offensives de l'armée contre les camps du PKK du nord de l'Irak sont devenues courantes : l'opération massive de mai-juin 1997 a été suivie, fin 1997, de plusieurs incursions plus limitées ; en avril 1998, Semdin Sakik, numéro deux du PKK, a été enlevé en territoire irakien. Depuis 1996, le PKK a cherché à étendre son domaine d'opérations vers le centre, la mer Noire et le Taurus méditerranéen. Les « équipes spéciales » et les 90 000 « protecteurs de villages », instaurés par l'État, mal contrôlés et infiltrés par l'extrême droite, ont perpétré assassinats et trafics à large échelle. Ces troubles, ainsi que la destruction de centaines de villages, ont continué d'alimenter l'émigration vers les villes, malgré un timide mouvement de retour.

L'économie s'est caractérisée par une très forte inflation (101 % en janvier 1998), une forte croissance (10,8 % pour la production industrielle en 1997), et un déficit du commerce extérieur accru (22 millions de dollars en 1997). La dette extérieure est demeurée l'une des plus fortes au monde (80 milliards de dollars en décembre 1996). L'union douanière, qui a pris effet le 1er janvier 1996, a provoqué une augmentation sensible des importations de l'Union européenne (6 % en 1997). L'Allemagne est restée le premier partenaire avec environ un sixième des échanges. Vers la CEI (Communauté d'États indépendants, réunissant

République de Turquie

Capitale : Ankara.
Superficie : 780 576 km^2.
Monnaie : livre (au taux officiel, 1 000 livres = 0,024 FF au 30.4.98).
Langues : turc (off.), kurde (usage privé autorisé depuis 1991).
Chef de l'État : Süleyman Demirel, président de la République (depuis le 17.4.93).
Chef du gouvernement : Mesut Yilmaz, qui a remplacé, le 20.6.97, Necmettin Erbakan (démissionnaire).
Vice-premier ministre : Bülent Ecevit.
Ministre de l'Intérieur : Murat Basesgioglu.
Ministre des Affaires étrangères : Ismaïl Cem.
Ministre de l'Économie : Günes Taner.
Chef d'état-major : général Ismaïl Hakki Karadayi.
Échéances électorales : municipales et législatives (1999), présidentielle (2000).
Nature de l'État : république centralisée.
Nature du régime : parlementaire.
Principaux partis politiques : *Représentés au Parlement :* Fazilet (FP), ou Parti de la vertu, qui a remplacé en févr. 98 le Parti de la prospérité ou Refah (RP, islamiste) ; Parti de la juste voie (DYP, conservateur) ; Parti de la mère patrie (ANAP, conservateur) ; Parti républicain du peuple (CHP, centre gauche) ; Parti de la gauche démocratique (DSP) ; Parti de la Turquie démocratique (DTP).
Non représentés au Parlement : Parti nationaliste du mouvement (MHP, extrême droite) ; Parti démocratique du peuple (HADEP, pro-kurde) ; Parti de la liberté et de la solidarité (ÖDP, gauche pacifique). *Mouvements activistes clandestins :* Gauche révolutionnaire (Dev-Sol), Parti des travailleurs du Kurdistan (PKK, marxiste-léniniste).
Territoire contesté : le PKK, accusé de séparatisme, s'affronte à l'armée turque dans le sud-est du pays.

INDICATEUR*	UNITÉ	1975	1985	1996	1997
Démographie**					
Population	*million*	40,0	50,3	61,80	62,77
Densité	*hab./km²*	51,2	64,4	79,2	80,4
Croissance annuelle	%	2,3[a]	1,9[b]	1,5[c]	• •
Indice de fécondité (ISF)		4,3[a]	3,2[b]	2,5[c]	• •
Mortalité infantile	‰	111[a]	67[b]	44[c]	• •
Espérance de vie	*année*	61,3	65,8	69,1[c]	• •
Indicateurs socioculturels					
Nombre de médecins	*‰ hab.*	0,46	0,72	1,2[g]	• •
Analphabétisme (hommes)	%	18,7[m]	10,1[n]	8,3[g]	• •
Analphabétisme (femmes)	%	40,2[m]	31,5[n]	27,6[g]	• •
Scolarisation 12-17 ans	%	43,3	53,6	43,1[i]	• •
Scolarisation 3e degré	%	6,7	8,9	18,2[f]	• •
Téléviseurs	‰	26,0	156,9	308,6	• •
Livres publiés	*titre*	6 320[k]	6 685	6 274[g]	• •
Économie					
PIB total[h]	*milliard $*	103,6[m]	155,9	379,9	411,5
Croissance annuelle	%	3,6[d]	4,5[e]	7,0	6,3
PIB par habitant[h]	*$*	2 330[m]	3 100	6 060	6 555
Investissement (FBCF)	*% PIB*	15,2[d]	21,0[e]	25,0	26,1
Recherche et Développement	*% PIB*	• •	0,3[n]	0,4[g]	• •
Taux d'inflation	%	19,2	45,0	80,4	99,1[o]
Population active	*million*	17,6	21,4	28,6	• •
Agriculture	% } *100 %*	58,7	49,6	45,9	• •
Industrie	% } *100 %*	19,4	21,6	21,8	• •
Services	% } *100 %*	22,0	28,8	32,3	• •
Dépense publique Éducation	*% PIB*	2,8[m]	2,3	3,3[f]	• •
Dépense publique Défense	*% PIB*	6,3	4,5	3,9	• •
Énergie (taux de couverture)	%	50,3	52,2	37,0[g]	• •
Dette extérieure totale	*milliard $*	5,06	26,00	79,79	• •
Service de la dette/Export.	%	11,3	35,0	26[q]	• •
Échanges extérieurs		**1974**	**1986**	**1996**	**1997**
Importations de services	*milliard $*	0,37	1,43	6,43	8,51
Importations de biens	*milliard $*	3,59	10,66	43,03	48,10
Produits agricoles	%	13,1	9,1	12,5[g]	• •
Produits énergétiques	%	20,5	19,7	13,0[g]	• •
Produits manufacturés	%	48,3	59,1	63,3[g]	• •
Exportations de services	*milliard $*	0,55	3,00	13,05	19,37
Exportations de biens	*milliard $*	1,53	7,58	32,45	32,63
Produits agricoles	%	65,3	34,6	21,0[g]	• •
Minerais et métaux	%	8,2	14,7	3,3[g]	• •
Produits manufacturés	%	20,9	48,1	74,3[g]	• •
Solde transactions courantes	*% du PIB*	– 3,2[p]	– 1,1[e]	– 0,8	– 1,4

* Définition des indicateurs p. 25 et suiv. ** Dernier recensement utilisable : 1997. a. 1975-85 ; b. 1985-95 ; c. 1995-2000 ; d. 1970-80 ; e. 1980-96 ; f. 1994 ; g. 1995 ; h. A parité de pouvoir d'achat (PPA, voir définition p. 581) ; i. 1991 ; k. 1976 ; m. 1980 ; n. 1990 ; o. Décembre à décembre ; p. 1974-80 ; q. 1994-96.

Turquie/Bibliographie

Amnesty International, *Turquie : quelle sécurité ?*, « Rapport pays », Paris, 1996.

M.A. Biraud, *Shirts of Steel. An Anatomy of the Turkish Armed Forces*, I.B. Tauris, Londres, 1991.

H. Bozarslan, *La Question kurde : États et minorités au Moyen-Orient*, Presses de Sciences-Po, Paris, 1997.

Cahiers d'études sur la Méditerranée orientale et le monde turco-iranien (CEMOTI), Paris.

É. Copeaux, *Espaces et temps de la nation turque*, CNRS-Éditions, Paris, 1997.

H. B. Elmas, *Turquie-Europe. Une relation ambiguë*, Syllepse, Paris, 1998.

G. Fierz, A. L. Hilty, M. Mordey *et alii*, *Turquie de rêve, Turquie d'exil*, L'Harmattan, Paris, 1995.

N. Göle, *Musulmanes et modernes. Voile et civilisation en Turquie*, La Découverte, Paris, 1993.

R. Mantran (sous la dir. de), *Histoire de l'Empire ottoman*, Fayard, Paris, 1989.

H. et N. Pope, *Turkey Unveiled. Atatürk and After*, John Murray, Londres, 1997.

S. Vaner (sous la dir. de), *Modernisation autoritaire en Turquie et en Iran*, L'Harmattan, Paris, 1992.

S. Vaner, D. Akagül, B. Kaleağasi, *La Turquie en mouvement*, Complexe, Bruxelles, 1995.

S. Yérasimos (sous la dir. de), *Les Turcs*, Autrement, Paris, 1994.

M. Zana, *La Prison n° 5 : onze ans dans les geôles turques*, Arléa, Paris, 1995.

Voir aussi la bibliographie « Méditerranée orientale », p. 530.

la majorité des anciennes républiques de l'URSS), la plus grande partie des exportations est restée le fait du commerce informel. L'industrie turque a connu des succès importants, y compris dans les secteurs de pointe et le génie civil, le textile demeurant cependant le premier poste d'exportation. En 1997, le processus de privatisation a soulevé des problèmes sociaux, surtout dans l'industrie lourde et les services. Socialement et géographiquement, les revenus étaient toujours très mal distribués, l'essentiel de l'économie reposant sur la région d'Istanbul. Cependant, l'Anatolie intérieure s'industrialise très rapidement.

Refusée par l'UE, la Turquie se cherche dans les Balkans

En septembre 1997, le Parlement européen a demandé que tout programme d'aide à la Turquie soit gelé, à l'exception de ceux concernant les droits de l'homme et le Sud-Est. Lors du Conseil européen de Luxembourg, le 13 décembre 1997, la candidature de la Turquie a été rejetée par l'UE, provoquant une immense déception. Dès lors, les difficultés diplomatiques avec l'Allemagne et la Grèce, jugées responsables de cet échec, se sont multipliées.

La Turquie a continué de se chercher une voie dans les Balkans. Ses relations se sont consolidées avec la Roumanie, la Bulgarie, l'Albanie, la Macédoine. Lors des troubles du Kosovo (déclenchés en mars 1998), sa diplomatie a été très active. Les liens se sont renforcés avec les pays d'Asie centrale et du Caucase. Des accords ont été conclus avec le Turkménistan, l'Azerbaïdjan et l'Iran (décembre 1997) sur la construction d'un gazoduc. Les relations ont été excellentes avec Israël, marquées par la première visite d'un ministre de la Défense israélien à Ankara (décembre 1997), par un contrat d'achats de fournitures militaires et par des manœuvres navales communes. La Turquie a cherché à calmer le mécontentement des pays arabes par une diplomatie active, notamment vers l'Égypte, la Jordanie et la Syrie.

La tension avec la Grèce demeurait vive en raison de la délimitation des espaces aériens et maritimes dans la mer Égée, et de l'affaire chypriote. L'attitude antiturque de la Grèce au sein de l'Europe et son soutien allégué à la rébellion kurde ont continué de peser sur les relations. L'accroissement de l'arsenal chypriote (projet d'installation de missiles russes au sud) et la mise en marche du processus d'admission de Chypre dans l'UE (mars 1998) ont poussé la Turquie à menacer d'intégrer la partie nord de l'île dans une fédération turco-chypriote. Néanmoins, une visite à Athènes du chef d'état-major turc, le général Ismaïl Karadayi, le 6 avril, a ouvert la voie aux pourparlers.

En 1996-1997, la plus grande part de la société accordait sa confiance à l'armée, perçue comme une protection efficace contre les islamistes, mais une fraction importante de la population, mécontente de la corruption, du manque de démocratie, de la destruction rapide de l'environnement, ne se contentait plus de l'idéologie officielle ni du discours des partis. - **Antoine Huver** ■

Présentation par **Charles Urjewicz**
Historien, INALCO

La Moscovie avait atteint les rives du Pacifique et les contreforts du Caucase dès le XVIIe siècle. Un siècle plus tard, des frontières de la Prusse à celles de l'empire du Milieu, la nouvelle « puissance européenne » voulue par Pierre le Grand avait dimension d'empire eurasiatique. La « Troisième Rome », qui devait reprendre le glorieux flambeau de Byzance, ne vit jamais le jour. Mais, jusqu'à l'effondrement de l'URSS, cet immense pays d'un seul tenant se distinguait fortement des autres empires. Au XIXe siècle, alors que peuples et ethnies de Russie accédaient à l'idée nationale, l'*homme russe*, ébloui par ce territoire à l'échelle d'un continent, caressait l'illusion d'un espace littéralement cosmique. Hésitant entre un Occident symbole de progrès et un Orient détenteur de la tradition, il s'engageait dans une quête qu'il n'a toujours pas achevée. Le « géant aux pieds d'argile » se révéla incapable de gérer la multitude de peuples et ethnies qui peuplaient tant ses terres de l'intérieur que ses marches, Babel où cohabitaient grandes religions révélées (orthodoxie, islam, judaïsme), mais aussi bouddhisme et chamanisme : Esquimaux du Grand Nord, Turcs de la Volga, de Sibérie, d'Asie centrale ou du Caucase ; Finno-Ougriens, peuples caucasiques aux langues multiples et singulières, Baltes, Polonais, Ukrainiens ou Juifs. Il laissa bientôt la place à l'ensemble soviétique, qui se voulait alors le premier jalon de la « république mondiale des travailleurs » voulue par les communistes. Industrialisation, collectivisation forcée des terres, famines transformèrent radicalement l'Union des républiques socialistes soviétiques (URSS). La société, soumise par une répression systématique, subit un implacable maelström ; brisé, le monde rural en sortit désintégré. En Sibérie, au Kazakhstan, le Goulag imposa un effroyable aménagement du territoire.

En quelques années, la « sixième partie du monde » se couvrit d'un maillage serré de républiques fédérées, de républiques et de régions autonomes : aux uns, le régime offrait l'illusion d'un renouveau national, aux autres la chance d'accéder au statut de nation. La *perestroïka* (reconstruction), engagée dans la seconde moitié des années quatre-vingt, puis l'effondrement de l'URSS (celle-ci a cessé d'exister fin 1991) mirent à nu les réalités et les contradictions d'un empire décidément complexe.

Le discours de l'« amitié des peuples » cachait de fortes disparités culturelles et économiques. Les composantes de l'ex-empire doivent affronter aujourd'hui les réalités d'un monde dont elles avaient été « protégées » par Moscou, et qui étaient occultées par les vertus décrétées du « socialisme réel ».

Grisés par une indépendance trop longtemps espérée, les États baltes n'en finissent pas de célébrer leur « retour à l'Europe », frappant avec insistance à la porte de l'Union européenne et de l'OTAN (Organisation du traité de l'Atlantique nord). La région qui fut la plus développée et la plus prospère

L'EFFONDREMENT DE L'URSS A MIS À NU LES RÉALITÉS ET LES CONTRADICTIONS D'UN EMPIRE DÉCIDÉMENT COMPLEXE.

Présentation par **Charles Urjewicz**
Historien, INALCO

APRÈS DES SIÈCLES DE CENTRALISATION, L'IMPORTANCE GRANDISSANTE DES RÉPUBLIQUES ET DES RÉGIONS MARQUE UNE VÉRITABLE RUPTURE.

de l'URSS vit une mutation difficile. Malgré l'importance des minorités russophones, on y proclame une farouche volonté de tourner le dos à l'espace russe, comme pour mieux s'assurer d'une fragile liberté.

L'Asie centrale avait été présentée comme l'exemple de la capacité du régime à sortir peuples et régions de la fatalité du sous-développement, et l'Ouzbékistan avait été proclamé « phare des peuples de l'Orient ». Elle doit faire aujourd'hui l'apprentissage d'une indépendance qu'elle n'avait pas réellement appelée de ses vœux, gérer le lourd passif légué par un système qui la sacrifia à la monoculture du coton. En vingt ans, la mer d'Aral a vu sa superficie réduite de près de 40 %, son niveau baisser de douze mètres, bouleversant l'écosystème de cette région semi-désertique. Malgré l'émigration de nombreux cadres slaves, la nécessité d'une intégration économique avec la Russie n'a pas été remise en cause jusqu'ici ; elle apparaît toujours vitale malgré les tentations nouvelles et séduisantes (États-Unis, Corée, Chine).

Hier encore terre de villégiature, la Transcaucasie est aujourd'hui une région sinistrée par les conflits, les guerres et les nettoyages ethniques. Ses atouts d'hier, une agriculture diversifiée qui trouvait en Russie un marché captif, un climat clément et, pour l'homme venu du Nord, la promesse d'un authentique dépaysement, n'ont par ailleurs pas résisté à l'ouverture des frontières. Restent les promesses du pétrole de la Caspienne.

Détentrices d'une longue histoire commune, d'une religion et de valeurs partagées, les terres slaves constituées par la Biélorussie, la Russie et l'Ukraine res-

Espace post-soviétique

Présentation par **Charles Urjewicz**
Historien, INALCO

Espace post-soviétique/Bibliographie sélective

BERD, *Transition Report 1997. Enterprise and Growth. Economic Transition in Eastern Europe and the Former Soviet Union,* La Documentation française, Paris, 1998.

R. Berton-Hogge, M.-A. Crosnier (sous la dir. de), *Les Pays de la CEI. Édition 1997,* Les Études de La Documentation française, Paris, 1997.

R. Brunet, « Russie, Asie centrale » *in* R. Brunet (sous la dir. de), *Géographie universelle,* vol. X, Belin/Reclus, Paris/Montpellier, 1995.

R. Brunet, D. Eckert, V. Kolossov, *Atlas de la Russie et des pays proches,* Reclus/ La Documentation française, Montpellier/Paris, 1995.

M. Ferro (sous la dir. de, avec la collab. de M.-H. Mandrillon), *L'état de toutes les Russies. Les États et les nations de l'ex-URSS,* La Découverte, coll. « L'état du monde », Paris, 1993.

La Nouvelle Alternative (trimestriel), Paris.

Le Courrier des pays de l'Est (10 n° par an), La Documentation française, Paris. Voir notamment « L'évolution de la politique de l'Union européenne envers les PECO et l'ex-URSS », n° 421, août 1997 ; « Europe centrale et orientale, Communauté des États indépendants en 1997 : acquis et disparités économiques », n° 428-429, mars-avr.-mai 1998.

M. Lewin, *Russia, USSR, Russia, The Drive and Drift of a Superstate,* The New Press, New York, 1995.

B. Nahaylo, V. Swoboda, *Après l'Union soviétique. Les peuples de l'espace post-soviétique,* PUF, Paris, 1994.

J. Radvanyi (sous la dir. de), *De l'URSS à la CEI : douze États en quête d'identité,* INALCO/Ellipses, Paris, 1997.

J. Sapir, *Feu le système soviétique ? Permanences politiques. Mirages économiques. Enjeux stratégiques,* La Découverte, Paris, 1992.

Voir aussi la bibliographie « Russie », p. 560.

tent très intégrées, voire dominées par un « grand frère » qui joue habilement de ses atouts énergétiques. Mais cet ensemble vit une évolution rapide. Certes, la Biélorussie, à la recherche d'une improbable identité, frappe à la porte de la Russie. Mais l'Ukraine, dont l'émergence a permis à l'Europe centrale d'élargir son espace politique, veut imposer la réalité de son existence, établir fermement son identité européenne. Rude tâche pour cette « terre des confins », multiple, ambivalente et fragile.

Devenue indépendante, la Russie a changé de visage dans sa configuration territoriale. Après des siècles de centralisation, l'importance grandissante des républiques et des régions qui constituent la Fédération de Russie a marqué une véritable rupture avec toutes les traditions de l'État russe et soviétique. L'espace et les représentations russes ont été profondément transformés par ce processus, véritable restructuration à « échelle humaine » du territoire de la Fédération que républiques et régions tentent de faire évoluer vers des formes confédératives. Paradoxalement, il donne une légitimité renouvelée à la dimension impériale de cet espace. Occasion, pour ce géant de 17 millions de kilomètres carrés, de fonder une nouvelle identité ? ■

Repères

Par **Charles Urjewicz**
Historien, INALCO

MALGRÉ DES AMÉLIORATIONS PONCTUELLES, VOIRE STRUCTURELLES, LA SITUATION ÉCONOMIQUE, AVANT MÊME LA GRAVE CRISE FINANCIÈRE RUSSE DÉCLENCHÉE EN 1998, ÉTAIT RESTÉE PARTOUT DIFFICILE ; LA NÉCESSITÉ D'UNE INTÉGRATION DES ÉCONOMIES DE LA CEI EST RESTÉE À L'ORDRE DU JOUR.

La Communauté d'États indépendants (CEI, constituée par douze des quinze États successeurs de l'Union soviétique) serait-elle en train de « mourir silencieusement » ? Et si la Russie n'était plus que l'ombre d'elle-même ? Incapable de construire un édifice économiquement et politiquement solide, sa présence serait-elle remise en cause sur un espace où, hier encore, elle régnait sans partage ? La région de la mer Caspienne et ses énormes richesses n'est-elle pas en train de devenir une chasse gardée de l'Occident après deux siècles de présence russe ? L'Asie centrale elle-même, longtemps si dépendante et si docile, ne serait-elle pas en train d'échapper à l'emprise de la Russie ?

Le doute s'est installé sur la capacité de la CEI à présenter le visage avenant que voulaient lui donner ses créateurs. Le sommet d'octobre 1997, tenu à Chisinau (Moldavie), que Boris Eltsine avait qualifié de « difficile », avait vu Ukrainiens et Géorgiens exprimer critiques acerbes et amertume. Tandis que l'Ukrainien Leonid Koutchma citait en exemple l'Union européenne, le Géorgien Édouard Chevardnadzé notait que pratiquement aucune résolution de la CEI n'avait été appliquée. Le sommet prévu fin janvier 1998 a été reporté à plusieurs reprises, pour se tenir enfin le 29 avril. Au sortir de ce sommet, la CEI restait toujours incapable de prendre des décisions suivies d'effet.

La Communauté abrite en son sein une grande diversité, des intérêts souvent divergents, voire contradictoires ; pour beaucoup de ses membres, le cadre communautaire est non seulement astreignant, mais étriqué. Pour les uns, la CEI doit être un creuset d'intégration, pour les autres, une structure imposant le minimum de contraintes. Cela a conduit à privilégier l'établissement de relations bilatérales, en particulier entre la Russie et chacun de ses partenaires, les alliances régionales et regroupements par affinités, ainsi que les adhésions à des organisations économiques régionales.

A cela s'est ajoutée la nécessité d'établir avec les ennemis d'hier de nouvelles relations : l'Accord de partenariat signé à Madrid le 9 juillet 1997 par l'Ukraine avec l'OTAN (Organisation du traité de l'Atlantique nord) a eu une portée symbolique non négligeable. Celui signé le 3 mai 1997 par Kiev et Bucarest pour sa part a mis un terme à des conflits frontaliers induits par le pacte germano-soviétique (août 1939).

Alors que plus d'une république était à la recherche des instruments d'une véritable indépendance, beaucoup, dans une Russie affaiblie et saisie par le doute, exprimaient une forte nostalgie de l'Union.

La CEI se voyait dès lors investie d'une mission ; à défaut de reconstituer l'Union, elle pouvait offrir l'illusion de la puissance, voire d'un ersatz d'empire.

LA COMMUNAUTÉ D'ÉTATS INDÉPENDANTS (CEI) SERAIT-ELLE EN TRAIN DE « MOURIR SILENCIEUSEMENT » ?

Le traité d'amitié russo-ukrainien signé le

Par **Charles Urjewicz**
Historien, INALCO

31 mai 1997 dans la capitale de l'Ukraine par Boris Eltsine et Leonid Koutchma a marqué une rupture avec un passé qui avait vu la Russie nier l'identité ukrainienne. Plus important, il marque solennellement la reconnaissance par Moscou des frontières d'une « petite Russie ». La « charte d'union » signée une semaine plus tôt, le 23 mai 1997, par le président russe et son homologue biélorusse Alexandre Loukachenko, s'est apparemment inscrite dans une autre logique, renvoyant à une autre culture et visant à renforcer le processus d'intégration engagé par les deux pays. En fait, malgré les aspirations de nombreux Biélorusses, la « fusion » des deux pays n'était pas réellement à l'ordre du jour : elle suscitait trop d'oppositions, y compris au sein du pouvoir russe. Dans la sphère économique, le changement qui paraissait se dessiner, une Russie établissant de nouveaux partenariats, piétine, voire régresse. Après une embellie, les investissements russes dans l'« étranger proche » se sont taris.

En juin 1996, le candidat Boris Eltsine avait réuni à Kislovodsk (région de Stavropol) un « sommet caucasien ». Quelques mois plus tard, la paix revenait en Tchétchénie. Mais la volonté affichée de mettre fin aux autres conflits en cours dans la région n'a débouché sur aucun résultat tangible : en Abkhazie, fin mai 1998, le conflit était monté d'un cran, au Haut-Karabakh (région de l'Azerbaïdjan peuplée en majorité d'Arméniens réclamant le rattachement à l'Arménie), l'arrivée d'un nouveau président à Erevan a compliqué la tâche des négociateurs. La région, que la Russie considère comme « essentielle » pour ses intérêts stratégiques, a d'autres atouts : le pétrole de la mer Caspienne suscite de nombreuses convoitises. Tandis que le Kremlin tente d'imposer un tracé d'oléoducs qui lui soit favorable, les compagnies russes participent désormais activement à l'exploitation du « nouveau pétrole » d'Azerbaïdjan. Mais la Russie peine désormais à s'imposer durablement dans la région.

L'esquisse d'un règlement au Tadjikistan déchiré par la guerre civile commencée en 1992 est obscurcie par les succès militaires des talibans en Afghanistan. Malgré les proclamations d'« amitié éternelle », les républiques d'Asie centrale n'ont pas présenté un front uni face au danger. En Asie centrale, en Transcaucasie et en Biélorussie, les tendances autoritaires se sont partout renforcées. En Estonie, les gestes faits en faveur des « migrants » ont atténué les tensions avec les russophones ; mais en Lettonie, la tension avec Moscou a occupé le devant de la scène. Les migrations se sont poursuivies, en particulier en provenance d'Asie centrale : Russes et russophones ont continué à quitter massivement la région. La Russie est par ailleurs demeurée la destination privilégiée de tous ceux qui fuyaient les républiques marquées par les difficultés du quotidien.

Malgré des améliorations ponctuelles, voire structurelles, la situation économique est restée partout difficile ; la nécessité d'une intégration des économies de la CEI est restée à l'ordre du jour. Mais en a-t-elle la volonté et les moyens alors que la Russie se débat dans une crise financière et politique majeure depuis l'été 1998 ? ■

Le traité d'amitié russo-ukrainien signé le 31 mai 1997 par Boris Eltsine et Leonid Koutchma a marqué une rupture avec un passé qui avait vu la Russie nier l'identité ukrainienne.

Espace post-soviétique

Par **Roberte Berton-Hogge**

1997

11 juillet. Ukraine. La Rada suprême accepte la nomination de Valeri Poustovoïtenko au poste de Premier ministre, en remplacement de Pavel Lazarenko, limogé le 21 juin par le président Leonid Koutchma.
2 juillet. Tadjikistan. Désignation du Conseil de réconciliation nationale (13 membres pour le gouvernement, 13 pour l'Opposition tadjike unie – OTU). Le 10, la Commission de réconciliation nationale signera à Moscou un accord sur l'amnistie générale. Le 18, début de l'échange des prisonniers. Néanmoins, les négociations entre le pouvoir et le chef de l'OTU, Saïd Abdollah Nouri, sont souvent rompues.
8 juillet. OTAN. Signature, à Madrid, d'une Charte de partenariat spécifique entre l'Ukraine et l'Alliance atlantique qui prévoit des consultations politiques et militaires régulières.
16 juillet. Kazakhstan. Le kazakh devient langue d'État. Le russe bénéficie néanmoins d'un « statut égal » dans les organismes publics et les organes locaux de l'exécutif.
28 juillet. Lettonie. Démission du Premier ministre, Andris Skele, qui a perdu le soutien des trois principales formations de la coalition qu'il dirigeait. Le 7 août, le Parlement accordera l'investiture à Gunder Krasts qui a pour priorité l'entrée dans l'Union européenne.
1er septembre. Haut-Karabakh. Élection d'Arkadi Ghoukassian à la tête de la république autoproclamée. Le nouveau président rejette le plan de paix du Groupe de Minsk qui prévoit le retrait des forces arméniennes des territoires occupés et de Chouchi, le déploiement d'une force internationale dans le corridor de Latchine et la réduction des forces armées du Karabakh. Il se déclare néanmoins prêt à discuter de « relations confédérales » avec l'Azerbaïdjan.
10 octobre. Kazakhstan. Nomination de Nourlan Balguimbaev (ministre du Pétrole) aux fonctions de Premier ministre, en remplacement d'Akejan Kajegueldine, démissionnaire.
23 octobre. CEI. Réunion, à Chisinau (Moldavie), des chefs d'État de la CEI. Ce sommet illustre leurs divergences sur l'intégration. Les présidents de la Géorgie, de la Moldavie et de l'Azerbaïdjan reprochent aussi à la Russie de soutenir les mouvements séparatistes dans leurs pays.
10 novembre. Pays baltes. Réunis à Palanga (Lituanie), les chefs des trois pays baltes rejettent les garanties de sécurité proposées en octobre par le Kremlin en échange de leur renoncement à adhérer à l'OTAN.
17 décembre. Biélorussie. Après l'interdiction du plus grand journal d'opposition par le gouvernement, le Parlement modifie la loi sur la presse dans un sens plus répressif. Des sanctions frappent régulièrement les opposants au président Alexandre Loukachenko.

1998

1er janvier. Russie. Entrée en vigueur du nouveau rouble, valant 1 000 roubles anciens.
1er janvier. Tchétchénie. Le président Aslan Maskhadov dissout le gouvernement et charge Chamil Bassaev, responsable, en 1995, de la prise d'otages de Boudennovsk, de constituer le nouveau Conseil des ministres.
4 janvier. Lituanie. Au second tour de l'élection présidentielle, l'Américano-Lituanien Valdas Adamkus l'emporte sur Arturas Palauskas, qui l'avait devancé au premier tour.
16 janvier. Pays baltes. Signature d'une Charte de partenariat avec les États-Unis. Sans promettre aux pays baltes de les faire entrer dans l'OTAN, Washington leur propose de créer des structures quadripartites de défense.
3 février. Arménie. En raison des divergences qui l'opposent à son Premier ministre, aux ministres de la Défense et de l'Intérieur, ainsi qu'à une partie de la population sur le projet de règlement du conflit du Haut-Karabakh proposé par le Groupe de Minsk, le président Levon Ter Petrossian est contraint de démissionner. Robert Kotcharian assure l'intérim. Le 9, le parti Dachnak sera à nouveau autorisé.
9 février. Géorgie. Le président Édouard Chevardnadzé échappe à un attentat qu'il lie tout d'abord « à la piste du pétrole », en d'autres termes à la Russie, avant de l'imputer aux partisans de l'ex-président Zviad Gamsakhourdia.
22 mars. Moldavie. Élections législatives. Le Parti communiste obtient 30,1 % des suffrages, la Convention démocratique 19,2 %, le Bloc pour une Moldavie démocratique et prospère 18,2 % et le Parti des forces démo-

cratiques 8,8 %. Le 30 avril, le Premier ministre sortant, Ion Ciubuc, sera reconduit par le président Petru Lucinschi et constituera un gouvernement de coalition.

23 mars. Russie. Après avoir procédé, le 16 janvier, à un remaniement ministériel, le président Boris Eltsine congédie son Premier ministre Victor Tchernomyrdine, le premier vice-premier ministre et ministre des Finances Anatoly Tchoubaïs, et le ministre de l'Intérieur, le général Anatoly Koulikov. L'intérim est confié à Sergueï Kirienko qui, après deux refus de la Douma, sera investi le 24 avril.

26 mars. Tadjikistan. Admission du Tadjikistan dans l'Union douanière.

29 mars. Ukraine. Aux élections législatives, les communistes et leurs alliés obtiennent 173 sièges, le Roukh 46, le Parti populaire démocratique et le Parti agrarien, qui soutiennent le gouvernement en place, 36, Hromada de l'ex-Premier ministre Pavel Lazarenko 23, le Parti social-démocratique de l'ex-président Leonid Kravtchouk 17 et les Verts 19. La nouvelle Rada compte en outre 114 députés « indépendants ».

30 mars. Arménie. Robert Kotcharian est élu au second tour à la présidence de la République avec 59,49 % des suffrages exprimés contre 40,51 % à Karen Dermitchian (ancien premier secrétaire du Parti communiste d'Arménie). Le 10 avril, il désignera Armen Darpinian comme Premier ministre.

8 avril. Russie-Lettonie. Boris Eltsine annonce des sanctions économiques contre la Lettonie, en représailles à sa législation restrictive à l'encontre des russophones. Le 22 juin, le Parlement letton amendera la loi sur la citoyenneté et accordera la naturalisation automatique aux enfants nés dans le pays après l'indépendance.

7 mai. Russie-Ouzbékistan-Tadjikistan. Conclusion d'un accord pour lutter contre l'activisme islamiste. Le 19, le Parlement ouzbek votera une loi réglementant les activités des associations religieuses et, le 23, son homologue tadjik, une loi interdisant les partis religieux et les formations politiques financées par l'étranger. Le 18 juin, devant la menace du chef de l'Organisation tadjike unie de boycotter le processus de réconciliation nationale et après l'intervention de certains parrains du processus de paix, dont l'Iran, la loi sera amendée, les partis ne devant pas utiliser les organisations religieuses à des fins politiques.

14-26 mai. Russie. Grève des mineurs pour protester contre les retards dans le paiement des salaires. A partir du 11 juin, les représentants des mineurs font un piquet devant le siège du gouvernement et exigent la démission du chef de l'État.

18 mai. Russie. Alors que des rumeurs courent sur une possible dévaluation du rouble, la Banque centrale porte son taux de refinancement à 50 %, puis, le 27, la Bourse ayant accusé une forte baisse, à 150 %. Le même jour, un décret présidentiel entérine un programme prévoyant des coupes budgétaires et des rentrées supplémentaires.

23 mai. Géorgie. Reprise des combats, dans la région de Gali, entre « partisans » géorgiens et séparatistes abkhazes. Le 25, le président Édouard Chevardnadzé propose à l'Abkhazie de devenir « sujet d'un État fédéral » en échange de la paix et du retour des réfugiés dans le district de Gali.

5 juin. Russie. Dix responsables de groupes industriels et financiers en appellent à l'union nationale pour mettre en œuvre les mesures d'austérité exigées par l'ampleur de la crise financière. Le 18, le Premier ministre demandera à Boris Eltsine d'associer les dix « oligarques » à la définition de la politique économique du gouvernement.

16 juin. Russie-Yougoslavie. Alors que l'OTAN a procédé la veille à des exercices aériens au-dessus de l'Albanie et de la Macédoine pour faire pression sur Belgrade, le président Eltsine reçoit le président Slobodan Milosevic pour le convaincre de retirer ses troupes du Kosovo.

22 juin. Biélorussie. Sept ambassadeurs occidentaux quittent leur poste pour protester contre la décision présidentielle de les expulser de leur résidence d'été.

23 juin. Russie. Alors que le président Eltsine – qui a chargé le 17 juin Anatoly Tchoubaïs de négocier avec les institutions financières internationales un prêt d'urgence à la Russie – qualifie la situation financière d'« alarmante », le Premier ministre Sergueï Kirienko expose son programme destiné à répondre aux conditions posées par le FMI. Le 13 juillet, le FMI et la Banque mondiale annonceront l'octroi d'un prêt de 22,6 milliards de dollars. Le rouble continuant à plonger, B. Eltsine congédiera le 23 août son Premier ministre, ajoutant une crise politique à la crise financière.

Pays baltes

Estonie, Lettonie, Lituanie

Estonie

La décision prise par le Conseil européen au Luxembourg, le 13 décembre 1997, d'ouvrir des négociations d'adhésion (entamées le 31 mars 1998) avec six pays candidats, dont l'Estonie, a, d'une part, confirmé que l'Union européenne est prête à accepter en son sein des pays de l'ex-URSS (alors que l'OTAN – Organisation du traité de l'Atlantique nord – le refusait encore) et, d'autre part, a amorcé la sortie de l'Estonie du « lot » balte. Se joignant volontiers aux PECO (pays d'Europe centrale et orientale) dans la première vague d'élargissement de l'UE, l'Estonie n'a cependant pas renoncé à sa coopération balte et n'exclut pas que la Lettonie et la Lituanie, qui n'avaient pas encore entamé leurs négociations à l'été 1998, puissent rapidement la rejoindre.

Sur le plan interne, la priorité gouvernementale ayant été donnée au suivi des recommandations européennes, la décision du Conseil a imposé la continuité des réformes : remédier à la faiblesse de l'administration, intégrer la population russophone, améliorer le système pénitentiaire, veiller au respect de l'environnement, réduire le déficit de la balance commerciale... En outre, l'Estonie a aboli la peine de mort en mars 1998.

Le jeu politique entre l'opposition unifiée et le gouvernement de coalition minoritaire de Mart Siimann, qui a vu sa marge de manœuvre diminuer, pouvait encore, à tout moment, aboutir à un changement de coalition, voire à l'anticipation des élections législatives prévues pour mars 1999.

La chute de la Bourse de Tallinn de 15,3 % puis de 13,3 %, en octobre 1997, a engendré une crise de liquidité bancaire qui a inquiété les investisseurs étrangers.

République d'Estonie

Capitale : Tallinn.

Superficie : 45 100 km^2.

Nature de l'État : ancienne république soviétique devenue indépendante le 20.8.91

Nature du régime : démocratie parlementaire.

Chef de l'État : Lennart Meri (élu le 5.10.92, réélu le 20.9.96).

Chef du gouvernement : Mart Siimann, qui a succédé, le 5.3.97, à Tiit Vähi.

Ministre de l'Intérieur : Olari Taal (depuis janv. 98).

Ministre de la Défense : Andrus Öövel (depuis avr. 95).

Ministre des Affaires étrangères : Toomas Hendrick Ilves (depuis déc. 96).

Monnaie : couronne estonienne (EEK) (au cours officiel, 1 EEK = 0,42 FF en 30.5.98).

Territoires contestés : l'Estonie s'est résignée à ne pas récupérer les parcelles de territoire de Petseri (Petchori) et Joanilinn (Ivangorod), que la Russie avait annexées en 1945, abandonnant l'idée que cette dernière finirait par reconnaître le traité de Tartu (1920). L'accord sur la délimitation des frontières entre les deux pays n'était toujours pas signé à l'été 98.

Langues : estonien (off.), russe.

Pays baltes

La couronne n'en a finalement pas été affectée et les investissements étrangers ont augmenté. Le déficit des comptes courants s'est accru, mais le PIB a augmenté de 10,9 % et l'inflation est descendue à 12,5 % (contre 14,8 % en 1996).

Lettonie

Guntars Krasts, membre de l'union Patrie et liberté-Mouvement pour l'indépendance nationale de la Lettonie (LNNK) et ministre de l'Économie du gouvernement sortant, a remplacé le Premier ministre démissionnaire Andris Skele (sans affiliation politique). Ce changement n'a, dans un premier temps, pas modifié la coalition gouvernementale de droite formée en février 1997. Mais les accusations de corruption, la campagne électorale en vue des élections d'octobre 1998, les divergences de vues sur la naturalisation des non-citoyens (la loi a finalement été assouplie en juin 1998 sous la pression de l'Union européenne, du Conseil de l'Europe et de l'OSCE – Organisation pour la sécurité et la coopération en Europe) et sur les relations russo-lettones ont eu raison de l'entente. L'exercice politique a finalement été ponctué de démissions et de votes de défiance, laissant, après la sortie opérée par Saimnieks, l'union Patrie et liberté-LNNK, Voie lettone et l'alliance Union des paysans/chrétiens-démocrates mener la partie.

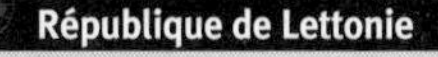

République de Lettonie

Capitale : Riga.

Superficie : 64 500 km².

Nature de l'État : ancienne république soviétique devenue indépendante le 21.8.90.

Nature du régime : démocratie parlementaire.

Chef de l'État : Guntis Ulmanis, président de la République (depuis le 7.7.93, réélu le 18.6.96).

Chef du gouvernement : Guntars Krasts, qui a succédé en août 97 à Andris Skele (démissionnaire).

Ministre de l'Intérieur : Andrejs Krastizs.

Ministre de la Défense : Talavs Jundzis.

Ministre des Affaires étrangères : Valdis Birkavs.

Monnaie : lats letton (au cours officiel, 1 lats = 10,02 FF au 30.5.98).

Territoires contestés : la Lettonie a abandonné ses revendications vis-à-vis de la Russie sur le sujet du tracé de leur frontière commune et sur la reconnaissance du traité signé par les deux États en 1920. La région d'Abrene (« Pitalovo » en russe) avait été rattachée à la république socialiste soviétique de Russie en 1945.
A l'été 98, aucun accord entre les deux pays n'avait toutefois été signé.

Langues : letton (off.), russe.

INDICATEUR*	UNITÉ	ESTONIE	LETTONIE	LITUANIE
Démographie**				
Population	*millier*	1 455	2 475	3 719
Densité	*hab./km²*	32,3	38,4	57,0
Croissance annuelle[d]	%	– 1,0	– 1,1	– 0,2
Indice de fécondité (ISF)[d]		1,3	1,4	1,5
Mortalité infantile[d]	‰	12	16	13
Espérance de vie[d]	*année*	69,5	68,4	70,5
Indicateurs socioculturels				
Développement humain (IDH)[c]		0,776	0,711	0,762
Nombre de médecins[a]	*‰ hab.*	3,04	2,95	3,98
Scolarisation 2e degré	%	77[bh]	78[ib]	80[ci]
Scolarisation 3e degré[b]	%	38,1	25,7	28,2
Livres publiés[b]	*titre*	2 635	1 968	3 164
Armées				
Armée de terre	*millier d'h.*	3,3	3,4	4,2
Marine	*millier d'h.*	0,16	0,98	0,5
Aviation	*millier d'h.*	–	0,12	0,55
Économie				
PIB total[ae]	*million $*	6 800	9 100	16 300
Croissance annuelle 1989-96	%	– 5,1	– 8,8	– 12,2
Croissance 1997	%	10,9	6,0	6,0
Croiss. agriculture 1997	%	6,3[a]	4,9	– 6,0
Croiss. industrie 1997	%	13,4	6,1	0,7
PIB par habitant[ae]	$	4 660	3 650	4 390
Investissement (FBCF)[f]	*% PIB*	25,7	15,7	20,7
Taux d'inflation	%	12,5	7,0	8,4
Taux de chômage[g]	%	4,6	6,7	6,7
Dépense publique Éducation[b]	*% PIB*	6,9	6,3	6,1
Dépense publique Défense[a]	*% PIB*	2,4	3,5	4,3
Énergie (taux de couverture)[b]	%	53,3	8,9	38,4
Dette extérieure totale[a]	*million $*	405	472	1 286
Service de la dette/Export.[f]	%	2	3	4
Échanges extérieurs				
Importations	*million $*	4 282	2 718	5 644
Principaux fournisseurs[a]	%	UE 64,5	UE 49,1	UE 42,6
	%	Fin 29,1	PBalt 12,0	RFA 15,7
	%	CEI 16,8	CEI 26,2	CEI 32,9
Exportations	*million $*	2 832	1 664	3 860
Principaux clients[a]	%	UE 51,0	UE 44,1	UE 33,4
	%	CEI 24,9	PBalt 11,2	PBalt 11,7
	%	PBalt 14,0	CEI 36,2	CEI 44,8
Solde transactions courantes	*% PIB*	– 13,95	– 8,78	– 12,76

* Définition des indicateurs p. 25 et suiv. Chiffres 1997 sauf notes. ** Derniers recensements utilisables : Estonie, 1989 ; Lettonie, 1989 ; Lituanie, 1989. a. 1996 ; b. 1995 ; c. 1994 ; d. 1995-2000 ; e. A parité de pouvoir d'achat (PPA, voir définition p. 581) ; f. 1994-96 ; g. En fin d'année ; h. 12-17 ans ; i 11-18 ans.

Déclenchée par une manifestation de retraités russophones violemment dispersée par la police lettone, la crise survenue dans les relations russo-lettones a été envenimée par un rassemblement de vétérans de la Légion lettone, jadis enrôlée par l'Allemagne nazie. Au printemps 1998, Moscou menaçait d'ajouter de nouvelles sanctions économiques aux barrières douanières rédhibitoires qui altèrent déjà les échanges commerciaux entre les deux pays.

Ces signes d'instabilité se sont ajoutés à la décision du Conseil de l'Europe d'instaurer une procédure de monitoring et à celle du Conseil européen de ne pas inviter, dès cette année, la Lettonie à entamer des négociations d'adhésion à l'Union européenne.

En revanche, sur le plan économique, le pays a fait preuve de stabilité : la croissance du PIB de 6 % a été accompagnée d'une inflation réduite à 7 % (contre 13,2 % en 1996) et la stabilité du lats a conduit à la baisse des taux d'intérêt. Bien que la balance commerciale soit restée déficitaire, le commerce extérieur letton a augmenté de 30 % en 1997.

Lituanie

Mentionnant son âge et son passé communiste, qui selon lui aurait véhiculé une mauvaise image de la Lituanie dans le monde, le président de la République Algirdas Brazauskas (Parti démocratique du travail, LDDP), élu en 1993, n'a pas brigué de second mandat aux élections présidentielles du 21 décembre 1997. Valdas Adamkus lui a succédé le 26 février 1998. Candidat indépendant soutenu par les centristes et, au second tour du scrutin (4 janvier 1998), par les conservateurs de Vytautas Landsbergis, l'« émigré » lituanien, remportant 50,31 % des voix, a battu de peu l'autre candidat indépendant, Arturas Paulauskas (49,69 %), soutenu par le LDDP.

Bénéficiant d'une majorité de 83 sièges sur 141 au Seimas (Parlement), le Premier ministre Gediminas Vagnorius a nommé un nouveau gouvernement de coalition sensiblement identique (onze conservateurs et deux chrétiens-démocrates). Bien qu'un de ses membres soit issu du LDDP, cette élection a mis un terme à la difficile cohabitation entre le LDDP et les conservateurs. La bataille que se livrent les deux partis s'est d'ailleurs poursuivie jusqu'en mai 1998, lorsque l'ancien président A. Brazauskas a demandé la démission de V. Landsbergis, président du Seimas, après une affaire d'écoutes secrètes, amenant le ministre de l'Intérieur à démissionner.

A. Brauzauskas avait réussi à apaiser les relations de la Lituanie avec la Pologne. Il avait aussi obtenu, le 24 octobre 1997, la signature d'un accord sur la délimitation de ses frontières avec la Russie.

Les principaux indicateurs économiques pour 1997 ont été plutôt encourageants : une croissance de 6 %, une inflation réduite

République de Lituanie

Capitale : Vilnius.
Superficie : 65 200 km².
Nature de l'État : ancienne république soviétique devenue indépendante le 11.3.90.
Nature du régime : démocratie parlementaire.
Chef de l'État et président du Parlement : Valdas Adamkus, qui a succédé en janv. 98 à Algirdas Brazauskas.
Chef du gouvernement : Gediminas Vagnorius (depuis le 24.11.96).
Ministre de l'Intérieur : Stasys Sebbaras.
Ministre de la Défense : Ceslavas Stankvicius.
Ministre des Affaires étrangères : Algirdas Saudargas.
Monnaie : le litas (au cours officiel, 1 litas = 1,49 FF au 30.5.98).
Langues : lituanien (off.), russe, polonais.

Pays baltes/Bibliographie

H. Aage (sous la dir. de), *Environmental Transition in Nordic and Baltic Countries*, Edward Elgar Publishing, Cheltenham, 1998.

S. Champonnois, X. de Labriolle, *L'Estonie, des Estes aux Estoniens*, Karthala, Paris, 1997.

« Europe centrale et orientale, Communauté des États indépendants en 1997 : acquis et disparités économiques », *Le Courrier des pays de l'Est*, n° 428-429, La Documentation française, Paris, mars-avr.-mai 1998.

J. Kross, *L'Œil du grand tout*, Robert Laffont, Paris, 1996.

La Nouvelle Alternative (trimestriel), Paris. Voir notamment les dossiers « Diversité des pays baltes », n° 47, sept. 1997 ; « L'Union européenne vue d'Europe centrale et orientale », n° 49, mars 1998.

G. Le Marc, M.-A. Crosnier, « Pays baltes », *in* M. Ferro (sous la dir. de), *L'état de toutes les Russie. États et nations de l'ex-URSS*, La Découverte, coll. « L'état du monde », Paris, 1993.

É. Lhomel, T. Schreiber (sous la dir. de), *L'Europe centrale, orientale et balte. Édition 1998*, Les Études de la Documentation française, Paris, 1998.

A. Lieven, *The Baltic Revolution. Estonia, Latvia, Lithuania and the Path to Independence*, Yale University Press, New Haven/Londres, 1993.

O. Nørgaard, *The Baltic States after Independence*, Edward Elgar Publishing Limited, 1996.

P.-Y. Péchoux, « La Lituanie post-soviétique : nation, territoire, mutation économique », *Géographies, Bull. Ass. géogr. fr.*, 1998.

Y. Plasseraud, *Les États baltes*, Montchrestien, Paris, 1996.

A. et J. Sellier, *Atlas des peuples d'Europe centrale*, La Découverte, Paris, 1998 (nouv. éd.).

L. Teiberis, *La Lituanie*, Karthala, Paris, 1995.

Voir aussi la bibliographie sélective « Espace post-soviétique », p. 538.

à 8,4 %, un déficit budgétaire faible et des investissements étrangers en hausse ; le déficit des comptes courants a représenté 12,8 % du PIB.

Mais le renforcement de la politique de défense et de sécurité intérieure, la restructuration de l'agriculture et la fermeture de la centrale nucléaire d'Ignalina, entre autres, propres à convaincre l'OTAN – Organisation du traité de l'Atlantique nord – (à son sommet de Madrid en juillet 1997) et l'Union européenne (à son Conseil du Luxembourg en décembre 1997) d'inviter la Lituanie à entamer des négociations en vue de son adhésion, n'étaient toujours pas intervenus. - **Gaëlle Le Marc** ■

Europe orientale

Biélorussie, Moldavie, Russie, Ukraine

Biélorussie

Renforcement de l'ordre public, surveillance politique et reprise économique dirigée résumaient, à la mi-1998, la situation en Biélorussie. La politique du président Alexandre Loukachenko, élu en 1994, a permis de contrôler la criminalité, de maintenir un certain niveau pour la santé publique, de faire rentrer les impôts et de verser les salaires. Le président a ainsi tiré profit de son administration (la « Vertical ») qui jouit d'un budget discrétionnaire et contrôle toutes les nominations et la vie publique locale.

La relative stabilité du pays a permis au pouvoir de conserver l'appui de l'opinion, mais celui-ci a manifesté une nervosité grandissante vis-à-vis de toute opposition. Arrestations et brimades ont touché militants des droits de l'homme, journalistes, opposants nationalistes ou communistes, anciens parlementaires ou hauts fonctionnaires. Ainsi l'arrestation pendant deux mois, en juillet 1997, de Pavel Cheremet, un journaliste de la télévision russe, a failli remettre en question le rapprochement engagé avec le Kremlin. L'opposition, grandissante, a par ailleurs mobilisé à plusieurs reprises des milliers de manifestants.

Le Conseil de l'Europe n'envisageait toujours pas de reconnaître, à la mi-1998, le Parlement nommé en 1996 et l'OSCE (Organisation pour la sécurité et la coopération en Europe) a engagé des négociations ardues avec Minsk.

Le processus d'élargissement de l'Union européenne a en fait conduit la Pologne à verrouiller sa frontière orientale, repoussant la Biélorussie vers la Communauté d'États indépendants (CEI). En juin 1998, A. Loukachenko a fait monter la tension en expulsant les ambassadeurs étrangers de leurs résidences dans la banlieue de Minsk. Les exportations vers la Russie ont augmenté de 40 % en 1997. La reprise économique

République de Biélorussie (« Belarus »)

Capitale : Minsk.
Superficie : 207 600 km².
Nature de l'État : ancienne république soviétique devenue indépendante le 25.8.91.
Nature du régime : présidentiel fort.
Chef de l'État : Alexandre Loukachenko, président de la République (depuis le 10.7.94).
Chef du gouvernement : Sergueï Ling (depuis le 18.11.96).
Ministre des Affaires étrangères : Ivan Antonovitch (depuis le 5.2.98).
Ministre de l'Intérieur : Valentin Agolets (depuis le 5.2.98).
Président du Comité pour la sécurité d'État (KGB) : Vladimir Matchkievitch (depuis le 5.2.98).
Ministre de la Défense nationale : Alexandre Tchumakov (depuis le 5.2.98).
Monnaie : rouble biélorusse (au cours officiel, 1 000 roubles = 0,131 FF au 24.8.98).
Langues : biélorusse (off.), russe (off.), polonais, ukrainien.

INDICATEUR*	BIÉLO-RUSSIE	RUSSIE	UKRAINE	MOLDAVIE
Démographie**				
Population *(millier)*	10 338	147 707	51 424	4 448
Densité *(hab./km²)*	47,8	8,7	85,2	132,0
Croissance annuelle[d] *(%)*	– 0,1	– 0,3	– 0,4	0,1
Indice de fécondité (ISF)[d]	1,4	1,3	1,4	1,8
Mortalité infantile[d] *(‰)*	15	19	18	26
Espérance de vie[d] *(année)*	69,6	64,8	68,8	67,5
Indicateurs socioculturels				
Développement humain (IDH)[c]	0,806	0,792	0,689	0,612
Nombre de médecins *(‰ hab.)*	4,27[a]	3,80[b]	4,46[b]	3,56[b]
Scolarisation 2e degré *(%)*	94[bk]	87[bk]	91[ik]	80[bm]
Scolarisation 3e degré *(%)*	42,6[b]	42,9[c]	40,6[g]	25,0[b]
Livres publiés *(titre)*	3 346[c]	33 623[b]	6 225[b]	1 016[b]
Armées				
Armée de terre *(millier d'h.)*	50,5		161,5	9,3
Marine *(millier d'h.)*	–	1 240	16	–
Aviation *(millier d'h.)*	22		124,4	1,7
Économie				
PIB total[ae] *(million $)*	45 100	619 000	113 100	6 200
Croissance annuelle 1989-96 *(%)*	– 5,9	– 7,6	– 11,8	– 13,7
Croissance 1997 *(%)*	10,0	0,4	– 3,2	1,3
Croiss. agriculture 1997 *(%)*	– 5,0	0,1	– 2,0	9,0
Croiss. industrie 1997 *(%)*	17,6	1,9	– 1,8	– 2,3
PIB par habitant[ae] *($)*	4 380	4 190	2 230	1 440
Investissement (FBCF)[f] *(% PIB)*	27,6	20,4	22,5	9,4
Taux d'inflation *(%)*	63,1	11,0	10,1	11,1
Taux de chômage[g] *(%)*	2,8	9,0	2,8	1,7
Dépense publique Éducation *(% PIB)*	5,6[b]	4,1[i]	7,7[b]	6,1[b]
Dépense publique Défense[a] *(% PIB)*	4,2	6,5[n]	3,0	4,2
Énergie (taux de couverture)[b] *(%)*	12,7	150,5	50,1	0,6
Dette extérieure totale[a] *(million $)*	1 071	124 785	9 335	834
Service de la dette/Export.[f] *(%)*	3	7	7	7
Échanges extérieurs				
Importations *(million $)*	8 644	67 619	17 267	1 131
Principaux fournisseurs[a] *(%)*	CEI 64,0	UE 36,2	Rus 34,4	Rus 27,8
(%)	Rus 46,9	RFA 11,8	PNS[h] 26,0	Ukr 21,8
(%)	UE 17,9	CEI 32,3	UE 15,2	UE 19,7
Exportations *(million $)*	7 147	87 368	13 693	791
Principaux clients[a] *(%)*	CEI 70,6	UE 33,1	UE 10,0	Rus 63,2
(%)	Rus 48,1	RFA 8,3	Rus 33,6	Ukr 5,2
(%)	UE 9,6	CEI 18,8	PNS[h] 12,0	UE 10,3
Solde transactions courantes *(% PIB)*	– 4,70[a]	0,77	– 2,10	– 16,62[a]

* Définition des indicateurs p. 25 et suiv. Chiffres 1997 sauf notes. ** Derniers recensements utilisables : Biélorussie, 1989 ; Russie, 1989 ; Ukraine, 1991 ; Moldavie, 1989. a. 1996 ; b. 1995 ; c. 1994 ; d. 1995-2000 ; e. A parité de pouvoir d'achat (PPA, voir définition p. 581) ; f. 1994-96 ; g. En fin d'année ; h. Pays non spécifiés de l'ex-URSS ; i. 1993 ; k. 10-16 ans, taux brut ; m. 11-17 ans, taux brut ; n. La Banque mondiale évalue les dépenses militaires à 11,4 % du PIB.

Europe orientale
OCÉAN ATLANTIQUE
NORVÈGE
MER DE BARENTS
Cercle polaire arctique
Mourmansk
Presqu'île de Kola
MER BLANCHE
SUÈDE
Golfe de Botnie
Carélie
Arkhangelsk
FINLANDE
KOMIS
Dvina sept.ale
Petrozavodsk
Lac Onega
Åland
G. de Finlande
Lac Ladoga
Saint-Pétersbourg
ESTONIE
Lac Peïpous
Réservoir de Rybinsk
RUSSIE
Novgorod
MER BALTIQUE
Rybinsk
LETTONIE
Kostroma
Volga
Iaroslav
Iochkar-Ola
Ivanovo
Nijni-Novgorod
Kaliningrad
LITUANIE
MARIS
TATAR-STAN
RUSSIE
Niemen
Moscou
Vladimir
Oka
Kazan
Vitebsk
TCHOUVACHIE
Minsk
Orsha
Smolensk
Riazan
Toula
MORDOVIE
Baranovitchi
Moguilev
POLOGNE
BIÉLORUSSIE
Briansk
Penza
Samara
Brest
Pinsk
Gomel
Orel
Koursk
Voronej
Saratov
Rivne
Tchernobyl
Lviv
Jitomir
Kiev
SLOV.
UKRAINE
Dniepr
Kharkiv
Volga
Dniestr
Ivano-Frankovsk
Kamenets-Podolski
Don
HONG.
Bug
Volgograd
KAZAKH-STAN
Prut
Balti
Dniepropetrovsk
Lougansk
MOLDAVIE
Krivoï Rog
Donetsk
Makiivka
Chisinau
Zaporijia
ROUMANIE
Tiraspol
Odessa
Rostov
Astrakhan
Marioupol
KALMOUKIE
Mer d'Azov
Crimée
ADYGHÉENS
Krasnodar
OSSÉTIE DU NORD
Simferopol
KABARDINO-BALKARIE
INGOUCHIE
Danube
Sébastopol
Novorossiisk
TCHETCHÉNIE
Balaklava
KARATCHEVO-TCHERKESSIE
BULGARIE
MER NOIRE
DAGHESTAN
GRÈCE
TUR.
Bosphore
GÉORGIE
TURQUIE
300 km
ARM.
AZERB.
Dardanelles

s'en est trouvée facilitée et, selon les chiffres officiels, le PIB a connu une hausse spectaculaire, de même que la production et les échanges. Le taux d'inflation est en revanche remonté à 63 % en 1997. La baisse soudaine en février 1998 du taux de change, d'environ 30 %, a constitué un signal d'alarme pour A. Loukachenko, qui a réagi en ordonnant à son ministre de le faire remonter. Pour certains observateurs, le « socialisme de marché loukachiste » a produit un miracle économique qui permet de relancer l'économie, d'autres pensent plutôt que ce n'est qu'un mirage qui retarde la modernisation de l'appareil productif. - **Bruno Drweski** ■

Moldavie

Le président Petru Lucinschi s'est heurté, durant la première année de son mandat, à un Parlement hostile. Les résultats des législatives du 22 mars 1998, qui ont donné la majorité relative aux communistes (40 sièges sur 101), risquaient de rendre sa gestion encore plus malaisée. Mais, face à la menace d'un retour en arrière, les partis de droite et du centre ont décidé, en dépit de leurs divergences, de le soutenir en réunissant leurs forces (61 sièges) dans une coalition conduite par l'ex-président Mircea Snegur. Certains de ses représentants se sont vu attribuer, en récompense, des portefeuilles dans le nouveau gouvernement (formé le 21 mai et toujours dirigé par Ion Giubuc), auquel ne participait aucun communiste.

Sur le dossier très sensible de la Transdniestrie, qui a fait sécession *de facto* en 1990, le président n'a remporté qu'un succès éphémère. La signature enfin intervenue le 8 mai 1997, avec le parrainage de l'OSCE (Organisation pour la sécurité et la coopération en Europe), de la Russie et de l'Ukraine, d'un mémorandum qui affirme l'intégrité territoriale de la Moldavie dans ses frontières de 1990, n'a guère eu de suite, la Transdniestrie s'obstinant à y voir une reconnaissance de son statut d'État souverain.

Sur l'autre défi que devait relever P. Lucinschi, l'amélioration de la situation économique, les résultats n'étaient pas plus probants. La récession semble être parvenue à son terme (+ 1,3 % de croissance en 1997), mais le pays avait peu de chances, vu son étroite spécialisation (vin et tabac) et l'ampleur du secteur informel, de connaître une reprise vigoureuse. De même, si l'inflation a été maîtrisée (11,1 % en 1997),

République de Moldavie (« Moldova »)

Capitale : Chisinau.
Superficie : 33 700 km².
Nature de l'État : ancienne république soviétique devenue indépendante le 27.8.91.
Nature du régime : parlementaire, avec une forte dominante présidentielle.
Chef de l'État : Petru Lucinschi, président de la République (depuis le 1.12.96).
Chef du gouvernement : Ion Ciubuc, Premier ministre, qui a succédé, le 16.1.97, à Andreï Sangheli. Il a été confirmé dans ses fonctions le 12.5.98.
Ministre de l'Intérieur : Victor Catan (depuis le 21.5.98).
Ministre de la Défense : Valeriu Pasat (depuis le 24.1.97).
Ministre des Affaires étrangères : Nicolae Tabacaru (depuis le 21.5.98).
Échéances institutionnelles : élections présidentielle (2000) et législatives (2001).
Monnaie : leu, pluriel : lei (au cours officiel, 1 leu = 1,26 FF au 30.3.98).
Langues : roumain (off.), russe, ukrainien, turc, bulgare.
Territoire contesté : le conflit avec la « république moldave du Dniestr » (autoproclamée), n'était toujours pas réglé à la mi-1998, ses autorités donnant une interprétation *pro domo* du mémorandum signé en mai 1997.

l'engrenage de la dette extérieure et interne devient de plus en plus menaçant. Quant à la population, elle vivait toujours d'expédients pour compenser des salaires faibles (43 dollars par mois), souvent versés avec retard.

La Moldavie a multiplié les ouvertures vers la Russie, tout en maintenant des liens étroits avec l'Ukraine et la Roumanie, qui pourraient aboutir à la création d'« eurorégions ». Par ailleurs, afin de diversifier son approvisionnement en hydrocarbures, elle s'est associée à la Géorgie, l'Ukraine et l'Azerbaïdjan pour constituer le GUAM (chaque lettre du sigle évoque un pays membre). Enfin, elle a entrepris des travaux d'approche auprès de l'Union européenne et est devenue le 49e membre de la Francophonie en novembre 1977. - **Marie-Agnès Crosnier** ■

Russie

Crise financière et crise politique

Avant que n'éclate la très grave crise financière de l'été 1998 – à laquelle s'est ajoutée une crise politique –, l'année 1997-1998 avait été marquée par les incertitudes liées à la santé du président Boris Eltsine, la perspective de l'élection présidentielle de l'an 2000, la lutte entre différents groupes politico-financiers et les vaines tentatives de construction d'une identité nationale.

La vie politique était restée rythmée par l'opposition entre les pouvoirs exécutif et législatif autour de questions essentielles comme le budget, le code fiscal, le code foncier, l'abolition de la peine de mort et certains aspects de politique extérieure. Une Constitution très favorable au pouvoir exécutif et les craintes d'une dissolution de la Douma (Parlement) avaient néanmoins jusqu'alors joué en faveur du président, même si des terrains d'entente avaient été trouvés avec le Parlement – dont le « speaker » Guennadi Seleznev, un représentant de la fraction communiste, n'avait cessé de gagner en importance dans le jeu politique. Le 22 octobre 1997, la Douma avait retiré une motion de censure contre le gouvernement, alors que B. Eltsine promettait de créer des instances de négociation avec les fractions parlementaires.

Moscou et les « régions »

Le régime, « désidéologisé » et composite, laisse une large place à des alliances mouvantes et des pratiques informelles de réseaux. Au gré des circonstances, B. Eltsine, sans projet politique clairement défini, a intégré à son équipe des membres de l'opposition choisis pour leur personnalité : la promotion au poste de ministre des Finances de Mikhaïl Zadornov, membre du parti réformiste Iabloko, en novembre 1997, a procédé de cette logique. Les régions ont continué d'affirmer leur autonomie, et les plus riches de jouer, à travers leurs élites, un rôle important dans l'élaboration de la politique fédérale. Le général Alexandre Lebed a été élu à la fonction de gouverneur de Krasnoïarsk, le 17 mai 1998, contre l'ancien gouverneur soutenu par Iouri Loujkov, le maire de Moscou. Cette victoire de celui qui avait contribué à la réélection de B. Eltsine à la Présidence en 1996 et qui, nommé secrétaire du Conseil de sécurité en août 1996, avait joué un rôle clé dans la résolution du conflit russo-tchétchène est apparue comme un tremplin possible vers une candidature à l'élection présidentielle de l'an 2000. De son côté, et pour la dernière fois en mai 1998, le pouvoir fédéral a promulgué un oukase présidentiel pour tenter de stabiliser les flux de ses subventions, tout en forçant les « régions » (sujets de la Fédération) à la rigueur financière. Dans le cas particulier de la Tchétchénie, malgré la normalisation de façade entre le pouvoir local élu et Moscou (intervenue après deux années de guerre), l'intérêt économique stratégique du Nord-Caucase a continué de nourrir une forte instabilité, marquée en par-

INDICATEUR*	UNITÉ	1985	1990	1996	1997
Démographie**					
Population	*million*	143,3	148,3	148,1	147,7
Densité	*hab./km²*	8,4	8,7	8,7	8,6
Croissance annuelle	*%*	0,7[a]	0,0[b]	– 0,31[c]	••
Indice de fécondité (ISF)		2,10[a]	1,53[a]	1,30[c]	••
Mortalité infantile	*‰*	24[a]	22[b]	19[c]	[p]
Espérance de vie	*année*	69,2[a]	66,5[b]	64,8[c]	[m]
Indicateurs socioculturels					
Nombre de médecins	*‰ hab.*	4,50	3,80	3,80[n]	••
Scolarisation 2e degré[d]	*%*	97	93	87[e]	••
Scolarisation 3e degré	*%*	54,2	52,1	42,9[f]	••
Téléviseurs	*‰*	333	369,2	385,8	••
Livres publiés	*titre*	••	34 050[r]	33 623[n]	••
Économie					
PIB total[s]	*milliard $*	618,1	913,8	630,7	••
Croissance annuelle	*%*	1,9[a]	– 9,1[b]	– 4,9	0,4
PIB par habitant[s]	*$*	4 611	6 162	4 269	••
Investissement (FBCF)	*% PIB*	31,8[i]	23,7[g]	19,5	19,3
Recherche et Développement	*% PIB*	••	••	0,8[e]	••
Taux d'inflation	*%*	••	5,9	47,6	11,0[q]
Chômage	*%*	••	••	9,3	8,9[q]
Population active	*million*	76,6	77,2	77,6	••
Agriculture	*% } 100 %*	14,3	13,2	14,0	••
Industrie	*% } 100 %*	41,7	42,3	33,5	••
Services	*% } 100 %*	44,0	44,5	52,5	••
Dépense publique Éducation	*% PIB*	3,2	3,5	4,4[e]	••
Dépense publique Défense[o]	*% PIB*	••	19,7[h]	11,4	••
Énergie (taux de couverture)	*%*	123,5	140,3	153,7	••
Dette extérieure totale	*milliard $*	28,30	59,82	124,8	••
Service de la dette/Export.	*%*	••	2,26[h]	6,56	••
Échanges extérieurs		**1985**	**1990**	**1996**	**1997**
Importations de services	*milliard $*	••	••	18,66	18,72
Importations de biens	*milliard $*	••	103,9[k]	67,44	71,35
Produits agricoles	*%*	••	••	26,0	25,3
Produits chimiques	*%*	••	••	11,9	12,3
Machines et mat. de transport	*%*	••	••	27,9	31,0
Exportations de services	*milliard $*	••	••	12,95	13,52
Exportations de biens	*milliard $*	••	105,2[k]	90,51	88,68
Produits miniers[t]	*%*	••	••	48,0	50,3
Produits chimiques	*%*	••	••	7,8	7,2
Machines et mat. de transport	*%*	••	••	9,4	10,0
Solde transactions courantes	*% du PIB*	••	0,11[h]	2,59	0,77

* Définition des indicateurs p. 25 et suiv. ** Dernier recensement utilisable : 1989. a. 1985-90 ; b. 1990-95 ; c. 1995-2000 ; d. Taux brut, 10-16 ans ; e. 1993 ; f. 1994 ; g. 1989-96 ; h. 1992 ; i. 1989 ; k. Biens et services ; m. Selon la Banque mondiale, l'espérance de vie aurait cessé de diminuer en 1995 ; n. 1995 ; o. Source : Banque mondiale ; p. Selon la Banque mondiale, la mortalité infantile, qui augmentait depuis 1991, aurait cessé d'augmenter en 1995 ; q. En fin d'année ; r. 1991 ; s. A parité de pouvoir d'achat (PPA, voir définition p. 581) ; t. Y compris pétrole.

ticulier par la recrudescence des prises d'otages et qui pourrait gagner toute la région, comme l'ont montré diverses opérations au Daghestan. Et il n'était pas certain que la création par le Conseil de sécurité, le 25 mai 1998, d'un organe gouvernemental chargé du dossier ait été plus qu'une annonce de bonnes intentions.

Contrôler les privatisations

Les privatisations, pilier des transformations socio-économiques en Russie, sont demeurées au cœur de la vie politique. La présence fluctuante autour du pouvoir de grands groupes financiers – se partageant le monde des médias – explique la plupart des mouvements de personnel politique. Pourtant, le discours étant en Russie une part importante de l'action publique, B. Eltsine n'a pas cessé au cours de l'année écoulée d'affirmer la nécessité de contrôler les privatisations et de lutter contre l'arbitraire d'une oligarchie financière. Une nouvelle loi-cadre sur « la privatisation des biens d'État et la privatisation des biens municipaux dans la Fédération de Russie » a été adoptée le 28 juillet 1997, tentant de redéfinir les règles du jeu de façon plus claire.

Si plus de 80 % des entreprises n'appartiennent plus à l'État, la collusion entre le pouvoir et les intérêts économiques, et le maintien des habitudes économiques anciennes ont continué de considérablement freiner les changements structurels : les investissements restant faibles, les mises en faillite d'entreprises non productives étant peu nombreuses, le maintien d'une main-d'œuvre inactive et impayée étant préféré aux licenciements. Ces pesanteurs expliquent en grande partie la fragilité de l'économie russe.

Les efforts accomplis de manière constante depuis 1995 en vue d'atteindre à la stabilité monétaire interne et externe semblaient pourtant avoir porté des fruits : l'inflation paraissait désormais sous contrôle (11,0 % en 1997) et la politique de stabilité du change était perçue comme ayant acquis une réelle crédibilité. La redénomination du rouble (1 000 anciens roubles devenant 1 nouveau rouble), le 1er janvier 1998, s'était déroulée très correctement, malgré les précédents fâcheux de 1991 et 1993. Sur ce terrain en apparence stabilisé, on avait observé en 1997, pour la première fois depuis le début des réformes, une crois-

Fédération de Russie

Capitale : Moscou.

Superficie : 17 075 400 km^2.

Monnaie : nouveau rouble russe (au taux officiel, 100 nouveaux roubles = 75,94 FF au 28.8.98. En août 1998 s'est ouverte une très violente crise monétaire et financière).

Langues : russe (langue off. d'État), bachkir, tatare, tchétchène, etc.

Chef de l'État (au 28.10.98) : Boris Eltsine (président depuis le 12.6.91, réélu le 3.7.96).

Premier ministre : Sergueï Kirienko, limogé le 23.8.98, avait succédé en avril 98 à Victor Tchernomyrdine. Il a été remplacé par Evgueni Primakov, investi le 11.9.98.

Vice-premier ministre : Iouri Maslioukov, nommé le 11.9.98. Jusqu'alors, trois vice-premiers ministres étaient en poste : Boris Nemtsov (depuis mars 97), chargé de l'Énergie ; Viktor Khristenko (depuis avr. 98), chargé des Finances ; Oleg Sysuev, chargé des Affaires sociales.

Échéances électorales : législatives (1999) et présidentielle (2000).

Nature de l'État : république fédérale, comportant 89 « sujets de la Fédération ».

Nature du régime : présidentiel fort.

Principaux partis politiques : Parti communiste de la Fédération de Russie (G. Ziouganov) ; « Notre maison la Russie » (V. Tchernomyrdine) ; Parti libéral-démocrate (V. Jirinovski) ; Iabloko (G. Iavlinski).

Souveraineté contestée : la république de Tchétchénie s'est autoproclamée indépendante le 1.11.91.

Territoires contestés : îles Kouriles [Pacifique], revendiquées par le Japon.

Carte : p. 556-557 ; voir aussi p. 551.

Cercle polaire arctique
70° N
80° N
R.-U.
OCÉAN ATLANTIQUE
Spitzberg (NORVÈGE)
OCÉAN
Terre François-Joseph
NORVÈGE
DK
SUÈDE
MER BALTIQUE
FINLANDE
Mourmansk
Presqu'île de Kola
MER DE BARENTS
MER DE KARA
Kaliningrad
POL.
EST.
CARÉLIE
LIT.
LETT.
Petrozavodsk
Nouvelle-Zemble
Arkhangelsk
St-Pétersbourg
BIÉLORUSSIE
Smolensk
Moscou
Dvina
Rép. des KOMIS
Vorkouta
Briansk
Iaroslav
Norilsk
UKRAINE
Toula
Riazan
Syktyvkar
Nijni-Novgorod
Rép. des IAMALO-NENETS
Voronej
Kirov
R
Kazan
Don
Perm
Rostov-sur-le-Don
Saratov
Ekaterinbourg
Volga
Samara
Oufa
Volgograd
Tcheliabinsk
Orenbourg
Elista
Iénisseï
Ob
KALMOUKIE
Oural
Astrakhan
Omsk
Tomsk
G.
Makhatchkala
Novosibirsk
AR.
DAGHESTAN
KAZAKHSTAN
AZ.
Irtych
Barnaoul
KHAKASSIE
Abakan
Gorno-Altaïsk
MER CASPIENNE
Mer d'Aral
ALTAÏ
Lac Balkhach
OUZBÉKISTAN
IRAN
TURKMÉNISTAN
KIRGHIZSTAN
CHINE
Républiques membres de la Fédération de Russie
1- MORDOVIE (Saransk)
2- TCHOUVACHIE (Tcheboksary)
3- Rép. des MARIS (Iochkar-Ola)
4- TATARSTAN (Kazan)
5- OUDMOURTIE (Ijevsk)
6- BACHKORTOSTAN (Oufa)
7- Rép. des ADYGHÉENS ((Maïkop)
8- KARATCHAEVO-TCHERKESSIE (Tcherkessk)
9- KABARDINO-BALKARIE (Naltchik)
10- OSSÉTIE DU NORD (Vladikavkaz)
11- INGOUCHIE (Nazran)
12- TCHÉTCHÉNIE (Groznyi)

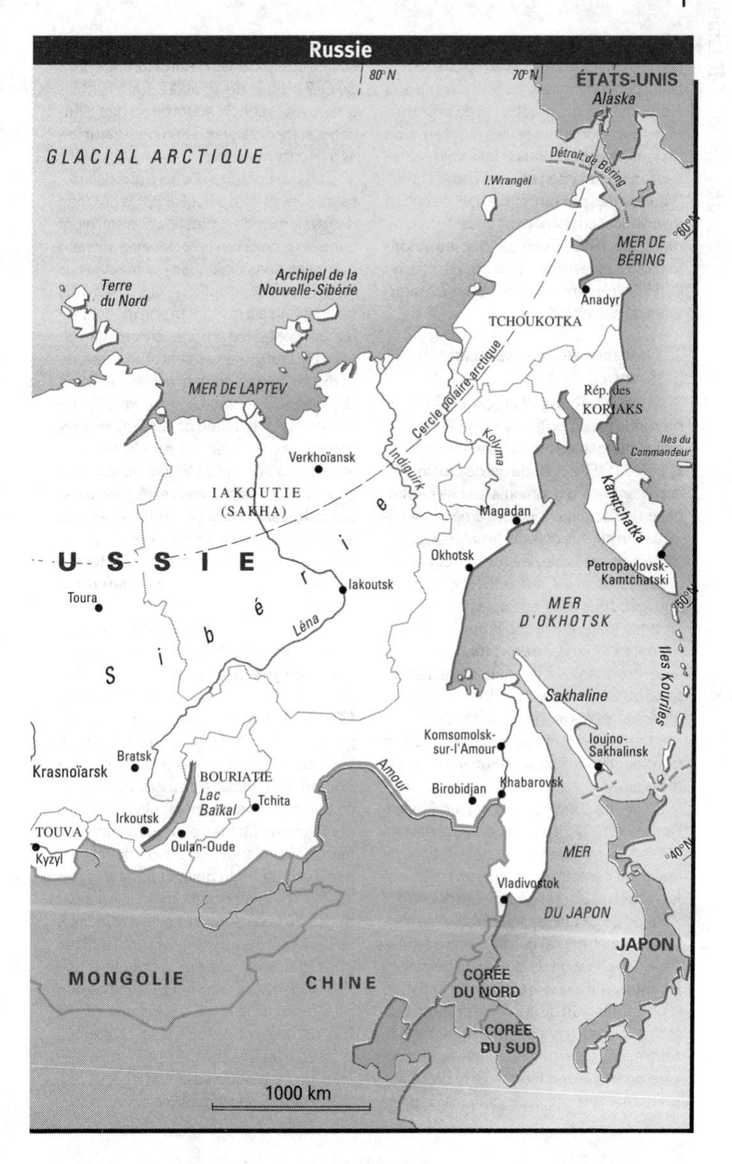
Russie
80° N
70° N
ÉTATS-UNIS
Alaska
GLACIAL ARCTIQUE
Détroit de Béring
I.Wrangel
MER DE BÉRING
Anadyr
TCHOUKOTKA
Terre du Nord
Archipel de la Nouvelle-Sibérie
MER DE LAPTEV
Cercle polaire arctique
Rép. des KORIAKS
Iles du Commandeur
Kolyma
Indiguirk
Verkhoïansk
IAKOUTIE (SAKHA)
Kamtchatka
Magadan
RUSSIE
Okhotsk
Petropavlovsk-Kamtchatski
Iakoutsk
Toura
MER D'OKHOTSK
Sibérie
Léna
Iles Kouriles
Sakhaline
Komsomolsk-sur-l'Amour
Ioujno-Sakhalinsk
Bratsk
Krasnoïarsk
BOURIATIE
Amour
Birobidjan
Khabarovsk
Lac Baïkal
Tchita
Irkoutsk
TOUVA
Oulan-Oude
Kyzyl
MER DU JAPON
Vladivostok
JAPON
MONGOLIE
CHINE
CORÉE DU NORD
CORÉE DU SUD
1000 km
60° N
50° N
40° N

sance, encore très timide, du PIB (0,4 %). Les évolutions sectorielles et régionales restaient cependant contrastées, la capitale et les industries d'extraction et de première transformation ayant seules fait preuve de dynamisme. La situation financière extérieure n'apparaissait en outre pas assurée : la baisse des prix du pétrole était de nature à provoquer un déficit des transactions courantes en 1998. Elle a conduit les autorités à affirmer leur souci de coopérer avec l'OPEP (Organisation des pays exportateurs de pétrole).

Crise monétaire et marasme financier

Surtout, la Russie était confrontée à une profonde crise des finances publiques. Le déficit budgétaire a été contenu en 1997 à 6,1 % du PIB, au prix de gel de crédits très importants qui ont alimenté la crise des impayés et l'accumulation des arriérés de salaires. En effet, la collecte fiscale est restée extrêmement faible, les ressources fédérales se limitant à 9 % du PIB, et le projet de nouveau code fiscal est resté bloqué par la Douma. Dans ces conditions, les autorités ont recouru dans des proportions toujours croissantes à l'endettement, tant interne qu'externe, dans des formes qui n'ont été soutenables que grâce à la forte détente des taux d'intérêt et à l'engouement certain pour les titres russes sur les marchés internationaux.

Or, cette conjoncture s'est retournée à l'automne 1997, et plus encore au printemps 1998. Malgré les signaux positifs que constituaient le compromis acquis le 4 mars sur le budget 1998 et le nouvel élan donné à la réforme de l'administration fiscale, les marchés ont mal réagi à l'échec, au mois de mai, de la privatisation de la société pétrolière Rosneft, qui a encore souligné le risque d'une contagion de la crise asiatique, et la Banque centrale a dû, pour défendre le rouble, accepter une remontée spectaculaire de ses taux d'intérêt. Si le FMI s'apprêtait à relancer son programme de prêts de 1995, bloqué en raison des faibles résultats des réformes de structure, les pays du G-7, réunis du 15 au 17 mai à Birmingham, révélaient le souci de ne pas s'engager immédiatement dans un soutien massif à l'économie russe.

Dans ce contexte économique difficile, se traduisant en particulier par la carence des systèmes de protection sociale, alors que s'observait une réelle défiance à l'égard des institutions politiques – alimentée par les affaires de corruption –, une partie de la société russe a manifesté son mécontentement contre les arriérés chroniques de salaires. Les grèves se sont multipliées, en particulier dans le secteur minier. La région du Primorié (Extrême-Orient) a été plus particulièrement touchée par une crise énergétique, liée au conflit entre le Centre et les autorités locales. Mais les différenciations économiques sectorielles et régionales, la désyndicalisation croissante et la préférence accordée au repli sur les solidarités primaires sont restées des freins majeurs à la formation de mouvements sociaux d'ampleur nationale.

Le renvoi, le 23 mars 1998, du gouvernement et du Premier ministre Victor Tchernomyrdine (en poste depuis 1992), son remplacement par Sergueï Kirienko (35 ans), ministre du Pétrole et de l'Énergie dans le gouvernement précédent et allié de Boris Nemtsov (qui avait été nommé vice-premier ministre en mars 1997), tout en correspondant sans doute à une lutte d'influence entre les oligarques, avaient marqué la volonté du pouvoir de redresser la situation du pays et de réaffirmer le cours des réformes. Après le rejet par deux fois de la candidature de S. Kirienko, celui-ci avait été investi le 24 avril 1998 par une Douma divisée sur la crainte d'une dissolution. A. Tchoubaïs, démis de son portefeuille de ministre des Finances, avait été nommé directeur des Systèmes d'énergie unifiés, puissant monopole d'État de la distribution d'électricité, et gardait un rôle important dans la vie économique du pays, traitant en particulier des endettements mutuels et des flux financiers dans les régions, et conservant la haute main sur les relations avec les grands bailleurs internationaux. Le nouveau Premier ministre s'était entouré de réformateurs, dont Boris Fedorov, ancien ministre libéral du gouvernement d'Egor Gaïdar (« Premier ministre en exercice » de juin à décembre 1992), et avait tenté avec détermination de juguler la crise financière et de remplir les engagements du gouvernement pour le versement des salaires et des retraites.

Le 13 juillet, le FMI et la Banque mondiale annonçaient l'octroi d'un prêt de 22,6 milliards de dollars. Le rouble continuant de plonger et la situation financière devenant de plus en plus alarmante, B. Eltsine allait congédier son Premier ministre le 23 août, ajoutant une crise politique à la crise financière. Après avoir tenté de faire revenir V. Tchernomyrdine à ce poste – projet auquel s'opposa la Douma –, Evgueni Primakov allait prendre la tête du gouvernement, avec l'approbation des communistes.

Une politique étrangère active en Asie et au Moyen-Orient

La politique étrangère de la Russie, reflétant les différents groupes d'intérêts, est restée peu déterminée, et marquée par le jeu politique entre le président et la Douma. Elle était d'abord tournée vers le règlement des contentieux liés à l'éclatement de l'Union soviétique et s'inscrivait dans la volonté de maintenir les pays de l'« étranger proche » (les ex-républiques soviétiques) sous son influence. La vive condamnation, au premier semestre 1998, de la politique de la Lettonie à l'égard de sa minorité russophone a aussi participé du souci de détourner l'Occident des pays baltes. Le litige avec l'Ukraine a subsisté : le problème de la division de la flotte de la mer Noire n'ayant pas été résolu, le Parlement n'avait toujours pas ratifié le traité entre la Russie et l'Ukraine signé le 31 mai 1997. Quant aux relations avec la Biélorussie, avec laquelle la Russie a signé un traité d'union le 2 avril 1997, elles se sont largement détériorées avec l'évolution politique erratique qu'a connue ce pays. Enfin, le statut juridique de la mer Caspienne, l'extraction de ses réserves pétrolières et l'acheminement du pétrole vers les marchés mondiaux font l'objet depuis plusieurs années de tractations entre les différents pays riverains ; un nouvel accord a été signé le 28 avril 1998 entre B. Eltsine et Noursultan Nazarbaiev, président du Kazakhstan.

La Russie a désormais intégré la plupart des institutions internationales. Le 17 septembre 1997, elle est passée, au sein du Club de Paris, du statut de débiteur à celui de créancier. En mai 1998, à Birmingham, elle a participé comme membre à part entière aux discussions des pays les plus industrialisés, même si elle ne participait pas aux débats sur les questions économiques et financières majeures. La Russie a développé sa coopération avec les États-Unis, tout en souhaitant entretenir des liens privilégiés avec l'Europe. Les relations avec l'Occident sont néanmoins demeurées compliquées par l'élargissement de l'OTAN (Organisation du traité de l'Atlantique nord) à certains pays d'Europe centrale et orientale, malgré l'accord conclu entre l'institution et Moscou le 27 mai 1997. La Douma a continué à refuser d'adopter le traité START 2 portant sur la réduction des armes nucléaires stratégiques. De manière symbolique, la loi interdisant les transferts d'objets d'art confisqués par l'Union soviétique pendant la Seconde Guerre mondiale a été adoptée par la Douma et la Chambre haute malgré le veto présidentiel. B. Eltsine l'a signée le 15 avril 1998, tout en faisant appel auprès de la Cour constitutionnelle contre ce texte au motif qu'il était contraire à la Constitution russe et aux conventions internationales signées par Moscou.

C'est au Moyen-Orient et en Asie que la

Russie/Bibliographie

R. Berton-Hogge, M.-A. Crosnier (sous la dir. de), *Les Pays de la CEI. Édition 1997*, Les Études de La Documentation française, Paris, 1997.

R. Brunet, D. Eckert, V. Kolossov, *Atlas de la Russie et des pays proches*, La Documentation française/Reclus, Paris/Montpellier, 1995.

M. Ferro (sous la dir. de, avec la collab. de M.-H. Mandrillon), *L'état de toutes les Russies. Les États et nations de l'ex-URSS*, La Découverte, coll. « L'état du monde », Paris, 1993.

« La Caspienne. Une nouvelle frontière », *Cahiers d'études sur la Méditerranée orientale et le monde turco-iranien* (*CEMOTI*), n° 23, Paris, 1997.

« La Russie en quête d'équilibres », *Politique étrangère*, IFRI, Paris, hiv. 1996.

M. Mendras (sous la dir. de), « Russie. Le gouvernement des provinces », *Nouveaux Mondes*, n° 7, hiv. 1997.

Problèmes politiques et sociaux. Série « Russie » (3 numéros par an), La Documentation française, Paris. Voir notamment : « Russie 1993-1996 : une fragile démocratisation » (dossier constitué par R. Berton-Hogge), n° 772, 1996 ; « Russie : quel système de sécurité ? » (dossier constitué par L. Mandeville), n° 778, 1997 ; « Russie : qui gouverne les régions ? » (dossier constitué par J.-R. Raviot), n° 783, 1997 ; « Les capitalistes russes » (dossier constitué par M. Désert et G. Favarel-Garrigues), n° 789, 1997 ; « La Russie et l'Orient » (dossier constitué par C. Mouradian), n° 796, 1998 ; « Russie : quel avenir pour la recherche ? » (dossier constitué par M.-H. Mandrillon), n° 809, 1998 ; « L'espace baltique/mer Noire), une zone tampon pour la Russie ? » (dossier constitué par F. Daucé), n° 802, 1998.

J. Radvanyi, *La Nouvelle Russie*, Masson/Armand Colin, Paris, 1995.

J. Sapir, *Le Krach russe*, La Découverte, Paris, 1998.

J. Sapir, *Le Chaos russe. Désordres économiques, conflits politiques, décomposition militaire*, La Découverte, Paris, 1996.

« La Sibérie et l'Extrême-Orient russe », *Le Courrier des pays de l'Est*, n° 422, La Documentation française, Paris, sept. 1997.

N. Werth, *L'Histoire de l'Union soviétique. De l'Empire russe à l'Union soviétique 1900-1990*, PUF, Paris, 1991.

Voir aussi la bibliographie sélective « Espace post-soviétique », p. 538, ainsi que la bibliographie « Biélorussie-Moldavie-Ukraine », p. 562.

politique étrangère de la Russie, soucieuse de développer une vision multipolaire du monde, a été la plus active. Le 10 novembre 1997, Moscou a renoué un « partenariat stratégique » avec la Chine et signé avec Pékin un accord fixant la frontière entre les deux pays. La Russie a tenté, par ailleurs, de régler son contentieux avec le Japon. En novembre 1997, à Krasnoïarsk, Moscou et Tokyo sont convenus de signer avant l'an 2000 un accord de coopération et d'amitié pour le XXIe siècle et, en avril 1998, le président russe a accepté d'y inclure la question territoriale des îles Kouriles (aucun traité de paix n'a été signé entre les deux pays depuis la Seconde Guerre mondiale).

Au Moyen-Orient, la Russie a conservé une position ferme et indépendante de celle des puissances occidentales et a tenté de retrouver un rôle de puissance régionale. Elle a ainsi servi, au cours de l'année 1997-1998, de médiateur entre l'ONU et l'Irak. Suscitant de vives critiques de la part des États-Unis, elle a par ailleurs développé ses relations économiques avec l'Iran, signé des contrats d'armement et collaboré au programme de coopération nucléaire civile de ce pays. - **Kathy Rousselet** ■

Ukraine

Les élections législatives de mars 1998 ont fait resurgir l'image d'un pays en crise incapable de trancher entre capitalisme et néocommunisme, entre Occident et Russie. Arriérés de salaires de plusieurs mois, taux de chômage réel de 20 %, tuberculose en augmentation de 43 % depuis 1991, hausse de la mortalité (y compris chez les jeunes), bureaucratie tatillonne, législation trouble, scandales financiers, mœurs politiques en voie de criminalisation, violences contre les médias, mauvais traitements dans les prisons, peine de mort, autant de problèmes qui se seront accumulés. Entre 1991 et 1998, le pays a vu baisser considérablement son revenu et les autorités ne maîtrisent pas les finances. L'adoption en juin 1997 d'un code civil ou le taux relativement élevé de participation électorale ont semblé un contrepoids trop faible aux yeux de l'opinion internationale. Le projet de loi de privatisation, plusieurs fois remanié, s'est heurté à l'opposition de la gauche, de certains nationalistes et de notables craignant que des concurrents n'en profitent. Les investissements étrangers sont restés faibles (Credit Risk International a qualifié l'Ukraine de « marché moyen en stagnation », la plaçant au rang de pays « à risque élevé »). Le PIB a chuté de plus de 3 % en 1997, la production industrielle d'environ 2 %, l'agro-alimentaire de 15 % et le déficit de la balance commerciale a continué à se creuser. Cependant, on a entrevu la fin de la crise : les autorités ont réussi à maîtriser l'inflation au taux de 10,1 % en 1997, la monnaie s'est maintenue et la population a fait preuve de débrouillardise, ayant notamment recours au troc. L'économie « grise » représenterait la moitié du PIB.

L'Ukraine a voulu obtenir des appuis extérieurs en profitant de sa position stratégique. Elle est le troisième bénéficiaire de l'aide américaine et l'ambassadeur des États-Unis à Kiev a déclaré en septembre 1997 que son gouvernement utiliserait son influence au FMI pour « éviter tout désagrément » aux autorités ukrainiennes. Toutefois, en janvier 1998, le FMI a suspendu le versement d'un prêt de 542 millions de dollars et Kiev s'est rapprochée de Moscou. Le président Leonid Koutchma a signé, le 27 février 1998, au Kremlin, avec son homologue russe un accord prévoyant de doubler les échanges commerciaux avec la Russie. Le président Boris Eltsine a de son côté accordé son appui à L. Koutchma pour les présidentielles de l'automne 1999 et déclaré que l'Ukraine ne rejoindrait pas l'OTAN (Organisation du traité de l'Atlantique nord). Ce rapprochement, peut-être durable, pourrait aussi n'être qu'une manœuvre de L. Koutchma pour « court-cir-

Ukraine

Capitale : Kiev.
Superficie : 603 700 km^2.
Nature de l'État : ancienne république soviétique devenue indépendante le 24.8.91.
Nature du régime : présidentiel fort. Le président de la République gère directement, depuis déc. 96, les ministères des Affaires étrangères, de l'Intérieur, de la Défense et de l'Information. Le président du Soviet suprême, Alexander Tchakenko occupe la troisième place dans la hiérarchie du pouvoir.
Chef de l'État : Leonid Koutchma, président de la République (depuis le 10.7.94).
Chef du gouvernement : Valery Pustovoïtenko, qui a remplacé en juil. 97 Pavel Lazarenko (démissionné le 2.7.97).
Ministre des Affaires étrangères : Boris Tarasiouk (depuis le 17.4.98).
Ministre de l'Intérieur : Vitaly Kravtchenko (depuis le 16.7.97).
Ministre de la Défense nationale : Oleksander Kouzmouk (depuis le 16.7.97)
Monnaie : hrivna (au cours officiel, 1 hrivna = 2,35 FF au 7.9.98).
Langues : ukrainien (off.), russe, turco-tatar, roumain, hongrois, bulgare, polonais, allemand, slovaque, biélorusse, grec.

Biélorussie-Moldavie-Ukraine/Bibliographie

M. Aznar, « L'Ukraine et le multipartisme », *Regard sur l'Est*, n° 7, Association des étudiants de l'INALCO, Paris, déc. 1997/janv. 1998.

« Belarus, Moldova », *Country Report*, The Economist Intelligence Unit, Londres (trim.).

R. Berton-Hogge, M.-A. Crosnier (coord.), *Ukraine, Biélorussie, Russie. Trois États en construction*, Les Études de la Documentation française, Paris, 1995.

Biélorussie. Un marché, CFCE, coll. « Un marché », Paris, juil. 1996.

M. Cazacu, N. Trifon, « La Moldavie ex-soviétique, histoire et enjeux actuels, suivi de Notes sur les Aroumains en Grèce, Macédoine et Albanie », *Cahiers d'Iztok*, 2/3 Akratie, Paris, 1993.

M.-A. Crosnier, « Moldavie 1997 : une contrainte extérieure de plus en plus pesante », *Le Courrier des pays de l'Est*, n° 428-429, La Documentation française, Paris, mars-avr.-mai 1998.

B. Drweski, *La Biélorussie*, PUF, coll. « Que sais-je ? », Paris, 1993.

B. Drweski, « Les partis ukrainiens », *La Nouvelle Alternative*, n° 41, Paris, 1996.

Government of Moldova, European Expertise Service (TACIS), *Moldovan Economic Trends*, Chisinau (mensuel).

A. Joukovski, *Histoire de l'Ukraine*, Éd. du Dauphin, Paris, 1993.

A. Kappeler, *Petite histoire de l'Ukraine*, Institut d'études slaves, coll. « IRENISE », Paris, 1997.

T. Kusio, *Contemporary Ukraine – Dynamics of Post-Soviet Transformation*, M.E. Sharpe, Londres, 1998.

La Tribune ukrainienne, Paris (bimestriel).

« L'Ukraine, une nation en chantier » (dossier), *La Nouvelle Alternative*, n° 36, Paris, déc. 1994.

D. R. Marples, *Belarus : from Soviet Rule to Nuclear Catastrophe*, Macmillan, Londres, 1996.

Perspectives biélorussiennes, Paris (trimestriel).

V. Richard, « Géographie et géopolitique en Biélorussie du XVIe siècle à nos jours », *Annales de géographie*, n° 558, mars-avr. 1996.

A. Ruzé, *La Moldova entre la Roumanie et la Russie. De Pierre le Grand à Boris Eltsine*, L'Harmattan, Paris, 1997.

A. et J. Sellier, *Atlas des peuples d'Europe centrale*, La Découverte, Paris, 1998 (nouv. éd.).

R. Shen, *Ukraine's Economic Reform. Obstacles, Errors, Lessons*, Praeger, Londres, 1996.

V. Symaniec, « Chronique d'un été minskois », *La Nouvelle Alternative*, n° 47, Paris, sept. 1997.

V. Symaniec, A. Goujon, *Parlons biélorussien, langue et culture*, L'Harmattan, Paris, 1997.

Ukraine information. Bulletin de Presse, Paris (hebdomadaire).

N. Werth, M.-A. Crosnier, M. Kahn, « Biélorussie », « Ukraine », « Moldavie », *in* M. Ferro (sous la dir. de), *L'état de toutes les Russies. États et nations de l'ex-URSS*, La Découverte, coll. « L'état du monde », Paris, 1993.

Voir aussi la bibliographie sélective « Espace post-soviétique », p. 538.

cuiter » les appuis dont bénéficient à Moscou ses concurrents. La Russie n'a par ailleurs pas forcément les moyens de supporter les coûts liés au rapprochement avec Kiev. L'Ukraine n'a cependant plus semblé en état d'ignorer Moscou et de construire un terminal énergétique à Odessa permettant de contourner les voies d'approvisionnement russes. L'adhésion à l'Union européenne envisagée en juillet 1997 par le président a semblé oubliée.

Les élections législatives de mars 1998 ont permis aux communistes, dirigés par le jeune Petro Simonienko et dotés d'un programme de défense des acquis sociaux et de reconnaissance de la spécificité ukrainienne, d'opérer une percée dont ont aussi profité leurs alliés socialistes et paysans. L'émergence des « gauchistes » du Parti socialiste progressiste a cependant révélé la radicalisation de l'électorat d'Ukraine orientale et méridionale. La droite nationaliste, trop divisée, n'a pu faire contrepoids. L'extrême droite, quant à elle, a joué sur l'impatience de l'électorat d'Ukraine occidentale et a empêché le Roukh nationaliste, plus modéré, d'étendre son influence. Les « centristes » sont plus hétéroclites et liés aux clans nomenklaturistes : celui de Dniepropetrovsk, formé à l'époque de Leonid Brejnev, avec L. Koutchma et le Parti populaire démocratique, ou avec Pavel Lazarenko (Premier ministre, 1996-1997) et le parti Hromada. L'ancien président, Leonid Kravtchouk (1991-1994), quant à lui, contrôle avec l'ancien Premier ministre et chef du KGB, Yevhen Martchouk (1995-1996), le Parti social-démocrate uni. L. Koutchma, menacé de destitution par une partie de l'opposition, a semblé pouvoir accepter des compromis. L'appui du Kremlin lui serait utile en cas de tensions.

L'Ukraine est peu gouvernée et les régions, les villes, parfois les quartiers mènent leur propre politique. Ce mouvement est renforcé par la persistance du clivage entre l'est du pays, marqué par la sensibilité communiste et l'ouest, plus nationaliste. Dans les deux cas, les Ukrainiens manifestent leur méfiance devant un libéralisme qui leur paraît porteur de fracture sociale. Le besoin de projets audacieux est réel mais les élites, qui ne sont pas toutes mafieuses, ne semblent pas encore capables d'en élaborer.
- **Bruno Drweski** ■

Transcaucasie

Arménie, Azerbaïdjan, Géorgie

Arménie

« Révolution de palais » ou changement radical de politique, la chute annoncée du président Levon Ter Petrossian, le 3 février 1998, apparaissait comme l'aboutissement de la longue crise dans laquelle s'enfonçait l'Arménie depuis déjà quelques années. Confronté à une contestation grandissante au sein de son propre camp, rendu responsable de l'atmosphère délétère dans laquelle basculait le pays, l'ancien leader du Comité Karabakh, acculé à la démission, n'a pas achevé son deuxième mandat. L. Ter Petrossian était violemment contesté sous l'accusation d'autoritarisme et de corruption de son environnement.

Le président n'était plus en état de trouver les ressources nécessaires afin d'imposer sa position sur l'épineuse question de la « république autoproclamée du Haut-Karabakh » (territoire d'Azerbaïdjan à population majoritairement arménienne). Partisan d'un compromis avec Bakou afin de réintégrer l'Arménie dans le jeu régional, alors que le pétrole est devenu un facteur économique et géopolitique essentiel, désireux de s'émanciper de la pesante tutelle russe, L. Ter Petrossian avait favorablement réagi aux propositions de l'OSCE (Organisation pour la sécurité et la coopération en Europe). En septembre 1997, Erevan avait accepté le plan du groupe de Minsk qui prévoyait l'évacuation des territoires azerbaïdjanais occupés par les troupes du Haut-Karabakh comme préalable à de futures négociations. Le refus de Stepanakert, « capitale » du Haut-Karabakh, relayé par l'opposition et des dissensions au sein de l'équipe au pouvoir ont eu raison du fragile équilibre qui s'était instauré après la nomination, le 20 mars 1997, de Robert Kotcharian. L'ancien président du Haut-Karabakh, qui exerçait *de facto* les fonctions de président de l'Arménie après la démission de L. Ter Petrossian, est apparu dès lors comme le favori de l'élection présidentielle fixée le 15 mars 1998. Talonné par l'an-

République d'Arménie

Capitale : Erevan.
Superficie : 29 800 km².
Nature de l'État : ancienne république soviétique devenue indépendante le 21.9.91.
Chef de l'État : Robert Kotcharian, président de la République, qui a succédé en avr. 98 à Levon Ter Petrossian.
Chef du gouvernement : Armen Darpinian, qui a succédé à Robert Kotcharian, lequel avait remplacé, le 20.3.97, Armen Sarkissian (démissionnaire pour raison de santé).
Président du Parlement : Khosrov Haroutiounian.
Ministre des Affaires étrangères : Vardan Oskanian.
Monnaie : dram (au cours officiel, 100 drams = 1,18 FF au 30.4.98).
Langues : arménien (off.), russe.
Litige territorial : le Haut-Karabakh, situé en Azerbaïdjan, est peuplé en majorité d'Arméniens qui réclament son rattachement à l'Arménie.

Transcaucasie

cien patron du Parti communiste, Karen Dermitchian, il a dû attendre le second tour, le 30 mars, pour être élu avec 59,49 % des suffrages exprimés (68 % de participation), contre 40,51 % à son adversaire. Malgré le *satisfecit* relatif accordé par les observateurs, ces derniers n'en avaient pas moins noté de « sérieuses irrégularités ».

Tandis que des voix de plus en plus nombreuses exigeaient un changement d'orientation de l'OSCE, jugée trop proche des positions azerbaïdjanaises, le durcissement attendu sur le « front du Karabakh » n'a pas provoqué les affrontements redoutés avec l'Azerbaïdjan. Mais l'Arménie, malgré la volonté de ses dirigeants de rompre l'isolement diplomatique provoqué par l'intransigeance des dirigeants du Haut-Karabakh, parvenait difficilement à trouver sa place dans une région bouleversée par la nouvelle donne pétrolière. La proposition azerbaïdjanaise, « Un oléoduc contre les territoires » (allusion au slogan palestinien « La terre contre la paix ») semblait trouver peu d'échos au sein de la nouvelle direction arménienne.

Azerbaïdjan

Courtisé par les grandes compagnies pétrolières – désormais massivement présentes dans un pays dont les réserves de pétrole *offshore* se montent à plusieurs milliards de barils –, flatté par plus d'un État qui, hier encore, ignorait jusqu'à son existence,

INDICATEUR*	UNITÉ	ARMÉNIE	AZER-BAÏDJAN	GÉORGIE
Démographie**				
Population	*millier*	3 642	7 655	5 435
Densité	*hab./km²*	122,2	88,4	78,0
Croissance annuelle[d]	%	0,2	0,8	– 0,1
Indice de fécondité (ISF)[d]		1,7	2,3	1,9
Mortalité infantile[d]	‰	25	33	23
Espérance de vie[d]	*année*	70,6	70,5	72,6
Indicateurs socioculturels				
Développement humain (IDH)[c]		0,651	0,636	0,637
Nombre de médecins	*‰ hab.*	3,05[b]	3,80[a]	3,75[a]
Scolarisation 2e degré	%	79[bo]	78[n]	71[q]
Scolarisation 3e degré	%	41,8[p]	19,8[m]	38,1[b]
Livres publiés	*titre*	224[c]	498[b]	1 104[b]
Armées				
Armée de terre	*millier d'h.*	58,6	53,3	12,6
Marine	*millier d'h.*	–	2,2	2
Aviation	*millier d'h.*	–	11,2	3
Économie				
PIB total[ae]	*million $*	8 200	11 300	9 800
Croissance annuelle 1989-96	%	– 8,7	– 13,1	– 17,5
Croissance 1997	%	3,3	5,8	11,0
Croiss. agriculture 1997	%	– 6,0	– 7,0	6,0
Croiss. industrie 1997	%	1,0	0,3	8,1
PIB par habitant[ae]	$	2 160	1 490	1 810
Investissement (FBCF)[f]	*% PIB*	11,2	20,0	2,9
Taux d'inflation	%	21,9	4,0	7,3
Taux de chômage[g]	%	11,0	1,3	2,6
Dépense publique Éducation	*% PIB*	3,5[im]	3,0[b]	5,2[c]
Dépense publique Défense[a]	*% PIB*	6,2	5,8	3,4
Énergie (taux de couverture)[b]	%	15,4	121,3	18,1
Dette extérieure totale[a]	*million $*	552	435	1 353
Service de la dette/Export.[f]	%	14	1	6
Échanges extérieurs				
Importations	*million $*	903	785	930
Principaux fournisseurs[a]	%	UE 29,1	UE 18,3	UE 28,4
	%	E-U 8,6	CEI 22,4	Turq 13,3
	%	CEI 31,6	Turq 22,6	CEI 24,7
Exportations	*million $*	232	780	250
Principaux clients[a]	%	Belg 16,3	UE 9,5	UE 15,2
	%	Rus 24,0	CEI 49,0	CEI 65,5
	%	PNS[k] 42,6	Iran 29,8	Turq 12,1
Solde transactions courantes	*% PIB*	– 17,98[a]	– 18,25[a]	– 5,01[b]

* Définition des indicateurs p. 25 et suiv. Chiffres 1997 sauf notes. ** Derniers recensements utilisables : Arménie, 1989 ; Azerbaïdjan, 1989 ; Géorgie, 1989. a. 1996 ; b. 1995 ; c. 1994 ; d. 1995-2000 ; e. A parité de pouvoir d'achat (PPA, voir définition p. 581) ; f. 1994-96 ; g. En fin d'année ; i. Dépenses courantes seulement ; k. Pays non spécifiés ; m. 1993 ; n. 10-16 ans, taux brut ; p. 1990 ; q. 10-16 ans.

l'Azerbaïdjan se trouve désormais le centre d'un enjeu économique et géopolitique dont il maîtrise difficilement les données. Alors que les investissements étrangers se sont multipliés, s'est posée la question de savoir comment assurer l'évacuation du « nouveau pétrole » vers les marchés occidentaux. La Russie, pour des raisons autant économiques que stratégiques, s'est montrée désireuse de voir transiter la plus grande partie de cette manne par son territoire. Mais comment échapper à une trop grande dépendance sans pour autant froisser l'ancienne puissance tutélaire, tandis que Turcs et Géorgiens, épaulés par les Occidentaux, tentaient d'imposer leur propre route ? Des trois États de Transcaucasie, l'Azerbaïdjan est le seul à ne pas abriter de bases russes sur son territoire, occupé à hauteur de 15 % par les combattants arméniens dans le contexte de la situation bloquée au Haut-Karabakh (territoire d'Azerbaïdjan à population majoritairement arménienne) – avec près d'un million de réfugiés dont la situation restait précaire. Aucune solution ne semblait poindre à l'horizon, alors qu'un nouveau président, moins enclin au compromis, était élu à Erevan.

La question du statut de la Caspienne (mer ou lac) pour les droits des États riverains restait entière. Alors que les tensions entre États riverains semblaient s'estomper, Moscou tentait de susciter des traités bilatéraux, tandis que Bakou s'en tenait à une position ferme afin de protéger les zones contestées, en particulier par le Turkménistan.

La vie politique est restée marquée par la forte personnalité du président Heidar Aliev. « Complots », procès et censure sont devenus le lot quotidien d'un pays où la démocratie peine à s'installer. Le 16 février 1998, Hassan Hassanov, ministre des Affaires étrangères, était limogé puis inculpé pour « corruption ». Quelques mois plus tard, c'était au tour de Rasul Gouliev, l'ancien président du Parlement limogé le 11 septembre 1996, réfugié aux États-Unis.

Alors que les élections présidentielles approchaient (11 octobre 1998), la plupart des partis se réclamant de l'opposition dénonçaient la nouvelle loi électorale « faite pour assurer la réélection de Heidar Aliev ». Le président sortant, qui a su habilement faire miroiter les extraordinaires perspectives pétrolières de l'Azerbaïdjan, était toutefois étroitement associé aux yeux de l'opinion à la prospérité annoncée du pays, « nouveau Koweït » de la zone Caspienne. H. Aliev, sans surprise, a été proclamé élu, non sans avoir préalablement déclaré sa victoire, avant les résultats du dépouillement.

Le nouveau pragmatisme de Téhéran, qui a tenté de faire valoir la qualité de ses oléoducs et gazoducs, semblait avoir quelque peu atténué les tensions entre les deux pays. Tandis qu'il ménageait verbalement Moscou, H. Aliev tentait de trouver de nouveaux appuis en Occident, en particulier auprès de Washington, où il faisait valoir les atouts pétroliers et stratégiques de l'Azerbaïdjan afin de susciter des pressions plus énergiques sur Erevan et Stepanakert.

République azerbaïdjanaise

Capitale : Bakou.
Superficie : 86 600 km^2.
Nature de l'État : ancienne république soviétique devenue indépendante le 29.8.91.
Nature du régime : présidentiel.
Chef de l'État : Heidar Aliev (depuis le 3.10.93, réélu le 11.10.98).
Chef du gouvernement : Artor Rasizadé (depuis 96).
Président du Parlement : Mourtouz Aleskerov (depuis fin 96).
Ministre des Affaires étrangères : Tofik Zoulfougarov (depuis le 5.3.98).
Monnaie : manat (au cours officiel, 100 manats = 0,15 FF au 30.3.98).
Langues : turc (off.), russe, arménien.
Territoire contesté : le Haut-Karabakh, peuplé en majorité d'Arméniens revendiquant son rattachement à l'Arménie.

Transcaucasie/Bibliographie

M. Bennigsen-Broxup (sous la dir. de), *The North Caucasian Barrier; The Russian Advance toward Muslim World*, Hurst & Company, Londres, 1992.

R. Berton-Hogge, M.-A. Crosnier (sous la dir. de), *Arménie, Azerbaïdjan, Géorgie : l'an V des indépendances*, Les Études de La Documentation française, Paris, 1996.

M.-R. Djalili (sous la dir. de), *Le Caucase post-soviétique : la transition dans le conflit*, Bruylant/LGDJ, Bruxelles/Paris, 1995.

« La Caspienne, une nouvelle frontière », *Cahiers d'études sur la Méditerranée et le monde turco-iranien (CEMOTI)*, Paris, 1997.

C. Mouradian, *L'Arménie*, PUF, coll. « Que sais-je ? », Paris, 1995.

C. Mouradian, C. Urjewicz, M. Kahn, « Caucase », *in* M. Ferro (sous la dir. de), *L'état de toutes les Russies. États et nations de l'ex-URSS*, La Découverte, coll. « L'état du monde », Paris, 1993.

J. et A. Sellier, *Atlas des peuples d'Orient. Moyen-Orient, Caucase, Asie centrale*, La Découverte, Paris, 1994.

T. Swietochowski, *Russia and Azerbaijan. A Bordeland in Transition*, Columbia University Press, New York, 1995.

C. Urjewicz, « Abkhazie », « Adjarie », « Arménie », « Azerbaïdjan », « Géorgie », *in* Y. Lacoste (sous la dir. de), *Dictionnaire de géopolitique*, Flammarion, Paris, 1993.

C. Urjewicz, « La Géorgie à la croisée des chemins : archaïsmes et modernité », *Hérodote*, n° 54-55, La Découverte, Paris, 1990.

Voir aussi la bibliographie sélective « Espace post-soviétique », p. 538.

Géorgie

A la veille du débat prévu sur la question abkhaze au Conseil de sécurité de l'ONU, le 15 juillet 1998, les quelque 35 000 réfugiés géorgiens chassés par l'offensive abkhaze dans le district de Gali (en « république autonome d'Abkhazie »), fin mai 1998, étaient invités à rentrer par les autorités de Soukhoumi. Mais beaucoup d'entre eux semblaient méfiants, sinon hostiles à cette perspective. A Moscou, les négociations entre la Géorgie et la république sécessionniste se sont poursuivies, sans pour autant déboucher sur la rencontre attendue entre les deux présidents.

Début 1998, pourtant, on notait un accroissement des échanges de biens et de personnes entre le district frontalier de Gali, traditionnellement peuplé d'une majorité écrasante de Géorgiens (30 000 à 50 000 habitants selon les estimations début 1998 ; 80 000 en 1989, dont 94 % de Géorgiens et 0,8 % d'Abkhazes). Mais l'interception par les autorités abkhazes, le 3 mars, de « partisans » géorgiens membres d'une nébuleuse Légion blanche, avait fait monter la tension d'un cran. Un mois plus tôt, le 31 janvier 1998, le président abkhaze avait accusé la partie géorgienne de préparer des actions terroristes afin de provoquer le départ des 3 000 soldats russes appartenant aux forces d'interposition de la CEI (Communauté d'États indépendants). Fin avril, alors que la reconduction du mandat de ces forces était à l'ordre du jour du sommet de la CEI, l'Union des citoyens de Géorgie, le « parti du président », multipliait les manifestations sur la frontière abkhaze, exigeant le retour des 200 000 réfugiés victimes du « nettoyage ethnique » qui avait suivi la défaite géorgienne d'octobre 1993.

Les autorités géorgiennes oscillaient entre discours guerrier et ouverture. En fait, certains milieux proches du pouvoir caressaient le rêve d'une reconquête du district de Gali à l'occasion de la fête nationale, le 26 mai.

Dans un pays encore marqué par la nouvelle tentative d'assassinat contre le président Édouard Chevardnadzé, le 9 février 1998, – les responsables en restant mal définis – et les actions terroristes menées par les « zviadistes », partisans de l'ancien président Zviad Gamsakhourdia (enlèvement d'observateurs de l'ONU en février 1998), la question abkhaze continuait à dominer la vie politique. Tandis que l'opposition exigeait la démission du président, rendu responsable d'une nouvelle humiliation, des regroupements étonnants s'esquissaient dans un monde politique éclaté et instable. Malgré des indicateurs flatteurs (11 % de hausse du PIB en 1997) et les grands espoirs que font naître le transit du pétrole de la mer Caspienne – le terminal géorgien de Supsa devait être opératoire début 1999 – et le projet TRACECA de corridor entre l'Asie centrale et l'Europe (lancé par l'Union européenne), le pays est resté confronté à une crise économique et énergétique majeure. Alors que la majorité de la population continuait à vivre au-dessous du seuil de pauvreté, la corruption gangrenait le corps social.

Moscou, dont l'action est demeurée ambiguë malgré une position apparemment progéorgienne, est resté accusé de tous les malheurs par une Géorgie qui se sent otage de l'ancienne puissance tutélaire alors que s'esquisse une importante recomposition économique et géopolitique régionale. - **Charles Urjewicz** ■

République de Géorgie

Capitale : Tbilissi.
Superficie : 69 700 km^2.
Nature de l'État : ancienne république soviétique devenue indépendante le 9.4.91.
Nature du régime : présidentiel.
Chef de l'État : Édouard Chevardnadzé (depuis le 7.3.92, élu président de la République le 5.11.95).
Chef du gouvernement : Vaja Lordkipanidzé, qui a succédé le 7.8.98 à Niko Lekichvili (démissionnaire).
Président du Parlement : Zurab Jvania.
Ministre des Affaires étrangères : Irakli Menagarachvili.
Ministre de la Défense : David Tevzadze.
Monnaie : lari (au cours officiel, 1 lari = 4,55 FF en févr. 1998).
Langues : géorgien (off.), russe, abkhaze, ossète, arménien, turc.
Souveraineté contestée : séparatisme en Abkhazie ; l'Ossétie du Sud a demandé son rattachement à l'Ossétie du Nord, laquelle relève de la Fédération de Russie.

Asie centrale

Kazakhstan, Turkménistan, Ouzbékistan, Tadjikistan, Kirghizstan

(Les Républiques sont présentées ici selon un axe géographique ouest/est.)

Kazakhstan

Le renforcement du pouvoir présidentiel et la marginalisation du rôle du Parlement (dominé par les partis pro-gouvernementaux : le Parti de l'unité nationale et le Parti démocratique) ont polarisé la vie politique en 1997 et encouragé les partis d'opposition à s'unir en vue des élections parlementaires de 1999 et des présidentielles de l'an 2000. Le Parti communiste, le Parti socialiste, Lad (Harmonie, russophone), Azamat (Citoyen, pluriethnique libéral) et le Mouvement ouvrier ont ainsi créé un Front populaire (dirigé par Galym Abilsitov, co-leader d'Azamat), réclamant davantage de démocratie et le respect des droits de l'homme et des droits sociaux. L'unification de l'opposition s'est faite sur fond de profond malaise social, dû aux salaires non payés depuis des mois, au chômage et à l'appauvrissement général, provoquant de multiples grèves et protestations (déclarées illégales). L'émigration à motif socio-économique et ethnique s'est poursuivie à un rythme élevé (72 % des émigrés allant vers la Russie, 18 % vers l'Allemagne), totalisant pour la période 1992-1997 environ 1,65 million de personnes et provoquant une baisse absolue de la population de presque 200 000 personnes en 1997. La nouvelle loi sur le statut de la langue (juillet 1997) a confirmé le rôle dominant du kazakh, tout en autorisant l'utilisation du russe dans les organes de l'administration. La criminalité a augmenté, en particulier celle liée aux trafics de drogue (400 % en cinq ans).

En 1997, le gouvernement a procédé à une importante réforme administrative et territoriale : le nombre des régions est passé de 19 à 14, plusieurs ministères et comités d'État ont été abolis et la capitale a été officiellement transférée d'Almaty à Astana (anciennement Akmola), le 10 décembre 1997. Le malaise social, les accusations de corruption contre le Premier ministre Akejan Kajegueldine, ainsi que la perspective électorale, ont amené le président Noursultan Nazarbaiev, le 10 octobre 1997, à remplacer le chef du gouvernement par Nourlan Balguimbaiev, ancien ministre du Pétrole.

Néfaste sur le plan social, la politique d'austérité menée par le gouvernement en 1997 a néanmoins porté ses fruits sur le plan macro-économique : l'inflation est descendue à 11,2 %, le PIB a augmenté de 2,1 % et la production industrielle de 4 %. Le commerce extérieur a enregistré un excédent de l'ordre de 2 milliards de dollars. Les investissements étrangers directs ont atteint 1,5 milliard de dollars, dont près des deux tiers dans le secteur d'extraction du gaz et du pétrole, portant le total depuis 1992 à presque 5 milliards et plaçant ainsi le Kazakhstan à la première place (en termes relatifs par rapport à la population ou le PIB) des pays de la CEI (Communauté d'États indépendants). La production du pétrole a atteint son meilleur niveau depuis l'indépendance. Tout en continuant à exporter le pétrole *via* la Russie, le Kazakhstan s'est efforcé de rechercher des débouchés à travers la mer Caspienne (vers la Transcaucasie et l'Iran) ainsi qu'en Chine (construction prévue d'un oléoduc de 3 000 km).

En matière de coopération internationale, de nombreux litiges ont placé le Kazakhstan face à la Russie (l'exploitation pétrolière par Moscou d'une zone de la Caspienne déclarée kazakhe, les impayés pour le centre spatial de Baïkonour – 460 millions de dollars), au Kirghizstan et à l'Ouzbékistan (utilisation des eaux d'irrigation et livraisons de produits énergétiques). Moscou et Akmola se sont toutefois mis d'accord, en février 1998, sur le statut de la mer Caspienne : les fonds marins et leurs ressources devraient être divisés en secteurs nationaux, tandis que le réservoir d'eau et sa surface devraient constituer le bien commun de tous les États riverains. D'importants accords (novembre 1997) ont été signés avec Moscou sur la coopération militaire et sur la présence des forces russes au Kazakhstan. Au cours de la visite de N. Nazarbaiev aux États-Unis, les deux pays se sont entendus sur un investissement d'environ 26 milliards de dollars dans le secteur des hydrocarbures sur quarante ans. Le traité signé à Moscou, en avril 1997, entre la Chine, la Russie et trois républiques centre-asiatiques limitrophes de la Chine a permis de renforcer les mesures de confiance dans le domaine militaire tout au long de la frontière sino-kazakhe (1 700 km) et de geler le déploiement des forces armées dans la bande de 100 km de part et d'autre de la frontière. De toute évidence, le Kazakhstan est devenu un enjeu important dans les relations géopolitiques des grandes puissances en Asie centrale. - **Witt Raczka** ■

République du Kazakhstan

Capitale : Astana.
Superficie : 2 717 300 km².
Nature de l'État : ancienne république soviétique devenue indépendante le 16.12.91.
Nature du régime : présidentiel.
Chef de l'État : Noursultan Nazarbaiev (depuis déc. 1991).
Chef du gouvernement : Nourlan Balguimbaiev, qui a succédé en oct. 97 à Akejan Kajegueldine.
Ministre de l'Intérieur : Kaïrbek Souleymenov (depuis oct. 95).
Ministre de la Défense : Moukhtar Altinbaiev (depuis oct. 96).
Ministre des Affaires étrangères : Kasimjomart Tokaiev (depuis oct. 94).
Monnaie : tengue (au cours officiel, 100 tengues = 7,67 FF au 24.8.98).
Langues : kazakh (langue d'État) et russe (off.), allemand, ukrainien, coréen.

Turkménistan

Ce pays reste le plus autoritaire et le plus fermé de l'Asie centrale. Le président Separmourad Nyazov, faisant l'objet d'un culte de la personnalité sous le nom de « Turkmenbashi », a continué de réduire les espaces potentiels d'autonomie : en décembre 1997, l'Académie des sciences a été fermée. Doudimourad Hajimohammed, chef du Parti démocratique du développement, a été placé en hôpital psychiatrique, à l'automne 1997. Parallèlement, les constructions pharaoniques se sont multipliées (nouveau palais et grande statue du président). Mais l'intendance ne suit pas. L'aggravation de la crise économique entraîne une paupérisation croissante de la population. Le pays n'arrive pas à exporter son gaz, qui est sa principale source de revenus. L'Ukraine doit toujours au Turkménistan des sommes considérables, tandis que la Russie refuse de commercialiser le gaz turkmène en devises fortes. La question de l'exportation est donc devenue majeure.

INDICATEUR*	UNITÉ	KAZAKHSTAN	TURMÉNISTAN
Démographie**			
Population	*millier*	16 832	4 235
Densité	*hab./km²*	6,2	8,7
Croissance annuelle[d]	*%*	0,1	1,9
Indice de fécondité (ISF)[d]		2,3	3,6
Mortalité infantile[d]	*‰*	34	57
Espérance de vie[d]	*année*	67,7	64,6
Indicateurs socioculturels			
Développement humain (IDH)[c]		0,709	0,723
Nombre de médecins	*‰ hab.*	3,52[a]	3,24[b]
Scolarisation 2e degré[b]	*%*	83[p]	• •
Scolarisation 3e degré	*%*	32,7[b]	21,8[c]
Livres publiés	*titre*	1 115[b]	450[c]
Armées			
Armée de terre	*millier d'h.*	20	17
Marine	*millier d'h.*	0,1	–
Aviation	*millier d'h.*	15	3
Économie			
PIB total[ae]	*million $*	53 200	9 200
Croissance annuelle 1989-96	*%*	– 6,8	0,4
Croissance 1997	*%*	2,1	25,9
Croiss. agriculture 1997	*%*	– 2,0	– 2,0[a]
Croiss. industrie 1997	*%*	4,0	• •
PIB par habitant[ae]	*$*	3 230	2 010
Investissement (FBCF)[f]	*% PIB*	19,1	• •
Taux d'inflation	*%*	11,2	84,0
Taux de chômage[g]	*%*	3,9	• •
Dépense publique Éducation	*% PIB*	4,5[b]	4,0[i]
Dépense publique Défense[a]	*% PIB*	2,6	2,8
Énergie (taux de couverture)[b]	*%*	116,1	237,2
Dette extérieure totale[a]	*million $*	2 920	825
Service de la dette/Export.[f]	*%*	12	9
Échanges extérieurs			
Importations	*million $*	4 274	1 130
Principaux fournisseurs[a]	*%*	UE 13,0	E-U 30,1
	%	CEI 69,5	CEI 29,7
	%	Rus 55,0	Turq 9,1
Exportations	*million $*	6 364	749
Principaux clients[a]	*%*	UE 18,4	Sui 6,8
	%	CEI 55,6	HK 6,1
	%	Chi 7,4	PNS[m] 60,4
Solde transactions courantes	*% PIB*	–4,62	1,00[a]

* Définition des indicateurs p. 25 et suiv. Chiffres 1997 sauf notes. ** Derniers recensements utilisables : Kazakhstan, 1989 ; Turkménistan, 1995 ; Ouzbékistan, 1989 ; Tadjikistan, 1989 ; Kirghizstan, 1989. a. 1996 ; b. 1995 ; c. 1994 ; d. 1995-2000 ; e. A parité de pouvoir d'achat (PPA, voir définition p. 581), f. 1994-96 ; g. En fin d'année ; h. 1992 ;

OUZBÉKI-STAN	TADJIKI-STAN	KIRGHIZ-STAN
23 656	6 045	4 480
59,9	42,2	22,6
1,9	1,9	0,4
3,5	3,9	3,2
43	56	39
67,5	67,2	67,7
0,662	0,580	0,635
3,26[b]	2,09[c]	3,18[b]
93[q]	82[p]	81[p]
31,7[h]	20,3[c]	12,2[b]
1 200[b]	226[b]	407[b]
45		9,8
–	8	–
4		2,4
56 900	5 300	9 000
– 2,8	– 15,6	– 7,7
2,4	2,2	6,2
4,0	4,0	10,0
6,5	– 2,5	46,8
2 450	900	1 970
• •	20,9	17,0
45,0	88,0	25,6
0,3	2,8	3,1
9,5[k]	8,6[k]	6,8[b]
3,8	11,0	2,6
105,6	40,4	59,5
2 319	707	789
8	0	12
4 713[a]	805	679
UE 20,4	Sui 15,0	UE 11,6
CEI 41,9	CEI 57,0	CEI 61,4
Asie[n] 17,0	Ouz 29,8	Can 5,4
4 212[a]	781	580
UE 22,2	PB 28,3	Kaz 22,9
CEI 44,5	Rus 10,3	Rus 27,3
E-U 5,7	Ouz 24,8	Ouz 23,5
– 4,27[a]	– 4,13[a]	– 23,03[a]

i. 1991 ; k. 1993 ; m. Pays non spécifiés ; n. Y compris Japon et Moyen-Orient ; o. 1990 ; p. 11-17 ans, taux brut ; q. 10-16 ans, taux brut.

Le Turkménistan poursuit deux pistes, passant par l'Iran et par l'Afghanistan, tandis que les États-Unis soutiennent le projet CPC (Caspian petroleum consortium), qui relie le Kazakhstan à l'Azerbaïdjan mais ne concerne, pour le moment, que le pétrole. Le 25 octobre 1997 a été formé à Achkhabad le consortium Centgas, qui doit permettre de construire un gazoduc traversant l'Afghanistan (d'une capacité de 15-20 milliards de mètres cubes annuels), à l'initiative de la compagnie américaine Unocal et regroupant, outre l'État turkmène, des partenaires saoudien, japonais, pakistanais. Mais la guerre civile en Afghanistan et la concurrence menée par le rival argentin de l'Unocal, Bridas, ont fait monter les enchères. Le projet, qui devait démarrer fin 1998, a semblé compromis.

Parallèlement, le pays a poursuivi sa coopération avec l'Iran, mais ici aussi les résultats se faisaient attendre. Sur la ligne de chemin de fer inaugurée en mai 1997, le trafic est très faible, tandis que le projet d'un gazoduc commun vers la Turquie, s'il a connu un début de réalisation du côté iranien, est demeuré limité par le manque d'investissements. En fait, l'entrave réside dans l'opposition américaine à l'Iran, comme le président Nyazov se l'est fait rappeler lors de sa visite à Washington en avril 1998 ; la priorité américaine de construire des oléo-

Turkménistan

Capitale : Achkhabad.

Superficie : 488 100 km².

Nature de l'État : ancienne république soviétique devenue indépendante le 27.10.91.

Nature du régime : présidentiel.

Chef de l'État : Separmourad Nyazov, président de la République depuis l'indépendance (27.10.91).

Ministre des Affaires étrangères : Boris Sheykhmuradov.

Monnaie : manat (au cours officiel, 100 manats = 3,68 FF en janv. 1998).

Langues : turkmène, russe.

ducs vers l'Ouest (Turquie et Caucase) marginalise le Turkménistan.

En juillet 1998, lors d'une visite officielle de S. Nyazov à Téhéran, les deux pays ont rejeté la décision de la Russie et du Kazakhstan de diviser le sous-sol de la Caspienne selon la prolongation des frontières terrestres.

Ouzbékistan

Ce pays souhaite toujours apparaître comme la grande puissance régionale d'Asie centrale, en compétition avec la Russie et développant des liens directs avec les États-Unis. La rivalité avec Moscou s'est exprimée directement dans la crise du Tadjikistan (une guerre civile s'y est déroulée à partir de 1992) où Tachkent a développé des contacts étroits avec les différentes oppositions au pouvoir du président Imamali Rahmanov, sans considérations idéologiques (soutien discret au commandant rebelle ouzbek Mahmoud Khodaberdaiev en août 1997, voire au deuxième chef de l'opposition Qazi Akbar Touradjanzadé, avant son retour d'exil à Douchanbé en 1998). Cependant, la percée des taliban en Afghanistan a mis Tachkent dans le même camp que Moscou et Téhéran, qui soutiennent la coalition du Nord contre les fondamentalistes pachtou. Tachkent a vu avec faveur le retour en octobre 1997 du général Rashid Doustom dans son ancien fief de Mazar-i Charif ; c'est en effet le chef afghan d'ethnie ouzbèke dont Tachkent est le plus proche.

Le pays ne manque pas une occasion de marquer ses distances par rapport à Moscou. Il n'y a désormais plus de gardes-frontières russes et le corps des officiers est en voie rapide d'« ouzbékisation ». Les échanges avec la Russie ont représenté en 1997 moins de 20 % du commerce extérieur de l'Ouzbékistan. Depuis l'échec de l'armée russe à Grozny en juillet 1996, celle-ci n'apparaît plus comme une menace militaire. Les relations avec les voisins immédiats se sont normalisées, mais le Turkménistan a refusé de rejoindre l'Espace commun d'Asie centrale, créé à l'initiative du président Islam Karimov, et dont le sommet s'est tenu à Tachkent en mars 1998.

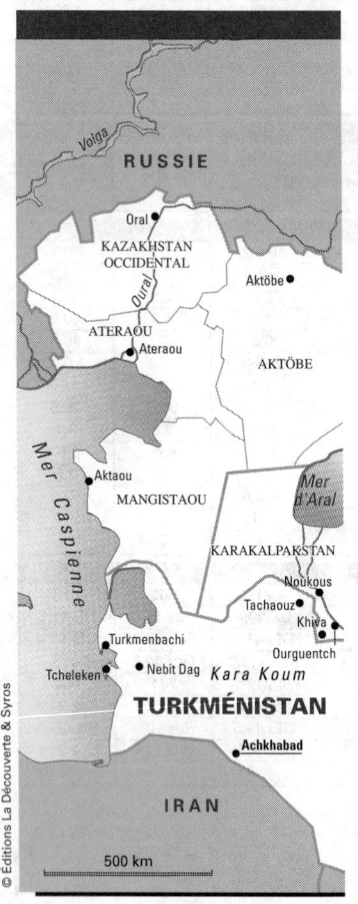

Sur le plan économique, la croissance est repartie à partir de 1996. Tachkent a réussi une politique de diversification des exportations (hydrocarbures, coton, mais aussi automobiles). L'usine de construction automobile Daewoo (société sud-coréenne), implantée dans le Ferghana, n'a toutefois produit que 65 000 voitures en 1997, au lieu des 120 000 prévues, mais 12 000 ont été exportées dans la CEI (Communauté d'États indépendants). Les ambitions de Tachkent ont cependant été réduites par la détérioration de ses relations avec le FMI, suite à la fin de la convertibilité automatique du som ouzbek, à l'automne 1996. Les réformes (privatisation de l'agriculture et des grandes industries, liberté des prix) ont été bloquées, les importations

sévèrement contrôlées à partir de 1997, entraînant une baisse des investissements, malgré un code des impôts (mars 1997) offrant des garanties meilleures.

L'Ouzbékistan apparaît comme un pays politiquement stable, sans menace de tensions ethniques ni d'opposition forte, si ce n'est du côté islamique. L'opposition démocratique s'est considérablement affaiblie, amenant le gouvernement à relâcher sa pression sur les formations non islamiques, de manière à éviter toute critique américaine. Le pouvoir n'est guère contesté et les institutions fonctionnent, même si le jeu politique reste étroitement contrôlé par le président. En septembre 1997, le ministre de la Défense, le général Rustam Ahmedov, seul représentant au gouvernement de la région du Ferghana, a été remplacé par le major-général Hikmatoullah Toursounov (ex-chef des gardes-frontières). L'armée ouzbèke, devenue entièrement nationale, se développe lentement avec une aide technique américaine. Des manœuvres communes entre Ouzbeks, Kazakhs et Américains ont eu lieu en septembre 1997, dans le cadre de la mise en place d'un bataillon d'Asie centrale (CentralBat), destiné à d'éventuelles opérations de maintien de la paix sous l'égide de l'ONU.

Des troubles ont éclaté dans la ville de Namangan (vallée du Ferghana), en décembre 1997 : un chef de la police et plusieurs policiers ont été assassinés. Le 16 février 1998, dans une déclaration très ferme et inhabituelle, le ministre des Affaires étrangères A. Kamalov a dénoncé l'entraînement au Pakistan de terroristes islamiques ouzbeks dans des *madrasa* (écoles religieuses) dépendant de mouvements fondamentalistes sunnites, dont le Da'vat ul irshad (soutenu un temps par l'Arabie saoudite) et le Jamiat-i Ulema islami, tous deux proches des taliban. L'un des chefs du mouvement islamiste ouzbek, A. Yoldashev, se serait installé au Pakistan. La menace islamique n'est plus perçue comme provenant de l'Iran, mais du Pakistan. Si la vallée du Ferghana est bien méfiante envers le pouvoir central, et si un fondamentaliste plus religieux que politique se développe dans le pays, l'existence d'un mouvement politique islamiste structuré reste cependant à démontrer.

République d'Ouzbékistan

Capitale : Tachkent.
Superficie : 447 400 km².
Nature de l'État : ancienne république soviétique devenue indépendante le 1.9.91.
Nature du régime : présidentiel fort.
Chef de l'État : Islam Karimov, depuis l'indépendance (1.9.91).
Vice-premier ministre : Ismaïl Djourabekov.
Chef du gouvernement : Outkour Soultanov (depuis déc. 95).
Ministre de la Défense : Hikmatoullah Toursounov.
Ministre des Affaires étrangères : A. Kamalov.
Monnaie : som (au cours officiel, 1 som = 0,06 FF au 3.8.98).
Langues : ouzbek, russe, tadjik.

Tadjikistan

Après cinq années de guerre civile, un accord a été signé à Moscou, le 27 juin 1997, entre les deux principaux acteurs du conflit, la faction au pouvoir, des « Koulabis » (région de Koulab, au sud), et l'opposition islamo-démocratique des « Gharmis » (vallée de Gharm, à l'est de Douchanbé). Une commission de réconciliation présidée par Mollah Abdollah Nouri, l'un des chefs islamistes, et Abdoul Majid Doustiev, ancien président du Parlement, a été chargée de préparer l'intérim. Ce traité prévoit que les groupes armés de l'opposition intègrent l'armée régulière et que 30 % des sièges ministériels soient réservés à l'opposition. L'accord, soutenu par la Russie et l'Iran, a entraîné des réactions hostiles dans les deux camps. En août 1997, une tentative infructueuse de coup de force a été menée contre le président Imamali Rahmanov par le chef de la 1re brigade, Mahmoud Khodaberdaiev (d'ethnie ouzbèke) et l'ancien ministre de l'Intérieur, Yakoub Salimov. En décembre, des dissidents de l'opposition, les frères Sadirov, ont pris en otage deux « humanitaires » français dont l'une, Karine Mane, a été tuée. Le deuxième chef de l'opposition, le qazi Akbar Touradjanzadé, n'est rentré de son exil de Téhéran qu'en mars 1998, pour prendre le poste de vice-Premier ministre. Quelques-uns de ses partisans ont repris les opérations militaires dans la région de Kafirnehan, jetant un doute sur la viabilité de l'accord. Pourtant, les principaux chefs de l'opposition, s'appuyant sur quelques centaines d'hommes armés, se sont installés à Douchanbé, tandis que l'ONU, qui a joué un grand rôle dans le processus de paix, sous la direction de l'envoyé spécial du secrétaire général, Gerd Merrem, a envoyé une petite force d'observateurs militaires pour surveiller la mise en place du traité.

En mars toujours, a été annoncée la condamnation à mort d'Abdoul Hafiz Abdoulaiev pour une tentative d'assassinat contre le président Rahmanov en mai 1997 : il s'agissait du frère de l'ancien Premier ministre Abdou Malik Abdoulajanov, qui tient la province de Léninabad au nord du pays. Ce procès souligna la dégradation des relations entre le pouvoir de Douchanbé et son ancien allié nordiste, proche de l'Ouzbékistan.

République du Tadjikistan

Capitale : Douchanbé.
Superficie : 143 100 km^2.
Nature de l'État : ancienne république soviétique devenue indépendante le 9.8.91.
Nature du régime : présidentiel autoritaire (Constitution de 1994).
Chef de l'État : Imamali Rahmanov (président du Parlement, faisant fonction de chef de l'État depuis le 25.11.92).
Chef du gouvernement : Yahya Azimov, qui a succédé en févr. 1996 à Jamshid Karimov.
Ministre des Affaires étrangères : Talbeg Nazarof.
Monnaie : rouble tadjik (au taux officiel, 1 000 roubles = 8,13 FF en janv. 1998).
Langues : tadjik, russe.

Kirghizstan

Le président Askar Akaiev, naguère perçu comme le chef d'État le plus « démocrate » d'Asie centrale, n'a cessé de renforcer l'autoritarisme de son pouvoir. Le Premier ministre Apas Djoumagoulov (63 ans) a démissionné en mars 1998, remplacé par Kubanichbeg Joumaliev (42 ans), un ingénieur, mais surtout un académicien (nommé du temps où A. Akaiev était président de l'Académie). Sa nomination, le 25 mars, a été approuvée à mains levées par Parlement, sans débat préalable. Le Premier ministre n'a de toute façon guère de pouvoir depuis la réforme de la Constitution en 1996. Ce changement est intervenu après le limogeage de deux hauts responsables : le ministre des Affaires étrangères, Roza Atun-

République kirghize

Capitale : Bichkek.
Superficie : 198 500 km^2.
Nature de l'État : ancienne république soviétique devenue indépendante le 31.8.91.
Nature du régime : présidentiel.
Chef de l'État : Askar Akaiev, président de la République (depuis l'indépendance, le 31.8.91).
Chef du gouvernement : Koubanichbeg Joumaliev, qui a remplacé en mars 98 Apas Djoumagoulov.
Monnaie : som (au cours officiel, 1 som = 0,295 FF au 30.5.98).
Langues : kirghize, russe.

Asie centrale/Bibliographie

C. et R. Choukourov, *Peuples d'Asie centrale*, Syros, Paris, 1994.

V. Fourniau, *Histoire de l'Asie centrale*, PUF, coll. « Que sais-je ? » Paris, 1994.

« La Caspienne ; une nouvelle frontière », *Cahiers d'études sur la Méditerranée et le monde turco-iranien* (*CEMOTI*), n° 23, Paris 1997.

C. Poujol (sous la dir. de), *Asie centrale. Aux confins des empires, réveil et tumulte*, Autrement, Paris, 1992.

C. Poujol, V. Fourniau, K. Feigelson, M.-A. Crosnier, M. Kahn, « Asie centrale », *in* M. Ferro (sous la dir. de), *L'état de toutes les Russies. États et nations de l'ex-URSS*, La Découverte, coll. « L'état du monde », Paris, 1993.

A. Rashid, *The Resurgence of Central Asia. Islam or Nationalism ?*, Zed Books, Londres, 1994.

O. Roy, *La Nouvelle Asie centrale ou la fabrication des nations*, Seuil, Paris, 1997.

O. Roy (sous la dir. de), « Des ethnies aux nations en Asie centrale », *Revue du monde musulman et de la Méditerranée (REMM)*, n° 59-60, Édisud, Aix-en-Provence, 1992.

J. et A. Sellier, *Atlas des peuples d'Orient. Moyen-Orient, Caucase, Asie centrale*, La Découverte, Paris, 1994.

Voir aussi la bibliographie sélective « Espace post-soviétique, p. 538.

bayeva, remplacée en 1997 par Mouratbeg Imanaliev, et le président du Parlement, Almambet Matoubraimov, remplacé par Abdougany Erkebaiev (44 ans) en novembre de la même année. Le mandat du président du Parlement a été réduit à deux ans par la même occasion. La première radio libre du pays, *Radio-Almaz*, a été fermée en février 1998. Mais le Parlement a refusé, le même mois, un amendement présidentiel créant le délit de « propagation de fausses nouvelles ». De même, la capitale, Bichkek, a vu une succession de manifestations, des sans-logis aux retraités. La volonté du président de renforcer ses pouvoirs se heurte, en fait, autant à la faiblesse de l'appareil d'État qu'à une résistance de secteurs entiers de la population. Lors de la réunion du *muftya* (direction spirituelle de l'islam) en décembre 1997, deux adjoints du mufti Abdurrahman Kimsanbeg, Dosbolov et Kassimov, accusés de wahhabisme (courant rigoriste de l'islam, inspirant le régime saoudien), ont dû démissionner ainsi que l'ancien mufti Sadikjan Kamalov, considéré, lui, comme un libéral.

Ces changements sont intervenus dans un contexte économique difficile. Le pays n'a pas grand-chose à exporter pour gagner des devises. La dette extérieure sera passée en 1998 à un milliard de dollars. Une loi de privatisation, la plus libérale d'Asie centrale, sert les seuls intérêts de quelques particuliers. Un mouvement d'occupation des terres et de constructions sauvages se développe autour des grandes villes, tandis que le Sud devient le fief des « narcotrafiquants », qui font transiter l'opium venu d'Afghanistan. Malgré les concessions importantes faites à Moscou (adhésion à l'Union douanière, université « slave », maintien du russe comme langue de communication), les habitants d'origine russe ne représentaient plus, en 1998, que 14 % de la population totale. - **Olivier Roy** ■

Documents annexes

Tables et index

Indicateur de développement humain.
Produit intérieur brut.
Population mondiale.
Organisations internationales.
Organisations régionales.
Sites Internet.
Index général.
Liste des cartes.
Liste des pays.

L'indicateur de « développement humain »

L'état du monde présente dans les pages 584 et suivantes et dans les synthèses statistiques des ensembles géopolitiques un « Indicateur de développement humain » (IDH). Cet indicateur composite est calculé chaque année, depuis 1990, par le Programme des Nations unies pour le développement (PNUD).

Une telle initiative est venue du fait que l'indicateur de développement le plus couramment utilisé, le produit intérieur brut (PIB) par habitant, calculé au taux de change du marché, est, dans de nombreux cas, une très mauvaise mesure du niveau de bien-être atteint. Par exemple, le Qatar, avec 19 800 dollars par habitant en 1995, ne comptait pas moins de 21 % d'analphabètes dans sa population adulte et présentait un taux de mortalité infantile de 17 ‰. Le Costa Rica, dont le PIB par habitant atteint à peine 30 % de celui du Qatar, semble néanmoins avoir un développement « humain » beaucoup plus élevé ; il ne compte que 5 % d'analphabètes et le taux de mortalité infantile y est un quart plus faible (13 ‰).

Dans l'idéal, un indicateur de « développement humain » devrait pouvoir tenir compte de nombreux facteurs.

Le PNUD a préféré ne retenir que trois éléments pour construire son indice : l'espérance de vie à la naissance ; le niveau d'instruction, représenté par le taux d'alphabétisation des adultes et le taux brut de scolarisation tous niveaux confondus (avec une pondération de deux tiers pour le premier et d'un tiers pour le second) ; et enfin le revenu représenté par le PIB par habitant après une double transformation tenant compte de la différence des prix relatifs d'un pays à l'autre et du fait que le revenu n'augmente pas le développement humain d'une manière linéaire (lorsqu'on passe de 1 000 à 2 000 dollars de revenu annuel par habitant, la diversité des nouveaux choix qui s'ouvrent augmente beaucoup plus que lorsqu'on passe de 14 000 à 15 000 dollars).

Des valeurs minimales et maximales sont fixées pour chacun de ces éléments :

– espérance de vie à la naissance : 25 ans à 85 ans ;

– alphabétisation des adultes : 0 % à 100 % ;

– taux de scolarisation : 0 % à 100 % ;

– PIB réel par habitant : 100 dollars PPA à 40 000 dollars PPA.

Chacun de ces indicateurs est d'abord exprimé sur l'échelle de 0 à 1. Ainsi, à l'espérance de vie à la naissance au Costa Rica (76,6 années) est attachée la valeur :

$$0{,}86 = \frac{76{,}6 - 25}{(85 - 25)}$$

A l'espérance de vie au Qatar (71,1 années) est attachée la valeur :

$$0{,}77 = \frac{71{,}1 - 25}{(85 - 25)}$$

Le même calcul est réalisé pour l'indicateur de niveau d'instruction et pour l'indicateur de niveau de revenu. Dans une seconde étape, on effectue la moyenne des trois chiffres ainsi obtenus. On obtient ainsi l'indice composite de développement humain. On aboutit pour le Costa Rica à un IDH de 0,889 et pour le Qatar de 0,840. Par ce moyen, il est possible d'opérer un classement de tous les pays. - **Francisco Vergara** ■

PIB–PPA et PIB aux taux de change courants

Les tableaux des pages 588 et suivantes indiquent le Produit intérieur brut (PIB) par habitant de cent soixante-seize pays calculé par les Nations unies et la Banque mondiale en utilisant la méthode des « parités de pouvoir d'achat » (PPA). Les PIB le plus souvent cités dans la presse sont calculés en utilisant les taux de change courants par la méthode dite de la Banque mondiale. Avec cette méthode, la production d'un pays est d'abord évaluée en utilisant les prix intérieurs du pays concerné ; les valeurs ainsi obtenues sont ensuite converties en dollars en utilisant une moyenne pondérée des taux de change des trois dernières années. Les PIB-PPA, en revanche, sont obtenus en utilisant un taux de change fictif qui rend équivalent le prix d'un panier de marchandise. La méthode des PPA permet ainsi une comparaison beaucoup plus rigoureuse du pouvoir d'achat dans les différents pays. Dans la méthode de la Banque mondiale, par exemple, un kg de riz est évalué à un prix six fois plus élevé dans le PIB japonais que dans celui de la Thaïlande, ce qui tend à gonfler artificiellement le PIB japonais. Dans la méthode PPA, un prix similaire est utilisé pour le riz ainsi que pour toute autre production ; deux productions identiques sont ainsi évaluées exactement au même prix.

Le calcul des PIB par la méthode des PPA donne certains résultats inattendus qui contredisent maintes idées reçues. Ainsi, apparaît-il, par exemple, que deux pays nouvellement industrialisés comme Hong Kong ou Singapour ont dépassé pour le PIB par habitant le niveau atteint par le Canada ou la plupart des pays européens. Le Japon, en revanche, apparaît relativement moins développé que ne le suggèrent les données habituellement publiées. En 1995, l'empire du Soleil-Levant venait derrière Hong Kong et Singapour, mais devant tous les pays européens, à l'exception du Luxembourg et de la Suisse.

D'autres exemples peuvent également surprendre : le PIB par habitant de la Chine a ainsi atteint plus de 3 300 dollars en 1996, soit quatre fois plus que le montant indiqué en utilisant la méthode de la Banque mondiale. On constatera, de même, que le PIB-PPA par habitant de la Chine est supérieur de plus de deux fois à celui de l'Inde.

Très surprenant aussi peut apparaître à d'aucuns le niveau atteint par certains pays africains comme le Botswana et l'île Maurice qui talonnent désormais les pays les plus riches d'Amérique latine (le Chili et l'Argentine). Chypre, désormais plus riche que la Suède, et au même niveau que les Pays-Bas, est une autre surprise. Parallèlement, on constate la faiblesse du PIB par habitant de la Russie et des anciennes républiques soviétiques, d'une richesse moyenne inférieure à celle du Pérou ou de la Tunisie. Le PIB par habitant de la Russie atteint seulement les deux tiers de celui de la Turquie.

Plusieurs institutions ont des programmes pour calculer les PPA par habitant. La Banque mondiale, les Nations unies et la CIA font des estimations pour tous les pays du monde ou presque. Les estimations sont parfois très différentes, notamment pour les pays « sensibles » (Corée du Nord, Cuba, etc.). - **Francisco Vergara** ■

Pour lire les tableaux suivants

Pays	Rang dans le tableau IDH (p. 584 et suiv.)	Rang dans le tableau PIB (p. 588 et suiv.)
Afrique du Sud	89	50
Albanie	105	*
Algérie	82	70
Allemagne	19	14
Angola	156	142
Antigua et Barbuda	29	44
Arabie saoudite	70	40
Argentine	36	41
Arménie	99	113
Australie	15	19
Autriche	13	11
Azerbaïdjan	110	131
Bahamas	32	39
Bahreïn	43	29
Bangladesh	147	145
Barbade	24	37
Belgique	12	8
Bélize	63	82
Bénin	145	137
Bhoutan	155	*
Biélorussie	68	77
Birmanie : voir Myanmar		
Bolivie	116	99
Botswana	97	51
Brésil	62	58
Brunéi	35	*
Bulgarie	67	80
Burkina Faso	172	146
Burundi	170	158
Cameroun	132	122
Canada	1	13
Cap-Vert	117	104
Centrafrique	154	133
Chili	31	35
Chine	106	91
Chypre	23	16
Colombie	53	55
Comores	141	121
Congo (-Brazza)	128	134
Congo (-Kinshasa)	143	153
Corée du Nord	• •	*
Corée du Sud	30	32
Costa Rica	34	57
Côte-d'Ivoire	148	128
Croatie	76	79
Danemark	18	9
Djibouti	162	*
Rép. dominicaine	88	75
Dominique	41	74
Égypte	112	100
Émirats arabes unis	48	23
Équateur	73	68
Érythrée	168	*
Espagne	11	27
Estonie	77	69
États-Unis	4	2
Éthiopie	169	160
Fidji	44	84
Finlande	6	21
France	2	12
Gabon	120	60
Gambie	165	135
Géorgie	108	118
Ghana	133	120
Grèce	20	33
Grenade	51	78
Guatémala	111	85
Guinée	167	124
Guinée équatoriale	135	103
Guinée-Bissau	164	143
Guyana	100	109
Haïti	159	138
Honduras	119	114
Hong Kong (Chine)	25	5
Hongrie	47	54
Inde	139	129
Indonésie	96	94
Irak	127	*
Iran	78	66
Irlande	17	24
Islande	5	10
Israël	22	22
Italie	21	18
Jamaïque	84	90
Japon	8	6
Jordanie	87	87
Kazakhstan	93	95
Kénya	137	139
Kirghizstan	109	116
Kiribati	• •	*
Koweït	• •	*
Laos	136	136

* Pays dont le PIB est calculé à partir d'autres sources (voir p. 592).

Pour lire les tableaux suivants

Pays	Rang dans le tableau IDH (*p. 584 et suiv.*)	Rang dans le tableau PIB (*p. 588 et suiv.*)
Lésotho	134	107
Lettonie	92	86
Liban	66	62
Libye	64	59
Lituanie	79	76
Luxembourg	26	1
Macédoine	80	*
Madagascar	153	148
Malaisie (Féd. de)	60	38
Malawi	161	156
Maldives	95	96
Mali	171	155
Malte	27	30
Maroc	125	92
Maurice	61	42
Mauritanie	149	119
Mexique	49	48
Moldavie	113	132
Mongolie	101	117
Mozambique	166	161
Myanmar (Birmanie)	131	140
Namibie	107	65
Népal	152	141
Nicaragua	126	123
Niger	173	147
Nigéria	142	151
Norvège	3	7
Nouvelle-Zélande	9	25
Oman	71	43
Ouganda	160	144
Ouzbékistan	104	106
Pakistan	138	127
Panama	45	53
Papouasie-N.-G.	129	101
Paraguay	91	89
Pays-Bas	7	15
Pérou	86	73
Philippines	98	88
Pologne	52	64
Porto Rico	• •	45
Portugal	33	31
Qatar	57	26
République dominicaine : voir à D.		
République tchèque : voir à T.		
Roumanie	74	71
Royaume-Uni	14	17
Russie	72	81
Rwanda	• •	157
St. Kitts et Nevis	50	52
St-Vincent et les G.	55	83
Sainte-Lucie	58	67
Salomon	123	110
El Salvador	114	102
Samoa	94	*
São Tomé et Princ.	121	*
Sénégal	158	125
Seychelles	56	*
Sierra Léone	174	159
Singapour	28	3
Slovaquie	42	49
Slovénie	37	34
Soudan	157	*
Sri Lanka	90	108
Suède	10	20
Suisse	16	4
Suriname	65	105
Swaziland	115	93
Syrie	81	97
Tadjikistan	118	149
Taïwan	• •	28
Tanzanie	150	*
Tchad	163	150
Rép. tchèque	39	36
Thaïlande	59	56
Togo	144	126
Trinité et Tobago	40	61
Tunisie	83	72
Turkménistan	103	115
Turquie	69	63
Ukraine	102	111
Uruguay	38	47
Vanuatu	124	98
Vénézuela	46	46
Vietnam	122	130
Yémen	151	154
Yougoslavie*		
Zaïre : voir Congo-K		
Zambie	146	152
Zimbabwé	130	112

* Pays dont le PIB est calculé à partir d'autres sources (voir p. 592).

Indicateur du développement humain (IDH)

Classement selon l'IDH	Indicateur du développement humain 1995	Espérance de vie à la naissance (années) 1995	Taux d'alphabétisation des adultes (%) 1995	Taux brut de scolarisation (%) 1995	PIB réel par habitant (PPA) 1995
Développement humain élevé	**0,897**	**73,5**	**97,7**	**79**	**16 241**
1 Canada	0,960	79,1	99,0	100	21 916
2 France	0,946	78,7	99,0	89	21 176
3 Norvège	0,943	77,6	99,0	92	22 427
4 États-Unis	0,943	76,4	99,0	96	26 977
5 Islande	0,942	79,2	99,0	83	21 064
6 Finlande	0,942	76,4	99,0	97	18 547
7 Pays-Bas	0,941	77,5	99,0	91	19 876
8 Japon	0,940	79,9	99,0	78	21 930
9 Nouvelle-Zélande	0,939	76,6	99,0	94	17 267
10 Suède	0,936	78,4	99,0	82	19 297
11 Espagne	0,935	77,7	97,1	90	14 789
12 Belgique	0,933	76,9	99,0	86	21 548
13 Autriche	0,933	76,7	99,0	87	21 322
14 Royaume-Uni	0,932	76,8	99,0	86	19 302
15 Australie	0,932	78,2	99,0	79	19 632
16 Suisse	0,930	78,2	99,0	76	24 881
17 Irlande	0,930	76,4	99,0	88	17 590
18 Danemark	0,928	75,3	99,0	89	21 983
19 Allemagne	0,925	76,4	99,0	81	20 370
20 Grèce	0,924	77,9	96,7	82	11 636
21 Italie	0,922	78,0	98,1	73	20 174
22 Israël	0,913	77,5	95,0	75	16 699
23 Chypre	0,913	77,2	94,0	79	13 379
24 Barbade	0,909	76,0	97,4	77	11 306
25 Hong Kong (Chine)	0,909	79,0	92,2	67	22 950
26 Luxembourg	0,900	76,1	99,0	58	34 004
27 Malte	0,899	76,5	91,0	76	13 316
28 Singapour	0,896	77,1	91,1	68	22 604
29 Antigua et Barbuda	0,895	75,0	95,0	76	9 131
30 Corée du Sud	0,894	71,7	98,0	83	11 594
31 Chili	0,893	75,1	95,2	73	9 930
32 Bahamas	0,893	73,2	98,2	72	15 738
33 Portugal	0,892	74,8	89,6	81	12 674
34 Costa-Rica	0,889	76,6	94,8	69	5 969
35 Brunéi	0,889	75,1	88,2	74	31 165
36 Argentine	0,888	72,6	96,2	79	8 498
37 Slovénie	0,887	73,2	96,0	74	10 594
38 Uruguay	0,885	72,7	97,3	76	6 854
39 Rép. tchèque	0,884	72,4	99,0	70	9 775
40 Trinité et Tobago	0,880	73,1	97,9	65	9 437
41 Dominique	0,879	73,0	94,0	77	6 424
42 Slovaquie	0,875	70,9	99,0	72	7 320
43 Bahrein	0,872	72,2	85,2	84	16 751
44 Fidji	0,869	72,1	91,6	78	6 159
45 Panama	0,868	73,4	90,8	72	6 258

Source : PNUD. Pour retrouver facilement un pays, voir la liste alphabétique de ces derniers, p. 582-583.

Indicateur du développement humain (IDH)

Classement selon l'IDH	Indicateur du développement humain 1995	Espérance de vie à la naissance (années) 1995	Taux d'alphabétisation des adultes (%) 1995	Taux brut de scolarisation (%) 1995	PIB réel par habitant (PPA) 1995
46 Vénézuela	0,860	72,3	91,1	67	8 090
47 Hongrie	0,857	68,9	99,0	67	6 793
48 Émirats arabes unis	0,855	74,4	79,2	69	18 008
49 Mexique	0,855	72,1	89,6	67	6 769
50 Saint-Kitts-et-Nevis	0,854	69,0	90,0	78	10 150
51 Grenade	0,851	72,0	98,0	78	5 425
52 Pologne	0,851	71,1	99,0	79	5 442
53 Colombie	0,850	70,3	91,3	69	6 347
54 Koweït	0,848	75,4	78,6	58	23 848
55 St-Vincent et les G.	0,845	72,0	82,0	78	5 969
56 Seychelles	0,845	72,0	88,0	61	7 697
57 Qatar	0,840	71,1	79,4	71	19 772
58 Sainte-Lucie	0,839	71,0	82,0	74	6 530
59 Thaïlande	0,838	69,5	93,8	55	7 742
60 Malaisie	0,834	71,4	83,5	61	9 572
61 Maurice	0,833	70,9	82,9	61	13 294
62 Brésil	0,809	66,6	83,3	72	5 928
63 Bélize	0,807	74,2	70,0	74	5 623
64 Libye	0,806	64,3	76,2	90	6 309
Développement humain moyen	**0,670**	**67,5**	**83,3**	**66**	**3 390**
65 Suriname	0,796	70,9	93,0	71	4 862
66 Liban	0,796	69,3	92,4	75	4 977
67 Bulgarie	0,789	71,2	98,0	66	4 604
68 Biélorussie	0,783	69,3	97,9	80	4 398
69 Turquie	0,782	68,5	82,3	60	5 516
70 Arabie saoudite	0,778	70,7	63,0	57	8 516
71 Oman	0,771	70,3	59,0	60	9 383
72 Russie	0,769	65,5	99,0	78	4 531
73 Équateur	0,767	69,5	90,1	71	4 602
74 Roumanie	0,767	69,6	98,0	62	4 431
75 Corée du Nord	0,766	71,6	95,0	75	4 058
76 Croatie	0,759	71,6	98,0	67	3 972
77 Estonie	0,758	69,2	99,0	72	4 062
78 Iran	0,758	68,5	69,0	67	5 480
79 Lituanie	0,750	70,2	99,0	70	3 843
80 Macédoine	0,749	71,9	94,0	60	4 058
81 Syrie	0,749	68,1	70,8	62	5 374
82 Algérie	0,746	68,1	61,6	66	5 618
83 Tunisie	0,744	68,7	66,7	69	5 261
84 Jamaïque	0,735	74,1	85,0	67	3 801
85 Cuba	0,729	75,7	95,7	66	3 100
86 Pérou	0,729	67,7	88,7	79	3 940
87 Jordanie	0,729	68,9	86,6	66	4 187
88 Rép. dominicaine	0,720	70,3	82,1	73	3 923
89 Afrique du Sud	0,717	64,1	81,8	81	4 334
90 Sri Lanka	0,716	72,5	90,2	67	3 408

Source : PNUD. Pour retrouver facilement un pays, voir la liste alphabétique de ces derniers, p. 582-583.

Indicateur du développement humain (IDH)

Classement selon l'IDH		Indicateur du développement humain 1995	Espérance de vie à la naissance (années) 1995	Taux d'alphabétisation des adultes (%) 1995	Taux brut de scolarisation (%) 1995	PIB réel par habitant (PPA) 1995
91	Paraguay	0,707	69,1	92,1	63	3 583
92	Lettonie	0,704	68,0	99,0	67	3 273
93	Kazakhstan	0,695	67,5	99,0	73	3 037
94	Samoa	0,694	68,4	98,0	74	2 948
95	Maldives	0,683	63,3	93,2	71	3 540
96	Indonésie	0,679	64,0	83,8	62	3 971
97	Botswana	0,678	51,7	69,8	71	5 611
98	Philippines	0,677	67,4	94,6	80	2 762
99	Arménie	0,674	70,9	98,8	78	2 208
100	Guyane	0,670	63,5	98,1	64	3 205
101	Mongolie	0,669	64,8	82,9	53	3 916
102	Ukraine	0,665	68,5	98,0	76	2 361
103	Turkménistan	0,660	64,9	98,0	90	2 345
104	Ouzbékistan	0,659	67,5	99,0	73	2 376
105	Albanie	0,656	70,6	85,0	59	2 853
106	Chine	0,650	69,2	81,5	64	2 935
107	Namibie	0,644	55,8	76,0	83	4 054
108	Géorgie	0,633	73,2	99,0	69	1 389
109	Kirghizstan	0,633	67,9	97,0	73	1 927
110	Azerbaïdjan	0,623	71,1	96,3	72	1 463
111	Guatémala	0,615	66,1	65,0	46	3 682
112	Égypte	0,612	64,8	51,4	69	3 829
113	Moldavie	0,610	67,8	98,9	67	1 547
114	El Salvador	0,604	69,4	71,5	58	2 610
115	Swaziland	0,597	58,8	76,7	77	2 954
116	Bolivie	0,593	60,5	83,1	69	2 617
117	Cap-Vert	0,591	65,7	71,6	64	2 612
118	Tadjikistan	0,575	66,9	99,0	69	943
119	Honduras	0,573	68,8	72,7	60	1 977
120	Gabon	0,568	54,5	63,2	60	3 766
121	São Tomé et Principe	0,563	69,0	75,0	57	1 744
122	Vietnam	0,560	66,4	93,7	55	1 236
123	Salomon	0,560	71,1	62,0	47	2 230
124	Vanuatu	0,559	66,3	64,0	52	2 507
125	Maroc	0,557	65,7	43,7	48	3 477
126	Nicaragua	0,547	67,5	65,7	64	1 837
127	Irak	0,538	58,5	58,0	52	3 170
128	Congo	0,519	51,2	74,9	68	2 554
129	Papouasie-Nouvelle-Guinée	0,507	56,8	72,2	37	2 500
130	Zimbabwé	0,507	48,9	85,1	69	2 135
Faible développement humain		**0,409**	**56,7**	**50,9**	**47**	**1 362**
131	Myanmar	0,481	58,9	83,1	48	1 130
132	Cameroun	0,481	55,3	63,4	45	2 355
133	Ghana	0,473	57,0	64,5	44	2 032
134	Lésotho	0,469	58,1	71,3	56	1 290

Source : PNUD. Pour retrouver facilement un pays, voir la liste alphabétique de ces derniers, p. 582-583.

Indicateur du développement humain (IDH)

Classement selon l'IDH	Indicateur du développement humain 1995	Espérance de vie à la naissance (années) 1995	Taux d'alphabétisation des adultes (%) 1995	Taux brut de scolarisation (%) 1995	PIB réel par habitant (PPA) 1995
135 Guinée équatoriale	0,465	49,0	78,5	64	1 712
136 Laos	0,465	52,2	56,6	50	2 571
137 Kénya	0,463	53,8	78,1	52	1 438
138 Pakistan	0,453	62,8	37,8	41	2 209
139 Inde	0,451	61,6	52,0	55	1 422
140 Cambodge	0,422	52,9	65	62	1 110
141 Comores	0,411	56,5	57,3	39	1 317
142 Nigéria	0,391	51,4	57,1	49	1 270
143 Congo (-Kinshasa)	0,383	52,4	77,3	41	355
144 Togo	0,380	50,5	51,7	60	1 167
145 Bénin	0,378	54,4	37,0	38	1 800
146 Zambie	0,378	42,7	78,2	52	986
147 Bangladesh	0,371	56,9	38,1	37	1 382
148 Côte-d'Ivoire	0,368	51,8	40,1	38	1 731
149 Mauritanie	0,361	52,5	37,7	38	1 622
150 Tanzanie	0,358	50,6	67,8	33	636
151 Yémen	0,356	56,7	38,0	49	856
152 Népal	0,351	55,9	27,5	56	1 145
153 Madagascar	0,348	57,6	45,8	31	673
154 Rép. centrafricaine	0,347	48,4	60,0	27	1 092
155 Bhoutan	0,347	52,0	42,2	31	1 382
156 Angola	0,344	47,4	42,0	30	1 839
157 Soudan	0,343	52,2	46,1	32	1 110
158 Sénégal	0,342	50,3	33,1	33	1 815
159 Haïti	0,340	54,6	45,0	29	917
160 Ouganda	0,340	40,5	61,8	38	1 483
161 Malawi	0,334	41,0	56,4	76	773
162 Djibouti	0,324	49,2	46,2	20	1 300
163 Tchad	0,318	47,2	48,1	27	1 172
164 Guinée-Bissau	0,295	43,4	54,9	29	811
165 Gambie	0,291	46,0	38,6	39	948
166 Mozambique	0,281	46,3	40,1	25	959
167 Guinée	0,277	45,5	35,9	25	1 139
168 Érythrée	0,275	50,2	25,0	29	983
169 Éthiopie	0,252	48,7	35,5	20	455
170 Burundi	0,241	44,5	35,3	23	637
171 Mali	0,236	47,0	31,0	18	565
172 Burkina Faso	0,219	46,3	19,2	19	784
173 Niger	0,207	47,5	13,6	15	765
174 Sierra Léone	0,185	34,7	31,4	30	625
Total pays en développement	**0,586**	**62,2**	**70,4**	**57**	**3 068**
Pays les moins avancés	**0,344**	**51,2**	**49,2**	**36**	**1 008**
Pays industrialisés	**0,911**	**74,2**	**98,6**	**83**	**16 337**
Monde	**0,772**	**63,6**	**77,6**	**62**	**5 990**

Source : PNUD. Pour retrouver facilement un pays, voir la liste alphabétique de ces derniers, p. 582-583.

Produit intérieur brut (PIB)

Rang	Pays *	Produit intérieur brut par habitant (1996) à parité de pouvoir d'achat	Produit intérieur brut par habitant (1996) aux taux de change courants	Part dans le total mondial 1996 (en %)	Taux de croissance annuel 1975-85	Taux de croissance annuel 1986-96	Taux de croissance annuel 1997	Taux d'investissement (en % du PIB) 1994-1996
1	Luxembourg	34 480	45 360	0,04	4,2	5,5	3,6	21,7
2	États-Unis	28 020	28 020	20,83	2,8	2,4	3,8	16,6
3	Singapour	26 910	30 550	0,23	7,6	8,5	7,8	34,5
4	Suisse	26 340	44 350	0,52	1,8	0,9	0,5	21,6
5	Hong Kong (Chine)	24 260	24 290	0,43	8,8	5,9	5,3	30,3
6	Japon	23 420	40 940	8,25	3,9	3,4	0,8	28,0
7	Norvège	23 220	34 510	0,29	4,0	2,8	4,0	20,6
8	Belgique	22 390	26 440	0,64	1,7	2,3	2,4	17,6
9	Danemark	22 120	32 100	0,33	2,2	1,7	3,4	15,6
10	Islande	21 710	26 580	0,02	4,0	1,8	4,9	15,8
11	Autriche	21 650	28 110	0,49	2,3	2,5	2,1	23,3
12	France	21 510	26 270	3,52	2,3	1,9	2,3	18,2
13	Canada	21 380	19 020	1,80	3,2	2,0	3,6	18,1
14	Allemagne	21 110	28 870	4,85	• •	2,2	2,4	21,8
15	Pays-Bas	20 850	25 940	0,91	1,9	2,9	3,2	19,1
16	Chypre	20 490	• •	0,04	8,6	5,6	3,5	22,8
17	Royaume-Uni	19 960	19 600	3,29	1,9	2,0	3,4	15,0
18	Italie	19 890	19 880	3,20	3,0	1,6	1,3	16,8
19	Australie	19 870	20 090	1,02	2,7	3,1	2,9	21,3
20	Suède	18 770	25 710	0,47	1,3	0,7	1,8	14,4
21	Finlande	18 260	23 240	0,26	2,7	1,2	4,6	14,8
22	Israël	18 100	15 870	0,29	3,3	5,6	2,1	22,0
23	Émirats arabes unis	17 000	• •	0,12	6,9	4,8	3,0	24,0
24	Irlande	16 750	17 110	0,17	2,3	5,7	7,5	14,6
25	Nouvelle-Zélande	16 500	15 720	0,17	1,1	1,7	1,9	19,6
26	Qatar	16 330	• •	0,03	0,3	5,0	15,5	• •
27	Espagne	15 290	14 350	1,68	1,6	2,6	3,2	20,1
28	Taïwan	14 700	12 763	0,88	• •	6,6	6,5	22,3
29	Bahreïn	13 970	• •	0,02	– 2,9	2,6	3,1	31,0
30	Malte	13 870	• •	0,01	6,2	5,4	3,7	28,9
31	Portugal	13 450	10 160	0,37	2,5	3,2	3,4	23,3
32	Corée du Sud	13 080	10 610	1,67	8,1	8,3	6,2	36,4
33	Grèce	12 730	11 460	0,37	2,0	1,6	3,4	20,3
34	Slovénie	12 110	9 240	0,07	• •	– 1,2[c]	3,7	21,0
35	Chili	11 700	4 860	0,47	2,8	8,2	6,6	26,4
36	Rep. tchèque	10 870	4 740	0,31	• •	– 0,5[c]	0,9	30,5
37	Barbade	10 510	• •	0,01	3,0	0,9	4,3	12,0
38	Malaisie (Féd. de)	10 390	4 370	0,60	6,3	8,5	7,8	40,1
39	Bahamas	10 180	• •	0,01	8,1	1,2	3,0	• •
40	Arabie saoudite	9 700	• •	0,53	2,3	1,6	2,7	19,7
41	Argentine	9 530	8 380	0,94	– 0,4	3,5	8,4	18,9

* Pour retrouver facilement un pays, voir la liste alphabétique de ces derniers, p. 582-583 qui indique leur rang dans le tableau. Voir aussi les notes en fin de tableau, p. 592.

Produit intérieur brut (PIB)

Rang	Pays *	Produit intérieur brut par habitant (1996) à parité de pouvoir d'achat	aux taux de change courants	Part dans le total mondial 1996 (en %)	Taux de croissance annuel 1975-85	1986-96	1997	Taux d'investissement (en % du PIB) 1994-1996
42	Maurice	9 000	3 710	0,03	2,4	6,1	5,6	26,7
43	Oman	8 680	• •	0,05	10,3	4,5	3,6	• •
44	Antigua et Barbuda	8 660	7 330	0,00	11,6	3,5	3,3	32,0
45	Porto Rico	8 570	8 570	0,09	0,7	2,7	3,1	15,0
46	Vénézuela	8 130	3 020	0,51	0,4	1,6	5,1	15,1
47	Uruguay	7 760	5 760	0,07	–1,2	4,7	6,0	12,2
48	Mexique	7 660	3 670	2,00	4,0	3,7	6,7	17,6
49	Slovaquie	7 460	3 410	0,11	• •	– 1,5c	5,7	31,8
50	Afrique du Sud	7 450	3 520	0,79	2,2	1,7	1,7	16,6
51	Botswana	7 390	• •	0,03	11,6	8,8	5,5	24,3
52	St. Kitts et Nevis	7 310	5 870	0,00	• •	• •	• •	• •
53	Panama	7 060	3 080	0,05	4,6	2,0	3,7	24,9
54	Hongrie	6 730	4 340	0,19	2,3	– 2,0c	3,0	20,6
55	Colombie	6 720	2 140	0,71	3,6	3,9	3,2	19,0
56	Thaïlande	6 700	2 960	1,13	6,3	9,0	– 0,4	41,2
57	Costa Rica	6 470	2 640	0,06	2,3	4,3	3,2	19,1
58	Brésil	6 340	4 400	2,87	3,4	2,2	3,0	20,7
59	Libye	6 309	• •	0,11	0,2	– 1,5	2,6	• •
60	Gabon	6 300	3 950	0,02	– 1,0	– 2,2	4,5	20,8
61	Trinidad et Tobago	6 100	3 870	0,02	4,0	– 0,1	4,1	15,5
62	Liban	6 060	2 970	0,07	• •	• •	• •	• •
63	Turquie	6 060	2 830	1,06	3,4	4,3	6,3	24,5
64	Pologne	6 000	3 230	0,65	0,1	0,6c	5,6	17,3
65	Namibie	5 390	2 250	0,02	• •	5,2	4,0	21,1
66	Iran	5 360	• •	0,94	0,6	3,2	3,2	23,0
67	Sainte-Lucie	4 920	3 500	0,00	• •	4,7	3,5	20,8
68	Équateur	4 730	1 500	0,16	3,9	2,9	3,3	18,3
69	Estonie	4 660	3 080	0,02	• •	– 5,1c	10,9	25,7
70	Algérie	4 620	1 520	0,37	5,6	0,6	1,3	28,7
71	Roumanie	4 580	1 600	0,29	5,1	– 1,8c	– 6,6	21,1
72	Tunisie	4 550	1 930	0,12	5,2	3,5	5,6	24,8
73	Pérou	4 410	2 420	0,30	0,6	0,7	7,5	22,5
74	Dominique	4 390	3 090	0,00	3,0	3,4	2,5	• •
75	Rep. dominicaine	4 390	1 600	0,10	2,5	4,9	8,2	23,3
76	Lituanie	4 390	2 280	0,05	• •	– 12,2c	6,0	20,9
77	Biélorussie	4 380	2 070	0,13	• •	– 5,9c	10,0	27,6
78	Grenade	4 340	2 880	0,00	2,7	3,7	3,6	36,0
79	Croatie	4 290	3 800	0,06	• •	– 4,7c	6,3	14,2
80	Bulgarie	4 280	1 190	0,10	4,6	– 5,4c	– 7,4	14,4
81	Russie	4 190	2 410	1,73	3,8	– 7,6c	0,4	20,4

* Pour retrouver facilement un pays, voir la liste alphabétique de ces derniers, p. 582-583 qui indique leur rang dans le tableau. Voir aussi les notes en fin de tableau, p. 592.

Produit intérieur brut (PIB)

Rang	Pays *	Produit intérieur brut par habitant (1996) à parité de pouvoir d'achat	Produit intérieur brut par habitant (1996) aux taux de change courants	Part dans le total mondial 1996 (en %)	Taux de croissance annuel 1975-85	Taux de croissance annuel 1986-96	Taux de croissance annuel 1997	Taux d'investissement (en % du PIB) 1994-1996
82	Bélize	4 170	2 700	0,00	4,6	6,4	2,9	21,4
83	St. Vincent et les G.	4 160	2 370	0,00	6,1	4,6	5,0	29,4
84	Fidji	4 070	2 470	0,01	1,9	2,6	3,6	13,1
85	Guatémala	3 820	1 470	0,12	2,2	4,9	4,1	14,0
86	Lettonie	3 650	2 300	0,03	3,6	– 8,8[d]	6,0	15,7
87	Jordanie	3 570	1 650	0,04	• •	1,2	5,0	32,8
88	Philippines	3 550	1 160	0,72	2,0	4,5	5,1	23,0
89	Paraguay	3 480	1 850	0,05	6,1	3,5	3,5	21,0
90	Jamaïque	3 450	1 600	0,02	– 2,9	3,8	– 2,0	26,1
91	Chine	3 330	750	11,34	8,3	10,1	8,8	35,7
92	Maroc	3 320	1 290	0,25	4,3	5,1	– 2,2	20,9
93	Swaziland	3 320	1 210	0,01	4,7	2,5	3,0	21,1
94	Indonésie	3 310	1 080	1,83	6,5	7,7	5,0	28,5
95	Kazakhstan	3 230	1 350	0,15	• •	– 6,8[d]	2,1	19,1
96	Maldives	3 140	1 080	0,00	• •	9,8	6,2	• •
97	Syrie	3 020	1 160	0,12	4,6	4,2	5,0	• •
98	Vanuatu	3 020	1 290	0,00	• •	1,7	3,0	• •
99	Bolivie	2 860	830	0,06	– 0,3	4,6	4,3	14,8
100	Égypte	2 860	1 080	0,47	8,1	4,0	5,0	16,3
101	Papouasie-N.-G.	2 820	1 150	0,03	1,5	4,0	-6,2	21,0
102	El Salvador	2 790	1 700	0,05	– 1,5	4,2	3,7	17,8
103	Guinée équatoriale	2 690	530	0,00	• •	7,3	76,1	87,3
104	Cap Vert	2 640	1 010	0,00	11,7	4,3	3,0	36,3
105	Suriname	2 630	1 000	0,00	3,0	2,5	5,6	• •
106	Ouzbékistan	2 450	1 010	0,16	• •	– 2,8[d]	2,4	• •
107	Lésotho	2 380	660	0,01	5,1	4,7	7,2	96,6
108	Sri Lanka	2 290	740	0,12	5,5	3,4	6,0	25,6
109	Guyana	2 280	690	0,01	– 3,4	2,7	6,1	28,1
110	Salomon	2 250	900	0,00	5,4	5,1	4,3	• •
111	Ukraine	2 230	1 200	0,32	• •	– 11,8[c]	– 3,2	22,5
112	Zimbabwé	2 200	610	0,07	2,7	3,6	3,7	18,0
113	Arménie	2 160	630	0,02	6,3	– 8,7[c]	3,3	11,2
114	Honduras	2 130	660	0,04	4,2	3,3	4,5	26,0
115	Turkménistan	2 010	940	0,03	• •	0,4[c]	25,9	• •
116	Kirghizstan	1 970	550	0,03	• •	– 7,7[c]	6,2	17,0
117	Mongolie	1 820	360	0,01	• •	– 0,9	3,0	24,5
118	Géorgie	1 810	850	0,03	5,4	– 17,5[c]	11,0	2,9
119	Mauritanie	1 810	470	0,01	1,6	3,4	4,5	18,4
120	Ghana	1 790	360	0,09	0,5	4,5	3,0	17,7
121	Comores	1 770	450	0,00	4,9	0,6	– 0,5	16,2
122	Cameroun	1 760	610	0,07	8,6	– 2,1	5,1	15,2

* Pour retrouver facilement un pays, voir la liste alphabétique de ces derniers, p. 582-583 qui indique leur rang dans le tableau. Voir aussi les notes en fin de tableau, p. 592.

Produit intérieur brut (PIB)

Rang	Pays *	Produit intérieur brut par habitant (1996) à parité de pouvoir d'achat	Produit intérieur brut par habitant (1996) aux taux de change courants	Part dans le total mondial 1996 (en %)	Taux de croissance annuel 1975-85	Taux de croissance annuel 1986-96	Taux de croissance annuel 1997	Taux d'investissement (en % du PIB) 1994-1996
123	Nicaragua	1 760	380	0,02	– 2,6	– 1,4	4,5	24,8
124	Guinée	1 720	560	0,03	• •	• •	• •	• •
125	Sénégal	1 650	570	0,04	1,9	2,9	5,2	15,2
126	Togo	1 650	300	0,02	1,6	1,3	4,8	12,7
127	Pakistan	1 600	480	0,60	7,4	4,1	3,5	17,4
128	Côte-d'Ivoire	1 580	660	0,06	3,0	– 2,2	6,0	12,7
129	Inde	1 580	380	4,18	4,2	5,7	5,6	24,2
130	Vietnam	1 570	290	0,33	• •	6,9	7,5	26,8
131	Azerbaïdjan	1 490	480	0,03	• •	– 13,1[c]	5,8	20,0
132	Moldavie	1 440	590	0,02	• •	– 13,7[c]	1,3	9,4
133	Centrafrique	1 430	310	0,01	1,3	– 1,0	4,6	10,2
134	Congo (Brazzaville)	1 410	670	0,01	6,9	1,3	0,3	49,4
135	Gambie	1 280	• •	0,00	2,4	2,3	2,1	21,0
136	Laos	1 250	400	0,02	• •	5,6	7,0	28,0
137	Bénin	1 230	350	0,02	4,2	3,1	5,8	16,4
138	Haïti	1 130	310	0,02	2,3	– 2,7	1,8	6,4
139	Kénya	1 130	320	0,09	4,5	3,3	1,3	20,9
140	Myanmar (Birmanie)	1 130	• •	0,12	• •	2,7	7,0	11,5
141	Népal	1 090	210	0,07	3,6	5,0	4,5	21,7
142	Angola	1 030	270	0,03	• •	– 2,8	6,5	15,7
143	Guinée-Bissau	1 030	250	0,00	1,9	4,6	5,1	21,9
144	Ouganda	1 030	300	0,06	• •	6,6	5,0	15,7
145	Bangladesh	1 010	260	0,34	4,6	4,4	5,5	16,4
146	Burkina Faso	950	230	0,03	4,6	2,9	5,5	23,6
147	Niger	920	200	0,02	1,7	• •	• •	• •
148	Madagascar	900	250	0,03	– 0,2	1,2	3,5	10,6
149	Tadjikistan	900	340	0,01	• •	– 15,6[c]	2,2	20,9
150	Tchad	880	160	0,02	1,7	3,3	8,6	18,6
151	Nigéria	870	240	0,28	1,0	4,6	5,1	18,5
152	Zambie	860	360	0,02	– 0,1	3,4	3,5	10,3
153	Congo (Kinshasa)	790	130	0,10	– 0,9	– 3,9	– 5,7	7,1
154	Yémen	790	380	0,03	• •	3,5[d]	5,5	21,0
155	Mali	710	240	0,02	1,4	3,4	6,7	26,2
156	Malawi	690	180	0,02	2,7	4,1	4,6	12,9
157	Rwanda	630	190	0,01	6,4	– 4,9	13,0	8,9
158	Burundi	590	170	0,01	4,2	– 0,8	4,4	8,5
159	Sierra Léone	510	200	0,01	2,2	0,8	– 3,4	7,8
160	Éthiopie	500	100	0,08	• •	4,3	5,3	17,3
161	Mozambique	500	80	0,03	• •	6,8	6,6	50,2

* Pour retrouver facilement un pays, voir la liste alphabétique de ces derniers, p. 582-583 qui indique leur rang dans le tableau. Voir aussi les notes en fin de tableau, p. 592.

Autres pays (calculs à partir d'autres sources)

Rang	Pays*	Produit intérieur brut par habitant (1995) à parité de pouvoir d'achat	Produit intérieur brut par habitant (1995) aux taux de change courants	Part dans le total mondial 1995 (en %)	Taux de croissance annuel 1975-85	Taux de croissance annuel 1986-96	Taux de croissance annuel 1997	Taux d'investissement (en % du PIB) 1994-1996
	Brunéi	31 165	• •	0,02	• •	0,7	3,5	• •
	Koweït	23 848	• •	0,11	− 0,9	− 0,5	1,5	15,2
	Seychelles	7 697	6 850	0,00	4,1	4,5	2,0	22,7
	Corée du Nord	4 058	• •	• •	• •	• •	• •	• •
	Macédoine	4 058	990	• •	• •	− 5,3	1,5	15,9
	Irak	3 170	• •	• •	− 0,4	− 14,0[c]	10,0	• •
	Samoa	2 948	1 170	0,00	• •	0,9	4,1	• •
	Albanie	2 853	820	0,03	• •	− 1,6[c]	− 7,0	• •
	São Tomé et P.	1 744	330	0,00	2,4	0,5	2,0	51,1
	Bhoutan	1 382	390	0,01	6,6	7,1	5,7	46,9
	Djibouti	1 300	• •	0,00	• •	− 1,6	1,0	9,8
	Soudan	1 110	• •	0,08	1,8	3,5	5,5	• •
	Éythrée	983	• •	0,01	• •	4,2[a]	7,0	20,0
	Kiribati	800	920	0,00	• •	1,2	2,5	• •
	Tanzanie	636	170	0,05	• •	3,7	4,1	21,4

Source : Banque mondiale pour les pays de la liste principale, Nations unies pour les autres.
* Pour retrouver facilement un pays, voir la liste alphabétique de ces derniers (p. 682-683) qui indique leur rang dans ce tableau ; a. 1992-96 ; b. 1993 ; c. 1989-96 ; d. 1990-96.

La population mondiale

L'évolution démographique des différentes régions du monde souligne les phénomènes de transition démographique, *le passage d'un régime démographique caractérisé par une natalité et une mortalité élevées (qui « s'équilibrent ») à un régime de natalité et mortalité basses. Dans un premier temps, dans l'histoire des populations, les progrès sanitaires et économiques font baisser sensiblement la mortalité sans que la natalité ne suive le même mouvement, et la population croît alors de manière accélérée. C'est ce fort déséquilibre que l'on nomme souvent l'« explosion démographique ». Ensuite, ce n'est que progressivement que la modernisation provoque une baisse de la fécondité (par la transformation de l'organisation familiale, la scolarisation des filles, la salarisation des femmes...) qui permet de rétablir l'équilibre démographique. Les pays industrialisés ont achevé cette transition et connaissent une croissance démographique faible, voire nulle ou négative, tandis que les pays en développement sont en général encore dans la phase de transition caractérisée par des croîts de population élevés. Toutes les données présentées ci-après ont l'ONU pour source.*

Population

	1970	1975	1980	1985	1998	2025[b]
Monde (en millions)	3 702	4 081	4 447	4 847	5 930	8 039
En % du total						
Afrique	9,8	10,1	10,7	11,3	13,1	18,1
Amérique latine	7,7	7,8	8,1	8,2	8,4	8,6
Amérique du Nord[a]	6,3	6,0	5,7	5,5	5,1	4,6
Asie[c]	58,0	58,9	59,4	59,9	60,5	59,5
Europe[c]	17,7	16,6	15,6	14,6	12,3	8,7
Océanie	0,5	0,5	0,5	0,5	0,5	0,5
Pays développés	27,2	25,7	24,3	23,0	19,9	15,2
Pays en dévelop.	72,8	74,3	75,7	77,0	80,1	84,8

a. Mexique non compris ; b. Projection ; c. Les républiques de l'ex-URSS sont classées pour les unes en Europe et pour les autres en Asie.

Taux de croissance de la population (en % annuel)

	1975-80	1980-85	1985-90	1990-95	95-2000	2005-10[b]
Monde	1,72	1,72	1,72	1,48	1,37	1,20
Afrique	2,78	2,82	2,78	2,68	2,61	2,45
Amérique latine	2,30	2,06	1,89	1,70	1,54	1,30
Amérique du Nord[a]	0,93	0,98	1,03	1,01	0,79	0,75
Asie[c]	1,87	1,88	1,85	1,53	1,41	1,15
Europe[c]	0,49	0,38	0,44	0,16	0,03	– 0,12
Océanie	1,13	1,50	1,55	1,37	1,33	1,26

a. Mexique non compris ; b. Projection ; c. Les républiques de l'ex-URSS sont classées pour les unes en Europe et pour les autres en Asie.

Indice synthétique de fécondité[c]	1975-80	1980-85	1985-90	1990-95	95-2000	2005-10[b]
Monde	3,92	3,58	3,36	2,96	2,79	2,55
Afrique	6,48	6,34	6,04	5,71	5,31	4,44
Amérique latine	4,46	3,81	3,33	2,93	2,65	2,37
Amérique du Nord[a]	1,78	1,80	1,89	2,02	1,93	2,00
Asie[d]	4,21	3,70	3,39	2,84	2,65	2,37
Europe[d]	1,97	1,87	1,83	1,57	1,45	1,53
Océanie	2,79	2,58	2,51	2,51	2,46	2,40

a. Mexique non compris ; b. Projection ; c. Nombre d'enfants qu'une femme mettrait au monde, en moyenne, du début à la fin de sa vie, en supposant que prévalent, pendant cette vie, les taux de fécondité par tranche d'âge observés pendant la période indiquée ; d. Les républiques de l'ex-URSS sont classées pour les unes en Europe et pour les autres en Asie.

Mortalité infantile[c]	1975-80	1980-85	1985-90	1990-95	95-2000	2005-10[b]
Monde	87	78	69	62	57	45
Afrique	120	112	100	94	86	69
Amérique latine	68	56	47	40	35	29
Amérique du Nord[a]	14	11	10	9	7	6
Asie[d]	94	83	72	62	56	42
Europe[d]	22	18	15	13	12	10
Océanie	35	30	28	26	24	20

a. Mexique non compris ; b. Projection ; c. Nombre de décès d'enfants âgés de moins d'un an pour mille enfants nés vivants ; d. Les républiques de l'ex-URSS sont classées pour les unes en Europe et pour les autres en Asie.

Espérance de vie[c]	1975-80	1980-85	1985-90	1990-95	95-2000	2005-10[b]
Monde	59,7	61,3	63,1	64,3	65,6	68,3
Afrique	47,9	49,4	51,5	51,8	53,8	58,2
Amérique latine	63,2	65,2	67,0	68,5	69,6	71,9
Amérique du Nord[a]	73,3	74,7	75,2	76,2	76,9	78,2
Asie[d]	58,5	60,5	62,6	64,5	66,2	69,2
Europe[d]	71,3	71,9	73,0	72,7	72,6	74,5
Océanie	68,2	70,1	71,3	72,9	73,9	75,6

a. Mexique non compris ; b. Projection ; c. Nombre d'années que vivrait, en moyenne, un enfant né pendant la période indiquée, en supposant que les taux de mortalité par tranche d'âge demeurent durant toute sa vie inchangés par rapport à la période de naissance ; d. Les républiques de l'ex-URSS sont classées pour les unes en Europe et pour les autres en Asie.

Taux brut de natalité[c]	1975-80	1980-85	1985-90	1990-95	95-2000	2005-10[b]
Monde	28,3	27,5	26,8	24,1	22,6	20,3
Afrique	46,0	45,1	43,1	41,2	39,2	34,8
Amérique latine	33,1	30,0	27,5	24,9	22,8	20,0
Amérique du Nord[a]	15,1	15,6	15,8	15,4	13,6	13,3
Asie[d]	29,6	28,4	27,6	24,1	22,3	19,1
Europe[d]	14,8	14,4	13,7	11,5	10,5	10,5
Océanie	20,9	19,8	19,4	19,1	18,4	17,0

a. Mexique non compris ; b. Projection ; c. Pour 1 000 habitants ; d. Les républiques de l'ex-URSS sont classées pour les unes en Europe et pour les autres en Asie.

Taux brut de mortalité[c]	1975-80	1980-85	1985-90	1990-95	95-2000	2005-10[b]
Monde	11,0	10,3	9,6	9,3	8,9	8,3
Afrique	17,7	16,4	14,8	14,3	12,9	10,4
Amérique latine	8,7	7,8	7,1	6,7	6,4	6,3
Amérique du Nord[a]	8,5	8,5	8,6	8,6	8,6	8,6
Asie[d]	10,5	9,6	8,8	8,3	7,9	7,4
Europe[d]	10,5	10,7	10,5	11,3	11,5	12,1
Océanie	8,7	8,1	7,9	7,8	7,7	7,6

a. Mexique non compris ; b. Projection ; c. Pour 1 000 habitants ; d. Les républiques de l'ex-URSS sont classées pour les unes en Europe et pour les autres en Asie.

Taux d'accroissement naturel[c]	1975-80	1980-85	1985-90	1990-95	95-2000	2005-10[b]
Monde	1,73	1,72	1,72	1,48	1,37	1,20
Afrique	2,83	2,87	2,83	2,69	2,63	2,44
Amérique latine	2,44	2,22	2,04	1,82	1,64	1,37
Amérique du Nord[a]	0,66	0,71	0,72	0,68	0,50	0,47
Asie[d]	1,91	1,88	1,88	1,58	1,44	1,17
Europe[d]	0,43	0,37	0,32	0,02	– 0,10	– 0,16
Océanie	1,22	1,17	1,15	1,13	1,07	0,94

a. Mexique non compris ; b. Projection ; c. Pour 100 habitants ; d. Les républiques de l'ex-URSS sont classées pour les unes en Europe et pour les autres en Asie.

Tables démographiques

	Population totale (millions) (1998)	Taux moyen d'accrois. de pop. (1995-2000)	Taux total de fécondité	Mortalité infantile	Espérance de vie H/F	Pourcentage de la population ayant, en l'an 2000 moins de 15 ans	65 ans et plus
Total mondial	**5 929,8**	**1,4**	**2,79**	**57**	**63,4/67,7**	**30,0**	**6,8**
Régions plus développées	**1 181,5**	**0,3**	**1,59**	**9**	**70,6/78,4**	**18,3**	**14,2**
Régions moins développées	**4 748,3**	**1,7**	**3,08**	**62**	**62,1/65,2**	**32,8**	**5,0**
Pays les moins avancés	**626,9**	**2,6**	**5,25**	**100**	**50,9/53,0**	**42,6**	**3,0**
Afrique	**778,5**	**2,6**	**5,31**	**86**	**52,3/55,3**	**43,0**	**3,2**
Afrique orientale	**241,2**	**2,9**	**6,05**	**99**	**47,8/50,3**	**45,7**	**2,7**
Burundi	6,6	2,8	6,28	114	45,5/48,8	45,0	2,7
Érythrée	3,5	3,7	5,34	98	49,1/52,1	43,6	3,1
Éthiopie	62,1	3,2	7,00	107	48,4/51,6	47,0	2,8
Kénya	29,0	2,2	4,85	65	52,3/55,7	43,4	3,0
Madagascar	16,3	3,1	5,65	77	57,0/60,0	45,8	2,6
Malawi	10,4	2,5	6,69	142	40,3/41,1	46,5	2,6
Maurice	1,2	1,1	2,28	15	68,3/75,0	26,6	6,0
Mozambique	18,7	2,5	6,06	110	45,5/48,4	44,7	3,2
Ouganda	21,3	2,6	7,10	113	40,4/42,3	49,1	2,2
Tanzanie	32,2	2,3	5,48	80	50,0/52,8	45,1	2,6
Rwanda	6,5	7,9	6,00	125	40,8/43,4	44,7	2,4
Somalie	10,7	3,9	7,00	112	47,4/50,6	48,0	2,6
Zambie	8,7	2,5	5,49	103	42,2/43,7	46,4	2,3
Zimbabwé	11,9	2,1	4,68	68	47,6/49,4	43,6	2,7
Afrique centrale	**90,4**	**2,7**	**6,01**	**92**	**50,2/53,4**	**46,3**	**3,1**
Angola	12,0	3,3	6,69	124	44,9/48,1	47,4	2,8
Cameroun	14,3	2,7	5,30	58	54,5/57,2	43,6	3,4
Congo (-Brazza)	2,8	2,8	5,87	90	48,6/53,4	45,7	3,3
Congo (-Kinshasa)	49,2	2,6	6,24	89	51,3/54,5	48,0	2,8
Gabon	1,2	2,8	5,40	85	53,8/57,2	39,7	5,7
Centrafrique	3,5	2,1	4,95	96	46,4/51,0	41,7	4,0
Tchad	6,9	2,8	5,51	115	46,3/49,3	43,0	3,6
Afrique septentrionale	**168,1**	**2,0**	**3,67**	**55**	**63,2/66,1**	**35,9**	**4,1**
Algérie	30,2	2,3	3,81	44	67,5/70,3	36,6	3,8
Égypte	65,7	1,9	3,40	54	64,7/67,3	35,0	4,5
Libye	6,0	3,3	5,92	56	63,9/67,5	44,7	2,9
Maroc	28,0	1,8	3,10	51	64,8/68,5	33,8	4,3
Soudan	28,5	2,2	4,61	71	53,6/56,4	38,7	3,2
Tunisie	9,5	1,8	2,92	37	68,4/70,7	32,2	4,8
Afrique australe	**50,6**	**2,2**	**3,92**	**50**	**61,3/66,8**	**36,8**	**4,3**
Afrique du Sud	44,3	2,2	3,81	48	62,3/68,3	36,2	4,5
Bostwana	1,6	2,2	4,45	56	48,9/51,7	41,9	2,4
Lésotho	2,2	2,5	4,86	72	57,3/59,9	41,0	4
Namibie	1,7	2,4	4,90	60	54,7/56,6	41,6	3,8
Afrique de l'Ouest	**228,1**	**2,8**	**5,95**	**90**	**49,8/52,8**	**45,1**	**2,9**
Bénin	5,9	2,8	5,83	84	52,4/57,2	46,6	2,8
Burkina Faso	11,4	2,8	6,57	97	45,1/47,0	47,0	2,7
Côte-d'Ivoire	14,6	2,0	5,10	86	50,0/52,2	43,0	3,0
Ghana	18,9	2,8	5,28	73	56,2/59,9	43,4	3,1
Guinée	7,7	1,4	6,61	124	46,0/47,0	47,0	2,6

Tables démographiques

	Population totale (millions) (1998)	Taux moyen d'accrois. de pop. (1995-2000)	Taux total de fécondité	Mortalité infantile	Espérance de vie H/F	Pourcentage de la population ayant, en l'an 2000 moins de 15 ans	65 ans et plus
Guinée-Bissau	1,1	2,0	5,42	132	42,4/45,2	41,7	4,2
Libéria	2,7	8,6	6,33	153	50,0/53,0	43,7	3,6
Mali	11,8	3,0	6,60	149	46,4/49,7	47,3	2,6
Mauritanie	2,5	2,5	5,03	92	51,9/55,1	41,5	3,4
Niger	10,1	3,3	7,10	114	46,9/50,2	48,6	2,4
Nigéria	121,8	2,8	5,97	77	50,8/54,0	45,0	2,9
Sénégal	9,0	2,7	5,62	62	50,3/52,3	43,6	3,0
Sierra Léone	4,6	3,0	6,06	169	36,0/39,1	43,9	3,0
Togo	4,4	2,7	6,08	86	48,8/51,5	45,6	3,1
Asie	**3 588,9**	**1,4**	**2,65**	**56**	**64,8/67,7**	**30,1**	**5,8**
Asie orientale	**1 459,7**	**0,9**	**1,78**	**34**	**69,1/73,1**	**24,0**	**7,5**
Chine	1 255,1	0,9	1,80	38	68,2/71,7	24,9	6,8
Hong Kong	6,3	0,8	1,32	5	76,1/81,8	17,2	11,1
Japon	125,9	0,2	1,48	4	76,9/82,9	15,2	16,5
Mongolie	2,6	2,1	3,27	52	64,3/67,3	36,4	3,8
Corée du Sud	46,1	0,9	1,65	9	68,8/76,0	21,4	6,6
Corée du Nord	23,2	1,6	2,10	22	68,9/75,1	27,3	5,3
Asie du Sud-Est	**506,0**	**1,6**	**2,86**	**46**	**63,6/67,7**	**32,3**	**4,7**
Cambodge	10,8	2,2	4,50	102	52,6/55,4	40,4	3,1
Indonésie	206,5	1,5	2,63	48	63,3/67,0	30,8	4,6
Malaisie (Féd. de)	21,5	2,0	3,24	11	69,9/74,3	35,3	4,1
Myanmar	47,6	1,8	3,30	78	58,5/61,8	34,0	4,5
Philippines	72,2	2,0	3,62	35	66,6/70,2	36,7	3,6
Laos	5,4	3,1	6,69	86	52,0/55,0	45,4	2,9
Singapour	3,5	1,5	1,79	5	75,1/79,5	22,6	7,1
Thaïlande	59,6	0,8	1,74	30	66,3/72,3	25,1	5,8
Vietnam	77,9	1,8	2,97	37	64,9/69,6	34,3	5,2
Asie méridionale	**1 443,8**	**1,8**	**3,42**	**72**	**61,7/62,9**	**34,8**	**4,6**
Afghanistan	23,4	5,3	6,90	154	45,0/46,0	41,6	2,7
Bangladesh	124,0	1,6	3,14	78	58,1/58,2	35,6	3,2
Bhoutan	1,9	2,8	5,89	104	51,6/54,9	43,0	3,2
Inde	975,8	1,6	3,07	72	62,1/62,7	32,7	5
Iran	73,1	2,2	4,77	39	68,5/70,0	43,1	4,1
Népal	23,2	2,5	4,95	82	57,6/57,1	42,0	3,5
Pakistan	147,8	2,7	5,02	74	62,9/65,1	41,8	3,2
Sri Lanka	18,5	1,0	2,10	15	70,9/75,4	26,1	6,7
Asie occidentale	**179,3**	**2,2**	**3,82**	**50**	**65,9/70,3**	**35,2**	**4,8**
Arabie saoudite	20,2	3,4	5,90	23	69,9/73,4	40,7	2,9
Émirats arabes unis	2,4	2,0	3,46	15	73,9/76,5	28,1	2,5
Irak	21,8	2,8	5,25	95	60,9/63,9	41,4	3,1
Israël	5,9	1,9	2,75	7	75,7/79,5	28,1	9,5
Jordanie	6,0	3,3	5,13	30	67,7/71,8	43,3	2,9
Koweït	1,8	3,0	2,77	14	74,1/78,2	33,2	2,0
Liban	3,2	1,8	2,75	29	68,1/71,7	32,9	5,8
Oman	2,5	4,2	7,20	25	68,9/73,3	47,7	2,3
Syrie	15,3	2,5	4,00	33	66,7/71,2	40,9	3,1

Tables démographiques

	Population totale (millions) (1998)	Taux moyen d'accrois. de pop. (1995-2000)	Taux total de fécondité	Mortalité infantile	Espérance de vie H/F	Pourcentage de la population ayant, en l'an 2000 moins de 15 ans	65 ans et plus
Turquie	63,8	1,6	2,50	44	66,5/71,7	28,3	5,9
Yémen	16,9	3,7	7,60	80	57,4/58,4	48,3	2,4
Europe	**729,4**	**0,0**	**1,45**	**12**	**68,3/77,0**	**17,5**	**14,6**
Europe orientale	**308,4**	**- 0,3**	**1,41**	**17**	**61,8/73,0**	**18,3**	**13**
Bulgarie	8,4	- 0,5	1,45	16	67,8/74,9	16,9	15,8
Hongrie	9,9	- 0,6	1,40	14	64,5/73,8	17,1	14,5
Pologne	38,7	0,1	1,65	13	66,7/75,7	19,8	11,8
République tchèque	10,2	- 0,1	1,40	9	69,8/76,0	18,0	12,6
Roumanie	22,6	- 0,2	1,40	24	66,0/73,2	18,5	13,2
Slovaquie	5,4	0,1	1,50	12	67,0/75,8	20,0	11,1
Europe septentrionale	**93,6**	**0,1**	**1,73**	**6**	**73,5/79,4**	**19,0**	**15,4**
Danemark	5,3	0,2	1,82	7	73,0/78,3	18,6	14,7
Estonie	1,4	- 1,0	1,30	12	63,9/75,0	17,5	13,9
Finlande	5,2	0,3	1,83	5	73,0/80,1	18,4	14,6
Irlande	3,6	0,2	1,80	6	74,0/79,4	21,1	11,4
Lettonie	2,4	- 1,1	1,40	16	62,5/74,3	18,2	14,4
Lituanie	3,7	- 0,3	1,50	13	64,9/76,0	19,5	13,5
Norvège	4,4	0,4	1,88	5	74,8/80,6	19,8	15,0
Royaume-Uni	58,2	0,1	1,72	6	74,5/79,8	18,8	15,8
Suède	8,9	0,3	1,80	5	76,2/80,8	19,1	16,7
Europe méridionale	**144,3**	**0,2**	**1,34**	**10**	**73,6/80,1**	**15,9**	**16,1**
Albanie	3,4	0,6	2,60	32	68,0/74,0	29,7	6,0
Bosnie-Herzégovine	4,0	3,9	1,40	13	70,5/75,9	18,9	9,8
Croatie	4,5	- 0,1	1,60	10	68,1/76,5	17,3	14,6
Espagne	39,8	0,1	1,22	7	74,5/81,5	15,0	16,6
Grèce	10,6	0,3	1,38	8	75,5/80,6	15,3	17,8
Italie	57,2	0,0	1,19	7	75,1/81,4	14,2	17,7
Macédoine	2,2	0,7	1,90	23	70,3/74,7	22,3	9,5
Portugal	9,8	- 0,1	1,48	8	71,8/78,9	16,7	15,7
Slovénie	1,9	- 0,1	1,30	7	69,2/77,8	15,6	14,2
Yougoslavie	10,4	0,5	1,80	19	69,8/75,3	19,9	13,2
Europe occidentale	**183,1**	**0,3**	**1,46**	**6**	**74,0/80,9**	**16,8**	**15,7**
Allemagne	82,4	0,3	1,30	6	73,4/79,9	15,3	15,9
Autriche	8,2	0,6	1,42	6	73,7/80,1	17,1	14,5
Belgique	10,2	0,3	1,62	7	73,9/80,6	17,5	16,4
France	58,7	0,3	1,63	7	74,6/82,9	18,3	16,2
Pays-Bas	15,7	0,5	1,55	6	75,0/80,6	18,2	13,6
Suisse	7,3	0,7	1,46	5	75,3/81,8	17,2	14,6
Amérique latine et Caraïbes	**499,5**	**1,5**	**2,65**	**35**	**66,4/72,9**	**31,3**	**5,4**
Caraïbes	**36,9**	**1,1**	**2,59**	**40**	**67,0/71,4**	**29,1**	**6,9**
Cuba	11,1	0,4	1,55	9	74,2/78,0	21,2	9,6
Haïti	7,5	1,9	4,60	82	52,8/56,0	40,1	3,8
Jamaïque	2,5	0,9	2,44	12	72,4/76,8	30,2	6,4
Porto Rico	3,8	0,9	2,10	9	72,5/80,5	24,1	10,5
République dominicaine	8,2	1,7	2,80	34	68,9/73,1	33,0	4,5
Trinidad et Tobago	1,3	0,8	2,10	14	71,5/76,2	26,1	6,5

Tables démographiques

	Population totale (millions) (1998)	Taux moyen d'accrois. de pop. (1995-2000)	Taux total de fécondité	Mortalité infantile	Espérance de vie H/F	Pourcentage de la population ayant, en l'an 2000 moins de 15 ans	65 ans et plus
Amérique centrale	**130,7**	**1,9**	**3,04**	**33**	**68,8/74,6**	**34,8**	**4,6**
Bélize	0,2	2,5	3,66	30	73,4/76,1	39,7	4,3
Costa Rica	3,7	2,1	2,95	12	74,5/79,2	33,1	5,1
El Salvador	6,1	2,2	3,09	39	66,5/72,5	35,6	4,7
Guatémala	11,6	2,8	4,90	40	64,7/69,8	42,9	3,7
Honduras	6,1	2,8	4,30	35	67,5/72,3	41,7	3,5
Mexique	95,8	1,6	2,75	31	69,5/75,5	33,2	4,7
Nicaragua	4,5	2,6	3,85	44	65,8/70,6	40,8	3,2
Panama	2,8	1,6	2,63	21	71,8/76,4	31,3	5,6
Amérique du Sud	**331,9**	**1,5**	**2,51**	**36**	**65,6/72,6**	**30,2**	**5,6**
Argentine	36,1	1,3	2,62	22	69,6/76,8	27,7	9,7
Bolivie	8,0	2,3	4,36	66	59,8/63,2	39,6	4,0
Brésil	165,2	1,2	2,17	42	63,4/71,2	28,4	5,2
Chili	14,8	1,4	2,44	13	72,3/78,3	28,5	7,1
Colombie	37,7	1,7	2,69	24	68,2/73,7	32,5	4,6
Équateur	12,2	2,0	3,10	46	67,3/72,5	33,8	4,7
Paraguay	5,2	2,6	4,17	39	67,5/72,0	39,6	3,5
Pérou	24,8	1,7	2,98	45	65,9/70,9	33,4	4,8
Uruguay	3,2	0,6	2,25	17	69,6/76,1	23,9	12,7
Vénézuela	23,2	2,0	2,98	21	70,0/75,7	34,0	4,4
Amérique du Nord	**304,1**	**0,8**	**1,93**	**7**	**73,6/80,3**	**21,2**	**12,4**
Canada	30,2	0,9	1,61	6	76,1/81,8	19,3	12,6
États-Unis d'Amérique	273,8	0,8	1,96	7	73,4/80,1	21,4	12,4
Pacifique sud	**29,5**	**1,3**	**2,46**	**24**	**71,5/76,4**	**25,4**	**9,7**
Australie	18,5	1,1	1,89	6	75,4/81,2	21,0	11,9
Mélanésie	6,2	2,2	4,32	53	60,0/62,2	37,9	3,3
Nouvelle-Calédonie	0,2	1,5	2,53	18	70,9/75,9	29,4	5,5
Nouvelle-Zélande	3,7	1,1	2,02	7	74,7/79,7	23,0	11,4
Papouasie-Nouvelle-Guinée	4,6	2,2	4,65	61	57,2/58,7	38,8	3,0
Vanuatu	0,2	2,5	4,36	38	65,5/69,5	41,3	3,3
Pays à économie en transition (ex-URSS) [1]							
Arménie	3,6	0,2	1,70	25	67,2/74,0	24,5	8,6
Azerbaïdjan	7,7	0,8	2,30	33	66,5/74,5	29,5	6,9
Biélorussie	10,3	- 0,1	1,40	15	64,4/74,8	18,9	13,9
Géorgie	5,4	- 0,1	1,90	23	68,5/76,7	22,0	12,6
Kazakhstan	16,9	0,1	2,30	34	62,8/72,5	27,5	7,1
Kirghizstan	4,5	0,4	3,21	39	63,4/71,9	35,0	6,0
Ouzbékistan	24,1	1,9	3,48	43	64,3/70,7	37,5	4,6
Moldavie	4,5	0,1	1,80	26	63,5/71,5	23,4	9,8
Russie	147,2	- 0,3	1,35	19	58,0/71,5	18,1	12,7
Tadjikistan	6,2	1,9	3,93	56	64,2/70,2	39,5	4,6
Turkménistan	4,3	1,9	3,58	57	61,2/68,0	37,5	4,2
Ukraine	51,2	- 0,4	1,38	18	63,6/74,0	17,8	14,3

1. Les États successeurs de l'ex-URSS sont déjà compris dans leurs régions respectives. L'Europe orientale englobe la Biélorussie, la Russie, la Moldavie et l'Ukraine. L'Asie occidentale englobe l'Arménie, l'Azerbaïdjan et la Géorgie. L'Asie méridionale englobe le Kazakhstan, le Kirghizstan, l'Ouzbékistan, le Tadjikistan et le Turkménistan. Source : Division de la population du Secrétariat de l'ONU, World Population Prospects : The 1996 Revision.

L'ONU et son système

L'ONU (Organisation des Nations unies), fondée en 1945, s'est vue assigner des objectifs très vastes par la Charte signée à San Francisco. Elle comporte six organes principaux : l'Assemblée générale, le Conseil de sécurité, le Conseil économique et social, le Conseil de tutelle, la Cour internationale de justice et le Secrétariat.

Par ailleurs, une trentaine d'organisations spécialisées formant ce qu'on appelle le système des Nations unies couvrent pratiquement tous les champs du développement. Encore doit-on distinguer les institutions appartenant au système des Nations unies qui sont autonomes (FAO, UNESCO, FIDA, OMS, OIT, ONUDI, etc., ainsi que le FMI, le groupe de la Banque mondiale – BIRD, AID, SFI) et, d'autre part, les organes proprement dits des Nations unies (PNUD, CNUCED, UNICEF, HCR, PAM, UNITAR, FNUAP, etc.). Du fait de leur caractère et influence propres, le FMI et la Banque mondiale ont acquis une grande indépendance.

Les principaux organes de l'ONU

L'ASSEMBLÉE GÉNÉRALE

C'est le principal organe de délibération. Chaque État membre dispose d'une voix. L'Assemblée se réunit en sessions. Le fonctionnement repose sur les séances plénières et sur sept grandes commissions.

– Première commission : questions politiques et de sécurité.

– Commission politique spéciale : questions politiques diverses.

– Deuxième commission : questions économiques et financières.

– Troisième commission : questions sociales, humanitaires et culturelles.

– Quatrième commission : territoires sous tutelle et territoires non autonomes.

– Cinquième commission : questions administratives et judiciaires.

– Sixième commission : questions juridiques.

LE CONSEIL DE SÉCURITÉ

La fonction principale du Conseil de sécurité est de maintenir la paix et la sécurité internationales. Depuis 1963, il est composé de quinze membres (onze à l'origine), dont cinq membres permanents : la Chine, les États-Unis, la France, le Royaume-Uni et la Russie qui a hérité du siège de l'URSS à la disparition de celle-ci en décembre 1991. Ces pays peuvent exercer un droit de veto sur les décisions du Conseil. Les dix autres membres sont élus pour une période de deux ans par l'Assemblée générale. Le Conseil de sécurité est le seul organe de l'ONU habilité à prendre des décisions. Selon la Charte des Nations unies, tous les États membres sont dans l'obligation d'accepter et d'appliquer les décisions du Conseil.

LE CONSEIL ÉCONOMIQUE ET SOCIAL

Placé sous l'autorité de l'Assemblée générale, le Conseil économique et social (Economic and Social Council, ou Ecosoc en anglais) coordonne les activités économiques et sociales des Nations unies et des institutions spécialisées. Depuis 1971, il est composé de 54 membres, dont 18 sont élus chaque année pour une période de trois ans. Les décisions sont pri-ses à la majorité simple. Le Conseil, qui se réunit deux fois par an, à Genève et à New York, est composé de plusieurs organes subsidiaires :

– Les comités permanents qui traitent des questions de programme et coordination, organisations non gouvernementales, ressources naturelles, sciences et techniques au service du développement, etc. La Commission des sociétés transnationales et la Commission des établissements humains sont, elles aussi, des organes permanents.

– Les commissions économiques régionales : Commission économique pour l'Europe (CEE, siège à Genève), Commission économique et sociale pour l'Asie et le Pacifique (CESAP, siège à Bangkok), Commission économique pour l'Amérique latine et les Caraïbes (CEPALC, siège à Santiago du Chili), Commission économique pour l'Afrique (CEA, siège à Addis-Adéba) et Commission économique pour l'Asie occidentale (CEAO, siège à Bagdad).

– Les commissions techniques : Commission de statistique, Commission de la population, Commission du développement social, Commission des droits de l'homme, Commission de la condition de la femme, Commission des stupéfiants.

LE CONSEIL DE TUTELLE

Le Conseil de tutelle est chargé de superviser l'administration des territoires sous tutelle dans le but de favoriser leur évolution progressive vers l'autonomie et l'indépendance. Le dernier territoire relevant de la compétence de ce Conseil, Palau, qui était sous la tutelle des États-Unis, étant devenu indépendant, en 1994, le Conseil est voué à disparaître.

LA COUR INTERNATIONALE DE JUSTICE

Principal organe judiciaire des Nations unies, la Cour, dont le siège est à La Haye, regroupe tous les États membres de l'ONU. Les États non membres peuvent l'intégrer sur recommandation du Conseil de sécurité. L'Assemblée générale ainsi que le Conseil de sécurité peuvent demander un avis consultatif à la Cour sur les questions juridiques. Elle règle aussi les différends juridiques entre États dont elle est saisie. Elle est composée de 15 magistrats indépendants des États, élus pour neuf ans (et rééligibles) par l'Assemblée générale et le Conseil de sécurité, indépendamment de leur nationalité.

CIJ Cour internationale de Justice (ICJ International Court of Justice) **http:/www.icj.cij.org**

LE SECRÉTARIAT

Le Secrétariat assume les fonctions administratives de l'ONU, sous la direction d'un secrétaire général nommé par l'Assemblée générale sur recommandation du Conseil de sécurité pour une période de cinq ans. Il peut attirer l'attention du Conseil de sécurité sur toute affaire pouvant mettre en danger le maintien de la paix et de la sécurité internationales. Le secrétaire général nomme le personnel de l'administration des Nations unies et présente chaque année un rapport sur l'activité de l'organisation. Depuis sa fondation, l'ONU a connu sept secrétaires généraux successifs :

– Trygre Lie (Norvège) de 1946 à 1953.

– Dag Hammarskjöld (Suède) de 1953 à 1961.

– U Thant (Birmanie) de 1961 à 1971.

– Kurt Waldheim (Autriche) de 1972 à 1981.

– Javier Perez de Cuellar (Pérou) de 1982 à 1991.

– Boutros Boutros-Ghali (Égypte) de 1991 à 1995.

– Kofi Annan (Ghana) à compter de 1996.

ONU Organisation des Nations unies (UNO United Nations Organization) **http://www.un.org** et **http://www.unsystem.org**

Autres organes de l'ONU

L'UNRWA

L'Office des secours et des travaux des Nations unies pour les réfugiés de Palestine dans

le Proche-Orient (United Nations Relief and Works Agency for Palestine Refugees in the Near East-UNRWA, siège à Genève), créé en 1949 pour venir en aide aux réfugiés victimes du conflit israélo-arabe de 1948, étend son action à la Jordanie, au Liban, à la Syrie et aux Territoires occupés – Cisjordanie et Gaza. A l'été 1994, un projet de déménagement du siège dans la zone d'autonomie palestinienne était en discussion.
Commissaire général : Peter Hansen (Danemark).

LA CNUCED

Créée en 1964 parce que les pays en développement jugeaient le GATT (Accord général sur les tarifs douaniers et le commerce) trop exclusivement préoccupé par les positions des pays industrialisés, la Conférence des Nations unies sur le commerce et le développement (CNUCED, siège à Genève) est une organisation qui a fait progresser l'analyse et le débat Nord-Sud. Elle a pour organe permanent le Conseil du commerce et du développement.
Secrétaire général : Rubens Ricupero (Brésil).

CNUCED Conférence des Nations unies sur le commerce et le développement (UNCTAD United Nations Conference on Trade and Development) **http://www.unicc.org/unctad**

LE PNUD

Créé en 1965, le Programme des Nations unies pour le développement (PNUD, siège à New York) est le principal organe d'assistance technique du système. Il aide – sans restriction politique – les pays en développement à se doter de services administratifs et techniques de base, forme des cadres, cherche à répon-dre à certains besoins essentiels des populations, prend l'initiative de programmes de coopération régio-nale, et coordonne, en principe, les activités sur place de l'ensemble des programmes opérationnels des Nations unies. Le PNUD s'appuie généralement sur un savoir-faire et des techniques occidentales, mais parmi son fort contingent d'experts, un tiers est originaire du tiers monde.

Le PNUD publie annuellement un *Rapport sur le développement humain* (diffusion Économica, Paris) qui classe notamment les pays selon l'Indicateur de développement humain (IDH). *[A ce sujet, voir p. 580 et 584 et suiv.]*.
Administrateur : James Gustave Speth (É-U).

PNUD Programme des Nations unies pour le développement (UNDP United Nations Development Programme) **http://www.undp.org**

L'UNITAR

L'Institut des Nations unies pour la formation et la recherche (UNITAR, siège à Genève depuis 1993), créé en 1965, est un organisme autonome de l'ONU financé par des contributions volontaires. L'Institut prépare des fonctionnaires nationaux, en particulier des pays en développement, aux travaux dans le domaine de la coopé-ration internationale. Il a aussi un vaste programme de recherches, notamment sur l'instauration d'un nouvel ordre économique international.
Directeur général : Marcel Boisard (Suisse).

UNITAR Institut des Nations unies pour la formation et la recherche (United Nations Institut for Training and Research) **http :// www.unitar.org**

L'UNICEF

Créé en 1946, le Fonds des Nations unies de secours d'urgence à l'enfance (UNICEF ou FISE, siège à New York) avait à l'origine pour but d'apporter d'urgence un secours massif aux enfants et adolescents victimes de la Seconde Guerre mondiale. Le Fonds aide aujourd'hui les gouvernements à mettre au point des « services de base » dans les

domaines de la santé, de la nutrition, de l'hygiène, de l'enseignement, du contrôle des naissances, etc. Dépendant entièrement de contributions volontaires, l'UNICEF peut aussi intervenir rapidement en cas de catastrophe naturelle, conflit civil ou épidémie. Son Conseild'administration est composé de représentants de trente pays désignés par le Conseil économique et social.
Directeur général : Mme Carol Bellamy (É-U).

UNICEF Fonds des Nations unies pour l'enfance (United Nations Children's Emergency Fund) **http ://www.unicef.org**

LE HCR

Créé en 1951, le Haut Commissariat des Nations unies pour les réfugiés (HCR, siège à Genève) assure protection juridique et aide matérielle aux réfugiés sur des bases strictement humanitaires. Le HCR compte 60 bureaux dans le monde entier pour s'occuper des quelque 20 millions de réfugiés et environ 25 millions de personnes déplacées dans leur propre pays.
Haut Commissaire : Mme Sadoka Ogata (Japon).

HCR Haut Commissariat des Nations unies pour les réfugiés (UNHCR United Nations High Commissioner for Refugees) **http://www.unhcr.ch**

LE PAM

Le Programme alimentaire mondial (PAM, siège à Rome) a été créé en 1963 à la fois pour répondre aux besoins des pays déficitaires en produits vivriers et pour écouler les surplus céréaliers. Le PAM, parrainé conjointement par l'ONU et la FAO, aide aussi à répondre aux besoins alimentaires d'urgence créés par les catastrophes naturelles.
Directeur exécutif : Mme Bertini (É-U).

PAM Programme alimentaire mondial (WFP World Food Programm) **http ://www.wfp.org**

LE PNUE

Créé en 1972, le Programme des Nations unies pour l'environnement (PNUE, siège à Nairobi) est chargé de surveiller les modifications notables de l'environnement, d'encourager et de coordonner des pratiques positives en la matière.
Directeur exécutif : Klaus Topfer (Allemagne).

PNUE Programme des Nations unies pour l'environnement (UNEP United Nations Environment Programme) **http ://www.unep.org**

L'UNU

Instituée en 1973 sous le patronage conjoint de l'ONU et de l'UNESCO, l'Université des Nations unies (UNU) a ouvert ses portes en septembre 1976, à Tokyo. L'UNU ne forme pas d'étudiants, elle est surtout une communauté de recherche visant à trouver des solutions aux problèmes mondiaux de la survie, du dévelop-pement et du bien-être de l'humanité.
Recteur : Pr Van Ginkel.

UNU Université des Nations unies (United Nations University) **http ://www.unu.edu**

LE CMA

Créé en 1974 à Rome, à l'occasion de la Conférence mondiale de l'alimentation, le Conseil mondial de l'alimentation (CMA, WFC-United Nations World Food Council, siège à Rome) est composé des représentants de 36 membres des Nations unies, de rang ministériel. Il est chargé d'examiner périodiquement la situation alimentaire mondiale et d'exercer une influence sur les gouvernements et les organes compétents de l'ONU.

LE FNUAP

Créé en 1967, le Fonds des Nations unies pour les activités en matière de population (FNUAP, siège à New York) est financé par

des contributions volontaires gouvernementales et privées. Il est chargé d'entreprendre des activités de coopération dans le domaine démographique : collecte de données de base, étude de l'évo-lution de la population, service de planification familiale, programme de régulation de la fécondité, etc.
Directeur exécutif : Mme Nafis Sadik (Pakistan).

FNUAP Fonds des Nations unies pour les activités en matière de population (UNFPA United Nations Population Fund) **http://www.unfpa.org**

Les institutions spécialisées de l'ONU

L'OIT

Créée en 1919 par le traité de Versailles, l'Organisation internationale du travail (OIT, siège à Genève) est devenue, en 1946, la première institution spécialisée des Nations unies. L'OIT réunit les représentants des gouvernements, des employeurs et des travailleurs, dans le but de recommander des normes internationales minimales et de rédiger des conventions internationales touchant le domaine du travail. L'OIT comprend une conférence générale annuelle, un conseil d'administration composé de 56 membres (28 représentants des gouvernements, 14 des employeurs et 14 des travailleurs) et le Bureau international du travail (BIT) qui assure le secrétariat de la conférence et du conseil.
Directeur général : Michel Hansenne (Belgique).

OIT Organisation internationale du travail (ILO International Labour Organization) **http ://www.ilo.org**

LA FAO

Créée en 1945, l'Organisation des Nations unies pour l'alimentation et l'agriculture (FAO, siège à Rome) a pour mission d'élever le niveau de nutrition et les conditions de vie, d'améliorer le rendement et l'efficacité de la distribution des produits agricoles, d'améliorer les conditions des populations rurales et de contribuer à l'élimination de la faim dans le monde.
Directeur général : Jacques Diouf (Sénégal).

FAO Organisation des Nations Unies pour l'alimentation et l'agriculture (Food and Agriculture Organization of the United Nations) **http://www.fao.org**

L'UNESCO

Créée en 1946, l'Organisation des Nations unies pour l'éducation, la science et la culture (UNESCO, siège à Paris) vise à diffuser l'éducation, à établir les bases scientifiques et techniques nécessaires au développement, à encourager et préserver les valeurs culturelles nationales, à développer les communications dans un échange équilibré, et à promouvoir les sciences sociales. L'UNESCO comprend une conférence générale se réunissant tous les deux ans et un Conseil exécutif élu pour quatre ans qui se réunit au moins deux fois par an.
Directeur général : Federico Major (Espagne).

UNESCO Organisation des Nations unies pour l'éducation, la science et la culture (United Nations Educational, Scientific and Cultural Organization) **http ://www.unesco.org**

L'OMS

Née en avril 1948, l'Organisation mondiale de la santé (OMS, siège à Genève) a pour but d'amener tous les peuples au niveau de santé le plus élevé possible. L'OMS comprend une Assemblée mondiale de la santé qui se réunit annuellement et un Conseil exécutif élu par l'Assemblée.
Directeur général : Mme Gro Harlem Bruntland (Norvège).

OMS Organisation mondiale de la santé (WHO World Health Organization) **http://www.who.ch**

LE FMI

Créé en 1945, en même temps que la Banque mondiale, en application des décisions de la conférence monétaire et financière de Bretton Woods en 1944, le Fonds monétaire international (FMI, siège à Washington) conseille les gouvernements dans le domaine financier. Le Fonds peut aussi vendre des devises et de l'or à ses membres afin de faciliter leur commerce international. Il a créé une monnaie internationale, le DTS (droits de tirage spéciaux), que les membres peuvent utiliser pour leurs paiements internationaux. Le Fonds comprend un Conseil des gouverneurs nommés par chacun des États membres, les administrateurs et un directeur général.
Directeur général : Michel Camdessus (France).

FMI Fonds monétaire international (IMF International Monetary Fund) **http://www.imf.org**

LA BANQUE MONDIALE

La création de la Banque mondiale (siège à Washington) a été décidée en même temps que celle du FMI, lors de la conférence monétaire et financière de Bretton Woods en 1944. Le groupe de la Banque mondiale comprend aujourd'hui :

– la BIRD (Banque internationale pour la reconstruction et le développement créée en 1945) ;

– l'AID (Association internationale pour le développement), fonds créé en 1960 ;

– la SFI (Société financière internationale), créée en 1956 ;

– l'AMGI (Agence multilatérale de garantie des investissements), créée en 1988.
Président : James D. Wolsensohn (É-U).

BIRD Banque internationale pour la reconstruction et le développement (IBRD International Bank for Reconstruction and Development) **http://www.worldbank.org**

L'OACI

Créée en 1947, l'Organisation de l'aviation civile internationale (OACI, siège à Montréal) est chargée des questions relatives à l'aviation civile : principes et techniques de la navigation aérienne internationale, développement et planification des transports aériens.
Secrétaire général : Renato Claudio Costa-Pereira (Brésil).

OACI Organisation de l'aviation civile internationale (ICAO International Civil Aviation Organization) **http://www.icao.int**

L'UPU

Créée en 1874, l'Union postale universelle (siège à Berne) est devenue une institution spécialisée de l'ONU en 1948. L'Union vise à former un seul espace postal pour l'échange réciproque des correspondances entre les pays membres.
Directeur général : Tom Leavey (É-U).

UPU Union postale universelle (Universal Postal Union) **http://www.upu.int**

L'UIT

Fondée en 1865 à Paris (sous le nom d'Union télégraphique internationale), l'Union internationale des télécommunications (UIT, siège à Genève) est devenue une institution spécialisée de l'ONU en 1947. Son objectif est de promouvoir la coopération internationale en matière de télégraphie, téléphonie et radiocommunications. En particulier, l'UIT attribue les fréquences de radiocommunications et enregistre les assignations de fréquences.
Secrétaire général : M. Tarjane (Finlande).

UIT Union internationale des télécommunications (ITU International Telecommunication Organization) **http://www.itu.int**

L'OMM

Née en 1950, l'Organisation météorologique mondiale (OMM, siège à Genève) organise l'échange international des rapports météorologiques et aide les pays à créer des services dans ce domaine. Il existe six associations météorologiques régionales.
Secrétaire général : Godwin Obasi (Nigéria).

OMM Organisation météorologique mondiale (WMO World Meteorological Organization) **http://www.wmo.ch**

L'OMI

Née en 1975, l'Organisation maritime internationale (OMI, siège à Londres) a pris la succession de l'OMCI (Organisation intergouvernementale consultative de la navigation maritime), elle-même née en 1958. Elle est concernée par les questions relatives au commerce international par mer, à la sécurité maritime, aux restrictions nationales, aux pratiques déloyales des entreprises de navigation, à la préservation du milieu marin et à la lutte contre la pollution marine.
Président : John Zillman (Argentine).

OMI Organisation maritime internationale (IMO International Maritime Organization) **http://www.imo.org**

L'OMPI

En 1967, l'Organisation mondiale de la propriété intellectuelle (OMPI, siège à Genève) succéda au Bureau international réuni pour la propriété intellectuelle (BIRPI) fondé en 1893. L'OMPI devint une institution spécialisée de l'ONU en 1974. Elle encourage la conclusion de nouveaux traités internationaux et l'harmoni-sation des législations en matière de propriété intellectuelle et de patentes.
Directeur général : Kamil Idris (Soudan).

OMPI Organisation mondiale de la propriété intellectuelle (WIPO World Intellectual Property Organization) **http://www.wipo.int**

LE FIDA

Créé en 1976, le Fonds international de développement agricole (FIDA, siège à Rome) cherche à mobiliser de nouveaux fonds pour le développement agricole dans les pays en développement.
Président : Fawzi Hamad al-Sultan (Koweït).

FIDA Fonds international de développement agricole (IFAD International Fund for Agricultural Development) **http://www.ifad.org**

L'ONUDI

Créée en 1967, l'Organisation des Nations unies pour le développement industriel (ONUDI, siège à Vienne) est chargée de promouvoir le développement industriel et d'aider dans ce domaine les pays en développement qui souhaitent élaborer des politiques industrielles, créer de nouvelles industries ou améliorer des industries existantes. L'ONUDI est devenue une institution spécialisée de l'ONU en 1986. Les États-Unis s'en sont retirés le 31.12.1997.
Directeur général : Carlos Magarinos (Argentine).

ONUDI Organisation des Nations unies pour le développement industriel (UNIDO United Nations Industrial Development Organization) **http://www.unido.org**

Organisations à statut spécial

L'AIEA

Née en 1957, l'Agence internationale de l'énergie atomique (AIEA, siège à Vienne) est une organisation autonome liée à l'ONU par un accord spécial. L'Agence s'efforce de hâter et d'accroître la contribution de l'énergie atomique pour la paix, la santé et la prospérité du monde et s'assure que son aide n'est pas utilisée à des fins militaires.
Directeur général : Mohamed El Baradei (Égypte).

AIEA Agence internationale de l'énergie atomique (IAEA International Atomic Energy Agency) http://www.iaea.or.at

L'OMT

L'Organisation mondiale du tourisme (World Tourism Organisation, WTO, siège à Madrid) bénéficie d'un statut spécial auprès de l'ONU depuis 1977. Elle est chargée des questions relatives au développement mondial du tourisme.
Secrétaire général : Francisco Frangialli (France).

L'OIM

L'Organisation internationale pour les migrations (OIM, siège à Genève) porte ce nom depuis 1989. C'est l'héritière du Comité intergouvernemental pour les mouvements migratoires lui-même successeur, en 1952, de l'Organisation internationale des réfugiés créée après la Seconde Guerre mondiale.

L'ORGANISATION DU CTBT.

Le CTBT (Traité d'interdiction complète des essais nucléaires, Comprehensive Test Ban Treaty) a été approuvé par les Nations unies le 10.9.96. Ont été institués une Conférence des États parties, un Conseil exécutif et un secrétariat technique. Siège à Vienne.

Organisations « régionales »

Vastes espaces géopolitiques ou aires culturelles

COMMONWEALTH (secrétariat à Londres). Il comptait à la mi-1998 54 États depuis la réintégration des Fidji, exclues dix ans plus tôt, et avec l'adhésion du Cameroun et du Mozambique en novembre 1995 ; le Nigéria a été suspendu pour deux ans à cette même date. Avec la disparition de l'Empire britannique, en 1949, est apparue une nouvelle entité politique et culturelle qui regroupe autour du Royaume-Uni les anciens territoires de la Couronne. Divers organes et structures coordonnent les activités de l'organisation.

http://www.thecommonwealth.org

SOMMET DES CHEFS D'ÉTAT ET DE GOUVERNEMENT AYANT EN COMMUN L'USAGE DU FRANÇAIS. Créé en 1986 (à l'initiative de la France), il réunissait à la mi-1998 52 pays francophones (ou dont une partie de la population utilise la langue française, et des États membres d'une fédération comme le Québec et le Nouveau-Brunswick. Un poste de secrétaire général a été institué en novembre 97. L'Agence de la francophonie, qui a remplacé en 1996 l'ACCT (Agence de coopération culturelle et technique) est l'opérateur des programmes décidés par les sommets.
Secrétaire général : Boutros Boutros-Ghali (Égypte).

http://www.francophonie.org

CPLP. La Communauté des pays lusophones a été créée le 17 juillet 1996 par le Portugal, l'Angola, la Guinée-Bissau, le Cap-Vert, le Mozambique, São Tomé et Principe et le Brésil pour promouvoir la langue portugaise.

SOMMET IBÉRO-AMÉRICAIN. Depuis 1991 se tient une réunion annuelle des chefs d'État et de gouvernement d'Amérique centrale et du Sud, d'Espagne et du Portugal, sur la coopération politique et le développement économique.

OCI (siège à Djeddah, Arabie saoudite). L'Organisation de la conférence islamique (ou OIC, Organisation of the Islamic Conference), a été fondée en 1969. Elle regroupait à la mi-1998 55 États membres, d'Afrique, du Moyen-Orient, d'Asie et d'Europe, ainsi que l'Organisation de libération de la Palestine (OLP).

OMC. L'Organisation mondiale du commerce est entrée en vigueur le 1er janvier 1995 (siège à Genève). Cette organisation internationale ne fait pas partie du système des Nations unies. Elle a remplacé le GATT (Accord général sur les tarifs douaniers et le commerce) et a pour vocation de fixer les règles du commerce international et de se saisir des différends commerciaux. Elle comptait 132 membres à la mi-1998.
Directeur général : Renato Ruggiero (Italie).

OMC Organisation mondiale du commerce (WTO World Trade Organization)
http://www.wto.org

Pays industrialisés

G-7. Le groupe des sept pays les plus industrialisés rassemble, depuis le milieu des années soixante-dix, les États-Unis, le Japon, l'Allemagne, la France, le Royaume-Uni, l'Italie et le Canada. Le président de l'Union européenne est associé à ses « sommets ». A compter de 1994, la Russie a été invitée aux réunions politiques du sommet annuel. En juin 1997, le G-7 a accueilli officiellement la Russie, se transformant en G-8, sauf pour les questions économiques et financières. Le G-7 ne dispose pas de secrétariat permanent.

OCDE (siège à Paris). En 1948 avait été créée l'Organisation européenne de coopération économique (OECE) visant à favoriser la reconstruction de l'Europe *via* l'aide américaine. L'Organisation de coopération et de développement économiques (OCDE, ou OECD en anglais) a pris sa succession en 1960. Elle comptait à la mi-1997 29 membres : Allemagne, Australie, Autriche, Belgique, Canada, Corée du Sud, Danemark, Espagne, États-Unis, Finlande, France, Grèce, Hongrie (depuis mai 1996), Irlande, Islande, Italie, Japon, Luxembourg, Mexique (depuis 1994), Norvège, Nouvelle-Zélande, Pays-Bas, Pologne (depuis juillet 1996), Portugal, République tchèque (depuis 1995), Royaume-Uni, Suède, Suisse, Turquie. La Yougoslavie possédait un statut spécial. La Russie a fait acte de candidature.
Secrétaire général : Donald Johnston (Canada).

http ://www.oecd.org
– AEN. L'Agence pour l'énergie nucléaire de l'OCDE a été créée en 1972.
– AIE. L'Agence internationale de l'énergie de l'OCDE a été créée en 1974, après le premier choc pétrolier.
– Le Centre de développement de l'OCDE, créé en 1962, mène par ailleurs des activités de recherche et d'édition.

Pays en développement

GROUPE DES 77. Le groupe des 77 fut constitué par les pays en développement qui étaient alors soixante-dix-sept à la fin de la 1re CNUCED (Conférence des Nations unies pour le commerce et le développement) en 1964. Il réunit tous les pays en voie de développement (environ 130).

http://www.g77.org

MOUVEMENT DES NON-ALIGNÉS. Forum aux structures souples, le mouvement des non-alignés a regroupé après la décolonisation les pays soucieux d'échapper à la logique des blocs Est-Ouest et de favoriser une indépendance effective pour les pays du Sud. Son impact politique a décliné dans les années soixante-dix et il ne représente plus, aujourd'hui que la bipolarité a disparu, qu'une survivance symbolique.

OPEP (secrétariat à Vienne). L'Organisation des pays exportateurs de pétrole, ou OPEC (Organization of the Petroleum Exporting Countries), fut fondée à Bagdad en 1960 à l'initiative du Vénézuela. Membres : Algérie, Arabie saoudite, Indonésie, Irak, Iran, Qatar, Koweït, Libye, Nigéria, Émirats arabes unis, Vénézuela. L'Équateur, auparavant membre, a quitté l'organisation en 1992, le Gabon en 1995.

http://www.opec.org

PMA. Les pays les moins avancés (PMA) correspondent à la catégorie des pays les plus pauvres dans la nomenclature de l'ONU. Ils étaient au nombre de 48 à la mi-1998.

D-8. (Developing-8). Cette organisation de coopération économique et commerciale a été créée le 15 juin 1997 à Istanbul par huit pays islamiques (Bangladesh, Égypte, Indonésie, Iran, Fédération de Malaisie, Nigéria, Pakistan et Turquie).

G-15. Le Groupe des quinze, ou Groupe au sommet de coopération Sud-Sud a été constitué en 1989 à Belgrade par quinze pays en développement pour promouvoir un dialogue avec le G-7 des pays industrialisés. A la mi-1998, il comptait 16 membres : Algérie, Argentine, Brésil, Chili, Égypte, Inde, Indonésie, Jamaïque, Kénya, Fédération de Malaisie, Mexique, Nigéria, Pérou, Sénégal, Vénézuela, Zimbabwé.

http://wwwsittdec.org.my/g15

Héritage Est-Ouest

BERD (siège à Londres). La Banque européenne pour la reconstruction et le développement ou European Bank for Reconstruction and Development, EBRD (siège à Londres), vise à favoriser la transition des pays de l'Est vers l'économie de marché. Elle a été fondée en 1990 par 30 pays (Canada, États européens, États-Unis, Japon, Mexique, Corée du Sud, Australie, Nouvelle-Zélande, Israël, Égypte, Maroc) ainsi que par la Banque européenne d'investissement de la Commission européenne. Elle comptait 60 membres à la mi-1998. Président : Horst Köhler.

http://www.ebrd.org

COCONA. Le Conseil de coopération nord-atlantique est un forum de consultation créé en 1991 à l'initiative de l'OTAN. Il rassemble les pays de l'Alliance atlantique et ceux de l'ex-pacte de Varsovie.

OSCE (secrétariat à Vienne). La Conférence sur la sécurité et la coopération en Europe (CSCE) a été initiée en 1975 par la conférence d'Helsinki (35 États parties). La CSCE a donné naissance en décembre 1994 à l'OSCE (Organisation pour la sécurité et la coopération en Europe). A la mi-1998, elle comptait 54 membres, soit tous les États européens – à l'exception de celui de la Yougoslavie (Serbie-Monténégro) –, ainsi que les États issus de l'ex-URSS, les États-Unis et le Canada. En mars 1995 a été adopté le Pacte de stabilité en Europe dont le suivi est confié à l'OSCE.

http://www.osce.org

OTAN (siège à Bruxelles). L'Organisation du traité de l'Atlantique nord ou NATO, North Atlantic Treaty Organization, a été fondée en 1949 à Washington par douze États occidentaux. Elle comptait à la mi-1998 seize membres : Allemagne, Belgique, Canada, Danemark, Espagne, États-Unis, France,

Grèce, Islande, Italie, Luxembourg, Norvège, Pays-Bas, Portugal, Royaume-Uni, Turquie. En 1994, l'OTAN a proposé à ses partenaires de l'ex-pacte de Varsovie l'adhésion au « partenariat pour la paix », dans l'attente d'un élargissement de l'Alliance. La France a réintégré le Comité militaire en 1996. Le 27 mai 1997 a été signé à Paris, entre les seize membres de l'Alliance et la Russie, l'Acte fondateur OTAN-Russie et créé un conseil permanent conjoint. Le 29 mai 1997 a été paraphé à Sintra (Portugal), une charte de partenariat Ukraine-Portugal. Le 8 juillet 1997 le principe de l'élargissement de l'Alliance à la Pologne, la République tchèque et la Hongrie a été adopté.
Secrétaire général : Javier Solana.

http://www.nato.int

Afrique

BAfD (siège à Abidjan, Côte-d'Ivoire). La Banque africaine de développement (ADB, African Development Bank) a été créée en 1963. Elle regroupait à la mi-1998 77 États d'Afrique, d'Amérique et d'Europe.

CEA. La Communauté économique africaine (ou AEC, African Economic Community), instituée par le traité d'Abuja adopté par l'OUA en 1991, a été relancée en 1997 dans le but d'établir un marché commun africain.

CEAO (siège à Ouagadougou, Burkina Faso). La Communauté économique de l'Afrique de l'Ouest a été créée en 1973, en succession de l'Union douanière des États d'Afrique de l'Ouest (UDEAO). En étaient membres à la mi-1998 : Bénin, Burkina Faso, Côte-d'Ivoire, Mali, Mauritanie, Niger, Sénégal. La Guinée et le Togo sont observateurs.

CEDEAO (siège à Lagos, Nigéria). La Communauté économique des États de l'Afrique de l'Ouest ou ECOWAS (Economic Community of West African States) est entrée en vigueur en 1977. En sont membres : Bénin, Burkina Faso, Cap-Vert, Côte-d'Ivoire, Gambie, Ghana, Guinée, Guinée-Bissau, Libéria, Mali, Mauritanie, Niger, Nigéria, Sénégal, Sierra Léone, Togo.

CEEAC (siège à Libreville, Gabon). La Communauté des États d'Afrique centrale a été créée en 1983. Elle comptait dix membres à la mi-1998 : Burundi, Cameroun, Congo, Gabon, Guinée équatoriale, Rwanda, São Tomé et Principe, Centrafrique, Tchad et Zaïre. L'Angola est observateur depuis février 1998.

COMESA. Le Marché commun de l'Afrique australe et orientale (Common Market for Eastern and Southern Africa, siège à Lusaka-Zambie) s'est substitué en 1994 à la PTA (Preferential Trade Areas, ou ZEP, Zone d'échanges préférentiels), créée en 1981 à Lusaka (Zambie). 21 pays d'Afrique en étaient membres à la mi-1998. Une discussion a été engagée en vue d'une fusion avec la SACU.

COMMISSION DE L'OCÉAN INDIEN (siège à Maurice). La COI, ou IOC (Indian Ocean Commission), a été créée en 1984. Membres à la mi-1997 : Comores, Madagascar, Maurice, Réunion, Seychelles.

EAC. La Communauté d'Afrique de l'Est (ou East African Community) créée en 1967 et dissoute en 1977 a été relancée en 1996. Elle a pour objectif la coopération entre le Kénya, l'Ouganda et la Tanzanie.

IOR-ARC. L'Association régionale pour la coopération des pays riverains de l'océan Indien (Indian Ocean Rim) a été lancée par Maurice en 1995. Elle comptait quatorze membres à la mi-1997 : Afrique du Sud, Australie, Inde, Kénya, Maurice, Oman, Singapour, Indonésie, Madagascar, Fédération de Malaisie, Mozambique, Sri Lanka, Tanzanie, Yémen. A la mi-1997, sept pays étaient candidats à l'adhésion, dont la France.

OUA (siège à Addis-Abéba, Éthiopie). L'Organisation de l'unité africaine a été fondée en 1963. Elle comptait à la mi-1997 53 États membres. L'Afrique du Sud a été accueillie en 1994. Le Maroc a suspendu sa participation depuis 1984 pour des raisons diplomatiques liées à la crise du Sahara occidental.

http://www.oau-oua.org

SACU (siège à Prétoria, Afrique du Sud). L'Union douanière de l'Afrique australe, ou Southern African Customs Union, a été créée en 1969. Membres à la mi-1997 : Afrique du Sud, Botswana, Lésotho, Namibie, Swaziland.

SADC (siège à Gaborone, Botswana). La Communauté de développement de l'Afrique australe, ou Southern African Development Community, s'appelait SADCC avant d'être transformée en 1992. Elle a été créée en 1979 à Lusaka et comptait à la mi-1998 quatorze membres depuis l'entrée de l'Afrique du Sud en 1994, puis celle du Congo-Kinshasa et des Seychelles en 1997 : Angola, Botswana, Lésotho, Malawi, Maurice, Mozambique, Namibie, Swaziland, Tanzanie, Zambie, Zimbabwé.

http://www.sadc-online.com

UDEAC (siège à Bangui, Centrafrique). L'Union douanière et économique de l'Afrique centrale a été créée en 1964 en remplacement de l'Union douanière de l'Afrique équatoriale. Membres à la mi-1997 : Cameroun, Congo, Gabon, Guinée équatoriale, Centrafrique, Tchad. Les pays membres de l'UDEAC ont créé le 16 mars 1994 la CEMAC (Communauté économique et monétaire en Afrique centrale) qui a la BEAC (Banque des États d'Afrique centrale) pour banque centrale.

UEMOA. L'Union économique et monétaire ouest-africaine remplace, depuis le 1er août 1994, l'UMOA (Union monétaire ouest-africaine), qui avait été créée en 1962. Membres à la mi-1997 : Bénin, Burkina Faso, Côte-d'Ivoire, Mali, Niger, Sénégal, Togo, Guinée-Bissau. L'UEMOA a la **BCEAO** (Banque centrale des États d'Afrique de l'Ouest) pour banque centrale.

UMA (siège à Rabat, Maroc). L'Union du Maghreb arabe a été créée en février 1989 entre l'Algérie, la Libye, le Maroc, la Mauritanie et la Tunisie. Elle est en sommeil du fait notamment de l'aggravation de la crise politique en Algérie.

ZONE FRANC. Elle regroupe les États de l'UEMOA, ceux de l'UDEAC, les Comores et la Guinée-Bissau (depuis 1997).

Amériques

ACS. L'Association des États de la Caraïbe, créée en 1994, comprenait à la mi-1997 24 pays de la région, dont le Mexique, le Vénézuela et la Colombie.

AFTA. Le projet de zone de libre-échange des Amériques (America Free Trade Area) lancé en décembre 1994 lors du « sommet des Amériques » à Miami concerne tous les pays du continent américain, à l'exclusion de Cuba.

ALENA. L'Accord de libre-échange nord-américain (North American Free Trade Agreement, NAFTA) est entré en vigueur le 1er janvier 1994 entre les États-Unis, le Canada et le Mexique.

http://www.nafta.net

BID (siège à Washington). La Banque interaméricaine de développement (IDB, Inter-American Development Bank), créée en 1959, comptait, à la mi-1998, 46 États membres américains et européens ainsi que le Japon. Son objectif est le développement économique de l'Amérique latine et des Caraïbes.

http://www.iadb.org

CARICOM (siège à Georgetown, Guyana). La Communauté des Caraïbes a été créée en 1973 par la Barbade, le Guyana, la Jamaïque et Trinidad et Tobago. Outre les fondateurs, elle regroupait à la mi-1998 onze autres pays en majorité anglophones : Antigua-Barbuda, Bahamas, Bélize, Dominique, Grenade, Montserrat, St. Kitts et Nevis, Sainte-Lucie, Saint-Vincent et les Grenadines, le Suriname et Haïti depuis 1997.

OEA (siège à Washington). L'Organisation des États américains (Organization of American States, OAS) a été fondée en 1948. Elle regroupait à la mi-1998 les 34 États américains indépendants, à l'exception de Cuba (expulsé en 1962).

http://www.oas.org

GROUPE DE RIO. Créé en 1986, il a d'abord eu une vocation politique en tant que dispositif permanent de consultation et de concertation politique, puis de plus en plus économique. Des réunions ministérielles ont régulièrement lieu avec l'Union européenne. Il comptait à la mi-1998 douze membres : Argentine, Bolivie, Brésil, Chili, Colombie, Équateur, Mexique, Panama, Paraguay, Pérou, Uruguay, Vénézuela, ainsi que deux représentants par roulement, respectivement de l'Amérique centrale et des Caraïbes.

http://www.pla.net.py/gruporio

GROUPE DES TROIS. La Colombie, le Mexique et le Vénézuela mettent en œuvre un accord de libre-échange depuis le 1er janvier 1995.

MCCA (siège au Guatémala). Le Marché commun centre-américain (Central American Common Market, CACM) a été créé en 1960. Cinq pays membres : Costa Rica, Guatémala, Honduras, Nicaragua, El Salvador.

COMMUNAUTÉ ANDINE (ou Pacte andin). Créé en 1969 par l'accord de Carthagène, le Pacte andin a été relancé en avril 1996 sous le nom de Communauté andine. États membres au début 1997 : Bolivie, Colombie, Équateur, Vénézuela et Pérou. Objectifs : union douanière (en cours, sans la participation du Pérou), coordination des politiques économiques.

MERCOSUR (secrétariat à Montevideo, Uruguay). Le Marché commun du Sud de l'Amérique regroupant à la mi-1998 l'Argentine, le Brésil, le Paraguay et l'Uruguay est entré en vigueur le 1er janvier 1995. Membres associés : Chili et Bolivie.

http://www.rau.edu.uy/mercosur

Europe

AELE (siège à Genève). Accord européen de libre-échange. Il a regroupé à partir de 1958 et à l'initiative du Royaume-Uni les pays européens ne souhaitant pas adhérer au traité de Rome (Communautés européennes). Au 1er janvier 1997, il ne comptait plus que quatre membres : Islande, Liechtenstein, Norvège, Suisse.

http://www.efta.int

CONSEIL DES ÉTATS DE LA MER BALTIQUE. Créé en mars 1992. Membres à la mi-1997 : Allemagne, Danemark, Estonie, Finlande, Islande, Lettonie, Lituanie, Norvège, Pologne, Russie, Suède.

CONSEIL DE L'EUROPE (siège à Strasbourg). Fondé en 1949 par dix États, il en comptait 40 à la mi-1997 : Allemagne, Albanie, Andorre, Autriche, Belgique, Bulgarie, Chypre, Croatie, Danemark, Espagne, Estonie, Finlande, France, Grèce, Hongrie, Irlande, Islande, Italie, Lettonie, Liechtenstein, Lituanie, Luxembourg, Macédoine, Malte, Moldavie, Norvège, Pays-Bas, Pologne, Portugal, République tchèque, Roumanie, Royaume-Uni, Russie, Saint-Marin, Suède, Suisse, Slovaquie, Slovénie, Turquie, Ukraine. Candidate officielle à l'ad-

hésion : Arménie, Azerbaïdjan, Bosnie-Herzégovine, Géorgie.
Secrétaire général : Daniel Tarschys (Suède).

http://www.coe.fr

CONSEIL NORDIQUE (siège à Stockholm). Il a été créé en 1952 par le Danemark (ainsi que les îles Féroé et le Groenland), la Finlande, l'Islande, la Norvège et la Suède. Il a pour vocation la coopération économique, sociale et culturelle.

COOPÉRATION ÉCONOMIQUE DE LA MER NOIRE. La CEN, ou BSEC (Black Sea Economic Cooperation) a été fondée en 1992 à l'initiative de la Turquie. Elle regroupait à la mi-1998 Albanie, Arménie, Azerbaïdjan, Bulgarie, Géorgie, Grèce, Moldavie, Roumanie, Russie, Turquie et Ukraine. Observateurs : Italie, Autriche.

EEE. L'Espace économique européen créé par le traité de Porto (1992) est entré en vigueur le 1er janvier 1994. Il associait à la mi-1998 les Quinze de l'Union européenne et deux pays de l'AELE, l'Islande et la Norvège. Le Liechtenstein est observateur.

GROUPE DE VISEGRAD. Fondé en 1992, il regroupe les États parties du CEFTA (Accord de libre-échange centre-européen). Membres à la mi-1996 : Hongrie, Pologne, République tchèque, Slovaquie, Slovénie.

INITIATIVE CENTRO-EUROPÉENNE (ICE OU CEI). D'abord forum informel créé par l'Autriche, l'Italie, la Hongrie et la Yougoslavie, l'ICE a été créée en 1992 pour favoriser la coopération économique et politique. A la mi-1997, elle comptait 16 membres : Albanie, Autriche, Bosnie-Herzégovine, Bulgarie, Biélorussie, Croatie, Hongrie, Italie, Macédoine, Moldavie, Pologne, République tchèque, Roumanie, Slovaquie, Slovénie et Ukraine.

INITIATIVE POUR LA COOPÉRATION EN EUROPE DU SUD-EST (ICES OU SECI). Créée en décembre 1996, elle a pour but de promouvoir la coopération économique et la protection de l'environnement dans la région. Initiée par les États-Unis, elle regroupe l'Albanie, la Bosnie-Herzégovine, la Bulgarie, la Croatie, la Grèce, la Hongrie, la Macédoine, la Moldavie, la Roumanie, la Slovénie et la Turquie.

UEO (siège à Londres). L'Union de l'Europe occidentale, ou Western European Union, WEU, a été créée en 1955 dans le but de promouvoir l'intégration de l'Europe, la défense collective et la sécurité. Elle a fait suite au traité de Bruxelles de 1947. A la mi-1997, en étaient membres : Allemagne, Belgique, Espagne, France, Grèce, Italie, Luxembourg, Pays-Bas, Portugal, Royaume-Uni. Membres associés : Islande, Norvège, Turquie. Observateurs : Irlande, Autriche, Finlande, Suisse et Danemark.
Membres associés : Bulgarie, Estonie, Hongrie, Lettonie, Lituanie, Pologne, Roumanie, Slovaquie, République tchèque.
Secrétaire général : Jose Cutileiro (Portugal).

http://www.weu.int

UNION EUROPÉENNE (Commission à Bruxelles, Parlement à Luxembourg). Au 1er janvier 1995, l'Union européenne (nouveau nom de la Communauté européenne depuis l'entrée en vigueur du traité de Maastricht, le 1er novembre 1993) comptait quinze membres : Allemagne, Belgique, Danemark, Espagne, France, Grèce, Irlande, Italie, Luxembourg, Pays-Bas, Portugal, Royaume-Uni, auxquels sont venues s'ajouter Autriche, Suède et Finlande. Un processus d'élargissement a été officiellement lancé en décembre 1997 concernant l'Estonie, la Hongrie, la Pologne, la République tchèque, la Slovénie et Chypre (mais non pas la Turquie).

Les principales institutions de l'UE sont la Commission européenne, le Parlement européen (élu au suffrage universel direct), le Conseil européen (réunion des chefs d'État et de gouvernement), le Conseil (réunion des ministres) et la Cour de justice. La Banque centrale européenne (BCE, siège à Francfort), a commencé de fonctionner en juin 1998 (président : Wim Duisenberg, Pays-Bas). Autres institutions : Cour des comptes, Comité économique et social, Comité des régions, Banque européenne d'investissement.

UE : **http://europa.eu.int**
Commission européenne : **http://citizens.eu.int**
Parlement européen : **http://www.europarl.eu.int**
Conseil de l'Union européenne : **http://ue.eu.int**
Cour européenne de justice : **http://europea.eu.int/cj**
Banque centrale européenne : **http://www.ecb.int**
Comité des régions de l'Union européenne : **http://www.cor.eu.int**
Comité économique et social : **http://www.ces.eu.int** et **http://europa.eu/int/ces**
Cour des comptes des Communautés européennes : **http://www.eca.eu.int**
Banque européenne d'investissement : **http://www.bei.org**

Ex-empire soviétique

CEI (secrétariat à Minsk, Biélorussie). La Communauté d'États indépendants ou Commonwealth of Independent States, CIS, est issue du démantèlement de l'URSS fin 1991. A l'exclusion des trois pays baltes, elle regroupait à la mi-1998 toutes les anciennes républiques : Russie, Biélorussie, Ukraine, Moldavie, Azerbaïdjan, Géorgie, Arménie, Kazakhstan, Ouzbékistan, Kirghizstan, Turkménistan, Tadjikistan.

Asie centrale

OCE (siège à Téhéran). L'Organisation de coopération économique a été créée en 1985 par la Turquie, l'Iran et le Pakistan. Elle regroupe aussi, depuis 1992, l'Afghanistan et les six républiques « musulmanes » de l'ex-URSS : Azerbaïdjan, Kazakhstan, Ouzbékistan, Kirghizstan, Turkménistan, Tadjikistan.

Pacifique

APEC (siège à Singapour). La Coopération économique en Asie-Pacifique, Asia-Pacific Economic Cooperation, a été initiée par l'Australie à la conférence de Canberra (Australie) de 1989. Membres à la mi-1998 : Brunéi, Chili, Fédération de Malaisie, Indonésie, Philippines, Singapour, Thaïlande (adhérents de l'ANSEA), Australie, Nouvelle-Zélande, Japon, États-Unis, Canada, Mexique, Papouasie-Nouvelle-Guinée, Corée du Sud, Chine, Taïwan, Hong Kong. Observateurs depuis 1997 : Pérou, Russie, Vietnam.

http://www.apecsec.org.sg

COMMISSION DU PACIFIQUE SUD (siège à Nouméa, Nouvelle-Calédonie). Créée en 1947, elle rassemble les partenaires de la région et les grandes puissances qui y exercent des responsabilités (Australie, États-Unis, France, Nouvelle-Zélande, Royaume-Uni).

FORUM DU PACIFIQUE SUD (siège à Suva, Fidji). Créé en 1971 par les États riverains (à l'exclusion des grandes puissances), le Forum (South Pacific Forum, SPF) a été à l'initiative du traité de Rarotonga sur la dénucléarisation du Pacifique sud et de l'équateur. La France a été réadmise comme partenaire le 3.9.96 (elle avait été exclue en sept. 95 lors de la reprise de ses essais nucléaires).

http://www.forumsec.org.fj

Pour en savoir plus

International Geneva Yearbook 1995, vol. IX, Georg Éditeur, Genève.

Organisations internationales à vocation universelle, La Documentation française, coll. « Les Notices », Paris, 1993.

Organisations internationales à vocation régionale, La Documentation française, coll. « Les Notices », Paris, 1994.

Union of International Association, *Yearbook of International Organizations*, Éd. Saur. Munich, 1995-1996.

Par ailleurs, on peut consulter sur rendez-vous les dossiers du CIDIC (Centre d'information et de documentation internationale contemporaine) sur l'activité des organisations internationales et régionales, régulièrement mis à jour.

(CIDIC, La Documentation française, 29, quai Voltaire, 75344 Paris Cedex 07. Tél. 01 40 15 72 18.)

Asie

ANSEA (siège à Jakarta, Indonésie). L'Association des nations du Sud-Est asiatique, ou Association of South East Asian Nations, ASEAN, a été créée en 1967. Membres à la mi-1997 : Brunéi, Fédération de Malaisie, Indonésie, Philippines, Singapour, Thaïlande, Vietnam (depuis juillet 1995). Le Laos et la Birmanie ont adhéré en juillet 1997. Le Cambodge et la Papouasie-Nouvelle-Guinée ont le statut d'observateurs, tandis que la Corée du Sud dispose d'un statut spécial.

http://www.asean.or.id

ANZUS. Pacte militaire signé en 1951 entre l'Australie, la Nouvelle-Zélande et les États-Unis.

BAsD (siège à Manille, Philippines). La Banque asiatique de développement ou Asian Development Bank, ADB, a été créée en 1965. Elle comptait à la mi-1998 57 États membres d'Asie, d'Europe et d'Amérique et intervenait dans 40 États asiatiques.

http://www.asiandevbank.org

FRA. Le Forum régional de l'ANSEA (Asian Regional Forum, ARF) créé en 1994 réunissait à la mi-1997 21 membres : les neuf pays de l'ANSEA, Australie, Cambodge, Corée du Sud, Japon, Hong Kong, Nouvelle-Zélande, Taïwan, Chine, Inde, États-Unis, Russie et Union européenne sur les questions de sécurité dans la zone Asie-Pacifique.

SAARC (siège à Katmandou, Népal). L'Association d'Asie du Sud pour la coopération régionale, ou South Asian Association for Regional Cooperation, a été fondée en 1985. Membres à la mi-1997 : Bangladesh, Bhoutan, Inde, Maldives, Népal, Pakistan, Sri Lanka.

Moyen-Orient et mondes arabe et musulman

LIGUE ARABE (siège au Caire). Fondée en 1945 au Caire par l'Égypte, l'Irak, le Yémen, le Liban, l'Arabie saoudite, la Syrie et la Transjordanie. Elle regroupait 22 membres à la mi-1998.

CCG (siège Riyad, Arabie saoudite). Le Conseil de coopération du Golfe a été fondé en 1981 en réaction à la révolution iranienne. Il regroupait à la mi-1998 l'Arabie saoudite, Bahreïn, les Émirats arabes unis, le Koweït, Oman et Qatar.

Dossier réalisé
avec la collaboration
de Véronique Chaumet.

Le monde sur Internet

Voir aussi les sites référencés dans le répertoire des organisations internationales et régionales

Afrique

Africanews
(site couplé avec l'agence PANA)
http://www.africanews.org

Africa Online
(information économique, politique et sociale sur les pays africains, mise à jour quotidienne)
http://www.africaonline.co.

African Studies, Université de Pennsylvanie (É-U)
(répertoire de ressources pour de nombreux pays d'Afrique)
http://www.sas.upenn.edu/African_Studies/

CEAN (Centre d'étude de l'Afrique noire), CNRS/IEP-Bordeaux (Université Montesquieu)
http://www.cean.u-bordeaux.fr

CLIO en Afrique
(revue électronique d'histoire de l'Afrique, GDR 1118 du CNRS)
http://newsup.univ-mrs.fr/~wclio-af/

CREPAO (Centre de recherche sur les pays d'Afrique orientale), Université de Pau et des Pays de l'Adour
(site du principal centre de recherche français sur l'Afrique orientale, comprenant notamment les bibliographies des travaux de ses chercheurs et un accès à son fichier informatisé).
http://www.univ-pau.fr/ser/CR/COREJE/CREPAO

Habari
(répertoire de ressources sur l'Afrique)
http://www.africa.u-bordeaux.fr

H-AFRICA
(réseau américain des centres d'études africaines)
http://h-net2.msu.edu/~africa

Index on Africa
(répertoire de sites d'information et de recherche sur les pays africains)
http://www.africaindex.africainfo.no/africaindex1/countries/

Indigo Publications
(information et répertoire de sites par pays pour toute l'Afrique, accès notamment à *La Lettre de l'océan Indien*)
http://indigo-net.com/africa.html

ORSTOM (Institut français de recherche scientifique pour le développement en coopération)
http://www.orstom.fr

Répertoire de ressources pour les situations humanitaires
http://www.notes.reliefweb.int/

SEDET (Sociétés en développement dans l'espace et le temps, études africaines), Université Paris-VII
http://www.sedet.jussieu.fr

Afrique de l'Est

Région des Grands Lacs
(avec notamment les auditions de la Mission d'information parlementaire française sur le Rwanda, créée en mars 1998)
http://www.grandslacs.net

Réseau documentaire international sur la région des Grands Lacs, *CD-Rom n° 5*, mai 1998, [CP 136, 1211 Genève 21, Suisse]. Banque de données regroupant pratiquement tous les documents publiés par le système des Nations unies, les organismes et ONG internationaux, et tous ceux qui lui parviennent de la part des gouvernements, partis politiques, églises, etc. de la région.

Afrique du Sud

Site général de l'ANC (Congrès national africain)
(avec notamment un répertoire des sites sur l'Afrique australe)
http://www.anc.org.za

Algérie

http://www.cerist.dz

ANP (Armée nationale populaire)
http://www.anp.org

FIS (Front islamique du salut)
http://menbers.aol.com//Alg Fis//ribat//a.htm

FFS (Front des forces socialistes)
http://www.mygale.org//06//troubles//ffs.htm

Angola

Site donnant accès à divers instruments (bibliographies, rapports, sites)
http://www.columbia.edu/cu/libraries/indiv/area/Africa/Angola.html

Site aux composantes similaires, mais donnant en plus des informations sur le processus de paix, le site officiel du gouvernement, celui de l'Unita (Union nationale pour l'indépendance totale de l'Angola), etc.
http://www-sul.stanford.edu/depts/ssrg/africa/angola.html

Botswana

Informations générales
http://www.nerdworld.com

http://www.stuart.iit.edu/botswana

Site d'actualités
http://www.oneworld.org/news/africa/botswana.html

Burkina Faso

Burkina Faso Home Page
http://www.iie.cnam.fr/~castera/burkina/

Cap-Vert

http://www.erols.com/kauberdi/

Congo (-Brazza)

http://www.congoscopie.com.

Congo (-Kinshasa)

Site gouvernemental :

– Agence congolaise de presse (bulletins quotidiens)
http://rdcongo.org/frames/acp/archives

Droits de l'homme et réfugiés :

– Banque de données du HCR (sur le Congo-Kinshasa)
http://www.unhcr.ch/refworld/country/menus/zar.htm
– Rapports de Human Rights Watch
gopher://gopher.igc.apc.org:5000/11/int/hrw/africa/zaire
– Fox News Crisis in Zaire
http://www.foxnews.com/news/features/zaire

Informations générales :

– Congonline
(économie, histoire, annuaire, bibliographie, politique…)
http://www.congonline.com
– Congo 2000 (idem)
http://www.Congo2000.com

Égypte

Library Ibis Catalogs, American University in Cairo
http://lib.auc.eun.eg/

Made in Egypt
http://www.ritsec.com.eg/mieg/old/mieg.html

Abzu Regional Index, sur l'Égypte
http://www-oi.uchicage.edu/oi/dept/ra/abzu/abzu-regiindx-egypt.html

Focus on Egypt
http://focusmm.com.au/egypt/eg-anamn.htm

Érythrée

http://www.primenet.com/~ephrem/

Éthiopie

http://ethiopiaonline.net/

Gabon

Site officiel
http://www.presidence-gabon.com.

Gambie

http://www.gambia.com/gambia.html

Ghana

http://www.ghana.com

Guinée

http://www.myna.com/~boubah/faq_fr.htm

Guinée-Bissau

http://www.sas.upenn.edu/African_Studies/Country_Specific/G_Bissau.html

Kénya

Kenya web
(informations institutionnelles et sur l'activité économique, notamment)
http://www.kenyaweb.com

Central Bank of Kenya (Banque centrale du Kénya)
(suivi précis et documenté de la situation économique et financière)
http://www.arcc.or.ke/cbk.htm

Lésotho

http://www.azania.za/lesotho

Libéria

http://groove.mit.edu/LiberiaPages/index.htm

http://www.gis.net/~toadoll/

Libye

http://www.libyaonline.com

Bibliothèque du Congrès (Washington), sur la Libye
http://lcweb2.loc.gov/frd/cs/lytoc.html

http://i-cais.com/e.o/index.htm

Mali

MaliNet
(répertoire de ressources malien)
http://www.mirinet.net/malinet/

CIA Worldfactbook, sur le Mali
(page de renseignements de la CIA sur le Mali)
http://physig.ph.kcl.ac.uk/local/cia/1994/150.html

Maroc

Ambassade de France à Rabat
(informations institutionnelles, revue de presse quotidienne)
http://www.ambafrance-ma.org/public/webmaroc.htm

Namibie

Site général
(nouvelles, économie, relations internationales, adresses utiles…)
http://www.republicofnamibia.com

Archives nationales (site du ministère de l'Éducation et de la Culture)
http://witbooi.natarch.mec.gov.na

Presse
http://the.namibian.com.na

Nigéria

Site de Nigérians au Royaume-Uni (information, contacts, etc.)
http://www.nigeria.net

Université de Stanford (É-U)
http://www-sul.stanford.edu/depts/ssrg/africa/nigeria.html

Répertoire de sites sur le pays
http://www.internets.com/nigeria.html

Post Express
http://www.postexpresswired.com/

Today et *Abuja Mirror*
http://www.ndirect.co.uk/~n.today/today.htm

The Week
http://www.theweekonline.com/

National Archives of Nigeria (Archives nationales)
http://www2.rz.hu-berlin.de/inside/orient/nae

Nigeria Online
http://www.afrocaribbean.com/nigeria.html

Sénégal

http://www.earth2000.com/sénégal/

http://www.metissacana.sn/

Somalie et Somaliland

http://www.users.interport.net/%7Emmaren/index.html
(qu'on peut trouver par le nom nomadNet)

http://www.Somaliland.com

Soudan

http://www.sudan.net/

Togo

http://www.republicoftogo.com

Proche et Moyen-Orient

INALCO (Institut national des langues et civilisations orientales)
http://www.inalco.fr

Afghanistan

http://www.incore.ulst.ac.uk/cds/countries/afghanistan

Arabie saoudite

Ambassade royale d'Arabie saoudite aux États-Unis
(informations générales, répertoire de sites saoudiens)
http://www.saudi.net/

Autonomie palestinienne

Birzeit University's *Complete Guide* to Palestine's Websites
http://www.birzeit.edu/links/index.html

Center for Palestine Research and Studies (CPRS)
http://www.cprs-palestine.org/

Fatah
http://www.fateh.org/index.htm

Hamas (Mouvement de la résistance islamique)
http://www.palestine-info.org

Palestinian Academic Society for the Study of International Affairs (PASSIA)
http://www.passia.org/

Palestinian Legislative Council
http://www.pal-plc.org/ma.htm

Palestinian National Authority Official Website
http://www.pna.net/

Bahreïn

Bahraïn Monetary Agency
(informations sur le secteur de la finance et des banques)
http://www.bma.gov.bh/fin

Émirats arabes unis

Ministère des Finances et de l'Industrie
(informations sur les politiques industrielle, monétaire et fiscale ; répertoire de sites d'intérêt plus général)
http://www.fedfin.gov.ae/

Ministère de l'économie et du Commerce
(informations économiques)
http://www.economy.gov.ae/

The Emirates Center for Strategic Studies and Research
(informations politiques et stratégiques)
http://www.ecssr.ac.ae/

Irak

http://www.inc.org.uk

http://www.France.diplomatie.fr

http://www.desert-storm.com/

http://www.cnn.com.

http://www.washingtonpost.com.

http://auto-.cs.tu-berlin.de/fb13ini/-main/cia.html

Israël

Haaretz (quotidien, version anglaise)
http://www3.haaretz.co.il/eng/htmls/1_1.htm

Jordanie

Center for Strategic Studies, University of Jordan
uojcss@nets.com.jo

CERMOC (Centre d'études et de recherches sur le Moyen-Orient contemporain), sur la Jordanie
http://www.jo.refer.org/cermoc

Jordan Times
http://accessme.com/Jordan Times/

School of Oriental and African Studies (SOAS), University of London
http://endjinn.soas.ac.uk/home.html

Koweït

Kuwait Investment Authority
(économie, banque et finance)
http://www.kia.gov.kw/

Liban

CERMOC (Centre d'études et de recherches sur le Moyen-Orient contemporain), sur le Liban
http://www.lb.refer.org/cermoc

Oman

Diwan of Royal Court
(site officiel du sultanat)
http://www.diwan.gov.om/

Ministère de l'Information
(institutions gouvernementales)
http://www.omanet.com/

Oman Studies Centre
(institutions, associations, bibliographies, documentation…)
http://www.oman.org/

Qatar

Ministère des Affaires étrangères
(informations générales)
http://www.mofa.gov.qa/

Internet Qatar
(répertoire de sites d'information politique ou d'intérêt général)
http://www.qatar.net.qa/html/

Business and Economy
(répertoire des sites d'intérêt économique)
http://www.qatar.net/business.htm/

Syrie

Site d'informations officielles, données politiques, sociales et économiques, et renseignements touristiques
http://www-personal.umich.edu/~kazamaza/soph.html

Yémen

Centre français d'études yéménites
(recherches en cours, archéologie, bibliographie)
http://www.univ-aix.fr/cfey

Yemen Gateway
(documents, chronologies et analyses)
http://www.ndirect.co.uk/~brian.w

Yemen Webdate
(documents, liste de sites, bibliographie, analyses)
http://www.geocities.com/Athens/Oracle/9361

Yemen Times
(hebdomadaire en anglais)
http://www.y.net.ye/yementimes

Asie

Asiaweek (hebdomadaire)
(couvre l'actualité du Sud-Est asiatique en temps réel)
http://www.asiaweek.com

Far Eastern Economic Review (Hong Kong)
http://www.feer.com

South China Morning Post
http://www.scmp.com

Straits Times (hebdomadaire, Singapour)
http://www.asia1.com.sg/straitstimes

Banque de données générales sur l'Asie-Pacifique
http://www.sources-asie.tm.fr

INALCO (Institut national des langues et civilisations orientales)
http://www.inalco.fr

Informations sur les relations Asie-Europe
http://www.asef.org

International Institute of Asian Studies, Université de Leyde (Pays-Bas)
(bases de données ; programme de recherche européen sur l'Asie)
http://iias.leidenuniv.nl

Site de l'Université de New York sur la crise financière asiatique
http://www.stern.nyu.edu/-nroubini/asia/AsiaHomepage.htm

Bangladesh

Bangladesh Net
(informations, statistiques, arts, littérature, éducation, médias ; répertoire de sites)
http://www.bangladesh.net

UNDP Web Site
(informations générales et opportunités d'investissement)
http://www.undp.org/missions/bangladesh

Dhaka-Bangladesh English Language Newspaper (mise à jour quotidienne)
http://www.dhaka-bangladesh.com

Brunéi

Informations gouvernementales
http://www.brunet.bn

Cambodge

http://www.cambodia.org

Chine

South China Morning Post
http://www.scmp.com

Corée du Nord-Corée du Sud

Korea Centural News Agency
(banque de données établie par l'Agence centrale de presse de Corée du Nord)
http://kcna.co.jp

Welcome to Unikorea
(banque de données établie par le ministère de la Réunification de la Corée du Sud)
http://www.unikorea.go.kr

Fédération de Malaisie

Informations gouvernementales
http://penerangan.gov.my

Inde

Centre for the Advanced Study of India, Université de Pennsylvanie (É-U)
(énergie et environnement, gouvernement dans les sociétés multiculturelles, sécurité internationale, développement économique)
http://www.sas.upenn.edu/casi

Ministère des Affaires extérieures
http://www.meadev.gov.in

Times of India (principal quotidien du nord de l'Inde)
http://www.timesofindia.com

Frontline (hebdomadaire d'actualité politique et économique publié à Madras) :
http://www.frontline.com

Indonésie

Inside Indonesia (magazine australien)
(propose notamment des témoignages de dissidents du régime suhartien, des interviews de leaders du mouvement étudiant indonésien...)
http://www.pactok.net.au/docs/inside

Japon

Maison franco-japonaise de Tokyo
(répertoire de sites, mise à jour régulière, en français)
http://www.iijnet.or.jp/MFJ/

Vue du Japon
(site du ministère japonais des Affaires étrangères, en anglais)
http://www.mofa.go.jp

Laos

Comité lao pour les droits de l'homme
http://home.carthlin.net/~laohumrights

Bibliothèque du Congrès (É-U), sur le Laos
http://lcweb2.loc.gov/frd/cs/latoc.html

Macao

Site gouvernemental
http://www.macau.gov.mo

La Revista de Macau (en portugais)
http://revista.macau.gov.mo

Agence Lusa
(actualité en anglais, pays lusophones)
http://www.lusa.pt/lusanews

Macau Hoje (en portugais)
http://unitel-1.unitel.net:80/macauhoje/

Université de Macao
http://www.umac.mo

Myanmar (Birmanie)

Informations gouvernementales
http://www.myanmar.com

Projet sur la Birmanie de l'Open Society Institute
http://www.soros.org/burma.html

Philippines

Informations gouvernementales
http://philippines.gov.ph

Informations économiques
http://mozcom.com

Singapour

Singapore Infomap
(page d'introduction à divers sites)
http://www.sg

Asia One
(site de ressources, notamment sur la presse locale)
http://www.asia1.com.sg

Site gouvernemental
http://www.gov.sg

Université nationale de Singapour
http://www.nus.sg

Sri Lanka

Lanka Academic Network
(informations universitaires et générales, presse locale, liens avec les autres sites)
http://www.lacnet.org

Taïwan

Représentation de Taïwan à New York
(services gouvernementaux)
http://www.taipei.org

The Democratic Progressive Party
http://www.dpp.org.tw

Tigernet
(articles du *Hong Kong Standard* sur Taïwan)
http://www.hkstandard.com

Central News Agency (agence officielle d'actualités en anglais)
http://www.taipei.org/teco/cicc/news/english/index.htm

Les Échos et *La Chine libre*
(deux publications officielles en français)
http://publish.gio.gov.tw

Thaïlande

http://www.inet.co.th

http://nectec.or.th

Vietnam

Vietnam Insight (É-U)
http://www.insight.org

Quehuong (revue des exilés vietnamiens en France)
http://home.vnd.net/quehuong

Vietnam Economic Times (en vietnamien et anglais)
http://www.vneconomy.com.vn

Agence Vietnam Press (en vietnamien et anglais)
http://www.vnagency.com.vn

Vietnam Net (en vietnamien et anglais)
http://www.vnn.vn

Pacifique sud

Center for Pacific Island Studies (Hawaii)
http://www2.hawaii.edu/cpis/

Pacific Islands Internet Resources
(informations institutionnelles, culturelles et touristiques sur les îles du Pacifique)
http://www2.hawaii.edu/~ogden/piir/index.html

Pacific Islands Report
(informations quotidiennes sur les îles du Pacifique)
http://pidp.ewc.hawaii.edu/pireport/

The CocoNET Wireless
(rapports économiques, atlas et informations quotidiennes sur les îles du Pacifique)
http://www.uq.edu.au/jrn/coco/index.htm

Australie

Ambassade d'Australie à Washington
(liens avec de nombreux autres sites)
http://www.austemb.org/

Guide to Australia
http://www.csu.edu.au/education/australia.html

About-Australia
http://www.about-australia.com/

Amérique du Nord

Ministère canadien des Affaires étrangères et du Commerce international
(documentation de base, en français, sur l'ALENA, le projet de Zone de libre-échange des Amériques – AFTA – et d'autres accords commerciaux impliquant le Canada)
http://www.infoexport.gc.ca/section4/agreement-f.asp

Secrétariat d'État américain au Commerce extérieur
(sur l'ALENA)
http://www.taiep.doc.gov/nafta/nafta2.htm

University of Texas - Latin American Network Information Center (UT-LANIC)
(répertoire de tous les sites concernant l'Amérique latine ; voir notamment les sections sur le Mexique et sur le commerce)
http://lanic.utexas.edu/

Canada

Site gouvernemental du Canada (en français)
http://canada.gc.ca/main_f.html

Site gouvernemental du Québec
http://www.gouv.qc.ca/

Canadiana
(répertoire des ressources canadiennes)
http://www.cs.cmu.edu/Unofficial/canadiana/lisez.html

La Toile du Québec
(répertoire de référence pour tous les sites du Québec)
http://www.qc.ca/

Conseil pour l'unité canadienne
(site fédéraliste de référence ; actualité, dossiers, liens)
http://www.ccu-cuc.ca/fran/index.html

Vigile (site souverainiste de référence ; actualité, dossiers, liens)
http://w3.alphacom.net/~frapb/vigile/index/indexa.html

Le Devoir
http://www.ledevoir.com/

The Globe and Mail
http://www.theglobeandmail.com/

Eureka
(plus de 25 périodiques canadiens et européens en accès payant)
http://www.eureka.cc/scripts/cshtml-exe?TO-PAGE=sites/page

États-Unis

CIA (Central Intelligence Agency) - 1997 World Factbook
http://www.odci.gov/cia/publications/factbook/index.html

Bibliothèque du Congrès (Washington), Country Handbook
http://lcweb2.loc.gov/frd/cs/cshome.html#toc/

Liste de sites du gouvernement fédéral
http://www.fie.com/www/us_gov.htm

Maison-Blanche (site présidentiel)
http://www.whitehouse.gov/WH/Welcome.html

Mexique

University of Texas - Latin American Network Information Center (UT-LANIC)
(répertoire de tous les sites concernant l'Amérique latine ; voir notamment les sections sur le Mexique)
http://lanic.utexas.edu/

Amérique centrale et du Sud

Internet Resources for Latin America
http://lib.nmsu.edu/subject/bord/laguia

Latin American Network Information Center, Université du Texas (Austin)
(informations pays par pays, notamment)
http://lanic.utexas.edu

Latin World - Latin America on the Net
http://latinworld.com

Mundo Latino
http://www.Mundolatino.org

Université de Toulouse-Le-Mirail/CNRS serveur Amérique latine
http://www.univ-tlse2.fr/amlat/

Banques de données spécialisées (accès à des sources diversifiées sur de multiples thèmes) :

Banque interaméricaine de développement
(données socio-économiques actualisées sous forme de tableaux statistiques, par pays)
http://www.iadb.org/statistics/socioe.htm

Handbook of Latin American Studies
(répertoire bibliographique élaboré à partir des collections internationales de la bibliothèque du Congrès à Washington)
http://lcweb2.loc.gov/hlas

Political Database of the Americas
(données politico-institutionnelles)
http://www.georgetown.edu/LatAmerPolitical/home.html

Catalogues de bibliothèques :

http://lanic.utexas.edu.world/library

http://library.usask.ca/hytelnet/sites1a.html

Argentine

La Nación (conservateur)
http://www.lanacion.com

Clarín (radical)
http://www.clarin.com

Página12 (Frepaso)
http://www.pagina12.com

Université de Buenos Aires
(nombreux liens avec d'autres serveurs argentins et des groupes de discussion)
http://www.uba.ar.

Brésil

Brazil Center, Université du Texas (Austin)
(principal répertoire de recherche au monde sur le Brésil)
http://lanic.utexas.edu/brazctr/

Institut brésilien de géographie et de statistiques
(données démographiques et économiques)
http://www.ibge.org/

A Folha de São Paulo (quotidien)
http://www.uol.com.br/fsp/indices/htm

O Estado de São Paulo (quotidien)
http://www.estado.com.br/edicao/pano/pol.html

O Jornal do Brasil (quotidien)
http://www.jb.com.br/

Catalogues des principales bibliothèques universitaires brésiliennes
http://www.usp.br/sibi.html

Chili

Index de sites chiliens
http://www.brujula.cl

El Mercurio (conservateur)
http://www.mercurio.cl

La Epoca (Concertation, analyses très complètes)
http://www.laepoca.cl

Qué pasa (droite, sensibilité proche des forces armées)
http://www.quepasa.cl

Colombie

Site de ressources des organisations non gouvernementales colombiennes
http://www.colnodo.apc.org

Cuba

Université de Pittsburgh
http://www.pitt.edu/~clas/

Florida International University (Miami)
http://lacc.fiu.edu/

Grandes Antilles

Footprint Handbooks
(informations complètes sur chaque pays de la région)
http://www.caribbeansupersite.com

Haïti

Ambassade de Haïti aux États-Unis
(liste de toutes les ressources Internet sur Haïti)
http://www.monumental.com/embassy/haiti/~1.htm

Paraguay

Université nationale d'Asunción
http://www.una.py

Pérou

Centre de recherche indépendant réalisant des revues de presse et éditant des revues et dossiers de références
http://www.desco.org.pe/

Petites Antilles

Footprint Handbooks
(informations complètes sur chaque pays de la région)
http://www.caribbeansupersite.com

Caribbean Outpost
(liste des sites pour toutes les îles)
http://www.cariboutpost.com

Journaux de la Caraïbe
(une trentaine de journaux en ligne)
http://www.caribbeannewspapers.com

Suriname

The Essence of Surinam
(informations complètes sur le pays, dont actualité, économie, culture, histoire)
http://www.surinam.net

Uruguay

Red Académica Uruguaya (Réseau académique uruguayen)
http://www.rau.edu.uy

Presse
http://www.montevideo.com.uy/prensa.htm

Vénézuela

DOID (Departemento de Orientación, Información y Documentación), Université centrale du Vénézuela
http://www.geocities.com/collegepark/library/3146

Bibliothèque nationale
http://www.bnv.bib.ve/

CLIC (Centre latino-américain d'information et de communication, spécialisé dans la communication sociale)
http://www.unet.ve/~crick

Europe

Albanie

Albanian Daily News
http://web.albaniannews.com/albaniannews

Allemagne

Bundesbank
(statistiques économiques et financières, analyses économiques, rapports)
http://www.bundesbank.de

Germany-live
(actualité)
http://www.germany-live.de

Fireball
(système de recherche Internet/Suchmaschine)
http://www.fireball.de

Deutsche Bibliothek (bibliographie)
http://www.ddb.de

Ancienne Yougoslavie

Alternativna informativna mreza (AIM, réseau alternatif d'information)
(site regroupant les journalistes indépendants des États issus de l'ancienne Yougoslavie ; articles en serbo-croate et en anglais. Abonnement payant)
http://www.aimpress.org

Autriche

Österreichische Nationalbibliothek (Bibliothèque nationale)
http://www.onb.ac.at

Österreichischer Bibliothekenverbund « bib-o-pac »
http://bibopac.univie.ac.at

Österreichischer Rundfunk
http://www.orf.at

Der Standard (quotidien)
http://DerStandard.at

Die Presse (quotidien)
http://www.DiePresse.at

Salzburger Nachrichten (quotidien)
http://www.salzburg.com

Profil (hebdomadaire)
http://www.profil.at

Balkans-Méditerranée orientale

Balkanologie (revue semestrielle, Paris)
http://www.chez.com/balkanologie/

Balkan Neighbours
Analyse par l'association ACCESS, à Sofia, sous le patronage de l'Open Society Institute, à Budapest, des images et des stéréotypes des nations et des peuples balkaniques véhiculés ou construits par la presse en Albanie, Bulgarie, Grèce, Macédoine, Roumanie, Serbie et Monténégro, Turquie, et examen de leurs effets sur les relations inter-étatiques et l'émergence de sociétés civiles)
http://www.online.bg/access

Bulgarie

Bulgaria Online (site générique, « news »)
http://b-info.com/places/Bulgaria/News

Questions juridiques
http://www.bild.acad.bg/bglegal.htm

Droits de l'homme (Congrès, États-Unis)
http://www.state.gov/www/global/human_rights/1997_hrp_report/Bulgaria.htm

Croatie

Moteur de recherche
http://www.hr/hrvatska/www_s.html

Danemark

Berlingske (quotidien)
http://www.berlingske.dk

Politiken (quotidien)
http://www.politiken.dk

Espagne

Moteurs de recherche spécialisés :

http://www.ole.es

http://ozu.es

http://buscador.todoesp.es

Sites :

Centro de Investigaciones sociologicas (CIS)
(centre de recherches sur la société espagnole ; banques de données, catalogue de publications, enquêtes d'opinion)
http://www.cis.es

Université complutense de Madrid
(banque de données, bibliothèque, accès à des revues en texte complet, etc.)
http://www.ucm.es

Université autonome de Barcelone
(banque de données statistiques, bibliothèque, etc.)
http://www.uam.es

Bibliothèque nationale d'Espagne
http://www.bne.es

Manos blancas
(l'un des sites de l'action contre le terrorisme basque ; agenda, listes d'assassinats, forum de discussion)
http://manos.blancas@uam.es

Europe du Nord

Politik i Norden
(périodique édité par le Conseil nordique, informations générales, politiques, sociales, culturelles et économiques sur les pays et la coopération nordiques)
http://www.norden.org.

Finlande

Helsinginsanonat (quotidien)
http://www.helsinginsanonat.fi

Finnfacts
(périodique économique de la Confédération de l'industrie et des employeurs finlandais/ Conseil de promotion de la Finlande)
http://www.tt.fi

Hongrie

Répertoire des sites de Hongrie
http://www.fsz.bme.hu/hungary/home page.html

MTI (Agence de presse hongroise ; en plusieurs langues, dont français et anglais)
http://www.mti.hu/

Magyar Hirlap (quotidien national)
http://www.mhirlap.hu

Magyar Nemzet (quotidien)
http://www.magyarnemzet.hu/

Hungarian Quarterly (périodique en anglais)
http://www.net.hu/hungq/

CIEH (Centre interuniversitaire d'études hongroises), site hébergé par l'Université Paris-III (page d'accès à de nombreux sites)
http://www.univ-paris3.fr/cieh.html

EUnet Hungary
(sur les questions de l'intégration à l'Union européenne)
http://www.eunet.hu/

Irlande

Central Statistics Office (Bureau central des statistiques)
http://www.cso.ie

The Irish Times
http://www.irish-times.com

Gaeilge ar an Ghréasan
http://www.smo.uhi.ac.uk/saoghal/gaeilge.html

Doras
http://doras.tinet.ie

Italie

http://www.gksoft.com/govt/en/it.html

http://www.agora.stm.it/politic/italy1.htm

Banque centrale
http://www.bancaditalia.it

La Repubblica (quotidien)
http://www.repubblica.it

Macédoine

Moteur de recherche
http://directory.macedonia.org/

Norvège

Dagbladet (quotidien)
http://www.telepost.no/dagbladet.no

Aftenposten (quotidien)
http://www.aftenposten.no/nyheter

Bureau central des statistiques
http://www.ssb.no

Roumanie

Poste d'expansion économique de l'ambassade de France à Bucarest
http://www.drce.org/Roumanie

Chambre de commerce et d'industrie de Roumanie
http://www.ccir.ro/ccir/romania/

Royaume-Uni

Ministère des Finances
http://www.htm-treasury.gov.uk/

Débats parlementaires
http://www.parliament.the-stationery-office.co.uk.

Daily Telegraph
http://www.telegraph.co.uk

BBC
http://www.bbc.co.uk

Slovénie

Moteur de recherche
http://www.ijs.si:90/slo/resources/

Suède

Swedish Institute (agence gouvernementale de promotion et d'information sur la Suède ; accès au bulletin d'informations politiques, économiques et sociales *Wired from Sweden*)
http://www.si.se

Site de la Suède
http://www.sweden.si.se

Ambassade de Suède à Paris (informations générales sur la Suède, accès aux journaux *Dagens Nyheter* et *Svenska Dagbladet*)
http://www.amb-suede.fr

Suisse

Site de l'administration fédérale
http://www.admin.ch/

Turquie

Turkish Daily News (quotidien en anglais)
http://www.TurkishDailyNews.com

Devlet Istatistik Enstitüsü (Institut de statistiques de l'État)
(économie, commerce extérieur, investissements, banques, population)
http://www.die.gov.tr

Site gouvernemental
(partis politiques, système politique, texte de la Constitution, etc.)
http://www.mfa.gov.tr

Yougoslavie (RFY)

Moteur de recherche
http://www.yusearch.com

Site officiel de la République fédérale de Yougoslavie
http://www.gov.yu

Site d'informations sur la République du Monténégro
http://www.montenet.org

Site gouvernemental de la République autoproclamée du Kosovo
http://web.eunet.ch:80/government/

Espace post-soviétique

INALCO (Institut national des langues et civilisations orientales)
http://www.inalco.fr

Le web franco-russe
(la presse spécialisée sur la Russie et la CEI, en français)
http://www.russie.net/presse.htm

Radio Free Europe/Radio Liberty
(agence de nouvelles ; chronologies, sujets d'actualité politiques et économiques sur les pays d'Europe centrale et orientale et de l'ex-URSS)
http://www.rferl.org

Arménie

http://www.armeniaonline.com

Asie centrale

http://www.chalidze.com/cam.htm

http://www.cpss.org/casianw/canews.htm

http://www.angelfire.com

Azerbaïdjan

http://www.azer.com

Biélorussie

http://www.ligvo.minsk.by/mab/k&d.html

http://www.css.minsk.by/Publications/MinskEconomicNews/

http://www.belarus.net/minsk_ev/red_now_e.htm

http://www.worldwide.edu/ci/belarus/fbelarus.html

http://www.lexadin.nl/wlg/legis/nofr/oeur/lxwebru.htm

Estonie

Bureau national des statistiques
http://www.stat.ee

Institut estonien (histoire, culture et traditions)
http://www.einst.ee

Géorgie

Georgian Times (Tbilissi)
http://duggy.sanet.ge

Lettonie

Rapport du PNUD (24 octobre 1997)
http://www.riga/lv/-undp

Agence lettone de développement
http://www.ida.gov.lv

Lituanie

Parlement
http://www.rc.lrs.lt

Moldavie

Site officiel, consultable sur Admifrance (sites étrangers)
http://www.ladocfrancaise.gouv.fr

Pays baltes

The Baltic Times (hebdomadaire d'actualité en anglais)
http://www.lvnet.lv/baltictimes

Transcaucasie

Caucasus report (RFE/RL)
(Arménie, Azerbaïdjan, Géorgie)
http://www.rferl.org

Ukraine

http://www.agora.stm.it/politic/ukraine.htm

http://www.rada.kiev.ua/wwwukr.htm

http://ifes.ipri.kiev.ua

Index général

Plus de 2 000 entrées permettant une recherche ciblée

LÉGENDE

- 402 : référence du *mot clé*.
- **326** : référence d'un *article* ou d'un *paragraphe* relatif au mot clé.
- **124 et suiv.** : référence d'une *série d'articles* ou d'un *chapitre* relatif au mot clé.

A

B

C

D

E

F

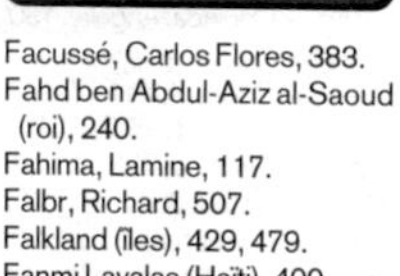

G

H

I

J

K

L

M

N

O

P, Q

R

S

T

U

V, W

X, Y

Z

Liste des cartes

Liste alphabétique des pays

États souverains et territoires sous tutelle

□ *Territoire non souverain au 31.10.98 (colonie, territoire associé à un État, territoire sous tutelle, territoire non incorporé, territoire d'outre-mer, etc.).*
• *État non membre de l'ONU au 31.10.98*
*Les **pays** en caractères gras bénéficient d'informations plus détaillées (statistiques, notamment).*

ACHEVÉ D'IMPRIMER EN NOVEMBRE 1998
SUR LES PRESSES DE TRANSCONTINENTAL IMPRESSION
IMPRIMERIE GAGNÉ, À LOUISEVILLE (QUÉBEC).